# A-Z TYNE and

C000184809

## CONTENTS

| | |
|---|---|
| Key to Map Pages | 2-3 |
| Large Scale Newcastle upon Tyne Centre | 4-5 |
| Map Pages | 6-181 |
| Index to Streets, ... and selected Places of Interest | 182-238 |
| Index to Hospitals, Health Centres and Hospices | 239-240 |

## REFERENCE

| | |
|---|---|
| Motorway | A1(M) |
| A Road | A1 |
| Under Construction | |
| Proposed | |
| B Road | B1288 |
| Dual Carriageway | |
| Tunnel | A19 |
| One Way Street | → |
| Traffic flow on A Roads is indicated by a heavy line on the driver's left. | |
| Large Scale Pages Only | ⇨ |
| Restricted Access | |
| Pedestrianized Road | |
| Track / Footpath | |
| Residential Walkway | |
| Railway | Level Crossing / Station / Heritage Sta. |
| Metro Network Stations | M |
| Local Authority Boundary | |
| Posttown Boundary | |
| Postcode Boundary within Posttowns | |
| Washington District Boundary | |
| Built Up Area | MLL ST. |

| | |
|---|---|
| Map Continuation | 54 / Large Scale City Centre 4 |
| Car Park Selected | P |
| Church or Chapel | † |
| Fire Station | ■ |
| Hospital | H |
| House Numbers Selected Roads | 13 / 8 / 4 |
| Information Centre | i |
| National Grid Reference | ⁴20 |
| Police Station | ▲ |
| Post Office | ★ |
| Toilet | ▽ |
| with Facilities for the Disabled | ♿ |
| Educational Establishment | |
| Hospital or Health Centre | |
| Industrial Building | |
| Leisure or Recreational Facility | |
| Place of Interest | |
| Public Building | |
| Shopping Centre or Market | |
| Other Selected Buildings | |

## SCALES

| Map Pages 6-181 1:14,908 | Map Pages 4-5 1:10,560 |
|---|---|
| 0 ¼ ½ Mile | 0 ¼ Mile |
| 0 250 500 750 Metres | 0 250 500 Metres |
| 4¼ inches (10.8 cm) to 1 mile   6.7 cm to 1 km | 6 inches (5.24 cm) to 1 mile   9.47 cm to 1 km |

## Copyright of Geographers' A-Z Map Company Ltd.

Head Office:
Fairfield Road, Borough Green, Sevenoaks, Kent TN15 8PP
Telephone: 01732 781000 (General Enquiries & Trade Sales)

Showrooms:
44 Gray's Inn Road, London WC1X 8HX
Telephone: 0171 440 9500 (Retail Sales)

www.a-zmaps.co.uk

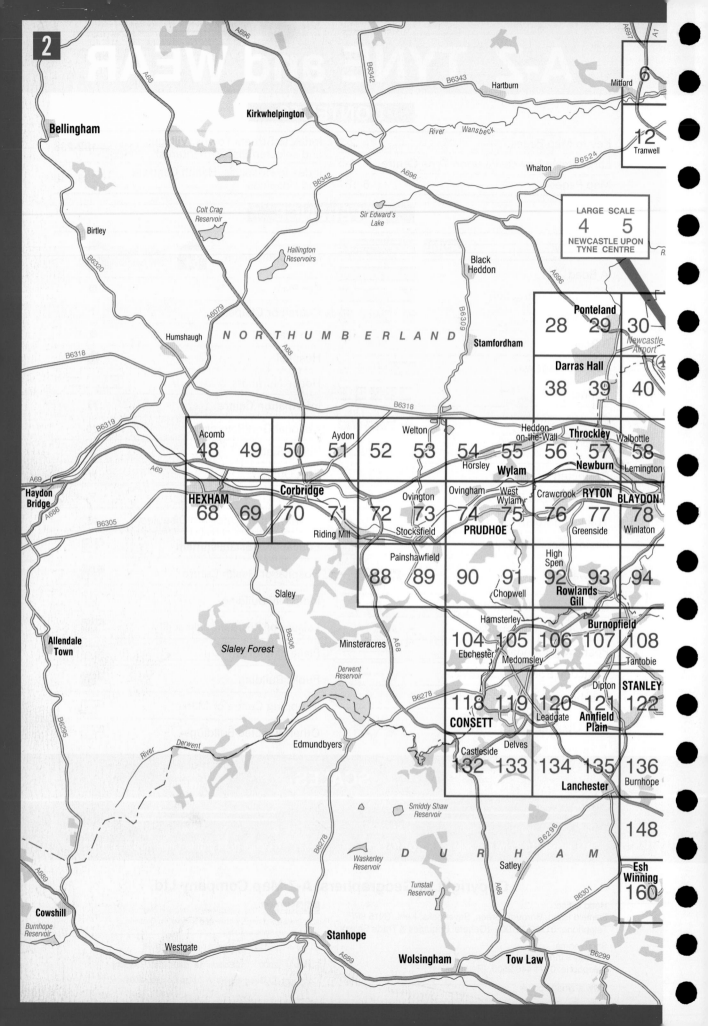

A-Z TYNE and WEAR

Bellingham

Kirkwhelpington

Hartburn

Mitford 6

River Wansbeck

Tranwell 12

Whalton

Birtley

Colt Crag Reservoir

Sir Edward's Lake

Hallington Reservoirs

Black Heddon

LARGE SCALE
4  5
NEWCASTLE UPON TYNE CENTRE

Humshaugh

N O R T H U M B E R L A N D

Stamfordham

Ponteland
28  29  30

Newcastle Airport

Darras Hall
38  39  40

Acomb
48  49

Aydon
50  51

Welton
52  53

Heddon-on-the-Wall
54  55

Throckley
56  57

Walbottle
58

Haydon Bridge

Horsley  Wylam

Newburn

Lemington

HEXHAM
68  69

Corbridge
70  71

Ovington
72  73

Ovingham  West Wylam
74  75

Crawcrook  RYTON
76  77

BLAYDON
78

Riding Mill

Stocksfield

PRUDHOE

Greenside

Winlaton

Painshawfield
88  89

90  91

High Spen
92  93

94

Slaley

Chopwell

Rowlands Gill

Hamsterley

Burnopfield

Allendale Town

Slaley Forest

Minsteracres

104  105

106  107  108

Ebchester  Medomsley

Tantobie

Derwent Reservoir

Dipton  STANLEY

118  119

120  121  122

Leadgate  Annfield Plain

CONSETT

Edmundbyers

River  Derwent

Castleside  Delves

132  133

134  135  136

Lanchester  Burnhope

Smiddy Shaw Reservoir

148

Waskerley Reservoir

D U R H A M

Satley

Esh Winning
160

Cowshill

Tunstall Reservoir

Burnhope Reservoir

Westgate

Stanhope

Wolsingham

Tow Law

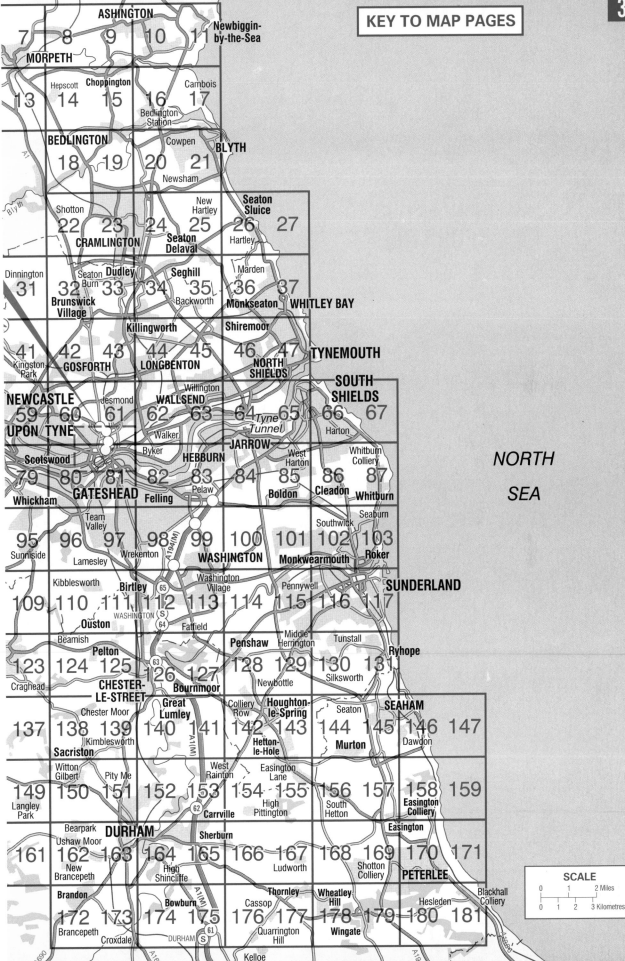

3

ASHINGTON
7   8   9   10   11   Newbiggin-by-the-Sea
MORPETH
Hepscott   Choppington   Cambois
13   14   15   16   17
Bedlington Station

BEDLINGTON   Cowpen   BLYTH
18   19   20   21
Newsham

New Hartley   Seaton Sluice
Shotton   22   23   24   25   26   27
CRAMLINGTON   Seaton Delaval   Hartley

Dinnington   Seaton Burn   Dudley   Seghill   Marden
31   32   33   34   35   36   37
Brunswick Village   Backworth   Monkseaton   WHITLEY BAY

Killingworth   Shiremoor
41   42   43   44   45   46   47   TYNEMOUTH
Kingston Park   GOSFORTH   LONGBENTON   NORTH SHIELDS

NEWCASTLE   Willington   SOUTH SHIELDS
59   60   61   62   63   64   65   66   67
UPON TYNE   Jesmond   WALLSEND   Tyne Tunnel   Harton

Scotswood   Byker   JARROW   West Harton   Whitburn Colliery
79   80   81   82   83   84   85   86   87
Whickham   GATESHEAD   Felling   Pelaw   HEBBURN   Boldon   Cleadon   Whitburn

Team Valley   Southwick   Seaburn
95   96   97   98   99   100   101   102   103
Sunniside   Lamesley   Wrekenton   WASHINGTON   Monkwearmouth   Roker

Kibblesworth   Washington Village   Pennywell   SUNDERLAND
109   110   111   112   113   114   115   116   117
Ouston   WASHINGTON (S)   Fatfield

Beamish   64   Middle Herrington   Tunstall
Pelton   123   124   125   126   127   128   129   130   131
Craghead   Penshaw   Newbottle   Silksworth   Ryhope

CHESTER-LE-STREET   Bournmoor   Colliery Row   Houghton-le-Spring   Seaton   SEAHAM
Chester Moor   Great Lumley   137   138   139   140   141   142   143   144   145   146   147
Kimblesworth   Hetton-le-Hole   Murton   Dawdon
Sacriston

Witton Gilbert   Pity Me   West Rainton   Easington Lane   Easington Colliery
149   150   151   152   153   154   155   156   157   158   159
Langley Park   Carrville   High Pittington   South Hetton

DURHAM   Sherburn   Easington
Bearpark   162   163   164   165   166   167   168   169   170   171
Ushaw Moor   161   Ludworth   Shotton Colliery   PETERLEE
New Brancepeth   High Shincliffe

Brandon   Bowburn   Thornley   Wheatley Hill   Blackhall Colliery
172   173   174   175   176   177   178   179   180   181
Brancepeth   Cassop   Hesleden
Croxdale   DURHAM (S)   Quarrington Hill   Wingate
Kelloe

NORTH

SEA

SCALE
0   1   2 Miles
0   1   2   3 Kilometres

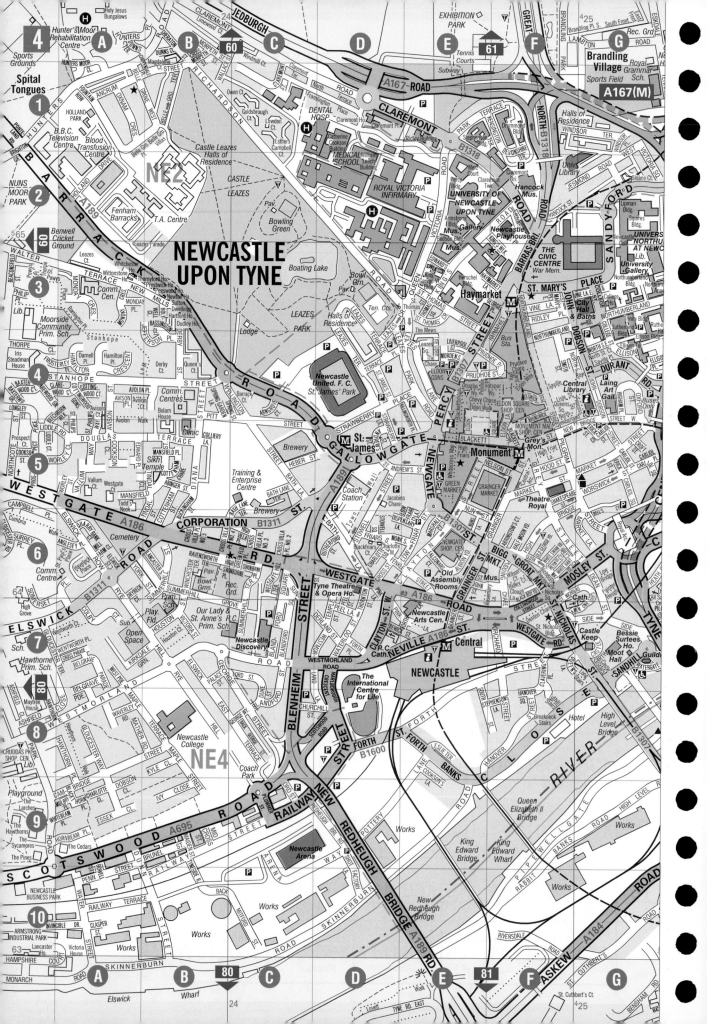

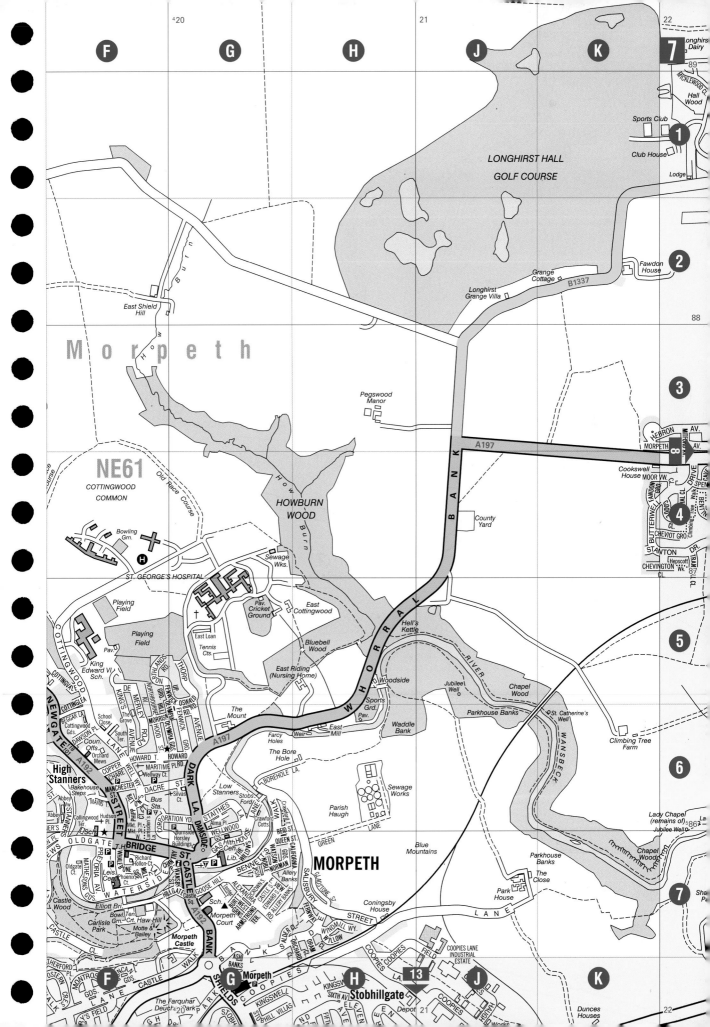

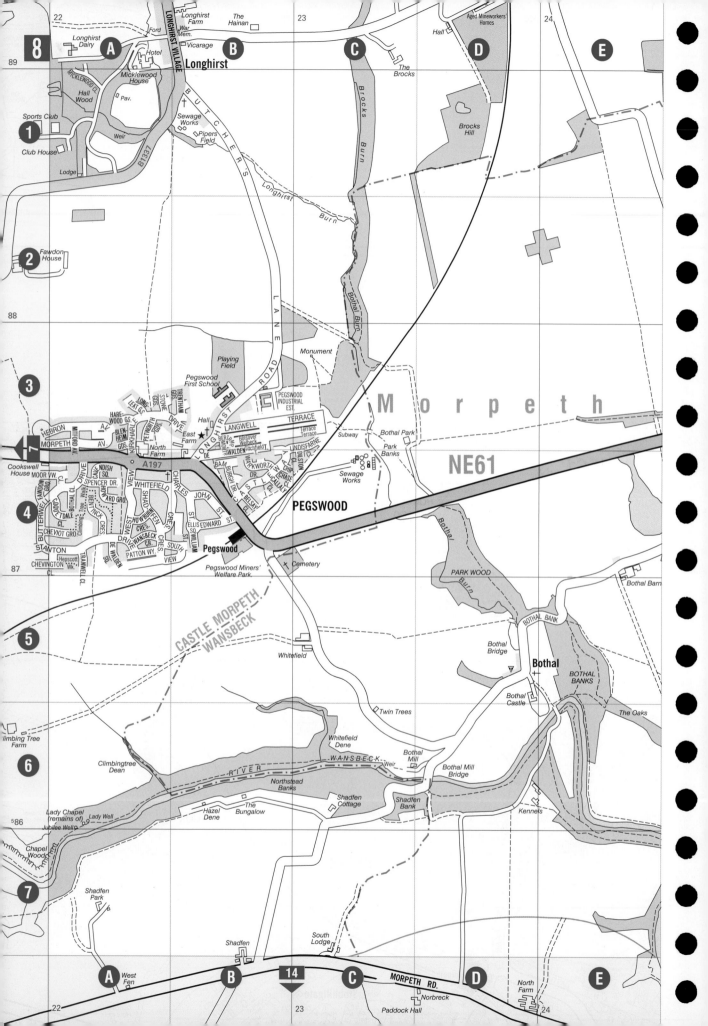

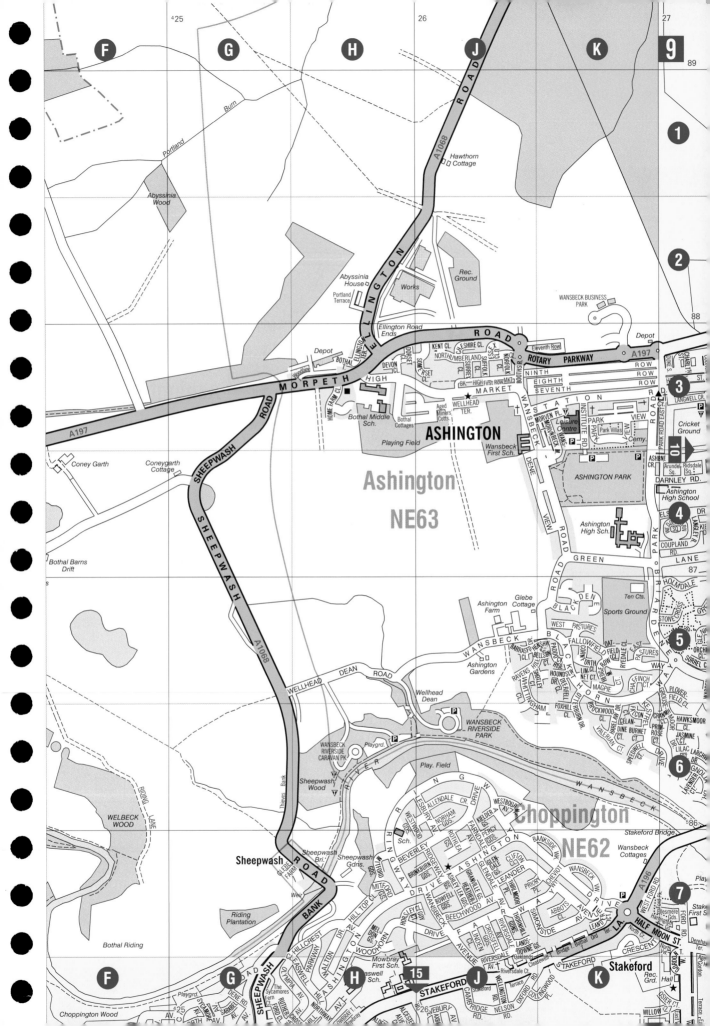

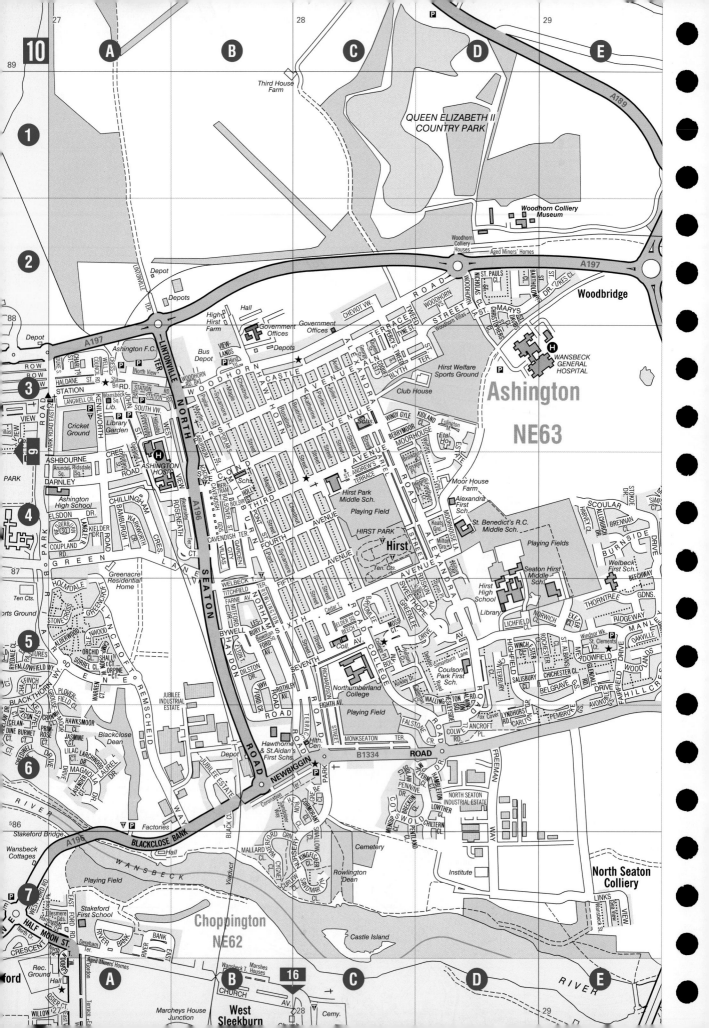

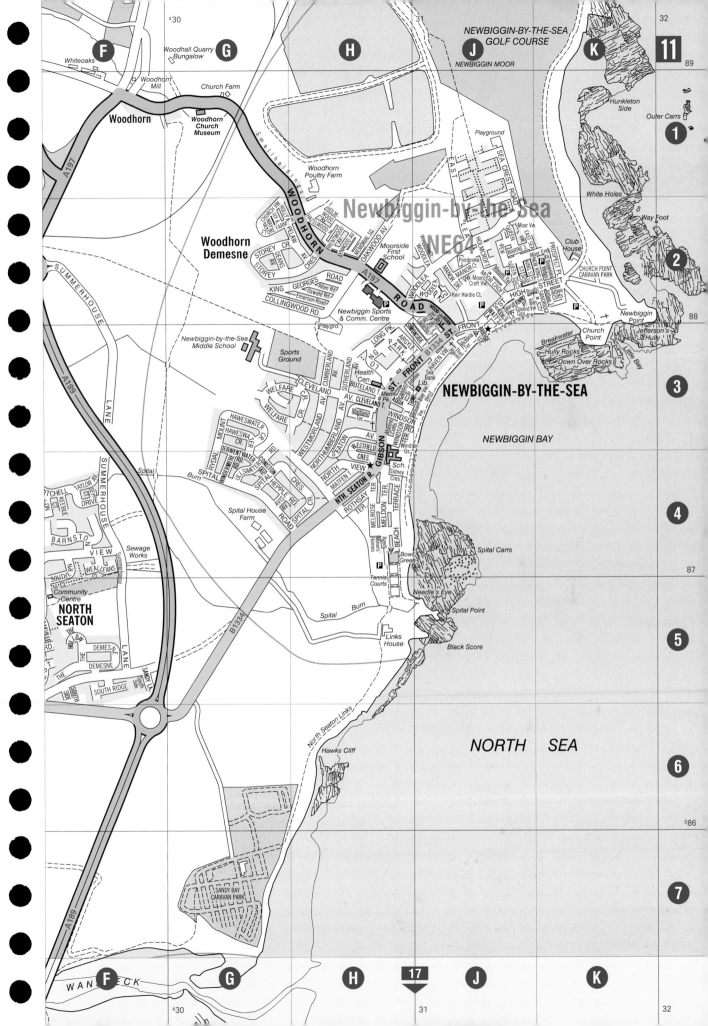

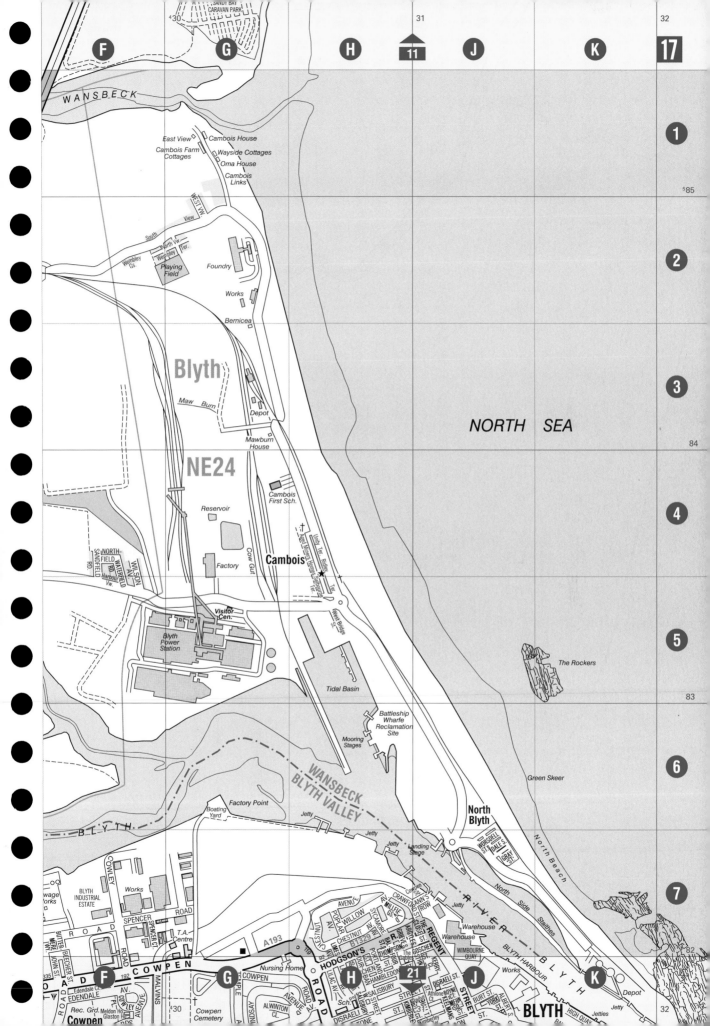

1

2

3

4

5

6

7

WANSBECK

SANDY BAY
CARAVAN PARK

⁵85

East View    Cambois House
Cambois Farm
Cottages    Wayside Cottages
Oma House
Cambois
Links

WEST VW.
View

South
North Vw.
Wembley   Ter.
Gs.   Wembley   Ter.
Playing
Field

Foundry

Works

Bernicea

**Blyth**

Maw   Burn

Depot

**NE24**

Mawburn
House

**NORTH SEA**

84

Reservoir

Cambois
First Sch.

Factory

Cow Gut

Aged Miners Homes
Unity Ter. Ridley
Ter. Selbourne
Ter.

**Cambois**

Visitor
Cen.

West Bridge St.

NORTH-
FIELD
SANDFIELD
RD.
WILSON
AV.
WATERFIELD
RD.
Harbour
Vw.
MERE
AV.

**Blyth Power
Station**

Tidal Basin

The Rockers

83

Battleship
Wharfe
Reclamation
Site

Mooring
Stages

WANSBECK
BLYTH VALLEY

Green Skeer

BLYTH

Factory Point

Boating
Yard

Jetty

Jetty

Jetty

Landing
Stage

**North
Blyth**

WORSDELL
ST.
DALE S.
GRAY ST.

North Beach

RIVER

North
Side
Staithes

BLYTH

82

COWLEY

Works

BLYTH
INDUSTRIAL
ESTATE

SPENCER

ROAD

Sewage
Works

EDENDALE

BUTTERMERE WY.
BECHER ST.
JOHN ST.
ROAD

SPENCER CT.

T.A.
Centre

A193

COWPEN

Nursing Home

**HODGSON'S**

COWPEN
MALVINS
MAPLE

AVENUE
POPLAR
WILLOW
CHESTNUT
LILAC AV.

B1329

SYCAMORE
WILLEY S.
COWPEN

AVENUE
ROAD

LINDSAY
ALWINTON
CL.

Cowpen
Cemetery

CRAWFORD'S ROW
ARDLES ST.
CHEN
ARDLES ST.
THOMPSON ST.
PORTLAND ST.
Sch.
CHEVIOT ST.
CLARE ST.
HAMBLEDON ST.
SALISBURY ST.
DISRAELI ST.
TYNE ST.

Cowpen
Sq.

THE
GOSCHEN ST.
Gables

**REGENT**
KERRY
Athlone

STREET

DISRAELI ST.
ALBERT S.
BOYNE ST.
BURT ST.
KEEL MANS
NORTH ST.
WIMBOURNE ST.

Warehouse

Warehouse

WIMBOURNE
QUAY

Works

BLYTH HARBOUR

**BLYTH**
HIGH QUAY

Jetty

Depot

Jetty
Jetties

⁴30

**Cowpen**

Edendale Ct.
Meldon Ho.
Rec. Grd.   Glaston Ho.

⁴30

**18**

82

18 A B **14** West Farm C **Nedderton** D E

Netherton Lane

NETHERTON LANE

Hopscott Park

Moor Farm Estate

1 The New Bungalow

The Cottage
The Bungalow

STANNINGTON STATION ROAD A192 B1331

The Grange
Netherton Hall

North Farm

The Croft

South Farm

OAKDALE

West Plantation

Works

NETHERTON WOOD

2

Fox Covert

South Plantation

81

Netherton Moor

Pegwhistle Burn

3

Netherton Park Assessment Centre

Netherton Moor Farm

A192

Hartford Home Farm

Hartford Caravan Site

4 Low Middle Moor

P Visitors Centre

SHIELDS ROAD

Hartford Bridge

A1068

Hartford Dr.

Hartford Wood

**Morpeth**

East Moor

Hartford Bridge Farm

PLESSEY WOODS COUNTRY PARK

Four Acres

Hartford Hall

HARTFORD BANK

Hartford Bridge

80

**NE61**

Ford

Castle Morpeth
Blyth Valley

Chapel Close

A192

5

Plessey Mill Farm

Briery Hill

Stannington Banks

RIVER BLYTH

Plessey Banks

Plessey Flats

6 Plessey Wood

STANNINGTON VALE

Plessey Flats

LANE

79 Fox Hill

Plessey Hall Farm

Plessey Hall Dene

SHOTTON

STANNINGTON

WINDMILL INDUSTRIAL ESTATE

A1068

7 Stottford Dene

A B **22** C D Chemical Works E

FISHER

22 23 24

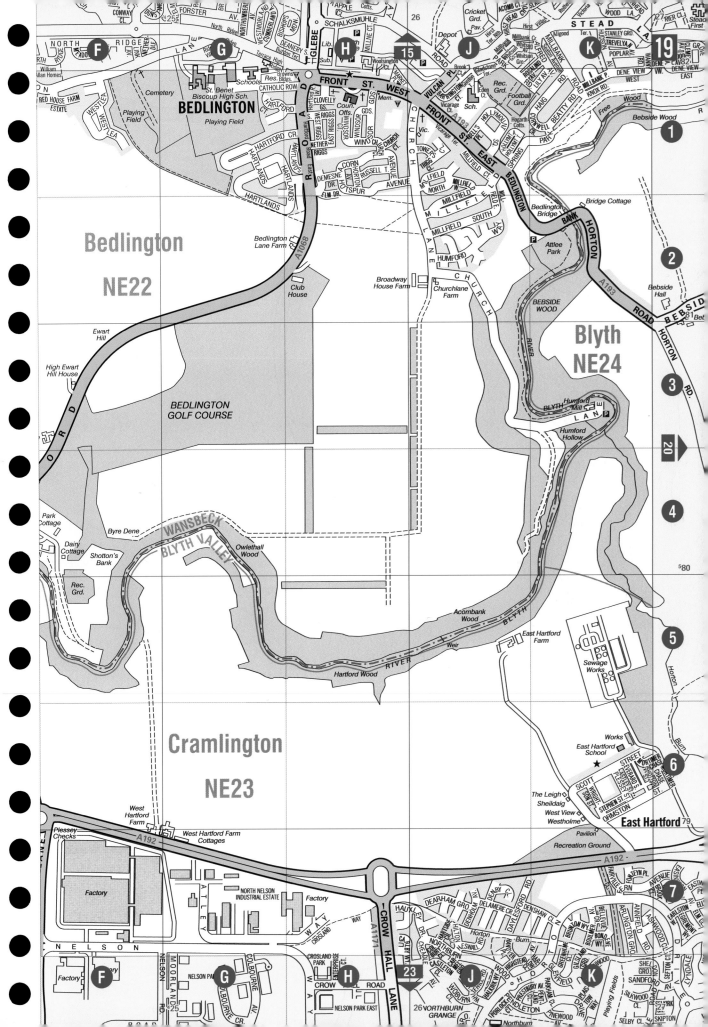

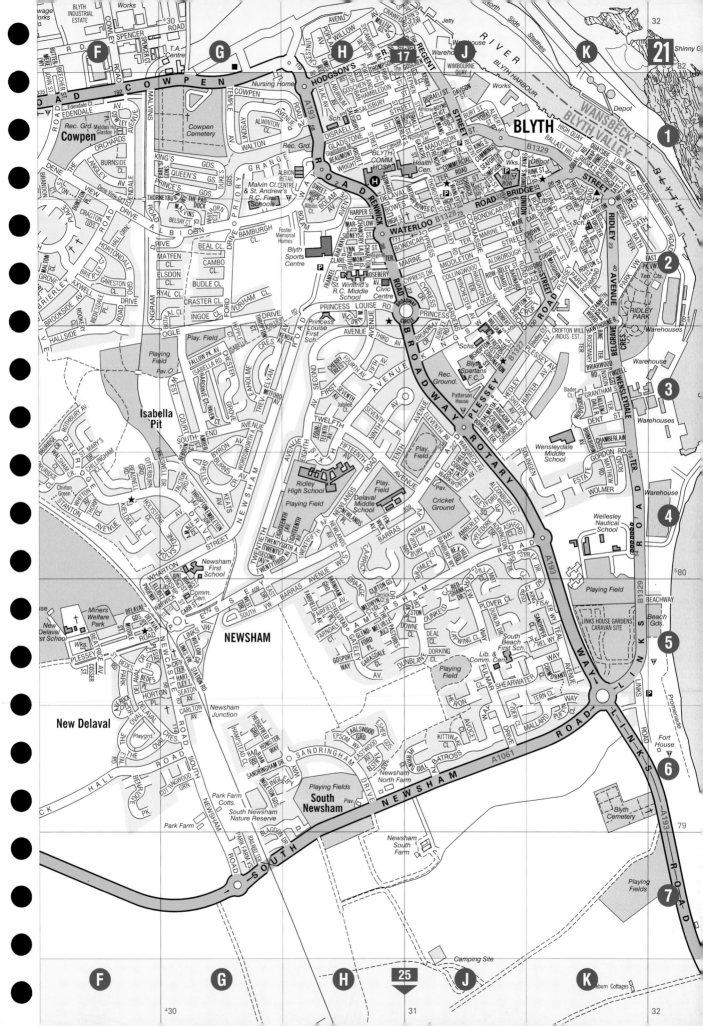

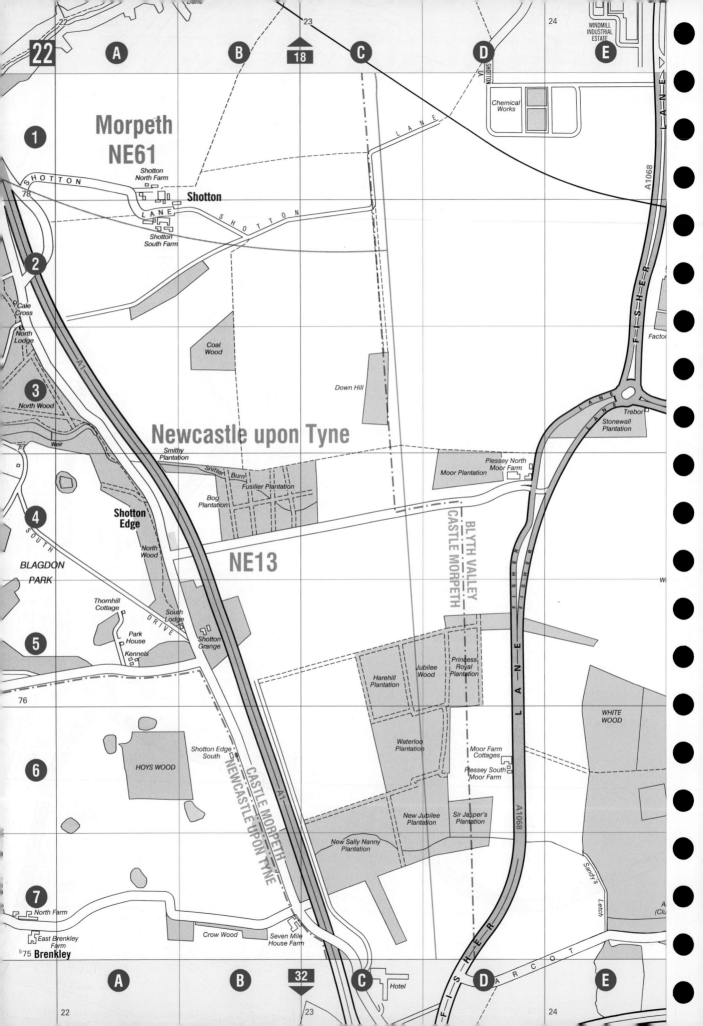

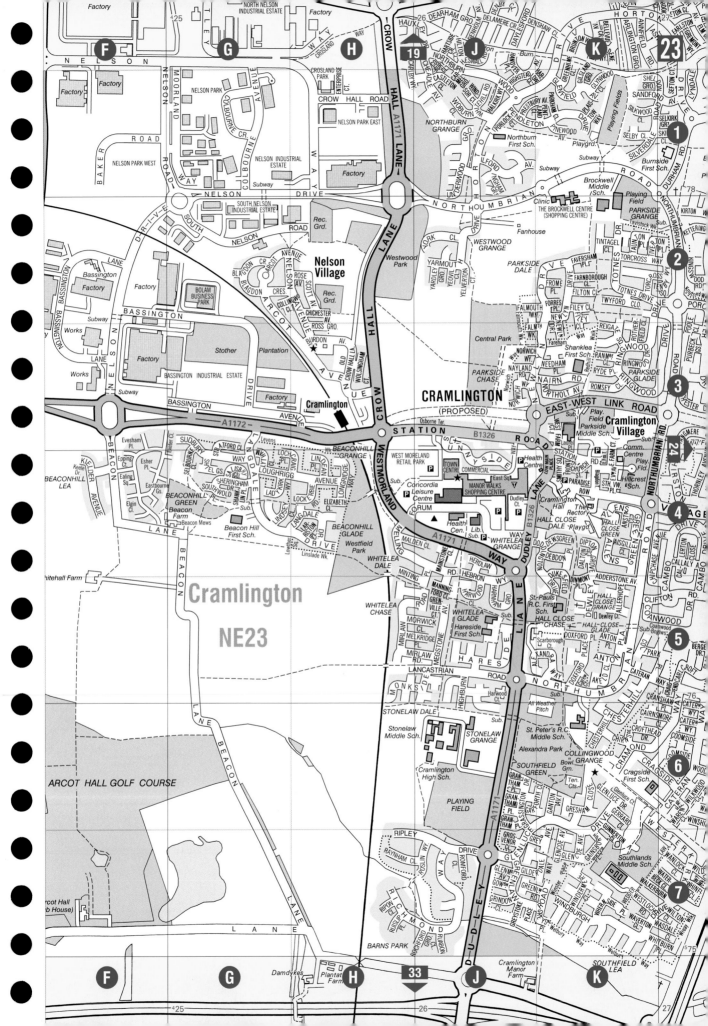

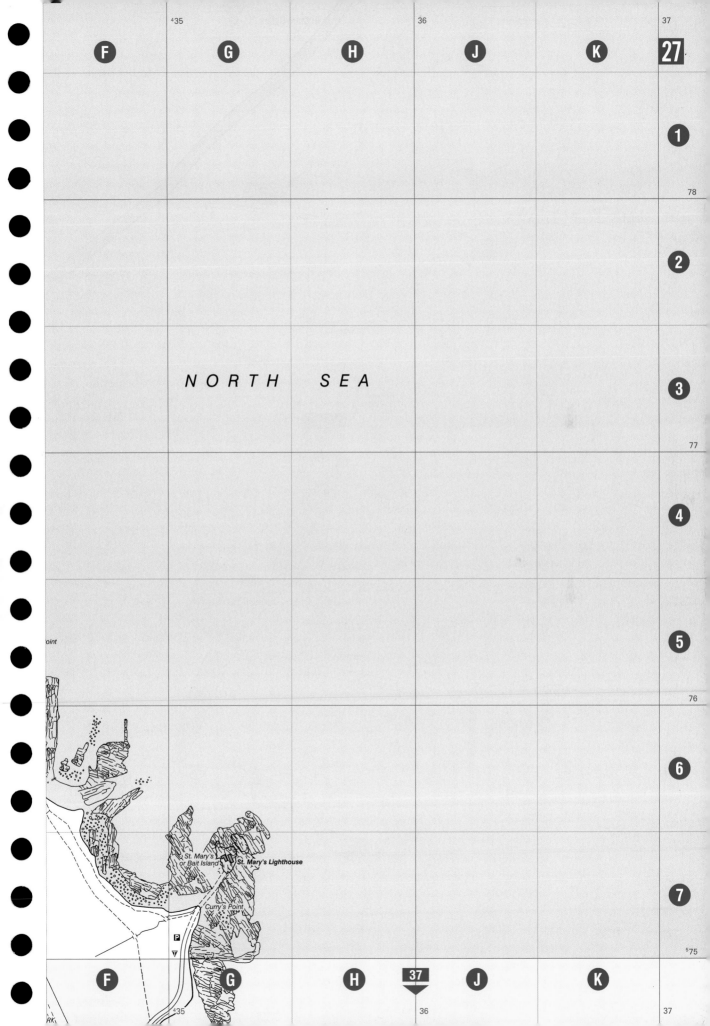

4 35    36    37

1

78

2

3

77

*N O R T H    S E A*

4

5

oint

76

6

7

St. Mary's
or Bait Island    St. Mary's Lighthouse

Curry's Point

P

5 75

4 35    36    37

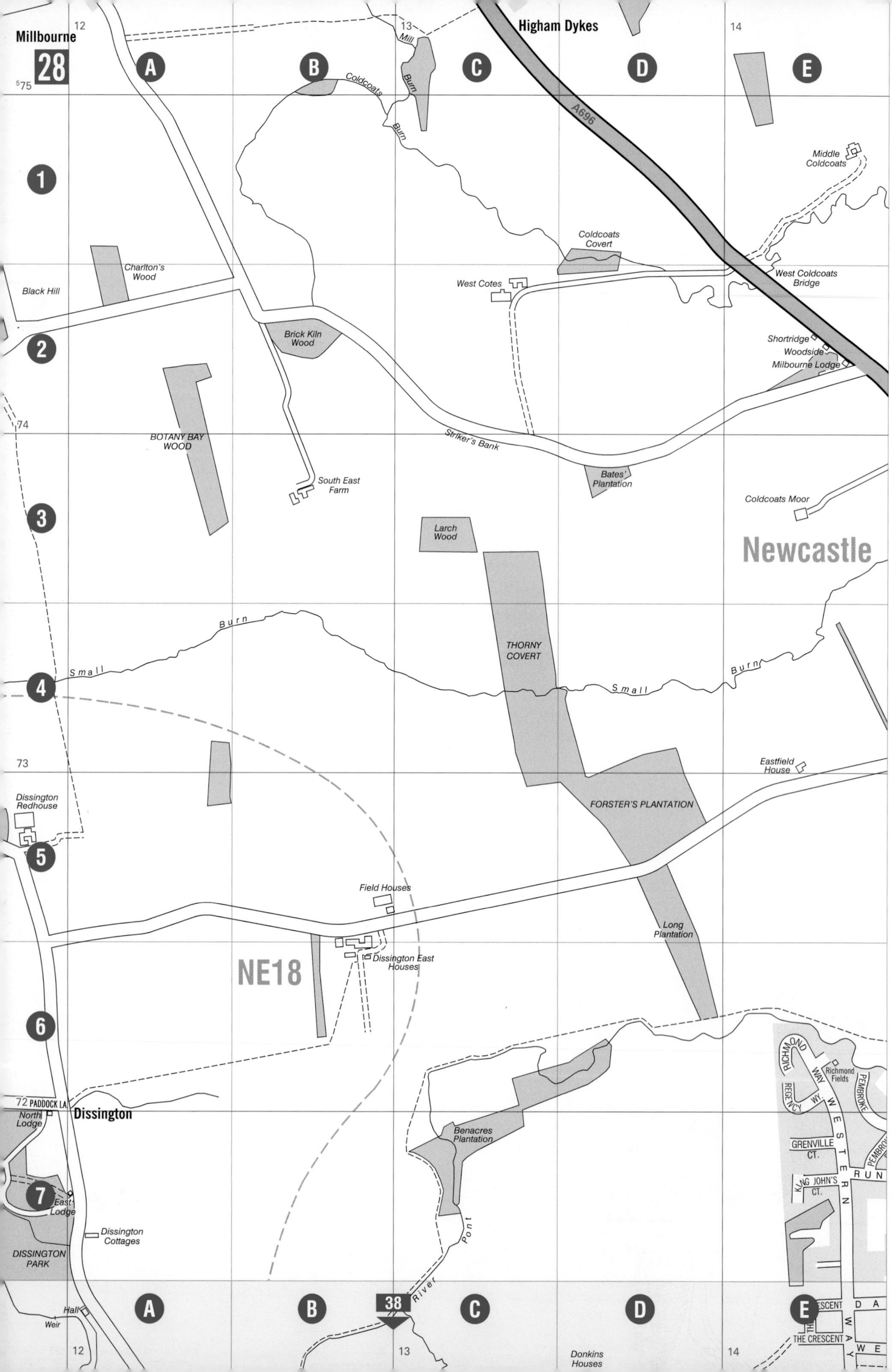

Millbourne
28
Higham Dykes
A
B
C
D
E
Coldcoats
Mill
Burn
A696
Middle Coldcoats
Charlton's Wood
Black Hill
Coldcoats Covert
West Cotes
West Coldcoats Bridge
Brick Kiln Wood
Shortridge
Woodside
Milbourne Lodge
BOTANY BAY WOOD
Striker's Bank
South East Farm
Bates' Plantation
Coldcoats Moor
Larch Wood
Newcastle
THORNY COVERT
Small Burn
Eastfield House
Dissington Redhouse
FORSTER'S PLANTATION
Field Houses
Long Plantation
Dissington East Houses
NE18
PADDOCK LA
North Lodge
Dissington
Richmond Fields
RICHMOND WAY
REGENCY WY
PEMBROKE
WESTERN
GRENVILLE CT.
KING JOHN'S CT.
RUN
Benacres Plantation
East Lodge
Dissington Cottages
DISSINGTON PARK
Pont
River
38
Hall
Weir
THE CRESCENT
DA
WAY
WE
Donkins Houses

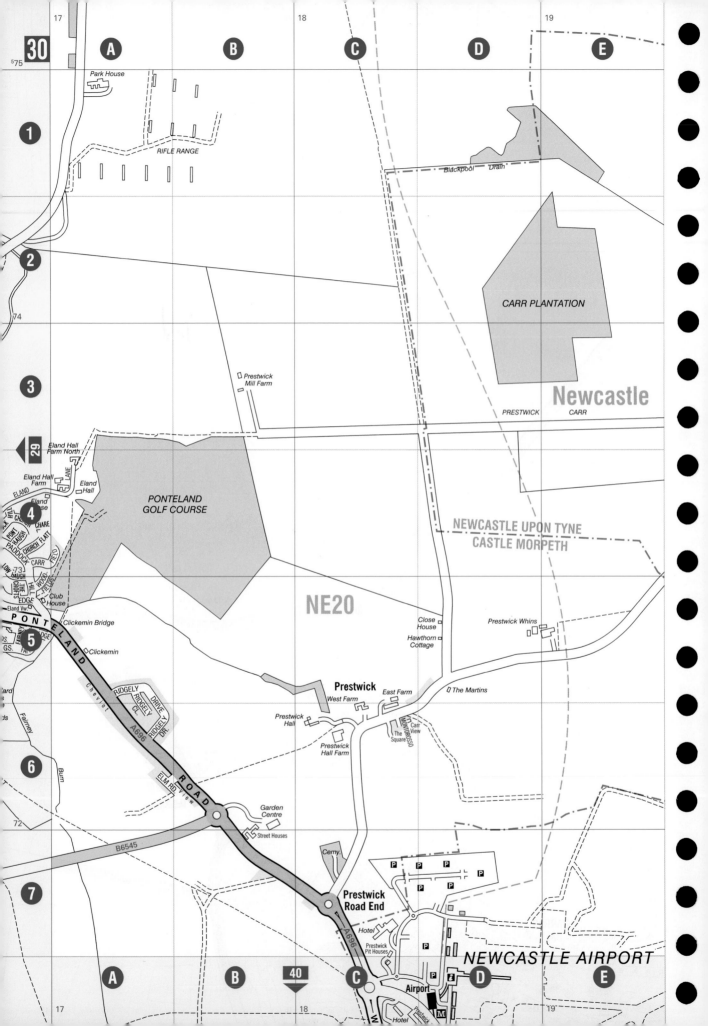

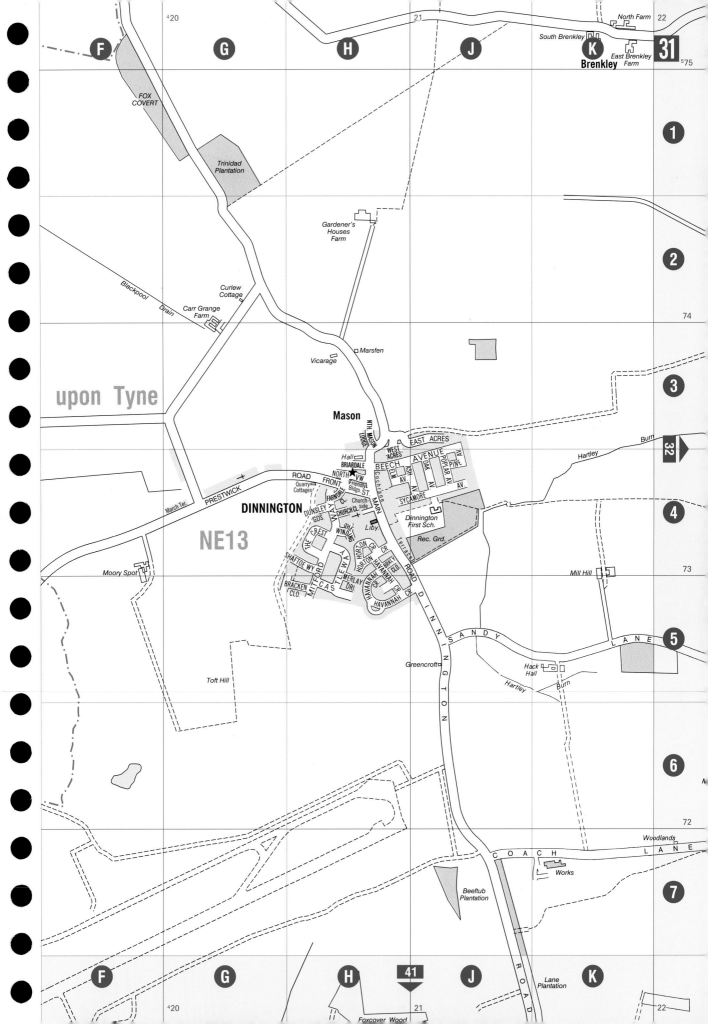

F
G
H
J
K

North Farm
South Brenkley
East Brenkley Farm
**Brenkley**

1

FOX COVERT

Trinidad Plantation

2

Gardener's Houses Farm

Blackpool Drain

Curlew Cottage

Carr Grange Farm

74

□ Marsfen

Vicarage

3

**upon Tyne**

**Mason**

NTH. MASON LODGE

Hall
**BRIARDALE**
NORTH
YW

EAST ACRES
WEST ACRES

BEECH
AVENUE
ELM AV.
ASH AV.
OAK AV.
POPLAR AV.
PINE AV.

Burn

Hartley

**32**

ROAD
FRONT

Quarry Cottages
Friendly Bldgs. ST.

Coch' Lane

SYCAMORE

AV.

PRESTWICK

March Ter.

**DINNINGTON**

Church CL.
Church-side
FARNDALE
DUNSLEY GDS.
Liby.

MAIN

Dinnington First Sch.

Rec. Grd.

4

**NE13**

THE CREST
THE WINDING
SHAFTOE WY
MITFORD
LLEWA
CAS
MERLAY DRI
HORTON
HORTON CR.
HAVANNAH CR.
BIRKEY CLO.
HAVANNAH CR.
Terrace
ROAD

Moory Spot

BRACKEN CLO.

HAVANNAH

Mill Hill

73

DINNINGTON

SANDY

5

Greencroft

Hack Hall
Hartley
Burn

LANE

Toft Hill

6

72

Woodlands

COACH
LANE

Works

Beeftub Plantation

7

ROAD

F
G
H
**41**
J
Lane Plantation
K

Foxcover Wood

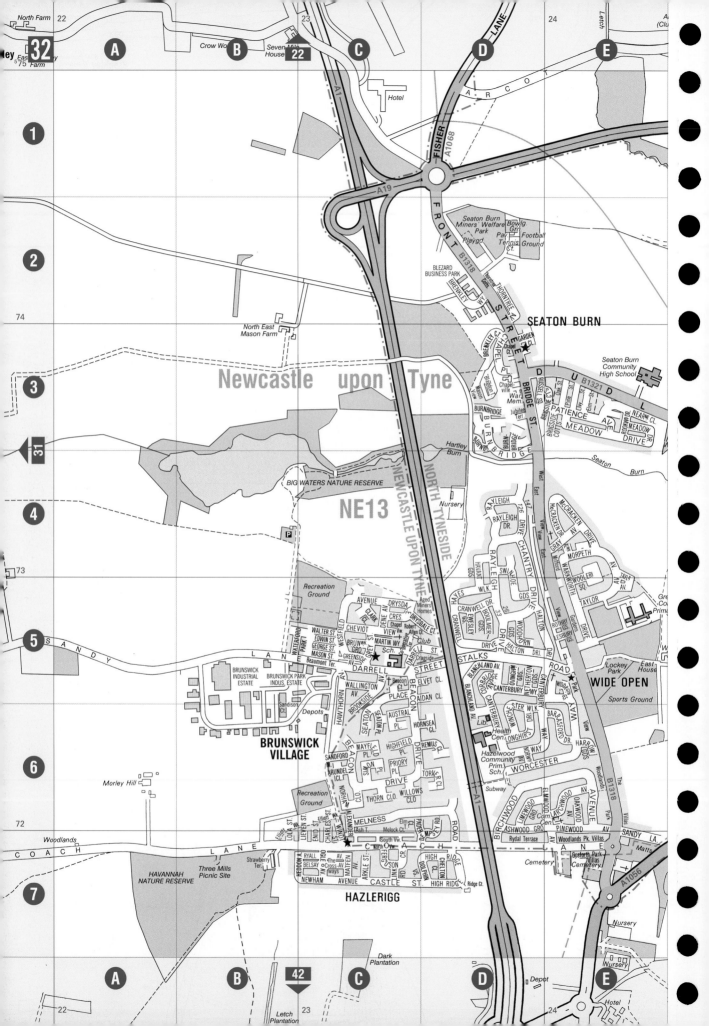

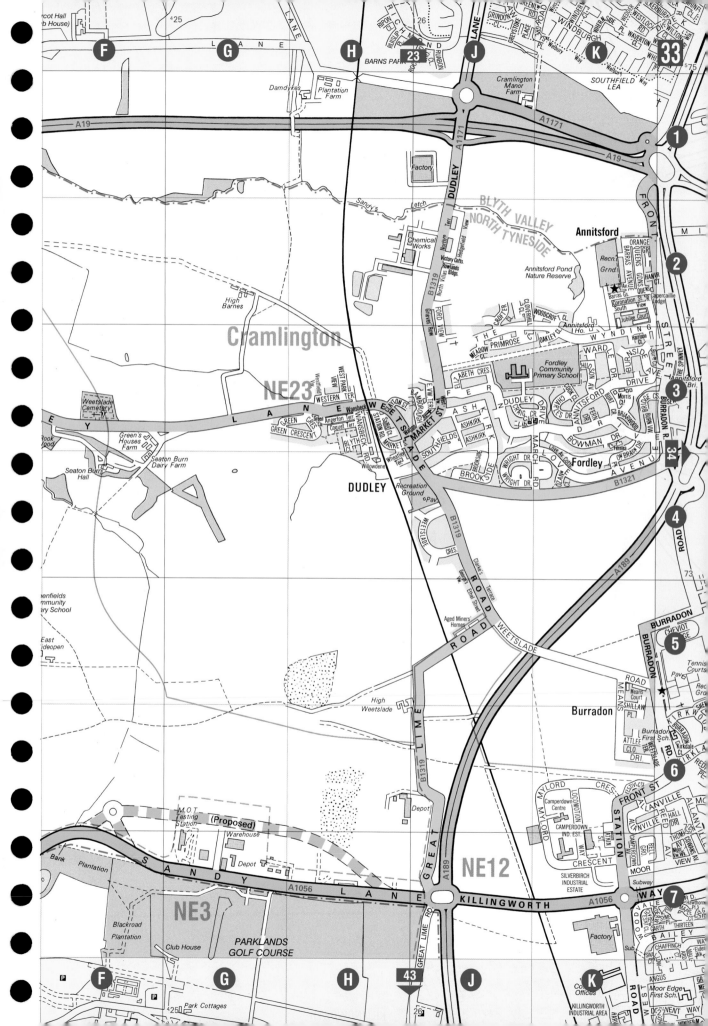

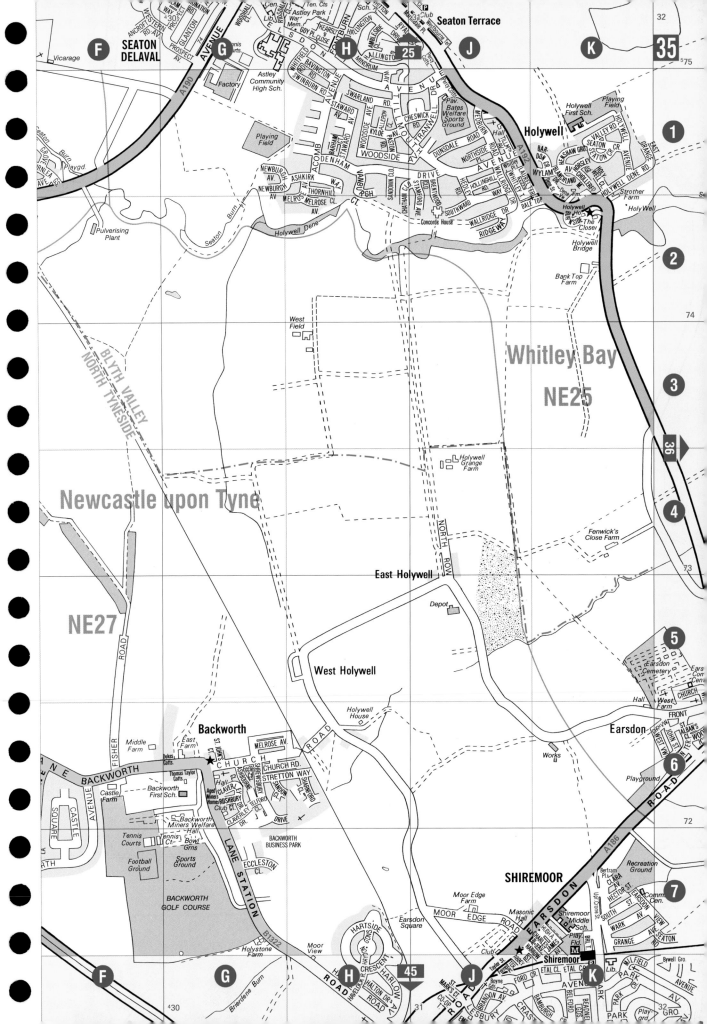

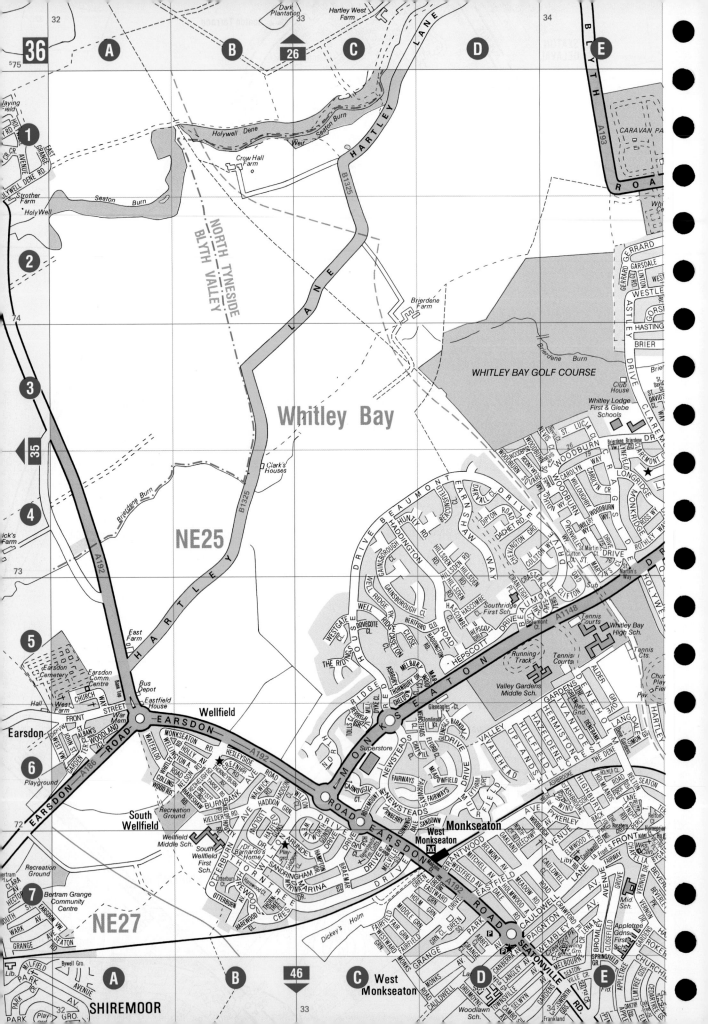

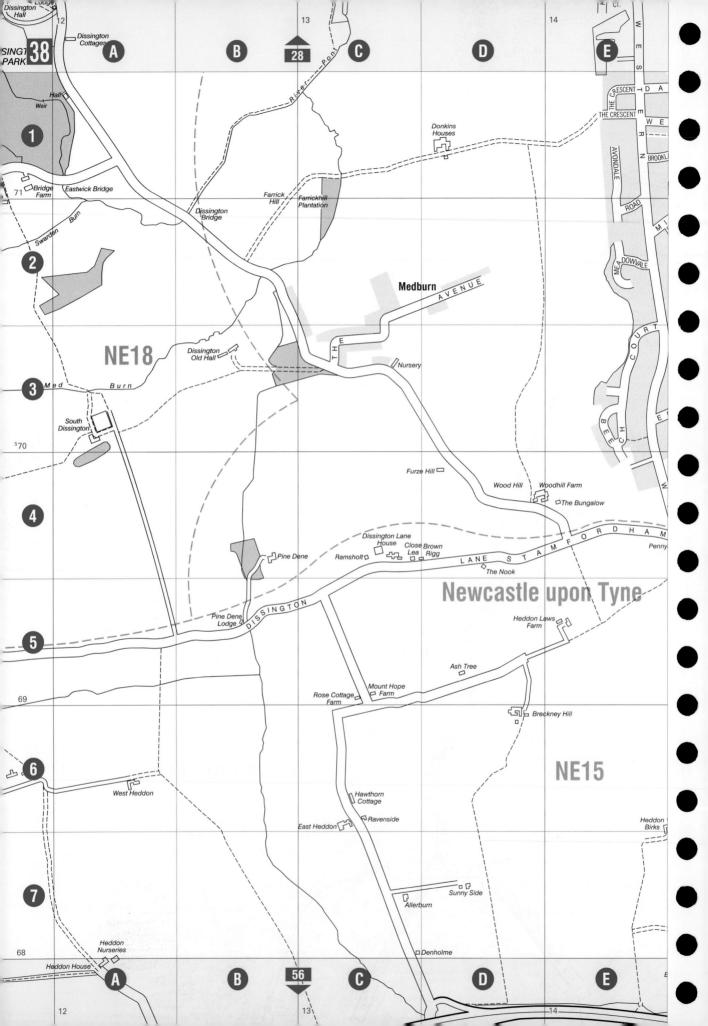

SINGT PARK

**38**

Dissington Hall

Lodge

12

Dissington Cottages

**A**

**B**

**28**

**C**

**D**

**E**

13

14

THE CRESCENT

THE CRESCENT

AVONDALE ROAD

MILL

MEADOWVALE

BEECH COURT

WESTERN DA

WE

BROOKL

**1**

Hall

Weir

Donkins Houses

Bridge Farm

71

Eastwick Bridge

Dissington Bridge

Swarden Burn

Farrick Hill

Farrickhill Plantation

**2**

River Pon

**Medburn**

AVENUE

THE

**NE18**

Med Burn

Dissington Old Hall

Nursery

**3**

South Dissington

⁵70

Furze Hill

Wood Hill

Woodhill Farm

The Bungalow

**4**

Pine Dene

Dissington Lane House

Ramsholt

Close Lea

Brown Rigg

The Nook

LANE

STAMFORDHAM

Penny

**Newcastle upon Tyne**

Pine Dene Lodge

DISSINGTON

Heddon Laws Farm

**5**

Ash Tree

69

Mount Hope Farm

Rose Cottage Farm

Breckney Hill

**NE15**

**6**

West Heddon

Hawthorn Cottage

Ravenside

Heddon Birks

East Heddon

**7**

Sunny Side

Allerburn

68

Heddon Nurseries

Denholme

Heddon House

**A**

**B**

**56**

**C**

**D**

**E**

12

13

14

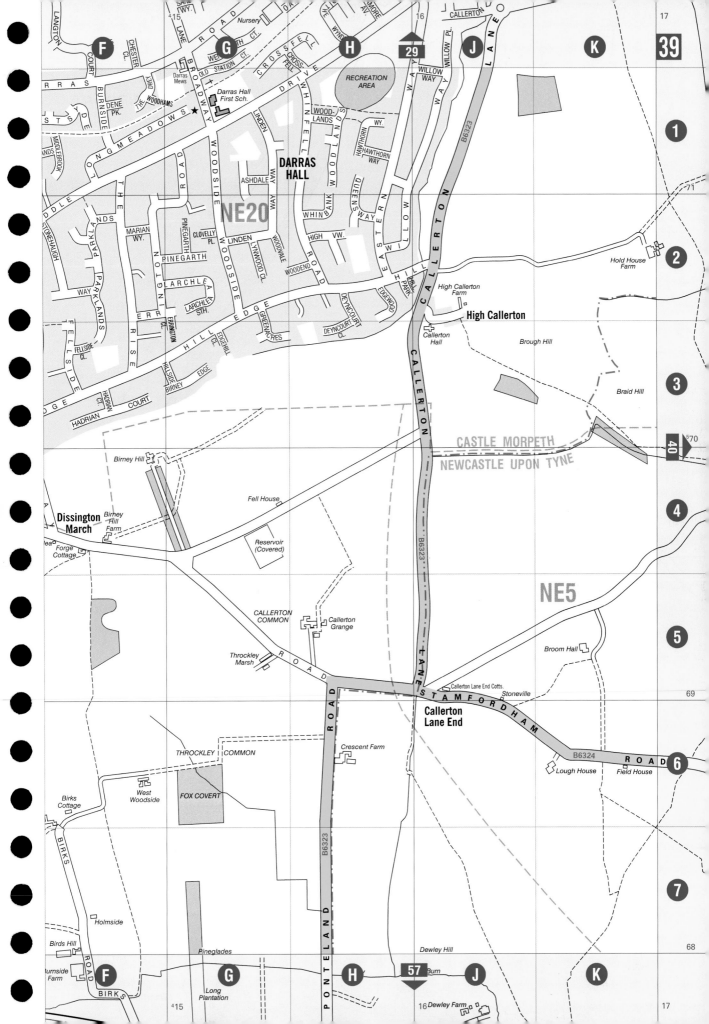

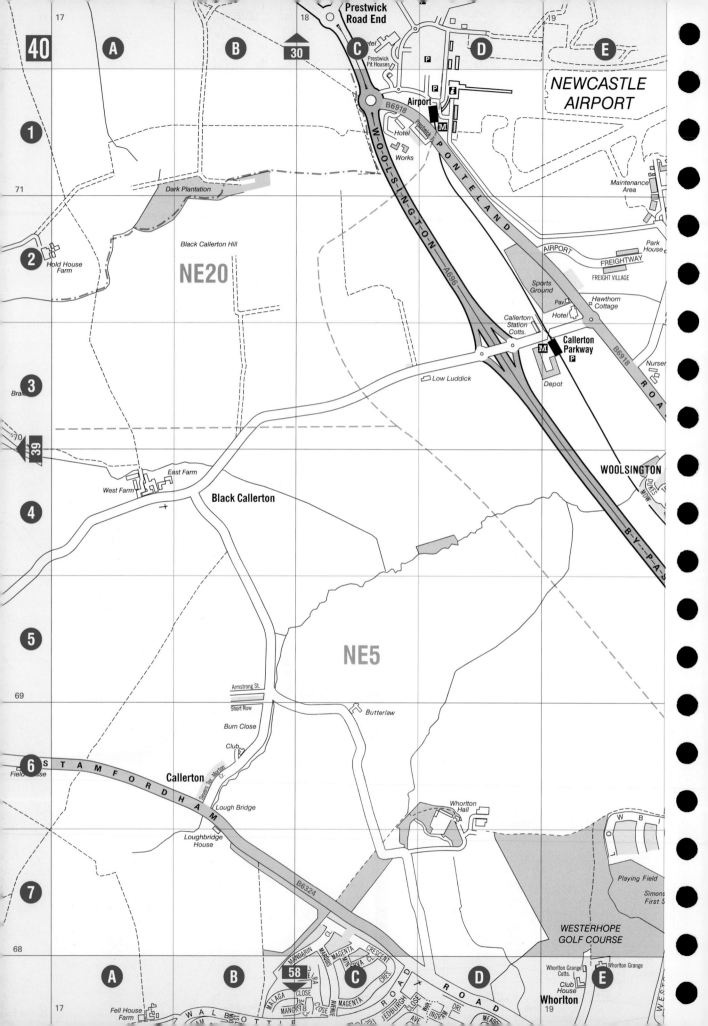

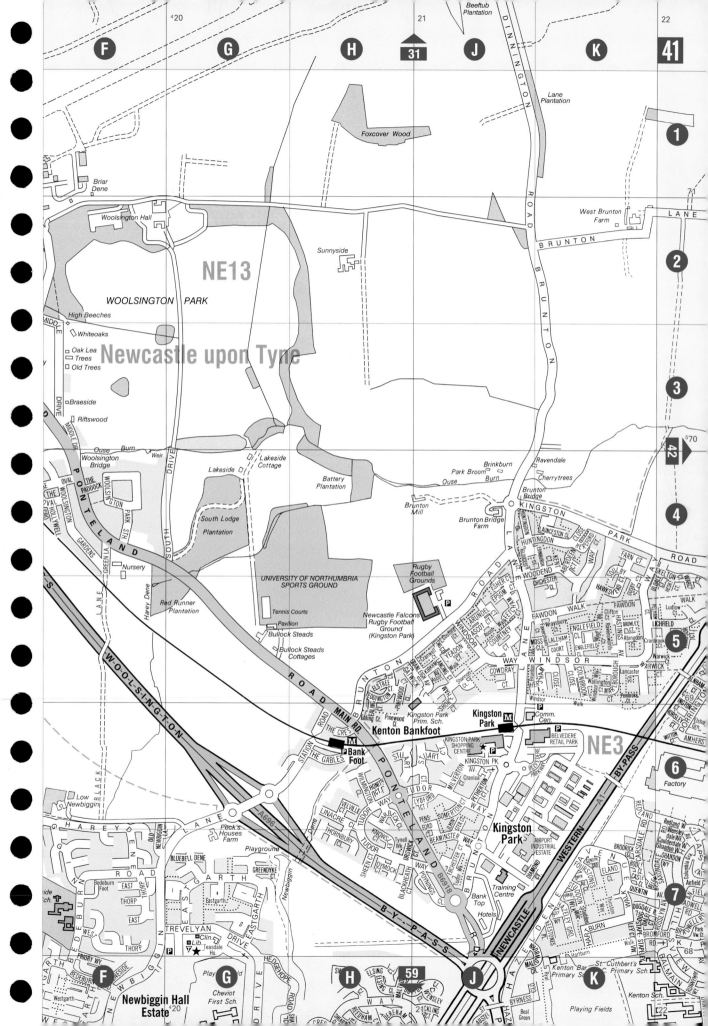

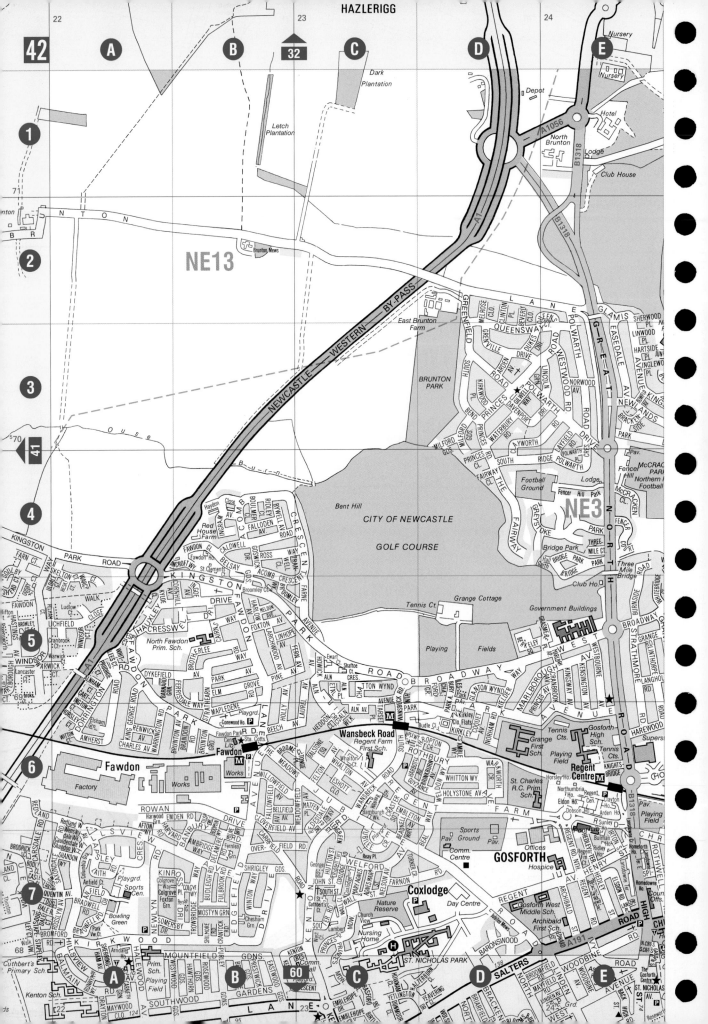

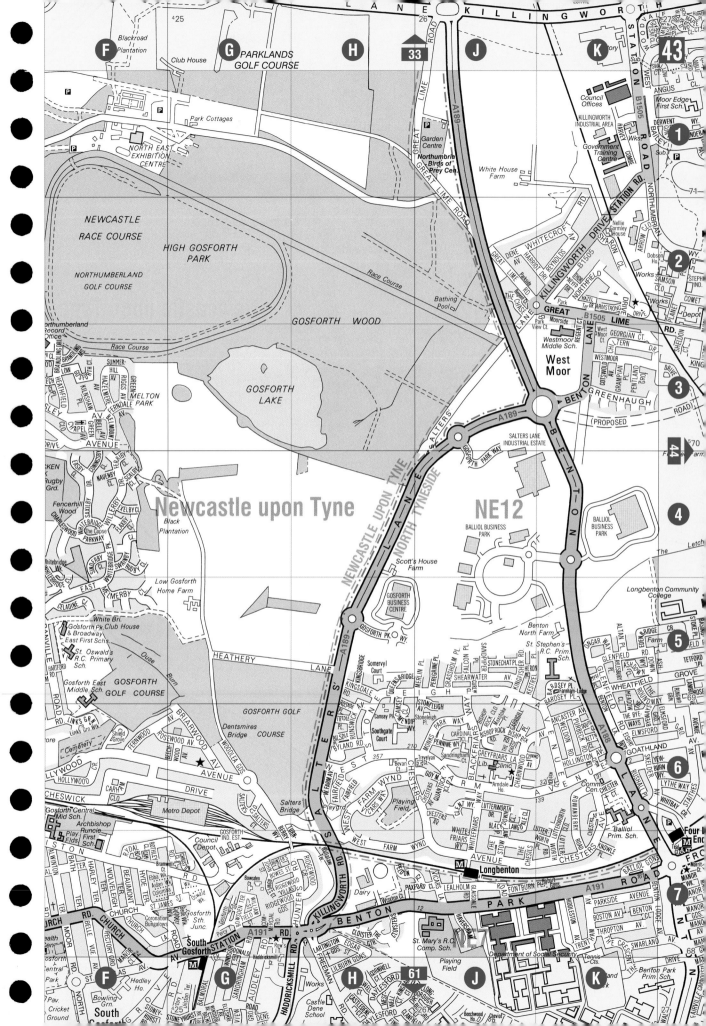

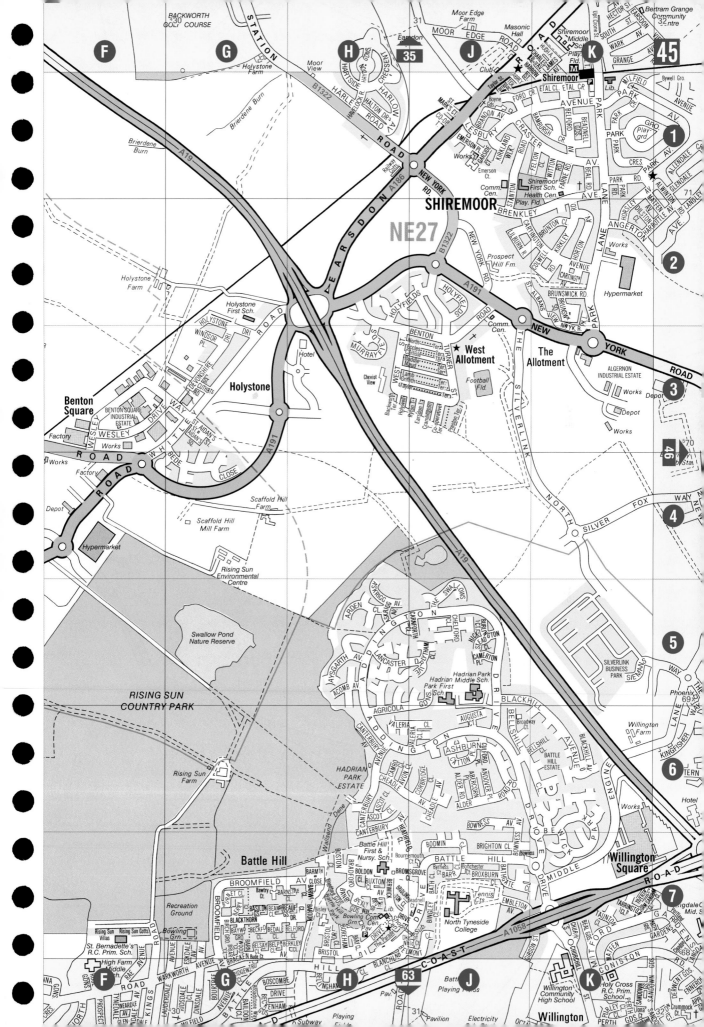

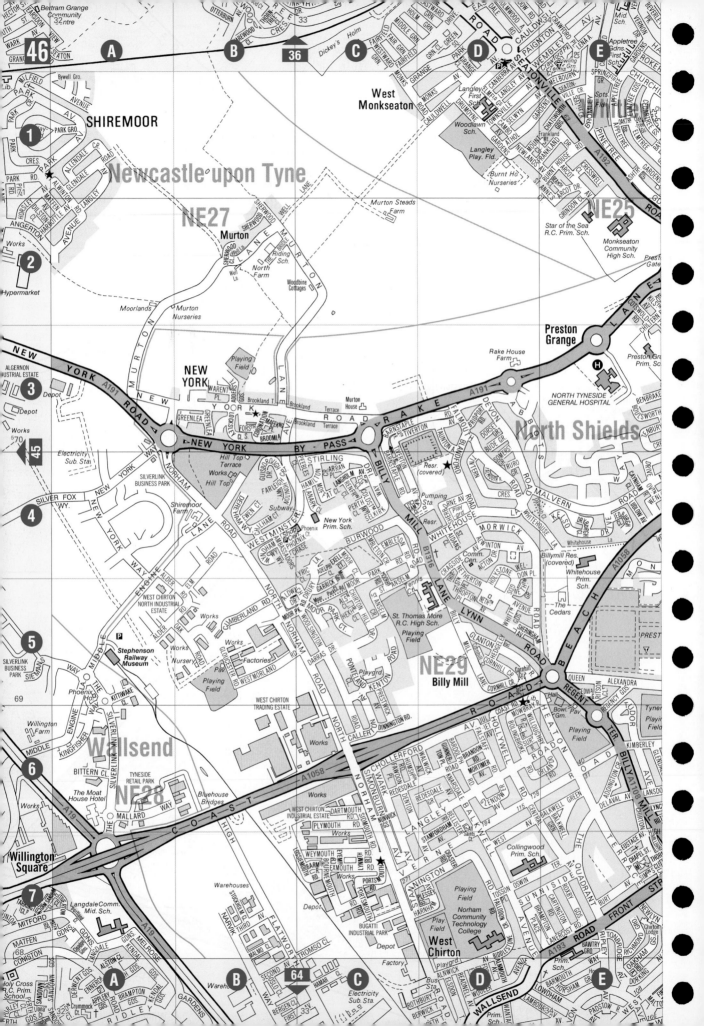

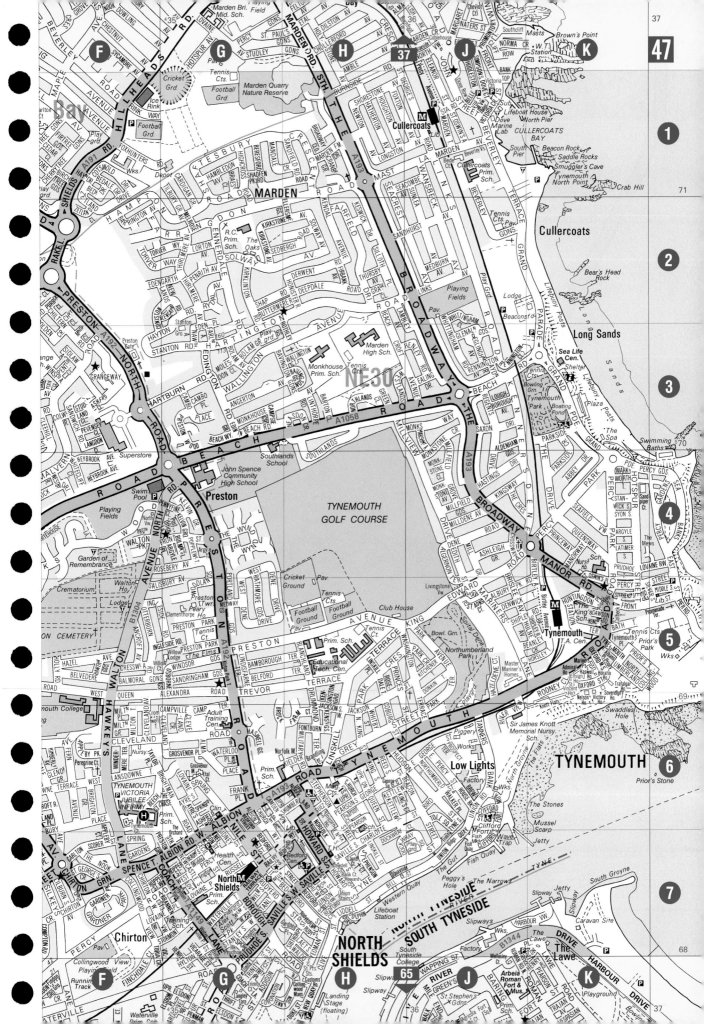

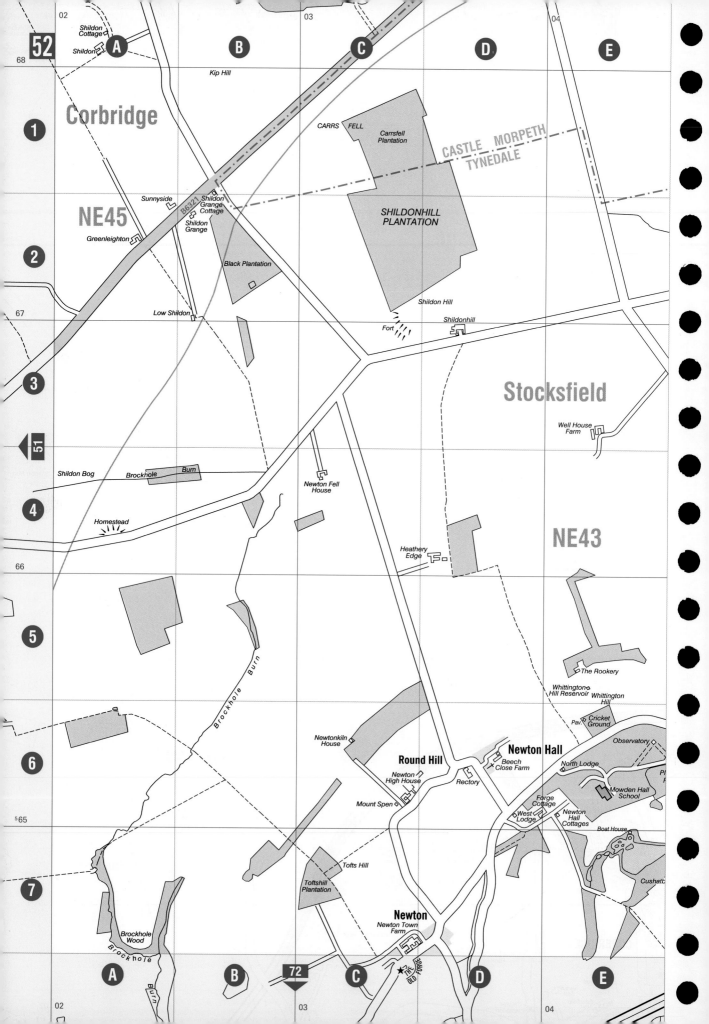

**A** **B** **C** **D** **E**

1

Whittle Dene    Watercourse

Broom
Cottage

2

Works

Spital Villas

67

3

Bogle    Burn

Spital

Marlow
Sike

53

Whirl Dub

4

Whittle

66

5

Lonkin's Hall
(remains of)

A69

Whittle Dene

Whittle
Farm

6

Swarden Dene

65

Gills
Crag

7

Hunter's Hill

Whittle
Dene

Whittle

Eddybroth
Well

Burn

Tresco

B6318

CASTLE    MORPETH
TYNEDALE

North Side
Farm

Lousy

Newcastle

Duns Law

Horsley
Hills

Horsley Hill

Stoney Hill

Hill Croft

LEAD GATE

DUNSLOW CFT.

Horsley Fell

CROFTS LA.

HIGHCROFTS

CHERRY TREE 6S.

South Farm

Croft's

**Horsley**

Water
Treatment
Works

Fellside House

B6528

LANE

High Barns
Farm

Pike Hill

Nelson's Hill

Gallow Hill

Hunter's Bank

**Prudhoe**

GALLOW HILL

**NE42**

Mount Huly

Duke's
Dene

**A** **B** 74 **C** **D** **E**

07    08    09

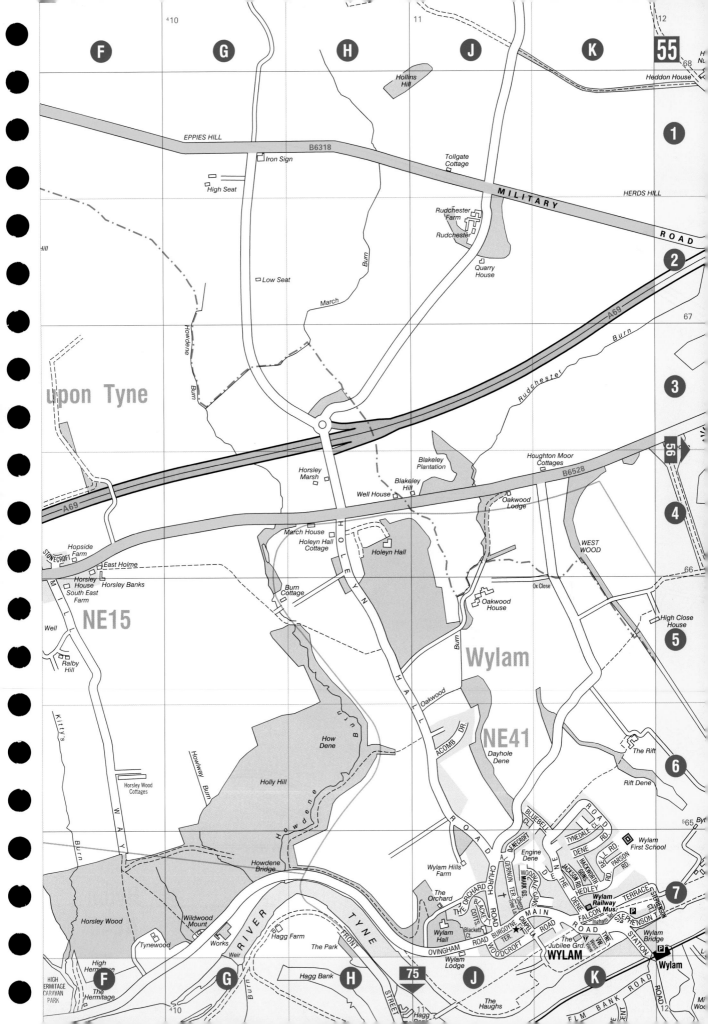

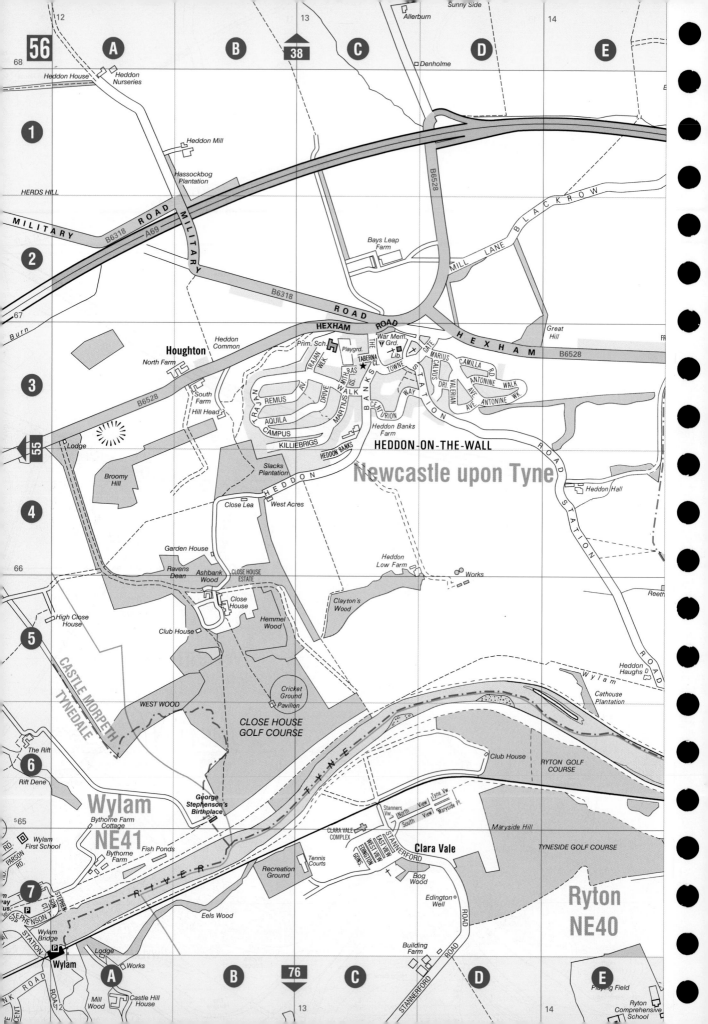

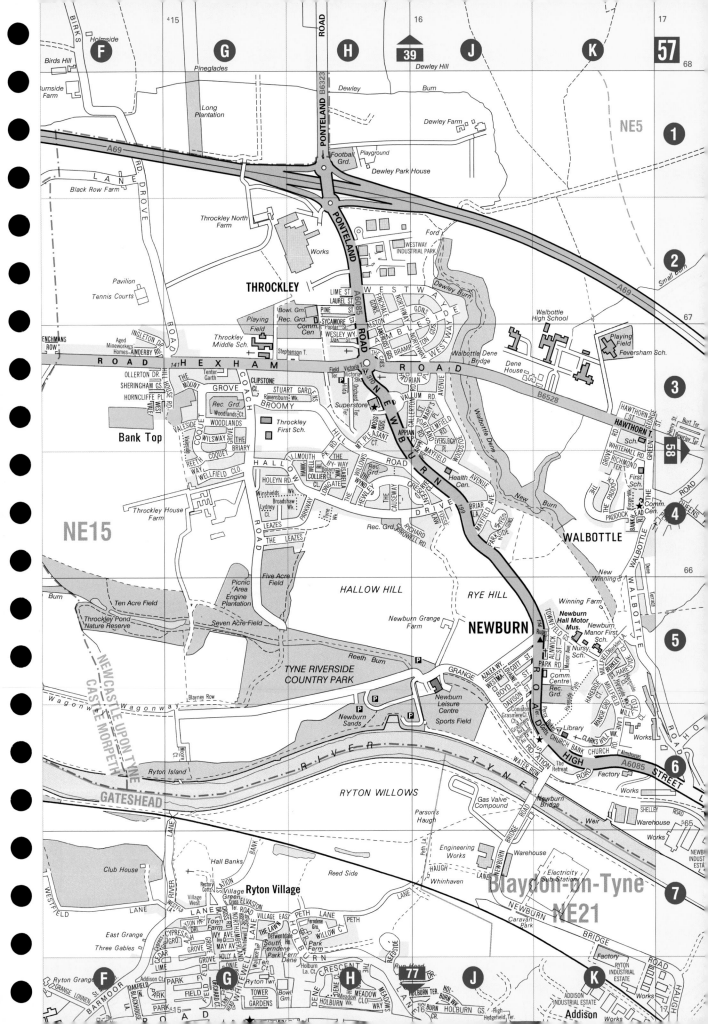

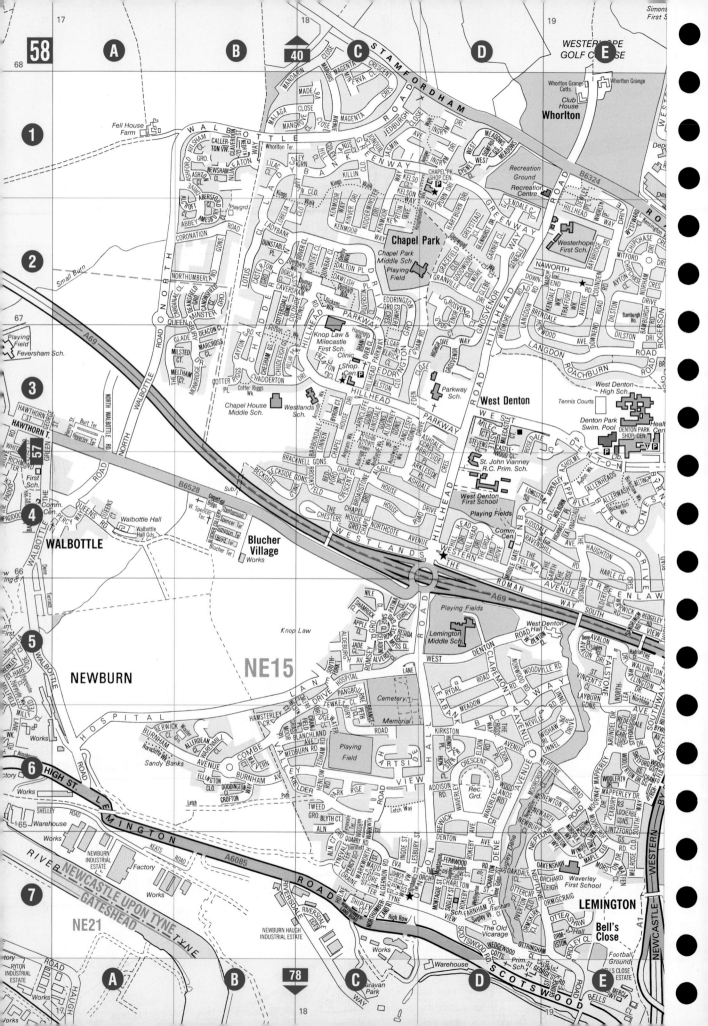

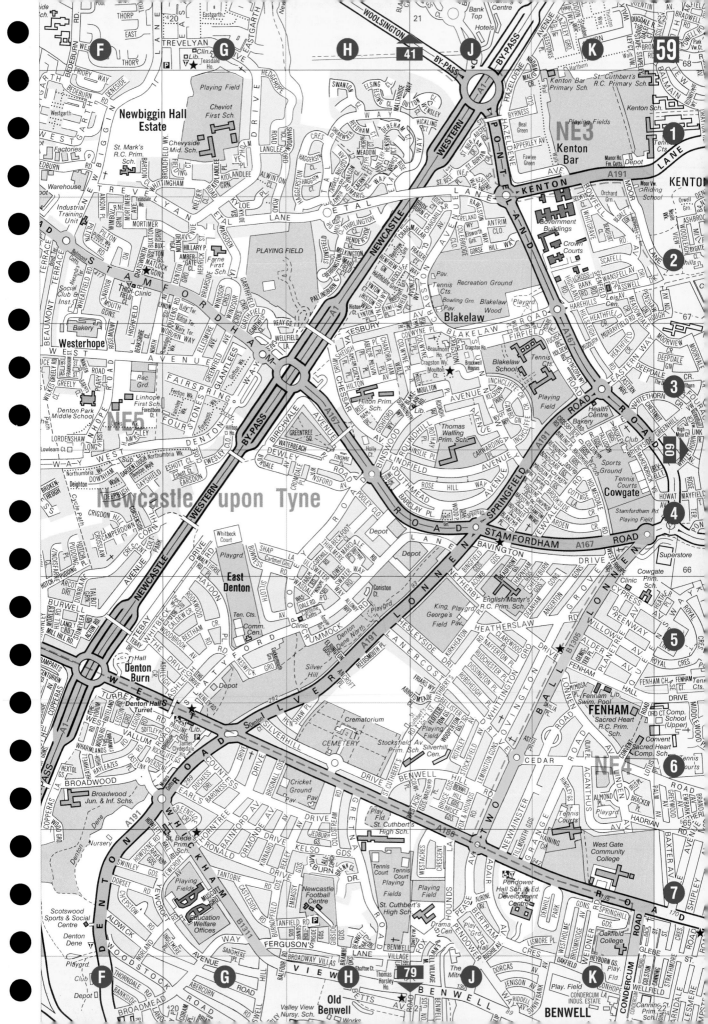

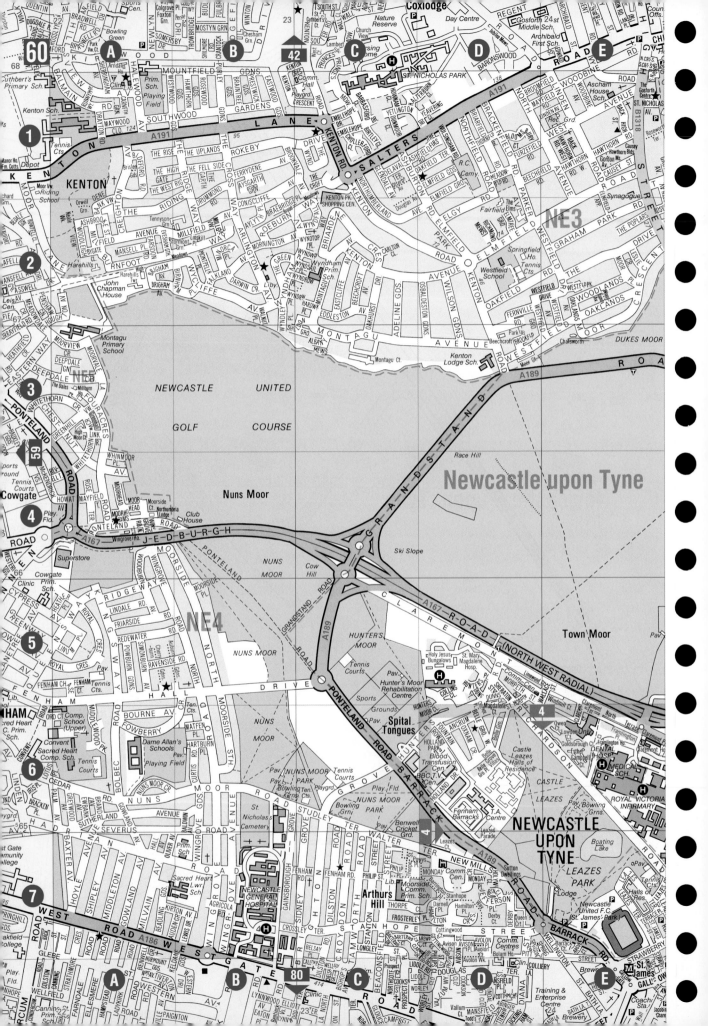

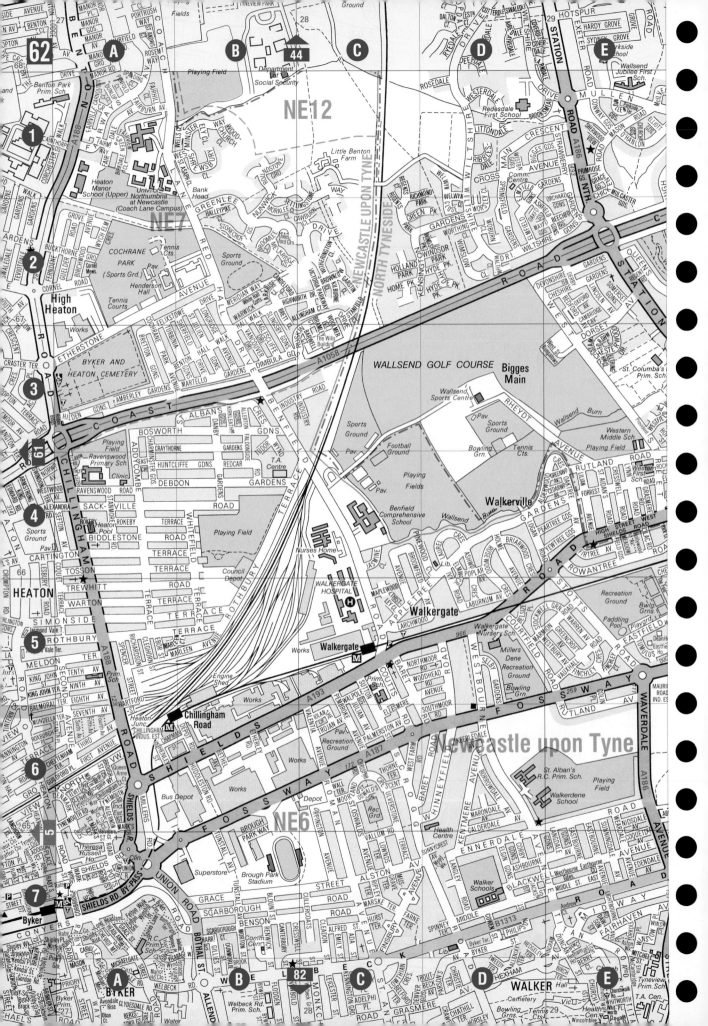

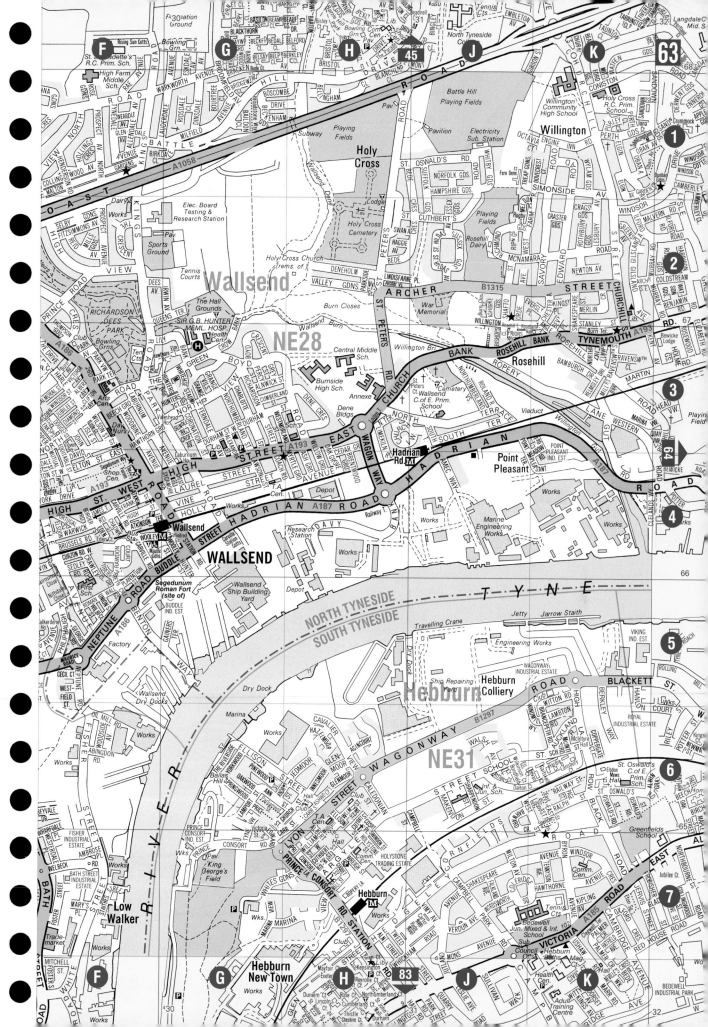

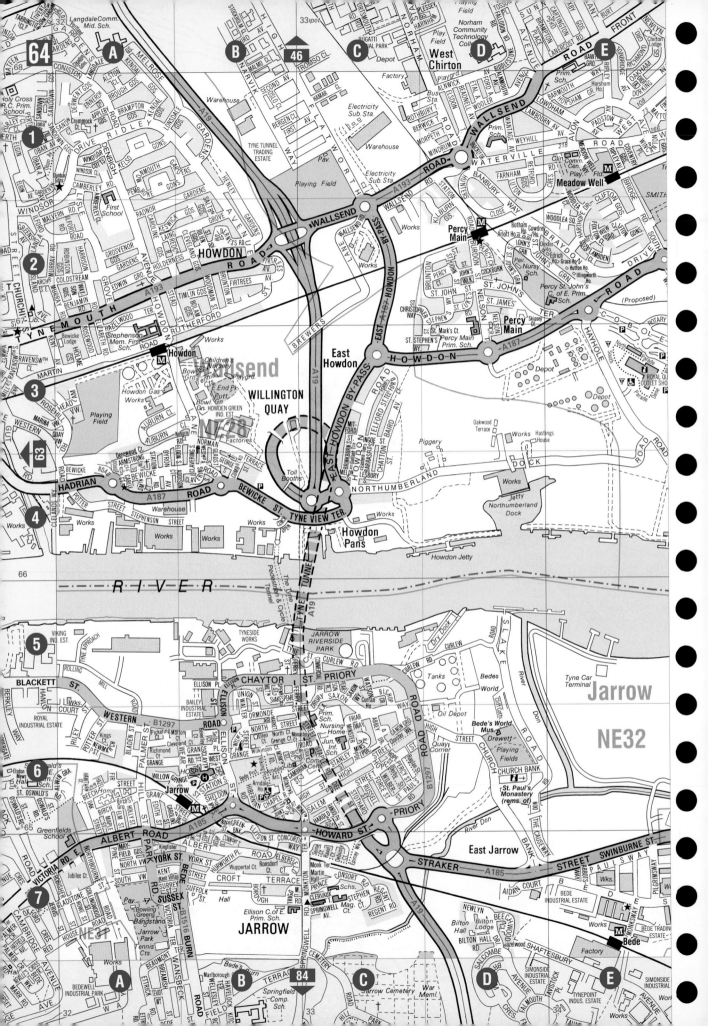

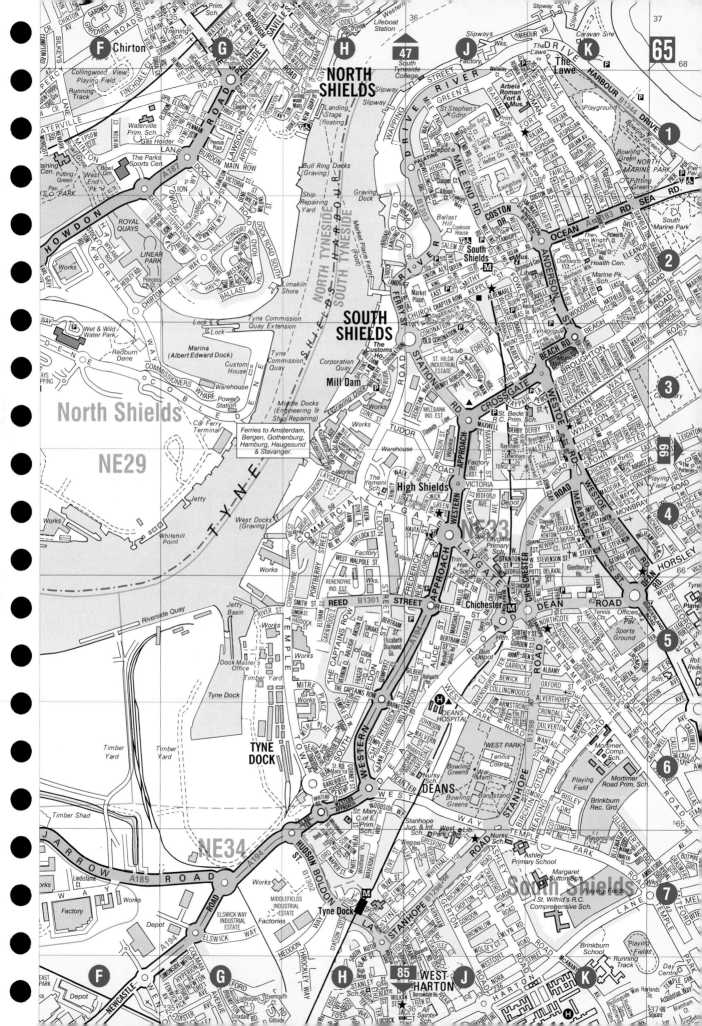

440

41

42

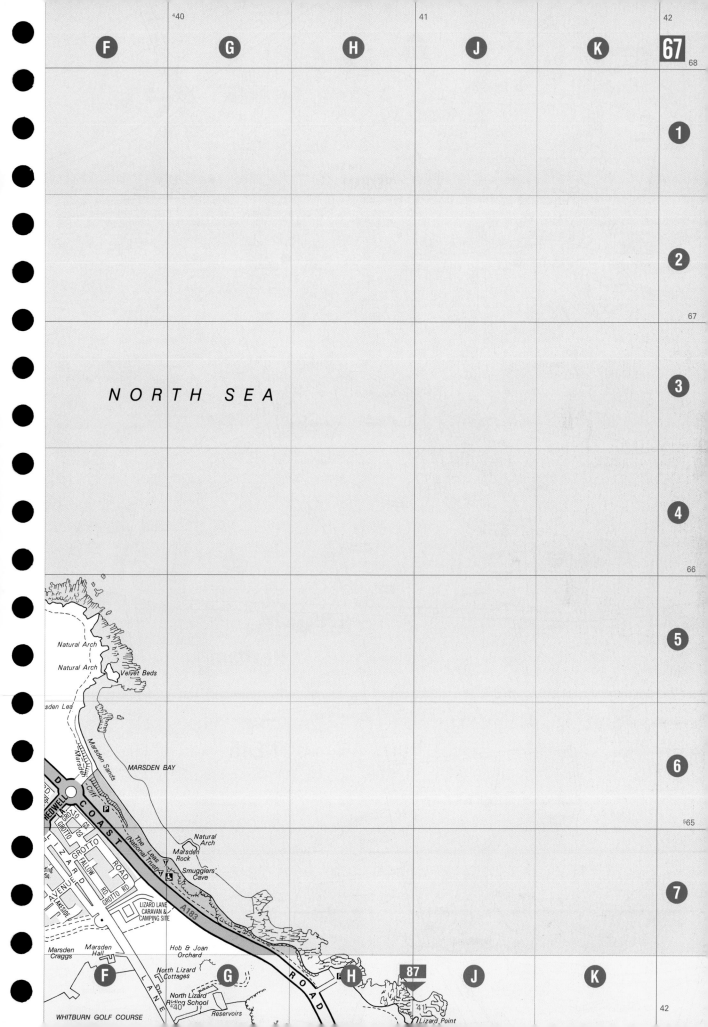

NORTH SEA

1

2

3

4

5

Natural Arch

Natural Arch

Velvet Beds

sden Lea

Marsden Sands

Marsden Cliff

MARSDEN BAY

6

DWELL

D COAST

GROTTO

GROTTO

LIZARD

FALLOW

ROAD

The Leas (National Trust)

P

Natural Arch

Marsden Rock

Smugglers' Cave

AVENUE

AKESIDE

GROTTO RD.

A183

LIZARD LANE CARAVAN & CAMPING SITE

7

Marsden Craggs

Marsden Hall

Hob & Joan Orchard

North Lizard Cottages

North Lizard Riding School

G

ROAD

H

87

J

K

WHITBURN GOLF COURSE

440

Reservoirs

41

Lizard Point

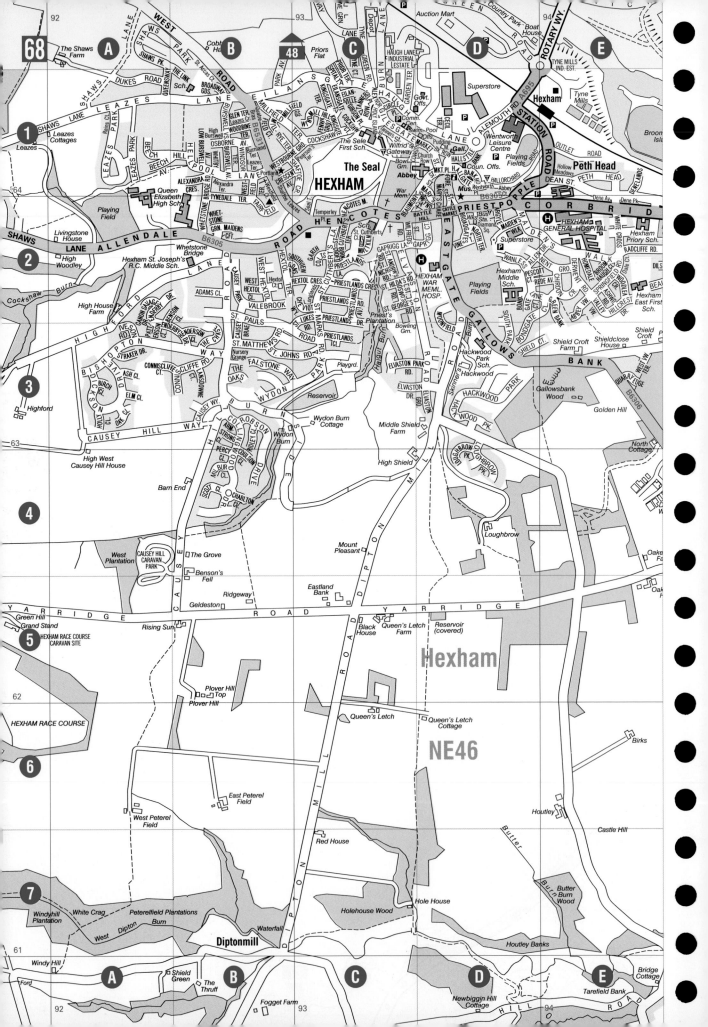

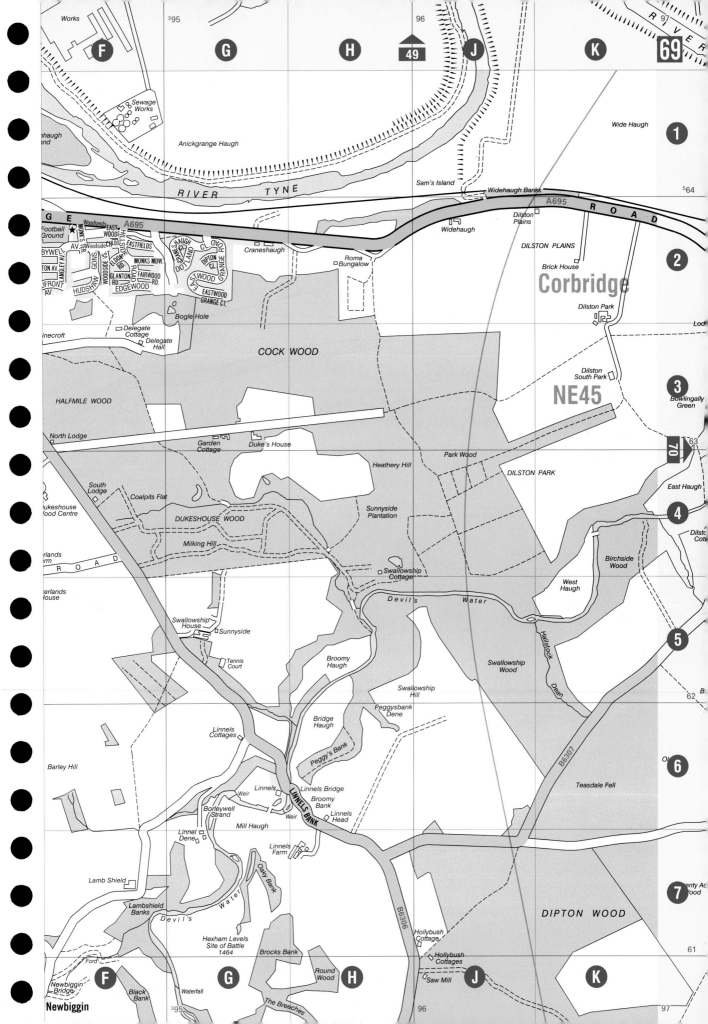

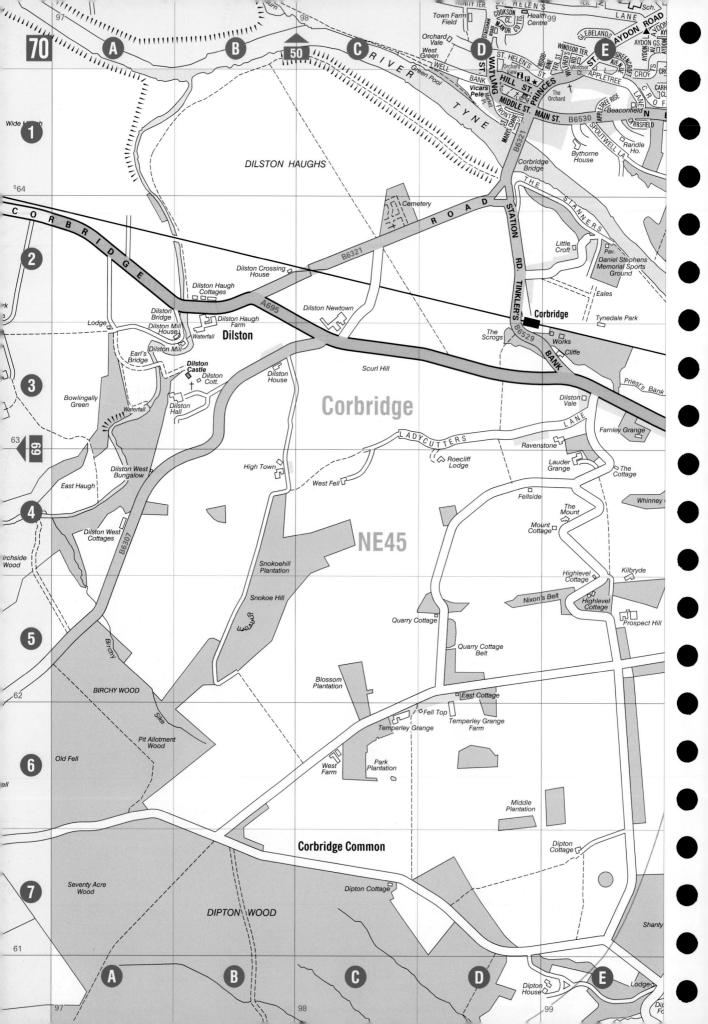

**A** **B** **50** **C** **D** **E**

**97** **98** **99**

RIVER TYNE

Town Farm Field

Orchard Vale

West Green

WELL

Green Pool

St. HELEN'S

Health Centre

AYDON ROAD

GREENCROFT AVE.

Orchard View

HILL ST.

WINDSOR TER.

GLEBELANDS

APPLETREE

BANK

Vicars Pele

PRINCES

MIDDLE ST.

MAIN ST.

B6530

The Orchard

Beaconsfield

Bythorne House

Randle Ho.

APPLETREE RISE

SPOUTWELL LA.

**1**

Wide Haugh

⁵64

DILSTON HAUGHS

Cemetery

ROAD

B6321

STATION RD.

Corbridge Bridge

THE STANNERS

Little Croft

Daniel Stephens Memorial Sports Ground

Pav.

Eales

TINKLER'S

**Corbridge**

Tynedale Park

**2**

CORBRIDGE

Dilston Crossing House

A695

Dilston Haugh Cottages

Dilston Newtown

BANK

B6529

The Scrogs

Works

Cliffe

Lodge

Dilston Bridge

Dilston Haugh Farm

Dilston Mill House

Waterfall

**Dilston**

Scurl Hill

Priest's Bank

**3**

63

**69**

Earl's Bridge

Dilston Mill

**Dilston Castle**

Dilston Cott.

Dilston House

**Corbridge**

Dilston Vale

LANE

Farnley Grange

Bowlingally Green

Waterfall

Dilston Hall

LADYCUTTERS

Ravenstone

Lauder Grange

The Cottage

Dilston West Bungalow

High Town

Roecliff Lodge

Whinney

**4**

East Haugh

West Fell

Fellside

The Mount

NE45

The Cottage

B6307

Dilston West Cottages

Mount Cottage

Highlevel Cottage

Kilbryde

irchside Wood

Snokoehill Plantation

Nixon's Belt

Highlevel Cottage

Prospect Hill

**5**

Birchy

Snokoe Hill

Quarry Cottage

Quarry Cottage Belt

62

**BIRCHY WOOD**

Sike

Blossom Plantation

East Cottage

Pit Allotment Wood

Fell Top

Temperley Grange Farm

**6**

Old Fell

West Farm

Temperley Grange

Park Plantation

Middle Plantation

Dipton Cottage

**Corbridge Common**

**7**

Seventy Acre Wood

Dipton Cottage

Shanty

61

**DIPTON WOOD**

Dipton House

Lodge

**A** **B** **C** **D** **E**

**97** **98** **99**

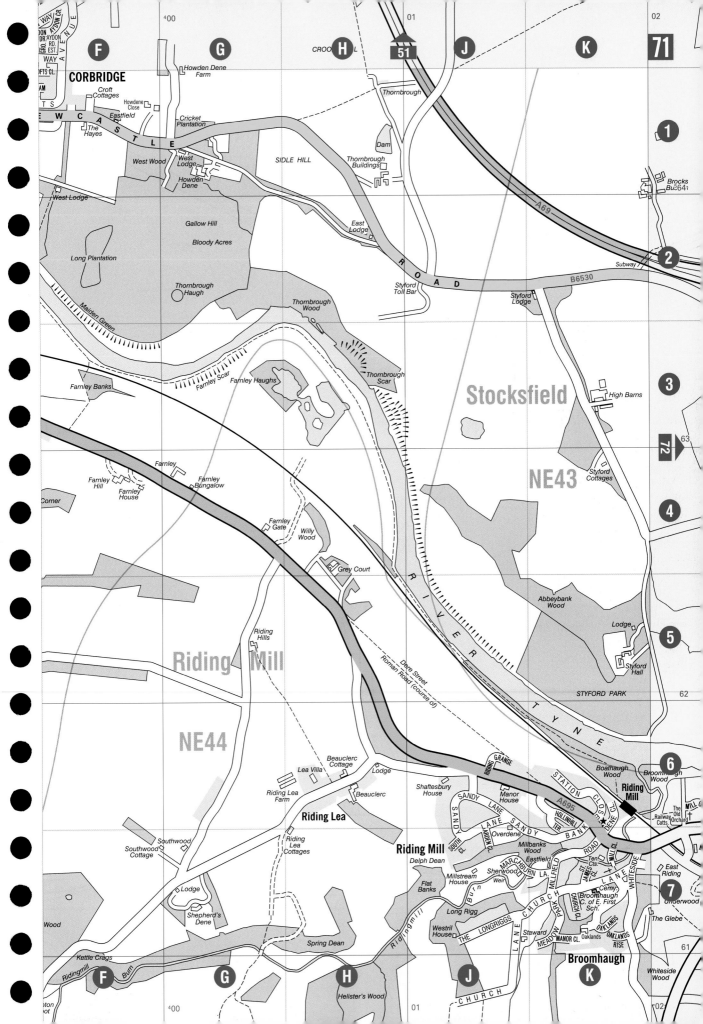

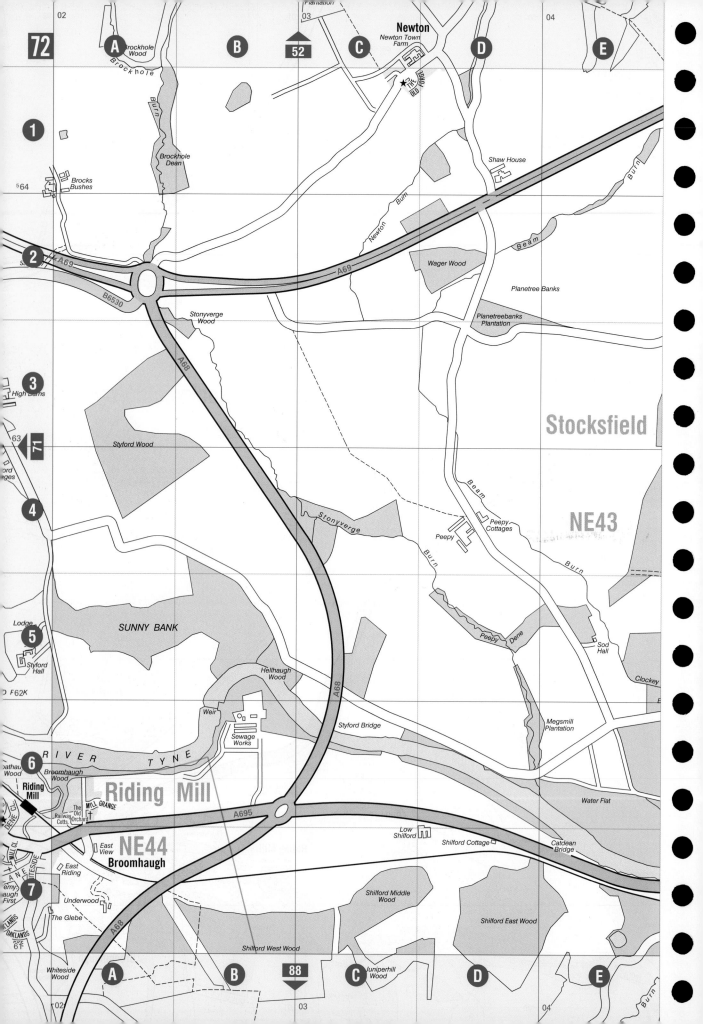

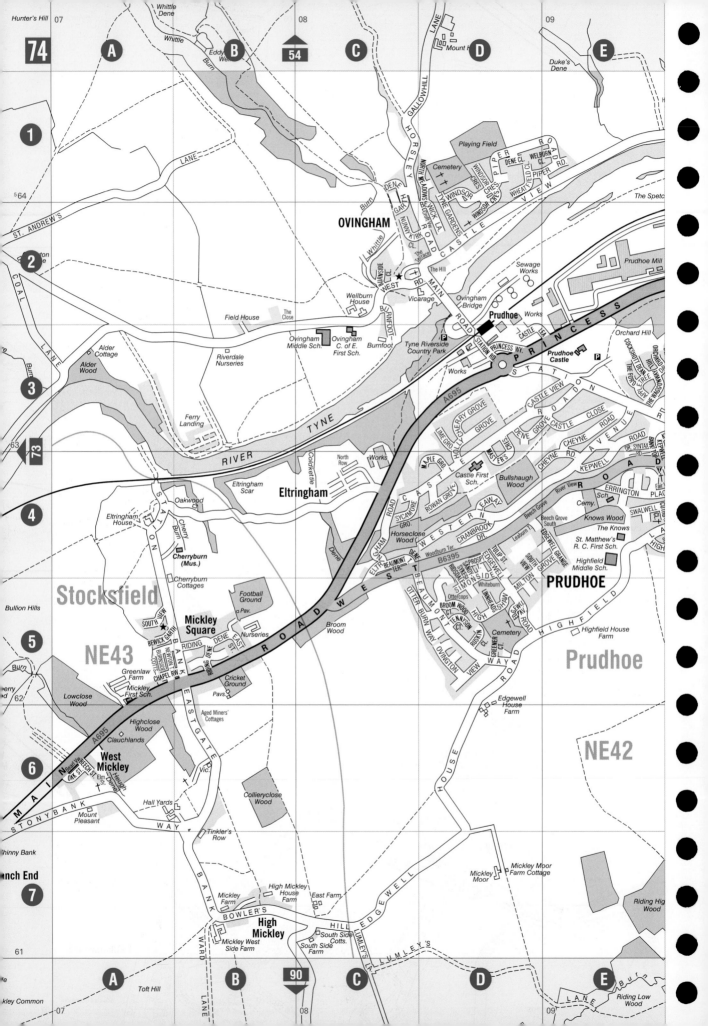

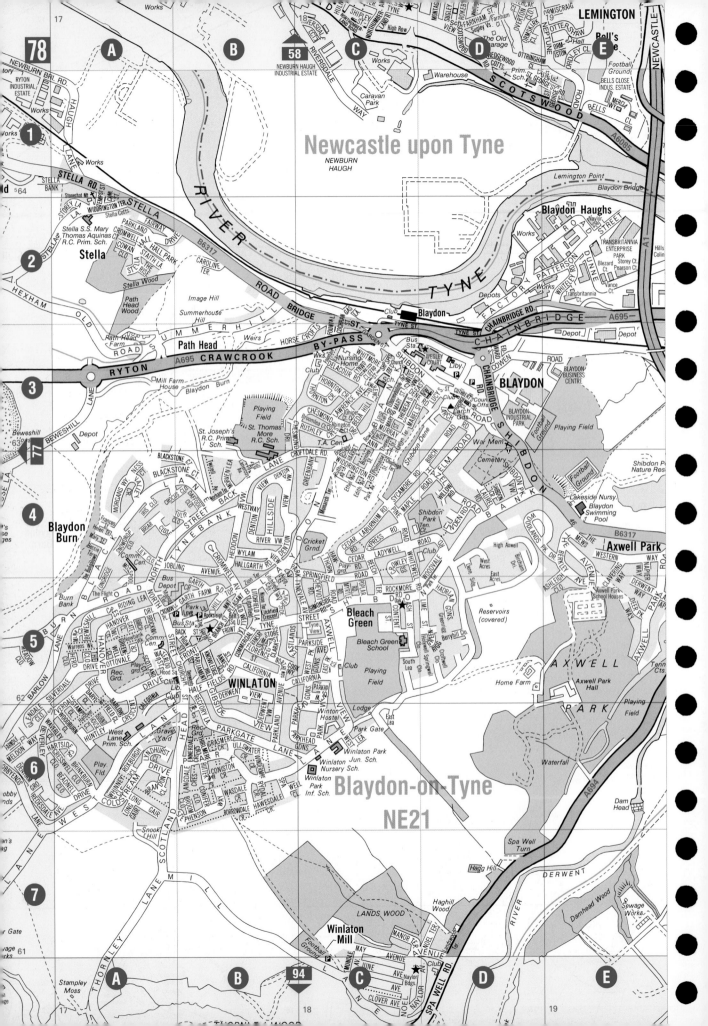

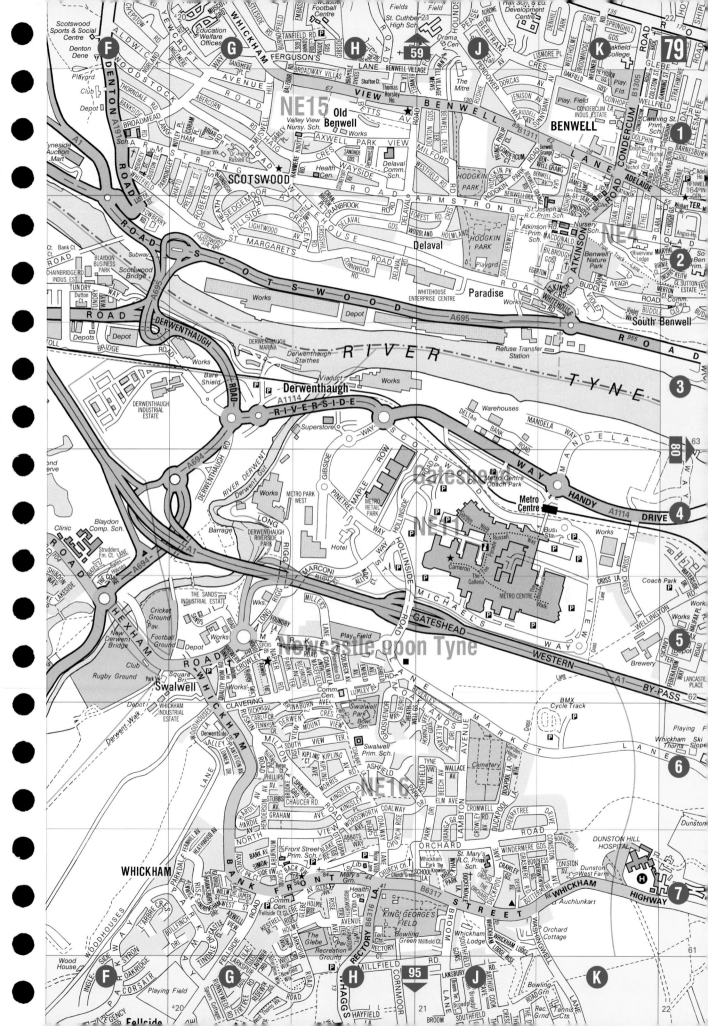

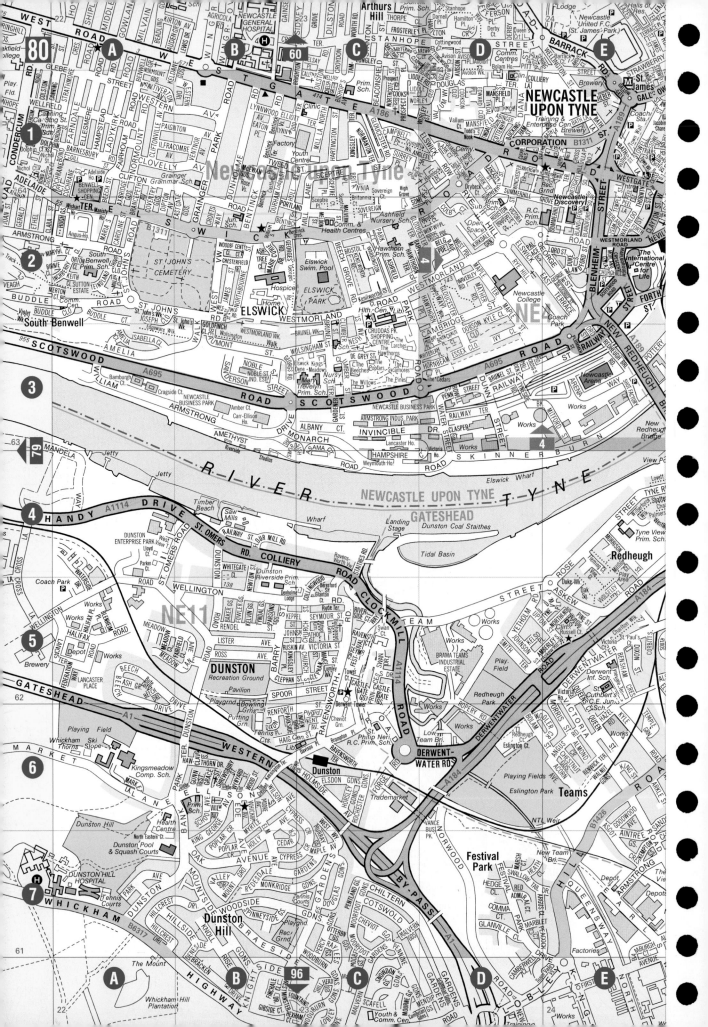

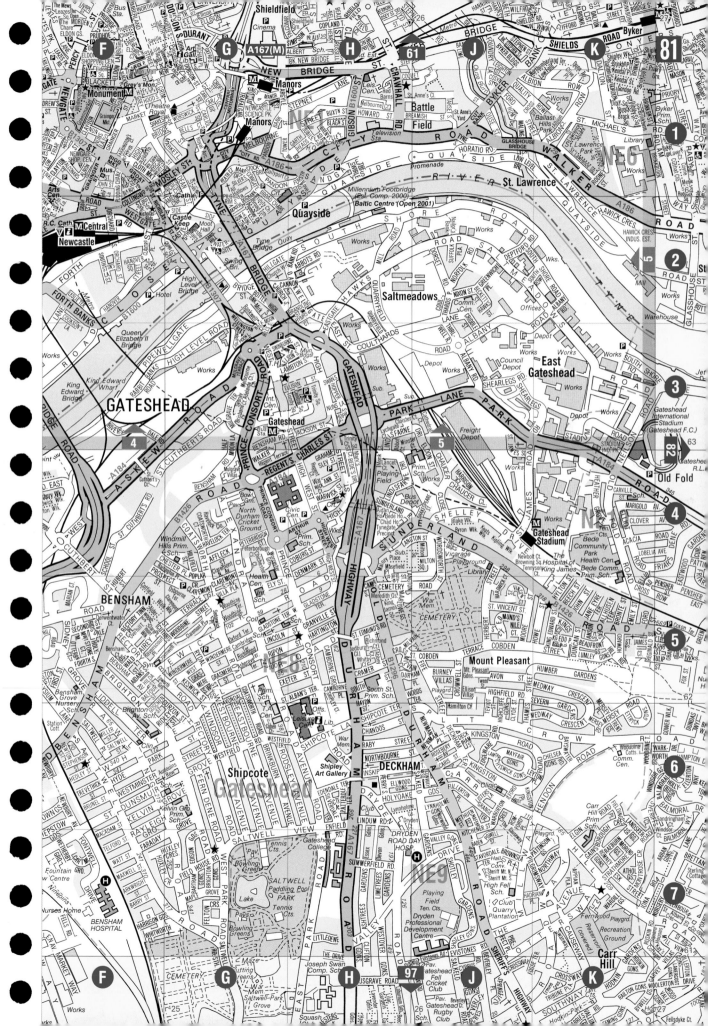

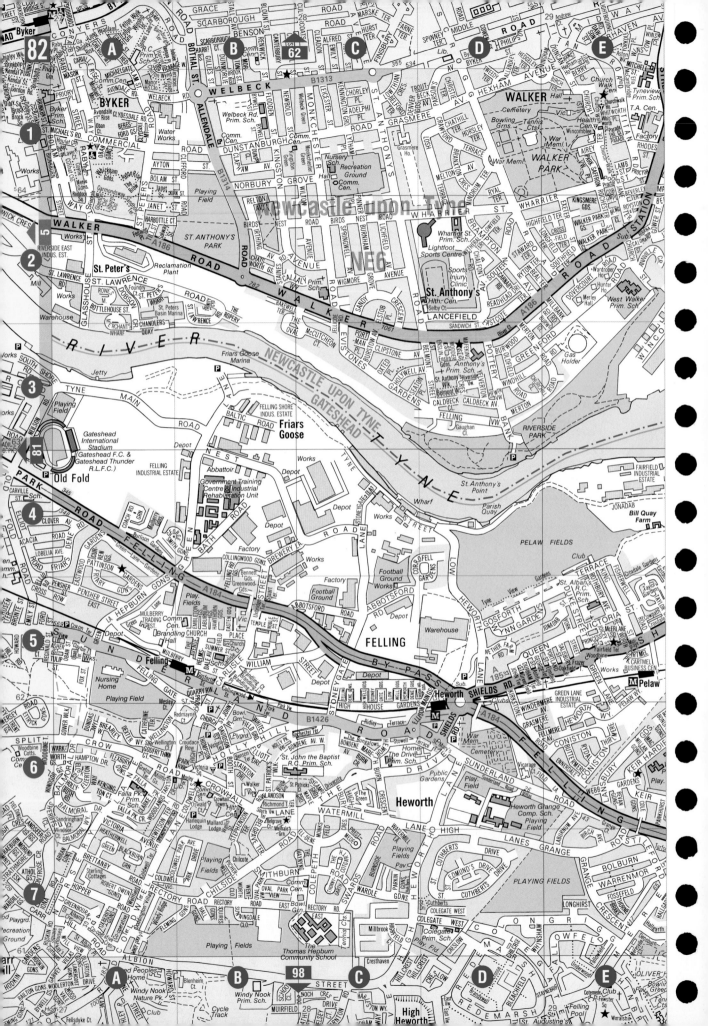

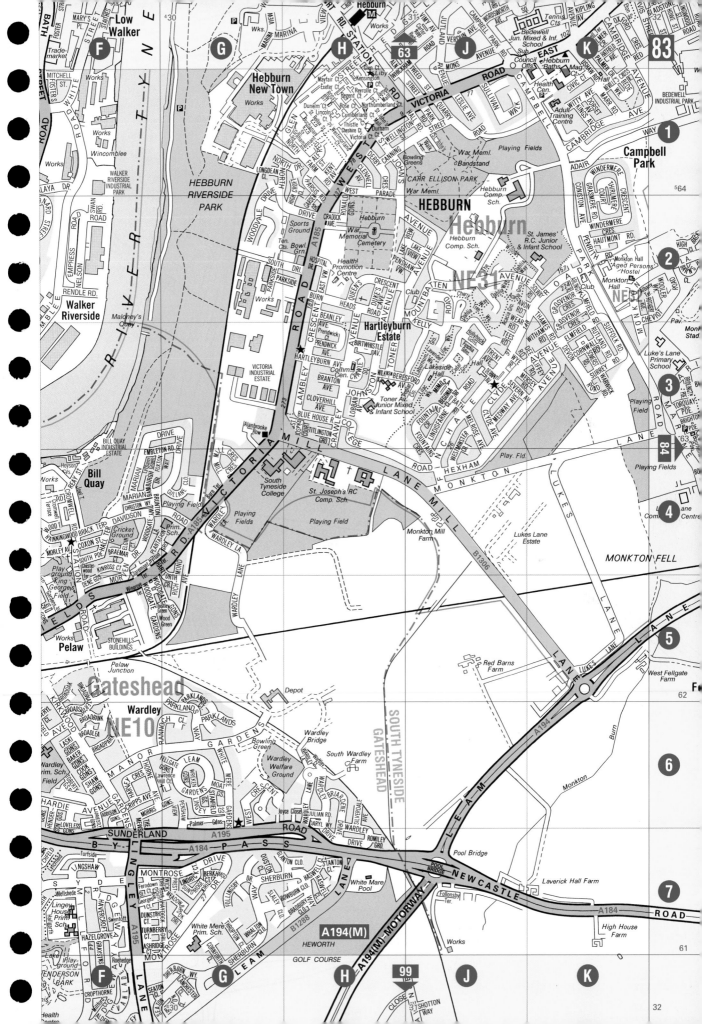

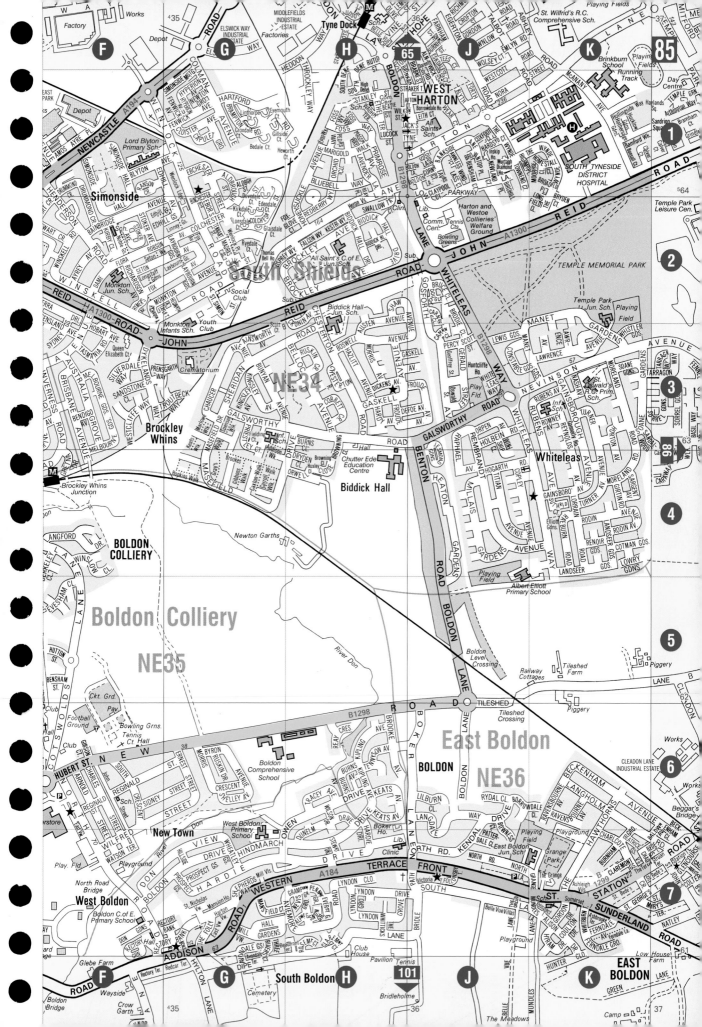

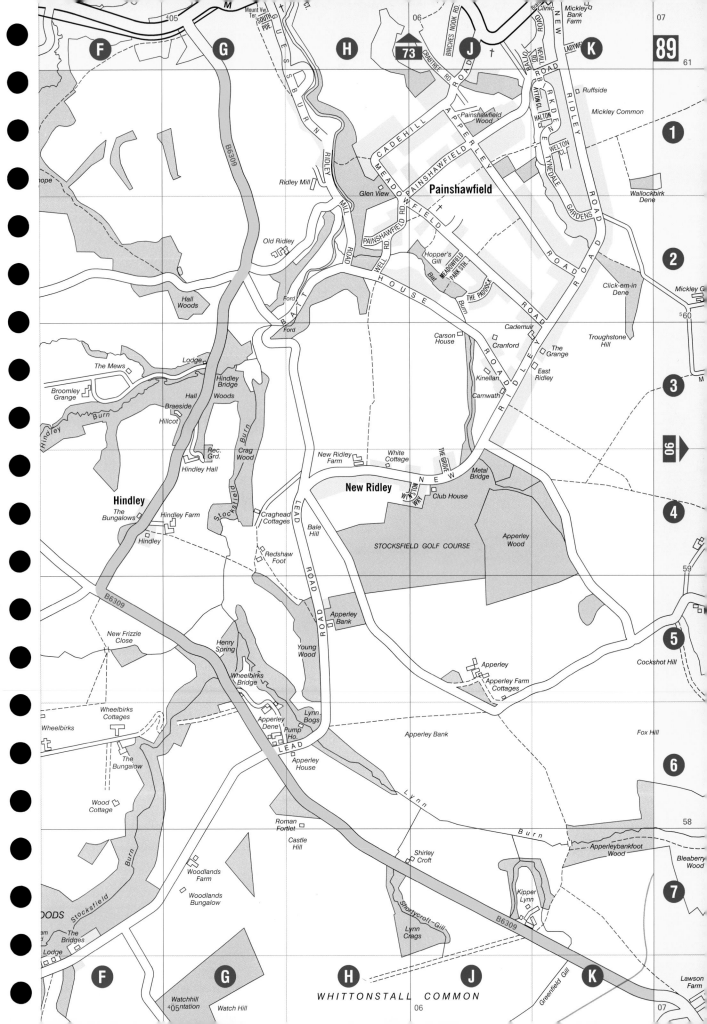

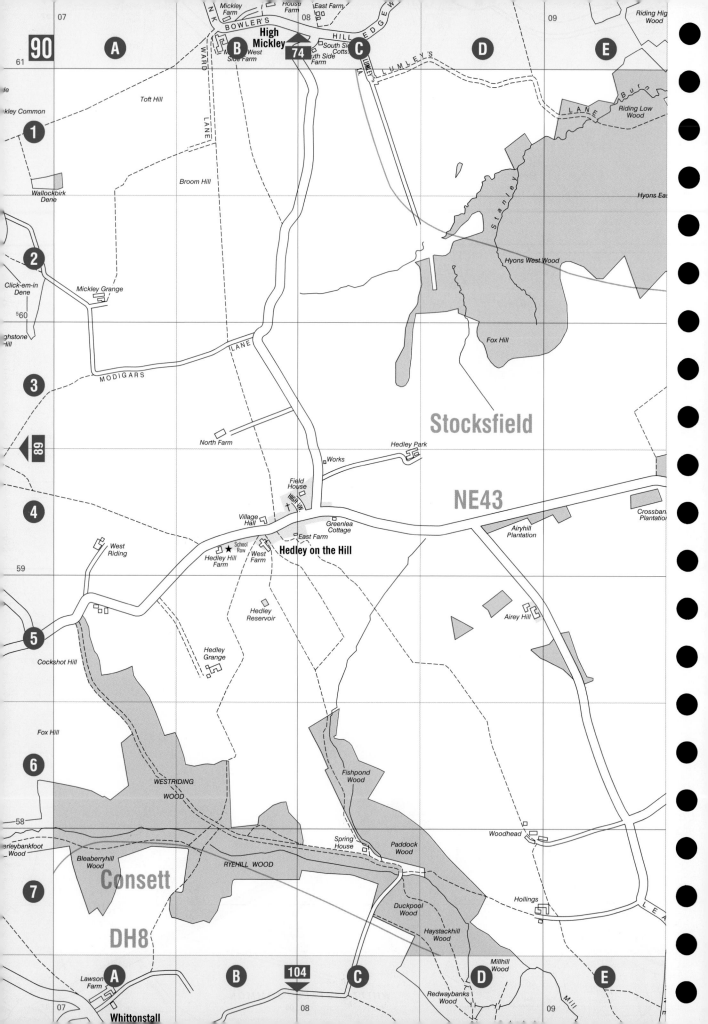

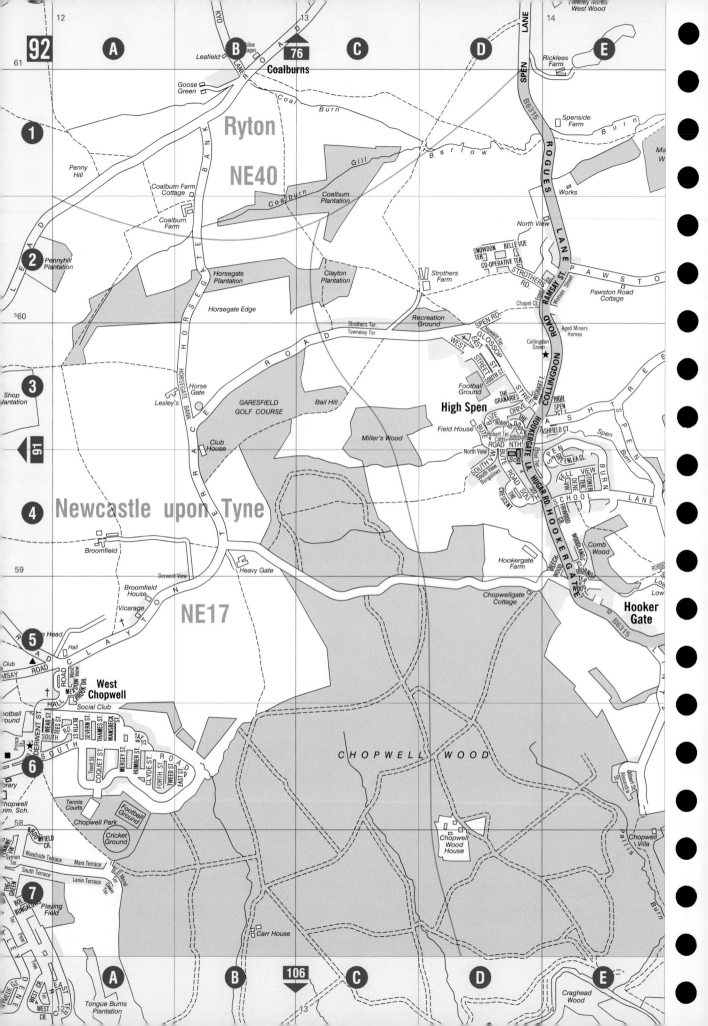

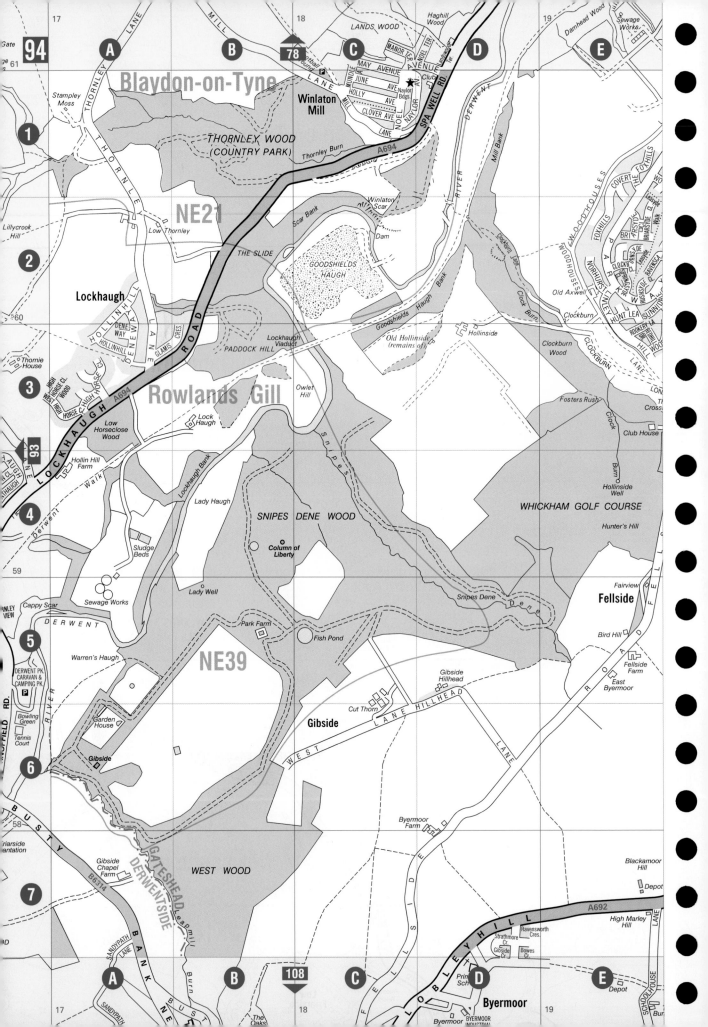

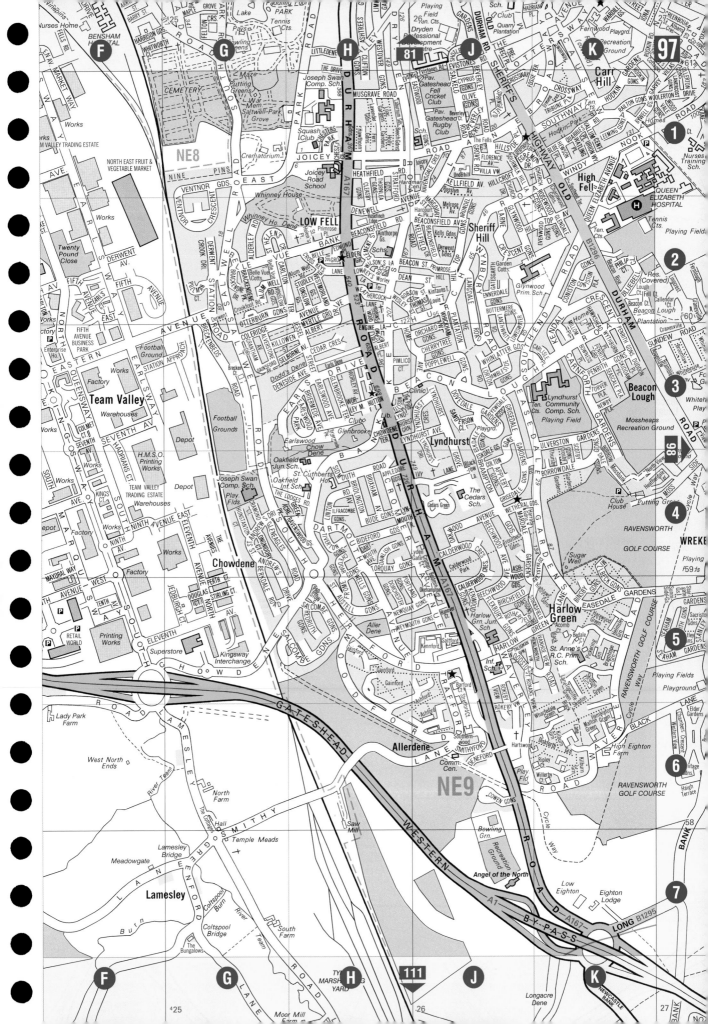

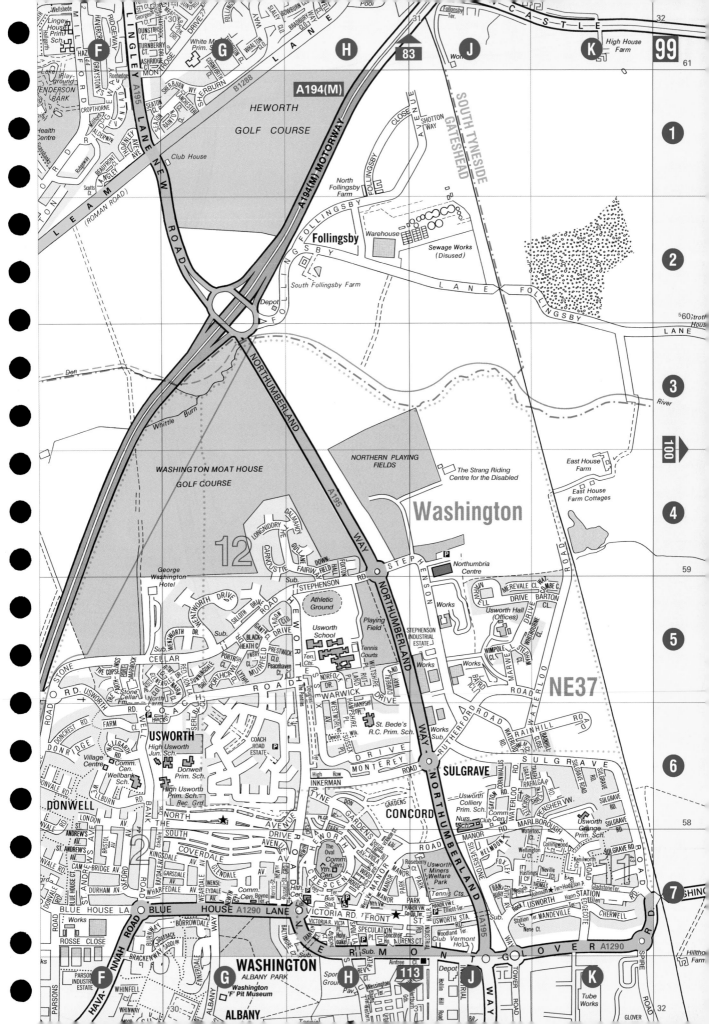

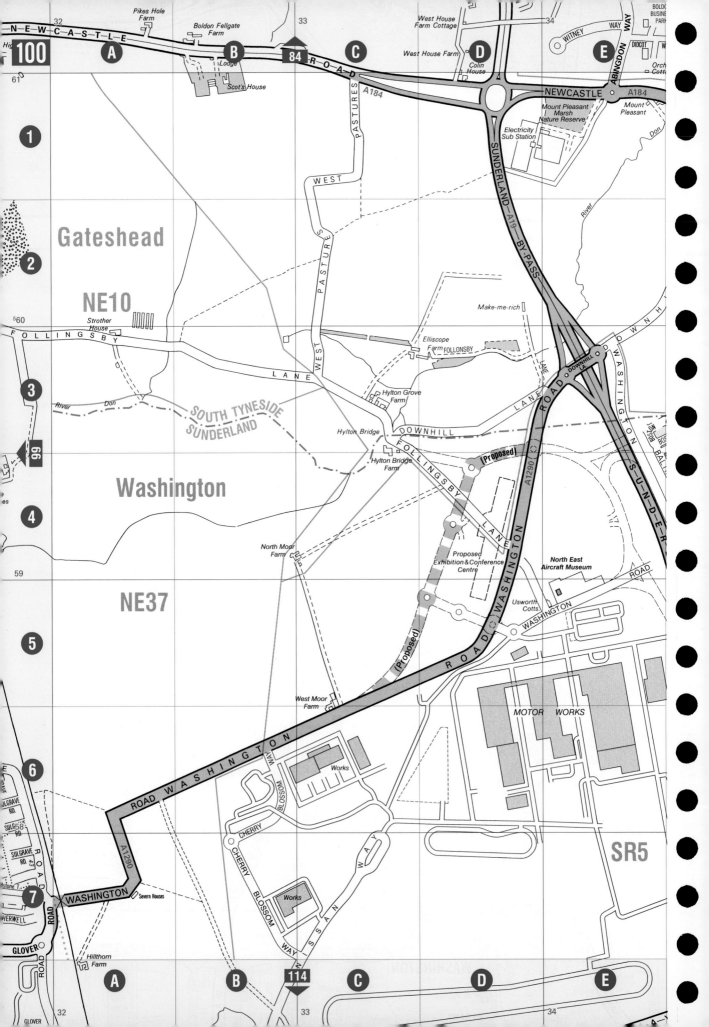

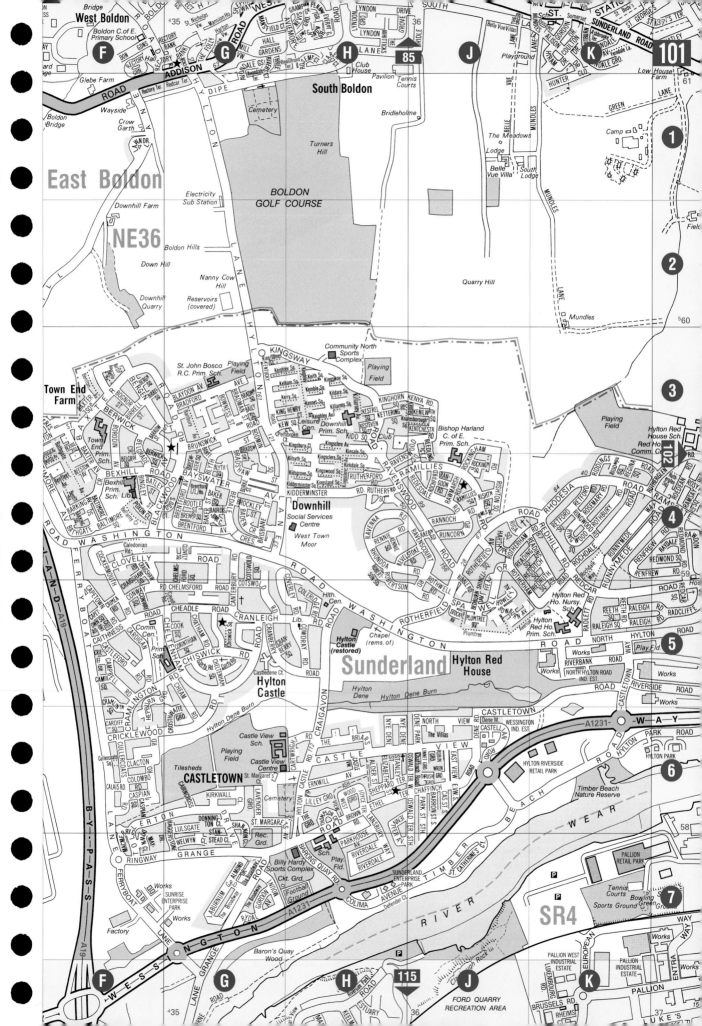

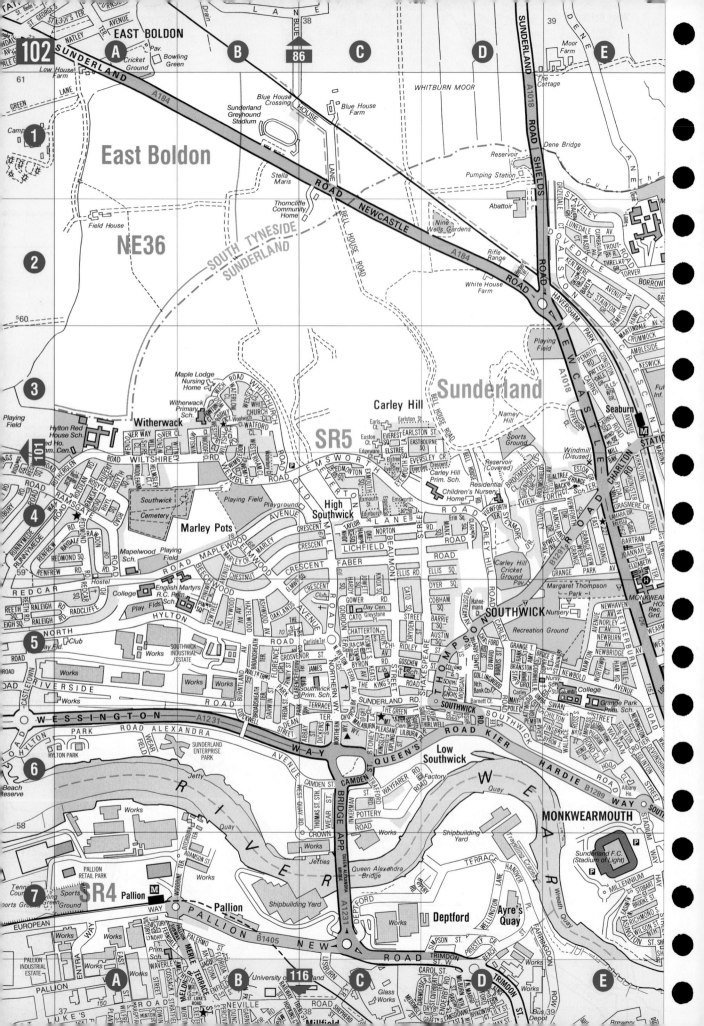

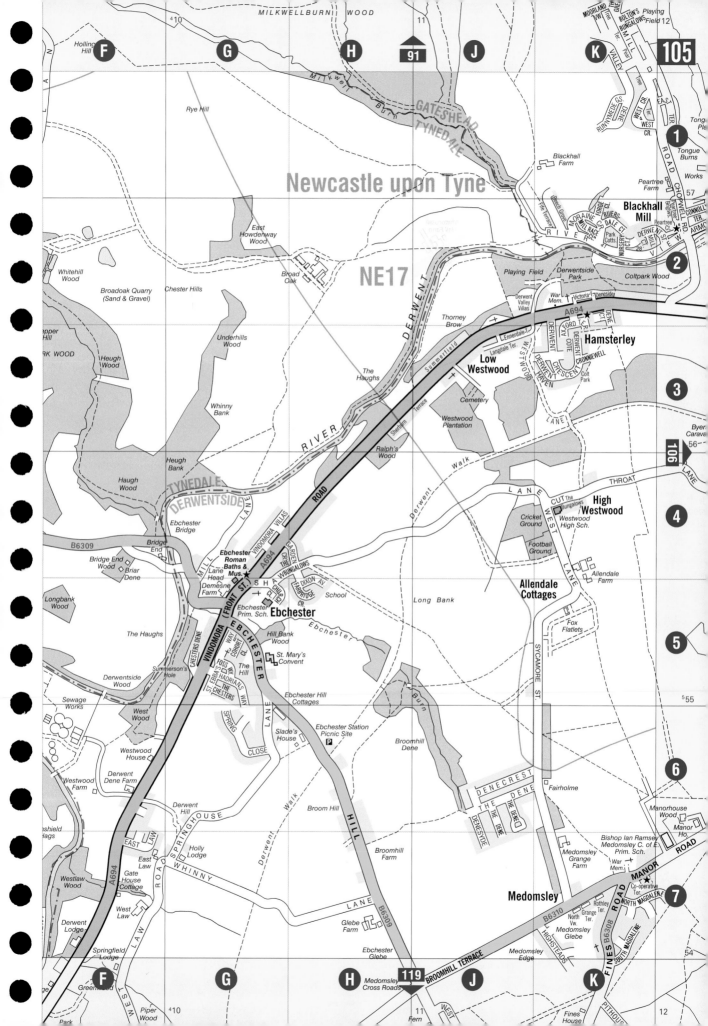

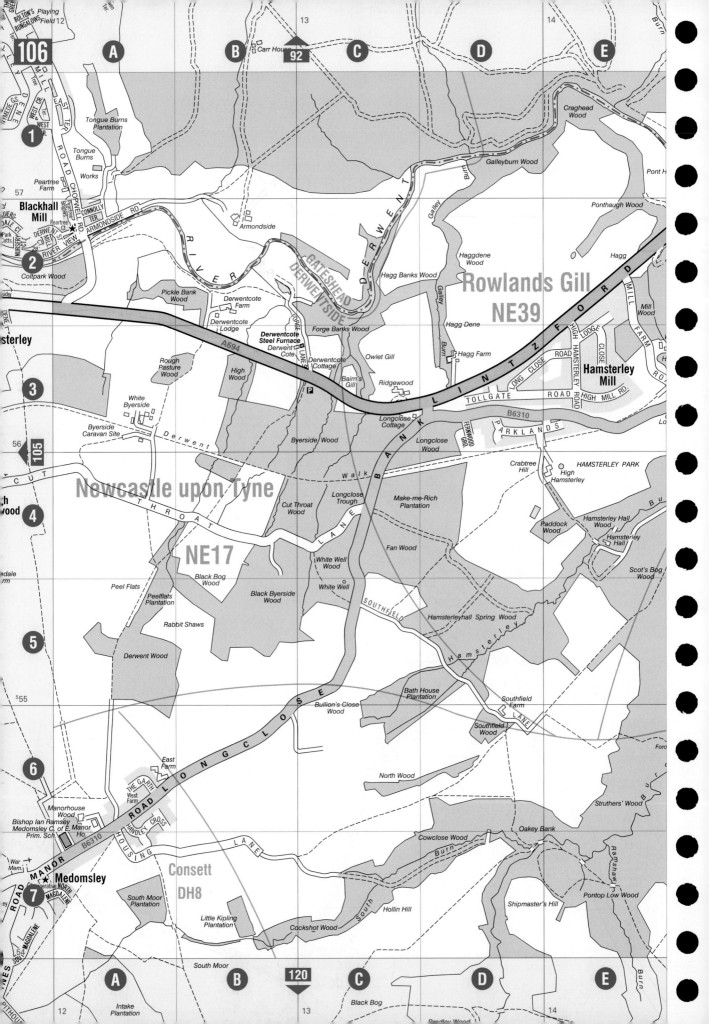

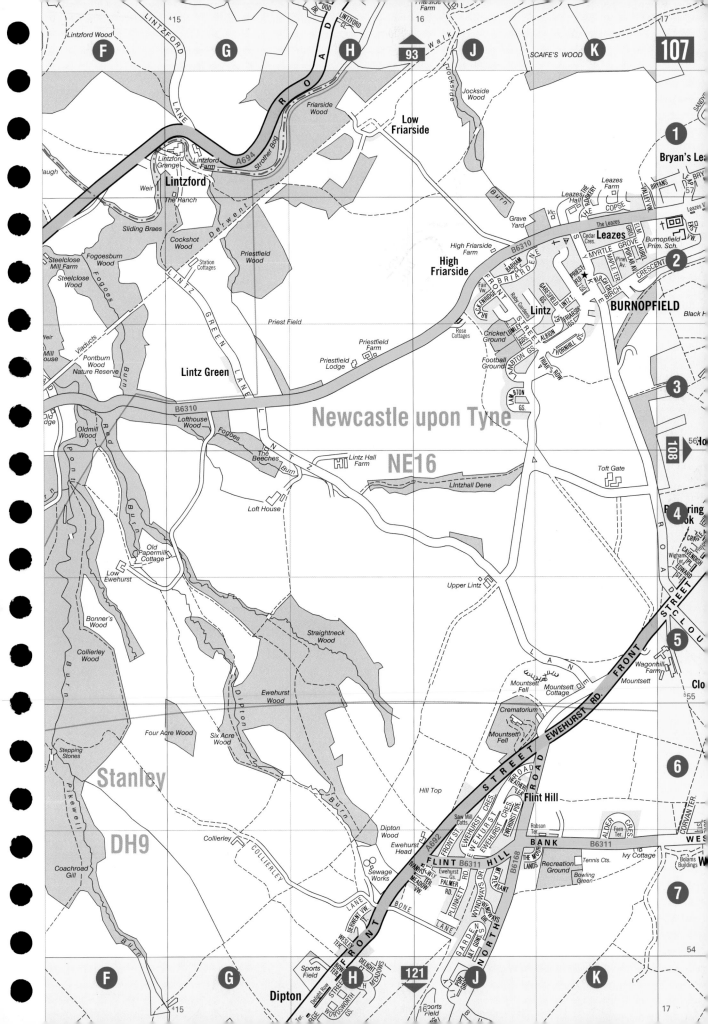

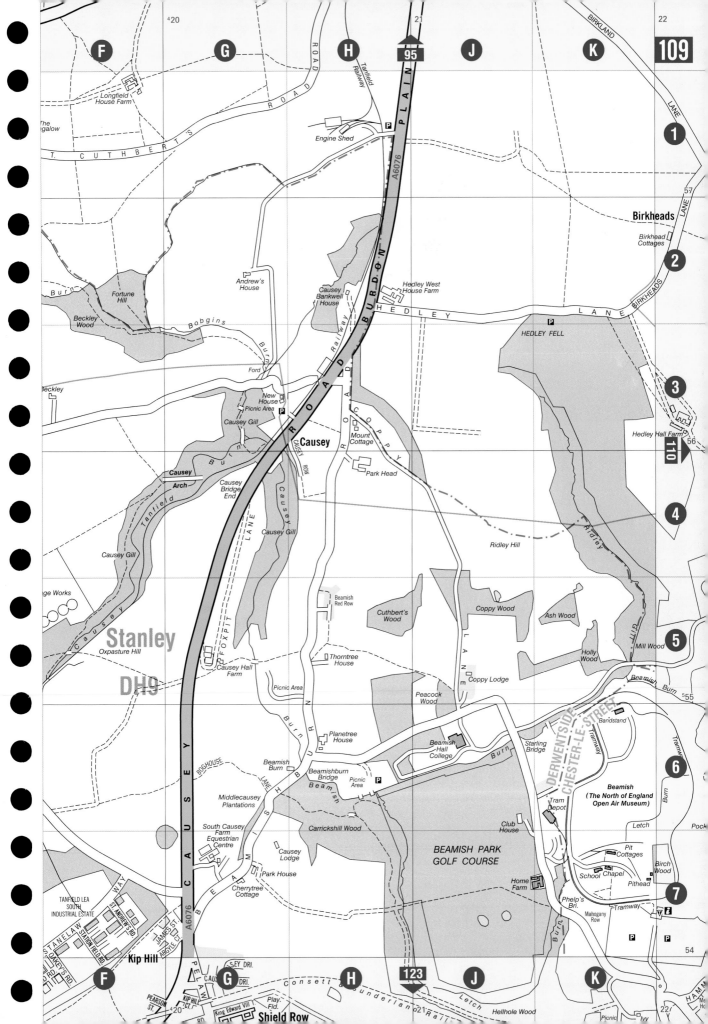

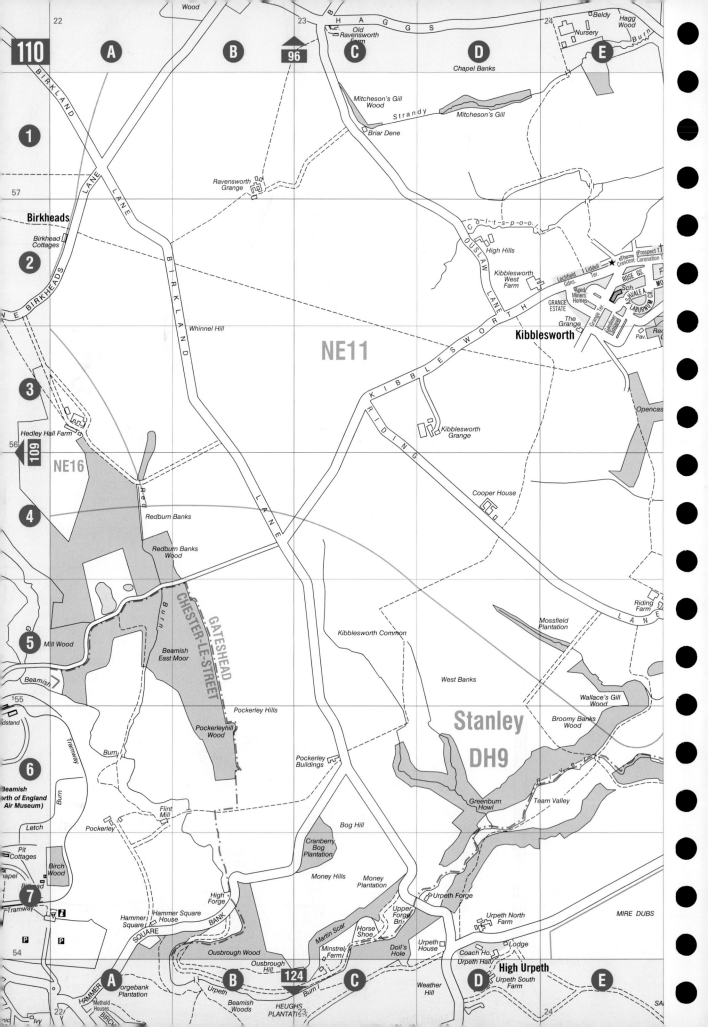

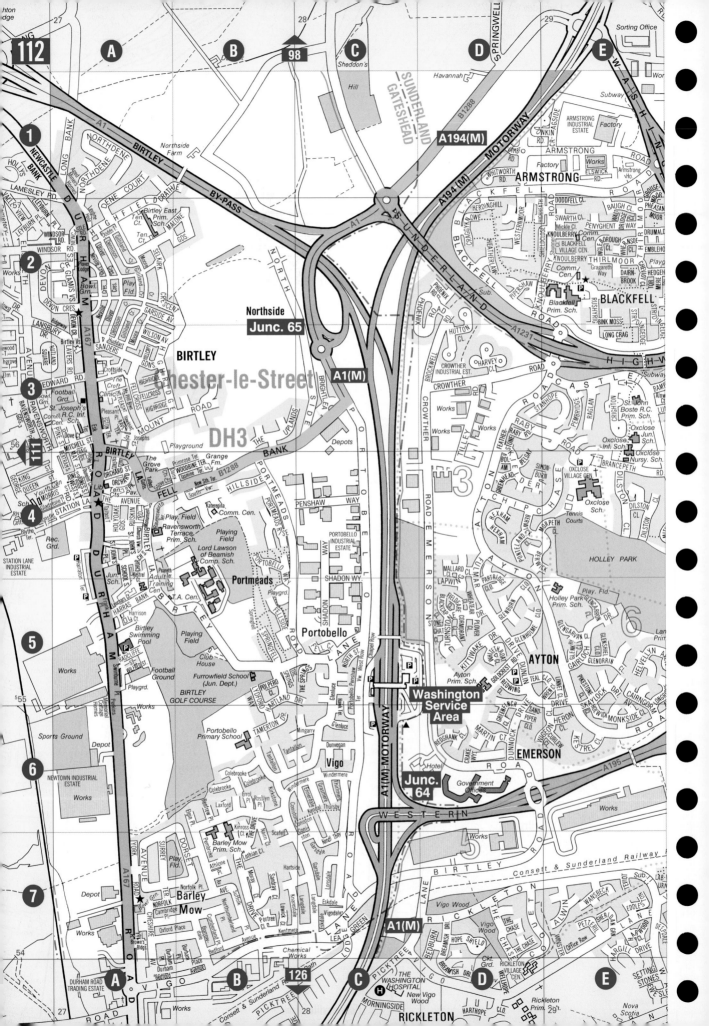

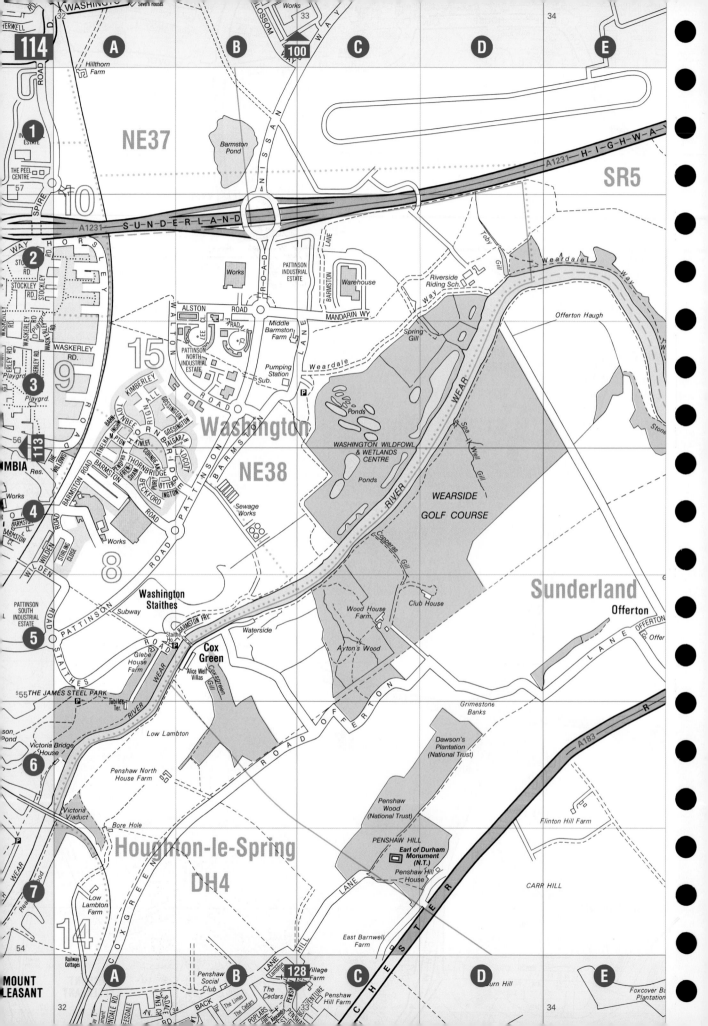

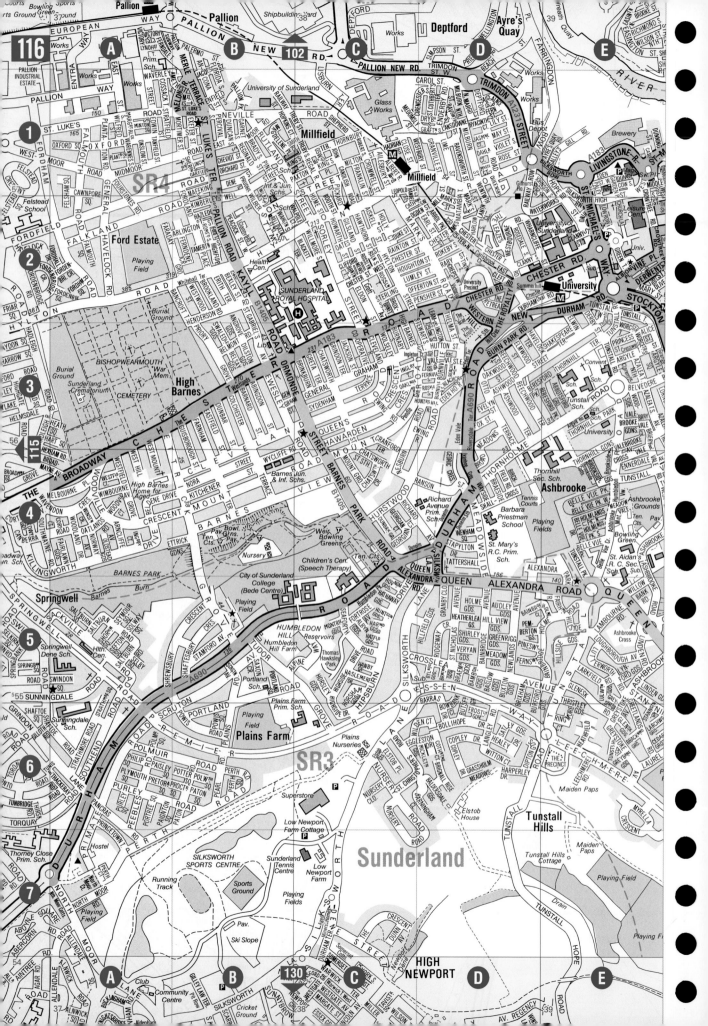

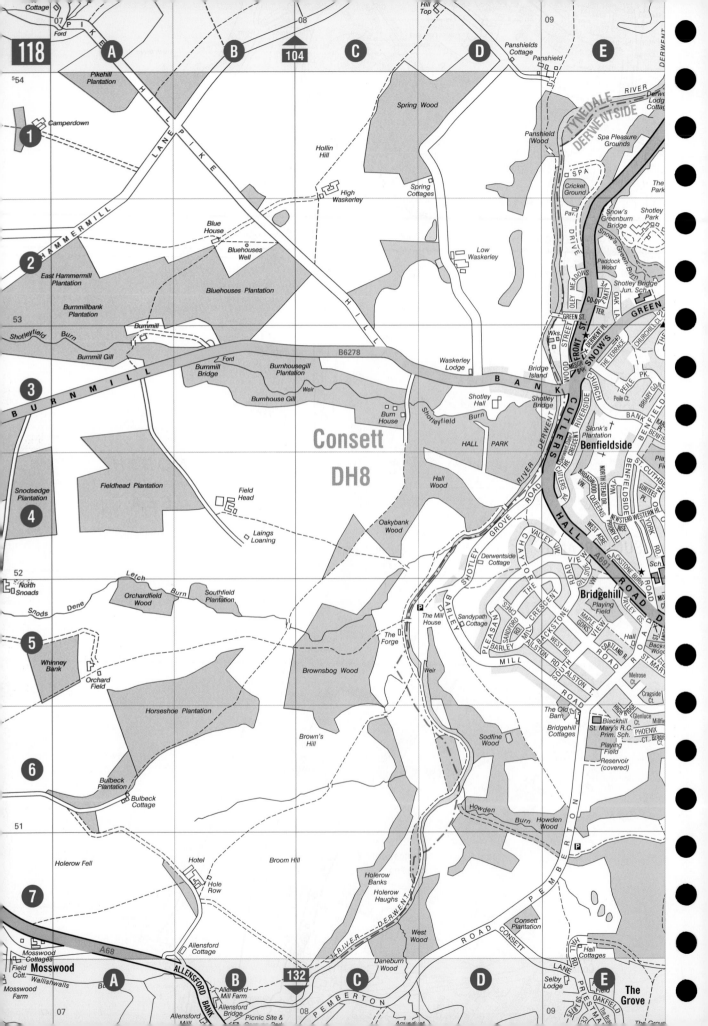

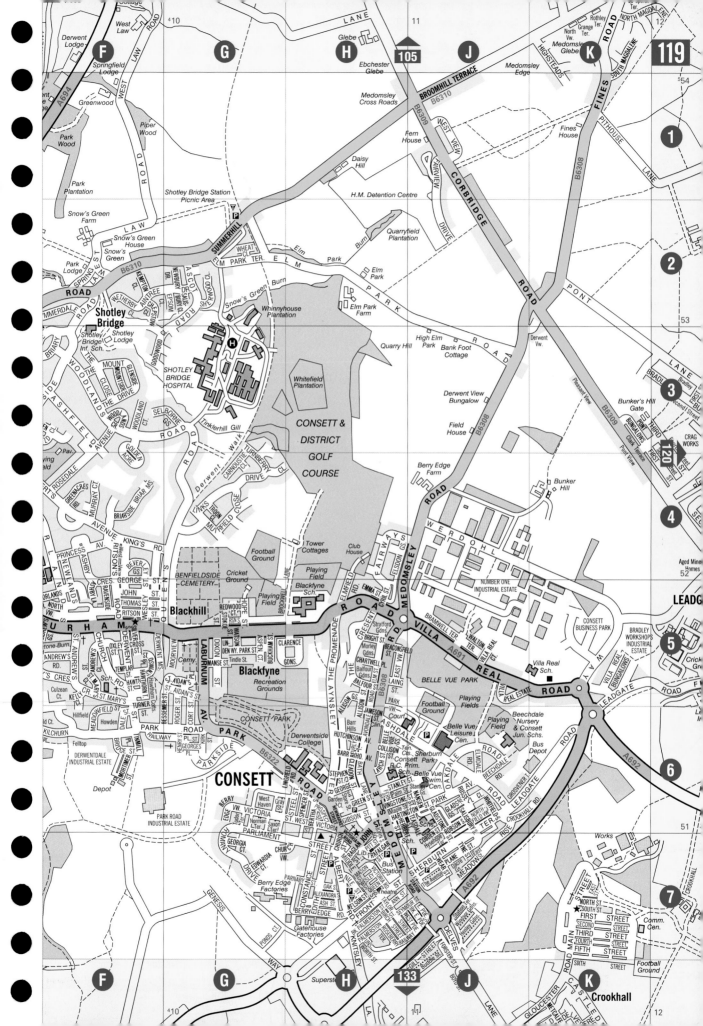

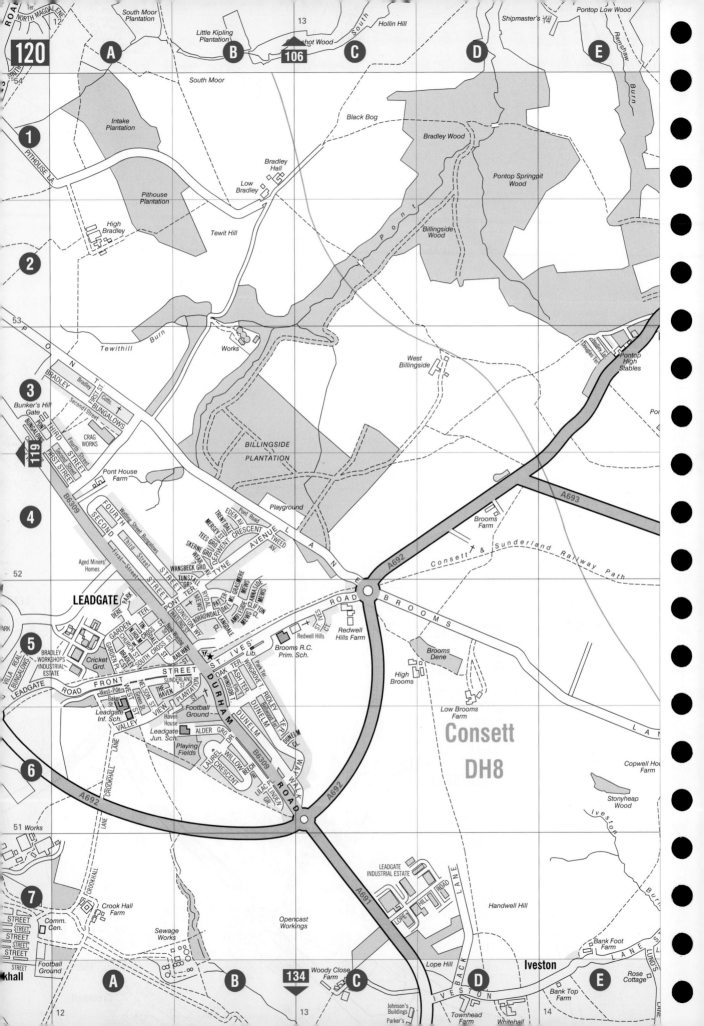

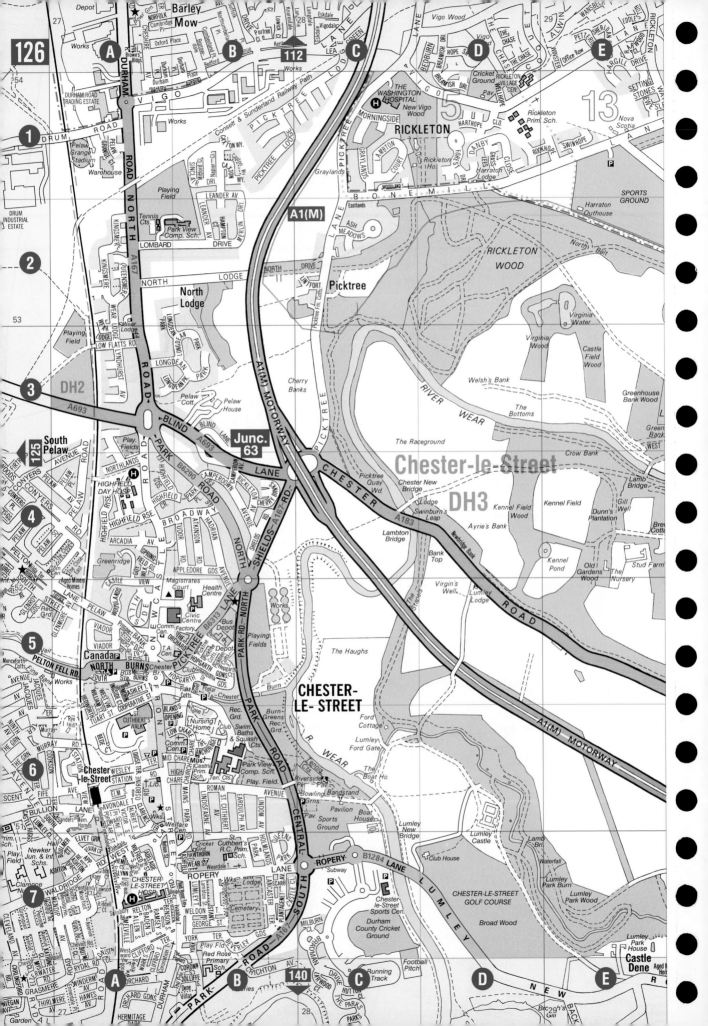

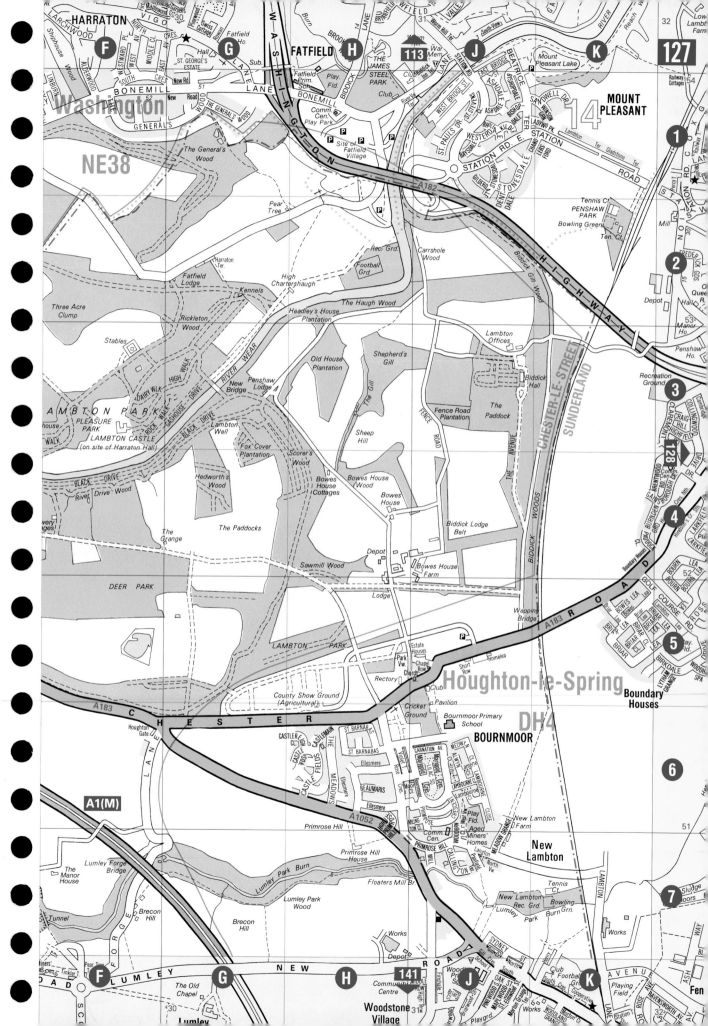

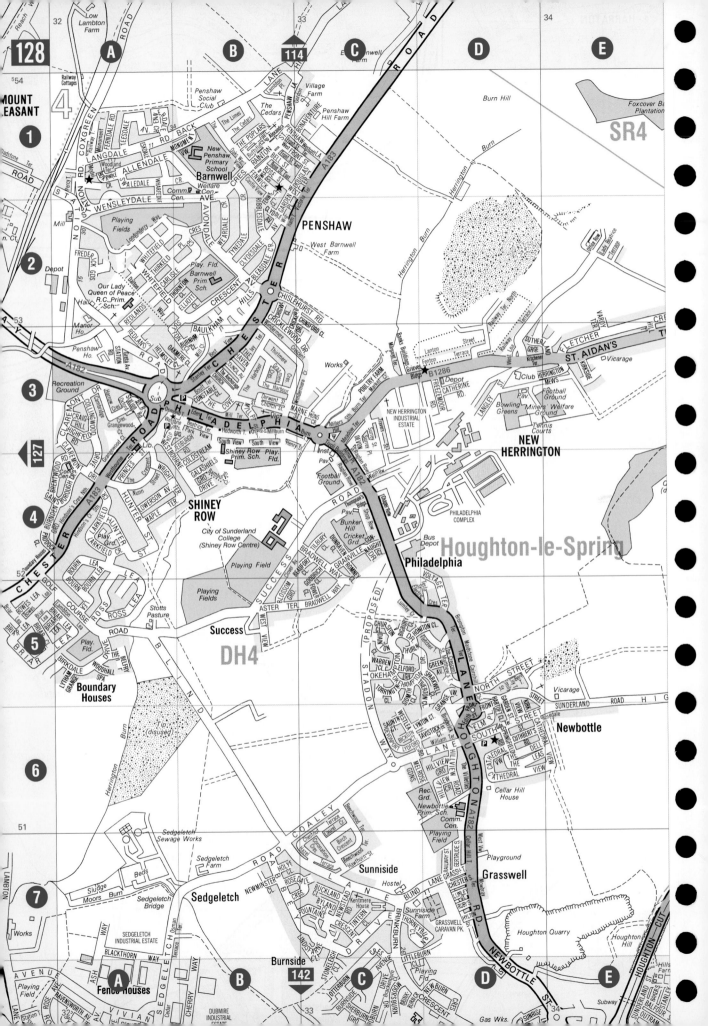

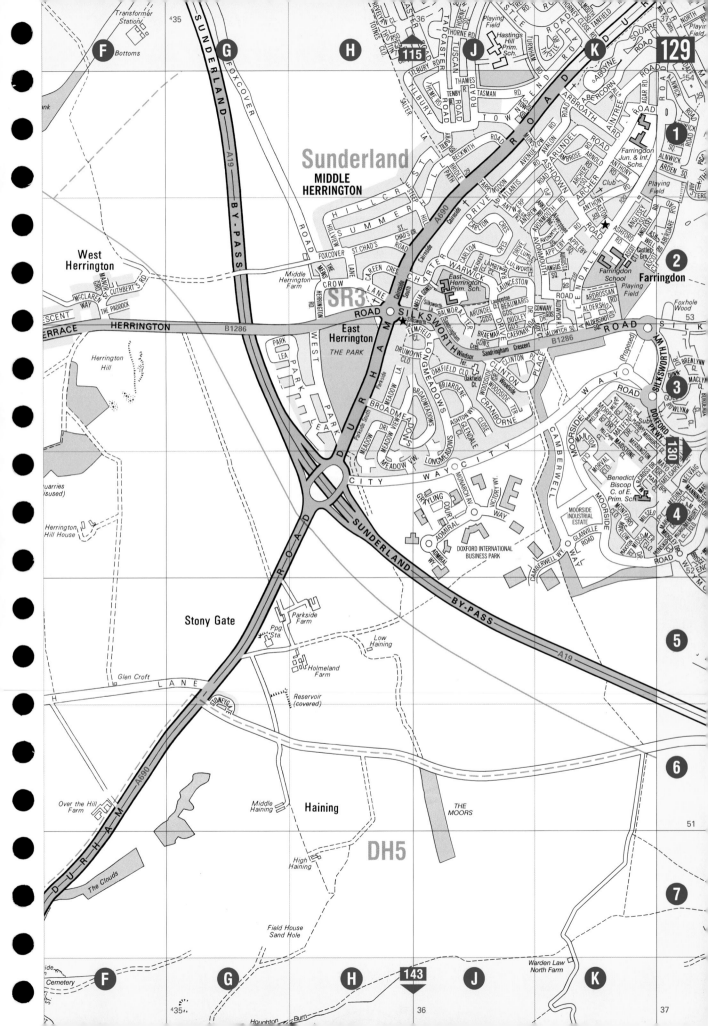

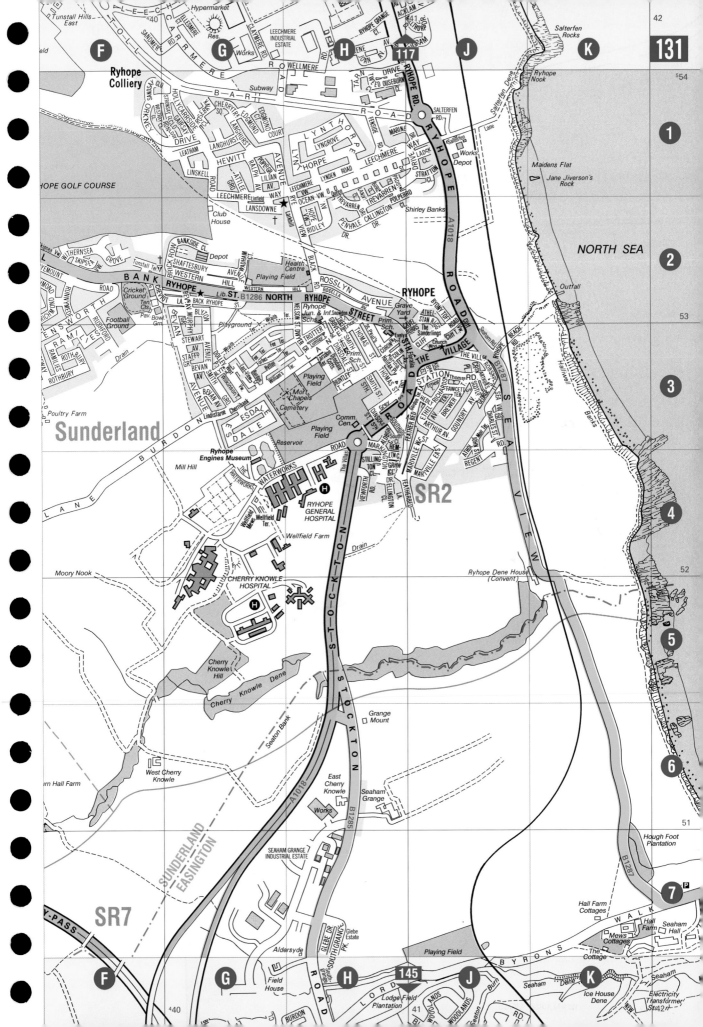

**A** **B** 118 **C** **D** **E**

07 08 09

Mosswood Cottages
Field
Cott.
**Mosswood**
Wallishwalls
Burn

Allensford
Cottage

West
Wood

Daneburn
Wood

Consett
Plantation

Hall
Cottages

**1**

Moss Wood

Ravenscrag
Haugh

Allensford
Mill Farm

Allensford
Bridge

Allensford
Milll

Picnic Site &
Caravan Park

P

Aqueduct

Temperley's
Wood

Selby
Lodge

Playing
Field

**The Grove**

The Grove
Prim. Sch.

The Grove

Fell Vw.

550

Allensford
House

West Fines
Wood

The
Bungalow

Rose
Cottage

**Allensford**

Dene
Burn

Consett Low
Wood

St. Pius Xth
R.C.
Prim. Sch.

Recreation
Ground

Taylors

Evansleigh Rd.

Hall

**2**

RIVER DERWENT

Ravens' Crag

BOG WOOD

Ravenscrag Wood

Wharnley
Burn

Wharnley
Burn Bridge

A68

Playing
Fields

Moorside
Comp. Sch.

CRESCENT

Crescent

Crescent

Hall

A692

Deneburn

**3**

Wharnley Hill

Wharnley
Burn

Bessy's Bank

Fairview

Moorside
Prim. Sch.

Hall

DUNELM
ROAD

JUBILEE
CT.

LINCOLN

LINCOLN
RD.

DERBY

CRES.

RUTLAND
RD.

SUSSEX
RD.

DUNELM

CRESCENT
ROAD

DEVON

KENT
RD.

**Moorside**

Consett
High Wood

49

Sewage
Works

Birks
Well

Parkhouse
Farm

Birks
Wood

Davison
Square

CHESTER
ROAD

ANCASTER
RD.

YORK
RD.

WARWICK

YORK
AV.

SOMER.
SET RD.

NORFOLK

URREY

AVENUE

DRIVE

The
Bungalows

Whinny
Hill

Todd
Hill

P

Crag
Bank

**4**

Dean Howl
Farm

Dene
Howl

HILLCREST

STREET

ROWLEY
STREET

Wharnley Wy.

Field
Heads
Farm

**Castleside**

Castleside
Prim.
Sch.

Moorland

Moorland
View

CONSETT

WHINNY
CRES.

ROAD

A692

CUMBERLAND
AV.

CAMBRIDGE
AV.

ESSEX
AV.

Four Lane
Ends

Walton Ter.

MAUDVILLE

PARK

Play
Fld.

Hall

DROVER TER.

BELL VW.

THE
RISE

DROVER

Reservoir
(covered)

WESLEY
TER.

WESLEY

HILLGARTH

G.S.

TER.

Fourwinds

Rowley
Bank

**Consett**

**DH8**

Middle
Heads

**5**

**Healeyfield**

WATERGATE
RD.

Cemetery
War
Mem.
Vicarage

CHURCH

Watergate
Burn
Bridge

Rose
Cottage

Watergate
Burn

BANK

Watergate

Braeside

Glendale

The
Sycamores

The Hawthorns

Beech Lodge

Garden
Cottage

Fir Tree

Lyarde

48

Healeyfield
Plantation

HEALEYFIELD

ROAD

Rowley
Farm

A68

Tree
Tops

**Rowley**

Station
House

Dean Bridge
House

Lyar
Dene

Lyar Dene
Farm

**6**

Cockshot
Banks

Healeyfield
Bridge

Charlton
Howl

Picnic
Site

Mainsfield

Low
Alders

Depot

Lyre Dene

Whitfield

Syke

Whitehall

Whitehall
Cottage

Oliver Ford
Cottage

**7**

Oliver Ford
House

China
Wood

47

**A** **B** **C** **D** **E**

07 08 09

WHITEHALL MOSS

High
Alderheads

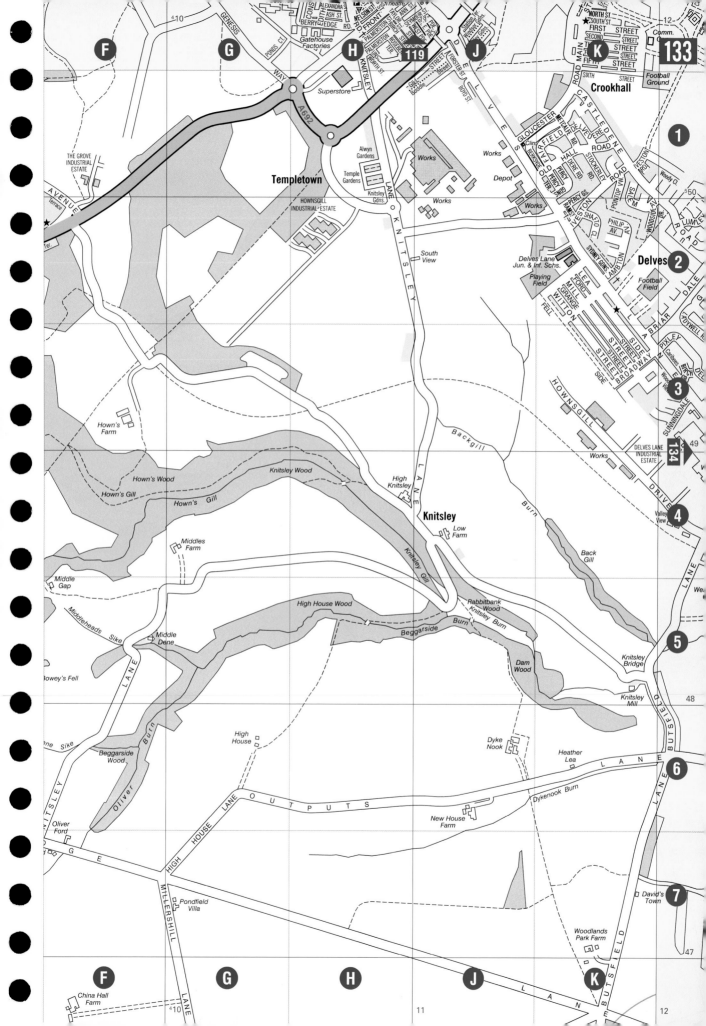

F
G
H
119
J
K
133

1

Crookhall

NORTH ST
South St
FIRST STREET
Comm.
Second STREET
Third STREET
Fourth STREET
Fifth STREET
Sixth STREET
Football Ground
MAIN ROAD
CASTLEDENE ROAD
NEVISON DR
Woody Ct.

50

GLOUCESTER ST
DE LE VERE ST
HALL
HERE RD.
OLD PERCY TER.
RAMSAY ST
NED SNGS
POPLOP VW
SA'M
WOODSIDE AV.
LUM ROAD
CLARFIELD
MEGARD RD
BERKSVOL
STOCKERLY RD
ROAD
PONTOP VW
WESTON CT.

Clin
PERCY GS.
PHILIP AV.

Works
Depot
Works
SYDNEY GDNS.
SHA CT.
WESTON CT.

Delves 2
Football Field

Works
EA FORD
MILL
GRANGE
WITTON
FELL
BROADWAY
A
SIDE
STREET
STREET
STREET
SIDE
BRIAR
PIXLEY
BIRCH
DALE
TADWELL N.
Caithness
Wear
Vidd
SUNNINGDALE

3

Delves Lane
Jun. & Inf. Schs.
Playing Field

HOWNSGILL

DELVES LANE INDUSTRIAL ESTATE
Works
134
49

THE GROVE INDUSTRIAL ESTATE

AVENUE
Terrace

GENESIS WAY

410

Gatehouse Factories

ALEXANDRA S
ASH ST
BERRY EDGE RD.
NELSON ST
FRONT
PALMERSTON ST
PALMERSTON TER.
ANN ST
SEYMOUR ST
EDITH
Theatre
Stanhope Gdns.
GILL
BIDDLE
FORSTER ST
BOYD ST
STREET
STREET
STREET

Superstore

A692

Templetown

HOWNSGILL INDUSTRIAL ESTATE

Alwyn Gardens
Temple Gardens
Knitsley Gdns.

South View

KNITSLEY LANE

LANE

DRIVE
Valley View

BUTSFIELD LANE

4
Back Gill
Hown's Farm

Hown's Wood
Hown's Gill
Hown's Gill

Knitsley Wood

High Knitsley

Knitsley
Low Farm

Backgill Burn

Valley View

Middles Farm

Middle Gap

Middleheads Sike

Middle Dene

High House Wood

Knitsley Gill

Rabbitbank Wood
Beggarside Burn
Knitsley Burn
Dam Wood

Knitsley Bridge
Knitsley Mill
48

5

Bowey's Fell

...ene Sike

LANE
Oliver Burn

Beggarside Wood

Oliver Ford

High House

HIGH HOUSE LANE

OUTPUTS

New House Farm

Dyke Nook
Heather Lea
Dykenook Burn

LANE

6

David's Town

7
47

MILLERSHILL LANE

GE

Pondfield Villa

BUTSFIELD LANE

Woodlands Park Farm

F
G
H
J
K

China Hall Farm

410

11
12

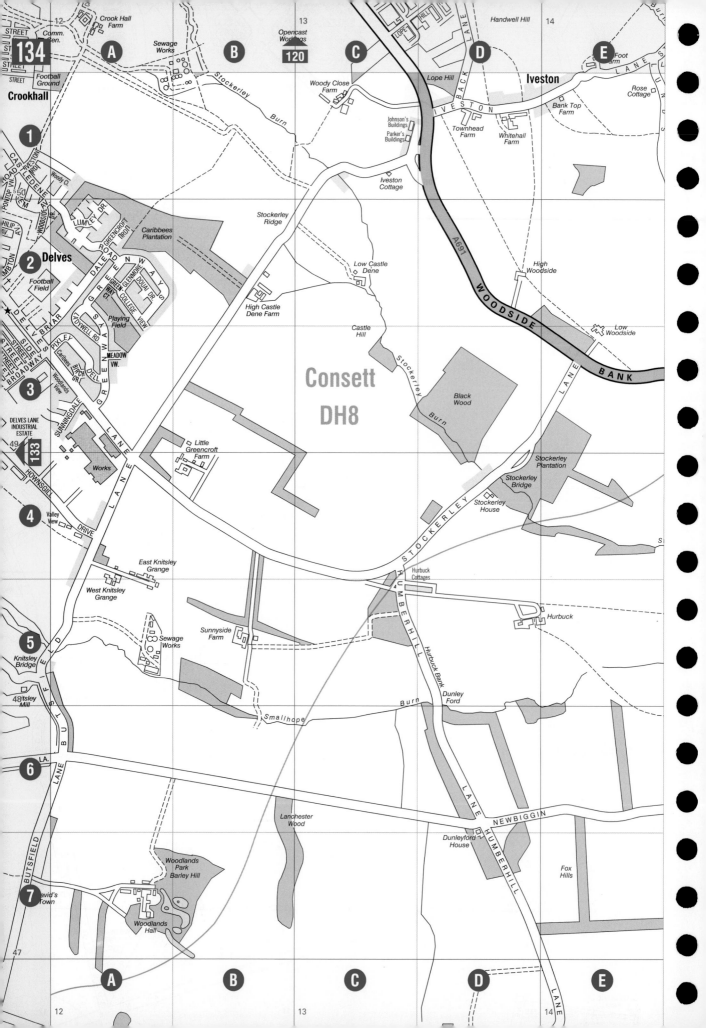

Crookhall

Crook Hall Farm

Comm. Gen.

Sewage Works

Opencast Workings
120

Woody Close Farm

Lope Hill

Handwell Hill

Iveston

Foot Farm

Rose Cottage

Johnson's Buildings

Parker's Buildings

Townhead Farm

Whitehall Farm

Bank Top Farm

Iveston Cottage

STREET

Delves

Football Field

Caribbees Plantation

Stockerley Ridge

Low Castle Dene

High Woodside

High Castle Dene Farm

Castle Hill

WOODSIDE BANK

A691

Low Woodside

Consett
DH8

Black Wood

Stockerley Burn

Stockerley Plantation

DELVES LANE INDUSTRIAL ESTATE

133

Works

Little Greencroft Farm

Stockerley Bridge

Stockerley House

Valley View

East Knitsley Grange

West Knitsley Grange

Hurbuck Cottages

Hurbuck

HUMBERHILL

Knitsley Bridge

Sunnyside Farm

Sewage Works

Hurbuck Bank

Dunley Ford

Knitsley Mill

Smallhope

Burn

LANE

Lanchester Wood

NEWBIGGIN

Dunleyford House

Fox Hills

HUMBERHILL

Butsfield

Woodlands Park Barley Hill

David's Town

Woodlands Hall

LANE

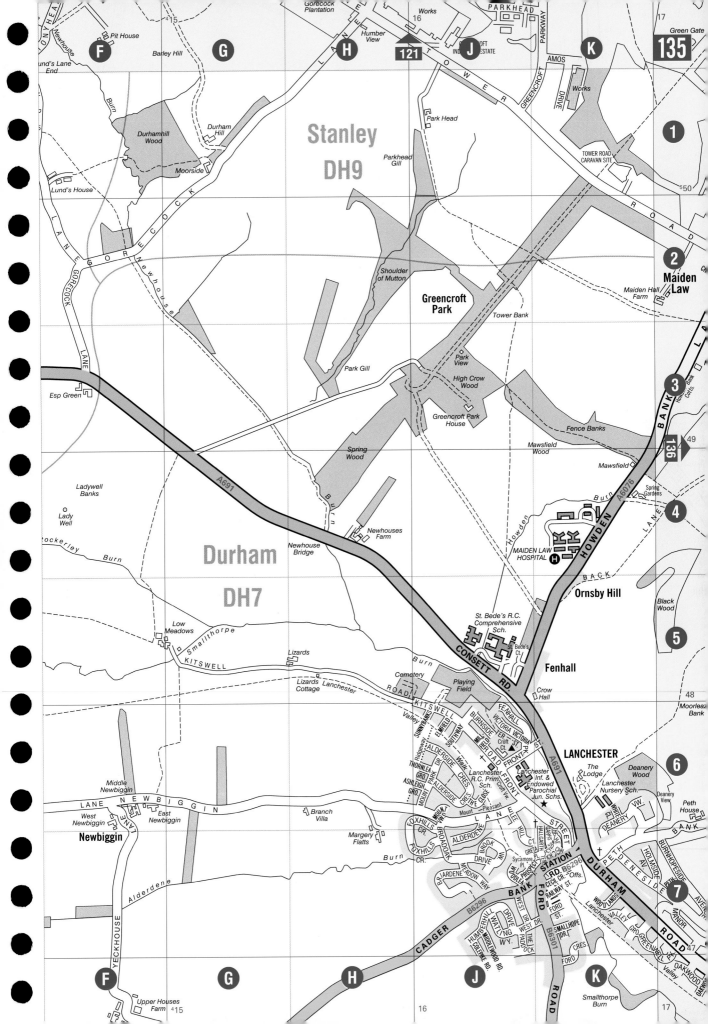

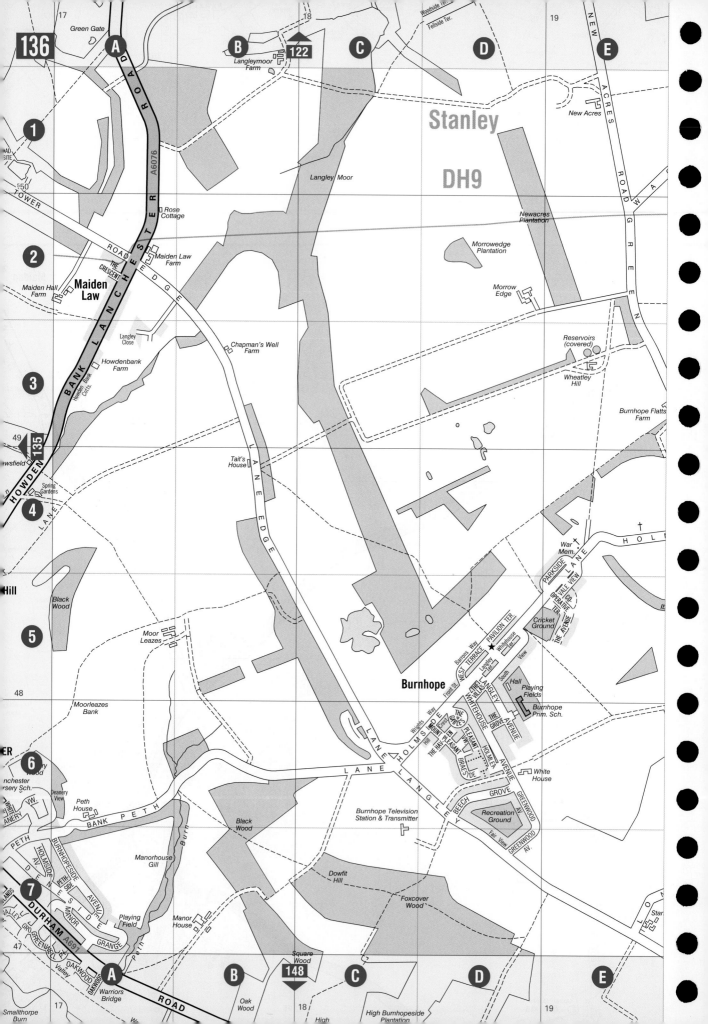

F  G  H  123  J  K

1

2

3

138  49

4

Durham

DH7

5

48

6

7

F  G  149  H  J  K

Crieff
Vicarage
Sawmill
Crieff Villa
Brookside Works
White House Farm
Faw Side
Windmill Hill
Fawside Dene
550

Wheatley Green Farm
Wheatley Green Burn
Hag Wood
Wardle's Burn
Holmside Hall
Moat
West Edmondsley
Holmside Park
Wardle's Bridge
Holmside
Little Holmside
New Warlands Farm
Warland Green
Whiteside Farm
Holmside Lodge
Club House
Peartree Ter.
Warlands
West Edmondsley Cottage Farm
Eller
West B

Whiteside Gill
Burn
Nursingfield Gill
CHARLAW PLANTATION
CHESTER-LE-STREET
CHARLAW LANE
CHARLAW LANE
West B

Ibbetson's Sike
Fellside Plantation
Whiteside Sike
Fellside Gill
Fellside Burn
Broomhill Plantation
DURHAM
DERWENTSIDE

Ibbetson's
Standagainstall Plantation
Fellside
Taylorshill Plantation
Taylor's Hill
Broom Hill
EDGE

Standagainstall Farm
Broom House Farm Cottages
Broom House
Westhall Plantation

Kitty's Plantation
Coalpark
COALPARK GILL
West Hall Cottage
Kay's

420
21
22
48
47
20
21
22

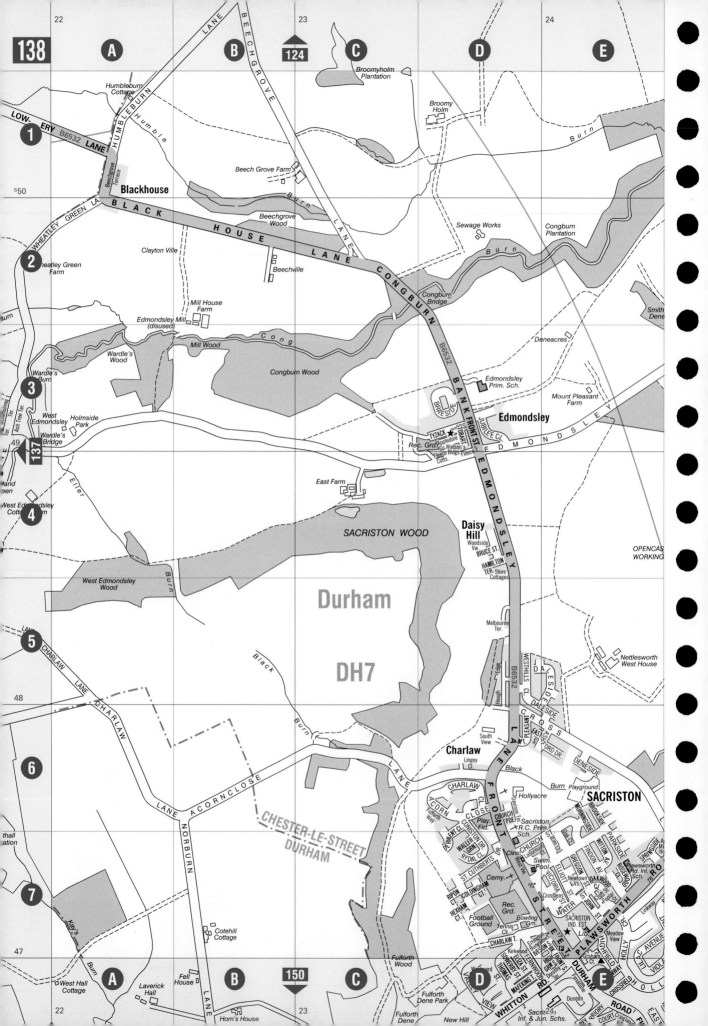

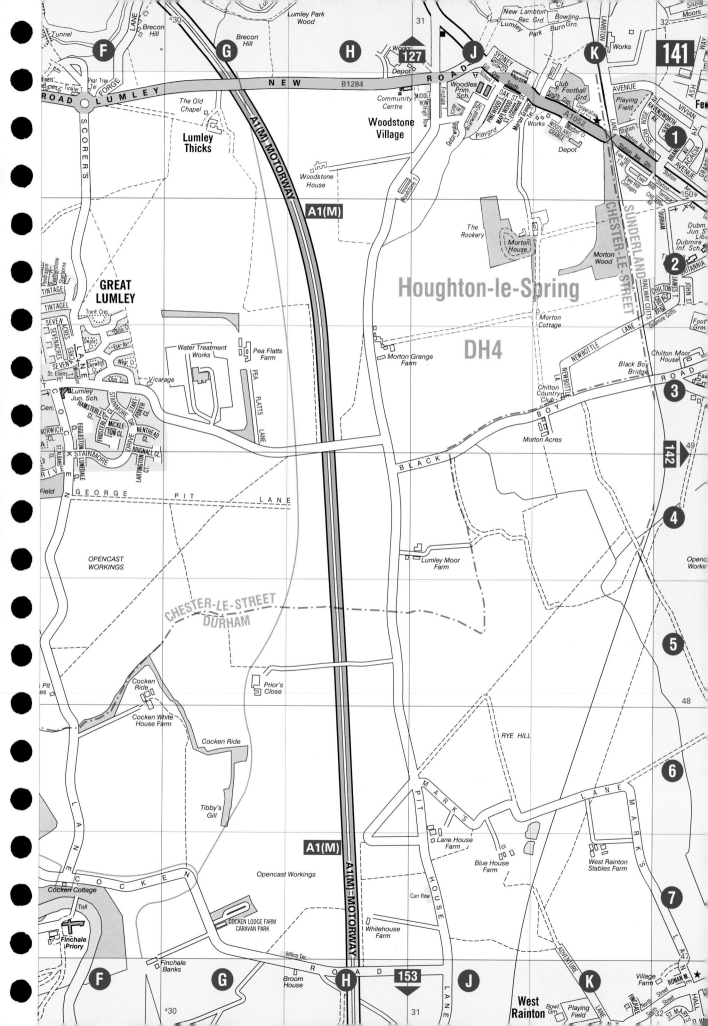

A    B    130    C    D    E

Old Burdon Farm

Sludge Bed

Pacific Hall Farm

39

SUNDERLAND
EASINGTON

Sharpley Burn

**1**

Warden
Law

⁵50

B1404

High
Moors

Sharpley Hall
Farm

Nursery

SALTERS

Warden
Law

Sharpley Burn

**2**

LOW
MOORS

Seaton
Plantation

Seaton Bank
Top

**3**

High
Sharpley

Seaton Moor
House

The
Maples

Northside

49 ◀ **143**

Sharpley
Plantations

GREEN LANE

LANE

Haverley
House

Stotf
Far

**4**

South
Sharpley

NORTH

**Houghton-le-Spring**

**DH5**

Slingley Hill
West

Slingley Hill
East

LANE

Slingley Hill
South

**5**

**Great Eppleton**

48

CARRHOUSE

LANE

SALTERS

Water
Gate

**6**

Sandy Hill

Carr House
Farm

Carr House
Plantations

BURNIP ROAD

WEBB

MURTON

Murton
Bridge

STEPHENS

ESTATE NORTH

SHORT GRO.

CAIRNS
RD.

GOWLAND

SQUARE

WETHERBURN AV.

CR. HILL CR.

SHINWELL

CLARKE TER.

BEVIN

LANSBURY DR.

AVENUE

CALVERT TER.

CRESCENT

Prim.
Sch.

Playing
Fields

Lib.

BRACKEN
HILL

RYE HILL

METCALFE

WELLFIELD

HUNTLEY AV.

LUKE RD.

COOK

ROAD

BARNES

WATKIN

CRESCENT

Turnbull
Cres.

Prim. Sch.

ROAD

**7**

STATION ESTATE NORTH

STATION ESTATE EAST

STA.

STATION ESTATE S.

DIV'SN RD.

WOL. CNS.

FARMER

CRES.

Aged
Miners'
Homes

Church
La. N.

GRAY AVENUE

DOBSON RD.

PORTER TERRACE

WATTS

47

ORCHARD
HILL

Doxford Ter. N.

Station Rd. N. ★

Doxford Ter. S.

Station Rd. S.

B1285

ROAD CHURCH

War.
Mem.

PORTER

CALVERT TER.

WILLIAMS RD.

KNARESBOROUGH RD.

HARBROAD

STEPHEN

A    156 ▼    C    D    E

Little
Eppleton

37

CONSTITUTION

Murton Moor
Farm

38

Brier

STATION

MELROSE

WINDS

OWEN

LANE

WINDS

39

Vicarage
Ter. Vicarage

LANE CHUR

Cemetery

Murton
R.C. Prim.
School

FEDERATION

North Vw.

FARADAY

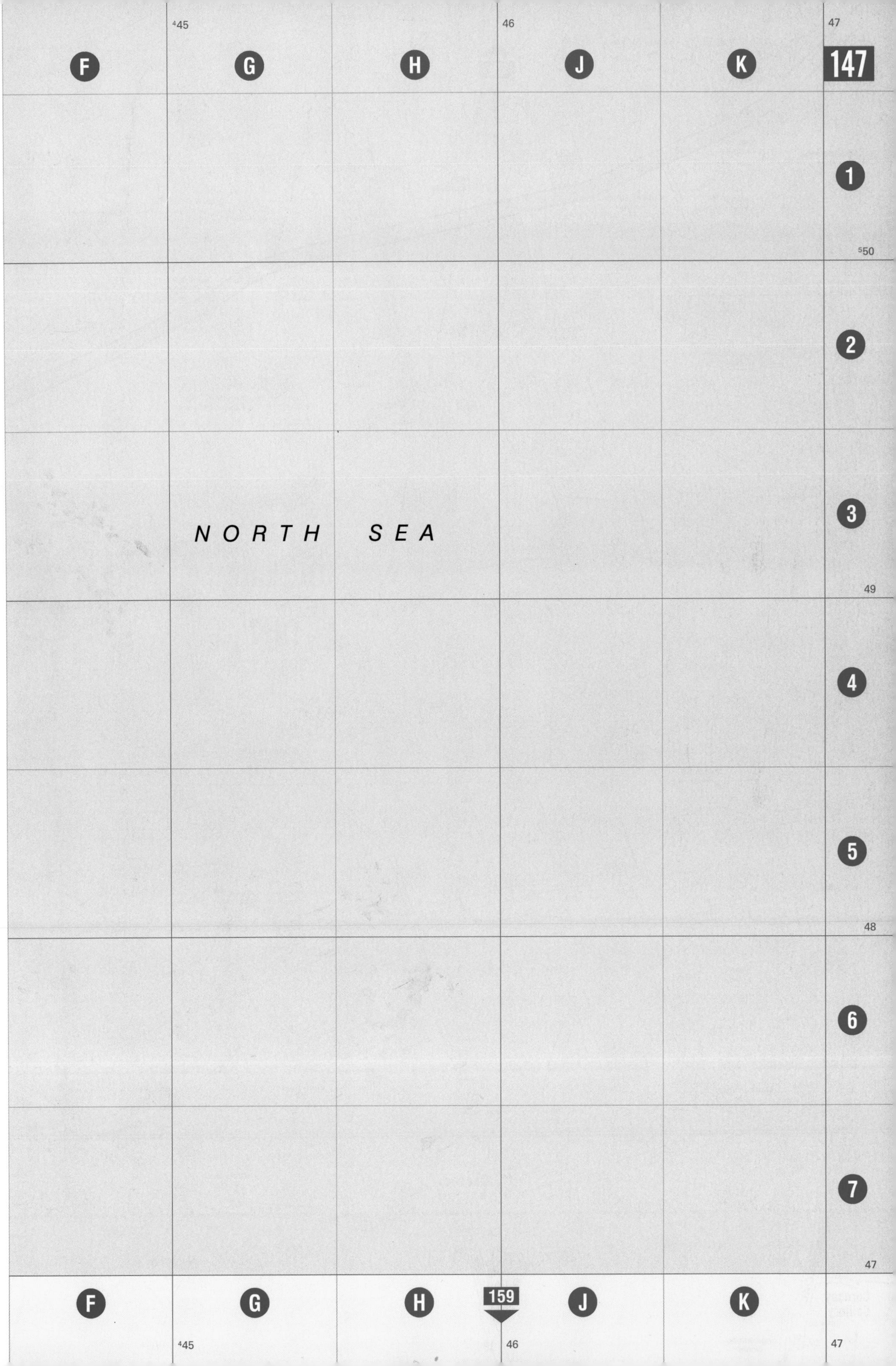

1

⁵50

2

*N O R T H    S E A*

3

49

4

5

48

6

7

47

F · G · H · 137 · J · K

1 · 2 · 3 · 4 · 5 · 6 · 7

Longdagainstall Farm

KITTY'S PLANTATION

COALPARK GILL

West Hall Cottage

COALPARK

Coalpark Squares

Langley Hall (remains of)

Beech Wood

Old Hall Wood

Ox Wood

Kaysburn Plantation

Drift Plantation

Waterfall Wood

LANGLEY ROAD

Langley

Stainsbybank Plantation

Park House Plantation

Bleach Green

Bleachgreen Plantation

Long Plantation

Langley House Belts

Langley House

Parkhouse Cottages

A691

Kaysburn

Stobbilee

Lane Ends Bridge

Castleways Bridge

Parkhouse House Villas

New

Bleachgreen Lane

Kaysburn

Hedley's Wood

Langley Park North Industrial Estate

Stobbilee Farm

150 Wallnook Bridge

Wall Nook

Wallnook Mill Farm

DERWENTSIDE

Lanchester

River Browney

Walk

Beck Valley

RIVERSIDE INDUSTRIAL ESTATE

LANGLEY PARK SOUTH IND. EST.

Weir

WALLNOOK

FINSTER

Branches

Blackburn

Langley Park

Railway St.

Logan St.

George St.

FRONT

BROWNEY CT.

BROWN ST.

OAK S.

Tennis Court

Lime Garth

DAVIS CRES.

THE HAVEN

GARDEN AV.

Sports Ground Cricket Grd.

DALE ST.

D'ARCY ST.

LANGTON ST.

Church St.

Langley St.

War Mem.

ELM S.

ELM ST.

ASH ST.

BRIDGE

BRIDGE S.

POPLAR S.

WORTH

Hawthorn

Dean St.

Jean's

PARK WY.

Pav.

DAVIS CRES.

THE CRESCENT

Finings Avenue

ROAD

Quebec St.

SOUTH VIEW

ASH ST.

Eileen Ter.

KINGSWAY

PARK CL.

ESH

DRIVE

Rec. Grd.

Cemetery

Stringer Terrace

Finings St.

Clifford St.

Hospital

DR. BEECH CT.

Esh Ter.

Way Ter.

Brown's ter.

HILLSIDE

DURHAM

CEDAR CT.

PARK

MIDDRIDGE RD.

STARGATE

MANTHORPE CL.

WEARDALE

NETHERTON CL.

EPPLETON CL.

HERRINGTON CL.

HAZELWD.

MAPLEWOOD

Lilian Ter.

Ivy Terrace

Lloyd's Ter.

EASTERN

CROSSWAYS

SPRINGWELL

AVENUE

HILL TOP

Hill Top VW.

WEST House

WILLOW

ELDON CL.

PHOENIX

RAMSHAW CL.

ELMORE CL.

HYLTON CL.

CHERRYTREE

Playing Field

Langley Park Prim. Sch.

Rose

Tilliam Ter.

HILL TOP VIEW

SPRING WELL AV.

North Farm

Midhill Cl.

EAST CLERE

Esh Hill Top Farm

Springwell

Glebe Farm

Esh C. of E. Prim. Sch.

Consett Ter.

STREET

Groove Bank

FRONT ST.

Hilltop

Broom Cottages

Hill Top

FRONT

HILL CREST

HALL RD.

GREEN CT.

Low Esh

Esh Laude R.C. Prim. Sch.

Esh

Esh Hall

COLLEGE ROAD

Millgate Cottages

Mill House

The Rookery

Ushaw College

BROADGATE ROAD

St. John's

Ushaw Farm

Farm Plantation

East Lodge

F · G · Fortypence Plantation · H · 161 · J · K

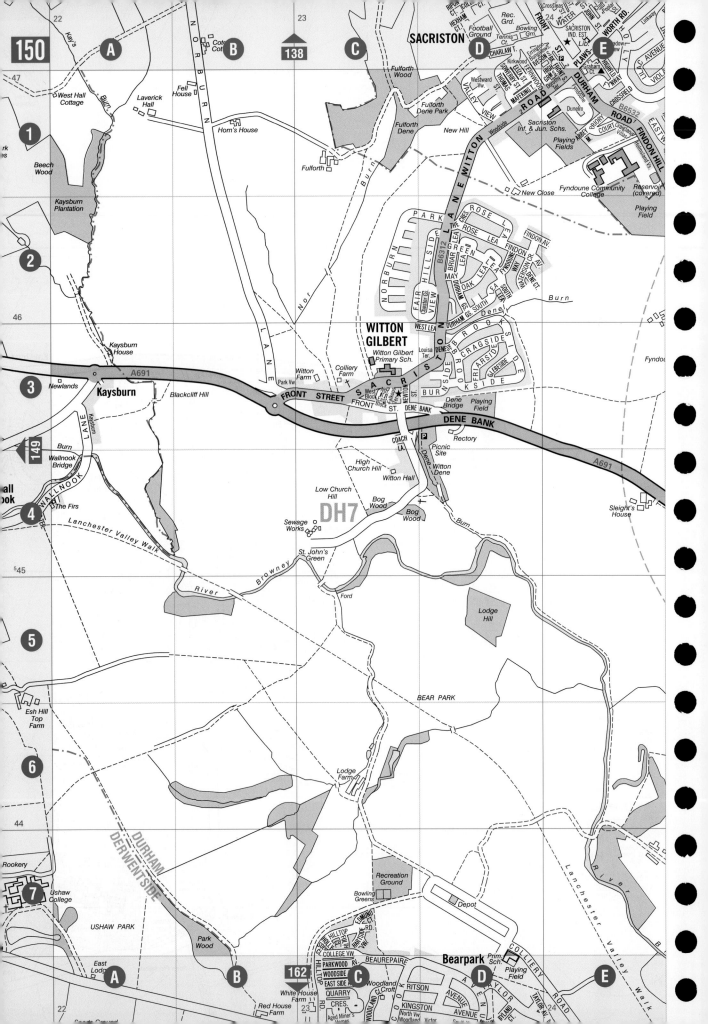

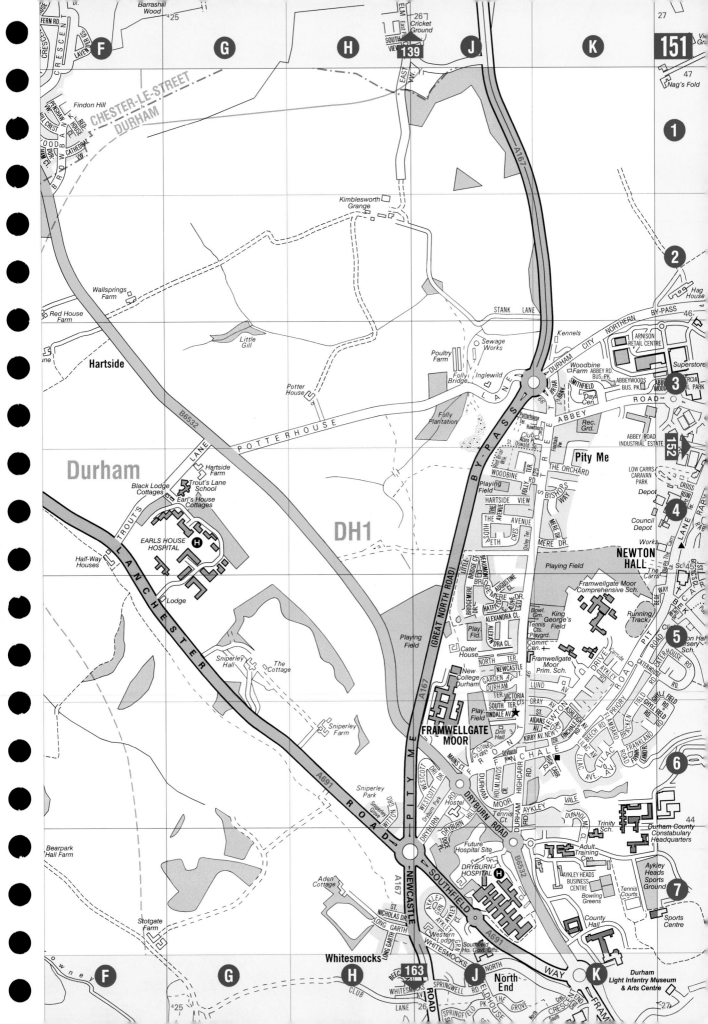

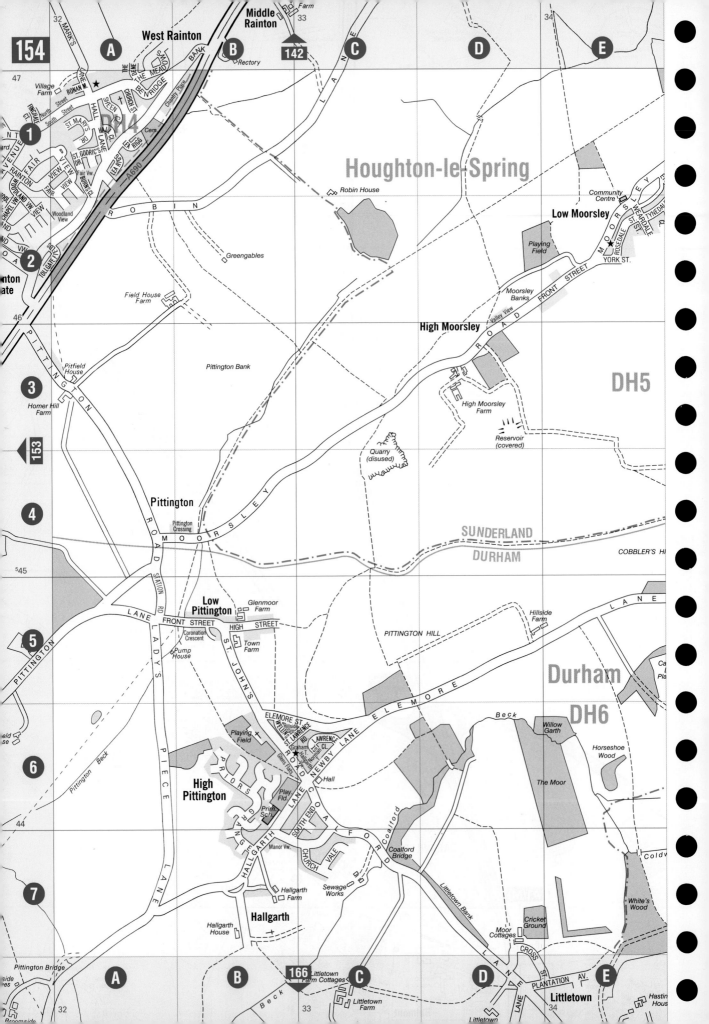

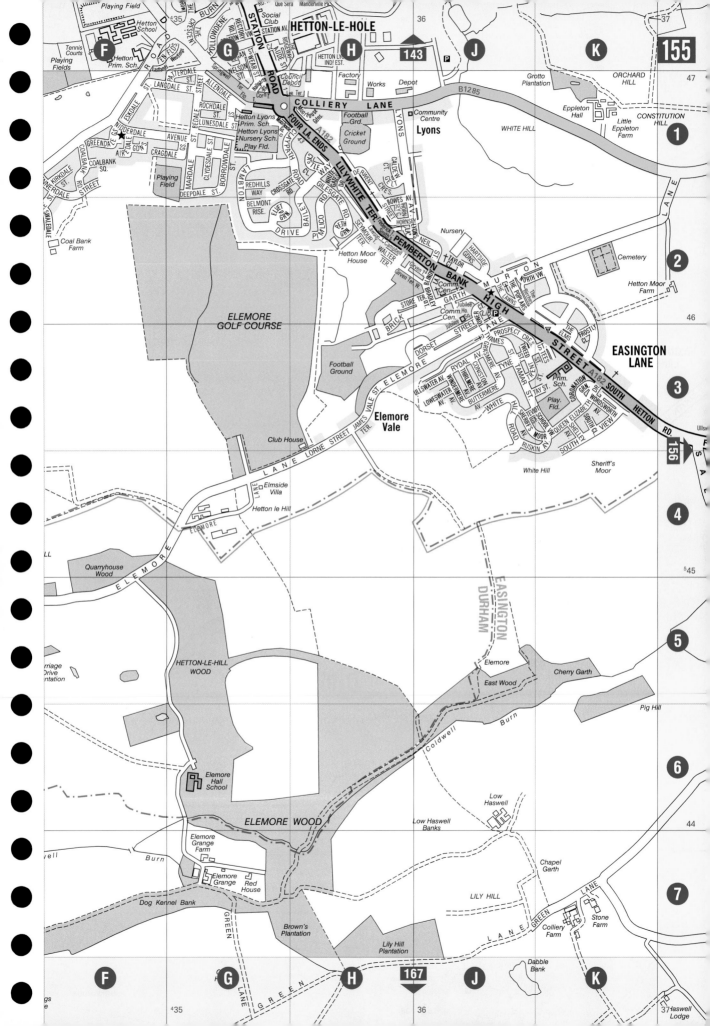

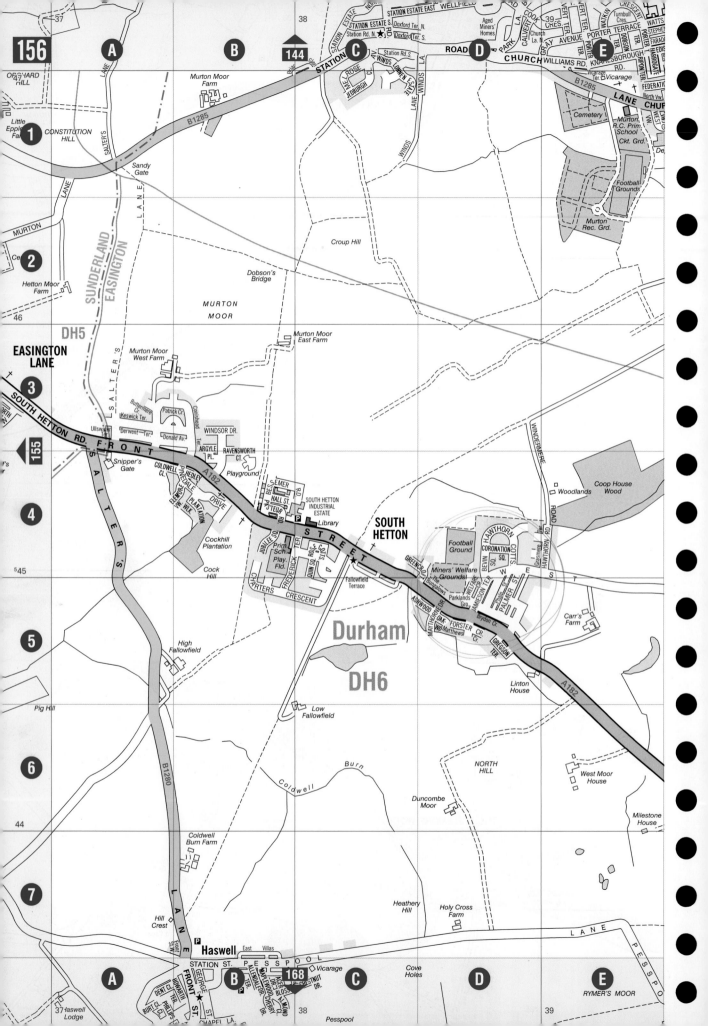

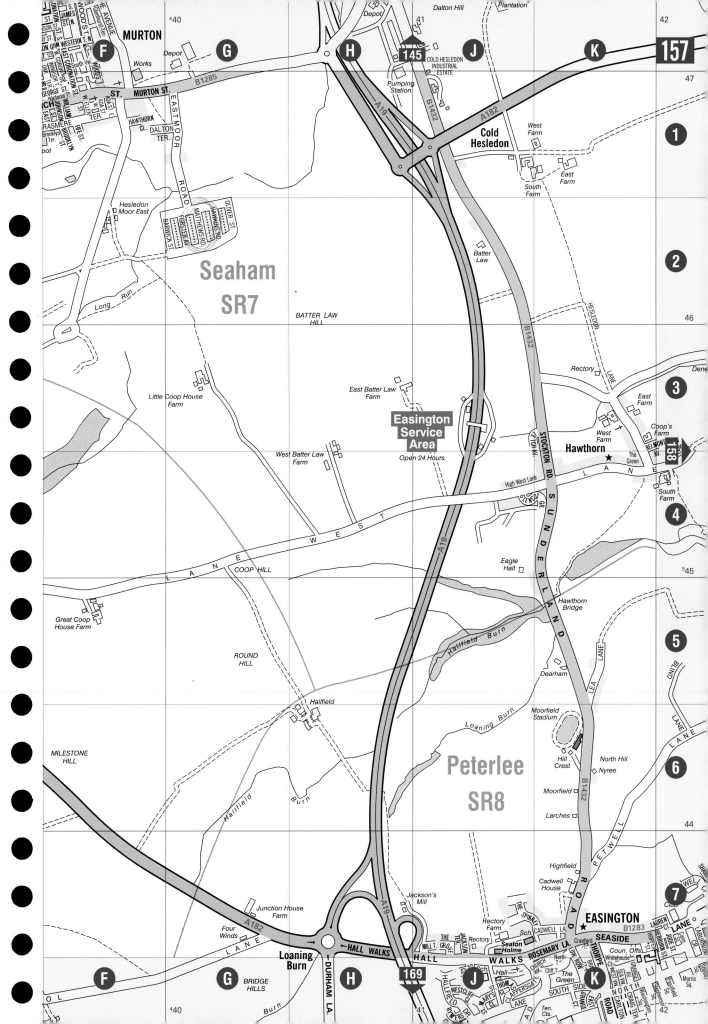

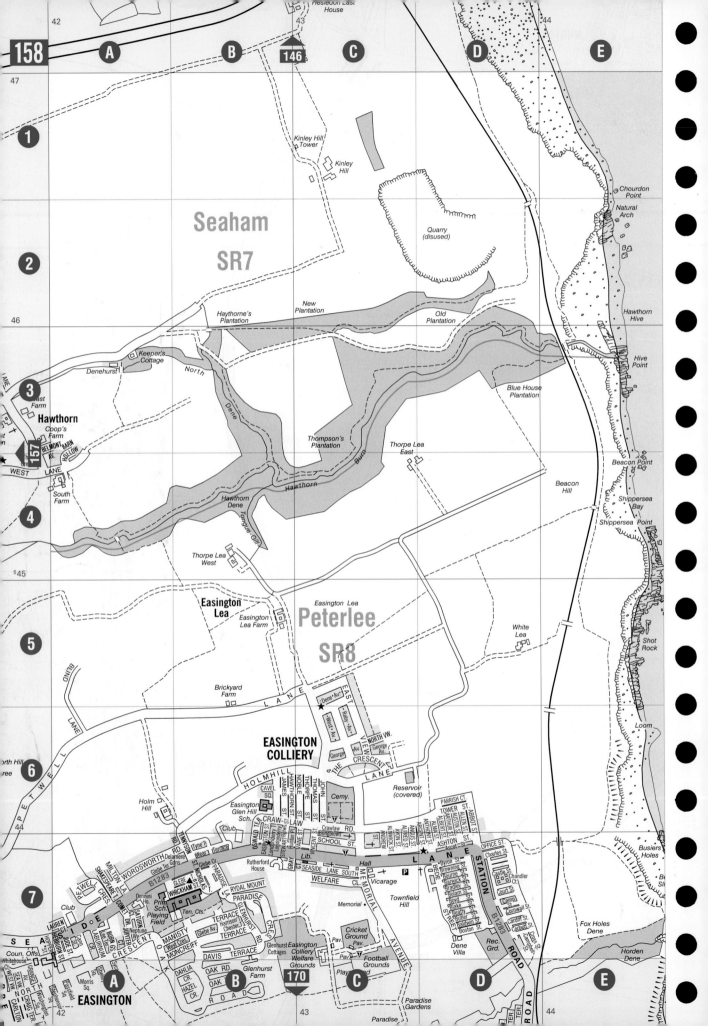

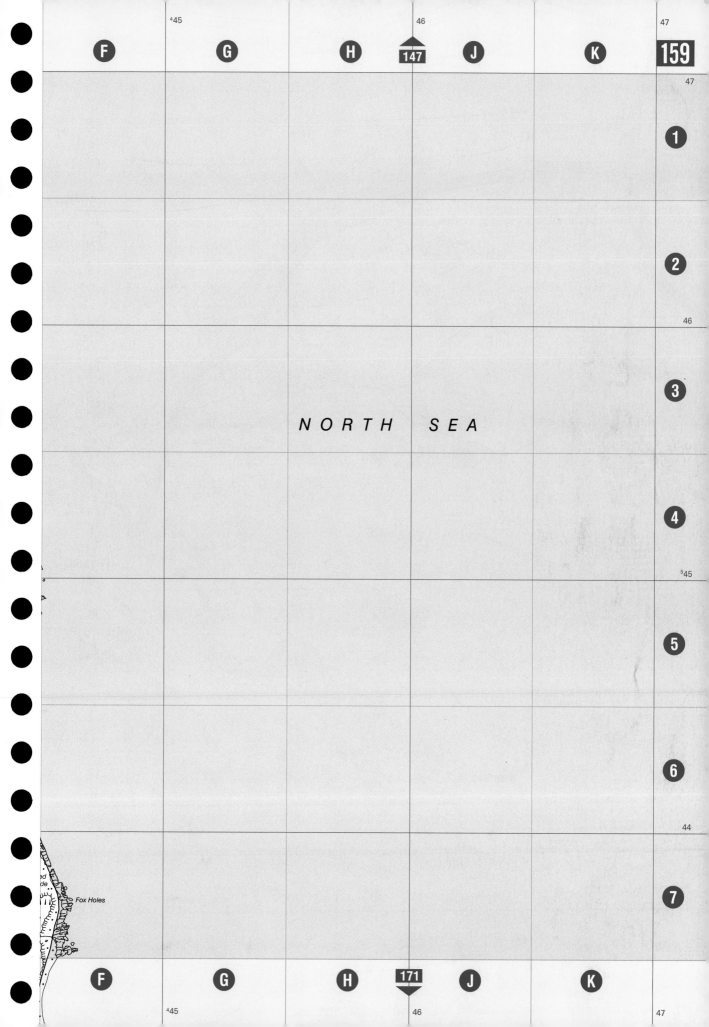

45  46  47

47

1

2

46

3

NORTH   SEA

4

⁵45

5

6

44

Fox Holes

7

⁴45  46  47

**160**

**Cornsay Colliery**

148

**Quebec**

**Esh Winning**

**Waterhouses**

DERWENTSIDE
DURHAM

WEAR VALLEY
DURHAM

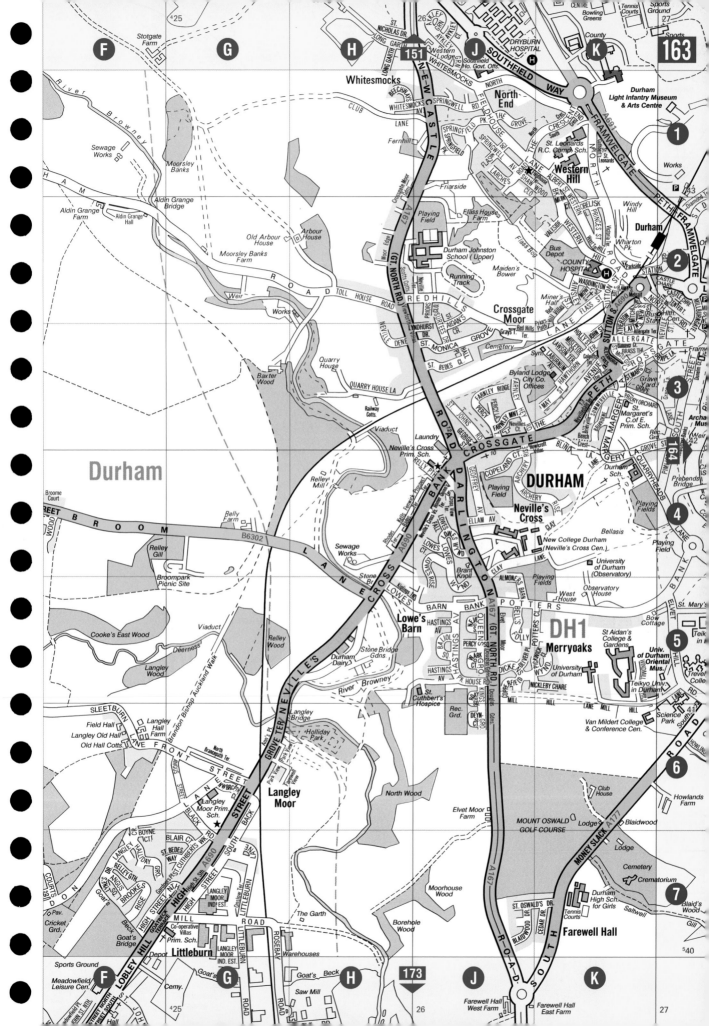

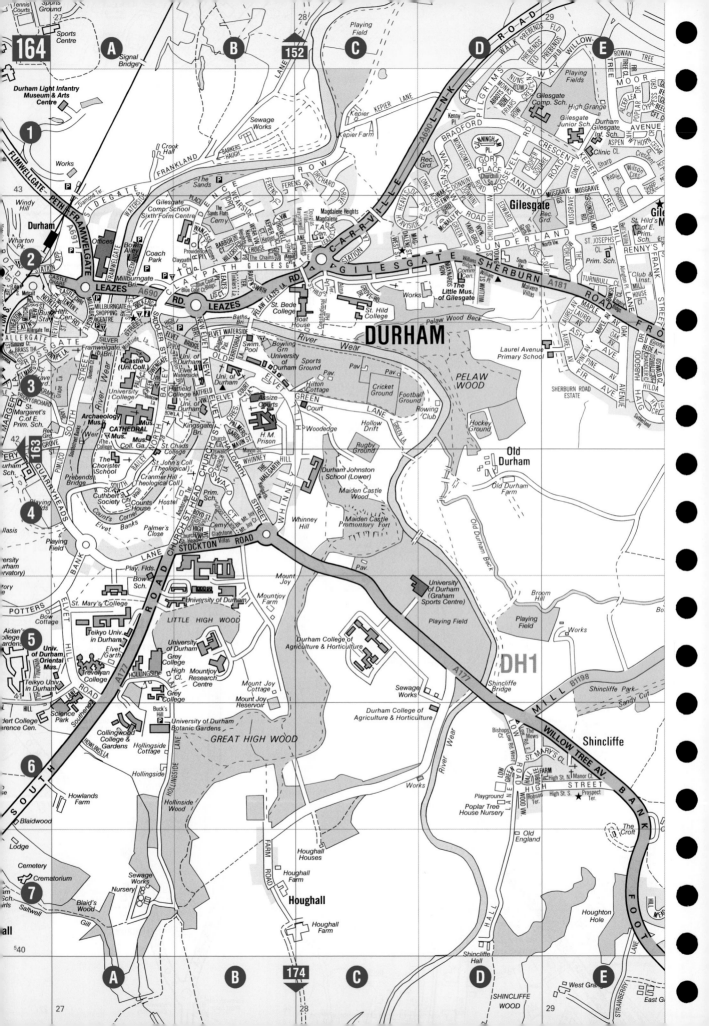

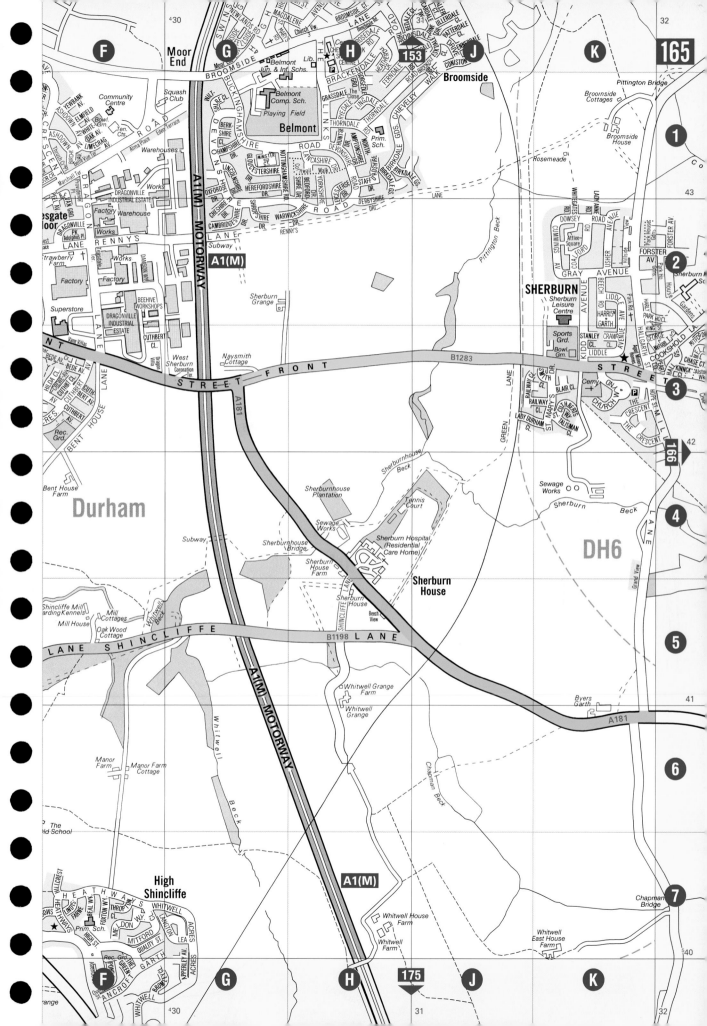

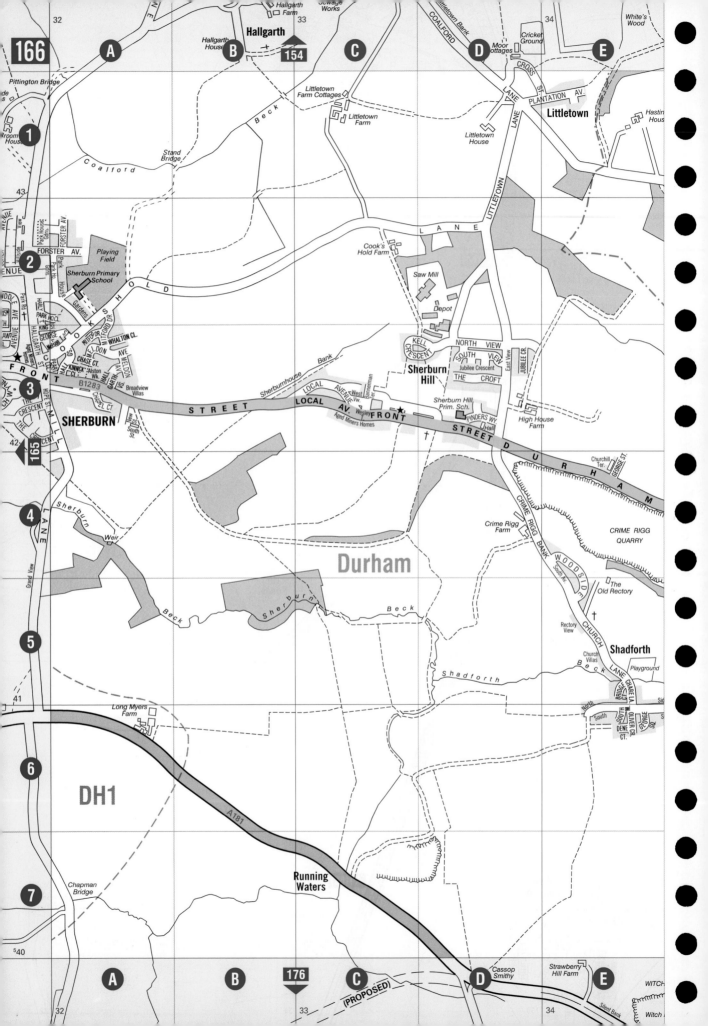

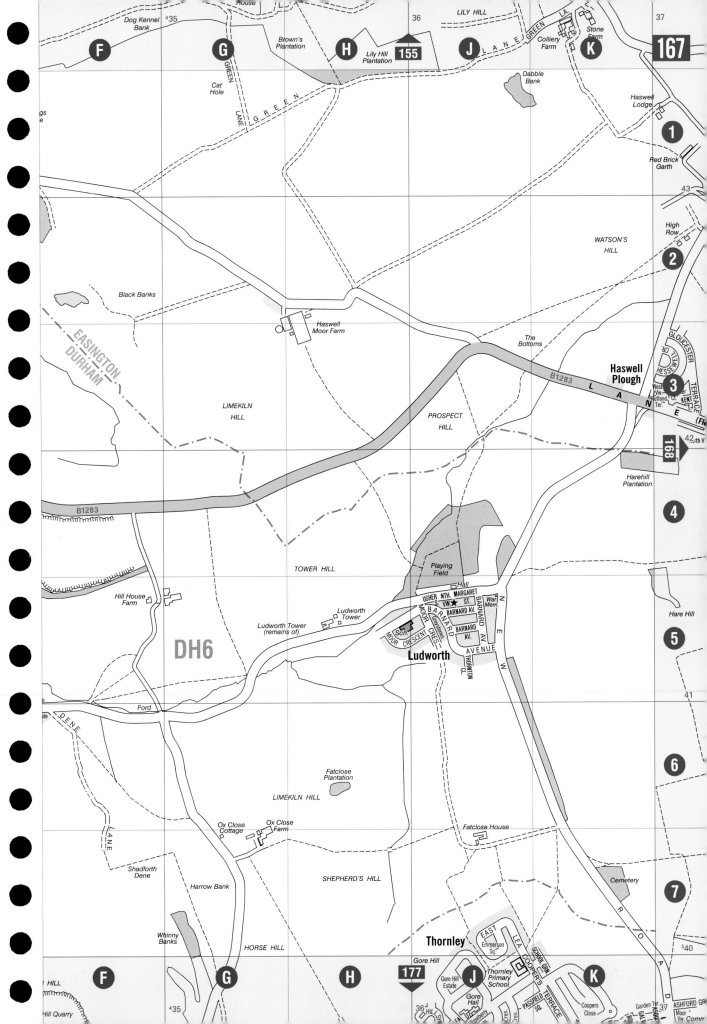

F G H J K

**F** **G** **H** 155 **J** **K** 167

1
2
3
168
4
5
6
7

Dog Kennel Bank ₄35 36 House LILY HILL 37 GREEN LA.

Brown's Plantation

Cat Hole

GREEN LANE

Lily Hill Plantation

Dabble Bank

Stone Farm

Colliery Farm

Haswell Lodge

Red Brick Garth

43

High Row

WATSON'S HILL

GLOUCESTER CR.

Black Banks

Haswell Moor Farm

The Bottoms

B1283 LAN

Haswell Plough

HESS...

West Vw. Rutland Ter. KENT

...rth V

42...

EASINGTON
DURHAM

LIMEKILN HILL

PROSPECT HILL

Harehill Plantation

B1283

Hill House Farm

TOWER HILL

Playing Field

Hare Hill

Ludworth Tower

Ludworth Tower (remains of)

**DH6**

USHER NTH. MARGARET VW. ST.
BARNARD AV.
BARNARD
Sch.
MOOR CRESCENT
MOOR CRES
BARNARD AV.
War Mem.
Hall
N
E
W

**Ludworth**

AVENUE

THORNTON CL.

41

Ford

DENE

...e

Fatclose Plantation

LIMEKILN HILL

Fatclose House

LANE

Ox Close Cottage

Ox Close Farm

SHEPHERD'S HILL

Shadforth Dene

Harrow Bank

Cemetery

Whinny Banks

HORSE HILL

Gore Hill

**Thornley**

EAST Emmerson Sq.

COOPERS

LEA

SCHOOL GRN.

R
O
A
D

₄40

**F** **G** 177 **H** **J** **K**

HILL

HILL Quarry

₄35 36 37

Gore Hill Estate

Gore Hall

Thornley Primary School

PASSFIELD SQ.

TERRACE

COOPERS

Coopers Close

ASHFORD GR.

Garden Ter.

Moor Vw. Comm...

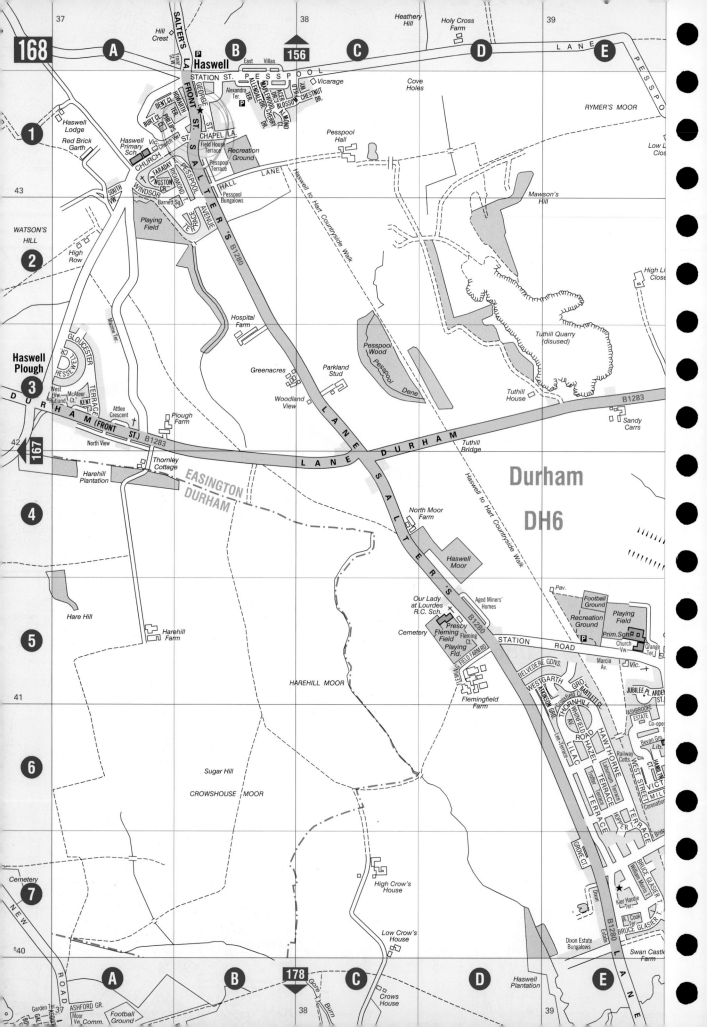

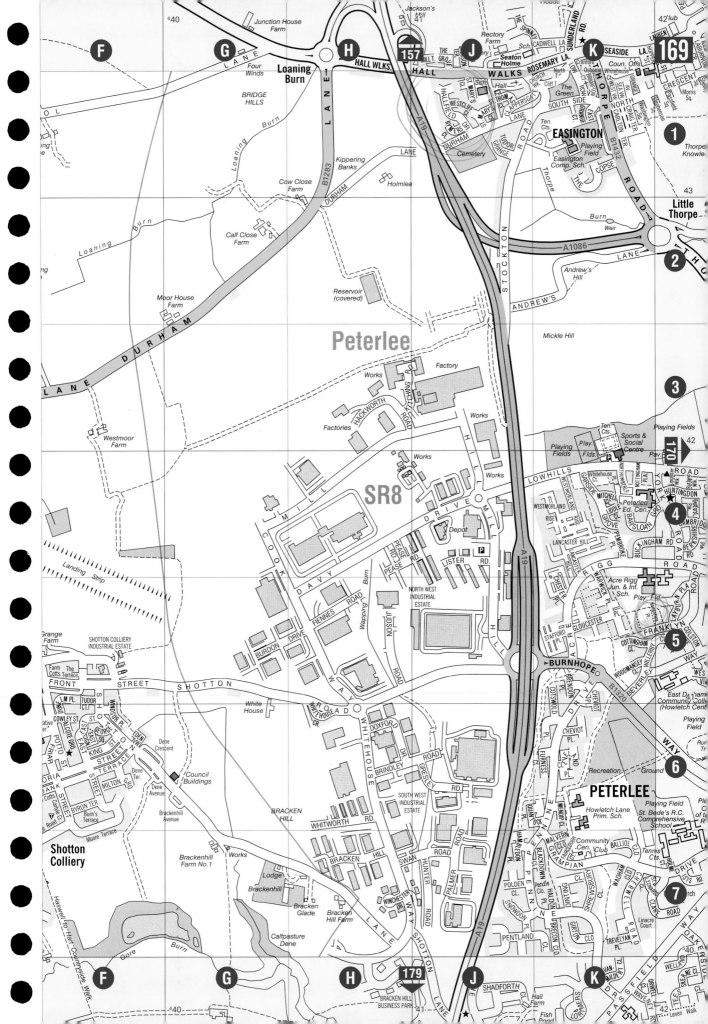

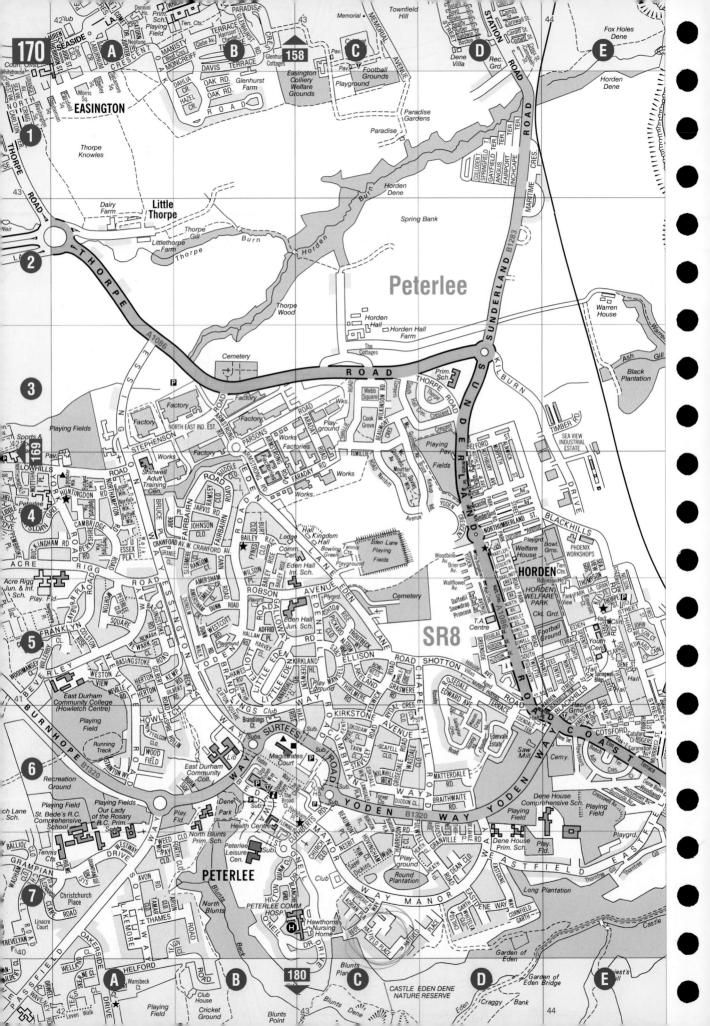

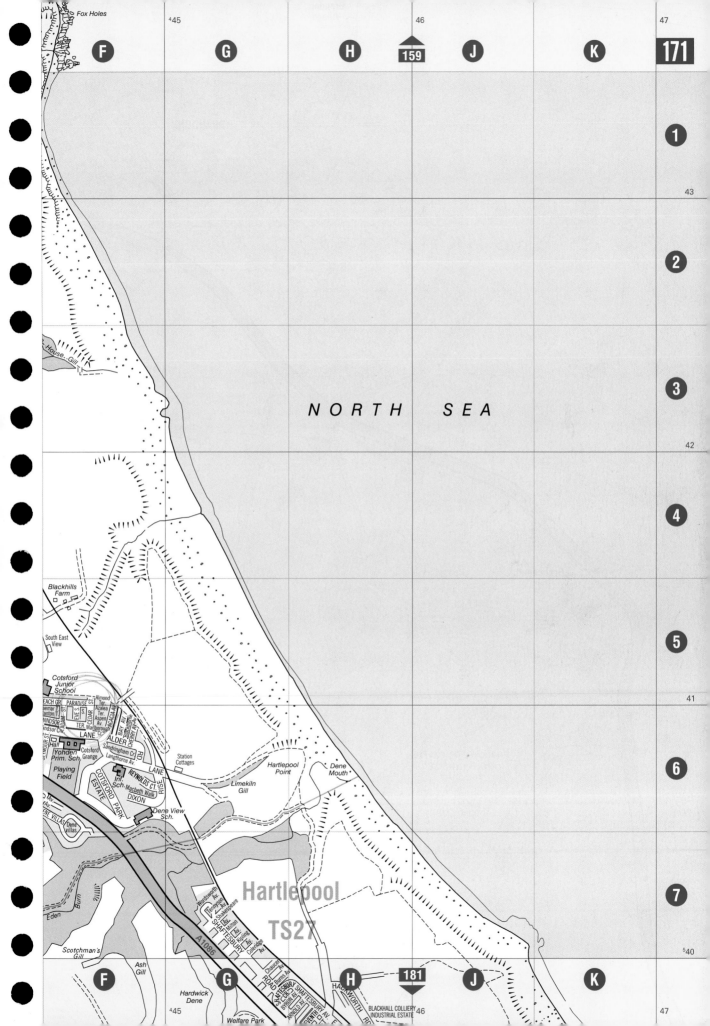

1

43

2

3

NORTH   SEA

42

4

Blackhills
Farm

5

South East
View

Cotsford
Junior
School

41

BEACH GR.   Almond
Braemar   Ter.
Blanton   Azalea Ter.
PARADISE
WINDSOR   CEDAR
Windsor Cnr.   TER.   Aspen
Av.
Marlborough

BAY AV.
CHERRY AV.

ALDER
Hall
LANE
Yohden   Cotsford
Prim. Sch.   Grange
Sandringham Cr.
Langthorne Av.

Playing
Field
COTSFORD PARK
ESTATE
Inf.   REYNOLDS CT.
Sch.   Macbeth Walk
DIXON

ACACIA
RD.

RISE

LANE

Station
Cottages

Hartlepool
Point

Limekiln
Gill

Dene
Mouth

6

GENE VILLAS
Dene View
Sch.
Dene
Villas

Eden   Burn

Wordsworth
Av.
Tennyson Av.
SHAFTESBURY
Shakespeare
Av.
Milton
Av.

Kipling   Av.
Coleridge Av.

**Hartlepool**

**TS27**

A1086

7

Scotchman's
Gill

40

Ash
Gill

Hardwick
Dene

SHAFTESBURY   ROAD   SHAFTESBURY AV.
ARNOLD   BYRON
Burns Av.
Chaucer
Rd.

HACKWORTH RD.

BLACKHALL COLLIERY
INDUSTRIAL ESTATE   46

Welfare Park

Fox Holes

House ..Gill

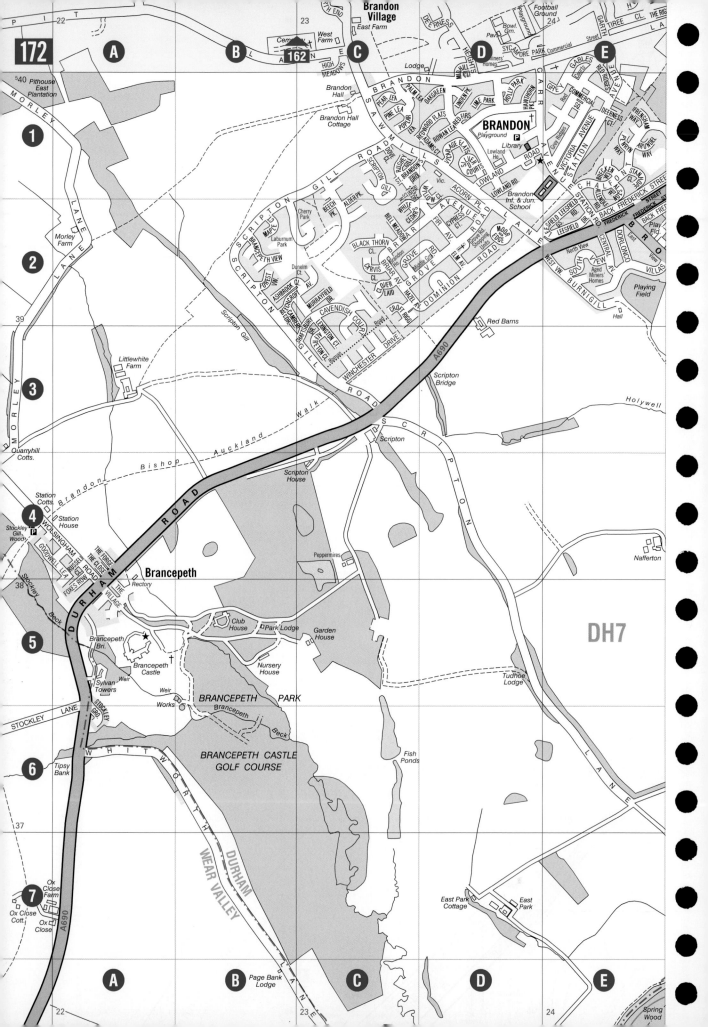

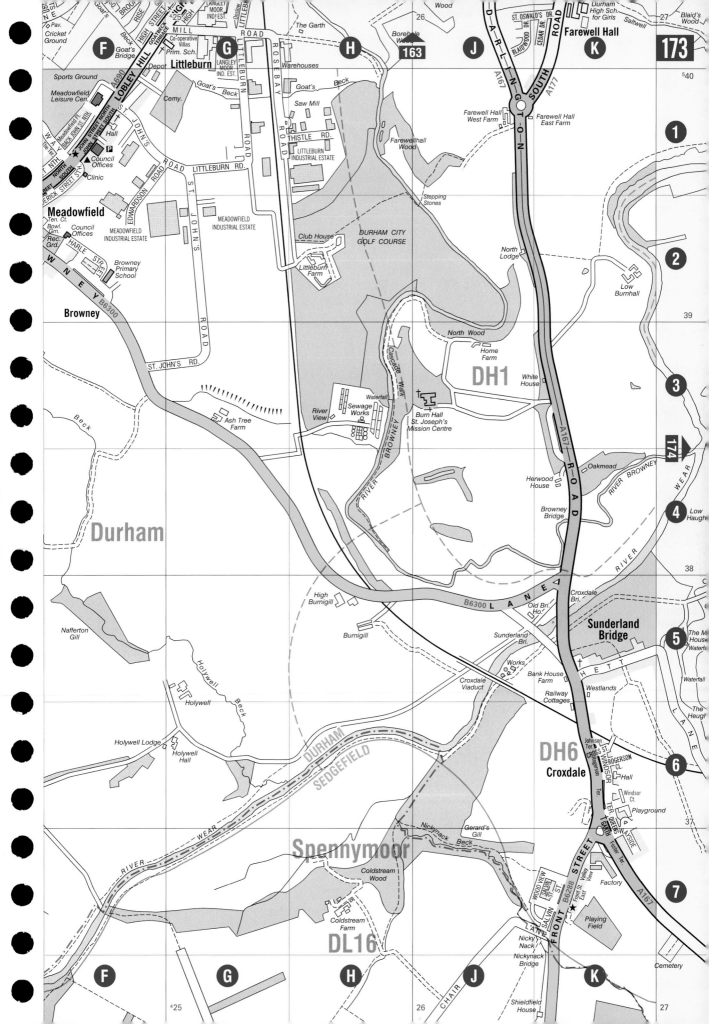

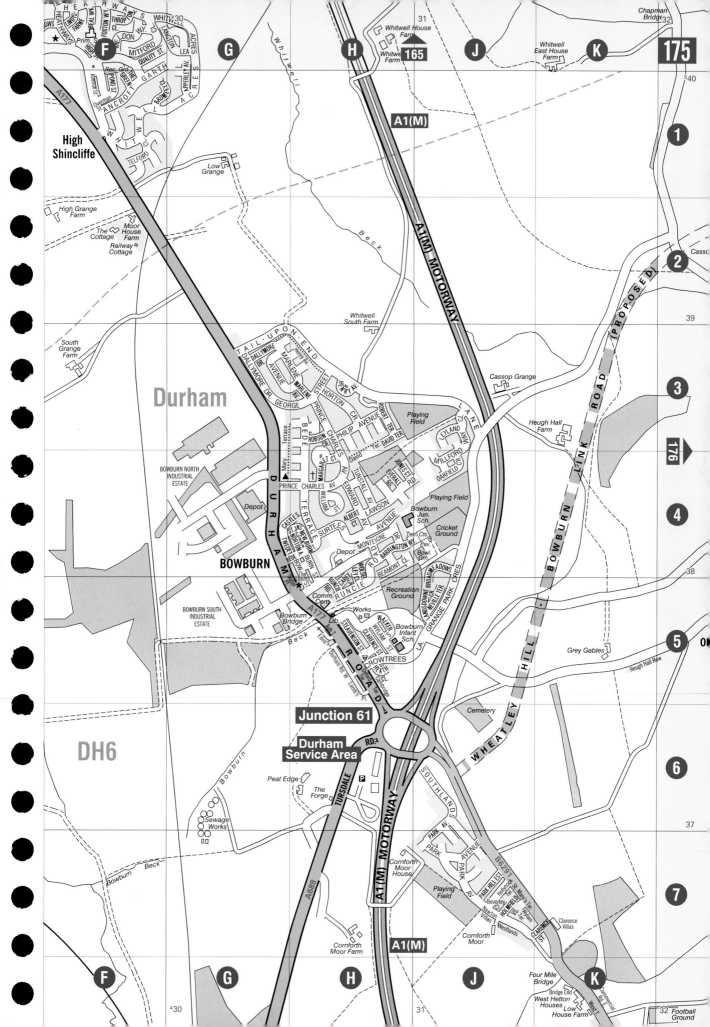

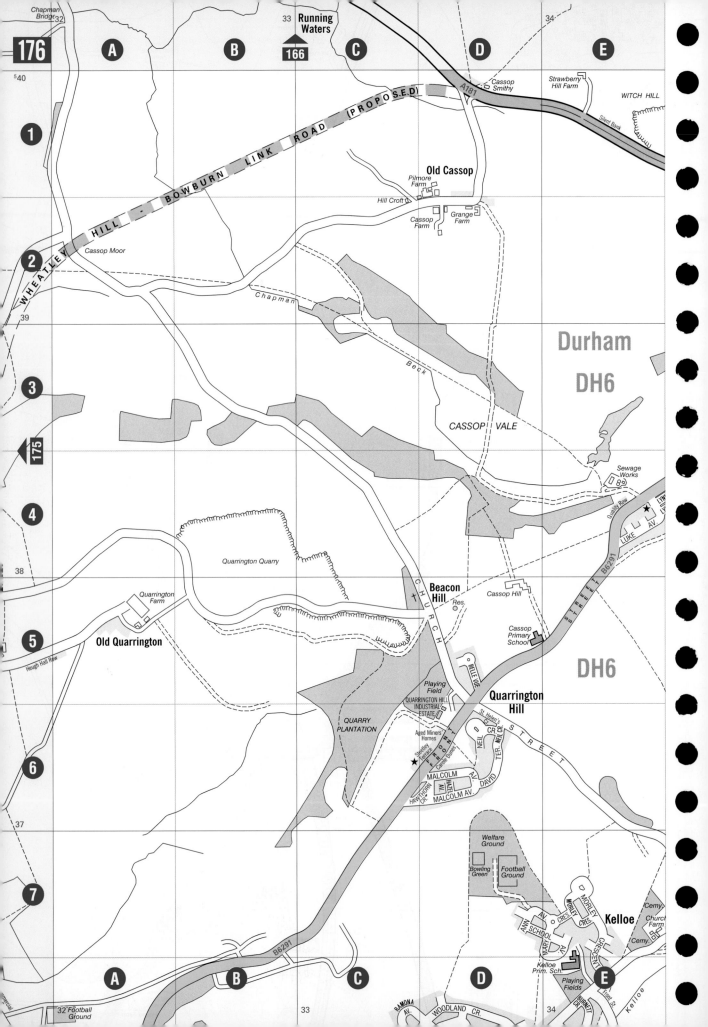

**Chapman Bridge** 32

33 **Running Waters**

166

34

A  B  C  D  E

540

WHEATLEY HILL - BOWBURN LINK ROAD (PROPOSED)

A181

Cassop Smithy

**Strawberry Hill Farm**

WITCH HILL

Silent Bank

1

**Old Cassop**

Pilmore Farm

Hill Croft

Cassop Farm

Grange Farm

2

Cassop Moor

39

Chapman

Beck

**Durham**

**DH6**

3

175

CASSOP VALE

Sewage Works 89

4

38

Quarrington Quarry

Luke AV.

Quality Row

LYNN

B6291

**Beacon Hill**

Res.

Cassop Hill

5

**Old Quarrington**

Quarrington Farm

CHURCH

Cassop Primary School

**DH6**

Heugh Hall Row

Playing Field

QUARRINGTON HILL INDUSTRIAL ESTATE

BELLE VUE

St. Helen's CR.

**Quarrington Hill**

STREET

6

QUARRY PLANTATION

Aged Miners' Homes

Steeley Terrace

Carne Dunes

FRONT

NEIL AV.

TER. NEIL CR.

DAVID AV.

MALCOLM CR.

HAWTHORN CR.

HAZEL AV.

MALCOLM AV.

37

**Welfare Ground**

Bowling Green

Football Ground

ANN AV.

SCHOOL AV.

MORLEY CRES.

MORLEY CRES.

**Kelloe**

Church Farm

Cemy.

Cemy.

7

CRESCENT

ARTHUR AV.

Kelloe Prim. Sch.

Playing Fields

Front St.

BURNETT CR.

Kelloe

A  B  C  D  E

32 Football Ground

33

RAMONA AV.

WOODLAND CR.

34

Commercial

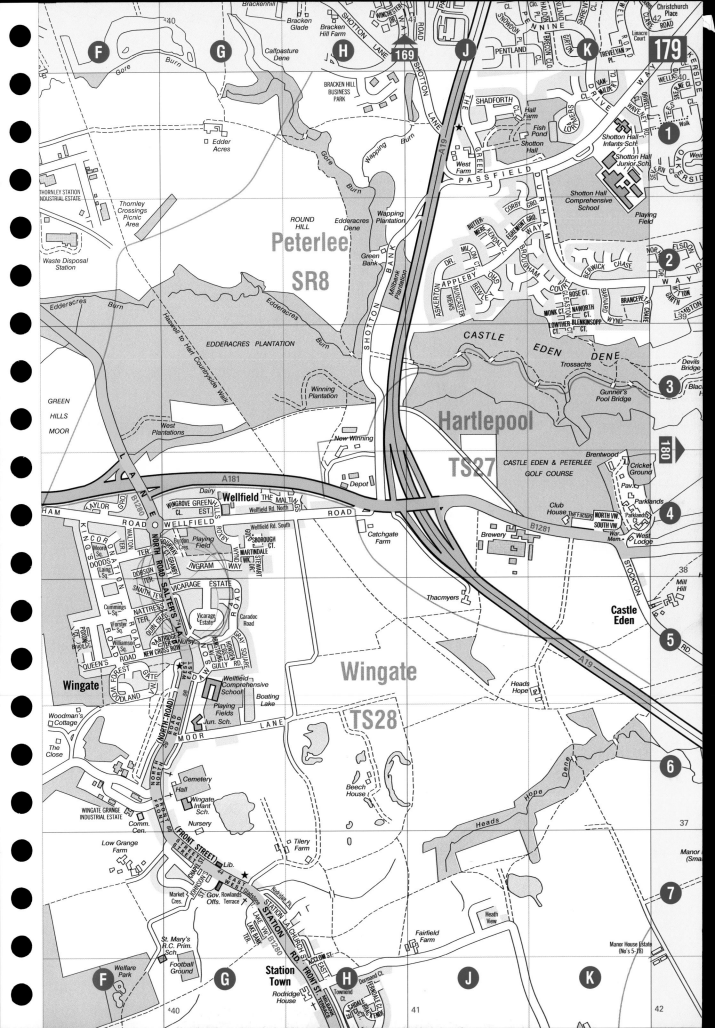

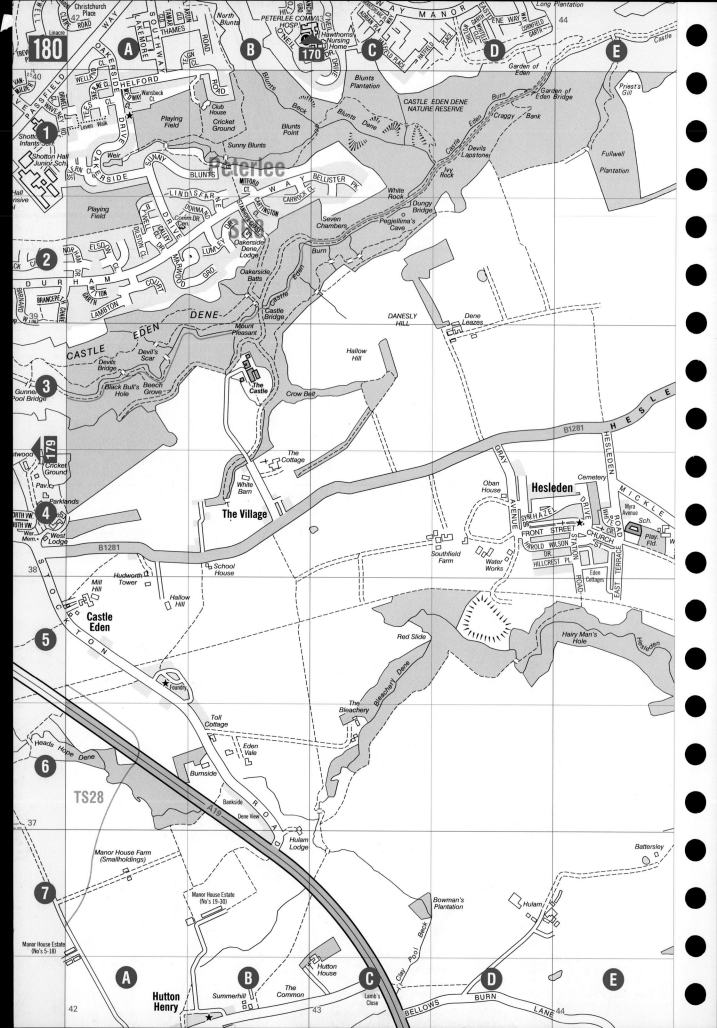

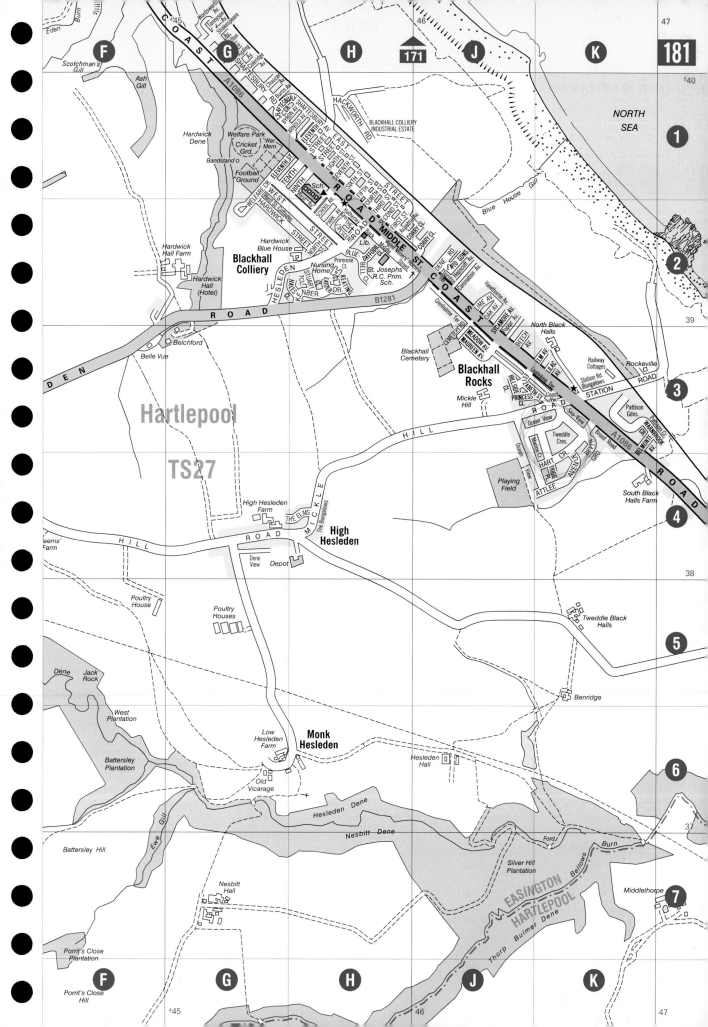

F G H 171 J K

NORTH SEA

Hartlepool

TS27

Blackhall Colliery

Blackhall Rocks

High Hesleden

Monk Hesleden

EASINGTON

HARTLEPOOL

Middlethorpe

# INDEX

Including Streets, Places & Areas, Industrial Estates, Selected Junction Names,
Selected Subsidiary Addresses and Selected Tourist Information.

## HOW TO USE THIS INDEX

1. Each street name is followed by its Posttown or Postal Locality and then by its map reference; e.g. Abbey Dri. *Hou S* —7B **128** is in the Houghton le Spring Posttown and is to be found in square 7B on page **128**. The page number being shown in bold type.
   A strict alphabetical order is followed in which Av., Rd., St., etc. (though abbreviated) are read in full and as part of the street name; e.g. Abbeyvale Dri. appears after Abbey Ter. but before Abbey Vw.

2. Streets and a selection of Subsidiary names not shown on the Maps, appear in the index in *Italics* with the thoroughfare to which it is connected shown in brackets;
   e.g. *Abbey Vw. Yd. Mor* —6E **6** *(off Buller's Grn.)*

3. Places and areas are shown in the index in **bold type**, the map reference referring to the actual map square in which the town or area is located and not to the place name;
   e.g. **Acomb.** —3B **48**

4. Map references shown in brackets; e.g. Abbot Ct. *Gate* —3H **81** (10K **5**) refer to entries that also appear on the large scale pages 4-5.

5. With the now general usage of Postcodes for addressing mail, it is not recommended that this index is used for such a purpose.

## GENERAL ABBREVIATIONS

| | | | | |
|---|---|---|---|---|
| All : Alley | Clo : Close | Gth : Garth | M : Mews | Vl : Sixth |
| App : Approach | Comn : Common | Ga : Gate | Mt : Mount | S : South |
| Arc : Arcade | Cotts : Cottages | Gt : Great | N : North | Sq : Square |
| Av : Avenue | Ct : Court | Grn : Green | Pal : Palace | Sta : Station |
| Bk : Back | Cres : Crescent | Gro : Grove | Pde : Parade | St : Street |
| Boulevd : Boulevard | Cft : Croft | Ho : House | Pk : Park | Ter : Terrace |
| Bri : Bridge | Dri : Drive | Ind : Industrial | Pas : Passage | Ill : Third |
| B'way : Broadway | E : East | Junct : Junction | Pl : Place | Trad : Trading |
| Bldgs : Buildings | VIII : Eighth | La : Lane | Quad : Quadrant | Up : Upper |
| Bus : Business | Embkmt : Embankment | Lit : Little | Res : Residential | Va : Vale |
| Cvn : Caravan | Est : Estate | Lwr : Lower | Ri : Rise | Vw : View |
| Cen : Centre | Fld : Field | Mc : Mac | Rd : Road | Vs : Villas |
| Chu : Church | V : Fifth | Mnr : Manor | St : Saint | Wlk : Walk |
| Chyd : Churchyard | I : First | Mans : Mansions | II : Second | W : West |
| Circ : Circle | IV : Fourth | Mkt : Market | VII : Seventh | Yd : Yard |
| Cir : Circus | Gdns : Gardens | Mdw : Meadow | Shop : Shopping | |

## POSTTOWN AND POSTAL LOCALITY ABBREVIATIONS

| | | | | |
|---|---|---|---|---|
| *Acomb* : Acomb | *Carr* : Carrville | *Eas* : Easington | *Haw* : Hawthorn | *Leam* : Leamside |
| *All C* : Allendale Cottages | *Cass* : Cassop | *Eas C* : Easington Colliery | *Haz* : Hazlerigg | *Lee* : Leechmere |
| *Ann P* : Annfield Plain | *Cas D* : Castle Dene | *Eas L* : Easington Lane | *Heal* : Healey | *Lee I* : Leechmere Ind. Est. |
| *Ann* : Annitsford | *Cas E* : Castle Eden | *Eas V* : Easington Village | *Hea* : Heaton | *Lem* : Lemington |
| *Arm* : Armstrong | *C'sde* : Castleside | *E Bol* : East Boldon | *Heb* : Hebburn | *Lin C* : Linton Colliery |
| *Art H* : Arthurs Hill | *C'twn* : Castletown | *E Den* : East Denton | *Hed W* : Heddon-on-the-Wall | *Lint* : Lintzford |
| *Ash* : Ashington | *Cat* : Catchgate | *E Har* : East Hartford | *Hed* : Hedley | *L Grn* : Lintz Green |
| *Ayk H* : Aykley Heads | *Cau P* : Causey Park | *E Her* : East Herrington | *Helm R* : Helmington Row | *L'thpe* : Littlethorpe |
| *Back* : Backworth | *Cen* : Central | *E Rai* : East Rainton | *Hen* : Hendon | *L'ton* : Littletown |
| *Bar* : Barlow | *Cha P* : Chapel Park | *E Sle* : East Sleekburn | *Hep* : Hepscott | *Loan* : Loansdean |
| *B'mr* : Barmoor | *Ches S* : Chester le Street | *Ebc* : Ebchester | *Hert* : Hertburn | *Lob H* : Lobley Hill |
| *Beam* : Beamish | *Ches M* : Chester Moor | *Edm* : Edmondsley | *Hes* : Hesleden | *Longb* : Longbenton |
| *Bear* : Bearpark | *Chil M* : Chilton Moor | *Embrs* : Edmundbyers | *Hett* : Hett | *Longh* : Longhirst |
| *Beb* : Bebside | *Chi* : Chirton | *Eig B* : Eighton Banks | *Hett H* : Hetton-le-Hole | *Longh C* : Longhirst Colliery |
| *Bed* : Bedlington | *Chol* : Chollerford | *Ell* : Ellington | *Hex* : Hexham | *Longw* : Longwitton |
| *Bel* : Belsay | *Chop* : Choppington | *Els* : Elswick | *H Cal* : High Callerton | *Low E* : Low Eighton |
| *Ben* : Bensham | *C'wl* : Chopwell | *Elw* : Elwick | *H Fel* : High Felling | *Low F* : Low Fell |
| *Bent* : Benton | *Clar V* : Clara Vale | *Esh* : Esh | *Highf* : Highfield | *L Pit* : Low Pittington |
| *B'wl* : Benwell | *Cle* : Cleadon | *Esh W* : Esh Winning | *H Hea* : High Heaton | *L Pru* : Low Prudhoe |
| *Bill Q* : Bill Quay | *Cli* : Clifton | *Esp* : Espley | *H Hes* : High Hesleden | *Low W* : Low Westwood |
| *B Row* : Billy Row | *Coal* : Coalburns | *Ewe* : Ewesley | *H Pit* : High Pit | *Lud* : Ludworth |
| *Bin M* : Binchester Moor | *Cold H* : Cold Hesledon | *Far* : Farringdon | *H Pitt* : High Pittington | *Lyn* : Lynemouth |
| *Bin* : Bingfield | *Col R* : Colliery Row | *Fat* : Fatfield | *H Ric* : High Rickleton | *Mar H* : Marley Hill |
| *Bir* : Birtley | *Con* : Consett | *Faw* : Fawdon | *H Shin* : High Shincliffe | *Mat* : Matfen |
| *B Col* : Blackhall Colliery | *Cor* : Corbridge | *Fel* : Felling | *H Spen* : High Spen | *Mead* : Meadowfield |
| *B Mill* : Blackhall Mill | *Corn* : Cornsay | *Fell* : Fellside | *H Wes* : High Westwood | *Mead I* : Meadowfield Ind. Est. |
| *B Rocks* : Blackhall Rocks | *Corn C* : Cornsay Colliery | *Fenc* : Fencehouses | *Hob* : Hobson | *Med* : Medburn |
| *B'hll* : Blackhill | *Cow* : Cowgate | *Fenh* : Fenham | *Hol* : Holystone | *M'sly* : Medomsley |
| *Blak* : Blakelaw | *Coxg* : Coxgreen | *Fenw* : Fenwick | *H'wll* : Holywell | *M'sly E* : Medomsley Edge |
| *Blan* : Blanchland | *Coxh* : Coxhoe | *Fir T* : Fir Tree | *H'dn* : Horden | *Mel P* : Melton Park |
| *Bla B* : Blaydon Burn | *Cox* : Coxlodge | *For H* : Forest Hall | *Hor* : Horsley | *Met B* : Metal Bridge |
| *Bla T* : Blaydon-on-Tyne | *Crag* : Craghead | *Fram M* : Framwellgate Moor | *Hou* : Houghall | *Met P* : Metro Riverside Park |
| *Blu* : Blucher | *Crag C* : Craghead Colliery | *Gate* : Gateshead | *Hou S* : Houghton le Spring | *Mic* : Mickley |
| *Bly* : Blyth | Ind. Est. | *Gil* : Gilesgate | *How W* : Howden le Wear | *Mid I* : Middlefields Ind. Est. |
| *Bol C* : Boldon Colliery | *Cra* : Cramlington | *Gos* : Gosforth | *Hum* : Humshaugh | *Mid M* : Middlestone Moor |
| *Both* : Bothal | *Craw* : Crawcrook | *Grai P* : Grainger Park | *Hun* : Hunwick | *Mid* : Middleton |
| *Bow* : Bowburn | *Cre* : Cresswell | *Gran P* : Grange Park | *Hut H* : Hutton Henry | *Mil* : Milbourne |
| *Bran* : Brancepeth | *Crook* : Crook | *Gran V* : Grange Villa | *Ing* : Ingoe | *Mit* : Mitford |
| *B'don* : Brandon | *C'hll* : Crookhall | *Gras* : Grasswell | *Ive* : Iveston | *Monk* : Monkseaton |
| *Bras* : Brasside | *C Moor* : Crossgate Moor | *Gt Lum* : Great Lumley | *Jar* : Jarrow | *Mon V* : Monkton Village |
| *Brid* : Bridgehill | *Crow B* : Crow Bank | *G'cft* : Greencroft | *Jes* : Jesmond | *Moor* : Moorside |
| *B'hgh* : Broomhaugh | *Cwthr* : Crowther | *G'cft I* : Greencroft Ind. Pk. | *Kel* : Kelloe | *Mor* : Morpeth |
| *B'pk* : Broompark | *Crox* : Croxdale | *G'sde* : Greenside | *Ken* : Kenton | *Mur* : Murton |
| *Brow* : Browney | *Cul* : Cullercoats | *Gro T* : Grove, The | *Ken F* : Kenton Bank Foot | *Mur V* : Murton Village |
| *Bru V* : Brunswick Village | *Dal* : Dalton | *Guid* : Guidepost | *Kib* : Kibblesworth | *Ned V* : Nedderton Village |
| *Bru B* : Brunton Bridge | *Dal D* : Dalton-le-Dale | *Ham C* : Hamsterley Colliery | *Kil* : Killingworth | *Nel V* : Nelson Village |
| *Bru P* : Brunton Park | *Dal P* : Dalton Piercy | *Ham M* : Hamsterley Mill | *Kil V* : Killingworth Village | *Neth* : Netherwitton |
| *B'hpe* : Burnhope | *Daw* : Dawdon | *H Law* : Hare Law | *Kim* : Kimblesworth | *Nett* : Nettlesworth |
| *B'mr* : Burnmoor | *Dec* : Deckham | *Har G* : Harlow Green | *King P* : Kingston Park | *Nev X* : Nevilles Cross |
| *Burn* : Burnopfield | *Den B* : Denton Burn | *Har H* : Harlow Hill | *K Mer* : Kirk Merrington | *Newb S* : Newbiggin-by-the-Sea |
| *Burr* : Burradon | *Din* : Dinnington | *Harr* : Harraton | *Kirk* : Kirkley | *Nbtle* : Newbottle |
| *B Grn* : Byers Green | *Dip* : Dipton | *Hart* : Hart | *Kit I* : Kitty Brewster Ind. Est. | *New B* : New Brancepeth |
| *Byker* : Byker | *Dox I* : Doxford International | *H'bn* : Hartburn | *Klon* : Klondyke | *Newb* : Newburn |
| *Byw* : Bywell | Bus. Pk. | *H'fd* : Hartford | *Knit* : Knitsley | *Newc C* : Newcastle Bus. Pk. |
| *Cal* : Callerton | *Drag* : Dragonville | *H Bri* : Hartford Bridge | *Lam P* : Lambton Park | *Newc T* : Newcastle upon Tyne |
| *Cambo* : Cambo | *Dub* : Dubmire | *H'pool* : Hartlepool | *Lam* : Lamesley | *New D* : New Durham |
| *Camb* : Cambois | *Dud* : Dudley | *H'sde* : Hartside | *Lan* : Lanchester | *Newf* : Newfield |
| *Camp* : Camperdown | *Dun* : Dunston | *Hart V* : Hart Village | *Lang M* : Langley Moor | *N Har* : New Hartley |
| *Camp I* : Camperdown Ind. Est. | *Dur* : Durham | *Has* : Haswell | *Lang P* : Langley Park | *N Her* : New Herrington |
| *Carr H* : Carr Hill | *Ear* : Earsdon | *Hau* : Haughton | *Lead* : Leadgate | *New K* : New Kyo |

## Posttown and Postal Locality Abbreviations

*New L* : New Lambton
*New P* : New Penshaw
*New R* : New Ridley
*News* : Newsham
*New S* : New Silksworth
*Newt* : Newton
*N Bit* : North Bitchburn
*N East* : North East Ind. Est.
*N Gos* : North Gosforth
*N Sea* : North Seaton
*N Shi* : North Shields
*N Wal* : North Walbottle
*N West* : North West Ind. Est.
*Oaken* : Oakenshaw
*Oak* : Oakwood
*O Pen* : Old Penshaw
*O Pit* : Old Pit
*Old Q* : Old Quarrington
*O Shot* : Old Shotton
*Old S* : Old South Moor
*Ous* : Ouston
*O'ham* : Ovingham
*O'ton* : Ovington
*Oxh* : Oxhill
*Page B* : Page Bank
*Pal* : Pallion
*Par I* : Parsons Ind. Est.
*Pat I* : Pattinson Ind. Est.
*Peg* : Pegswood
*Pel* : Pelaw
*Pel G* : Pelaw Grange
*Pelt* : Pelton
*Pelt F* : Pelton Fell
*Pen* : Penshaw
*Per M* : Percy Main
*Pet* : Peterlee
*Phil* : Philadelphia
*Pick* : Picktree
*Pig* : Pigdon
*Pity Me* : Pity Me
*Plaw* : Plawsworth
*Plaw G* : Plawsworth Gate
*Pon* : Ponteland
*Pre* : Preston
*Pres* : Prestwick
*Pru* : Prudhoe
*Quar H* : Quarrington Hill
*Que* : Quebec
*Rain G* : Rainton Gate
*Red R* : Red Row
*Rid M* : Riding Mill
*Rod* : Roddymoor
*Row G* : Rowlands Gill
*Ruff* : Ruffside
*Ryal* : Ryal
*Ryh* : Ryhope
*Ryton* : Ryton
*Sac* : Sacriston
*St A* : St Anthonys
*Salt* : Saltwell
*Sand* : Sandhoe
*Sco G* : Scotland Gate
*S Gap* : Scots Gap
*S'wd* : Scotswood
*S'hm* : Seaham
*Sea* : Seaton
*Sea B* : Seaton Burn
*Sea D* : Seaton Delaval
*Sea S* : Seaton Sluice
*Seg* : Seghill
*Shad* : Shadforth
*Shan* : Shankhouse
*Sher* : Sherburn
*S Hill* : Sherburn Hill
*Sher H* : Sherburn House
*She H* : Sheriff Hill
*Shie* : Shieldfield
*S Row* : Shield Row
*Shin* : Shincliffe
*Shin R* : Shiney Row
*Shir* : Shiremoor
*Shot B* : Shotley Bridge
*Shot C* : Shotton Colliery
*Silk* : Silksworth
*S Den* : South Denton
*S Gos* : South Gosforth
*S Het* : South Hetton
*S Hyl* : South Hylton
*S Moor* : South Moor
*S New* : South Newsham
*S Pen* : South Pelaw
*S Shi* : South Shields
*S Well* : South Wellfield
*S West* : South West Ind. Est.
*S'wck* : Southwick
*Spen* : Spennymoor
*Spi T* : Spital Tongues
*Spri* : Springwell
*Spri V* : Springwell Village
*Stak* : Stakeford
*Stam* : Stamfordham
*S'ley* : Stanley (nr. Consett)
*Stly* : Stanley (nr. Crook)
*Stan* : Stannington
*Sta T* : Station Town
*Ste I* : Stephenson Ind. Est.
*Sto* : Stobswood
*Stoc* : Stocksfield
*Sund* : Sunderland
*Sund E* : Sunderland Enterprise Pk.
*Sun* : Sunniside
*S'brw* : Sunnybrow
*Swa* : Swalwell
*Tan* : Tanfield
*Tan L* : Tanfield Lea
*Tan H* : Tan Hills
*Tant* : Tantobie
*Team T* : Team Valley Trad. Est.
*Tem* : Templetown
*Thin* : Thinford
*Thor* : Thornley
*Thro* : Throckley
*Tra* : Tranwell
*Tra W* : Tranwell Woods
*Trim* : Trimdon
*Trim C* : Trimdon Colliery
*Trim G* : Trimdon Grange
*Trim S* : Trimdon Station
*Tri* : Tritlington
*Tud C* : Tudhoe Colliery
*Tud V* : Tudhoe Village
*Tur* : Tursdale
*Tyn* : Tynemouth
*Tyn T* : Tyne Tunnel Trad. Est.
*Ulg* : Ulgham
*Urp* : Urpeth
*Ush M* : Ushaw Moor
*Vic G* : Victoria Garesfield
*V Real* : Villa Real
*Walb* : Walbottle
*Wald* : Waldridge
*Walk* : Walker
*Walkg* : Walkergate
*Walkv* : Walkerville
*Wall* : Wall
*W'ton* : Wallington
*W'snd* : Wallsend
*Ward* : Warden
*Wardl* : Wardley
*Wash* : Washington
*Wask* : Waskerley
*Wat* : Waterhouses
*Wear V* : Wear Valley Junction
*Well* : Wellfield
*Welt* : Welton
*W All* : West Allotment
*W Bol* : West Boldon
*W Den* : West Denton
*W'hpe* : Westerhope
*W Her* : West Herrington
*W Jes* : West Jesmond
*W Kyo* : West Kyo
*W Mic* : West Mickley
*W Moor* : West Moor
*W Pel* : West Pelton
*W Rai* : West Rainton
*W Sle* : West Sleekburn
*Wha* : Whalton
*Whe H* : Wheatley Hill
*Whi* : Whickham
*Whit* : Whitburn
*Whit B* : Whitley Bay
*W'stll* : Whittonstall
*Who G* : Whorlton Grange
*Wid* : Widdrington
*Wide* : Wideopen
*Will* : Willington
*Will Q* : Willington Quay
*Win N* : Windy Nook
*Win* : Wingate
*Winl* : Winlaton
*Winl M* : Winlaton Mill
*Wit G* : Witton Gilbert
*Wood* : Woodhorn
*Wood V* : Woodhorn Village
*W'sde* : Woodside
*W Vil* : Woodstone Village
*Wool* : Woolsington
*Wrek* : Wrekenton
*Wylam* : Wylam

## INDEX


Abbay St. *Sund* —6C **102**
Abbey Clo. *Wash* —3H **113**
Abbey Clo. *Whit B* —7D **36**
Abbey Ct. *Gate* —5H **81**
Abbey Ct. *Hex* —2D **68**
Abbey Dri. *Hou S* —7B **128**
Abbey Dri. *Jar* —6C **64**
Abbey Dri. *Newc T* —2B **58**
Abbey Dri. *N Shi* —4K **47**
Abbey Ga. *Mor* —1D **12**
Abbey Meadows. *Mor* —1D **12**
Abbey M. *Sac* —1E **150**
Abbey Rd. *Pity Me* —3K **151**
Abbey Rd. *Wash* —3H **113**
Abbey Rd. Bus. Pk. *Pity Me* —3K **151**
Abbey Rd. Ind. Est. *Dur* —3K **151**
Abbey Ter. *Mor* —6F **7**
Abbey Ter. *Shir* —1J **45**
Abbeyvale Dri. *Newc T* —6F **63**
Abbey Vw. *Hex* —2E **68**
Abbey Vw. *Mor* —6F **7**
*Abbey Vw. Yd. Mor —6E 6*
*(off Buller's Grn.)*
Abbeywoods. *Dur* —3A **152**
Abbeywoods Bus. Pk. *Pity Me* —3K **151**
Abbot Ct. *Gate* —3H **81** (10K **5**)
Abbots Clo. *Chop* —7K **9**
Abbotsfield Clo. *Sund* —4B **130**
Abbotsford Gro. *Sund* —3E **116**
Abbotsford Pk. *Whit B* —7F **37**
Abbotsford Rd. *Gate* —5C **82**
Abbotsford Ter. *Newc T* —5F **61**
Abbotside Clo. *Ous* —6F **111**
Abbotside Pl. *Newc T* —4D **58**
Abbotsmeade Clo. *Newc T* —5J **59**
Abbots Rd. *Gate* —2H **81** (8J **5**)
Abbots Row. *Dur* —1D **164**
Abbot St. *Pet* —6D **158**
Abbots Wlk. *Beam* —1B **124**
Abbotsway. *Jar* —7E **64**
Abbot's Way. *Mor* —7E **6**
Abbots Way. *N Shi* —3D **46**
Abbots Way. *Whi* —7H **79**
Abbs St. *Sund* —6F **103**
Abercorn Pl. *W'snd* —6J **45**
Abercorn Rd. *Newc T* —1G **79**
Abercorn Rd. *Sund* —1K **129**
Abercrombie Pl. *Newc T* —3H **59**
Aberdare Rd. *Sund* —2A **130**
Aberdeen. *Ous* —7H **111**
Aberdeen Ct. *Newc T* —4K **41**
Aberdeen Dri. *Jar* —2E **84**
Aberdeen Tower. *Sund* —1A **130**
Aberfoyle. *Ous* —7H **111**
Aberfoyle Ct. *S'ley* —3H **123**
Abernethy. *Ous* —6H **111**
Abersford Clo. *Newc T* —1B **58**
Aberwick Dri. *Ches S* —2H **139**
Abingdon Ct. *Bla T* —3C **78**
Abingdon Ct. *Newc T* —5K **41**
Abingdon Rd. *Newc T* —6F **63**
Abingdon Sq. *Cra* —1A **24**
Abingdon St. *Sund* —3B **116**
Abingdon Way. *Bol C* —5D **84**
Abinger St. *Newc T* —1D **80** (5B **4**)
Abington. *Ous* —7H **111**
Aboyne Sq. *Sund* —7K **115**
Acacia Av. *Hou S* —1A **142**
Acacia Av. *Pet* —6F **171**
Acacia Gro. *Heb* —2J **83**
Acacia Gro. *S Shi* —1B **86**
Acacia Rd. *Gate* —4K **81**
Acacia St. *Team T* —2E **96**
Acacia Ter. *Ash* —4B **10**
Acanthus Av. *Newc T* —6K **59**
Acclom St. *Sta T* —7H **179**
Acer Ct. *Sund* —4F **117**
Acer Dri. *Has* —1B **168**
Acklam Av. *Sund* —7J **117**
**Acomb. —3B 48**
Acomb Av. *Sea D* —1H **35**
Acomb Av. *W'snd* —5H **45**
Acomb Ct. *Bed* —7J **15**
Acomb Ct. *Gate* —5K **97**
Acomb Ct. *Newc T* —1B **44**
Acomb Ct. *Sund* —7H **117**
Acomb Cres. *Newc T* —4B **42**
Acomb Dri. *Wylam* —6J **55**
Acomb Gdns. *Newc T* —5J **59**
Acomb Ind. Est. *Acomb* —4B **48**
Acorn Av. *Bed* —1H **19**
Acorn Av. *Gate* —6E **80**
Acorn Clo. *Sac* —6D **138**
Acornclose La. *Sac* —6B **138**
Acorn Pl. *B'don* —1D **172**
Acorn Pl. *Dur* —3J **151**
Acorn Rd. *Newc T* —3G **61**
Acorn St. *Pelt* —2D **124**
Acorn St. *Team T* —3E **96**
Acott Av. *Heb* —6H **63**
Acott Gdns. *Bly* —1J **21**
Acreford Ct. *Chop* —2G **15**
Acre Rigg Rd. *Pet* —5K **169**
Acton Dene. *S'ley* —2J **123**
Acton Dri. *N Shi* —4D **46**
Acton Pl. *Newc T* —3K **61**
Acton Rd. *Esh W* —4E **160**
Acton Rd. *Newc T* —5F **59**
Adair Av. *Newc T* —7J **59**
Adair Way. *Heb* —1K **83**
Adams Cres. *Con* —7H **119**
Adams Gth. *Eas L* —2J **155**
Adamson St. *Sund* —7B **102**
Adam St. *Pet* —6F **171**
Ada St. *Newc T* —7C **62**
Ada St. *S Shi* —4K **65**
Ada St. E. *Mur* —1F **157**
Ada St. W. *Mur* —1F **157**
Adderlane Rd. *Pru* —3F **75**
Adderstone Av. *Cra* —5K **23**
Adderstone Cres. *Newc T* —3H **61**
Adderstone Gdns. *N Shi* —3B **46**
Addington Cres. *N Shi* —6E **46**
Addington Dri. *Bly* —4J **21**
Addington Dri. *W'snd* —5H **45**
**Addison. —1K 77**
Addison Clo. *Newc T* —7K **61** (3P **5**)
Addison Ct. *Ryton* —1F **77**
Addison Ct. *W'snd* —4B **64**
Addison Gdns. *Gate* —6F **83**
Addison Ind. Est. *Bla T* —1K **77**
Addison Rd. *Hea* —7K **61**
Addison Rd. *Lem* —6D **58**
Addison Rd. *Newc T* —3P **5**
Addison Rd. *W Bol* —7G **85**
Addison St. *N Shi* —1G **65**
Addison St. *Sund* —2H **117**
Addison Wlk. *S Shi* —4G **85**
Addycombe Ter. *Newc T* —3A **62**
Adelaide Clo. *Sund* —1H **117**
Adelaide Ct. *Gate* —3G **81** (10H **5**)
Adelaide Ho. *Newc T* —1A **80**
Adelaide Pl. *Sund* —1H **117**
Adelaide Row. *S'hm* —3B **146**
Adelaide St. *Ches S* —7A **126**
Adelaide Ter. *Newc T* —1K **79**
Adeline Gdns. *Newc T* —3C **60**
Adelphi Clo. *N Shi* —4C **46**
Adelphi Pl. *Newc T* —1C **82**
Aden Tower. *Sund* —1A **130**
Adfrid Pl. *Pet* —5B **170**
Admington Ct. *Chop* —1H **15**
Admiral Ho. *N Shi* —5K **47**
Admiral Way. *Dox I* —4J **129**
Adolphus Pl. *Dur* —2F **165**
Adolphus Pl. *S'hm* —3C **146**
Adolphus St. *Sund* —5H **87**
Adolphus St. W. *S'hm* —3B **146**
Adrian Pl. *Pet* —7C **170**
Adventure La. *W Rai* —7K **141**
Affleck St. *Gate* —4G **81**
Afton Ct. *S Shi* —1J **85**
Afton Way. *Newc T* —7A **42**
Agar Rd. *Sund* —1K **129**
Aged Miners' Cotts. *Ash* —3J **9**
Aged Miners' Cotts. *Mic* —6B **74**
Aged Miners' Home. *Burn* —2A **108**
Aged Miners Homes. *Ann* —5J **33**
Aged Miners Homes. *Back* —6G **35**
Aged Miner's Homes. *Bear* —1C **162**
Aged Miners Homes. *Bir* —1A **112**
Aged Miners' Homes. *B Col* —2H **181**
*Aged Miners Homes. Bla T*
*(off Stella Rd.) —1A 78*
Aged Miners' Homes. *Bol C* —5D **84**
Aged Miners' Homes. *B'don* —7D **162**
Aged Miners' Homes. *Bru V* —5C **32**
Aged Miners Homes. *Camb* —4H **17**
Aged Miners' Homes. *Cas D* —1F **141**
Aged Miners' Homes. *Ches S* —5A **126**
Aged Miners' Homes. *Ches M* —3K **139**
Aged Miners Homes. *Con* —4A **120**
Aged Miners Homes. *H Spen* —3E **92**
Aged Miners' Homes. *H'dn* —5D **170**
Aged Miners Homes. *Kib* —2E **110**
Aged Miners' Homes. *Lang P* —5J **149**
Aged Miners' Homes. *Mar H* —6G **95**
Aged Miners' Homes. *Mead* —2E **172**
Aged Miners' Homes. *Mur* —7D **144**
Aged Miners' Homes. *Newb S* —4H **11**
Aged Miners' Homes. *N Har* —4J **25**
Aged Miners' Homes. *New S* —7C **116**
Aged Miners' Homes. *Pelt* —3E **124**
Aged Miners' Homes. *Quar H* —6D **176**
*Aged Miners' Homes. Ryh*
*(off Cheviot La.) —2G 131*
Aged Miners' Homes. *Sac* —7E **138**
Aged Miner's Homes. *S'hm*
(nr. Maglona St.) —5B **146**
Aged Miners' Homes. *S'hm*
(nr. Stockton Rd.) —1H **145**
*Aged Miners' Homes. Sea D*
*(off Ryal Clo.) —7H 25*
Aged Miners' Homes. *Sher* —3K **165**
Aged Miners Homes. *S Hill* —3C **166**
Aged Miners' Homes *Shot C* —5D **168**
Aged Miners' Homes. *Stak* —1A **16**
Aged Miner's Homes. *Tan H* —6H **139**
Aged Miners' Homes. *Wood* —2D **10**
Agincourt. *Heb* —6H **63**
Agincourt. *Newc T* —7B **34**
Agnes Maria St. *Newc T* —7C **42**
Agnes St. *S'ley* —2F **123**
Agricola Ct. *S Shi* —1J **65**
Agricola Gdns. *W'snd* —6H **45**
Agricola Rd. *Newc T* —7B **60**
Aidan Av. *Sea S* —4B **26**
Aidan Clo. *S'ley* —2H **123**
Aidan Clo. *Wide* —5C **32**
Aidan Ct. *Jar* —7D **64**
Aidan Ho. *Gate* —4H **81**
Aidan Wlk. *Newc T* —7F **43**
Aiden Way. *Hett H* —5G **143**
Ailesbury St. *Sund* —1C **116**
Ainderby Rd. *Newc T* —3F **57**
Ainsdale Gdns. *Newc T* —3C **58**
Ainsley St. *Dur* —2K **163**
Ainslie Pl. *Newc T* —4J **59**
Ainsworth Av. *S Shi* —3G **85**
Ainthorpe Clo. *Sund* —2D **130**
Ainthorpe Gdns. *Gate* —2H **97**
Ainthorpe Gdns. *Newc T* —1A **62**
Aintree Clo. *Wash* —1H **113**
Aintree Dri. *Con* —2F **119**
Aintree Gdns. *Gate* —2E **80**
Aintree Rd. *Sund* —1K **129**
Airedale. *W'snd* —7D **44**
Airedale Gdns. *Hett H* —1F **155**
Aireys Clo. *Hou S* —2C **142**
Airey Ter. *Gate* —5F **81**
Airey Ter. *Newc T* —1E **82**
Airport Freightway. *Wool* —2E **40**
Airport Ind. Est. *Newc T* —7K **41**
Airville Mt. *Sund* —5C **130**
Aisgill Clo. *Cra* —4K **23**
Aisgill Dri. *Newc T* —4C **58**
Aiskell St. *Sund* —2C **116**
A J Cooks Cotts. *Row G* —5F **93**
A J Cook Ter. *Shot C* —7E **168**
Akeld Clo. *Cra* —5K **23**
Akeld Ct. *Newc T* —1G **61**
Akenside Hill. *Newc T* —2G **81** (7H **5**)
Akenside Ter. *Newc T* —5H **61** (1J **5**)
Alanbrooke Row. *Heb* —3G **83**
Alansway Gdns. *S Shi* —5K **65**
**Albany. —1G 113**
Albany Av. *Newc T* —5B **44**
Albany Ct. *Newc B* —3C **80**
Albany Gdns. *Whit B* —7H **37**
Albany Ho. *Sund* —6E **102**
Albany Ho. *Wash* —1H **113**

Albany M. Newc T —3C 60
Albany Rd. Gate —3J 81 (9L 5)
Albany St. E. S Shi —5K 65
Albany St. W. S Shi —5K 65
Albany Ter. Mon V —2K 83
Albany Village Cen. Wash —1F 113
Albany Way. Wash —1G 113
Albatross Way. Bly —6J 21
Albemarle Av. Newc T —2F 61
Albemarle St. S Shi —2J 65
Albert Av. W'snd —3F 63
Albert Ct. Bow —4H 175
Albert Dri. Gate —3H 97
Albert Edward Ter. Bol C —4E 84
Albert Pl. Gate —3H 97
Albert Pl. Wash —4K 113
Albert Rd. Bed —6C 16
Albert Rd. Con —7H 119
Albert Rd. Jar —7A 64 (in two parts)
Albert Rd. Sea S —4D 26
Albert Rd. Sund —1C 116
Albert St. Bly —1J 21
Albert St. Ches S —6A 126
Albert St. Dur —1K 163
Albert St. Esh W —4E 160
Albert St. Gran V —4C 124
Albert St. Heb —7H 63
Albert St. Newc T —7H 61 (4J 5)
Albert St. Pet —6D 158
Albert St. S'hm —4C 146
Albert St. S'ley —3E 122
Albert St. Thor —1K 177
Albert St. Vic G —6E 92
Albert Ter. Esh W —4E 160
Albert Ter. Newc T —3A 44
Albert Ter. S Shi —3J 65
Albert Ter. Whit B —7H 37
Albion Ct. Newc T —1K 81 (5N 5)
Albion Ct. S Shi —1J 65
Albion Gdns. Burn —3K 107
Albion Pl. Sund —2E 116
Albion Retail Cen. Bly —1H 21
Albion Rd. N Shi —6G 47
Albion Rd. W. N Shi —7G 47
Albion Row. Newc T (in two parts) —1J 81 (5M 5)
Albion St. Gate —1A 98
Albion St. Sund —2G 115
Albion Ter. Gate —6D 98
Albion Ter. N Shi —6G 47
Albion Way. Bly —2F 21
Albion Way. Shan —1B 24
Albion Yd. Newc T —1F 81 (6E 4)
Albury Pk. Rd. N Shi —5J 47
Albury Pl. Whi —2G 95
Albury Rd. Newc T —2F 61
Albyn Gdns. Sund —5C 116
Alcester Clo. Chop —1H 15
Alconbury Clo. Bly —4J 21
Alcote Gro. Shot C —6F 169
Alcroft Clo. Newc T —2B 58
Aldborough St. Bly —2J 21
Aldbrough Clo. Ryh —3H 131
Aldbrough St. S Shi —1G 85
Aldeburgh Av. Newc T —5C 58
Aldenham Gdns. N Shi —3J 47
Aldenham Rd. Sund —1A 130
Aldenham Tower. Sund —1A 130
Alder Av. Newc T —5K 59
Alder Clo. Hett H —7F 143
Alder Clo. Mor —7G 7
Alder Ct. Whit B —7E 36
Alder Cres. Tant —7K 107
Alderdene. Lan —7J 135
Alderdene Clo. Ush M —3E 162
Alder Gro. Con —6B 120
Alder Gro. Whit B —5E 36
Alderlea Clo. Dur —1E 164
Alderley Clo. Bol C —5E 84
Alderley Dri. Newc T —7C 34
Alderley Rd. Gate —2G 97
Alderley Way. Cra —1A 24
Alderman Wood Rd. Tan L —1E 122
Alderney Gdns. Newc T —3C 58
Alder Pk. B'don —2C 172
Alder Rd. N Shi —5A 46
Alder Rd. Pet —6F 171
Alder Rd. W'snd —6J 45
Aldershot Rd. Sund —2K 129
Aldershot Sq. Sund —2K 129
Alderside Cres. Lan —6J 135
Alder St. Sund —6H 101
Alder St. Team T —2E 96
Alderton Ct. Stak —1H 15
Alder Way. Kil —7A 34
Alderwood. Ash —5A 10
Alderwood. Gate —5F 81
Alderwood. Wash —1F 127
Alderwood Cres. Newc T —4D 62
Alderwyk. Gate —1F 99
Aldhome Ct. Fram M —5J 151
Aldin Grange Hall. Bear —2F 163
Aldin Grange Ter. Bear —1E 162
Aldin Ri. Bear —2E 162
Aldridge Ct. Ush M —2C 162
Aldsworth Clo. Gate —6D 98
Aldwick Rd. Newc T —7F 59
Aldwych Dri. N Shi —5B 46
Aldwych Rd. Sund —2K 129
Aldwych Sq. Sund —3K 129
Aldwych St. S Shi —3A 66
Alemouth Rd. Hex —1D 68
Alexander Dri. Hett H —7F 143
Alexander Pl. Hex —1C 68
Alexander Ter. Haz —6C 32
Alexander Ter. Stoc —7K 73
Alexander Ter. Sund —4F 103
Alexandra Av. Sund E —6A 102
Alexandra Clo. Fram M —5J 151
Alexandra Cres. Hex —1B 68
Alexandra Dri. Swa —6J 79
Alexandra Gdns. Ryton —2J 77
Alexandra Pk. Sund —4D 116
*Alexandra Pl. Mor —7G 7 (off Alexandra Rd.)*
Alexandra Rd. Ash —3C 10
Alexandra Rd. Gate —4G 81
Alexandra Rd. Mor —7G 7
Alexandra Rd. Newc T —4K 61
Alexandra St. Con —7H 119
Alexandra St. Pelt —3E 124
Alexandra St. Vic G —6E 92
Alexandra St. W'snd —3G 63
Alexandra Ter. Bed —7K 15
Alexandra Ter. Has —1B 168
Alexandra Ter. Hex —1B 68
Alexandra Ter. Newc T —2F 59
Alexandra Ter. Pen —1B 128
Alexandra Ter. Spri —6D 98
Alexandra Ter. Sun —5J 95
Alexandra Ter. Whe H —2B 178
Alexandra Ter. Whit B —7H 37
Alexandra Way. Cra —5J 23
Alexandria Cres. C Moor —3K 163
Alexandrina St. S'hm —3B 146
Alford. Ous —6H 111
Alford Grn. Newc T —5A 44
Alfred Av. Bed —7K 15
Alfred St. Bly —3J 21
Alfred St. Heb —1H 83
Alfred St. Newc T —7C 62
Alfred St. Pet —7C 158
Alfred St. S'hm —4C 146
Alfred St. E. S'hm —4C 146
Alfreton Clo. B'don —3C 172
Algernon. Kil —6B 34
Algernon Clo. Newc T —6A 62
*Algernon Ct. Newc T —6A 62 (off Algernon Rd.)*
Algernon Ind. Est. Shir —3K 45
Algernon Pl. Whit B —7H 37
Algernon Rd. Lem —7C 58
Algernon Rd. Newc T —6A 62
Algernon Ter. N Shi —4J 47
Algernon Ter. Wylam —7J 55
Algiers Rd. Sund —2J 129
Alice St. Bla T —5B 78
Alice St. S Shi —5J 65
Alice St. Sund —3E 116
Alice Well Vs. Sund —5B 114
Aline St. S'hm —3C 146
Aline St. Sund —2D 130
Alington Pl. Dur —2E 164
Alison Dri. E Bol —7K 85
Allandale Av. Newc T —5B 44
Allan Rd. Newb S —2H 11
Allanville. Camp —6K 33
All Church. Newc T —7H 59
Allchurch Dri. Ash —4E 10
Allen Av. Gate —7F 81
Allendale Av. W'snd —1F 63
**Allendale Cottages. —5K 105**
Allendale Cres. Chop —6J 9
Allendale Cres. Pen —1A 128
Allendale Cres. Shir —1A 46
Allendale Dri. S Shi —5C 66
Allendale Pl. N Shi —5K 47
Allendale Rd. Bly —3K 21
Allendale Rd. Hex —2A 68
Allendale Rd. Mead —1E 172
Allendale Rd. Newc T —1B 82
Allendale Rd. Sund —2K 129
Allendale Sq. Sund —7A 116
Allendale St. Hett H —1G 155
Allendale Ter. Has —1B 168
Allendale Ter. S'ley —5K 121
Allendale Ter. Walk —1D 82
Allen Dri. Hex —2D 68
Allenheads. Newc T —4E 58
Allenheads. Sea D —6G 25
Allenheads. Wash —7J 113
**Allensford. —1B 132**
Allensford Bank. Con —1B 132
Allens Grn. Cra —4K 23
Allen St. Ches S —7A 126
Allen St. Pet —6D 158
Allen Ter. Ryton —2D 76
Allerdean Clo. Newc T —6B 58
Allerdean Clo. Sea D —1H 35
**Allerdene. —6J 97**
Allerdene Wlk. Whi —1G 95
Allergate. Dur —3K 163
Allergate Ter. Dur —3K 163
Allerhope. Cra —5K 23
Allerton Gdns. Newc T —3B 62
Allerton Pl. Whi —2F 95
Allerwash. Newc T —4E 58
Allery Banks. Mor —7G 7
Allgood Ter. Bed —7K 15
All Hallows La. Newc T —1G 81 (7H 5)
Allhusen Ter. Gate —5K 81
Alliance Pl. Sund —1D 116
Alliance St. Sund —1D 116
Allingham Ct. Newc T —2C 62
Allison Ct. Gate —5H 79 (in two parts)
Allison Gdns. Con —6H 119
Allison St. Con —6H 119
Alloa Rd. Sund —1K 129
Allonby Way. Newc T —5H 59
**Allotment, The. —3K 45**
Alloy Ter. Row G —6G 93
All Saints Cen. Newc T —6G 4
All Saints Ct. N Shi —6D 46
All Saints Dri. Hett H —5G 143
All Saints Office Cen. Newc T —6H 5
Allwork Ter. Whi —7H 79
Alma Pl. Dur —1F 165
Alma Pl. Hou S —4C 128
Alma Pl. Mor —6G 7
Alma Pl. N Shi —6G 47
Alma Pl. Whit B —7H 37
Alma St. Pet —6D 158
Alma St. Sund —1G 115
Alma Ter. Dur —2C 164
Alma Ter. G'sde —4G 77
Alma Ter. Nev X —4J 163
Almond Clo. Has —1B 168
Almond Cres. Gate —6E 80
Almond Dri. Sund —7G 101
Almond Pl. Newc T —6K 59
Almond St. Team T —3E 96
Almond Ter. Pet —5F 171
Almoners Barn. Dur —5J 163
Almshouses. Newc T —6K 57
Aln Av. Newc T —5C 42
Aln Ct. Newc T —7C 58
Aln Cres. Newc T —5C 42
Aln Gro. Newc T —6C 58
Alnham Ct. Newc T —5A 42
Alnham Grn. Newc T —3C 58
Alnmouth Av. N Shi —1D 64
Alnmouth Dri. Newc T —1G 61
Alnmouth Ter. Acomb —5B 48
Aln St. Ash —3C 10
Aln St. Heb —7H 63 (in two parts)
Aln Wlk. Newc T —6C 42
Alnwick Av. N Shi —1D 64
Alnwick Av. Whit B —6G 37
Alnwick Clo. Ches S —1J 139
Alnwick Clo. Whi —7G 79
Alnwick Ct. Wash —3F 113
Alnwick Dri. Bed —7F 15
Alnwick Gro. Jar —4B 84
Alnwick Rd. Dur —5A 152
Alnwick Rd. S Shi —7J 65
Alnwick Rd. Sund —1A 130
Alnwick Sq. Sund —1A 130
Alnwick St. Eas C —7C 158
Alnwick St. H'dn —3D 170
Alnwick St. Newc T —5K 57
Alnwick St. W'snd —3G 63
Alnwick Ter. Wide —4E 32
Alpine Gro. W Bol —7H 85
Alpine Way. Sund —5C 116
Alresford. Newc T —7B 34
Alston Av. Cra —5B 24
Alston Av. Newc T —7C 62
Alston Clo. N Shi —5C 46
Alston Clo. W'snd —1A 64
Alston Cres. Sund —2E 102
Alstone Ct. Chop —1H 15
Alston Gdns. Newc T —3H 57
Alston Gro. Sea S —3B 26
Alston Rd. Con —5D 118
Alston Rd. N Har —4H 25
Alston Rd. Wash —2B 114
Alston St. Gate —5F 81
Alston Ter. Con —5E 118
Alston Wlk. Pet —5C 170
Alston Wlk. Sher —3A 166
Alston Way. Mead —1E 172
Altan Pl. Newc T —5K 43
Altree Grange. Sund —4E 102
Altrincham Tower. Sund —1A 130
**Alum Waters. —4C 162**
Alum Well Rd. Gate —2G 97 (in two parts)
Alverston Clo. Newc T —5C 58
Alverstone Av. Gate —3G 97
Alverstone Rd. Sund —2K 129
Alverthorpe St. S Shi —5K 65
Alveston Clo. Chop —1H 15
Alwin. Wash —7E 112
Alwin Grange. Heb —6K 63
Alwinton Av. N Shi —4D 46
Alwinton Clo. Bly —1G 21
Alwinton Clo. Newc T —1G 59
Alwinton Dri. Ches S —1J 139
Alwinton Gdns. Gate —2C 96
Alwinton Rd. Shir —1A 46
Alwinton Sq. Ash —6D 10
Alwinton Ter. Newc T —7F 43
Alwyn Clo. Hou S —6J 127
Alwyn Gdns. Con —1H 133
Amalfi Tower. Sund —1A 130
Amara Sq. Sund —1A 130
Ambassadors Way. N Shi —4B 46
Amber Ct. Bly —3G 21
Amber Ct. Newc T —3B 80
Ambergate Clo. Newc T —2G 59
Amberley. Newc T —1B 44
Amberley Chase. Newc T —7C 34
Amberley Clo. W'snd —1A 64
*Amberley Ct. Gate —5E 80 (off Amberley St.)*
Amberley Gdns. Newc T —3A 62
Amberley Gro. Whi —2G 95
Amberley St. Gate —5E 80
Amberley St. Sund —3G 117
Amberley St. S. Sund —3G 117
Amberley Wlk. Whi —2H 95
Amberley Way. Bly —4J 21
Amble Av. S Shi —5D 66
Amble Av. Whit B —7H 37
Amble Clo. Bly —4G 21
Amble Gro. Newc T —6J 61 (1L 5)
Amble Pl. Newc T —3D 44
Ambleside. Newc T —3H 57
Ambleside Av. S'hm —2G 145
Ambleside Av. S Shi —7A 66
Ambleside Clo. Pet —5C 170
Ambleside Clo. Sea D —7H 25
Ambleside Gdns. Gate —3J 97
Ambleside Grn. Newc T —5H 59
Ambleside M. Con —5B 120
Ambleside Ter. Sund —3E 102
Amble Tower. Sund —1A 130
Amble Way. Newc T —6D 42
Ambridge Way. Newc T —7B 42
Ambrose Pl. Newc T —7F 63
Ambrose Rd. Sund —1K 129
Amec Way. W'snd —4J 63
Amelia Clo. Newc T —3A 80
Amelia Gdns. Sund —2J 129
Amelia Wlk. Newc T —3A 80 (in two parts)
Amen Corner. Newc T —2G 81
Amen Corner Chyd. Newc T —7F 4
Amersham Cres. Pet —5B 170
Amersham Pl. Newc T —3H 59
Amersham Rd. Bly —5H 21
Amesbury Clo. Newc T —2B 58
Amethyst Rd. Newc B —3B 80
Amethyst St. Sund —1B 116
Amherst Rd. Newc T —6A 42
Amos Ayre Pl. S Shi —1F 85
Amos Dri. G'cft I —7K 121
Amsterdam Rd. Sund —1A 130
Amy St. Sund —5D 102
Ancaster Av. Newc T —6K 43
Ancaster Rd. Whi —1F 95
Anchorage Ter. Dur —4B 164
Anchorage, The. Ches S —6B 126
Anchorage, The. Hou S —3B 128
Anchor Chare. Newc T —6J 5
Ancona St. Sund —7B 102
Ancroft Av. N Shi —5F 47
Ancroft Gth. H Shin —1F 175
Ancroft Pl. Ash —6D 10
Ancroft Pl. Newc T —5H 59
Ancroft Rd. Sea D —7F 25
Ancroft Way. Newc T —4B 42
Ancrum St. Newc T —6D 60 (1A 4)
Ancrum Way. Whi —2F 95
Anderson St. S Shi —2K 65
Anderson St. N. S Shi —2J 65
Andover Pl. W'snd —6J 45
Andrew Ct. Newc T —7E 62
Andrew Rd. Sund —2J 129
Andrew's La. Pet —2J 169
Andrew St. Pet —7C 158
Andrew Ter. Whe H —4A 178
Anfield Ct. Newc T —7A 42
Anfield Rd. Newc T —7A 42
Angel of the North. —7F 97
Angerton Av. N Shi —3G 47
Angerton Av. Shir —2K 45
Angerton Gdns. Newc T —5K 59
Angerton Ter. Dud —3H 33
Anglesey Gdns. Newc T —3C 58
Anglesey Pl. Newc T —1D 80 (6A 4)
Anglesey Rd. Sund —2K 129
Anglesey Sq. Sund —2K 129
Angle Ter. W'snd —3K 63
Angram Dri. Sund —7J 117
Angram Wlk. Newc T —3C 58
Angrove Gdns. Sund —3B 116
Angus. Ous —6H 111
Angus Clo. Newc T —1A 44
Angus Ho. B'wl —2A 80
Angus Rd. Gate —6E 80
Angus Sq. Lang M —7F 163
Angus Sq. Sund —2K 129
Angus St. Lang M —6G 163
Angus St. Pet —6C 158
Angus Ter. Pet —1D 170
**Anick. —6G 49**
Anick Rd. Hex —7E 48
Anker's House Museum, The. —6B 126
Annand Rd. Dur —1D 164
Annaside M. Con —5B 120
Ann Av. Kel —7D 176
Anne Dri. Newc T —4E 44
Annfield Pl. S'ley —5J 121
**Annfield Plain. —4K 121**
Annfield Plain By-Pass. S'ley —5G 121
Annfield Rd. Cra —7K 19
Annfield Ter. S'ley —4J 121
Annie St. Sund —3F 103
**Annitsford. —2K 33**
Annitsford Dri. Dud —3K 33
Annitsford Pond Nature Reserve. —2K 33
Annitsford Rd. Seg —3A 34
Ann's Pl. Lang M —6G 163
Ann's Row. Bly —7J 17
Ann St. Bla T —3C 78
Ann St. Con —7H 119
Ann St. Gate —4H 81 (10J 5)
Ann St. Heb —6G 63
Ann St. Shir —7K 35
Annville Cres. Walk —2E 82
Anscomb Gdns. Newc T —3J 61
Anson Clo. S Shi —5H 65
Anson Pl. Newc T —2F 59
Anson St. Gate —5K 81
Anstead Clo. Cra —4K 23
Anthony Ct. S'ley —2E 122
Anthony Rd. Sund —1K 129
Anthony St. Pet —6D 158
Anthony St. S'ley —2E 122
Antliff Ter. S'ley —5K 121
Antonine Wlk. Hed W —3D 56
Anton Pl. Cra —5K 23
Antrim Clo. Newc T —2J 59
Antrim Gdns. S'hm —2A 146
Antwerp Rd. Sund —2J 129
Anvil Ct. W'stll —1A 104
Apperley. Newc T —4E 58
Apperley Av. H Shin —1G 175
Apperley Av. Newc T —1J 59
Apperley Rd. Stoc —1J 89
Appian Pl. Gate —7K 81
Appian Pl. Newc T —3H 57 (in two parts)
Appleby Ct. N Shi —7F 47
Appleby Gdns. Gate —4J 97
Appleby Gdns. W'snd —1A 64
Appleby Pk. N Shi —6F 47
Appleby Pl. Ryton —2E 76
Appleby Rd. Sund —2K 129
Appleby Sq. Sund —2K 129
Appleby St. N Shi —1G 65
Appleby Way. Pet —2J 179
Apple Clo. Newc T —5C 58
Apple Ct. N Har —4H 25
Appledore Clo. G'sde —6C 76
Appledore Gdns. Ches S —4B 126
Appledore Gdns. Edm —3D 138
Appledore Gdns. Gate —4H 97
Appledore Rd. Bly —4J 21
Appleforth Av. Sund —7J 117
Apple Tree Dri. Pru —3E 74
Appletree Gdns. Newc T —5C 62
Appletree Gdns. Whit B —1E 46
Appletree La. Cor —1E 70
Appletree Ri. Cor —1E 70

Applewood. *Kil* —1D **44**
Appley Ter. *Sund* —5G **103**
Apsley Cres. *Newc T* —7A **42**
Aqua Ter. *Newb S* —3H **11**
Aquila Dri. *Hed W* —3B **56**
Arbeia Roman Fort & Museum. —1J **65**
Arbourcourt Av. *Esh W* —4D **160**
Arbroath. *Ous* —7H **111**
Arbroath Rd. *Sund* —1K **129**
Arcadia. *Ous* —7H **111**
Arcadia Av. *Ches S* —4A **126**
Arcadia Ter. *Bly* —3J **21**
Archbold Ter. *Newc T* —6G **61** (1H **5**)
Archer Rd. *Sund* —1K **129**
Archers Hill. *S Shi* —4H **65**
Archer Sq. *Sund* —1K **129**
Archer St. *W'snd* —2H **63**
Archer St. E. *W'snd* —2K **63**
Archer Vs. *W'snd* —2H **63**
Archery Ri. *Dur* —4J **163**
Archibald St. *Newc T* —7E **42**
Arcot Av. *Nel V* —2G **23**
Arcot Av. *Whit B* —1E **46**
Arcot Dri. *Newc T* —5F **59**
Arcot Dri. *Whit B* —1E **46**
Arcot La. *Dud* —1D **32**
Arcot Ter. *Bly* —1H **21**
Arden Av. *Newc T* —3D **42**
Arden Clo. *Rid M* —7J **71**
Arden Clo. *W'snd* —5H **45**
Arden Cres. *Newc T* —4K **59**
Arden Ho. *Newc T* —6E **42**
Arden Sq. *Sund* —1A **130**
Arden St. *Shot C* —5E **168**
Ardrossan. *Ous* —7H **111**
Ardrossan Rd. *Sund* —2K **129**
Arena Way. *Newc T* —3E **80** (9C **4**)
Argent St. *Pet* —6D **158**
Argus Clo. *Gate* —7D **80**
Argyle Ct. *S'ley* —7G **109**
Argyle Ho. *Sund* —3E **116**
Argyle Pl. *N Shi* —4G **47**
Argyle Pl. *S Het* —3B **156**
Argyle Sq. *Sund* —3E **116**
Argyle St. *Bly* —7H **17**
Argyle St. *Heb* —7H **63**
Argyle St. *Newc T* —1G **81** (5H **5**)
Argyle St. *N Shi* —4K **47**
Argyle St. *Sund* —3E **116**
Argyle Ter. *Hex* —2D **68**
Argyle Ter. *Newb S* —3H **11**
Argyle Ter. *N Shi* —4G **47**
Argyll. *Ous* —7H **111**
Ariel St. *Ash* —3C **10**
(in two parts)
Arisaig. *Ous* —7H **111**
Arklecrag. *Wash* —2G **113**
Arkle Rd. *Sund* —2K **129**
Arkleside Pl. *Newc T* —4D **58**
Arkle St. *Gate* —6E **80**
Arkle St. *Haz* —7C **32**
Arkwright St. *Gate* —7F **81**
Arlington Av. *Newc T* —2B **60**
Arlington Clo. *Hou S* —6J **127**
Arlington Gro. *Cra* —7K **19**
Arlington Gro. *Whi* —1G **95**
Arlington Rd. *Heb* —2K **83**
Arlington St. *Sund* —2B **116**
Arlott Ho. *N Shi* —2D **64**
Armitage Gdns. *Gate* —6A **98**
Armondside Rd. *B Mill* —2A **106**
**Armstrong. —2E 112**
Armstrong Av. *Newc T* —4K **61**
Armstrong Av. *S Shi* —7A **66**
Armstrong Av. *Win* —5G **179**
Armstrong Building. *Newc T* —2E **4**
Armstrong Clo. *Hex* —3B **68**
Armstrong Dri. *Newc T* —2K **43**
Armstrong Ho. *Wash* —1E **112**
Armstrong Ind. Est. *Wash* —1E **112**
Armstrong Ind. Pk. *Newc T* —3C **80**
(in two parts)
Armstrong Rd. *Newc T* —1F **79**
Armstrong Rd. *N East* —3B **170**
Armstrong Rd. *W'snd* —4A **64**
Armstrong Rd. *Wash* —1E **112**
Armstrong St. *Cal* —5B **40**
Armstrong St. *Gate* —7E **80**
Armstrong Ter. *Mor* —7G **7**
Armstrong Ter. *S Shi* —6J **65**
Arncliffe Av. *Sund* —4A **116**
Arncliffe Gdns. *Newc T* —3C **58**
Arndale Arc. *Jar* —6B **64**
Arndale Ho. *Jar* —6B **64**
Arndale Ho. *Ken* —7A **42**
Arndale Ho. *Newc T* —6J **43**
Arndale Sq. *Newc T* —6J **43**
Arngrove Ct. *Newc T* —7E **60** (4C **4**)
Arnham Gro. *Sund* —6F **115**
Arnison Retail Cen. *Pity Me* —3K **151**
Arnold Av. *B Col* —1H **181**
Arnold Clo. *S'ley* —3G **123**
Arnold Rd. *Sund* —1K **129**
Arnold St. *Bol C* —6F **85**
Arnside Wlk. *Newc T* —3C **58**
(in two parts)
Arran Ct. *Sund* —3C **130**
Arran Dri. *Jar* —3E **84**
Arran Gdns. *Gate* —7A **82**
Arran Pl. *N Shi* —4C **46**
Arras La. *Sund* —1G **117**
Arrol Pk. *Sund* —2D **116**
Arrow Clo. *Newc T* —2K **43**
Arthington Way. *S Shi* —1A **86**
Arthur Av. *Sund* —3J **131**
Arthur Cook Av. *Whi* —1J **95**
**Arthurs Hill. —7C 60**
Arthur St. *Bly* —1J **21**
(in two parts)
Arthur St. *Gate* —4H **81**
Arthur St. *Jar* —7B **64**
Arthur St. *Pelt* —2C **124**
Arthur St. *Pet* —6D **158**
Arthur St. *Ryh* —3J **131**
Arthur St. *Ush M* —2B **162**
Arthur St. *Whit* —2B **87**
Arthur Ter. *Sund* —3H **87**
Arun Clo. *Pet* —7A **170**
Arundel Clo. *Bed* —5A **16**
Arundel Clo. *Wide* —6C **32**
Arundel Ct. *Newc T* —5J **41**
Arundel Dri. *Newc T* —6E **58**
Arundel Dri. *Whit B* —7B **36**
Arundel Gdns. *Gate* —2J **97**
Arundel Gdns. *Sund* —2J **129**
Arundel Rd. *Sund* —1K **129**
Arundel Sq. *Ash* —4A **10**
Arundel Wlk. *Pelt* —2H **125**
Arundel Wlk. *Whi* —2G **95**
Arundel Way. *Mead* —1E **172**
Asama Ct. *Newc B* —4C **80**
(in two parts)
Ascot Clo. *W'snd* —6H **45**
Ascot Ct. *Newc T* —5J **41**
Ascot Ct. *Sund* —2K **129**
(in two parts)
Ascot Cres. *Gate* —6E **80**
Ascot Gdns. *S Shi* —6K **65**
Ascot Pl. *Pelt* —1H **125**
Ascot Rd. *Con* —2G **119**
Ascot St. *Pet* —7D **158**
Ascot Wlk. *Newc T* —5J **41**
Ash Av. *Din* —4H **31**
Ash Av. *Dur* —3E **164**
Ash Av. *Ush M* —2C **162**
Ash Banks. *Mor* —1G **13**
Ashberry Gro. *Sund* —6F **103**
Ashbourne Av. *Newc T* —7D **62**
Ashbourne Clo. *Back* —6G **35**
Ashbourne Cres. *Ash* —4A **10**
Ashbourne Rd. *Jar* —1C **84**
Ashbrook Clo. *B'don* —2B **172**
**Ashbrooke. —4E 116**
Ashbrooke. *Whit B* —6E **36**
Ashbrooke Clo. *Whit B* —6E **36**
Ashbrooke Cres. *Sund* —4F **117**
Ashbrooke Cross. *Sund* —5E **116**
Ashbrooke Dri. *Pon* —4J **29**
Ashbrooke Est. *Shot C* —6E **168**
Ashbrooke Gdns. *W'snd* —2J **63**
Ashbrooke Mt. *Sund* —4E **116**
Ashbrooke Range. *Sund* —5E **116**
Ashbrooke Rd. *Sund* —4E **116**
Ashbrooke St. *Newc T* —2A **60**
Ashbrooke Ter. *E Bol* —7K **85**
Ashbrooke Ter. *Sund* —4F **117**
Ashburne Ct. *Sund* —4F **117**
Ashburn Rd. *W'snd* —6J **45**
Ashburton Rd. *Newc T* —1C **60**
Ashbury. *Whit B* —5C **36**
Ashby Cres. *Con* —4F **119**
Ashby La. *Con* —5F **119**
Ashby St. *Sund* —5H **117**
Ash Clo. *Hex* —3A **68**
Ash Cres. *Pet* —6E **170**
Ash Cres. *S'hm* —5A **146**
Ashcroft Dri. *Newc T* —5C **44**
Ashdale. *Hou S* —1J **127**
Ashdale. *Pon* —1G **39**
Ashdale Cres. *Newc T* —3D **58**
Ashdale Rd. *Con* —6H **119**
Ashdown Av. *Dur* —1F **165**
Ashdown Clo. *Newc T* —5K **43**
Ashdown Rd. *Sund* —1K **129**
Ashdown Way. *Newc T* —5K **43**
Asher St. *Gate* —5A **82**
Ashfield. *Con* —3F **119**
Ashfield. *Jar* —5D **84**
Ashfield Av. *Whi* —6J **79**
Ashfield Clo. *Newc T* —2C **80** (8A **4**)
Ashfield Ct. *H Spen* —3E **92**
Ashfield Gdns. *W'snd* —2D **62**
Ashfield Gro. *N Shi* —6G **47**
Ashfield Gro. *Whit B* —5G **37**
Ashfield Pk. *Whi* —6H **79**
Ashfield Ri. *Whi* —2H **95**
Ashfield Rd. *Newc T* —1C **60**
Ashfield Rd. *Whi* —2H **95**
Ashfield Ter. *Ches S* —7B **126**
Ashfield Ter. *Pel* —5D **82**
Ashfield Ter. *Ryton* —1G **77**
Ashfield Ter. *Spri* —6D **98**
Ashford. *Gate* —6J **97**
(in two parts)
Ashford Clo. *Bly* —4J **21**
Ashford Clo. *N Shi* —3F **47**
Ashford Dri. *Sac* —6E **138**
Ashford Gro. *Newc T* —1B **58**
Ashford Gro. *Thor* —1A **178**
Ashford Rd. *Sund* —2K **129**
Ashgill. *Wash* —2F **113**
Ashgrove. *Ches S* —7H **125**
Ash Gro. *Gate* —5A **80**
Ash Gro. *Mor* —1E **12**
Ash Gro. *Ryton* —7G **57**
Ash Gro. *Sund* —5J **87**
Ash Gro. *Trim S* —7C **178**
Ash Gro. *W'snd* —4H **63**
Ashgrove Av. *S Shi* —1B **86**
Ashgrove Ter. *Bir* —3K **111**
Ashgrove Ter. *Gate* —5G **81**
Ash Hill Ct. *Sund* —4F **117**
**Ashington. —3J 9**
Ashington Dri. *Chop* —1H **15**
Ashkirk. *Dud* —3J **33**
Ashkirk. *Sund* —1A **130**
Ashkirk Clo. *Ches S* —1J **139**
Ashkirk Way. *Sea D* —1H **35**
Ashleigh. *Ches S* —4J **125**
Ashleigh Av. *Dur* —6K **151**
Ashleigh Clo. *Bla T* —5E **78**
Ashleigh Cres. *Newc T* —5G **59**
Ashleigh Gdns. *Sund* —4C **86**
Ashleigh Gro. *For H* —5B **44**
Ashleigh Gro. *Lan* —6J **135**
Ashleigh Gro. *N Shi* —4J **47**
Ashleigh Gro. *Sund* —3G **103**
Ashleigh Gro. *W Jes* —3F **61**
Ashleigh Rd. *Newc T* —5G **59**
Ashleigh Ter. *Sund* —3G **103**
Ashleigh Vs. *E Bol* —7K **85**
Ashley Clo. *Kil* —7D **34**
Ashley Clo. *Wash* —5J **113**
Ashley Ct. *Tan L* —1C **122**
Ashley Gdns. *Chop* —7J **9**
Ashley Ho. *Trim S* —7B **178**
Ashley Rd. *S Shi* —7J **65**
Ashley Ter. *Ches S* —5A **126**
Ashmead Clo. *Newc T* —7C **34**
Ash Meadows. *Wash* —2C **126**
Ashmore St. *Sund* —3F **117**
Ashmore Ter. *Sund* —3F **117**
Ashmore Ter. *Whe H* —2B **178**
Asholme. *Newc T* —4E **58**
Ashridge Clo. *S Shi* —1D **86**
Ashridge Ct. *Gate* —7F **83**
Ash Sq. *Wash* —4J **113**
Ash St. *Bla T* —5C **78**
Ash St. *Con* —7H **119**
Ash St. *Lang P* —5J **149**
Ash St. *Team T* —2E **96**
Ash Ter. *Bow* —5H **175**
Ash Ter. *Cat* —4J **121**
Ash Ter. *Con* —5B **120**
Ash Ter. *Haz* —7C **32**
Ash Ter. *Mur* —7F **145**
Ash Ter. *S'ley* —6H **123**
Ash Ter. *Tant* —6B **108**
Ashton Clo. *Newc T* —1B **58**
Ashton Ct. *Ryton* —2H **77**
Ashton Downe. *Ches S* —7A **126**
Ashton Ri. *Ches S* —7A **126**
Ashton Ri. *Pet* —5C **170**
Ashton St. *Pet* —7D **158**
Ashton Way. *Sund* —3J **129**
Ashton Way. *Whit B* —4E **36**
Ashtree Clo. *Newc T* —2B **80**
Ashtree Clo. *Row G* —4K **93**
Ashtree Dri. *Bed* —6H **15**
Ashtree Gdns. *Whit B* —1E **46**
Ashtree La. *H Spen* —3E **92**
Ashtrees Gdns. *Gate* —7H **81**
Ash Tree Ter. *Edm* —3K **137**
Ashvale Av. *Gate* —2E **110**
Ash Way. *Hou S* —1A **142**
Ashwell Rd. *Sund* —2K **129**
Ashwood. *S Het* —5D **156**
Ashwood Av. *Sund* —5B **102**
Ashwood Clo. *Cra* —7K **19**
Ashwood Clo. *For H* —4C **44**
Ashwood Cres. *Newc T* —4D **62**
Ashwood Cft. *Heb* —6H **63**
Ashwood Gdns. *Gate* —5J **97**
Ashwood Gro. *N Gos* —6D **32**
Ashwood Gro. *Sund* —6H **101**
Ashwood Ho. *Newc T* —1J **61**
Ashwood Rd. *Hex* —2E **68**
Ashwood St. *Sund* —3D **116**
Ashwood Ter. *G'sde* —5D **76**
Ashwood Ter. *Sund* —3D **116**
Askern Av. *Sund* —7J **117**
Askerton Dri. *Pet* —2J **179**
Askew Rd. *Gate* —4F **81** (10F **4**)
Askew Rd. W. *Gate* —5E **80**
(in two parts)
Askrigg Av. *Sund* —7H **117**
Askrigg Av. *W'snd* —5H **45**
Askrigg Clo. *Ous* —6G **111**
Askrigg Wlk. *Newc T* —4C **58**
Aspatria Av. *B Col* —2H **181**
Aspen Av. *Pet* —6F **171**
Aspen Clo. *Dur* —1E **164**
Aspen Ct. *B'hll* —5G **119**
Aspen Ct. *Sund* —3A **130**
Aspenlaw. *Gate* —3A **98**
Aspen St. *Team T* —2E **96**
Aspley Clo. *Sund* —3C **130**
Asquith St. *Thor* —1K **177**
Asquith Ter. *S'ley* —4J **121**
Association Rd. *Sund* —5G **103**
Aster Pl. *Newc T* —6K **59**
Aster Ter. *Hou S* —5B **128**
Astley Ct. *Newc T* —1B **44**
Astley Dri. *Whit B* —2E **36**
Astley Gdns. *Sea D* —7G **25**
Astley Gdns. *Sea S* —3B **26**
(in two parts)
Astley Gro. *Sea S* —3B **26**
Astley Rd. *Sea D* —6G **25**
Astley St. *H'fd* —6K **19**
Astley Vs. *Sea S* —3B **26**
Aston Sq. *Sund* —2K **129**
Aston St. *S Shi* —6K **65**
Aston Wlk. *Newc T* —7E **62**
Aston Way. *Whi* —2F **95**
Athelhampton. *Wash* —3A **114**
Athelstan Rigg. *Sund* —2J **131**
Athenaeum St. *Sund* —2F **117**
Atherton Dri. *Hou S* —3A **142**
Atherton St. *Dur* —3K **163**
*Athlone Ct. Bly —1J 21*
*(off Disraeli St.)*
Athlone Pl. *Bir* —7B **112**
Athol Gdns. *Gate* —7K **81**
Athol Gdns. *Sund* —3J **131**
Athol Gdns. *Whit B* —1D **46**
Athol Grn. *Gate* —5C **80**
Athol Gro. *Sund* —2C **130**
*Athol Ho. Pon —5K 29*
*(off Callerton La.)*
Atholl. *Ous* —6H **111**
Athol Pk. *Sund* —3G **117**
Athol Rd. *Sund* —3G **117**
Athol St. *Gate* —5C **80**
Athol Ter. *Sund* —3G **117**
Atkinson Gdns. *N Shi* —2G **65**
Atkinson Gro. *Shot C* —5E **168**
Atkinson Rd. *Ches S* —4B **126**
Atkinson Rd. *Newc T* —2K **79**
Atkinson Rd. *Sund* —3F **103**
Atkinson St. *W'snd* —4F **63**
Atkinson Ter. *Newc T* —1K **79**
Atkinson Ter. *W'snd* —4F **63**
Atkin St. *Camp* —7K **33**
Atlantis Rd. *Sund* —1J **129**
Atley Way. *Cra* —7G **19**
Attlee Av. *B Col* —4K **181**
Attlee Clo. *Burr* —6K **33**
Attlee Cotts. *Newb S* —2K **11**
Attlee Ct. *Heb* —6J **63**
Attlee Cres. *Has* —3A **168**
Attlee Gro. *Sund* —1G **131**
Attlee Sq. *Sher* —2K **165**
Attlee Ter. *Newb S* —2K **11**
Attwood Gro. *Sund* —6D **102**
Aubone Av. *Newc T* —7J **59**
Auburn Clo. *W'snd* —3A **64**
Auburn Ct. *W'snd* —3B **64**
Auburn Gdns. *Newc T* —5A **60**
Auburn Pl. *Mor* —7E **6**
Auckland. *Ches S* —7J **125**
Auckland Av. *S Shi* —7D **66**
Auckland Rd. *Dur* —4B **152**
Auckland Rd. *Heb* —6K **63**
Auckland Ter. *Jar* —2E **84**
Auden Gro. *Newc T* —7A **60**
Audland Wlk. *Newc T* —4C **58**
Audley Gdns. *Sund* —5D **116**
Audley Rd. *Newc T* —1G **61**
Audouins Row. *Gate* —6F **81**
Augusta Ct. *W'snd* —6J **45**
Augusta Sq. *Sund* —2K **129**
(in two parts)
Augusta Ter. *Sund* —5H **87**
Augustine Clo. *Fram M* —5J **151**
August Pl. *S Shi* —4K **65**
Augustus Dri. *Bed* —6G **15**
Austen Av. *S Shi* —3H **85**
Austen Pl. *S'ley* —5H **123**
Austin Sq. *Sund* —5D **102**
Austin St. *Pet* —6D **158**
Australia Gro. *S Shi* —3F **85**
Australia Tower. *Sund* —1A **130**
Austral Pl. *Wide* —6C **32**
Austwick Wlk. *Newc T* —4C **58**
Auton Clo. *Bear* —1D **162**
Auton Ct. *Bear* —1E **162**
Auton Fld. *Bear* —1E **162**
Auton Fld. Ter. *Bear* —1E **162**
Auton Stile. *Bear* —1D **162**
Autumn Clo. *Wash* —2H **113**
Avalon Dri. *Newc T* —5E **58**
Avalon Rd. *Sund* —1K **129**
Avebury Av. *Chop* —1J **15**
Avebury Dri. *Wash* —3J **113**
Avebury Pl. *Cra* —1A **24**
Avenue Cres. *Sea D* —6G **25**
Avenue Rd. *Gate* —6H **81**
Avenue Rd. *Sea D* —7G **25**
Avenues, The. *Team T* —4G **97**
Avenue St. *H Shin* —1F **175**
Avenue Ter. *Sea D* —7H **25**
Avenue Ter. *Sund* —4E **116**
Avenue, The. *Bir* —4J **127**
Avenue, The. *Bla T* —4E **78**
Avenue, The. *B'hpe* —5E **136**
Avenue, The. *Ches S* —6K **125**
Avenue, The. *Con* —7J **119**
Avenue, The. *Cor* —7D **50**
Avenue, The. *Dip* —2H **121**
Avenue, The. *Dur* —3K **163**
Avenue, The. *Fel* —5B **82**
Avenue, The. *Hett H* —6H **143**
Avenue, The. *Lam P* —4A **112**
Avenue, The. *Loan* —3F **13**
Avenue, The. *Med* —3C **38**
Avenue, The. *Mur* —7F **145**
Avenue, The. *Pelt* —2G **125**
Avenue, The. *Pity Me* —4J **151**
Avenue, The. *Row G* —6K **93**
Avenue, The. *S'hm* —4H **145**
Avenue, The. *Sea D* —6G **25**
Avenue, The. *She H* —7J **81**
Avenue, The. *S'ley* —6J **121**
Avenue, The. *Sund* —3F **117**
Avenue, The. *W'snd & Newc T* —4F **63**
Avenue, The. *Wash* —3J **113**
Avenue, The. *Whe H* —2A **178**
Avenue, The. *Whit B* —6G **37**
Avenue Vivian. *Hou S* —1K **141**
Aviemore Rd. *W Bol* —7H **85**
Avis Av. *Newb S* —4G **11**
Avison Ct. *Newc T* —7D **60** (4A **4**)
Avison Pl. *Newc T* —7D **60** (4A **4**)
Avison St. *Newc T* —1D **80** (5A **4**)
Avocet Clo. *Bly* —6J **21**
Avolon Ct. *Newc T* —7D **60** (4A **4**)
Avolon Pl. *Newc T* —7D **60** (4A **4**)
Avolon Wlk. *Newc T* —1D **80** (5A **4**)
Avon Av. *Jar* —4C **84**
Avon Av. *N Shi* —1E **64**
Avon Clo. *Row G* —4K **93**
Avon Clo. *W'snd* —6H **45**
Avon Ct. *N Har* —4H **25**
Avon Cres. *Hou S* —3A **142**
Avoncroft Clo. *S'hm* —2F **145**
Avondale. *Sund* —3G **115**
Avondale Av. *Bly* —1C **20**
Avondale Av. *Hou S* —2B **128**
Avondale Av. *Newc T* —2B **44**
Avondale Clo. *Bly* —1D **20**
Avondale Ct. *Newc T* —1F **61**
Avondale Gdns. *Ash* —6E **10**
Avondale Gdns. *W Bol* —7G **85**
Avondale Ri. *Newc T* —1A **82**
Avondale Rd. *Con* —6H **119**
Avondale Rd. *Newc T* —1A **82**
Avondale Rd. *Pon* —1E **38**
Avondale Ter. *Ches S* —6A **126**
Avondale Ter. *Gate* —5G **81**
Avondale Ter. *W Bol* —1G **101**
Avonlea Way. *Newc T* —2J **59**
Avonmouth Rd. *Sund* —2K **129**
Avonmouth Sq. *Sund* —2K **129**
Avon Rd. *Heb* —2K **83**
Avon Rd. *Pet* —7A **170**
Avon Rd. *S'ley* —4F **123**
Avon St. *Gate* —5J **81**
Avon St. *Pet* —7C **158**
Avon St. *Sund* —2H **117**

Avon Ter. Wash —4J 113
Awnless Ct. S Shi —1J 85
Axbridge Clo. Chop —1J 15
Axbridge Gdns. Newc T —1A 80
Axford Ter. Ham C —3K 105
Axminster Clo. Cra —1A 24
Axwell Dri. Bly —2F 21
**Axwell Park. —5E 78**
Axwell Pk. Clo. Whi —7G 79
Axwell Pk. Rd. Bla T —5E 78
Axwell Pk. School Houses. Bla T —5E 78
Axwell Pk. Vw. Newc T —1H 79
Axwell Ter. Swa —5G 79
Axwell Vw. Bla T —5C 78
Axwell Vw. Whi —7G 79
Aycliffe Av. Gate —3B 98
Aycliffe Cres. Gate —3B 98
Aycliffe Pl. Gate —3C 98
**Aydon. —4H 51**
Aydon Av. Cor —7E 50
Aydon Castle. —4G 51
Aydon Cres. Cor —7F 51
Aydon Dri. Cor —7E 50
Aydon Gdns. Cor —7E 50
Aydon Gro. Cor —7E 50
Aydon Gro. Jar —3B 84
Aydon Rd. Cor —7E 50
Aydon Rd. N Shi —3J 47
Aydon Rd. Est. Cor —7F 51
Aydon Wlk. Newc T —4E 58
Aydon Way. Cor —7E 50
Aykley Ct. Dur —7J 151
Aykley Grn. Dur —7J 151
Aykley Heads Bus. Cen. Dur —7K 151
Aykley Rd. Dur —5K 151
Aykley Vale. Ayk H —6J 151
Aylesbury Dri. Sund —4C 130
Aylesbury Pl. Newc T —5K 43
Aylesford Sq. Bly —4J 21
Aylsham Clo. Newc T —1B 58
Aylsham Ct. Sund —5C 130
Aylward Pl. S'ley —4H 123
Aylyth Pl. Newc T —2B 60
Aynsley Ter. Con —5H 119
Ayr Dri. Jar —3D 84
**Ayre's Quay. —7D 102**
Ayre's Quay Rd. Sund —1E 116
Ayre's Ter. N Shi —6G 47
Ayrey Av. S Shi —2F 85
Aysgarth Av. Sund —6H 117
Aysgarth Av. W'snd —5H 45
Aysgarth Grn. Newc T —1B 60
**Ayton. —5D 112**
Ayton Av. Sund —7H 117
Ayton Clo. Newc T —2E 58
Ayton Clo. Stoc —1K 89
Ayton Ct. Bed —6F 15
Ayton Ri. Newc T —1A 82
Ayton Rd. Wash —4D 112
Ayton St. Newc T —1A 82
Azalea Av. Sund —3E 116
Azalea Ter. Pet —6F 171
Azalea Ter. N. Sund —3E 116
Azalea Ter. S. Sund —3E 116
Azalea Way. Newc T —5J 57

**B**k. Albion St. S Hyl —2G 115
Bk. Beach Rd. S Shi —3K 65
Bk. Bridge St. Sund —1F 117
Bk. Chapman St. Newc T —6A 62
Bk. Croft Rd. Bly —2J 21
Bk. Durham Rd. Esh W —4E 160
Bk. East Pde. Con —7J 119
*Bk. Ecclestone Rd. S Shi —4A 66 (off Mowbray Rd.)*
Bk. Frederick St. N. Mead —1C 172 (nr. St Brandon's Gro.)
Bk. Frederick St. N. Mead (nr. Station Rd.) —2E 172
Bk. Frederick St. S. B'don —2E 172
Bk. Front St. Sac —7E 138
Bk. George St. Newc T —2E 80 (8C 4)
Bk. Goldspink La. Newc T —6H 61 (1K 5)
Bk. Hawthorn Rd. W. Newc T —1E 60
Bk. Heaton Pk. Rd. Newc T —7K 61 (3N 5)
Bk. High Mkt. Ash —3J 9
Bk. High St. Newc T —1E 60
Bk. John St. N. Mead —1F 173
Back La. Bla T —4B 78
Back La. Ches S —1E 140
Back La. Con —1D 134
Back La. Hou S —1B 128
Back La. Lan —5K 135
Back La. Whit B —6E 36
Bk. Lodge Ter. Sund —2H 117
Bk. Loud Ter. S'ley —5H 121
Bk. Middle St. B Col —2H 181
Bk. Mitford St. Newc T —3D 80 (10B 4)
Bk. Mount Joy. Dur —4B 164
Bk. Mowbray Ter. Chop —1H 15
Bk. New Bri. St. Newc T —7H 61 (4J 5)
Bk. North Bri. St. Sund —7F 103
Bk. N. Railway St. S'hm —2B 146
Bk. North Ter. S'hm —2B 146
Bk. Palmerston St. Con —7H 119
Bk. Prudhoe Ter. N Shi —7G 47 (NE29)
*Bk. Prudhoe Ter. N Shi —4K 47 (off Percy Pk. Rd.)*
Bk. Rothesay Ter. Bed —6A 16
Back Row. Hex —1D 68
Back Row. Whi —7H 79
Bk. Ryhope St. Sund —2G 131
Bk. Seaburn Ter. Sund —2G 103
Bk. Shipley Rd. N Shi —5K 47
Bk. Silver St. Dur —2A 164
Bk. S. Railway St. S'hm —3B 146
Bk. Station Rd. Ash —3A 10
Bk. Stephen St. Newc T —7J 61 (4M 5)
Backstone Burn. Con —4E 118
Backstone Rd. Con —5E 118
Back St. Winl —5B 78
Bk. Victoria Ter. S'ley —4K 121
Backview Ct. Sund —4E 102
Bk. Western Hill. Dur —1K 163
*Bk. Westoe Rd. S Shi —3K 65 (off Halstead Pl.)*
Backworth Bus. Pk. Back —7G 35
Backworth La. Back —2D 34
Backworth Ter. W All —3H 45
Baden Cres. Sund —4G 101
Baden Powell St. Gate —7J 81
Baden St. Ches S —7A 126
Bader Ct. Bly —3K 21
Badger Clo. Sund —4C 130
Badger M. Spri —5D 98
Badgers Grn. Mor —5D 6
Badminton Clo. Bol C —5E 84
Baffin Ct. Sund —3B 130
Baildon Clo. W'snd —1G 63
Bailey Ind. Est. Jar —5B 64
Bailey Ri. Pet —4B 170
Bailey Sq. Sund —3G 101
Bailey St. Tant —6B 108
Bailey Way. Hett H —2H 155
Bainbridge Av. S Shi —2F 85
Bainbridge Av. Sund —5D 116
Bainbridge Bldgs. Gate —5A 98
Bainbridge Holme Clo. Sund —5D 116
Bainbridge Holme Rd. Sund —5E 116
Bainbridge St. Dur —6H 153
Bainford Av. Newc T —7G 59
Baird Av. W'snd —3C 64
Baird Clo. Wash —5J 99
Baird St. Sund —4G 101
Bakehouse La. Dur —2B 164
Baker Clo. Sund —5F 103
Baker Gdns. Dun —5B 80
Baker Gdns. Wardl —6F 83
Baker La. Newc T —7C 42
Baker Rd. Cra —1F 23
Baker Sq. Sund —4G 101
Baker St. Con —5A 120
Baker St. Hou S —1E 142
Baker St. Sund —4G 101
Baker Vs. Bir —4A 112
Bakewell Ter. Newc T —2B 82
Baldersdale Gdns. Sund —6D 116
Baldwin Av. E Bol —7A 86
Baldwin Av. Newc T —6B 60
Baldwin St. Pet —7D 158
Balfour Gdns. Con —5H 119
Balfour Rd. Newc T —1G 79 (in two parts)
Balfour St. Bly —7H 17
Balfour St. Con —5H 119
Balfour St. Gate —5F 81
Balfour St. Hou S —1E 142
Balfour Ter. C'wl —7K 91
Balgonie Cotts. Ryton —1G 77
Baliol Rd. Stoc —1J 89
Baliol Sq. Dur —5J 163
Balkwell Av. N Shi —6D 46
Balkwell Grn. N Shi —6E 46
Ballast Hill. Bly —1K 21
Ballast Hill Rd. N Shi —2G 65
Ballater Clo. S'ley —3H 123
Balliol Av. Newc T —3A 44
Balliol Bus. Pk. Newc T —4J 43
Balliol Clo. Pet —7K 169
Balliol Gdns. Newc T —7K 43
Balmain Rd. Newc T —1A 60
Balmlaw. Gate —3B 98
Balmoral. Gt Lum —2E 140
Balmoral Av. Jar —3E 84
Balmoral Av. Newc T —1G 61
Balmoral Clo. Bed —6A 16
Balmoral Ct. Sund —4G 101
Balmoral Cres. Hou S —3F 143
Balmoral Dri. Gate —6A 82
Balmoral Gdns. N Shi —5F 47
Balmoral Gdns. Whit B —5F 37
Balmoral St. W'snd —3F 63
Balmoral Ter. E Her —2J 129
Balmoral Ter. Hea —6K 61
Balmoral Ter. Newc T —1G 61 (1P 5)
Balmoral Ter. Sund —6H 117
Balmoral Way. Fel —7A 82
Balroy Ct. Newc T —5C 44
Baltic Centre for Contemporary Art. —2H 81 (7K 5) (Open late 2001)
Baltic Rd. Gate —3B 82
Baltimore Av. Sund —4E 100 (in two parts)
Baltimore Ct. Wash —7G 99
Baltimore Sq. Sund —4F 101
Bamborough Ct. Dud —3J 33
Bamborough Ter. N Shi —5G 47
Bambro St. Sund —3G 117
Bamburgh Av. Pet —4D 170
Bamburgh Av. S Shi —4B 66
Bamburgh Clo. Bly —2G 21
Bamburgh Clo. Wash —3E 112
Bamburgh Ct. Newc T —3A 80
Bamburgh Ct. Team T —7E 80
Bamburgh Cres. Hou S —4B 128
Bamburgh Cres. Shir —1K 45
Bamburgh Dri. Gate —4F 83
Bamburgh Dri. Peg —4B 8
Bamburgh Dri. W'snd —3K 63
Bamburgh Gdns. Sund —5D 116
Bamburgh Gro. Jar —3A 84
Bamburgh Gro. S Shi —5D 66
Bamburgh Ho. Newc T —2E 58
Bamburgh Rd. Dur —4A 152
Bamburgh Rd. Newc T —4D 44
Bamburgh Rd. W'hpe —2E 58
Bamburgh Ter. Ash —4A 10
Bamburgh Ter. Newc T —7A 62
Bamburgh Wlk. Newc T —6C 42
Bamford Ter. Newc T —3D 44
Bamford Wlk. S Shi —1K 85
Bampton Av. Sund —2E 102
Banbury. Wash —7J 99
Banbury Av. Sund —3G 101
Banbury Gdns. W'snd —7H 45
Banbury Rd. Newc T —7B 42
Banbury Ter. S Shi —5K 65
Banbury Way. Bly —4J 21
Banbury Way. N Shi —1D 64
Bance Ct. Mor —6F 7
Bancroft Ter. Sund —2B 116
Banesley La. Gate —7C 96
Banff St. Sund —3G 101
Bangor Sq. Jar —5A 84
Bank Av. Whi —7G 79
Bank Cotts. E Sle —5D 16
Bank Ct. Bla T —2F 79
Bank Ct. N Shi —7H 47
Bankdale Gdns. Bly —2E 20
Bank Foot. Shin —6E 164
Bankhead. Hex —1D 68
Bankhead Rd. Newc T —4K 57
Bankhead Ter. Hou S —1A 142
Bank Rd. Gate —2H 81 (8J 5)
Banks Bldgs. Hou S —3C 128
Banks Holt. Ches S —7H 125
Bankside. Cas E —6B 180
Bankside. Mor —1G 13
Bankside Clo. Ryh —2G 131
Bankside La. S Shi —1J 85
Bankside Rd. Newc T —1F 79
Bankside Wlk. Chop —7K 9
Bank, The. Sund —6H 87
**Bank Top. —3G 57**
Bank Top. Cul —1J 47
Bank Top. Ear —5A 36
Bank Top. Ryton —3C 76
Bank Top. W'sde —3F 77
Bankwell La. Gate —2G 81 (8H 5)
Bannerman Ter. S Hill —3C 166
Bannerman Ter. Ush M —2B 162
Bannister Dri. Newc T —4D 44
Bannockburn. Newc T —7A 34
Barbara St. Sund —6H 117
Barbary Clo. Pelt —2G 125
Barbary Dri. Sund —5H 103
Barbondale Lonnen. Newc T —3C 58
Barbor Cft. S'ley —4J 121
Barbor Wlk. Wash —4J 113
Barbour Av. S Shi —6C 66
Barclay Ct. Sund —7F 103
Barclay Pl. Newc T —4H 59
Barclay St. Sund —7F 103
Barcusclose La. Burn —2C 108
Bardolph Rd. N Shi —6D 46
Bardon Clo. Newc T —1F 59
Bardon Ct. S Shi —1A 86
Bardon Cres. H'wll —1K 35
Bardsey Pl. Newc T —5K 43
Barehirst St. S Shi —6H 65
Barents Clo. Newc T —3F 59
Baret Rd. Newc T —5C 62
Barford Ct. Gate —5J 97
Barford Dri. Ches S —1J 139
Barham Ter. Chop —7J 9
Barham Yd. Gate —2H 97
Baring St. S Shi —1J 65
Barkers Haugh. Dur —1B 164
Barker St. Newc T —7H 61 (3J 5)
Barking Cres. Sund —4F 101
Barking Sq. Sund —4F 101
Barkwood Rd. Row G —5G 93
Barleycorn. Sund —2G 117
Barley Mill Cres. Con —5D 118
Barley Mill Rd. Con —5D 118
**Barley Mow. —7B 112**
**Barlow. —1G 93**
Barlow Fell Rd. Bar —2G 93
Barlowfield Clo. Bla T —6A 78
Barlow La. Bla T —7H 77
Barlow La. End. G'sde —5F 77
Barlow Rd. Bar —1G 93
*Barlow Vw. G'sde —5F 77 (off Dyke Heads La.)*
**Barmoor. —3K 13 (nr. Hepscott)**
**Bar Moor. —1F 77 (nr. Ryton)**
Barmoor Bank. Barm —3K 13
Barmoor La. Ryton —1F 77
Barmoor Ter. Ryton —1E 76
Barmouth Clo. W'snd —7H 45
Barmouth Rd. N Shi —7C 46
Barmouth Way. N Shi —1E 64
**Barmston. —2K 113**
Barmston Cen. Wash —2K 113
Barmston Clo. Wash —4K 113
Barmston Ct. Wash —4K 113
Barmston Fry. Wash —5B 114
Barmston La. Wash —4B 114
Barmston Rd. Wash —4A 114
Barmston Way. Wash —2K 113 (in three parts)
Barnabas Pl. Sund —3H 117
Barnard Av. Lud —5J 167
Barnard Clo. Bed —7G 15
Barnard Clo. Dur —4B 152
Barnard Cres. Heb —6J 63
Barnard Grn. Newc T —5A 42
Barnard Gro. Jar —2D 84
Barnard Pk. Hett H —6G 143
Barnard St. Bly —2J 21
Barnard St. Sund —3B 116
Barnard Wynd. Pet —2K 179
Barnesbury Rd. Newc T —1A 80
Barnes Pk. Rd. Sund —4C 116
Barnes Rd. Mur —7D 144
Barnes Rd. S Shi —6H 65
Barnes St. Hett H —6G 143
Barnes Vw. Sund —4B 116
Barnett Ct. Sund —5D 102
Barnett Sq. Has —2A 168
Barn Hill. S'ley —2E 122
Barn Hollows. Haw —4A 158
Barningham. Wash —3A 114
Barningham Clo. Sund —6D 116
Barns Clo. Jar —2A 84
Barnstaple Clo. W'snd —7H 45
Barnstaple Rd. N Shi —3C 46
Barns, The. S'ley —2E 122
Barnston. Ash —4F 11
Barnton Rd. Gate —1C 98
**Barnwell. —1B 128**
Barnwood Clo. W'snd —7G 45
Baroness Dri. Newc T —6G 59
Barons Quay Rd. Sund —7H 101
Baronswood. Gos —7D 42
Barrack Ct. Newc T —7E 60 (4C 4)
Barrack Rd. Newc T —6C 60 (2A 4)
Barrack Row. Hou S —3A 128
Barrack St. Sund —7H 103
Barrack Ter. Gate —2F 111
Barras Av. Ann —2K 33
Barras Av. Bly —4H 21
Barras Av. W. Bly —5H 21
Barras Bri. Newc T —7F 61 (3F 4)
Barras Dri. Sund —5D 116
Barrasford Clo. Ash —5J 9
Barrasford Clo. Newc T —1C 60
Barrasford Dri. Wide —6E 32
Barrasford Rd. Cra —5A 24
Barrasford Rd. Dur —5B 152
Barrasford St. W'snd —4C 64
Barras Gdns. Ann —2K 33
Barras M. Seg —2D 34
Barrass Av. Seg —2C 34
Barr Clo. W'snd —7J 45
Barr Hills. Con —6H 119
Barr Ho. Av. Con —6H 119
Barrie Sq. Sund —5D 102
Barrington Av. N Shi —2F 47
Barrington Ct. Bed —1J 19
Barrington Ct. Hett H —6G 143
Barrington Dri. Wash —3H 113
Barrington Ind. Est. Bed —4J 15
Barrington Pk. Bed —5D 16
Barrington Pl. Gate —4F 81 (nr. Chester Pl.)
*Barrington Pl. Gate —4G 81 (off Bensham Rd.)*
Barrington Pl. Newc T —7D 60 (3A 4)
Barrington Rd. Bed —4H 15
Barrington St. S Shi —2J 65
Barrington Ter. Hett H —5G 143
Barrington Way. Bow —4H 175
Barron St. S. Sund —6J 101
Barrons Way. B'hpe —5D 136
Barrowburn Pl. Seg —2E 34
Barrow St. Sund —3F 101
Barry St. Dun —5B 80
Barry St. Salt —7F 81
Barsloan Gro. Pet —4K 169
Bartlett Ho. Newc T —6J 43
Barton Bldgs. Bla T —3C 78
Barton Clo. N Shi —3H 47
Barton Clo. W'snd —7H 45
Barton Clo. Wash —5K 99
Barton Ct. Sund —2E 102
Barton Ho. Newc T —7C 60
Bartram Gdns. Gate —7G 81
Bartram St. Sund —4E 102
Barwell Clo. W'snd —7H 45
Barwell Ct. Newc T —3C 62
Barwick St. Mur —2G 157
Barwick St. Pet —7D 158
Basildon Gdns. W'snd —7G 45
Basil Way. S Shi —3A 86
Basingstoke Pl. Newc T —5A 44
Basingstoke Rd. Pet —5A 170
Baslow Gdns. Sund —5D 116
Bassenfell Ct. Wash —2F 113
Bassenthwaite Av. Ches S —1K 139
Bassington Av. Cra —3G 23
Bassington Clo. Newc T —7D 60 (4B 4)
Bassington Dri. Cra —2F 23
Bassington Ind. Est. Cra —3G 23
Bassington La. Cra —2F 23
Bates Houses. Bla T —4F 79
Bates La. Bla T —5F 79
Batey St. S'ley —4J 121
Bath Clo. W'snd —7J 45
Bathgate Av. Sund —3F 101
Bathgate Clo. W'snd —7J 45
Bathgate Sq. Sund —4F 101
Bath La. Bly —2K 21
Bath La. Con —6H 119
Bath La. Newc T —1E 80 (5C 4)
Bath La. Ter. Newc T —1E 80 (6C 4) (in two parts)
Bath Rd. Gate —4B 82
Bath Rd. Heb —3J 83
Bath Sq. Jar —5A 84
Bath St. Newc T —7F 63
Bath St. Ind. Est. Newc T —7F 63
Bath Ter. Bly —2K 21
Bath Ter. Newc T —7F 43
Bath Ter. N Shi —5K 47
Bath Ter. S'hm —2B 146
Batley St. Sund —4F 101
Batt Ho. Rd. Stoc —2H 89
Battle Grn. Pelt F —4G 125
**Battle Hill. —7G 45**
Battle Hill. Hex —2D 68
Battle Hill Dri. W'snd —1G 63
Battle Hill Est. W'snd —6K 45
Baugh Clo. Wash —2E 112
Baulkham Hills. Hou S —3B 128
Bavington. Gate —2E 98
Bavington Dri. Newc T —4J 59
Bavington Gdns. N Shi —3G 47
Bavington Rd. Sea D —7H 25
Bawtry Ct. W'snd —7G 45
Bawtry Gro. N Shi —7E 46
Baxter Av. Newc T —7A 60
Baxter Pl. Sea D —7H 25
Baxter Rd. Sund —3F 101

Baxters Bldgs. Sea D —7H 25
Baxter Sq. Sund —3F 101
Baxterwood Ct. Newc T —7C 60 (4A 4)
Baxterwood Gro. Newc T —7C 60 (4A 4)
Bay Av. Pet —6F 171
Baybridge Rd. Newc T —2E 58
Bay Ct. Ush M —3D 162
Bayfield Gdns. Gate —5K 81
Baysdale. Hou S —1J 127
Bayswater Av. Sund —4G 101
Bayswater Rd. Gate —6K 81
Bayswater Rd. Newc T —3G 61
Bayswater Sq. Sund —4G 101
Baytree Gdns. Whit B —1F 47
Baytree Ter. Pelt —2D 124
Bay Vw. E. Newb S —2J 11
Bay Vw. W. Newb S —3J 11
Baywood Gro. W'snd —7G 45
Beach Av. Whit B —6G 37
Beach Cft. Av. N Shi —2H 47
Beachcross Rd. Sund —3D 116
Beachdale Ct. Win —7H 179
Beach Gro. Pet —5F 171
Beach Rd. N Shi —5E 46
Beach Rd. S Shi —3K 65
Beach St. Sund —7D 102
Beach Ter. Newb S —4H 11
Beachville St. Sund —3D 116
Beachway. Bly —5K 21
Beach Way. N Shi —3G 47
Beacon Ct. Gate —2K 97
Beacon Ct. Wide —5C 32
Beacon Dri. Sund —6H 103
Beacon Dri. Wide —5C 32
Beacon Glade. S Shi —1E 86
**Beacon Hill. —5D 176**
Beacon Ho. Whit B —3F 37
Beacon La. Cra —3F 23
**Beacon Lough. —3K 97**
Beacon Lough Rd. Gate —3H 97
Beacon M. Cra —4G 23
Beacon Ri. Gate —2K 97
Beaconsfield Av. Gate —2J 97
Beaconsfield Clo. Whit B —4D 36
Beaconsfield Cres. Gate —2J 97
Beaconsfield Rd. Gate —2H 97
Beaconsfield St. Bly —2K 21
Beaconsfield St. Con —5H 119
Beaconsfield St. Newc T —1C 80 (3A 4)
Beaconsfield St. S'ley —2F 123
Beaconsfield Ter. Bir —4K 111
Beaconsfield Ter. C'wl —6K 91
Beaconside. S Shi —7E 66
Beacon St. Gate —2H 97
Beacon St. N Shi —7G 47
Beacon St. S Shi —7J 47
Beadling Gdns. Newc T —7A 60
Beadnell Av. N Shi —1D 64
Beadnell Clo. Bla T —6A 78
Beadnell Clo. Ches S —1J 139
Beadnell Ct. W'snd —7J 45
Beadnell Gdns. Shir —1K 45
Beadnell Pl. Newc T —7H 61 (4J 5)
Beadnell Rd. Bly —4F 21
Beadnell Way. Newc T —7C 42
Beagle Sq. Sund —2C 130
Beal Clo. Bly —2G 21
Beal Dri. Newc T —3D 44
Beal Gdns. W'snd —7K 45
Beal Grn. Newc T —1J 59
Beal Rd. Shir —1K 45
Beal Ter. Newc T —2D 82
Beal Wlk. H Shin —7F 165
Beal Way. Newc T —7D 42
Beaminster Way. Newc T —7J 41
**Beamish. —1A 124**
Beamish. —6K 109
Beamishburn Rd. Beam —7G 109
Beamish Clo. Lang P —5H 149
Beamish Clo. W'snd —7G 45
Beamish Ct. Pelt —3E 124
Beamish Ct. S'ley —3E 122
Beamish Ct. Whit B —1E 46
Beamish Gdns. Gate —3B 98
Beamish Hills. Beam —2K 123
Beamish Red Row. Beam —5H 109
Beamish St. S'ley —3E 122
Beamish Way. S'ley —2J 123
Beamsley Ter. Ash —6E 10
Beaney La. Ches S —3H 139
Beanley Av. Heb —2H 83
*Beanley Av. Newc T —7C 58 (off Shirley St.)*
Beanley Cres. N Shi —5K 47
Beanley Pl. Newc T —2J 61
**Bearl. —1H 73**
Bearl Vw. W Mic —6A 74
**Bearpark. —1D 162**
Beatrice Av. Bly —5F 21
Beatrice Gdns. E Bol —7K 85
Beatrice Gdns. S Shi —7B 66
Beatrice Rd. Newc T —4K 61
Beatrice St. Ash —3C 10
Beatrice St. Sund —5G 103
Beatrice Ter. Hou S —7J 113
Beatrice Ter. Pen —3B 128
Beattie St. S Shi —1H 85
Beatty Av. Newc T —2G 61
Beatty Av. Sund —4F 101
Beatty Rd. Bed —1K 19
Beatty St. Pet —7D 158
Beaufort Clo. Newc T —2K 59
Beaufort Clo. Phil —4C 128
Beaufort Gdns. W'snd —7H 45
Beaufront Av. Hex —2E 68
Beaufront Clo. Gate —1F 99
Beaufront Gdns. Gate —5K 81
Beaufront Gdns. Newc T —4J 59
Beaufront Ter. Jar —3B 84
Beaufront Ter. S Shi —5J 65
Beaufront Ter. W Bol —7H 85
Beauly. Wash —5H 113
Beaumaris. Hou S —6H 127
Beaumaris Gdns. Sund —2J 129
Beaumaris Way. Newc T —1H 59
Beaumont Clo. Bow —4H 175
Beaumont Clo. Fram M —4J 151
Beaumont Ct. Whit B —5D 36
Beaumont Cres. Pet —3C 170
Beaumont Dri. Wash —3H 113
Beaumont Dri. Whit B —4C 36
Beaumont Ho. Newc T —3J 59
Beaumont Mnr. Bly —2D 20
Beaumont Pl. Pet —7C 170
Beaumont St. Bly —1H 21
Beaumont St. Hex —2C 68
Beaumont St. Newc T —3B 80
Beaumont St. N Shi —7G 47
Beaumont St. S'hm —4B 146
Beaumont St. Sund —4G 117 (SR2)
Beaumont St. Sund —4C 102 (SR5)
Beaumont Ter. Bru V —5C 32
Beaumont Ter. Gos —7F 43
Beaumont Ter. Jar —1A 84
Beaumont Ter. Pru —4C 74
Beaumont Ter. W'hpe —3F 59
Beaumont Way. Pru —5D 74
Beaurepaire. Bear —1C 162
Beaver Clo. Dur —3A 152
Bebdon Ct. Bly —3G 21
**Bebside. —2B 20**
Bebside Furnace Rd. Bly —7B 16
Bebside Rd. Bly —2A 20
Beckenham Av. E Bol —6K 85
Beckenham Clo. E Bol —6A 86
Beckenham Gdns. W'snd —1G 63
Beckett St. Gate —2J 81 (8M 5)
Beckfoot Clo. Newc T —4H 59
Beckford. Wash —4A 114
Beckford Clo. W'snd —7G 45
Beck Pl. Pet —5B 170
Beckside Gdns. Newc T —4B 58
Beckwith Rd. Sund —1J 129
Beda Hill. Bla T —3C 78
Bedale Clo. Dur —7H 153
Bedale Clo. W'snd —7G 45
Bedale Ct. Gate —5K 97
Bedale Ct. S Shi —1G 85
Bedale Cres. Sund —4G 101
Bedale Dri. Whit B —1F 47
Bedale Grn. Newc T —2K 59
Bedale St. Hett H —1G 155
Bedburn. Wash —7D 112
Bedburn Av. Sund —5J 101
Bede Av. Dur —3E 164 (in three parts)
Bedeburn Foot. Newc T —7F 41
Bede Burn Rd. Jar —7B 64
Bedeburn Rd. Newc T —1F 59
Bede Burn Vw. Jar —1B 84
Bede Clo. Newc T —4G 45
Bede Clo. S'ley —2H 123
Bede Ct. Ches S —6A 126
Bede Ct. Gate —4J 81
Bede Ct. N Shi —1J 47
Bede Cres. W'snd —1H 63
Bede Cres. Wash —2G 113
Bede Ho. Gate —4H 81
Bede Ind. Est. Jar —7E 64
Bede Precinct. Jar —6B 64
Bede St. Pet —7D 158
Bede St. Sund —5G 103
Bedesway. Jar —7E 64
Bede's World Museum. —6D 64
Bede Ter. Bow —3H 175
Bede Ter. Ches S —6K 125
Bede Ter. E Bol —7K 85
Bede Ter. Jar —1C 84
Bede Trad. Est. Jar —2E 64
Bede Wlk. Heb —1K 83
Bede Wlk. Newc T —7G 43
Bede Way. Dur —5A 152
Bede Way. Pet —7C 170
Bedewell Ind. Pk. Heb —1A 84
Bedford Av. Bir —1A 126 (in two parts)
Bedford Av. S Shi —4J 65
Bedford Av. W'snd —2E 62
Bedford Ct. N Shi —7H 47
Bedford Pl. Newc T —4C 58
Bedford Pl. Pet —4A 170
Bedford Pl. Sund —1C 130
Bedfordshire Dri. Dur —1H 165
Bedford St. Hett H —6F 143
Bedford St. N Shi —6G 47 (in two parts)
Bedford St. Sund —1F 117
*Bedford Ter. N Shi —7G 47 (off Bedford St.)*
Bedford Way. N Shi —7H 47
**Bedlington. —1H 19**
Bedlington Bank. Bed —1J 19
**Bedlington Station. —6A 16**
Bedson Building. Newc T —2E 4
Beech Av. B Col —3J 181
Beech Av. Cra —5B 24
Beech Av. Din —4H 31
Beech Av. Hex —1A 68
Beech Av. Hou S —1D 142
Beech Av. Mor —1H 13
Beech Av. Mur —7F 145
Beech Av. Newc T —6B 42
Beech Av. Sund —5H 87
Beech Av. Whi —6J 79
Beechburn Wlk. Newc T —1D 80 (5A 4)
Beech Clo. Bras —3C 152
Beech Clo. Newc T —3F 43
Beech Ct. Lang P —5J 149
Beech Ct. N Shi —6F 47
Beech Ct. Pon —3E 38
Beech Cres. S'hm —4A 146
Beech Crest. Dur —3K 163
Beechcroft. Newc T —3D 60
Beechcroft Av. B'don —2B 172
Beechcroft Av. Newc T —2C 60
Beechcroft Clo. Dur —1E 164
Beechdale Rd. Con —6J 119
Beechdale Rd. Dur —7H 153
Beech Dri. Cor —7F 51
Beech Dri. Gate —5A 80
Beecher St. Bly —7F 17
Beeches, The. Newc T —3C 80 (NE4)
Beeches, The. Newc T —6B 44 (NE12)
Beeches, The. Pon —5H 29
Beechfield Gdns. W'snd —2E 62
Beechfield Rd. Newc T —1D 60
Beech Gdns. Gate —1H 97
Beech Gro. Bed —7J 15
Beech Gro. B Mill —2K 105
Beech Gro. B'hpe —6D 136
Beech Gro. Dip —2G 121
Beech Gro. Gate —6D 98
Beech Gro. Newc T —6A 44
Beech Gro. Pru —4D 74
Beech Gro. S Shi —2B 86
Beech Gro. Trim S —7C 178
Beech Gro. Ush M —3D 162
Beech Gro. W'snd —3F 63
Beech Gro. Whit B —6F 37
Beech Gro. Ct. Craw —2D 76
Beechgrove La. S'ley —7B 124
Beech Gro. Rd. Newc T —2C 80
Beech Gro. S. Pru —4E 74
Beechgrove Ter. Edm —1A 138
Beech Gro. Ter. Ryton —2D 76
Beech Gro. Ter. S. Ryton —2D 76
Beech Hill. Hex —1A 68
Beecholm Ct. Sund —5F 117
Beech Pk. B'don —2C 172
Beech Rd. Con —6B 120
Beech Rd. Dur —6K 151
Beech Rd. Sher —2K 165
Beech Sq. Wash —4J 113
Beech St. Gate —5K 81
Beech St. Jar —6A 64
Beech St. Newc T —1A 80
Beech St. Sun —5H 95
Beech St. W Mic —6A 74
Beech Ter. Ash —5C 10
Beech Ter. Bla T —4C 78
Beech Ter. Burn —2C 108
Beech Ter. Cat —5J 121
Beech Ter. Crag —6H 123
Beech Ter. Pet —6E 170
Beech Ter. S Moor —5E 122
Beech Vw. Sher H —5H 165
Beechway. Ash —5E 10
Beechway. Gate —2D 98
Beech Way. Kil —7A 34
Beechways. Dur —1H 163
Beechwood. H Spen —4E 92
Beechwood Av. Chop —7J 9
Beechwood Av. Gate —4J 97
Beechwood Av. Newc T —6G 43
Beechwood Av. Ryton —1G 77
Beechwood Av. Whit B —7D 36
Beechwood Clo. Jar —7D 64
Beechwood Cres. Sund —4B 102
Beechwood Gdns. Gate —1D 96
Beechwood Ho. Newc T —1J 61
Beechwood Pl. Pon —4J 29
Beechwoods. Ches S —4K 125
Beechwood St. Sund —3D 116
Beechwood Ter. Hou S —6C 128
Beechwood Ter. Sund —3D 116
Beehive Workshops. Drag —2F 165
Beeston Av. Sund —4F 101
Beetham Cres. Newc T —5G 59
Beethoven St. S Shi —3K 65
Beggar La. Mor —6F 7
Begonia Clo. Heb —3J 83
Bek Rd. Dur —5A 152
Beldene Dri. Sund —4A 116
Belford Av. Shir —1K 45
Belford Clo. Sund —5F 117
Belford Clo. W'snd —7H 45
Belford Gdns. Gate —2C 96
Belford Rd. Sund —5G 117
Belford St. Pet —3D 170
Belford Ter. Newc T —1C 82
Belford Ter. N Shi —5G 47
Belford Ter. Sund —5G 117
Belford Ter. E. Sund —5G 117
Belfry, The. Shin R —5A 128
Belgrade Cres. Sund —3F 101
Belgrade Sq. Sund —4F 101
Belgrave Ct. Gate —6B 82
Belgrave Cres. Bly —3K 21
Belgrave Gdns. Ash —5E 10
Belgrave Gdns. S Shi —7B 66
Belgrave Pde. Newc T —2D 80 (7A 4)
Belgrave Ter. Gate —6B 82
Belgrave Ter. S Shi —2K 65
Bellamy Cres. Sund —4F 101
Bellburn Ct. Cra —2B 24
Belle Gro. Pl. Newc T —6D 60 (1A 4)
Belle Gro. Ter. Newc T —6D 60 (1B 4)
Belle Gro. Vs. Newc T —6D 60 (1B 4)
Belle Gro. W. Newc T —6D 60 (1A 4)
Bellerby Dri. Ous —5G 111
Belle St. S'ley —3F 123
Belle Vue. H Spen —2D 92
Belle Vue. Quar H —5D 176
Belle Vue. Tan —3E 108
Belle Vue Av. Newc T —7F 43
Belle Vue Bank. Gate —2G 97
Belle Vue Cotts. Gate —2G 97
Bellevue Cres. Cra —7K 19
Belle Vue Cres. S Shi —7H 65
Belle Vue Cres. Sund —4E 116
Belle Vue Dri. Sund —4E 116
Belle Vue Gdns. Con —6H 119
Belle Vue Gro. Gate —2H 97
Belle Vue La. E Bol —1J 101
Belle Vue Pk. Sund —4E 116
Belle Vue Pk. W. Sund —4E 116
Belle Vue Rd. Sund —4E 116
Belle Vue St. Cul —1J 47
Belle Vue Ter. Dur —1F 165
Belle Vue Ter. E Sle —5D 16
Belle Vue Ter. Gate —2G 97
Belle Vue Ter. N Shi —7G 47
Belle Vue Ter. Ryton —2C 76
Belle Vue Ter. Spri —6D 98
Belle Vue Vs. E Bol —7J 85
Bellfield Av. Newc T —6B 42
Bellgreen Av. Newc T —3F 43
Bell Gro. Camp —7K 33
Bell Ho. Rd. Sund —2C 102 (in two parts)
Bellingham Clo. W'snd —1H 63
Bellingham Ct. Ken —7K 41
Bellingham Dri. Newc T —5D 44
Bellister Gro. Newc T —6J 59
Bellister Pk. Pet —1C 180
Bellister Rd. N Shi —6D 46
Bell Mdw. B'don —2C 172
Belloc Av. S Shi —3H 85
Bellows Burn La. Hut H —7C 180
Bell Rd. Wylam —7K 55
Bells Bldgs. W Kyo —4K 121
Bellsburn Ct. Ash —5K 9
Bells Clo. Bly —1D 20
Bells Clo. Newc T —1E 78
Bells Clo. Ind. Est. Newc T —1E 78
Bell's Cotts. G'sde —5E 76
Bell's Ct. Newc T —1G 81 (6G 4)
Bell's Folly. Dur —5J 163
Bellshill Clo. W'snd —6J 45
Bell's Pl. Bed —1J 19
Bell St. Heb —7H 63
Bell St. Hou S —1B 128
Bell St. N Shi —7H 47
Bell St. Sund —2B 116
Bell St. Wash —4K 113
Bell's Ville. Dur —2E 164
Bell Vw. Pru —3H 75
Bell Vw. Dri. Con —4C 132
Bell Vs. Pon —5K 29
Bellway Ind. Est., The. Longb —5D 44
Bellwood Ter. Con —6B 120
**Belmont. —1H 165**
Belmont. Gate —2E 98
Belmont Av. S'hm —3K 157
Belmont Av. Whit B —7D 36
Belmont Clo. W'snd —7H 45
Belmont Cotts. Newc T —2F 59
Belmonte Av. B Col —3K 181
Belmont Ind. Est. Dur —7F 153
Belmont Ri. Hett H —2G 155
Belmont Rd. Sund —3B 116
Belmont St. Newc T —3D 82
Belmont Ter. Gate —6C 98
Belmont Wlk. Newc T —3D 82
Belmount Av. Newc T —3F 43
Belper Clo. W'snd —7G 45
Belsay. Wash —4D 112
Belsay Av. Haz —7C 32
Belsay Av. Pet —4D 170
Belsay Av. S Shi —6C 66
Belsay Av. Whit B —7H 37
Belsay Clo. Peg —4B 8
Belsay Clo. W'snd —7G 45
Belsay Ct. Bly —2G 21
Belsay Gdns. Gate —2C 96
Belsay Gdns. Newc T —4B 42
Belsay Gdns. Sund —3B 116
Belsay Pl. Newc T —7C 60
Belsfield Gdns. Jar —2B 84
Belsize Pl. Newc T —5D 62
Beltingham. Newc T —4E 58
Belt's Sq. Bla T —5B 78
Belvedere. N Shi —5F 47
Belvedere Av. Whit B —7F 37
Belvedere Ct. Newc T —6A 62
Belvedere Gdns. Bent —6B 44
Belvedere Gdns. Shot C —5D 168
Belvedere Parkway. Newc T —6J 41
Belvedere Retail Pk. Newc T —6K 41
Belvedere Rd. Sund —3E 116
Bemersyde Dri. Newc T —2G 61
Benbrake Av. N Shi —3E 46
Bendigo Av. S Shi —3F 85
Benedict Rd. Sund —5H 103
Benevente St. S'hm —4B 146
Benfield Clo. Con —3E 118
Benfield Gro. Sea S —3B 26
Benfield Rd. Newc T —3B 62
**Benfieldside. —3E 118**
Benfieldside Rd. Con —3E 118
Benfleet Av. Sund —4F 101
Benjamin Rd. W'snd —2A 64
Benjamin St. Ryton —3D 76
Bennett Ct. Newc T —7C 58
Bennett Ct. Sund —5G 117
Bennett Gdns. Gate —4B 82
Bennett's Wlk. Mor —7G 7
Benridge Bank. W Rai —1A 154
Benridge Pk. Bly —6F 21
**Bensham. —5F 81**
Bensham Av. Gate —5F 81
Bensham Ct. Gate —5F 81
Bensham Ct. S Shi —1J 85
Bensham Cres. Gate —5E 80
Bensham Rd. Gate (in two parts) —4G 81 (10G 4)
Bensham St. Bol C —5F 85
Benson Clo. Hex —2A 68
Benson Pl. Newc T —7A 62
Benson Rd. Newc T —7B 62
Benson St. Ches S —7A 126
Benson St. S'ley —2E 122
Benson Ter. Gate —6B 82
Bent Ho. La. Dur —3F 165
Bentinck Cres. Newc T —2B 80
Bentinck Cres. Peg —4A 8
Bentinck Pl. Newc T —2B 80
Bentinck Rd. Newc T —2B 80
Bentinck St. Newc T —2B 80
Bentinck Ter. Newc T —1B 80

Bentinck Vs. Newc T —1B 80
**Benton. —6B 44**
Benton Av. Sund —3F 101
Benton Bank. Newc T —4J 61 (in two parts)
Benton Clo. Bent —7K 43
Benton Hall Wlk. Newc T —3B 62
Benton La. Newc T —3K 43 (in two parts)
Benton Lodge Av. Newc T —7K 43
Benton Pk. Rd. Newc T —7H 43
Benton Rd. Newc T —7A 44
Benton Rd. S Shi —4J 85
Benton Rd. W All —3J 45
**Benton Square. —3F 45**
Benton Sq. Ind. Est. Newc T —3F 45
Benton Ter. Newc T —6H 61 (1J 5)
Benton Ter. S'ley —2F 123
Benton Vw. Newc T —4B 44
Benton Way. W'snd —5F 63
Bents Cotts. S Shi —3A 66
Bents Pk. Rd. S Shi —2A 66
Bents, The. Sund —7H 87
Benville Ter. New B —4A 162
**Benwell. —1A 80**
Benwell Dene Ter. Newc T —1J 79
Benwell Grange. Newc T —1K 79
Benwell Grange Av. Newc T —1K 79
Benwell Grange Clo. Newc T —1K 79
Benwell Grange Rd. Newc T —1J 79
Benwell Grange Ter. Newc T —1J 79
Benwell Gro. Newc T —1A 80
Benwell Hall Dri. Newc T —7H 59
Benwell Hill Gdns. Newc T —6J 59
Benwell Hill Rd. Newc T —6H 59
Benwell La. Newc T —1H 79 (in two parts)
Benwell Shop. Cen. Newc T —1A 80
Benwell Village. Newc T —7H 59
Benwell Village M. Newc T —7J 59
*Berberis Way. Newc T —5J 57 (off Lovaine St.)*
Beresford Av. Heb —3H 83
Beresford Ct. Sea S —4D 26
Beresford Gdns. Newc T —1A 82
Beresford Pk. Sund —3D 116
Beresford Rd. N Shi —1G 47
Beresford Rd. Sea S —4D 26
Beresford St. Gate —5C 80
Bergen Clo. Tyn T —1B 64
Bergen Sq. Sund —3F 101
Bergen St. Sund —3F 101
Berger Clo. Ash —4B 10
Berger Fld. S'ley —2F 123
Berkdale Rd. Gate —4G 97
Berkeley Clo. Bol C —4F 85
Berkeley Clo. Newc T —7C 34
Berkeley Clo. Sund —2J 129
Berkeley Sq. Newc T —5D 42
Berkeley St. S Shi —3K 65
Berkhampstead Ct. Gate —7G 83
Berkley Av. Bla T —4E 78
Berkley Clo. W'snd —7H 45
Berkley Rd. N Shi —6D 46
Berkley St. Newc T —5K 57
Berkley Ter. Newc T —5K 57
Berkley Way. Heb —5K 63
Berkshire Clo. Dur —1G 165
Berkshire Clo. Newc T —3F 59
Berkshire Rd. Pet —4A 170
Berksyde. Con —1J 133
Bermondsey St. Newc T —7H 61 (4K 5)
Bernard Shaw St. Hou S —2D 142
Bernard St. Hou S —2D 142
Bernard St. Newc T —2F 83
Bernard Ter. Pelt F —4G 125
Berrington Dri. Newc T —2H 59
Berrishill Gro. Whit B —6C 36
Berry Clo. Newc T —1E 82
Berry Clo. W'snd —7G 45
Berry Edge Rd. Con —7H 119
Berry Edge Vw. Con —6G 119
Berryfield Clo. Sund —4C 130
Berry Hill. G'sde —5F 77
Berryhill Clo. Bla T —5D 78
Berrymoor. Ash —3C 10
Bertha St. Con —6H 119
Bertha Ter. Hou S —5D 128
Bertram Cres. Newc T —7J 59
Bertram Pl. Peg —3B 8
Bertram Pl. Shir —7K 35
Bertram St. Bir —4A 112
Bertram St. S Shi —5H 65 (in two parts)
Bertram Ter. Ash —4B 10
*Bertram Ter. Peg —3B 8 (off Bertram Pl.)*
Berwick. Wash —4D 112
Berwick Av. Sund —3F 101
Berwick Chase. Pet —2K 179
Berwick Clo. Newc T —6A 58
Berwick Ct. Pon —4K 29
Berwick Dri. W'snd —7H 45
Berwick Hill Rd. Pon —3K 29
Berwick Sq. Sund —4F 101
Berwick St. Heb —7H 63
Berwick Ter. N Shi —1D 64
Beryl Sq. S Shi —2J 65
Besford Gro. Sund —2G 117
Bessemer Rd. S Het —4B 156
Bessemer St. Con —6F 119
Bessie Ter. Bla T —4A 78
Best Vw. Hou S —3B 128
Bethany Gdns. S'ley —4K 121
Bethany Ter. S'ley —4K 121
Bethel Av. Newc T —6B 62
Bethune Av. S'hm —3J 145
Betjeman Clo. S'ley —3G 123
Bet's La. Stan —7D 12
Betts Av. Newc T —1H 79
Bevan Av. Sund —2G 131
Bevan Ct. Heb —6K 63
Bevan Ct. Newc T —6H 43
Bevan Cres. Whe H —4A 178
Bevan Gdns. Gate —6E 82
Bevan Gro. Dur —1F 165
Bevan Gro. Shot C —6E 168
Bevan Sq. Mur —6E 144
Beverley Clo. Cox —7J 175
Beverley Clo. Newc T —2D 42
Beverley Ct. Gate —1J 97
Beverley Ct. Jar —6B 64
Beverley Ct. Wash —1H 113
Beverley Cres. Gate —1J 97
Beverley Dri. Bla T —6K 77
Beverley Dri. Chop —7H 9
Beverley Dri. Swa —5J 79
Beverley Gdns. B'hll —4F 119
Beverley Gdns. Ches S —7B 126
*Beverley Gdns. Con —6H 119 (off Beverley Ter.)*
Beverley Gdns. N Shi —1J 47
Beverley Gdns. Ryton —1E 76
Beverley Pk. Whit B —7E 36
Beverley Pl. W'snd —2K 63
Beverley Rd. Gate —1J 97
Beverley Rd. Sund —6H 117
Beverley Rd. Whit B —7E 36
Beverley Ter. Con —6H 119
Beverley Ter. N Shi —1J 47
Beverley Ter. S'ley —4J 121
Beverley Ter. Walb —3A 58
Beverley Ter. Walk —1E 82
Beverley Vs. N Shi —1J 47
Beverley Way. Pet —5K 169
Bevin Gro. B Col —3K 181
Bevin Sq. S Het —4D 156
Beweshill Cres. Bla T —5A 78
Beweshill La. Bla T —4K 77
Bewick Clo. Ches S —2J 139
Bewick Cres. Newc T —6D 58
Bewicke Lodge. W'snd —3A 64
Bewicke Rd. W'snd —4A 64 (in two parts)
Bewicke St. W'snd —4B 64
Bewick Gth. Mic —5A 74
Bewick La. O'ham —2D 74
Bewick Main Cvn. Pk. Bir —3G 111
Bewick Pk. W'snd —7K 45
Bewick Rd. Gate —5G 81
Bewick St. Newc T —2E 80 (7D 4)
Bewick St. S Shi —5J 65
Bewley Cotts. Sun —4J 95
Bewley Gro. Pet —2J 179
Bewley Ter. New B —4A 162
Bexhill Rd. Sund —4F 101
Bexhill Sq. Bly —4J 21
Bexhill Sq. Sund —3F 101
Bexley Av. Newc T —7G 59
Bexley Gdns. W'snd —7H 45
Bexley Pl. Whi —2G 95
Bexley St. Sund —2B 116
Bickerton Wlk. Newc T —4E 58
Bickington Ct. Hou S —6C 128
**Biddick. —4H 113**
**Biddick Hall. —4H 85**
Biddick Hall Dri. S Shi —2H 85
Biddick Inn Ter. Wash —1J 127
Biddick La. Wash —1H 127
Biddick Ter. Wash —5J 113
Biddick Vw. Wash —5J 113
Biddick Village Cen. Wash —5H 113
Biddick Vs. Wash —5J 113
Biddlestone Cres. N Shi —7D 46
Biddlestone Rd. Newc T —4A 62
Bideford Gdns. Gate —4H 97
Bideford Gdns. Jar —1E 84
Bideford Gdns. S Shi —4C 66
Bideford Gdns. Whit B —5F 37
Bideford Gro. Whi —2G 95
Bideford Rd. Newc T —1A 60
Bideford St. Sund —6H 117
Bigbury Clo. Hou S —5C 128
Bigges Gdns. W'snd —1D 62
**Bigges Main. —3D 62**
Bigg Mkt. Newc T —1F 81 (6F 4)
Big Waters Nature Reserve. —4C 32
Bilbrough Gdns. Newc T —2K 79
**Bill Quay. —4F 83**
Bill Quay Farm. —4E 82
Bill Quay Ind. Est. Gate —3F 83
**Billy Mill. —5D 46**
Billy Mill Av. N Shi —6E 46
Billy Mill La. N Shi —4C 46
Bilsdale Sund —7H 87
Bilsdale Pl. Newc T —6H 43
Bilsmoor Av. Newc T —3K 61
Bilton Hall Rd. Jar —7D 64
Bilton's Ct. Mor —6F 7
Binchester St. S Shi —2G 85
Bingfield Gdns. Newc T —4J 59
Bingley Clo. W'snd —7J 45
Bingley St. Sund —4F 101
Bink Moss. Wash —2E 112
Binsby Gdns. Gate —5K 97
Binswood Av. Newc T —4H 59
Bircham Dri. Bla T —4D 78
Bircham St. S'ley —4D 122
Birch Av. Gate —7E 82
Birch Av. Sund —5H 87
Birch Clo. Hex —3A 68
Birch Ct. Sund —3A 130
Birch Cres. Burn —2K 107
Birch Cres. Hou S —7C 128
**Birches Nook. —7J 73**
Birches Nook Rd. Stoc —7J 73
Birches, The. Eas L —2J 155
Birches, The. S Row —1F 123 (in two parts)
Birches, The. Sun —4J 95
Birchfield. Wash —6J 113
Birchfield. Whi —2H 95
Birchfield Gdns. Gate —5J 97
Birchfield Gdns. Newc T —6E 58
Birchfield Rd. Sund —4D 116
Birchgate Clo. Bla T —5A 78
Birch Gro. Con —3A 134
Birch Gro. Jar —6A 64
Birch Gro. W'snd —7G 45
Birchgrove Av. Dur —1F 165
Birchington Av. S Shi —6J 65
Birch Pl. Esh W —4D 160
Birch Rd. Bla T —4D 78
Birch St. Con —7H 119
Birch St. Jar —6A 64
Birch Ter. Bir —3K 111
Birch Ter. Newc T —1E 82
Birchtree Gdns. Whit B —1F 47
Birchvale Av. Newc T —3G 59
Birchwood Av. Newc T —2A 62
Birchwood Av. N Gos —6D 32
Birchwood Av. Whi —2G 95
Birchwood Clo. Beam —1A 124
Birchwood Clo. Seg —2D 34
Birdhill Pl. S Shi —1J 85
Birds Nest Rd. Newc T —2B 82 (in two parts)
Bird St. N Shi —6J 47
Birkdale. S Shi —4A 66
Birkdale. Whit B —6D 36
Birkdale Av. Sund —7G 87
Birkdale Clo. Newc T —1A 62
Birkdale Clo. W'snd —1F 63
Birkdale Clo. Wash —5F 99
Birkdale Dri. Shin R —5A 128
Birkdale Gdns. Dur —1H 165
Birkdene. Stoc —1K 89
**Birkheads. —2A 110**
Birkheads La. Gate —2K 109
Birkland La. Mar H —6J 95
Birkshaw Wlk. Newc T —4E 58
Birks Rd. Hed W —7F 39
Birling Pl. Newc T —3K 59
Birnam Gro. Jar —4E 84
Birney Edge. Pon —3G 39
Birnham Pl. Newc T —2B 60
Birnie Clo. Newc T —2A 80
Birrell Sq. Sund —3F 101
Birrell St. Sund —3F 101
**Birtley. —4A 112**
Birtley Av. N Shi —4K 47 (in two parts)
Birtley Av. Sund —3F 101
Birtley Clo. Newc T —1C 60
Birtley La. Bir —3A 112
Birtley Rd. Wash —7D 112
Birtley Vs. Bir —3A 112
Birtwhistle Av. Heb —3H 83
Biscop Ter. Jar —1C 84
Bishop Cres. Jar —5C 64
Bishopdale. Hou S —1J 127 (in two parts)
Bishopdale. W'snd —7D 44
Bishopdale Av. Bly —3E 20
Bishop Morton Gro. Sund —2G 117
Bishop Ramsey Ct. S Shi —7C 66
Bishop Rock Clo. Newc T —6J 43
Bishop Rock Rd. Newc T —6J 43 (in two parts)
Bishop's Av. Newc T —1C 80
Bishops Clo. W'snd —3J 63
Bishops Ct. Dur —6D 164
Bishops Dri. Ryton —3H 77
Bishops Hill. Acomb —3C 48 (in two parts)
Bishops Mdw. Bed —7G 15
Bishop's Rd. Newc T —2K 79
Bishops Way. Pity Me —4K 151
Bishops Way. Sund —4A 130
Bishopton St. Bly —3J 21
Bishopton St. Sund —2G 117
Bishopton Way. Hex —3A 68
Bisley Ct. W'snd —7H 45
Bisley Dri. S Shi —6K 65
Biverfield Rd. Pru —3G 75
Blackberries, The. Gate —6D 98
Black Boy Rd. Hou S —4H 141
Black Boy Yd. Newc T —1F 81 (6F 4)
Blackburn Grn. Gate —7A 82
**Black Callerton. —4B 40**
Blackcap Clo. Wash —5D 112
Black Clo. Ash —6B 10
Blackclose Bank. Ash —7A 10
Blackdene. Ash —5K 9
Blackdown Clo. Newc T —6J 43
Blackdown Clo. Pet —7K 169
Black Dri. Ches S —4F 127
Blackettbridge. Newc T —4E 4
Blackett Cotts. Wylam —7J 55
Blackett Ct. Wylam —7J 55
Blackett Pl. Newc T —1F 81 (5F 4)
Blackett St. Heb & Jar —5K 63
Blackett St. Newc T —1F 81 (5E 4)
Blackett St. S'ley —5J 121
Blackett Ter. Sund —2C 116
**Blackfell. —2E 112**
Blackfell Rd. Wash —2D 112
Blackfell Village Cen. Wash —2E 112
Blackfriars Ct. Newc T —6D 4
Blackfriars Way. Newc T —6J 43
**Blackfyne. —5G 119**
**Blackhall Colliery. —2H 181**
Blackhall Colliery Ind. Est. B Col —1H 181
**Blackhall Mill. —2K 105**
**Blackhall Rocks. —3K 181**
Blackheath Clo. Wash —5G 99
Blackheath Ct. Newc T —7H 41
**Blackhill. —5F 119**
Blackhill Av. W'snd —5J 45
Blackhill Cres. Gate —3B 98
Blackhills Rd. Pet —4E 170
Blackhills Ter. Pet —5E 170
**Blackhouse. —1A 138**
Black Ho. La. Edm —2A 138
Blackhouse La. Ryton —1F 77
Black La. Bla T —5A 78
Black La. Gate —5K 97
Black La. Newc T & Wool —6F 41
Black La. Whe H —2B 178
Blackpool Pde. Heb —3A 84
Black Rd. Heb —6K 63
Black Rd. Lang M —6G 163
Black Rd. Ryh —2H 131
Blackrow La. Gate —4J 97
Blackrow La. Newc T —2D 56
Blackstone Ct. Bla T —4A 78
Black Thorn Clo. B'don —2C 172
Blackthorn Clo. Sun —5G 95
Blackthorn Dri. W'snd —7G 45
Blackthorne. Gate —2D 98
Blackthorne Av. Pet —6F 171
Blackthorn Pl. Newc T —3D 80 (9A 4)
Blackthorn Way. Ash —5K 9
Blackthorn Way. Hou S —7A 128
Blackwater Ho. Sund —3C 130
Blackwell Av. Newc T —7D 62
Blackwood Rd. Sund —4F 101
Bladen St. Jar —6A 64
*Bladen St. Ind. Est. Jar —6A 64 (off Bladen St.)*
Blagdon Av. S Shi —5A 66
Blagdon Clo. Mor —7E 6
Blagdon Clo. Newc T —5J 5
Blagdon Ct. Bed —6A 16
Blagdon Cres. Nel V —2G 23
Blagdon Dri. Bly —7G 21
Blagdon St. Newc T —1H 81 (5J 5)
Blagdon Ter. Cra —4K 23
Blagdon Ter. Sea B —3D 32
Blaidwood Dri. Dur —7J 163
Blair Clo. Sher —3K 165
Blair Ct. Lang M —7G 163
Blake Av. Whi —7H 79
Blakeburn Cotts. Bly —1K 25
Blake Clo. S'ley —3G 123
**Blakelaw. —3J 59**
Blakelaw Rd. Newc T —3H 59 (nr. Bonnington Way)
Blakelaw Rd. Newc T —3J 59 (nr. Cragston Av.)
Blakemoor Pl. Newc T —4J 59
Blake St. Pet —7D 158
Blaketown. Seg —2E 34
Blake Wlk. Gate —4J 81
Blanche Ter. Tant —6B 108
Blanch Gro. Pet —7B 170
Blanchland. Wash —7J 113
Blanchland Av. Dur —5C 152
Blanchland Av. Newc T —6C 58
Blanchland Av. Wide —5D 32
Blanchland Clo. W'snd —1H 63
Blanchland Dri. H'wll —1K 35
Blanchland Dri. Sund —4E 102
Blanchland Ter. N Shi —5H 47
Blandford Pl. S'hm —3B 146
Blandford Rd. N Shi —3D 46
Blandford Sq. Newc T —2E 80 (7C 4) (in two parts)
Blandford St. Newc T —2E 80 (8C 4)
Blandford St. Sund —2F 117 (in two parts)
Blandford Way. W'snd —7H 45
Bland's Opening. Ches S —6A 126
Blaxton Pl. Whi —2F 95
**Blaydon. —3D 78**
Blaydon Av. Sund —3G 101
Blaydon Bank. Bla T —5B 78
**Blaydon Burn. —4A 78**
Blaydon Burn Rd. Bla T —4K 77
Blaydon Bus. Cen. Bla T —3E 78
Blaydon Bus. Pk. Bla T —2F 79
**Blaydon Haughs. —2E 78**
Blaydon Ind. Pk. Bla T —3D 78
Blaykeston Clo. S'hm —1G 145
Blayney Row. Newc T —5G 57
Bleachfeld. Gate —1D 98
**Bleach Green. —5C 78**
Bleach Grn. Hett H —7G 143
Bleasdale Cres. Hou S —2B 128
Blencathra. N Shi —2G 47
Blencathra. Wash —2G 113
Blenheim. Newc T —7B 34
Blenheim Ct. Gate —1B 98
Blenheim Dri. Bed —5A 16
Blenheim Gdns. Peg —3A 8
Blenheim Pl. Gate —5A 80
Blenheim St. Newc T —2E 80 (8C 4)
Blenheim Wlk. S Shi —2K 65
Blenkinsop Gro. Jar —3B 84
Blenkinsopp Ct. Pet —2K 179
Blenkinsop St. W'snd —3F 63
Bletchley Av. Sund —3F 101
Blezard Bus. Pk. Sea B —2D 32
Blezard Ct. Bla T —2E 78
Blind La. Ches S —3B 126
Blind La. Dur —3K 163
Blind La. Hou S —5A 128
Blind La. Pet —5A 158
Blind La. Sund —1C 130
Blindy La. Eas L —2J 155
Bloemfontein Pl. S'ley —6H 123
Bloom Av. S'ley —3E 122
Bloomfield Ct. Sund —5H 103
Bloomfield Dri. E Rai —7D 142
Bloomsbury Ct. Newc T —1D 60
Blossomfield Way. Has —1B 168
Blossom Gro. Hou S —5B 128
Blossom St. Hett H —5H 143
Blount St. Newc T —7B 62
Blucher Colliery Rd. Newc T —4B 58
Blucher Rd. Newc T —3A 44
Blucher Rd. N Shi —2F 65
Blucher Ter. Newc T —4B 58

**Blucher Village. —4B 58**
Blue Anchor Ct. Newc T —7H 5
Bluebell Clo. B Col —2H 181
Bluebell Clo. Gate —2K 97
Bluebell Clo. Wylam —6J 55
Bluebell Dene. Newc T —7G 41
Bluebell Way. S Shi —1H 85
Blueburn Dri. Newc T —7D 34
Blue Coat Bldgs. Dur —2B 164
Blue Coat Ct. Dur —2B 164
Blue Ho. Bank. W Pel —6B 124
Blue Ho. Ct. Wash —7F 99
Blue Ho. La. Sund —7B 86
Blue Ho. La. Wash —7F 99
Blue Ho. Rd. Heb —3H 83
Blue Quarries Rd. Gate —1K 97
Blue Top Cotts. Cra —4B 24
Blumer St. Hou S —2A 142
**Blyth. —2J 21**
Blyth Clo. Dud —3H 33
Blyth Ct. Newc T —6C 58
Blyth Ct. S Shi —1J 85
Blyth Dri. Stan —7A 14
Blythe Ter. Bir —4K 111
Blyth Ind. Est. Bly —7F 17
Blyth Power Station Visitors Centre. —5G 17
Blyth Rd. Whit B —6E 26
Blyth Sq. Sund —4G 101
Blyth St. C'wl —6A 92
Blyth St. Sea D —6G 25
Blyth St. Sund —4G 101
Blyth Ter. Ash —3C 10
Blyton Av. S Shi —1F 85
Blyton Av. Sund —2G 131
Bodley Clo. Newc T —7K 41
Bodmin Clo. W'snd —7J 45
Bodmin Ct. Gate —5J 97
Bodmin Rd. N Shi —4C 46
Bodmin Sq. Sund —3G 101
Bodmin Way. Newc T —6B 42
Boghouse La. S'ley —6G 109
Bog Houses. H'fd —7A 20
Bognor St. Sund —3F 101
Bog Row. Hett H —7G 143
Bohemia Ter. Bly —3J 21
Boker La. E Bol —6J 85
Bolam. Wash —4D 112
Bolam Av. Bly —2H 21
Bolam Av. N Shi —3G 47
Bolam Bus. Pk. Cra —2G 23
Bolam Ct. Newc T —4H 57
Bolam Coyne. Newc T —1A 82 (6P 5)
Bolam Dri. Ash —5C 10
Bolam Gdns. W'snd —2B 64
Bolam Gro. N Shi —3G 47
Bolam Ho. Newc T —1D 80 (4B 4)
Bolam Pl. Bed —6A 16
Bolam Rd. Newc T —1A 44
Bolams Bldgs. Tant —7A 108
Bolam St. Gate —6D 80
Bolam St. Newc T —1A 82
Bolam St. Pet —7D 158
Bolam Way. Newc T —1A 82 (6P 5)
Bolam Way. Sea D —7G 25
Bolbec Rd. Newc T —6A 60
Bolburn. Gate —7E 82
**Boldon. —7J 85**
*Boldon Bus. Pk. Bol C —7D 84 (off Brooklands Way)*
*Boldon Bus. Pk. E Bol —7E 84 (off Didcot Way)*
Boldon Clo. W'snd —7H 45
**Boldon Colliery. —5E 84**
Boldon Dri. W Bol —7F 85
Boldon Gdns. Gate —4A 98
Boldon Ho. Dur —2A 152
Boldon La. E Bol —5J 85
Boldon La. S Shi —7H 65 (in two parts)
Boldon La. Sund —5A 86
Bolingbroke Rd. N Shi —6D 46
Bolingbroke St. Newc T —7J 61 (3M 5)
Bolingbroke St. S Shi —3K 65
Bollihope Dri. Sund —6D 116
Bolsover St. Ash —4B 10
Bolsover Ter. Ash —4B 10
Bolsover Ter. Peg —3B 8
Bolton Clo. Dur —4A 152
Bolton's Bungalows. C'wl —7K 91
**Bomarsund. —3A 16**
Bonaventure. Hou S —1C 128
Bonchester Clo. Bed —6H 15
Bonchester Ct. W'snd —7J 45
Bonchester Pl. Cra —2B 24
Bond Clo. Sund —6E 102
Bond Ct. Newc T —1A 80
Bondene Av. Gate —6C 82
Bondene Av. W. Gate —6B 82
Bondene Way. Cra —7K 19
Bondfield Ct. Heb —6J 63
Bondfield Gdns. Gate —6E 82
Bondgate Clo. Hex —3D 68
Bondgate Ct. Hex —2D 68
Bondicarr Pl. Newc T —4K 59
Bondicar Ter. Bly —2H 21
Bond St. Newc T —1K 79
Bone La. Dip —7H 107
Bonemill La. Wash —1C 126
Bonner's Fld. Sund —7F 103
Bonnington Way. Newc T —3H 59
Bonnivard Gdns. Seg —2E 34
Bonsall Ct. S Shi —1K 85
Booths Rd. Ash —3J 9
Booth St. Gate —6B 82
Booth St. Sund —2C 116
Bootle St. Sund —4G 101
Bordeaux Clo. Sund —3A 130
Border History Museum. —1D 68
Border Rd. W'snd —4F 63
Boreham Clo. W'snd —7H 45
Borehole La. Mor —6G 7
Borodin Av. Sund —3F 101
Borough Ct. Sund —1G 117
Borough Rd. Jar —7B 64
Borough Rd. N Shi —7G 47
Borough Rd. S Shi —1B 86
Borough Rd. Sund —2F 117
Borough & Scotch Gills Nature Reserve. —1C 12
Borrowdale. Bir —7B 112
Borrowdale. Con —5B 120
Borrowdale. Wash —7G 99
Borrowdale. Whi —7K 79
Borrowdale Av. Bly —1E 20
Borrowdale Av. Newc T —6D 62
Borrowdale Av. Sund —2E 102
Borrowdale Clo. E Bol —6J 85
Borrowdale Cres. Bla T —6B 78
Borrowdale Cres. Hou S —1A 128
Borrowdale Dri. Dur —7G 153
Borrowdale Gdns. Gate —4K 97
Borrowdale Ho. S Shi —1J 85
Borrowdale St. Hett H —1G 155
Boscombe Dri. W'snd —1G 63
Boston Av. Newc T —7K 43
Boston Av. Wash —2G 113 (in two parts)
Boston Clo. W'snd —7H 45
Boston Ct. Newc T —4D 44
Boston Cres. Sund —3E 100
Boston St. Pet —7D 158
Boston St. Sund —3E 100
Boswell Av. S Shi —3H 85
Bosworth. Newc T —7B 34
Bosworth Gdns. Newc T —3A 62
**Bothal. —5D 8**
Bothal Av. Chop —1G 15
Bothal Bank. Both —5D 8
Bothal Clo. Bly —3G 21
Bothal Clo. Peg —4A 8
Bothal Cotts. Ash —3H 9
Bothal St. Newc T —7B 62
Bothal Ter. Ash —3H 9
Bothal Ter. Chop —7K 9
Botham Ho. N Shi —2D 64
Bottle Bank. Gate —2G 81 (8H 5)
Bottlehouse St. Newc T —2A 82
Bottle Works Rd. S'hm —3C 146
Boulby Clo. Sund —2E 130
Boulevard, The. Gate —5J 79
Boulmer Av. Cra —7K 19
Boulmer Clo. Newc T —4B 42
Boulmer Ct. Ches S —7A 126
Boulmer Gdns. Wide —5D 32
Boulsworth Rd. N Shi —3E 46
Boult Ter. Hou S —3B 128
Boundary Dri. Mor —1G 13
Boundary Gdns. Newc T —2J 61
**Boundary Houses. —5A 128**
Boundary La. Con —5A 104
Boundary St. Sund —5E 102
Boundary Way. Sea S —5D 26
Bourdon Ho. Sund —2F 117
Bourdon La. Sund —1G 117
Bourne Av. Newc T —6A 60
Bourne Ct. S'ley —2G 123
Bournemouth Ct. W'snd —7J 45
Bournemouth Dri. Dal D —4H 145
Bournemouth Gdns. Newc T —2F 59
Bournemouth Gdns. Whit B —5F 37
Bournemouth Pde. Heb —3A 84 (in two parts)
Bournemouth Rd. N Shi —7C 46
Bourne St. Pet —7D 158
Bourne Ter. S'ley —5K 121
Bourn Lea. Hou S —4A 128
**Bournmoor. —6H 127**
Bournmoor. Hou S —6J 127
Bourtree Clo. W'snd —1G 63
Bowbank Clo. Sund —5D 116
**Bowburn. —4G 175**
Bowburn Av. Sund —5J 101
Bowburn Clo. Gate —7H 83
Bowburn N. Ind. Est. Bow —4G 175
Bowburn S. Ind. Est. Bow —5G 175
Bower St. Sund —3F 103
Bower, The. Jar —6B 84
Bowes Av. Dal D —4H 145
Bowes Av. Eas L —2H 155
Bowes Clo. Newc T —5H 95
Bowes Ct. Bly —2J 21
Bowes Ct. Dur —4B 152
Bowes Ct. Newc T —7G 43
Bowes Cres. Burn —7D 94
Bowes Lea. Hou S —5K 127
Bowes Lyon Clo. Row G —7H 93
Bowes Railway Centre. —5C 98
Bowes St. Bly —2H 21 (in two parts)
Bowes St. Newc T —7G 43
Bowes Ter. Dip —1H 121
Bowesville. Burn —3B 108
Bowes Wlk. Newc T —5A 44
Bowfell Av. Newc T —1K 59
Bowfell Clo. Newc T —2K 59
Bowfell Gdns. Chop —7J 9
Bowfield Av. Newc T —3E 42
Bowland Cres. Bla T —4C 78
Bowland Ter. Bla T —3C 78
Bow La. Dur —3A 164
Bowler's Hill. Mic —7B 74
Bowlynn Clo. Sund —3A 130
Bowman Dri. Dud —3K 33
Bowman Pl. S Shi —4J 65
Bowman Sq. Ash —5B 10
Bowman St. Sund —5H 87
Bowmont Dri. Cra —2B 24
Bowmont Dri. Tan L —1C 122
Bowmont Wlk. Ches S —1J 139
Bowness Av. W'snd —6J 45
Bowness Clo. E Bol —7J 85
Bowness Clo. Pet —5C 170
Bowness Pl. Gate —3K 97
Bowness Rd. Newc T —4G 59
Bowness Rd. Whi —7J 79
Bowness St. Sund —3G 101
Bowness Ter. W'snd —7J 45
Bowsden Ct. S Gos —7G 43
Bowsden Ter. Newc T —7G 43
Bow St. Bow —4H 175
Bow St. Thor —1K 177
Bowtrees. Sund —5F 117
Boxlaw. Gate —2A 98
Boyd Cres. W'snd —3G 63
Boyd Rd. W'snd —3G 63
Boyd St. Con —1J 133
Boyd St. Dur —4B 164
Boyd St. Newb —5J 57
Boyd St. Pet —7D 158
Boyd St. Shie —7H 61
Boyd Ter. Blu —4B 58
Boyd Ter. S'ley —4E 122
Boyd Ter. W'hpe —2F 59
*Boyne Ct. Bly —1J 21 (off Regent St.)*
Boyne Ct. Lang M —7F 163
Boyne Gdns. Shir —1J 45
Boyne Ter. Wash —7G 99
Boyntons. Nett —6H 139
Boystones Ct. Wash —2F 113
Brabourne St. S Shi —7J 65
Bracken Av. W'snd —1G 63
Brackenbeds Clo. Pelt —2G 125
Brackenbeds La. Pelt —2H 125 (in two parts)
Brackenburn Clo. Hou S —1C 142
Bracken Clo. Din —5H 31
Bracken Clo. S'ley —3E 122
Bracken Ct. Ush M —1C 162 (in two parts)
Brackendale Ct. Win —7H 179
Brackendale Rd. Dur —1H 165
Brackendene Dri. Gate —2G 97
Brackendene Pk. Low F —2G 97
Bracken Dri. Gate —1B 96
Bracken Fld. Rd. Dur —6K 151
Brackenfield Rd. Newc T —1D 60
Bracken Hill. S West —7H 169
Brackenhill Av. Shot C —6G 169
Bracken Hill Bus. Pk. Pet —1H 179
Brackenlaw. Gate —3A 98
Bracken Pl. Newc T —6K 59
Brackenridge. Burn —2J 107
Bracken Ridge. Mor —5C 6
Brackenside. Newc T —3E 42
Bracken Way. Ryton —3E 76
Brackenway. Wash —1F 113
Brackenwood Gro. Sund —6E 116
Brackley. Wash —6J 99
Brackley Gro. N Shi —1D 64
Bracknell Clo. Sund —1E 130
Bracknell Gdns. Newc T —4B 58
Brack Ter. Gate —4F 83
Bradbury Clo. Gate —7H 83
Bradbury Clo. Tan L —1C 122
Bradbury Ct. N Har —4H 25
*Bradbury Ct. Pon —5K 29 (off Thornhill Rd.)*
Bradbury Pl. N Har —4H 25
Bradford Av. Sund —3G 101
Bradford Av. W'snd —7H 45
Bradford Cres. Dur —1D 164
Bradley Av. Hou S —4E 142
Bradley Av. S Shi —7C 66
Bradley Bungalows. Con —3A 120
Bradley Clo. Ous —6F 111
Bradley Cotts. Con —3A 120
Bradley Fell La. Wylam —4A 76
Bradley Fell Rd. Pru & Wylam —6J 75
Bradley Gdns. Wylam —3B 76
Bradley Lodge Dri. Dip —1J 121
Bradley Rd. Pru —3H 75
Bradley St. Con —5A 120
Bradley St. Pet —7D 158
Bradley Ter. Dip —2J 121
Bradley Ter. Eas L —2J 155
Bradley Vw. Ryton —3D 76
Bradley Workshops Ind. Est. Con —5K 119
Bradman Dri. Ches S —7C 126
Bradman Sq. Sund —3G 101
Bradman St. Sund —3G 101
Bradshaw Sq. Sund —4G 101
Bradshaw St. Sund —4G 101
Bradwell Rd. Newc T —7A 42
Bradwell Way. Phil —4C 128
Brady & Martin Ct. Newc T —7G 61
Brady Sq. Wash —4K 113
Brady St. Sund —1B 116
Braebridge Pl. Newc T —2B 60
Braefell Ct. Wash —2F 113
Braemar Ct. Gate —4F 83
Braemar Dri. S Shi —5C 66
Braemar Gdns. E Her —3J 129
Braemar Gdns. Sund —5D 116
Braemar Gdns. Whit B —7C 36
Braemar Rd. Con —6E 118
Braemar Ter. Pet —6F 171
Braeside. B'hpe —6D 136
Braeside. Edm —3D 138
Braeside. Gate —7B 80
Braeside. Sund —4D 116
Braeside Clo. N Shi —1G 47
Braeside Ter. Whit B —7J 37
Braes, The. Con —1E 132
Brae, The. Sund —2D 116
Braintree Gdns. Newc T —1B 60
Braithwaite Rd. Pet —6D 170
Brakespeare Pl. Pet —7C 170
Brama Teams Ind. Est. Gate —5D 80
Bramble Dykes. Newc T —1H 79
Bramblelaw. Gate —3A 98
Brambles, The. Ryton —1F 77
Brambling Lea. Bed —6A 16
Bramham Ct. S Shi —1A 86
Bramhope Grn. Gate —5K 97
Bramley Clo. Sund —5G 115
Bramley Ct. Newc T —3C 62
Brampton Av. Newc T —2D 82
Brampton Ct. Cra —2A 24
Brampton Ct. Eas V —1K 169
Brampton Gdns. Gate —4J 97
Brampton Gdns. Newc T —3H 57
Brampton Gdns. W'snd —1A 64
Brampton Pl. N Shi —7D 46
Brampton Rd. S Shi —1G 85
Bramwell Ct. Newc T —7G 43
Bramwell Rd. Sund —3G 117
Bramwell Ter. Con —5J 119
**Brancepeth. —4A 172**
Brancepath Av. Newc T —2A 80
Brancepeth Av. Hou S —1A 142
Brancepeth Chare. Pet —2K 179
Brancepeth Clo. Dur —5B 152
Brancepeth Clo. Newc T —6C 58
Brancepeth Clo. Ush M —3E 162
Brancepeth Rd. Heb —6K 63
Brancepeth Rd. Wash —4E 112
Brancepeth Ter. Jar —3B 84
Brancepeth Vw. B'don —2B 172
**Branch End. —7K 73**
Branch End Ter. Stoc —7K 73
Branch St. Bla T —5B 78
Brand Av. Newc T —6A 60
Brandling Ct. Gate —5B 82
Brandling Ct. Newc T —5H 61 (1J 5)
Brandling Ct. S Shi —2C 86
Brandling Dri. Newc T —3F 43
Brandling La. Gate —5B 82
Brandling M. Newc T —3F 43
Brandling Pk. Newc T —5F 61 (1F 4)
Brandling Pl. Gate —5B 82
Brandling Pl. S. Newc T —5G 61 (1F 4)
Brandlings Ct. Pet —6B 170
Brandling St. Gate —2H 81 (8J 5)
Brandling St. Sund —5G 103 (in two parts)
Brandling St. S. Sund —6G 103
Brandlings Way. Pet —5B 170
Brandling Ter. N Shi —6H 47
**Brandon. —1D 172**
Brandon Av. Shir —1J 45
Brandon Clo. Bla T —6A 78
Brandon Clo. Bly —1F 21
Brandon Clo. Ches S —1H 139
Brandon Clo. Hou S —3D 142
Brandon Gdns. Gate —4B 98
Brandon Gro. Newc T —6H 61 (1K 5)
Brandon Ho. B'don —2C 172
Brandon La. Esh W —7F 161 (in two parts)
Brandon La. Lang M —1C 172
Brandon Rd. Esh W —4E 160
Brandon Rd. Newc T —6B 42
Brandon Rd. N Shi —6D 46
**Brandon Village. —7C 162**
Brandy La. Wash —1F 113
Brandywell. Gate —1D 98
Brannen St. N Shi —7G 47
Bransdale. Hou S —1J 127
Bransdale Av. Sund —7H 87
Branston St. Sund —5D 102
Branton Av. Heb —3H 83
Brantwood. Ches S —6H 125
Brantwood Av. Whit B —7D 36
Branxton Cres. Newc T —1D 82
Brasher St. S Shi —1J 65
**Brasside. —3D 152**
Brass Thill. Dur —3K 163
Braunespath Est. New B —4B 162
Bray Clo. W'snd —7H 45
Braydon Dri. N Shi —2E 64
Brayside. Jar —5D 84
Breakneck Stairs. Newc T —8F 4
Breamish Dri. Wash —7D 112
Breamish St. Jar —1A 84
Breamish St. Newc T —1J 81 (5K 5)
Brearley Way. Gate —6A 82
Breckenbeds Rd. Gate —3G 97
Brecken Ct. Gate —3G 97
Brecken Way. Mead —1E 172
Breckon Clo. Ash —6C 10
Brecon Clo. Newc T —1H 59
Brecon Clo. Pet —7K 169
Brecon Pl. Pelt —1H 125
Brecon Rd. Dur —4C 152
Bredon Clo. Wash —5F 113
Brendale Av. Newc T —2D 58
Brendon Pl. Pet —5K 169
**Brenkley. —1K 31**
Brenkley Av. Shir —2J 45
Brenkley Clo. Din —4H 31
Brenkley Ct. Sea B —3D 32
Brenkley Way. Sea B —2D 32
Brenlynn Clo. Sund —3A 130
Brennan Clo. Ash —4E 10
Brennan Clo. Newc T —7H 59
Brentford Av. Sund —4G 101
Brentford Sq. Sund —4G 101
Brentwood Av. Newb S —2H 11
Brentwood Av. Newc T —3F 61
Brentwood Clo. H'wll —1J 35
Brentwood Ct. S'ley —3J 123
Brentwood Gdns. Newc T —3F 61
Brentwood Gdns. Sund —5D 116
Brentwood Gdns. Whi —2H 95
Brentwood Gro. W'snd —4H 63
Brentwood Pl. S Shi —3K 65
Brentwood Rd. Hou S —4A 128
Brettanby Gdns. Ryton —7G 57
Brettanby Rd. Gate —7A 82
Brett Clo. Newc T —2B 62
Brettonby Av. Stoc —7K 73
Bretton Gdns. Newc T —3A 62
Brewers La. N Shi —3C 64
Brewer Ter. Sund —3J 131
Brewery Bank. Swa —5G 79
Brewery La. Gate —4B 82
Brewery La. Pon —5J 29
Brewery La. S Shi —3H 65
*Brewery La. Swa —5G 79 (off Brewery Bank)*

Brewery Sq. S'ley —2F 123
*Brewery St. Bly —1K 21*
*(off Sussex St.)*
Brewhouse Bank. N Shi —6J 47
Briar Av. B'don —2C 172
Briar Av. Hou S —2D 142
Briar Av. Whit B —4F 37
Briar Bank. Dur —3K 151
Briar Clo. Bla T —4A 78
Briar Clo. Fenc —1J 141
Briar Clo. Kim —7H 139
Briar Clo. W'snd —7G 45
Briardale. Bed —7G 15
Briar Dale. Con —3K 133
Briardale. Din —4H 31
Briardale Rd. Bly —2E 20
Briardene. Ash —5K 9
Briardene. Burn —2J 107
Briardene. Dur —3K 163
Briardene. Esh W —3C 160
Briardene. Lan —7J 135
Briardene Clo. Sund —3J 129
Briardene Cres. Newc T —2C 60
Briardene Dri. Gate —6H 83
Briar Edge. Newc T —4B 44
Briarfield. Wash —7H 113
Briarfield Rd. Newc T —1D 60
Briar Glen. Mur —1B 156
Briarhill. Ches S —4J 125
Briar La. Newc T —4J 57
Briarlea. Hep —4A 14
Briar Lea. Hou S —5K 127
Briar Lea. Wit G —2D 150
Briar M. B'hll —4F 119
Briar Pla. Newc T —1G 79
Briar Rd. Dur —7H 153
Briar Rd. Row G —5H 93
Briarside. B'hll —4F 119
Briarside. Newc T —2G 59
Briars, The. Sund —6H 101
Briarsyde. Newc T —6C 44
Briarsyde Clo. Whi —2E 94
Briar Ter. Burn —2C 108
Briar Wlk. Newc T —1G 79
Briarwood. Dud —3K 33
Briarwood Av. Newc T —6G 43
Briarwood Av. Pelt F —6G 125
Briarwood Cres. Gate —6B 80
Briarwood Cres. Newc T —4D 62
Briarwood Rd. Bly —3K 21
Briarwood St. Hou S —1J 141
Briary Gdns. Con —3E 118
Briary, The. Con —3E 118
Briary, The. Newc T —3G 57
Brick Gth. Eas L —3H 155
Brick Row. Sund —2G 131
Bridekirk. Wash —1G 113
(in two parts)
Bridge App. Sund —6C 102
Bridge Cotts. Dud —3K 33
Bridge Ct. Shad —5E 166
Bridge Cres. Sund —1F 117
**Bridge End. —7E 48**
Bridge End. Coxh —7K 175
Bri. End Ind. Est. Hex —7E 48
**Bridgehill. —5E 118**
Bridgemere Dri. Fram M —5J 151
Bridge Pk. Newc T —4E 42
Bridge Rd. Shot C —7E 168
Bridge Rd. S. N Shi —1E 64
Bridges Shop. Cen., The. Sund —2E 116
*Bridges, The. Sund —2E 116*
*(off West St.)*
Bridge St. Bla T —2C 78
Bridge St. Bly —1J 21
Bridge St. Con —6F 119
Bridge St. Dur —2K 163
Bridge St. Gate —2G 81 (8H 5)
Bridge St. Lang P —4J 149
Bridge St. Mor —7F 7
Bridge St. Newb S —3J 11
Bridge St. Sea B —3D 32
Bridge St. S'ley —5E 122
Bridge St. Sund —1F 117
Bridge Ter. Bed —5A 16
Bridge Ter. Chop —7K 9
Bridge Ter. Shir —7K 35
Bridgewater Clo. Newc T —6C 58
Bridgewater Clo. W'snd —1G 63
Bridgewater Rd. Wash —1J 113
Bridge Way. Lang P —5K 149
Bridle Path. E Bol —7J 85
Bridle Path. Sund —1J 129
Bridle, The. Mur —2B 46
Bridlington Av. Gate —4H 97
Bridlington Clo. W'snd —7H 45
Bridlington Pde. Heb —3A 84
Bridport Rd. N Shi —3D 46
Brier Av. Pet —4D 170
Brier Dene Clo. Whit B —3F 37
Brierdene Ct. Whit B —3E 36
Brier Dene Cres. Whit B —3E 36
Brierdene Rd. Whit B —2F 37
Brierdene Vw. Whit B —3E 36
Brierfield Gro. Sund —4K 115
Brierley Clo. Bly —2F 21
Brierley Rd. Bly —2F 21
Briermede Av. Gate —3H 97
Briermede Pk. Gate —3H 97
Brierville. Dur —3K 163
Brieryside. Newc T —4K 59
Briery Va. Clo. Sund —3E 116
Briery Va. Rd. Sund —3E 116
Brigham Av. Newc T —2A 60
Brigham Pl. S Shi —2J 65
Brightlea. Bir —3C 112
Brightman Rd. N Shi —6G 47
Brighton Clo. W'snd —7J 45
Brighton Gdns. Gate —7G 81
Brighton Gro. Newc T —7C 60 (2A 4)
Brighton Gro. N Shi —6F 47
Brighton Gro. Whit B —5F 37
Brighton Pde. Heb —3A 84
Brighton Rd. Gate —5F 81
Bright St. Con —5H 119
Bright St. S Shi —3K 65
Bright St. Sund —6F 103
Brignall Clo. Gt Lum —3F 141
Brignall Gdns. Newc T —6G 59
Brignall Ri. Sund —6D 116
Brigside Cotts. Sea B —3E 32
(in two parts)
Brindley Rd. S West —6H 169
Brindley Rd. Wash —2J 113
Brinkburn. Ches S —6J 125
Brinkburn. Wash —6J 113
Brinkburn Av. Bly —3K 21
Brinkburn Av. Cra —4A 24
Brinkburn Av. Gate —6G 81
Brinkburn Av. Newc T —6D 42
Brinkburn Av. Swa —6H 79
Brinkburn Clo. Bla T —6A 78
Brinkburn Clo. Newc T —1K 81 (4P 5)
Brinkburn Ct. Newc T —4P 5
Brinkburn Cres. Ash —4C 10
Brinkburn Cres. Hou —7C 128
Brinkburn Gdns. Chop —7J 9
Brinkburn Pl. Newc T —7K 61 (4P 5)
Brinkburn Sq. Newc T —1K 81
(in two parts)
Brinkburn St. Newc T —1A 82 (3P 5)
(in four parts)
Brinkburn St. S Shi —1H 85
Brinkburn St. Sund —3C 116
Brinkburn St. W'snd —4C 64
Brisbane Av. S Shi —3F 85
Brisbane Ct. Gate —3G 81 (10H 5)
Brisbane St. Sund —4G 101
Brislee Av. N Shi —5J 47
Brislee Gdns. Newc T —1A 60
Bristlecone. Sund —4A 130
Bristol Av. Sund —4F 101
Bristol Av. Wash —7F 99
Bristol Dri. W'snd —7H 45
Bristol St. N Har —5G 25
Bristol Ter. Newc T —2C 80
Bristol Wlk. N Har —4H 25
Bristol Way. Jar —5C 84
Britannia Ct. Newc T —2C 80
Britannia Pl. Newc T —1C 80
Britannia Rd. Sund —2C 130
Britannia Ter. Hou S —2A 142
Britten Clo. S'ley —4G 123
Brixham Av. Gate —4H 97
Brixham Clo. Dal D —4J 145
Brixham Cres. Jar —1D 84
Brixham Gdns. Sund —5D 116
Broad Ash. Newc T —5J 61 (1L 5)
Broadbank. Gate —6F 83
Broad Chare. Newc T —1G 81 (6H 5)
Broadclose, The. Pet —6B 170
Broadfield Pl. S Shi —1K 85
Broadfield Wlk. Newc T —1G 59
Broad Gth. Newc T —2G 81 (7H 5)
Broadgate Rd. Esh W —1J 161
Broadgates. Hex —2D 68
Broad Landing. S Shi —2H 65
Broadlands. Cle —7C 86
Broadlea. Gate —6F 83
Broadmayne Av. Sund —4K 115
Broadmayne Gdns. Sund —4K 115
Broadmeadows. Bow —5J 175
Broadmeadows. E Her —3H 129
Broad Meadows. Newc T —2B 60
Broad Meadows. Sund —4D 116
Broadmeadows. Wash —6J 113
Broadmead Way. Newc T —1F 79
Broadmires Ter. Nett —6G 139
Broadoak. Gate —6F 83
Broadoak Dri. Lan —6J 135
Broad Oak Ter. C'wl —6K 91
Broadpark. Gate —6F 83
Broadpool Grn. Whi —1J 95
(in two parts)
Broadpool Ter. Whi —1J 95
(in two parts)
Broad Rd. B Col —3K 181
Broadshaw Wlk. Newc T —4H 57
Broadsheath Ter. Sund —6B 102
(in two parts)
Broadside. Gate —6F 83
Broadstairs Ct. Sund —4K 115
Broadstone Gro. Newc T —4C 58
Broadstone Way. W'snd —1G 63
Broad Views. Gt Lum —2E 140
Broadview Vs. Sher —3A 166
Broadwater. Gate —5F 83
Broadway. Bly —3J 21
Broadway. Ches S —4A 126
Broadway. Chop —1H 15
Broadway. Con —3K 133
Broadway. Gate —1K 97
Broadway. Newc T —6D 58
Broadway. Pon —1G 39
Broadway. Whi —2F 95
Broadway Circ. Bly —2H 21
Broadway Clo. N Shi —1H 47
Broadway Ct. W'snd —6J 45
Broadway Cres. Bly —3J 21
Broadway E. Newc T —5E 42
Broadway Gdns. Hex —1B 68
Broadway, The. C'twn —7G 101
Broadway, The. Hou S —2E 142
Broadway, The. N Shi —1H 47
Broadway, The. S Shi —3B 66
Broadway, The. Sund —5H 115
(in two parts)
Broadway Vs. Newc T —1H 79
Broadway W. Newc T —5D 42
Broadwell Ct. Newc T —1H 61
Broadwood Rd. Newc T —6F 59
Broadwood Vw. Ches S —7B 126
Broadwood Vw. Con —4E 118
Brockdale. E Sle —5D 16
Brockenhurst Dri. Sund —6G 115
Brock Farm Ct. N Shi —6G 47
Brockhampton Clo. Bol C —4E 84
Brock La. Bed —2D 16
Brockley Av. S Shi —2H 85
Brockley St. Sund —4G 101
Brockley Ter. Bol C —5E 84
**Brockley Whins. —3F 85**
Brock Sq. Newc T —1K 81 (5P 5)
Brock St. Newc T —1K 81 (5P 5)
Brockwade. Gate —2D 98
Brockwell Cen., The. Cra —2K 23
Brockwell Clo. Bla T —5A 78
Brockwell Ct. Bly —4G 21
Brockwell Ho. Newc T —3J 59
Brockwell La. Con —5G 119
Brockwell Rd. Cwthr —3D 112
Brockwell St. Bly —5G 21
Brockwood Clo. Ash —6K 9
Broderick Ter. Hou S —6D 128
Brodie Clo. S Shi —2J 85
Brodrick Clo. Newc T —7K 41
Brodrick St. S Shi —2K 65
Brokenheugh. Newc T —4F 59
Bromarsh Ct. Sund —6H 103
Bromford Rd. Newc T —7K 41
Bromley Av. Whit B —1E 46
Bromley Clo. H Shin —1F 175
Bromley Ct. Newc T —5K 41
Bromley Gdns. Bly —4J 21
Bromley Gdns. W'snd —7H 45
Brompton Clo. Ous —6G 111
Brompton Pl. Gate —6C 80
Brompton Ter. Hou S —5D 128
Bromsgrove Clo. W'snd —7J 45
Bronte Pl. S'ley —5H 123
Bronte St. Gate —5K 81
Brookbank Clo. Sund —4B 130
Brook Ct. Bed —1J 19
Brookdale. Dur —7J 153
Brooke Av. Bol C —6H 85
Brooke Av. Whi —6G 79
Brooke Clo. S'ley —3G 123
Brookes Ri. Lang M —7F 163
Brooke St. Sund —7E 102
Brookes Wlk. S Shi —4G 85
Brookfield. Newc T —3D 60
Brookfield Cres. Newc T —4C 58
Brook Gdns. Whit B —5H 37
Brookland Dri. Newc T —1C 44
Brookland Rd. Sund —2B 116
Brooklands. Pon —1E 38
Brooklands Way. Bol C —6D 84
Brookland Ter. N Shi —3B 46
(in three parts)
Brooklyn St. Mur —1F 157
Brooklyn Ter. Mur —1F 157
Brook Rd. Sund —3D 116
Brookside. Dud —4J 33
Brookside. Hou S —4D 142
Brookside. Sac —6E 138
Brookside. Wit G —3D 150
Brookside Av. Bly —2F 21
Brookside Av. Bru V —6C 32
Brookside Cotts. Sund —4E 116
Brookside Cres. Newc T —4K 59
Brookside Gdns. Sund —4E 116
Brookside Ter. Sund —4E 116
Brookside Wood. Wash —7H 113
Brookside Works. Crag C —7J 123
Brooksmead. W'snd —1E 62
Brook St. Newc T —1B 82
Brook St. Whit B —6H 37
Brookvale Av. Newc T —1B 60
Brook Vw. Lan —7J 135
Brook Vw. S'hm —2H 145
Brook Wlk. Sund —4B 130
Broom Clo. Bla T —6B 78
Broom Clo. Mor —1J 13
Broom Clo. S'ley —2H 123
Broom Clo. Whi —1J 95
Broom Ct. Spri —7D 98
Broom Cres. Ush M —2C 162
Broome Clo. Faw —6B 42
Broome Ct. B'pk —4E 162
Broome Rd. Dur —7H 153
Broom Farm W. B'pk —4E 162
Broomfield. Jar —4C 84
Broomfield Av. Newc T —4C 62
Broomfield Av. W'snd —7G 45
Broomfield Cres. C'wl —7K 91
Broomfield Gro. N Shi —2E 64
Broomfield Rd. Newc T —1D 60
Broomfield Ter. Ryton —3C 76
Broom Grn. Whi —1J 95
Broom Hall Dri. Ush M —3D 162
**Broomhaugh. —7A 72**
Broomhaugh Clo. Hex —2E 68
**Broom Hill. —4F 143**
Broom Hill. S'ley —2D 122
Broomhill Est. Hett H —4F 143
Broomhill Gdns. Newc T —4K 59
Broomhill Rd. Pru —3F 75
Broomhill Ter. Con —1J 119
Broomhill Ter. Hett H —5F 143
Broomhouse La. Pru —3F 75
Broomhouse Rd. Pru —3G 75
Broom La. Ush M —3C 162
Broom La. Whi —2H 95
Broomlaw. Gate —3A 98
Broomlea. N Shi —3B 46
Broomlea Ct. Bla T —3C 78
Broomlee. Ash —5C 10
Broomlee Clo. Newc T —2B 62
Broomlee Rd. Newc T —1A 44
**Broomley. —2D 88**
Broomley Ct. Newc T —5B 42
Broomley Wlk. Newc T —5B 42
**Broom Park. —4E 162**
Broomridge Av. Newc T —7K 59
Broomshields Av. Sund —4D 102
Broomshields Clo. Sund —4D 102
**Broomside. —7J 153**
Broomside Ct. Dur —7H 153
Broomside La. Dur —7G 153
Brooms La. Con —5C 120
Brooms, The. Ous —6H 111
Broom Ter. Burn —2B 108
Broom Ter. Whi —1J 95
Broom Wood Ct. Pru —5D 74
Broomy Hill Rd. Newc T —3G 57
Broomylinn Pl. Cra —2A 24
Brotherlee Rd. Newc T —5B 42
Brougham Ct. Pet —2J 179
Brougham St. Sund —2F 117
Brough Ct. Newc T —6A 62
Brough Gdns. W'snd —1A 64
Brough Park Stadium. —7B 62
Brough Pk. Way. Newc T —7B 62
Brough St. Newc T —6A 62
Broughton Rd. S Shi —3K 65
Brough Way. Newc T —6A 62
Browbank. Sac —1F 151
Brown Cres. Gate —6A 98
Browne Rd. Sund —4F 103
**Browney. —2F 173**
Browney La. Brow —2E 172
Browning Clo. S Shi —4H 85
(in two parts)
Browning Clo. S'ley —3H 123
Browning Sq. Gate —4J 81
Browning St. Pet —7D 158
Brownlow Clo. Newc T —2C 62
Brownlow Rd. S Shi —7J 65
Brownney Ct. Lang P —4J 149
Brownrigg Dri. Cra —5A 24
Brownriggs Ct. Wash —2F 113
Brown Rd. C'twn —6H 101
Browns Bldgs. Bed —1G 19
Brown's Bldgs. Bir —7A 112
Brownsea Pl. Gate —7J 81
Brown's Ter. Lang P —5J 149
Browntop Pl. S Shi —1J 85
Brow, The. Newc T —1A 82
Broxbourne Ter. Sund —2C 116
Broxburn Clo. W'snd —7J 45
Broxburn Ct. Newc T —2J 59
Broxholm Rd. Newc T —4K 61
Bruce Clo. Newc T —3F 59
Bruce Clo. S Shi —2J 85
Bruce Cres. Win —5F 179
Bruce Gdns. Newc T —6J 59
Bruce Glasier Ter. Shot C —7E 168
Bruce Kirkup Rd. Pet —4D 170
Bruce Pl. Pet —4A 170
Bruce St. Sac —4D 138
Bruce St. Sund —5E 102
Brumell Dri. Mor —6D 6
Brumwell Ct. Stoc —7H 73
Brundon Av. Whit B —4F 37
Brunel Dri. Sund —5H 103
Brunel St. Gate —6F 81
Brunel St. Newc T —3D 80 (9B 4)
Brunel Ter. Newc T —3C 80
(in two parts)
Brunel Wlk. Newc T —3C 80
Brunswick Gro. Bru V —5C 32
Brunswick Ind. Est. Bru V —5B 32
Brunswick Pk. Ind. Est. Bru V —5B 32
Brunswick Pl. Newc T —1F 81 (4F 4)
Brunswick Rd. Shir —2K 45
Brunswick Rd. Sund —3G 101
Brunswick Sq. Shir —2K 45
Brunswick St. S Shi —4J 65
**Brunswick Village. —5C 32**
Brunton Av. Newc T —6B 42
Brunton Av. W'snd —2B 64
Brunton Clo. Shir —2K 45
Brunton Gro. Newc T —6B 42
Brunton La. N Gos & Newc T —2K 41
Brunton M. Newc T —2B 42
Brunton Rd. Ken F —5H 41
Brunton St. N Shi —2D 64
Brunton Ter. Sund —2C 116
Brunton Wlk. Newc T —5J 41
Brunton Way. Cra —7K 19
Brunton Way. Gate —4F 83
Brussels Rd. Sund —1K 115
Brussels Rd. W'snd —4F 63
**Bryan's Leap. —1A 108**
Bryans Leap. Burn —1A 108
Bryden Ct. S Shi —1K 85
Brydon Cres. S Het —5D 156
Bryers St. Whit —5H 87
Buchanan Grn. Gate —5C 80
Buchanan St. Heb —1H 83
Buckham St. Con —5G 119
Buckingham. Sund —1A 130
Buckingham Clo. Sund —6H 87
Buckingham Rd. Pet —4K 169
Buckinghamshire Rd. Dur —1G 165
Buckingham St. Newc T —1D 80 (6B 4)
Buckland Clo. Hou S —7C 128
Buckland Clo. Wash —5H 113
Buck's Hill. Dur —6A 164
Buck's Hill Vw. Whi —1J 95
Buck's Nook La. G'sde —7K 75
Buckthorne Gro. Newc T —2A 62
Buddle Clo. Newc T —2K 79
Buddle Clo. Pet —4B 170
Buddle Ct. Newc T —2A 80
Buddle Gdns. G'sde —5D 76
Buddle Ind. Est. W'snd —5G 63
Buddle Rd. Newc T —2K 79
Buddle St. Con —1J 133
Buddle St. W'snd —4G 63
Buddle Ter. Sund —3G 117
Buddle Ter. W All —3J 45
Bude Ct. W'snd —1G 63
Bude Gdns. Gate —4H 97
Bude Gro. N Shi —3D 46
Bude Sq. Mur —6F 145
Budle Clo. Bly —2G 21
Budle Clo. Newc T —6D 42
Budleigh Rd. Newc T —7B 42
Budworth Av. Sea S —5D 26
Bugatti Ind. Pk. N Shi —7C 46
Buller's Grn. Mor —6E 6
Bullfinch Dri. Whi —7G 79
Bullion La. Ches S —6K 125
Bull La. Sund —1G 117
Bulman Ho. Newc T —7E 42

Bulman's La. N Shi —4G 47
Bulmer Ho. S Shi —6C 66
Bulmer Rd. S Shi —6C 66
Bungalows, The. Bir —2K 111
Bungalows, The. Bla T —4A 78
Bungalows, The. Ebc —4G 105
Bungalows, The. Esh W —4E 160
Bungalows, The. Gate —6C 82
Bungalows, The. Hett H —4F 143
Bungalows, The. H Hes —4H 181
Bungalows, The. H Wes —4K 105
Bungalows, The. Lam —7G 97
Bungalows, The. Moor —3D 132
Bungalows, The. New B —4B 162
Bungalows, The. Pet —4D 170
Bungalows, The. S Het —5D 156
Bungalows, The. Tan L —1C 122
Bungalows, The. Thor —2J 177
Bunyan Av. S Shi —3G 85
Burdale Av. Newc T —4G 59
**Burdon. —6D 130**
Burdon Av. Hou S —2G 143
Burdon Av. Nel V —3H 23
Burdon Clo. Sund —5A 86
Burdon Cres. Cle —5A 86
Burdon Cres. Ryh —3G 131
Burdon Cres. S'hm —1H 145
Burdon Cres. Win —4G 179
Burdon Dri. N West —5G 169
Burdon Gro. Sund —2D 130
Burdon La. Sund —5D 130
Burdon Lodge. Sun —5J 95
Burdon Main Row. N Shi —1G 65
Burdon Pk. Sun —5J 95
Burdon Pl. Newc T —5G 61
Burdon Pl. Pet —6C 170 (in two parts)
Burdon Plain. Mar H —2H 109
Burdon Rd. Cle —5A 86
Burdon Rd. Sund —3F 117 (SR2)
Burdon Rd. Sund —4D 130 (SR3)
Burdon St. N Shi —2D 64
Burdon Ter. Bed —7G 15
Burdon Ter. Newc T —5G 61
Burford Ct. Newc T —1J 61
Burford Gdns. Sund —5D 116
Burghley Rd. Gate —1A 98
Burgoyne Ct. Wash —7H 99
Burgoyne Ter. Wylam —7J 55
Burke St. Sund —4G 101
Burlawn Clo. Sund —1H 131
Burleigh Gth. Sund —1H 117
Burleigh St. S Shi —4K 65
Burlington Clo. Sund —3G 117
Burlington Ct. W'snd —5J 45
Burlington Gdns. Newc T —5K 61
Burlison Gdns. Gate —4A 82
Burnaby Dri. Ryton —2F 77
Burnaby St. Sund —3C 116
Burn Av. Newc T —4B 44 (in two parts)
Burn Av. W'snd —3F 63
Burnbank. Gate —1E 98
Burnbank. Sea B —3D 32
Burnbank. Sund —5D 102
Burnbank Av. S Well —6B 36
Burnbridge. Sea B —3D 32
Burn Closes Cres. W'snd —2J 63
Burn Cft. Hex —2C 68
Burn Crook. Hou S —4D 142
Burnden Gro. Hou S —4K 127
Burnell Rd. Esh W —4E 160
Burnet Clo. W'snd —7G 45
Burnet Ct. Ash —6K 9
Burnett Cres. Kel —7E 176
Burney Vs. Gate —5J 81
Burnfoot. O'ham —2C 74
Burnfoot Ter. Whit B —7J 37
Burnfoot Way. Newc T —2A 60
Burn Gdns. Eas —7A 158
Burnhall Dri. S'hm —1J 145
Burnham Av. Newc T —6A 58
Burnham Clo. Bly —4J 21
Burnham Clo. Shin R —3B 128
Burnham Gro. E Bol —7K 85
Burnham Gro. Newc T —2C 82
Burnham St. S Shi —7J 65
Burn Heads Rd. Heb —2H 83
Burnhills Gdns. G'sde —5E 76
Burnhills La. Bar —6F 77
**Burnhope. —5D 136**
Burnhope Dri. Sund —4D 102
Burnhope Gdns. Gate —4B 98
Burnhope Rd. Wash —2J 113
Burnhopeside Av. Lan —7A 136
Burnhope Way. Pet —5K 169
Burnigill. Mead —2E 172
Burnip Rd. Mur —6E 144
Burnland Ter. Hex —1B 68
Burn La. Hett H —7G 143
Burn La. Hex —1C 68
Burnlea Gdns. Seg —1F 35
Burnley St. Bla T —4C 78
Burnmill Bank. Con —3A 118
Burnmoor Gdns. Gate —4B 98
**Burnopfield. —2K 107**
Burnopfield Gdns. Newc T —7G 59
Burnopfield Rd. Row G —6K 93
Burnop Ter. Row G —5E 92
Burn Pk. Rd. Hou S —2C 142
Burn Pk. Rd. Sund —3D 116
Burn Promenade. Hou S —1D 142 (in two parts)
Burn Rd. Bla T —5K 77
Burns Av. B Col —1G 181
Burns Av. Bly —4G 21
Burns Av. Bol C —6H 85
Burns Av. N. Hou S —3E 142
Burns Av. S. Hou S —3E 142
Burns Clo. S'ley —3G 123
Burns Clo. W Rai —1A 154
Burns Clo. Whi —2H 95
Burns Ct. S Shi —3H 85
Burns Cres. Swa —6G 79
**Burnside. —7C 128**
Burnside. Ash —4E 10
Burnside. Bed —5B 16
Burnside. E Bol —7A 86
Burnside. Esh W —3D 160
Burnside. Gate —7C 82
Burnside. Hex —3B 68
Burnside. H'wll —2K 35
Burnside. Jar —2C 84
Burnside. Lan —6J 135
Burnside. Mor —6G 7
Burnside. O'ton —2K 73
Burn Side. Pet —6B 170
Burnside. Pon —1F 39
Burnside. Wit G —3D 150
Burnside Av. Ann —3K 33
Burnside Av. Hou S —1C 142
Burnside Av. Pet —6E 170
Burnside Clo. Bly —1F 21
Burnside Clo. O'ham —2C 74
Burnside Clo. Seg —2C 34
Burnside Clo. Whi —3G 95
Burnside Cotts. Ann —3K 33
Burnside Cotts. Dal D —5J 145
Burnside Cotts. Mic —5A 74
Burnside Rd. Newc T —5E 42
Burnside Rd. N Shi & Whit B —1H 47
Burnside Rd. Row G —5H 93
Burnside, The. Newc T —4E 58
Burnside Vw. Seg —2C 34
Burns St. Jar —6B 64
Burns St. Whe H —3A 178
Burn's Ter. Shot C —6F 169
Burnstones. Newc T —4E 58
Burn St. Bow —4H 175
Burn Ter. Heb —4G 83
Burn Ter. Hou S —3C 128
Burn Ter. W'snd —3K 63
Burnthouse Bank. Pelt F —5H 125
Burnt Ho. Clo. Bla T —6A 78
Burnthouse La. Whi —2G 95 (in two parts)
Burnt Ho. Rd. Whit B —1E 46
Burntland Av. Sund —5B 102
Burn Vw. Dud —3K 33
Burn Vw. Jar —6C 84
Burnville. Newc T —6J 61 (1M 5)
Burnville Rd. Sund —3D 116
Burnville Rd. S. Sund —3D 116
Burnway. S'hm —2J 145
Burnway. Wash —7F 99
**Burradon. —5A 34**
Burradon. Burr —6A 34
Burradon Rd. Ann —3A 34
Burradon Rd. Burr —5K 33
Burrow St. S Shi —2J 65
Burscough Cres. Sund —5F 103
Burstow Av. Newc T —3C 82
Burswell Av. Hex —1B 68
Burswell Vs. Hex —1B 68
Burt Av. N Shi —7E 46
Burt Clo. Has —1A 168
Burt Clo. Pet —4B 170
Burt Cres. Dud —3K 33
Burt Memorial Homes. Sco G —3G 15
Burton St. Newc T —4N 5
Burtree. Wash —6F 113
Burt Rd. Bed —5C 16
Burt St. Bly —1J 21
Burt Ter. Mor —7G 7
Burt Ter. Newc T —3A 58
Burwell Av. Newc T —5F 59
Burwood Clo. Newc T —3E 82
Burwood Rd. Newc T —3D 82
Burwood Rd. N Shi —4C 46
Bushblades La. Dip —1J 121
Buston Ter. Newc T —4H 61
Busty Bank. Row G & Burn —6K 93
Butcher's Bri. Rd. Jar —1B 84
Butcher's La. Longh —1B 8
Bute Cotts. Gate —5A 80
Bute Ct. Sund —3C 130
Bute Dri. H Spen —3D 92
Buteland Rd. Newc T —6F 59
Buteland Ter. Newb S —3H 11
Bute Rd. N. H Spen —3D 92
Bute Rd. S. H Spen —4D 92
Bute St. Tant —6A 108
Butler St. Pet —7D 158
Butsfield Gdns. Sund —6D 116
Butsfield La. Con —7K 133
Butterfield Clo. Ryton —3D 76
Buttermere. Gate —6E 82
Buttermere. Pet —2J 179
Buttermere. Sund —5C 86
Buttermere Av. Eas L —3J 155
Buttermere Av. Whi —7J 79
Buttermere Clo. Ches S —7A 126
Buttermere Clo. Den B —4H 59
Buttermere Clo. Kil —1A 44
Buttermere Cres. Bla T —6B 78
Buttermere Cres. S Het —3A 156
Buttermere Gdns. Gate —2J 97
Buttermere Gdns. S Shi —7A 66
Buttermere Rd. N Shi —2G 47
Buttermere St. Sund —6G 117
Buttermere Way. Bly —7F 17
Butterwell Dri. Peg —4K 7
Button's Bank. Esh W —7B 160
Buttsfield Ter. Hou S —1B 128
Buxton Clo. W'snd —7H 45
Buxton Gdns. Newc T —2F 59
Buxton Gdns. Sund —5D 116
Buxton Grn. Newc T —2F 59
Buxton Rd. Jar —1C 84
Buxton St. Newc T —1H 81 (5J 5)
Byer Bank. Hou S —3G 143
**Byermoor. —1D 108**
Byermoor Ind. Est. Burn —1D 108
Byers Ct. Sund —1D 130
Byer Sq. Hett H —4G 143
Byer St. Hett H —4G 143
Bye, The. Con —2E 132
Byeways, The. Newc T —6K 43
Bygate Clo. Newc T —2A 60
Bygate Rd. Whit B —7E 36
**Byker. —1A 82**
Byker Bank. Newc T —1J 81 (5M 5)
Byker Bri. Newc T —7H 61 (4K 5)
Byker Bldgs. Newc T —7J 61 (4M 5)
Byker Cres. Newc T —7A 62
*Byker Hill Ind. Est. Newc T (off Shields Rd.) —6A 62*
Byker Lodge. Newc T —1A 82 (6P 5)
Byker St. Newc T —7D 62
Byker Ter. Newc T —7D 62
Byland Clo. Hou S —7C 128
Byland Ct. Bear —1D 162
Byland Ct. Wash —3G 113
Byland Rd. Newc T —6H 43
Bylands Gdns. Sund —5D 116
Byony Toft. Sund —2J 131
Byrness. Newc T —4E 58
Byrness Clo. Newc T —1J 59
Byrness Ct. W'snd —7J 45
Byrness Row. Cra —2A 24
Byrne Ter. Sund —2D 130
Byrne Ter. W. Sund —2D 130
Byron Av. B Col —1G 181
Byron Av. Bly —4G 21
Byron Av. Bol C —6G 85
Byron Av. Heb —7K 63
Byron Av. Pelt F —6G 125
Byron Av. W'snd —4A 64
Byron Clo. Chop —1G 15
Byron Clo. Ous —7H 111
Byron Clo. S'ley —3G 123
Byron Ct. Newc T —3C 58
Byron Ct. Swa —6G 79
Byron Lodge Est. S'hm —2G 145
Byron Pl. Ash —5D 10
Byron Rd. Sund —5C 102
Byrons Ct. S'hm —1A 146
Byron St. Newc T —7G 61 (3H 5)
Byron St. Ous —7H 111
Byron St. Pet —7D 158
Byron St. S Shi —5K 65
Byron St. Sund —6E 102
Byron St. Whe H —3B 178
Byron Ter. Hou S —3E 142
Byron Ter. S'hm —1H 145
Byron Ter. Shot C —6F 169
Byron Wlk. Gate —4J 81
By-Way, The. Newc T —4H 57
**Bywell. —6F 73**
Bywell Av. Faw —4B 42
Bywell Av. Hex —2F 69
Bywell Av. Newc T —6E 58
Bywell Av. S Shi —6C 66
Bywell Av. Sund —4E 102
Bywell Clo. Ryton —3C 76
Bywell Dri. Pet —2A 180
Bywell Gdns. Lob H —2C 96
Bywell Gdns. Win N —1K 97
Bywell Gro. Shir —1A 46
Bywell Rd. Ash —5B 10
Bywell Rd. Sund —6B 86
Bywell St. Newc T —1B 82 (in two parts)
Bywell Ter. Jar —3B 84
Bywell Ter. Sea S —4D 26

Cadehill Rd. Stoc —1H 89
Cadger Bank. Lan —7J 135
Cadlestone Ct. Cra —2B 24
Cadwell La. Pet —7K 157
Caernarvon Clo. Newc T —1H 59
Caernarvon Dri. Sund —3J 129
Caer Urfa Clo. S Shi —1J 65
Caesar's Wlk. S Shi —1J 65
Cain Ter. Whe H —3A 178
Cairncross. Sund —6G 101
Cairnglass Grn. Cra —2B 24
Cairngorm Av. Wash —5E 112
Cairnhill Ter. Hou S —5D 128
Cairnside. Sund —2J 129
Cairnside S. Sund —2H 129
Cairnsmore Clo. Cra —6K 23
Cairnsmore Clo. Newc T —5F 63
Cairnsmore Dri. Wash —5F 113
Cairns Rd. Mur —7C 144
Cairns Rd. Sund —3E 102
Cairns Sq. Sund —3E 102
Cairns Way. Newc T —5B 42
Cairo St. Sund —4G 117
Caithness Rd. Sund —5F 101
Caithness Sq. Sund —5F 101
Calais Rd. Sund —6F 101
Caldbeck Av. Newc T —3D 82
Caldbeck Clo. Newc T —3D 82
Calderbourne Av. Sund —3G 103
Calder Ct. Sund —3B 130
Calderdale. W'snd —7D 44
Calderdale Av. Newc T —6D 62
Calder Grn. Jar —4C 84
Calder's Cres. Wash —7H 113
Calder Wlk. Sun —5G 95 (in three parts)
Calderwood Cres. Gate —4J 97
Calderwood Pk. Gate —4J 97
Caldew Ct. Eas L —1H 155
Caldew Cres. Newc T —5G 59
Caldwell Rd. Newc T —4B 42
Caledonia. Bla T —5A 78
Caledonia. Gt Lum —2E 140
Caledonian Rd. Sund —4F 101
Caledonian St. Heb —6H 63
Caledonia St. Newc T —2E 82
Calfclose Dri. Jar —4B 84
Calfclose La. Jar —4B 84
Calfclose Wlk. Jar —3C 84
California. Bla T —5B 78
California Gdns. Mor —7G 7
Callaley Av. Whi —1F 95
Callaly Av. Cra —4A 24
Callaly Clo. Peg —4B 8
Callaly Way. Newc T —2B 82
Callander. Ous —6J 111
Callendar Ct. Gate —2A 98
Callerdale Rd. Bly —2E 20
**Callerton. —6B 40**
Callerton. Kil —6B 34
Callerton Av. N Shi —6C 46
Callerton Clo. Ash —5D 10
Callerton Clo. Cra —4A 24
Callerton Ct. Pon —7J 29
Callerton La. H Cal & Newc T —2J 39
**Callerton Lane End. —6J 39**
Callerton La. End Cotts. Newc T —5J 39
Callerton Pl. Newc T —1C 80
Callerton Pl. S'ley —7K 123
Callerton Rd. Newc T —3H 57
Callerton Vw. N Wal —1B 58
Calley Clo. Pet —2A 180
Callington Clo. Hou S —7J 127
Callington Dri. Sund —2H 131
Calow Way. Whi —2F 95
Calver Ct. S Shi —1A 86 (in two parts)
Calvert Ter. Mur —7D 144
Calvus Dri. Hed W —3D 56
Camberley Clo. Sund —1E 130
Camberley Dri. B'don —2B 172
Camberley Rd. W'snd —1A 64
Camberwell Clo. Gate —1D 96
Camberwell Way. Dox I —3K 129
Cambo Av. Bed —7A 16
Cambo Av. Whit B —1D 46
Cambo Clo. Bly —2G 21
Cambo Clo. Newc T —7F 43
Cambo Clo. W'snd —6H 45
Cambo Dri. Cra —5A 24
Cambo Grn. Newc T —3J 59
**Cambois. —4H 17**
Cambo Pl. N Shi —3G 47
Camborne Gro. Gate —5H 81
Camborne Pl. Gate —5H 81
Cambourne Av. Sund —3G 103
Cambria Grn. Sund —2G 115
Cambrian Clo. Wash —5F 113
Cambrian Way. Wash —4F 113
Cambria St. Sund —2G 115
Cambridge Av. Con —4C 132
Cambridge Av. Heb —7K 63
Cambridge Av. Newc T —4B 44
Cambridge Av. W'snd —2E 62
Cambridge Av. Wash —7F 99
Cambridge Av. Whit B —6G 37
Cambridge Cres. Hou S —3A 128
Cambridge Dri. Gt Lum —3E 140
Cambridge Pl. Bir —7A 112
Cambridge Rd. Chop —1J 15
Cambridge Rd. Pet —4A 170
Cambridge Rd. Sund —2C 130
Cambridgeshire Dri. Dur —2G 165
Cambridge St. Newc T —3D 80 (9A 4)
Cambridge Ter. Bow —5H 175
Cambridge Ter. Gate —5G 81
Camden Sq. S'hm —4A 146
Camden St. Newc T —7G 61 (3H 5)
Camden St. N Shi —7H 47
Camden St. Sund —6C 102
Camelford Ct. Newc T —5C 58
Camelot Clo. S'hm —2A 146
Cameron Clo. S Shi —3J 85
Cameron Rd. Pru —4F 75
Cameron Wlk. Gate —4J 79 (in two parts)
Camerton Pl. W'snd —5J 45
Camilla Rd. Hed W —3D 56
Camilla St. Gate —5H 81
Cam Mead. Sund —5C 130
**Campbell Park. —1K 83**
Campbell Pk. Rd. Heb —7J 63
Campbell Pl. Newc T —1C 80 (5A 4)
Campbell Rd. Sund —5F 101
Campbell Sq. Sund —5F 101
Campbell St. Heb —6J 63
Campbell St. Pet —7D 158
Campbell Ter. Eas L —2H 155
**Camperdown. —6A 34**
Camperdown. W Den —4F 59
Camperdown Av. Camp —7K 33
Camperdown Av. Ches S —4B 126
Camperdown Cen. Camp —6K 33
Camperdown Ind. Est. Camp —7K 33
Campion Dri. Tan L —1D 122
Campion Gdns. Gate —2B 98
Campion Way. Ash —5A 10
Campsie Clo. Wash —5F 113
Campsie Cres. N Shi —3G 47
Camp St. Pet —7D 158
Camp Ter. N Shi —6G 47
Campus Martius. Hed W —3B 56
Campville. N Shi —6G 47
Camsey Clo. Newc T —6H 43
Camsey Pl. Newc T —6H 43
Canberra Av. Whit B —1D 46
Canberra Dri. S Shi —2E 84
Canberra Rd. Sund —4K 115
Candelford Clo. Newc T —2B 62
Candlish St. S Shi —3K 65
Candlish Ter. S'hm —4C 146
Canning St. Heb —1H 83
Canning St. Newc T —1A 80
Cannock. Newc T —7B 34
Cannock. Ous —6H 111
Cannock Dri. Newc T —1J 61
Cannon St. Gate —2G 81 (8H 5)
Cann Rd. Pet —4B 170
Cann St. Pet —7A 158
Canonbie Sq. Cra —2B 24
Canon Cockin St. Sund —4G 117
Canon Gro. Jar —6C 64
Canon Savage Dri. Hex —2A 68
Canonsfield Clo. Newc T —2B 58
Canonsfield Clo. Sund —4B 130
Canterbury Av. W'snd —6H 45

Canterbury Clo. Ash —5D 10
Canterbury Clo. Gt Lum —4E 140
Canterbury Rd. Dur —3B 152
Canterbury Rd. Sund —5G 101
Canterbury St. Newc T —7B 62
(in two parts)
Canterbury St. S Shi —5K 65
Canterbury Way. Jar —5A 84
Canterbury Way. Wide —5D 32
Capercaillie Lodge. Dud —2K 33
Capetown Rd. Sund —5F 101
Capetown Sq. Sund —5F 101
Caplestone Clo. Wash —5F 113
Capstan La. Gate —5A 98
Captains Row, The. S Shi —5H 65
Captains Wharf. S Shi —2H 65
Capulet Gro. S Shi —1G 85
Capulet Ter. Sund —4G 117
Caradoc Clo. Wash —5F 113
Caragh Rd. Ches S —1K 139
Caraway Wlk. S Shi —4A 86
(in two parts)
Carden Av. S Shi —1D 86
Cardiff Sq. Sund —6F 101
Cardiff St. Pet —7D 158
Cardigan Gro. N Shi —1G 47
Cardigan Rd. Sund —5F 101
Cardigan Ter. Newc T —6K 61 (2N 5)
Cardinal Clo. Longb —6J 43
Cardinal Clo. Newc T —2B 58
Cardinals Clo. Sund —4B 130
Cardonnel St. N Shi —1G 65
Cardwell St. Sund —6G 103
(in two parts)
Careen Cres. Sund —2H 129
Carew Ct. Cra —5K 23
Carey Clo. Bow —5H 175
Carham Av. Cra —4A 24
Carham Clo. Cor —1E 70
Carham Clo. Gos —6F 43
Caribees. Con —3A 134
Carisbrooke. Bed —6H 15
Caris St. Gate —6J 81
Carlby Way. Cra —7H 19
Carlcroft Pl. Cra —5A 24
**Carley Hill. —4C 102**
Carley Hill Rd. Sund —4D 102
Carley Rd. Sund —5D 102
Carley Sq. Sund —5D 102
Carlingford Rd. Ches S —1K 139
Carliol Pl. Newc T —1G 81 (5G 4)
Carliol Sq. Newc T —1G 81 (5G 4)
(in two parts)
Carliol St. Newc T —5G 4
Carlisle Ct. Gate —5B 82
Carlisle Cres. Hou S —2A 128
Carlisle Park & Castle Wood. —1A 12
Carlisle Pl. Gate —3K 97
Carlisle Rd. Dur —4C 152
Carlisle St. Gate —5B 82
Carlisle Ter. Sund —5C 102
Carlisle Ter. W All —3J 45
*Carlisle Vw. Mor —7F 7*
*(off Waterside)*
Carlton Av. Bly —6G 21
Carlton Clo. Newc T —2C 60
Carlton Clo. Ous —6G 111
Carlton Ct. Team T —2E 96
Carlton Cres. Sund —2J 129
Carlton Gdns. Newc T —6E 58
Carlton Gro. Ash —6D 10
Carlton Rd. Newc T —6B 44
Carlton St. Bly —2K 21
Carlton Ter. Bly —1H 21
Carlton Ter. Gate —2G 97
Carlton Ter. N Shi —7F 47
Carlton Ter. Pet —1K 169
Carlton Ter. Spri —6D 98
Carlyle Ct. W'snd —4A 64
Carlyle Cres. Shot C —6F 169
Carlyle Cres. Swa —6G 79
Carlyle St. W'snd —4A 64
Carlyon St. Sund —3F 117
Carmel Gro. Cra —1J 23
Carmel Rd. S'ley —3D 122
Carnaby Rd. Newc T —2D 82
Carnation Av. Hou S —6J 127
Carnation Ter. Whi —7H 79
Carnegie Clo. S Shi —2J 85
Carnegie St. Sund —6H 117
Carnforth Clo. W'snd —5J 45
Carnforth Gdns. Gate —3K 97
Carnforth Gdns. Row G —4J 93
Carnforth Grn. Newc T —1A 60
Carnoustie. Ous —7H 111
Carnoustie. Wash —4G 99
Carnoustie Clo. Con —4G 119
Carnoustie Clo. Newc T —1A 62
Carnoustie Ct. Gate —1F 99
Carnoustie Ct. Whit B —6C 36
Carnoustie Dri. S Shi —3B 86
Carodoc Rd. Win —5G 179
Carole Dunes. Quar H —6D 176
Carol Gdns. Newc T —2K 61
Caroline Cotts. Newc T —5H 59
Caroline Gdns. W'snd —2A 64
Caroline St. Hett H —6G 143
Caroline St. Jar —6A 64
Caroline St. Newc T —2A 80
Caroline St. S'hm —3B 146
Caroline Ter. Bla T —2B 78
Carol St. Sund —1D 116
Carolyn Clo. Newc T —6A 44
Carolyn Cres. Whit B —4E 36
Carolyn Way. Whit B —4E 36
Carpenters St. S Shi —3H 65
Carr Av. B'don —1D 172
Carr-Ellison Ho. Newc T —3B 80
Carr Fld. Pon —4K 29
Carrfield Rd. Newc T —7B 42
**Carr Hill. —1K 97**
Carr Hill Rd. Gate —6J 81
Carr Ho. Dri. Dur —5A 152
Carrhouse La. Sea —5A 144
Carrick Ct. Bly —5H 21
Carrick Dri. Bly —4H 21
Carrington Clo. Seg —1D 34
Carrisbrook Ct. Sund —2D 116
Carrmere Rd. Lee I —7G 117
Carrmyers. S'ley —3J 121
Carrock Clo. Pet —2B 180
Carrock Ct. Sund —3B 130
Carroll Wlk. S Shi —4G 85
Carrowmore Rd. Ches S —1A 140
Carr Row. Leam —7J 141
Carrs Clo. Pru —3H 75
Carrsdale. Dur —6H 153
Carrsfield. Cor —1E 70
Carrside. Dur —5K 151
Carrs, The. Dur —4A 152
Carr St. Bly —5G 21
Carr St. Heb —6H 63
(in two parts)
Carrsway. Dur —6H 153
Carrsyde Clo. Whi —2F 95
Carr Vw. Pres —6C 30
**Carrville. —7G 153**
Carsdale Rd. Newc T —7K 41
Carter Av. Heb —7J 63
Carter Pk. Hex —1C 68
Cartington Av. Shir —2J 45
Cartington Clo. Pet —2B 180
Cartington Ct. Newc T —6A 42
Cartington Rd. Dur —6A 152
Cartington Rd. N Shi —7E 46
Cartington Ter. Newc T —4K 61
Cartmel Bus. Cen. Gate —5E 82
Cartmel Ct. Ches S —7J 125
Cartmel Grn. Newc T —4G 59
Cartmel Gro. Gate —7F 81
Cartmel Pk. Pel —5E 82
Cartmel Ter. Pelt —2D 124
Cartwright Rd. Sund —6H 101
Carville Gdns. W'snd —5F 63
Carville Link Rd. Dur —2C 164
Carville Ri. Newc T —7A 62 (4P 5)
Carville Rd. W'snd —4F 63
Carville Sta. Cotts. W'snd —4G 63
Carville St. Gate —4K 81
Carvis Clo. B'don —2C 172
Carwarding Pl. Newc T —3J 59
Caseton Clo. Whit B —5C 36
Caspian Clo. Jar —1C 84
Caspian Rd. Sund —6F 101
Caspian Sq. Sund —6F 101
**Cassop. —4F 177**
Castellian Rd. Sund —6J 101
Casterton Gro. Newc T —2B 58
Castle Bank. Mor —7G 7
Castle Chare. Dur —2A 164
Castle Clo. Ches S —7B 126
Castle Clo. Hett H —1H 155
Castle Clo. Mor —7F 7
Castle Clo. Newc T —7K 41
Castle Clo. Pru —3E 74
Castle Clo. Whi —7G 79
Castle Ct. Ann P —5K 121
*Castle Ct. Pon —5J 29*
*(off Merton Rd.)*
Castledale Av. Bly —3E 20
**Castle Dene. —1E 140**
Castledene Ct. Newc T —1H 61
Castledene Ct. Sund —5G 101
Castle Dene Gro. Hou S —2D 142
Castledene Rd. Con —1K 133
**Castle Eden. —5A 180**
Castle Eden Dene. —3A 180
Castle Eden Dene Nature Reserve. —1D 180
Castle Farm M. Newc T & Jes —2H 61
Castle Farm Rd. S Gos & Newc T —2G 61
Castle Fld. Esh W —3F 161
Castle Fields. Hou S —6H 127
Castleford Rd. Sund —5F 101
Castle Gth. Newc T —2G 81 (7G 4)
Castlegate Gdns. Gate —5C 80
(in two parts)
Castle Keep. —2G 81 (7G 4)
Castle Lea. Pru —3D 74
Castlemain Clo. Hou S —6H 127
Castle Meadows. Mor —1E 12
*Castle M. Sund —2K 129*
*(off Castles Grn.)*
Castlenook Pl. Newc T —6F 59
Castlereagh Homes, The. S'hm —1B 146
Castlereagh Rd. S'hm —3B 146
Castlereagh St. Sund —2C 130
Castlereigh Clo. Hou S —6H 127
Castle Riggs. Ches S —6K 125
Castle Rd. Pru —4D 74
Castle Rd. Wash —3E 112
Castles Grn. Newc T —1C 44
Castles Grn. Sund —2K 129
**Castleside. —4C 132**
Castleside Ind. Est. Con —3D 132
Castleside Rd. Newc T —7G 59
Castle Sq. Back —6F 35
Castle Sq. Mor —7G 7
Castle Stairs. Newc T —2G 81 (7G 4)
Castle St. Bow —4H 175
Castle St. Haz —7C 32
Castle St. Mor —7G 7
Castle St. Pet —7D 158
Castle St. Sund —1E 116
Castle St. S. Sund —6J 101
Castle Ter. Ash —3B 10
Castle, The. —3B 180
Castleton Clo. Cra —1J 23
Castleton Clo. Newc T —3H 61
Castleton Gro. Newc T —3H 61
Castleton Lodge. Newc T —1B 80
Castleton Rd. Jar —1C 84
**Castletown. —6G 101**
Castletown Rd. Sund —6J 101
Castletown Way. Sund —5K 101
Castle Vw. Ches S —5A 126
Castle Vw. Esh W —3D 160
Castle Vw. Hou S —1B 128
Castle Vw. O'ham —2D 74
Castle Vw. Pru —3D 74
Castle Vw. Sund —6H 101
Castle Vw. Ush M —3E 162
Castle Wlk. Mor —1F 13
Castleway. Din —5H 31
Castleway. Peg —4B 8
Castlewood Clo. Newc T —3D 58
Catcheside Clo. Whi —2G 95
**Catchgate. —4J 121**
Catchwell Rd. Dip —1H 121
Cateran Way. Cra —5K 23
Caterhouse Rd. Dur —5K 151
Catharine St. W. Sund —2C 116
Cathedral Ct. Gate —3J 81 (10L 5)
Cathedral Vw. Hou S —6D 128
Cathedral Vw. Sac —1F 151
Catherine Cookson Building. Newc T —1D 4
Catherine Cookson Ct. S Shi —4A 66
Catherine Rd. Hou S —3D 128
Catherine St. S Shi —2K 65
Catherine Ter. Ann P —5B 122
Catherine Ter. Gate —6A 82
*Catherine Ter. Ryton —3C 76*
*(off Old Main St.)*
Catherine Ter. S Row —1F 123
Catherine Vw. Ryton —3D 76
Catholic Row. Bed —1G 19
Catkin Wlk. Ryton —3E 76
Cato Sq. Sund —5C 102
Cato St. Sund —5C 102
Catrail Pl. Cra —2A 24
Cattle Mkt. Hex —2D 68
Catton Gro. Sun —4H 95
Catton Pl. W'snd —6J 45
Caulderdale Wlk. Newc T —7A 42
**Cauldwell. —5A 66**
Cauldwell Av. S Shi —6A 66
Cauldwell Av. Whit B —1D 46
Cauldwell Clo. Whit B —7E 36
Cauldwell La. Whit B —7D 36
(in two parts)
Cauldwell Pl. S Shi —6A 66
Cauldwell Vs. S Shi —6A 66
Causeway. Gate —7K 81
Causeway, The. Gate —6J 81
Causeway, The. Jar —6D 64
Causeway, The. Newc T —4H 57
Causeway, The. Sund —7F 103
**Causey. —3H 109**
Causey Arch. —4G 109
Causey Bank. Newc T —1H 81 (6H 5)
Causey Brae. Hex —3B 68
Causey Bldgs. Newc T —1E 60
Causey Dri. S'ley —1G 123
Causey Hill Cvn. Pk. Hex —4A 68
Causey Hill Rd. Hex —5B 68
Causey Hill Way. Hex —3A 68
Causey Pk. Hex —2B 68
Causey Rd. S'ley —7G 109
Causey Row. Mar H —3H 109
Causey St. Newc T —1E 60
Causey Vw. S'ley —2H 123
Causey Way. Hex —3B 68
Cavalier Vw. Heb —6H 63
Cavalier Way. Sund —2B 130
Cavel Burrs. Ryh —3J 131
Cavell Pl. S'ley —5H 123
Cavell Rd. Sund —5G 101
Cavel Sq. Pet —6B 158
Cavendish Ct. B'don —2C 172
Cavendish Gdns. Ash —4B 10
Cavendish Pl. Hob —4A 108
Cavendish Pl. Newc T —4H 61
Cavendish Pl. Sund —2B 130
Cavendish Rd. Newc T —4H 61
Cavendish Sq. Peg —4A 8
Cavendish Ter. Ash —4B 10
Caversham Rd. Newc T —2B 58
Cawburn Clo. Newc T —2C 62
Cawdell Ct. N Shi —7H 47
Cawnpore Sq. Sund —1A 116
*Cawthorne Ter. Hob —4A 108*
*(off Cragleas)*
*Cawthorne Ter. N Shi —4G 47*
*(off Front St.)*
Caxton Wlk. S Shi —4G 85
Caxton Way. Ches S —1B 126
(in three parts)
Caynham Clo. N Shi —4E 46
Cayton Gro. Newc T —3B 58
Cecil Ct. Pon —5K 29
Cecil Ct. W'snd —5F 63
Cecil Cres. Lan —7K 135
Cecil St. N Shi —7G 47
Cecil Ter. Hex —1D 68
Cedar Av. Kim —6H 139
Cedar Clo. Bed —6H 15
Cedar Clo. Dur —1E 164
Cedar Clo. Whit B —1F 47
Cedar Ct. Lang P —5G 149
Cedar Cres. Burn —2K 107
Cedar Cres. Dun —7B 80
Cedar Cres. Low F —3H 97
Cedar Cres. S'hm —4A 146
Cedar Dri. Dur —7K 163
Cedar Gdns. Con —1E 132
Cedar Gro. Heb —3J 83
Cedar Gro. Ryton —7F 57
Cedar Gro. S Shi —1B 86
Cedar Gro. Sund —4H 87
Cedar Gro. W'snd —3H 63
Cedar Rd. Bla T —4C 78
Cedar Rd. Newc T —6J 59
Cedars. Ches S —4K 125
Cedars Ct. Sund —4F 117
Cedars Cres. Mur —7F 145
Cedars Cres. Sund —5G 117
Cedars Grn. Gate —4J 97
Cedars Pk. Sund —5G 117
Cedars, The. Gate —5A 98
Cedars, The. Hou S —1B 128
Cedars, The. Newc T —3D 80 (9A 4)
Cedars, The. Sund —5F 117
Cedars, The. Whi —3H 95
Cedar St. H'dn —6F 171
Cedar St. Wald —1G 139
Cedar Ter. Ash —5C 10
Cedar Ter. Hou S —2A 142
Cedar Ter. Wash —7F 113
Cedartree Gdns. Whit B —1E 46
Cedarway. Gate —2C 98
Cedar Way. Newc T —4C 44
Cedarwood. Hou S —1J 141
Cedarwood Av. Newc T —4E 62
Cedarwood Gro. Sund —6E 116
Cedric Cres. Sund —4D 116
Celadine Clo. Newc T —5F 43
Celadon Clo. Newc T —5C 58
Celandine Ct. Ash —6K 9
Celandine Way. Gate —1B 98
Cellar Hill Ter. Hou S —7D 128
Celtic Clo. Sund —5A 86
Celtic Cres. Sund —5A 86
Cemetery App. S Shi —5A 66
Cemetery Rd. B Col —3J 181
Cemetery Rd. Gate —5H 81
Cemetery Rd. Jar —7C 64
Cemetery Rd. S'ley —2F 123
Cemetery Rd. Whe H —4B 178
Centenary Av. S Shi —1C 86
Centenary Ct. Newc T —2B 80
Central Arc. Newc T —5F 4
Central Av. Chop —1G 15
Central Av. Mead —2E 172
Central Av. N Shi —6D 46
Central Av. S Shi —7B 66
Central Av. Sund —6G 87
Central Gdns. S Shi —7B 66
Central Motorway. Newc T —1G 81 (5H 5)
Central Sq. Gate —3H 81 (10J 5)
Centralway. Team T —3E 96
Centurian Way. Bed —6G 15
Centurion Rd. Newc T —5F 59
Centurion Way. Gate —1K 97
Centurion Way. Hed W —3C 56
Century Ter. S'ley —4J 121
Ceolfrid Ter. Jar —2C 84
Chacombe. Wash —5G 113
Chadderton Dri. Newc T —3B 58
Chad Ho. Gate —4H 81
Chadwick St. W'snd —4F 63
Chadwick Wlk. Gate —4E 80
Chaffinch Ct. Ash —5K 9
Chaffinch Rd. Sund —6J 101
Chaffinch Way. Kil —7A 34
Chainbridge Rd. Bla T —3D 78
Chainbridge Rd. Ind. Est. Bla T —2F 79
Chains, The. Dur —2B 164
Chair La. Tud C —7J 173
Chalfont Gro. Sund —6G 115
Chalfont Rd. Newc T —2D 82
Chalfont Way. Mead —1E 172
Chalford Rd. Sund —5D 102
*Challoner Pl. Mor —7F 7*
*(off Oldgate.)*
Challoner's Gdns. Mor —6E 6
Chamberlain St. Bly —3K 21
Chamberlain St. Ryton —2D 76
Chambers Cres. Gate —6A 98
Chancery La. Bly —2H 21
Chandler Clo. Dur —3E 164
Chandler Ct. Eas C —7D 158
Chandler Ct. Newc T —3H 61
Chandlers Ford. Hou S —1J 127
Chandlers Quay. Newc T —3A 82
Chandos. Sund —5C 130
Chandos St. Gate —6H 81
Chandra Pl. Newc T —3H 59
Chantry Clo. Sund —4A 130
Chantry Dri. Wide —4D 32
Chantry Est. Cor —7D 50
Chantry Pl. Mor —7F 7
Chantry Pl. W Rai —1A 154
Chapel Av. Burn —2B 108
Chapel Clo. Acomb —4B 48
(in two parts)
Chapel Clo. Gate —2F 111
Chapel Clo. Newc T —3F 43
Chapel Ct. H Spen —2D 92
Chapel Ct. Sea B —3D 32
Chapel Ct. Sher —3A 166
Chapel Hill Rd. Pet —5D 170
Chapel Ho. Dri. Newc T —4C 58
Chapel Ho. Gro. Newc T —4C 58
Chapel Ho. Rd. Newc T —4C 58
Chapel La. Has —1B 168
Chapel La. Whit B —7E 36
Chapel La. Wylam —7J 55
**Chapel Park. —1C 58**
Chapel Pk. Shop. Cen. Newc T —1D 58
Chapel Pas. Dur —3B 164
Chapel Pl. Sea B —3D 32
Chapel Rd. Jar —6B 64
Chapel Row. Bir —5C 112
Chapel Row. Hou S —5J 127
Chapel Row. Mic —5A 74
Chapel Row. Phil —4C 128
Chapel St. Hett H —6H 143
Chapel St. N Shi —7E 46
Chapel St. Tant —6B 108
Chapel St. Win —7G 179
Chapel Vw. Bru V —5C 32
Chapel Vw. Row G —4J 93
Chapel Vw. W Rai —2K 153
Chapelville. Sea B —3D 32
Chaplin St. S'hm —5B 146
Chapman St. Sund —3G 103
Chapter Row. S Shi —2J 65
Chare La. Shad —5E 166
Chare, The. Newc T —7F 61 (4E 4)
Chare, The. Pet —6B 170

Chareway. Hex —7C 48
Chareway La. Hex —7C 48
**Charlaw. —6D 138**
Charlaw Clo. Sac —6D 138
Charlaw La. Edm —5K 137
(in two parts)
Charlaw La. Sac —6A 138
Charlaw Ter. Sac —7D 138
Charlbury Clo. Gate —6D 98
Charlcote Cres. E Bol —7K 85
Charles Av. Faw —6A 42
Charles Av. For H —4B 44
Charles Av. Shir —7K 35
Charles Av. Whit B —6H 37
Charles Baker Wlk. S Shi —6D 66
Charles Dri. Dud —3K 33
Charles St. Bol C —6F 85
Charles St. Gate —3H 81 (10J 5)
Charles St. Haz —7C 32
Charles St. Hou S —5D 128
Charles St. Peg —4B 8
Charles St. Pet —7D 158
Charles St. Ryh —3J 131
Charles St. S'hm —3B 146
Charles St. S'ley —5E 122
Charles St. Sund —1F 117
(SR1)
Charles St. Sund —1C 130
(SR3)
Charles St. Sund —7F 103
(SR6)
Charles Ter. Pelt F —4G 125
Charleswood. Newc T —4F 43
Charlie St. G'sde —5D 76
Charliol St. Newc T —1G 81
Charlotte Clo. Newc T —3D 80 (9A 4)
Charlotte M. Newc T —6D 4
Charlotte Sq. Newc T —1E 80 (6D 4)
Charlotte St. N Shi —7H 47
Charlotte St. Ryton —3C 76
Charlotte St. S Shi —3J 65
Charlotte St. S'ley —5E 122
Charlotte St. W'snd —3G 63
(in two parts)
Charlton Clo. Hex —4B 68
Charlton Ct. Whit B —1E 46
Charlton Gdns. Mor —1H 13
Charlton Gro. Cle —6C 86
Charlton Rd. Sund —4E 102
Charlton St. Ash —3A 10
Charlton St. Bly —2H 21
Charlton St. Newc T —7D 58
*Charlton Vs. G'sde —5F 77*
*(off Lead Rd.)*
Charlton Wlk. Gate —5E 80
Charman St. Sund —1F 117
Charminster Gdns. Newc T —3A 62
Charnwood. S'ley —1E 122
Charnwood Av. Newc T —6J 43
Charnwood Ct. S Shi —3A 66
Charnwood Gdns. Gate —1K 97
Charter Dri. Sund —2J 129
Charters Cres. S Het —5B 156
Chartwell Pl. Con —5H 119
Chase Ct. Sher —3A 166
Chasedale Cres. Bly —2E 20
**Chase Farm. —2D 20**
Chase Farm Dri. Bly —1D 20
Chase M. Bly —2D 20
Chase, The. Hex —3B 68
Chase, The. Newc T —6J 43
Chase, The. N Shi —6G 47
Chase, The. Wash —7D 112
Chase, The. W Moor —2J 43
Chatham Clo. Sea D —2H 35
Chatham Rd. Sund —5G 101
Chathill Clo. Mor —2G 13
Chathill Clo. Whit B —6C 36
Chathill Ter. Newc T —1D 82
Chatsworth. Newc T —3E 60
Chatsworth Ct. S Shi —2K 65
Chatsworth Cres. Sund —4C 116
Chatsworth Gdns. St A —2B 82
Chatsworth Gdns. W'hpe —2F 59
Chatsworth Gdns. Whit B —1E 46
Chatsworth Pl. Whi —2G 95
Chatsworth Rd. Jar —1C 84
Chatsworth St. Sund —3C 116
Chatsworth St. S. Sund —4C 116
Chatterton St. Sund —5C 102
Chatton Av. Cra —4A 24
Chatton Av. S Shi —5D 66
Chatton Clo. Ches S —1J 139
Chatton St. W'snd —4C 64
Chatton Wynd. Newc T —5C 42
Chaucer Av. B Col —1G 181
Chaucer Av. S Shi —3G 85
Chaucer Clo. Gate —4J 81 (10L 5)
Chaucer Clo. S'ley —3G 123
Chaucer Rd. Whi —6H 79
Chaucer St. Hou S —2D 142
Chaytor Gro. Sund —2G 117
Chaytor Rd. Con —4D 118
Chaytor St. Jar —5B 64
Chaytor Ter. N. S'ley —6H 123
Chaytor Ter. S. S'ley —6J 123
Cheadle Av. Cra —7J 19
Cheadle Av. W'snd —6H 45
Cheadle Rd. Sund —5G 101
Cheam Clo. Whi —2H 95
Cheam Rd. Sund —5G 101
Cheddar Gdns. Gate —4H 97
Chedder Ct. S'ley —6K 121
Cheeseburn Gdns. Newc T —5J 59
Cheldon Clo. Whit B —5C 36
Chelford Clo. W'snd —5J 45
Chelmsford Gro. Newc T —6J 61 (2L 5)
Chelmsford Rd. Sund —5G 101
Chelmsford Sq. Sund —4G 101
Chelmsford St. Sund —1C 130
Chelsea Gdns. Gate —6K 81
Chelsea Gro. Newc T —1C 80
*Chelsea Ho. S'ley —2F 123*
*(off Quarry Rd.)*
Cheltenham Dri. Bol C —4E 84
Cheltenham Rd. Sund —5G 101
Cheltenham Sq. Sund —5G 101
Cheltenham Ter. Newc T —6K 61 (1P 5)
Chelton Clo. Haz —7D 32
Chepstow Clo. Con —2F 119
Chepstow Gdns. Gate —7F 81
Chepstow Rd. Newc T —7F 59
Chepstow St. Sund —2D 116
Cherribank. Sund —3G 131
Cherry Av. Pet —6F 171
Cherry Banks. Ches S —4B 126
Cherry Blossom Way. Sund —6B 100
**Cherryburn. —4B 74**
Cherryburn Gdns. Newc T —5A 60
Cherry Cotts. Tant —6B 108
Cherry Dri. Has —1B 168
Cherry Gro. Newc T —7A 34
Cherry Gro. Pru —3D 74
Cherry Pk. B'don —2C 172
Cherrytree Clo. Newc T —2D 44
Cherrytree Ct. Bed —6B 16
Cherry Tree Dri. Bed —7H 15
Cherrytree Dri. Lang P —5H 149
Cherrytree Dri. Whi —6J 79
Cherrytree Gdns. Gate —3J 97
Cherry Tree Gdns. Hor —5E 54
Cherrytree Gdns. Whit B —1F 47
Cherry Tree La. Wylam —7J 55
Cherrytree Rd. Ches S —4J 125
Cherry Trees. Bly —3H 21
Cherrytree Sq. Sund —1G 131
Cherry Tree Wlk. Heb —2J 83
Cherry Way. Hou S —1B 142
Cherry Way. Kil —7A 34
Cherwell. Wash —7K 99
Cherwell Rd. Pet —7K 169
Cherwell Sq. Newc T —3A 44
Chesham Gdns. Newc T —3B 58
Chesham Grn. Newc T —7B 42
Cheshire Av. Bir —7A 112
Cheshire Clo. Ash —3J 9
Cheshire Ct. Heb —1H 83
Cheshire Dri. Dur —2G 165
Cheshire Gdns. W'snd —2E 62
Cheshire Gro. S Shi —6D 66
Chesils, The. Newc T —7J 43
Chesmond Dri. Bla T —3C 78
Chessar Av. Newc T —3H 59
Chester Av. W'snd —2K 63
Chester Clo. Pon —7F 29
Chester Ct. Newc T —6K 43
Chester Cres. Newc T —6H 61 (2J 5)
Chester Cres. Sund —2D 116
Chesterfield Rd. Newc T —2B 80
Chester Gdns. S Shi —6A 66
Chester Gdns. Wit G —2D 150
Chester Gro. Bly —3G 21
Chester Gro. Seg —2C 34
Chesterhill. Cra —6K 23
**Chester-le-Street. —6A 126**
Chester M. Sund —3D 116
**Chester Moor. —3J 139**
Chester Oval. Sund —2D 116
Chester Pl. Gate —4F 81
Chester Pl. Pet —5K 169
Chester Rd. Ches S —4C 126
Chester Rd. Con —3C 132
Chester Rd. Pen —3B 128
Chester Rd. S'ley —2G 123
Chester Rd. Sund —3A 116
Chester Rd. Est. S'ley —2G 123
Chesters Av. Newc T —6H 43
Chesters Clo. Gate —1H 97
Chesters Dene. Ebc —5G 105
Chesters Gdns. Ryton —2C 76
Chesters Pk. Gate —1H 97
Chesters, The. Con —5G 105
Chesters, The. Newc T —4C 58
Chesters, The. Whit B —5D 36
Chester St. Hou S —7D 128
Chester St. Newc T —6H 61 (2J 5)
Chester St. Sund —2C 116
Chester St. Wald —1G 139
Chester St. E. Sund —2D 116
Chester St. W. Sund —2C 116
Chester Ter. Pet —7B 158
Chester Ter. Sund —2D 116
Chester Ter. N. Sund —2D 116
Chesterton Rd. S Shi —2H 85
Chester Way. Jar —5A 84
Chesterwood Dri. W'snd —3E 62
Chesterwood Ter. Gate —4F 83
Chestnut Av. Bly —7H 17
Chestnut Av. Newc T —3K 59
Chestnut Av. Wash —7F 113
Chestnut Av. Whi —2H 95
Chestnut Av. Whit B —7F 37
Chestnut Clo. Jar —5D 84
Chestnut Clo. Newc T —7K 33
Chestnut Cres. Sund —4B 102
Chestnut Dri. Has —1C 168
Chestnut Gdns. Gate —6E 80
Chestnut Gro. S Shi —2B 86
Chestnut Gro. Ush M —3C 162
Chestnut St. Ash —3B 10
Chestnut St. W'snd —4G 63
Chestnut Ter. Hou S —7C 128
Cheswick Dri. Newc T —6F 43
Cheswick Rd. Sea D —1J 35
Cheveley Pk. Shop. Cen. Dur —7H 153
Cheveley Wlk. Dur —1H 165
Chevin Clo. Newc T —4E 62
Chevington. Gate —2E 98
Chevington Clo. Peg —4K 7
Chevington Gdns. Newc T —4K 59
Chevington Gro. Whit B —4D 36
Cheviot Clo. N Shi —2F 47
Cheviot Clo. Wash —2E 112
Cheviot Ct. Bla T —3C 78
Cheviot Ct. Mor —2G 13
Cheviot Ct. Newc T —1J 61
Cheviot Ct. S'hm —2J 145
Cheviot Ct. S'ley —6K 121
Cheviot Ct. Whit B —7J 37
Cheviot Gdns. Gate —7C 80
Cheviot Gdns. S'hm —2J 145
Cheviot Grange. Burr —5A 34
Cheviot Grn. Gate —6C 80
Cheviot Gro. Peg —4K 7
Cheviot Ho. Wash —4G 113
Cheviot La. Sund —2F 131
Cheviot Mt. Newc T —7A 62
Cheviot Pl. Pet —5K 169
(in two parts)
Cheviot Rd. Bla T —5C 78
(in two parts)
Cheviot Rd. Ches S —1K 139
(in two parts)
Cheviot Rd. Mon V —2A 84
Cheviot Rd. S Shi —5C 66
Cheviot St. Sund —1B 116
Cheviot Ter. S'ley —4G 123
Cheviot Vw. Ash —2C 10
Cheviot Vw. Bru V —5C 32
Cheviot Vw. Ches S —2J 139
Cheviot Vw. Longb —6B 44
Cheviot Vw. Pon —5A 30
Cheviot Vw. Pru —4G 75
Cheviot Vw. Seg —2D 34
Cheviot Vw. W All —3H 45
Cheviot Vw. Whit B —7H 37
Cheviot Way. Chop —7K 9
Cheviot Way. Hex —2C 68
Chevron, The. Newc T —5P 5
Chevy Chase. Newc T —4E 4
Cheyne Rd. Pru —3E 74
Cheyne, The. Sund —4C 130
Chichester Av. Nel V —2H 23
Chichester Clo. Ash —5E 10
Chichester Clo. Gate —4G 81
Chichester Clo. Newc T —5K 41
Chichester Gro. Bed —6H 15
Chichester Pl. S Shi —5J 65
Chichester Rd. Dur —4B 152
Chichester Rd. S Shi —5J 65
Chichester Rd. Sund —3G 103
Chichester Rd. E. S Shi —4K 65
Chichester Way. Jar —5B 84
Chicken Rd. W'snd —2E 62
Chicks La. Sund —6H 87
Chigwell Clo. Pen —2B 128
Chilcote. Gate —7B 82
Chilcrosse. Gate —1D 98
(in two parts)
Chilham Ct. N Shi —4B 46
Chilham Ct. Wash —4F 113
Chillingham Clo. Bly —4F 21
Chillingham Ct. Newc T —6A 62
Chillingham Cres. Ash —4A 10
Chillingham Dri. Ches S —2J 139
Chillingham Ind. Est. Newc T —6A 62
Chillingham Rd. Dur —5B 152
Chillingham Rd. Newc T —4A 62
Chillingham Ter. Jar —2D 84
Chilside Rd. Gate —7B 82
Chiltern Av. Ches S —7K 125
(in two parts)
Chiltern Clo. Ash —6D 10
Chiltern Clo. Wash —5F 113
Chiltern Dri. Newc T —3K 43
Chiltern Gdns. Gate —7C 80
(in two parts)
Chiltern Gdns. S'ley —4G 123
Chiltern Rd. N Shi —2E 46
Chilton Av. Hou S —1K 141
Chilton Gdns. Hou S —2A 142
Chilton Gth. Pet —7D 170
**Chilton Moor. —3A 142**
Chilton St. Sund —6E 102
China St. Sund —4G 117
Chingford Clo. Pen —2C 128
Chipchase. Wash —4D 112
Chipchase Av. Cra —4K 23
Chipchase Clo. Bed —7F 15
Chipchase Clo. Peg —4B 8
Chipchase Ct. N Har —4G 25
Chipchase Cres. Newc T —2E 58
Chipchase Ter. Jar —3B 84
Chippendale Pl. Newc T —6D 60 (1A 4)
Chip, The. Loan —3F 13
Chirdon Cres. Hex —2E 68
Chirnside. Cra —6K 23
Chirnside Ter. S'ley —6J 121
**Chirton. —7F 47**
Chirton Av. N Shi —7F 47
Chirton Av. S Shi —7E 66
Chirton Dene Way. N Shi —2F 65
Chirton Grn. Bly —4F 21
Chirton Grn. N Shi —7F 47
Chirton Gro. S Shi —7E 66
Chirton Hill Dri. N Shi —5C 46
Chirton La. N Shi —6E 46
Chirton Lodge. N Shi —7E 46
Chirton W. Vw. N Shi —7F 47
Chirton Wynd. Newc T —1A 82
Chislehurst Rd. Hou S —2B 128
Chiswick Gdns. Gate —6J 81
Chiswick Rd. Sund —5G 101
Chiswick Sq. Sund —5G 101
Chollerford Av. N Shi —6C 46
Chollerford Av. Whit B —7H 37
Chollerford Clo. Newc T —1C 60
Chollerford M. H'wll —1K 35
Chollerton Dri. Bed —7J 15
Chollerton Dri. Newc T —5E 44
**Choppington. —3G 15**
Choppington Rd. Bed —7H 15
Choppington Rd. Mor —2H 13
**Chopwell. —6K 91**
Chopwell Gdns. Gate —5B 98
Chopwell Rd. B Mill —1A 106
Chorley Pl. Newc T —1C 82
**Chowdene. —4H 97**
Chowdene Bank. Gate —5G 97
Chowdene Ter. Gate —3H 97
Christal Ter. Sund —4F 103
Christchurch Pl. Pet —7A 170
Christie Ter. Newc T —1D 82
Christon Clo. Newc T —7G 43
Christon Rd. Newc T —7E 42
Christon Way. Gate —4F 83
Christopher Rd. Newc T —6C 62
Chudleigh Gdns. Newc T —3B 58
Chudleigh Ter. Bla T —4C 78
Church Av. Newc T —7F 43
Church Av. Sco G —3G 15
Church Av. W Sle —1B 16
Church Bank. Con —3E 118
Church Bank. Jar —6D 64
Church Bank. Newc T —6K 57
Church Bank. S'ley —2F 123
Church Bank. Sund —6C 102
Church Bank. W'snd —3H 63
Churchburn Dri. Loan —3F 13
Church Chare. Ches S —6B 126
Church Chare. Pon —4K 29
Church Chare. Whi —7H 79
Church Clo. Bed —1H 19
Church Clo. B'mr —5J 127
Church Clo. Din —4H 31
Church Clo. Ebc —5G 105
Church Clo. Pet —7C 170
Church Clo. Rid M —7K 71
Church Clo. S'hm —2A 146
Church Clo. Whit B —7C 36
Church Ct. Bed —1H 19
Church Ct. Gate —5B 82
Church Ct. S'hm —2J 145
Churchdown Clo. Bol C —4E 84
Church Dri. Gate —1J 97
Churcher Gdns. W'snd —1E 62
Church Flatt. Pon —4K 29
Church Grn. S'hm —2A 146
Church Grn. Whi —7H 79
Churchill Av. Dur —2D 164
Churchill Av. Sund —5C 102
Churchill Av. Whit B —1E 46
Churchill Clo. Con —3E 118
Churchill Ct. Bla T —5B 78
Churchill Gdns. Newc T —4J 61
Churchill Sq. Dur —1D 164
Churchill Sq. Hou S —2B 142
Churchill St. Newc T —2E 80
Churchill St. Sund —2G 117
Churchill St. W'snd —7K 45
Churchill Ter. S Hill —4E 166
**Church Kelloe. —7F 177**
Churchlands. Hex —2F 69
Church La. Bed —1J 19
Church La. Dur —4B 164
Church La. Gate —1K 97
Church La. Mur —7D 144
Church La. Newc T —7F 43
Church La. Rid M —7J 71
Church La. Shad —5E 166
Church La. Sund —2E 116
Church La. Whi —6H 87
Church La. N. Mur —7D 144
Church Pde. Sac —6D 138
Church Pk. Whe H —2B 178
Church Pl. Gate —5B 82
Chu. Point Cvn. Pk. Newb S —2K 11
Church Ri. Ryton —1J 77
(in two parts)
Church Ri. Whi —7H 79
Church Rd. Back —6G 35
Church Rd. Con —5F 119
Church Rd. Gate —2J 97
Church Rd. Gos —7E 42
(in two parts)
Church Rd. Hett H —4G 143
Church Rd. Newb —6K 57
Church Rd. Pelt —3F 125
Church Rd. Wylam —7J 55
*Church Row. Gate —1A 98*
*(off Windy Nook Rd.)*
Church Row. Hex —1D 68
Churchside. Din —4H 31
Church Side. Gt Lum —3E 140
Church St. Bir —4A 112
Church St. Bly —1J 21
Church St. C'sde —5B 132
Church St. Cat —5K 121
Church St. Con —7H 119
Church St. Cra —4K 23
Church St. Dun —5C 80
Church St. Dur —4B 164
Church St. Gate —2G 81
(NE8)
Church St. Gate —6B 82
(NE10)
Church St. Has —1A 168
Church St. Heb —6H 63
Church St. Hes —4E 180
Church St. Hou S —2E 142
CHurch St. Jar —6B 64
Church St. Lang P —5H 149
Church St. Lead —5A 120
Church St. Mar H —7G 95
Church St. Mur —1E 156
Church St. Newc T —1E 82 (8C 4)
Church St. N Shi —6H 47
Church St. Quar H —5D 176
Church St. Sac —7D 138
Church St. S'hm —3B 146
Church St. Shin R —3B 128
Church St. S Hyl —2G 115
Church St. S'ley —2F 123
Church St. Sund —5D 102
Church St. Walk —2E 82
Church St. W Rai —1A 154
Church St. Whe H —2B 178
Church St. Win —7H 179
Church St. Winl —5B 78
Church St. E. Sund —1G 117
Church St. Head. Dur —4B 164
Church St. N. Sund —6F 103
(in two parts)
Church St. Vs. Dur —4B 164
Church Ter. Bla T —3C 78
Church Va. H Pitt —7C 154

Church Vw. Bir —4A 112
Church Vw. Bol C —5E 84
Church Vw. Con —7G 119
Church Vw. Dur —7H 153
Church Vw. Ear —6A 36
Church Vw. Esh W —3D 160
Church Vw. Has —1A 168
Church Vw. Kim —7J 139
Church Vw. Lan —7K 135
Church Vw. Newb S —2G 11
Church Vw. Newc T —7C 42
Church Vw. Que —7B 148
Church Vw. Shot C —5E 168
Church Vw. Sund —2C 130
Church Vw. Thor —1K 177
Church Vw. W'snd —3H 63
Church Vw. Wash —1H 113
Church Vw. Vs. Hett H —6G 143
(off Co-operative Ter.)
Church Vs. Shad —5E 166
Church Wlk. Eas V —1K 169
Church Wlk. Gate —2G 81 (8H 5)
Church Wlk. Mor —7E 6
Church Wlk. Newc T —1E 82
(in three parts)
Church Wlk. Sund —1H 117
Church Wlk. Thor —1J 177
Churchwalk Ho. Newc T —1E 82
Church Ward. Sund —3J 131
Church Way. Ear —5A 36
Church Way. N Shi —6G 47
(nr. Albion Rd.)
Church Way. N Shi —7H 47
(nr. Saville St.)
Church Way. S Shi —2J 65
Church Wynd. Sher —3K 165
Churston Clo. Hou S —5C 128
Cicero Ter. Sund —5C 102
Cinderford Clo. Bol C —4E 84
Circle Pl. Hex —1C 68
Circle, The. Jar —2B 84
Cirencester St. Sund —1D 116
Cirus Ho. Sund —3C 130
Citadel E. Newc T —1B 44
Citadel W. Newc T —1B 44
City Rd. Newc T —1G 81 (6H 5)
City Way. Sund —4H 129
Civic Ct. Heb —1K 83
Clacton Rd. Sund —6F 101
Clanfield Ct. Newc T —1H 61
Clanny Ho. Sund —2B 116
Clanny St. Sund —2D 116
Clapham Av. Newc T —1B 82
Clappersgate. Pet —1J 169
Clara Av. Shir —7K 35
Clarabad Ter. Newc T —3E 44
Clarance Pl. Newc T —7G 43
Clara St. Bla T —5B 78
Clara St. Newc T —2K 79
Clara St. S'hm —2K 145
**Clara Vale. —7D 56**
Clara Va. Complex. Clar V —7C 56
Claremont Av. Newc T —5D 58
Claremont Av. Sund —4G 103
Claremont Bri. Newc T —2F 4
Claremont Ct. Whit B —4E 36
(off Claremont Cres.)
Claremont Cres. Whit B —4E 36
Claremont Dri. Hou S —3A 128
Claremont Gdns. E Bol —7K 85
Claremont Gdns. Whit B —5F 37
Claremont Ho. Newc T —6E 60 (1D 4)
Claremont N. Av. Gate —4G 81
Claremont Pl. Gate —5G 81
Claremont Pl. Newc T —6E 60 (1D 4)
Claremont Rd. Newc T —5C 60 (1B 4)
Claremont Rd. Sund —4G 103
Claremont Rd. Whit B —3E 36
Claremont S. Av. Gate —5G 81
Claremont St. Gate —5G 81
Claremont St. Newc T —6E 60 (1C 4)
Claremont Ter. Bill Q —4F 83
Claremont Ter. Bly —2H 21
Claremont Ter. Newc T —6E 60 (1C 4)
Claremont Ter. Spri —6D 98
Claremont Ter. Sund —3E 116
Claremont Tower. Newc T —2E 4
Claremont Wlk. Gate —5F 81
(in two parts)
Claremount Ct. W Bol —7H 85
Clarence Cres. Whit B —7H 37
Clarence Gdns. Con —5G 119
Clarence Ho. Newc T —3J 5
Clarence St. Bow —5H 175
Clarence St. Coxh —7K 175
Clarence St. Newc T —7H 61 (4J 5)
Clarence St. S'hm —3B 146
Clarence St. Sea S —5D 26
Clarence St. Sund —5B 102
(in two parts)
Clarence St. Tant —6B 108
Clarence Ter. Ches S —6A 126
Clarence Vs. Coxh —7K 175
Clarence Wlk. Newc T —7H 61 (3J 5)
Clarendon Rd. Newc T —4A 62
Clarendon Sq. Sund —4D 102
Clarendon St. Con —6H 119
(off George St.)
Clare Rd. Pet —7K 169
Clarewood Av. S Shi —5C 66
Clarewood Ct. Newc T —7C 60 (4A 4)
Clarewood Grn. Newc T —7C 60 (4A 4)
Clarewood Pl. Newc T —5J 59
Clark Cotts. Whi —7G 79
Clarke's Ter. Dud —4J 33
Clarke Ter. Gate —6A 82
Clarke Ter. Mur —7E 144
Clarks Fld. Mor —7E 6
Clarks Hill Wlk. Newc T —6K 57
Clark's Ter. S'hm —1G 145
Clark Ter. Con —3K 119
Clark Ter. S Shi —3K 65
Clark Ter. S'ley —1F 123
Clarty La. Kib —4F 111
Clarty La. Sand —4H 49
Clasper Ct. S Shi —1J 65
Clasper St. Newc T —3D 80 (10A 4)
Claude Gibb Hall. Newc T —2H 5
Claude St. Hett H —7G 143
Claude St. Ryton —3D 76
Claude Ter. Mur —7F 145
Claudius Ct. S Shi —1J 65
Claverdon St. Newc T —1B 58
Clavering Pl. Newc T —2F 81 (7F 4)
Clavering Pl. S'ley —6K 121
Clavering Rd. Bla T —5C 78
(off Shibdon Bank)
Clavering Rd. Swa —6G 79
Clavering Shop. Cen. Whi —2F 95
Clavering Sq. Gate —6B 80
Clavering St. W'snd —4B 64
(in two parts)
Clavering Way. Bla T —4E 78
Claverley Dri. Back —6G 35
Claxheugh Rd. Sund —1H 115
Claxton St. Pet —5E 170
Clay La. Dur —4J 163
(in two parts)
Claymere Rd. Sund —7G 117
Claypath. Dur —2B 164
Claypath. Gate —3D 98
Claypath Ct. Dur —2B 164
Claypath La. S Shi —3J 65
(in two parts)
Claypath Rd. Hett H —1G 155
Claypath St. Newc T —7J 61 (4M 5)
Claypool Ct. S Shi —1J 85
Clayside Ho. S Shi —4K 65
Clayton Ho. Newc T —6E 42
Clayton Pk. Sq. Newc T —5G 61
Clayton Rd. Newc T —5F 61
Clayton St. Bed —6B 16
Clayton St. Dud —3H 33
Clayton St. Jar —6B 64
Clayton St. Newc T —1F 81
(in two parts)
Clayton St. W. Newc T —2E 80 (7D 4)
Clayton Ter. Gate —5A 82
Clayton Ter. Rd. C'wl —5A 92
Clayworth Rd. Newc T —3D 42
**Cleadon. —5C 86**
Cleadon Gdns. Gate —4B 98
Cleadon Gdns. W'snd —7A 46
Cleadon Hill Dri. S Shi —2C 86
Cleadon Hill Rd. S Shi —2D 86
Cleadon La. E Bol —5A 86
Cleadon La. Sund —5D 86
Cleadon La. Ind. Est. E Bol —6K 85
Cleadon Lea. Cle —5B 86
Cleadon Meadows. Sund —5C 86
**Cleadon Park. —2C 86**
Cleadon St. Con —6H 119
Cleadon St. Newc T —7C 62
Cleadon Towers. S Shi —2D 86
Cleasby Gdns. Gate —1H 97
Cleasewell Ter. Chop —1J 15
Cleaside Av. S Shi —2C 86
Cleaswell Hill. Chop —1G 15
Cleehill Dri. N Shi —3F 47
Cleeve Ct. Wash —3H 113
Cleghorn St. Newc T —5A 62
Clegwell Ter. Heb —7K 63
Clelands Way. W'snd —4K 63
Clematis Cres. Gate —5B 98
Clement Av. Bed —7A 16
Clementhorpe. N Shi —5G 47
Clementina Clo. Sund —3G 117
Clement St. Gate —2H 97
Clennell Av. Heb —1H 83
Clent Way. Newc T —6J 43
Clephan St. Gate —5B 80
Clervaux Ter. Jar —7C 64
Cleveland Av. Ches S —7K 125
Cleveland Av. Newb S —3H 11
Cleveland Av. N Shi —6F 47
Cleveland Ct. Jar —6A 64
Cleveland Ct. S Shi —1J 65
Cleveland Cres. N Shi —6G 47
Cleveland Dri. Wash —5F 113
Cleveland Gdns. Newc T —2J 61
Cleveland Gdns. W'snd —2B 64
Cleveland Pl. Pet —6K 169
Cleveland Rd. N Shi —6F 47
Cleveland Rd. Sund —4B 116
Cleveland St. S Shi —1K 65
Cleveland Ter. Newb S —3H 11
Cleveland Ter. N Shi —6G 47
Cleveland Ter. S'ley —4G 123
Cleveland Ter. Sund —3C 116
Cleveland Vw. Sund —1G 103
Cliff Cotts. Jar —5D 64
Cliffe Ct. Sund —3H 103
Cliffe Pk. Sund —3H 103
Clifford Gdns. Ryton —3D 76
Clifford Rd. Newc T —1B 82
Clifford Rd. S'ley —3E 122
Clifford's Bank. Esh W —1B 160
Clifford's Fort Moat. N Shi —7J 47
Cliffords Ga. Esh W —3C 160
Clifford St. Bla T —3C 78
Clifford St. Ches S —1A 140
Clifford St. Lang P —5H 149
Clifford St. Newc T —7K 61 (4N 5)
Clifford St. N Shi —6J 47
Clifford St. Sund —2C 116
Clifford Ter. Ches S —7A 126
Clifford Ter. Ryton —2D 76
Cliff Rd. Sund —3J 131
Cliff Row. N Shi —7J 37
Cliffside. S Shi —7E 66
Cliff Ter. Pet —1K 169
Cliff Ter. Sund —3J 131
Cliff Vw. Sund —3J 131
**Clifton. —6G 13**
Clifton Av. S Shi —6A 66
Clifton Av. W'snd —3F 63
Cliftonbourne Av. Sund —3G 103
Clifton Clo. Chop —7J 9
Clifton Clo. Ryton —2J 77
Clifton Ct. Newc T —5K 41
Clifton Ct. Spri —6C 98
Clifton Ct. Whit B —4E 36
Clifton Gdns. Bly —5H 21
Clifton Gdns. Gate —7H 81
Clifton Gdns. N Shi —2E 64
Clifton Gro. Whit B —5E 36
Clifton Ho. Sund —4G 101
Clifton La. Cli —7H 13
Clifton Rd. Cra —5A 24
Clifton Rd. Newc T —1A 80
Clifton Rd. Sund —4G 103
Clifton Sq. Pet —5B 170
Clifton Ter. Newc T —5B 44
Clifton Ter. S Shi —6J 65
Clifton Ter. Whit B —6H 37
Cliftonville Av. Newc T —1A 80
Cliftonville Gdns. Whit B —5G 37
Clifton Wlk. Newc T —3B 58
Clifton Yd. Sund —2G 115
Climbing Tree Wlk. Peg —4A 8
Clintburn Ct. Cra —2A 24
Clinton Pl. Newc T —2D 42
Clinton Pl. Sund —3J 129
Clipsham Clo. Newc T —6K 43
Clipstone Av. Newc T —3C 82
Clipstone Clo. Newc T —3G 57
Clive Pl. Newc T —1K 81 (5N 5)
Clive St. N Shi —1H 65
Clive St. S Shi —2G 85
Clockburn La. Whi —2D 94
Clockburn Lonnen. Whi —3E 94
Clockburnsyde Clo. Whi —2E 94
Clockmill Rd. Gate —5C 80
Clockstand Clo. Sund —5G 103
Clockwell St. Sund —6B 102
Cloggs, The. Pon —4K 29
Cloister Av. S Shi —1G 85
Cloister Ct. Gate —3H 81 (10K 5)
Cloister Gth. Newc T —7H 43
Cloisters, The. Newc T —7H 43
Cloisters, The. S Shi —6B 66
Cloisters, The. Sund —4F 117
Cloister Wlk. Jar —6C 64
Close. Newc T —2F 4
Closeburn Sq. Sund —3D 130
Close E., The. Ches S —4A 126
Closefield Gro. Whit B —7E 36
Close Ho. Est. Hed W —4B 56
Close St. Sund —1C 116
Close, The. Bla T —5A 78
Close, The. Bly —7J 17
Close, The. Bran —4A 172
Close, The. Burn —1C 108
Close, The. Ches S —4A 126
Close, The. Cle —5B 86
Close, The. Con —3F 119
Close, The. Dur —1H 165
Close, The. Hou S —2F 143
Close, The. Lan —6J 135
Close, The. Newc T —5E 58
Close, The. O'ton —2B 74
Close, The. Pon —6J 29
Close, The. Pru —3G 75
Close, The. Seg —2D 34
Cloth Mkt. Newc T —1F 81 (6F 4)
**Clough Dene. —5A 108**
Clough Dene. Burn —5A 108
Clough La. Newc T —6F 4
Clousden Dri. Newc T —3C 44
Clousden Grange. Newc T —3C 44
Clousden Hill. Newc T —3C 44
Clovelly Av. Newc T —1A 80
Clovelly Gdns. Bed —1H 19
Clovelly Gdns. Whit B —5G 37
Clovelly Pl. Jar —1E 84
Clovelly Pl. Pon —2G 39
Clovelly Rd. Sund —4F 101
Clovelly Sq. Sund —4G 101
Clover Av. Gate —4K 81
Clover Av. Hou S —4B 128
Clover Av. Winl M —1C 94
Cloverdale. Bed —7G 15
Cloverdale Gdns. Newc T —2K 61
Cloverdale Gdns. Whi —2H 95
Cloverfield Av. Newc T —6B 42
Cloverhill. Ches S —7H 125
Clover Hill. Jar —5C 84
Clover Hill. Sun —5G 95
(in two parts)
Cloverhill Av. Heb —3H 83
Cloverhill Clo. Ann —2J 33
Cloverhill Dri. Ryton —2E 76
Clover Laid. B'don —2C 172
Clowes Ter. S'ley —5K 121
Clowes Wlk. S'ley —2H 123
Club La. Dur —1H 163
Clumber St. Newc T —3C 80
(in two parts)
Clyde Av. Heb —3J 83
Clyde Ct. Sund —3B 130
Clydedale Av. Newc T —5B 44
Clydesdale Av. Hou S —2B 128
Clydesdale Gth. Dur —3A 152
Clydesdale Mt. Newc T —1A 82
Clydesdale Rd. Newc T —1A 82
Clydesdale St. Hett H —1G 155
Clyde St. C'wl —6A 92
Clyde St. Gate —6J 81
Clyde St. S'ley —2H 123
Clyvedon Ri. S Shi —3C 86
Coach La. Haz —7J 31
(in two parts)
Coach La. Newc T —7A 44
Coach La. N Shi —7G 47
Coach La. Wit G —3C 150
Coach Open. W'snd —4B 64
Coach Rd. Gate —2D 96
Coach Rd. Newc T —3G 57
Coach Rd. W'snd —4G 63
Coach Rd. Wash —6G 99
Coach Rd. Est. Wash —6G 99
Coach Rd. Grn. Gate —4A 82
Coalbank Rd. Hett H —1F 155
Coalbank Sq. Hett H —1F 155
**Coalburns. —7B 76**
Coaley La. Hou S —6C 128
Coalford La. H Pitt —6C 154
Coalford Rd. Sher —2K 165
Coal La. O'ton —2K 73
Coalway Dri. Whi —6H 79
Coalway La. Whi —6H 79
Coalway La. Wylam —4B 76
Coalway La. N. Swa —5H 79
Coanwood Bungalows. Cra —5K 23
Coanwood Dri. Cra —5K 23
Coanwood Gdns. Gate —2D 96
Coanwood Rd. Newc T —2H 79
Coanwood Way. Sun —4H 95
Coast Rd. B Col —2J 181
Coast Rd. Newc T —3A 62
Coast Rd. N Shi —6D 46
Coast Rd. Pet & H'pool —6E 170
Coast Rd. S Shi & Sund —4B 66
Coast Vw. B Col —3K 181
Coates Clo. S'ley —4G 123
Coatsworth Ct. Gate —4G 81
Coatsworth Rd. Gate —4G 81
Cobalt Clo. Newc T —5C 58
Cobbett Cres. S Shi —3H 85
Cobbler's La. Welt & Newt —2H 53
Cobden Rd. Cra —6A 24
Cobden St. Con —7J 119
Cobden St. Gate —5J 81
Cobden St. W'snd —3F 63
Cobden Ter. Gate —5J 81
Cobham Pl. Newc T —2E 82
Cobham Sq. Sund —5D 102
Coble Dene. N Shi —2E 64
Coblehouse. Whit B —7J 37
Coble Landing. S Shi —2H 65
Coburg St. Bly —2K 21
Coburg St. Gate —4H 81
Coburg St. N Shi —6H 47
Coburn Clo. Burr —6A 34
Cochrane Ct. Newc T —1K 79
(in two parts)
Cochrane Pk. Av. Newc T —2A 62
Cochrane St. Newc T —1A 80
Cochrane Ter. Din —4H 31
Cochrane Ter. Ush M —3C 162
Cochran St. Bla T —3C 78
Cockburn Ter. N Shi —2D 64
Cocken La. Gt Lum —3F 141
Cocken Lodge Farm Cvn. Pk. Hou S —7G 141
Cocken Rd. Dur & Leam —7B 140
Cockermouth Grn. Newc T —5G 59
Cockermouth Rd. Sund —4F 101
Cockhouse La. Ush M —2J 161
Cockshaw. Hex —1C 68
Cockshaw Ct. Hex —1C 68
Cockshott Dean. Pru —3E 74
Cohort Clo. Con —5G 105
Colbeck Av. Swa —5H 79
Colbeck Ter. N Shi —5K 47
Colbourne Av. Cra —1G 23
Colbourne Cres. Cra —1G 23
Colbury Clo. Cra —7J 19
Colby Ct. Newc T —2D 80 (7A 4)
Colchester St. S Shi —2G 85
Colchester Ter. Sund —3B 116
**Cold Hesledon. —1J 157**
Cold Hesledon Ind. Est. Cold H —7J 145
(in two parts)
Coldingham Ct. Sac —7D 138
Coldingham Gdns. Newc T —3K 59
Coldside Gdns. Newc T —2B 58
Coldstream. Ous —6J 111
Coldstream Av. Sund —5D 102
Coldstream Clo. Hou S —4B 128
Coldstream Dri. Bla T —6A 78
Coldstream Gdns. W'snd —2A 64
Coldstream Rd. Newc T —7H 59
Coldstream Way. N Shi —4C 46
Coldwell Clo. S Het —4A 156
Coldwell La. Gate —7A 82
Coldwell Pk. Av. Gate —7A 82
Coldwell Pk. Dri. Gate —7A 82
Coldwell Rd. Pru —3H 75
Coldwell St. Gate —6B 82
Coldwell Ter. Gate —7A 82
Colebridge Clo. Newc T —2J 59
Colebrooke. Bir —6B 112
Cole Gdns. Gate —6E 82
Colegate. Gate —7D 82
Colegate W. Gate —7D 82
Colepeth. Gate —7C 82
Colepike Rd. Lan —7J 135
Coleridge Av. B Col —7G 171
Coleridge Av. Gate —3G 97
Coleridge Av. S Shi —4A 66
Coleridge Dri. Chop —1J 15
Coleridge Gdns. Dip —1H 121
Coleridge Pl. Pelt F —6G 125
Coleridge Rd. Sund —5H 101
Coleridge Sq. Heb —7J 63
Coley Grn. Newc T —1B 58
Coley Hill Clo. Newc T —1C 58
Coley Ter. Sund —4G 103
Colgrove Pl. Newc T —7A 42
Colgrove Way. Newc T —7A 42
(in two parts)
Colima Av. Sund E —7H 101
Colin Ct. Bla T —2E 78
Colin Pl. Newc T —5E 62
Colin Ter. Sund —3H 131
College Burn Rd. Sund —4A 130
College Dri. S Shi —5A 66
College Ho. Newc T —3G 4
College La. Newc T —6A 44
College Pl. Ash —5C 10
College Rd. Ash —5C 10

College Rd. Esh —7J 149
College Rd. Heb —3H 83
College St. Newc T —7G 61 (3G 4)
College, The. Dur —3A 164
College Vw. Bear —1C 162
College Vw. Con —2A 134
College Vw. Esh W —5D 160
College Vw. Sund —6E 102
Collier Clo. Thro —4H 57
Collierley La. Dip —7G 107
Colliery La. Hett H —1H 155
Colliery La. Newc T —1D 80 (5B 4)
Colliery Rd. Bear —7D 150
Colliery Rd. Gate —4B 80
**Colliery Row. —2A 142**
Collin Av. S Shi —1D 86
Colling Av. S'hm —3J 145
Collingdon Grn. H Spen —3D 92
Collingdon Rd. H Spen —3E 92
Collingwood Av. W'snd —1F 63
Collingwood Clo. Cra —2G 23
Collingwood Cotts. Pon —4F 29
Collingwood Ct. Wash —7K 99
Collingwood Cres. Pon —7H 29
Collingwood Dri. Hex —3B 68
Collingwood Dri. Hou S —3A 128
Collingwood Gdns. Gate —4B 82
Collingwood Mans. N Shi —1H 65
Collingwood Pl. Chop —1J 15
Collingwood Rd. Newb S —2G 11
Collingwood Rd. Well —6A 36
Collingwood St. Gate —5B 82
Collingwood St. Heb —7A 64
Collingwood St. Hett H —4G 143
Collingwood St. Newc T —2F 81 (7F 4)
Collingwood St. S Shi —5J 65
Collingwood St. Sund —5D 102
(in two parts)
Collingwood Ter. Bly —2J 21
Collingwood Ter. Gate —5C 80
Collingwood Ter. Mor —6F 7
Collingwood Ter. Newc T —4H 61
Collingwood Ter. Tyn —5K 47
Collingwood Ter. Whit B —7J 37
Collingwood Vw. N Shi —7F 47
*Collingwood Wlk. Wash —7K 99*
*(off Collingwood Ct.)*
Collins Cft. Newc T —1D 80
Collison St. Con —6H 119
Collywell Bay Rd. Sea S —4D 26
Collywell Ct. Sea S —4D 26
Colman Av. S Shi —7G 65
Colmet Ct. Team T —3F 97
Colnbrook Clo. Newc T —5K 41
Colombo Rd. Sund —6F 101
Colpitts Ter. Dur —3K 163
Colston Pl. Newc T —5B 44
Colston Ri. Pet —5A 170
Colston St. Newc T —1K 79
Colston Way. Whit B —4D 36
Coltere Av. E Bol —7A 86
Colton Gdns. Gate —4J 97
Colt Pk. Ham C —3K 105
Coltpark. Newc T —4F 59
Coltpark Pl. Cra —5K 23
Coltsfoot Gdns. Gate —2A 98
Coltspool. Gate —2F 111
Columba St. Sund —5D 102
Columba Wlk. Newc T —7F 43
(in two parts)
**Columbia. —4K 113**
Columbia Grange. Newc T —7A 42
Columbia Ter. Bly —3J 21
Column of Liberty. —4B 94
Colville Ct. S'ley —3H 123
Colwell Pl. Newc T —6J 59
Colwell Rd. Ash —6D 10
Colwell Rd. N Shi —3F 47
Colwell Rd. Shir —2K 45
Colwyne Pl. Newc T —3H 59
Colwyn Pde. Heb —4A 84
Combe Dri. Newc T —6B 58
Comet Dri. Eas —7A 158
Comet Row. Newc T —2A 44
Comet Sq. Sund —2C 130
Comma Ct. Gate —7D 80
Commerce Way. Hou S —3C 142
*Commercial Pl. Hex —2D 68*
*(off Priestpopple)*
Commercial Rd. Bly —1J 21
Commercial Rd. Gos —7G 43
Commercial Rd. Jar —5C 64
(in two parts)
Commercial Rd. Newc T —1A 82
Commercial Rd. S Shi —4H 65
Commercial Rd. Sund —3H 117
Commercial Rd. E. Coxh —7K 175
Commercial Sq. B'don —1E 172
Commercial St. Bla T —5B 78
Commercial St. B'don —7E 162
Commercial St. Corn C —7A 148
Commercial Way. Cra —4J 23
Commissioners Wharf. N Shi —3F 65
Compton Av. S Shi —6K 65
Compton Ct. Wash —3F 113
Compton Rd. N Shi —7F 47
**Concord. —7H 99**
Concorde Ho. Wash —7H 99
Concorde Sq. Sund —2C 130
Concorde Way. Jar —7B 64
Condercum Ct. Newc T —1J 79
Condercum Ind. Est. Newc T —1K 79
Condercum Rd. Newc T —1K 79
Condercum Rd. Bk. Newc T —1K 79
Cone St. S Shi —3H 65
Cone Ter. Ches S —6B 126
Conewood Ho. Newc T —6B 42
Congburn Bank. Edm —2C 138
Conhope La. Newc T —1K 79
Conifer Clo. Bla T —6B 78
Conifer Clo. Dur —1E 164
Conifer Ct. G'sde —5F 77
Conifer Ct. Newc T —4D 44
Coningsby Clo. Newc T —4F 43
Coniscliffe Av. Newc T —2B 60
Coniscliffe Pl. Sund —6G 103
Coniscliffe Rd. S'ley —4D 122
Coniscliffe Ter. Pet —1K 169
Conishead Ter. S Het —3B 156
Coniston. Bir —6B 112
(in two parts)
Coniston. Gate —6E 82
Coniston Av. Eas L —3J 155
Coniston Av. Heb —1K 83
Coniston Av. Newb S —4G 11
Coniston Av. Sund —3E 102
Coniston Av. W Jes —3G 61
Coniston Av. Whi —7K 79
Coniston Clo. Ches S —7A 126
Coniston Clo. Dur —7J 153
Coniston Clo. Kil —1A 44
Coniston Clo. Newc T —6J 57
Coniston Clo. Pet —6C 170
Coniston Ct. Newc T —5H 59
Coniston Cres. Bla T —6B 78
Coniston Dri. Jar —3D 84
Coniston Dri. Sac —6D 138
Coniston Gdns. Gate —2K 97
Coniston Pl. Gate —2K 97
Coniston Rd. Kit I —7D 16
Coniston Rd. N Shi —2F 47
Coniston Rd. W'snd —1K 63
Coniston Way. Con —5B 120
Connaught Clo. Phil —4C 128
Connaught Gdns. Newc T —5B 44
Connaught Ter. Jar —7B 64
Conniscliffe Ct. Hex —3A 68
Conniscliffe Rd. Hex —3B 68
Connolly Ho. S Shi —3K 85
Connolly Ter. B Mill —2A 106
**Consett. —7H 119**
Consett Bus. Pk. V Real —5K 119
Consett La. Con —7D 118
Consett Pk. Ter. Con —3D 132
Consett Rd. Con —4B 132
Consett Rd. Gate —2B 96
Consett Rd. Lan —5J 135
Consett Ter. Esh —6G 149
Constable Av. Sund —6H 115
Constable Clo. Ryton —2G 77
Constable Clo. S'ley —3F 123
Constable Gdns. S Shi —3J 85
Constables Gth. Bir —4A 112
Constance St. Con —7H 119
Constance St. Pelt —2G 125
Constitutional Hill. Dur —3C 164
Content St. Bla T —5C 78
Convent Rd. Newc T —6K 59
(in two parts)
Conway Clo. Bed —7F 15
Conway Clo. Ryton —3H 77
Conway Dri. Newc T —1J 61
Conway Gdns. Sund —2K 129
Conway Gdns. W'snd —1E 62
Conway Gro. Sea S —3B 26
Conway Pl. Pelt —1H 125
Conway Rd. Sund —5F 101
Conway Sq. Gate —6J 81
Conway Sq. Sund —5F 101
Conyers. Nett —6H 139
Conyers Av. Ches S —4K 125
Conyers Cres. Pet —3C 170
Conyers Gdns. Ches S —4K 125
Conyers Pl. Ches S —4K 125
Conyers Rd. Ches S —4K 125
Conyers Rd. Newc T —7K 61 (4P 5)
Cook Av. Bear —1C 162
Cook Clo. S Shi —5H 65
Cook Cres. Mur —7D 144
Cooke's Wood. B'pk —4E 162
Cook Gdns. Gate —6F 83
Cook Gro. Pet —3C 170
Cook La. Newc T —7F 61
Cook's Cotts. Ush M —2B 162
Cookshold La. Sher —3A 166
Cookson Clo. Cor —7D 50
Cookson Clo. Newc T —1D 80 (5A 4)
Cookson Ho. S Shi —2J 65
Cookson's La. Newc T —2F 81 (8E 4)
Cookson St. Newc T —1C 80 (5A 4)
Cookson Ter. Ches S —6K 125
Cook Sq. Sund —5G 101
Cooks Wood. Wash —5H 113
Cook Va. S Shi —6H 65
Cook Way. N West —4G 169
Coomassie Rd. Bly —2J 21
Coomside. Cra —6A 24
Co-operative Bldgs. Dip —1G 121
Co-operative Bldgs. Sea D —7H 25
Co-operative Cres. Gate —7A 82
Cooperative St. Ches S —5A 126
Co-operative Ter. Bru V —5C 32
Co-operative Ter. B'hpe —5E 136
Co-operative Ter. Burn —2B 108
Co-operative Ter. Ches S —5C 124
Co-operative Ter. Dip —1G 121
Co-operative Ter. Fenc —1K 141
Co-operative Ter. Gate —7A 82
Co-operative Ter. Hett H —6G 143
Co-operative Ter. H Spen —2D 92
Co-operative Ter. M'sly —7K 105
Co-operative Ter. New B —4A 162
Co-operative Ter. Newc T —3E 44
Co-operative Ter. Pelt —2C 124
Co-operative Ter. Shir —1J 45
Co-operative Ter. Shot B —2E 118
Co-operative Ter. Shot C —6E 168
Co-operative Ter. Sund —3C 116
Co-operative Ter. Wash —7J 99
Co-operative Ter. W All —3J 45
Co-operative Ter. E. Dip —1H 121
Co-operative Ter. W. Dip —1G 121
Co-operative Vs. Lang M —7G 163
Coopers Clo. Thor —1K 177
Cooper Sq. Dur —1D 164
Cooper's Ter. Thor —1J 177
Cooper St. Sund —5G 103
Coopies Fld. Mor —1H 13
Coopies Haugh. Mor —1J 13
Coopies La. Mor —1G 13
Coopies La. Ind. Est. Mor —1J 13
Coopies Way. Mor —1J 13
Copeland Ct. Dur —4J 163
Copenhagen Ho. Newc T —7J 5
Copland Ter. Newc T —7H 61 (4J 5)
Copley Av. S Shi —4J 85
Copley Dri. Sund —6D 116
Copperas La. Newc T —6F 59
Copper Chare. Mor —6F 7
Copperfield. Dur —5J 163
Coppergate Ct. Heb —6K 63
Coppice Hill. Esh W —4F 161
Coppice, The. Sea S —4C 26
Coppice Way. Newc T —7H 61 (3J 5)
Coppy La. Mar H —3H 109
Copse, The. Bla T —5F 79
Copse, The. Burn —2K 107
Copse, The. Newc T —4F 43
Copse, The. Pet —1K 169
Copse, The. Pru —4H 75
Copse, The. Wash —5F 99
Coptleigh. Hou S —3G 143
Coqetdale Av. Newc T —7E 62
Coquet. Wash —7D 112
Coquet Av. Bly —4J 21
Coquet Av. Newc T —6D 42
Coquet Av. S Shi —5D 66
Coquet Av. Whit B —6G 37
Coquet Bldgs. Newc T —4B 58
Coquetdale Clo. Peg —4A 8
Coquetdale Pl. Bed —7A 16
Coquetdale Vs. Sund —5G 103
Coquet Dri. Pelt —1G 125
Coquet Gdns. S'ley —5E 122
Coquet Gro. Newc T —3G 57
Coquet Ho. Sund —3B 130
Coquet St. Ash —3C 10
Coquet St. C'wl —6A 92
Coquet St. Heb —7H 63
Coquet St. Jar —1A 84
Coquet St. Newc T —1H 81 (5K 5)
Coquet Ter. Dud —3H 33
Coquet Ter. Newc T —4A 62
Coram Pl. Newc T —1G 79
Corbett St. Pet —7D 158
Corbett St. S'hm —2K 145
(in two parts)
Corbiere Clo. Sund —3A 130
Corbitt St. Gate —5E 80
**Corbridge. —1D 70**
Corbridge Av. Wide —5D 32
Corbridge Clo. W'snd —6J 45
**Corbridge Common. —7C 70**
Corbridge Rd. Con —1J 119
Corbridge Rd. Hex —2D 68
Corbridge Rd. Newc T —7A 62 (3P 5)
Corbridge Roman Site & Museum. —7C 50
Corbridge St. Newc T —7K 61
(in two parts)
Corbridge Vicars Pele. —1D 70
Corby Gdns. Newc T —7D 62
Corby Ga. Sund —4F 117
Corby Gro. Pet —2J 179
Corby Hall Dri. Sund —4F 117
Corby M. Sund —4F 117
Corchester Av. Cor —7D 50
Corchester La. Hex —6J 49
Corchester Rd. Bed —6G 15
Corchester Towers. Cor —6C 50
Corchester Wlk. Newc T —1K 61
Corcyra St. S'hm —4B 146
Corfu Rd. Sund —5G 101
(in two parts)
Corinthian Sq. Sund —5G 101
Cork St. Sund —1G 117
Cormorant Clo. Ash —6C 10
Cormorant Clo. Bly —5K 21
Cormorant Clo. Wash —5D 112
Cornbank Clo. Sund —4C 130
Corndean. Wash —4A 114
Cornelia Clo. Sund —2C 130
Cornelia St. Sund —2C 130
Cornelia Ter. S'hm —3A 146
Cornel M. Newc T —2A 62
Cornel Rd. Newc T —2K 61
Corney St. S Shi —6H 65
Cornfield Gth. Pet —7D 170
Cornfields, The. Heb —7J 63
Cornforth Clo. Ash —5K 9
Cornforth Clo. Gate —7G 83
Cornhill. Jar —5C 84
Cornhill. Newc T —4F 59
Cornhill Av. Newc T —5B 42
Cornhill Clo. N Shi —5D 46
Cornhill Cres. N Shi —5D 46
(in two parts)
Cornhill Rd. Cra —4A 24
Cornhill Rd. Sund —5D 102
Corn Mill Dri. Hou S —4D 142
Cornmoor. Ches S —7H 125
Cornmoor Gdns. Whi —2H 95
Cornmoor Rd. Whi —1H 95
**Cornsay Colliery —1A 160**
Cornsay Cres. Ous —6H 111
Cornthwaite Dri. Sund —5G 87
Cornwall Ct. Mur —7F 145
Cornwallis. Wash —6J 99
Cornwallis Sq. S Shi —4H 65
Cornwallis St. S Shi —3J 65
Cornwall Rd. Heb —3K 83
Cornwall St. Pet —7D 158
Cornwall Wlk. Dur —1H 165
Cornwell Ct. Newc T —1K 61
Cornwell Cres. Bed —1K 19
Coronation Av. B Col —2J 181
Coronation Av. Dur —7H 153
Coronation Av. Pet —6E 170
Coronation Av. Sund —3H 131
Coronation Av. Sun —5H 95
Coronation Bungalows. Gos —7F 43
Coronation Clo. Sund —1G 117
Coronation Cotts. Shot C —6E 168
Coronation Cres. Hou S —7C 128
Coronation Cres. L Pit —5B 154
Coronation Cres. Whit B —6F 37
Coronation Grn. Eas L —3K 155
Coronation Homes. Esh W —4F 161
Coronation Rd. Newc T —2B 58
Coronation Rd. Sea D —7G 25
Coronation Rd. Sun —5H 95
Coronation Rd. Win —4F 179
Coronation Sq. S Het —4D 156
Coronation St. Ann —2K 33
Coronation St. Bly —3J 21
Coronation St. Ches S —1B 140
Coronation St. Newb S —3J 11
Coronation St. N Shi —1G 65
Coronation St. Ryton —2J 77
Coronation St. S Shi —3H 65
Coronation St. Sund —1G 117
Coronation St. W'snd —3G 63
Coronation Ter. Ash —6B 10
Coronation Ter. Bol C —5E 84
Coronation Ter. Ches S —1A 140
Coronation Ter. Dur —3G 165
Coronation Ter. Gate —6D 98
Coronation Ter. Gran V —5D 124
Coronation Ter. Hett H —1G 155
Coronation Ter. Kib —2E 110
Coronation Ter. N Shi —3B 46
Coronation Ter. S'ley —5B 122
Coronation Ter. Sund —2H 115
Coronation Ter. Trim S —7B 178
Coronation Yd. Mor —7F 7
Corporation Rd. Sund —4H 117
Corporation St. Newc T —1D 80 (6B 4)
Corriedale Clo. Pity Me —3A 152
Corrighan Ter. E Rai —6C 142
Corrofell Gdns. Gate —4C 82
Corry Clo. B Col —2J 181
(in two parts)
Corry Ct. Sund —4A 116
Corsair. Whi —1F 95
Corsenside. Newc T —4F 59
Corstophine Town. S Shi —5H 65
Cortina Av. Sund —4K 115
Cortland Rd. Con —5E 118
Cort St. Con —6G 119
Corvan Ter. Tant —7A 108
Cosford Ct. Newc T —5J 41
Cossack Ter. Sund —1A 116
Cosserat Pl. Heb —6H 63
Cosser St. Bly —5F 21
Coston Dri. S Shi —2J 65
(in two parts)
Cosyn St. Newc T —1J 81 (5M 5)
Cotehill Dri. Pon —7F 29
Cotehill Rd. Newc T —4H 59
Cotemede. Gate —1E 98
Cotemede Ct. Gate —1E 98
Cotfield Wlk. Gate —5F 81
Cotgarth, The. Gate —7C 82
Cotherstone Ct. Sund —6D 116
Cotherstone Rd. Dur —5B 152
Cotman Gdns. S Shi —4K 85
Cotsford Cres. Pet —6E 170
Cotsford Grange. Pet —6F 171
Cotsford La. Pet —6E 170
Cotsford Pk. Est. Pet —6F 171
Cotswold Av. Ches S —7J 125
(in two parts)
Cotswold Av. Newc T —3K 43
Cotswold Clo. Wash —4F 113
Cotswold Dri. Ash —6C 10
Cotswold Dri. Whit B —1F 47
Cotswold Gdns. Gate —7C 80
Cotswold Gdns. Newc T —2J 61
Cotswold Pl. Pet —5K 169
Cotswold Rd. N Shi —2E 46
Cotswold Rd. Sund —5G 101
Cotswolds La. Bol C —5E 84
Cotswold Sq. Sund —4G 101
Cotswold Ter. S'ley —4G 123
Cottage Gdns. Cle —5C 86
Cottage La. Newc T —4K 59
Cottages Rd. S'hm —4B 146
Cottages, The. Gate —6G 97
Cottages, The. Pet —3C 170
Cottenham Chare. Newc T —1D 80 (5B 4)
Cottenham St. Newc T —1D 80 (6B 4)
Cotterdale. W'snd —7D 44
Cotterdale Av. Gate —6H 81
Cotter Riggs Pl. Newc T —3B 58
Cotter Riggs Wlk. Newc T —3B 58
Cottersdale Gdns. Newc T —2B 58
Cottingham Clo. Pet —5K 169
Cottinglea. Mor —6F 7
Cottingvale. Mor —5F 7
Cottingwood Ct. Newc T —7D 60 (4A 4)
Cottingwood Gdns. Mor —6F 7
Cottingwood Gdns. Newc T —7D 60 (4A 4)
Cottingwood Grn. Bly —6G 21
Cottingwood La. Mor —5F 7
Cottonwood. Sund —4A 130
Coulson Clo. Hex —4B 68
Coulthards La. Gate —3H 81 (9K 5)
Coulthards Pl. Gate —2J 81 (8L 5)
Coulton Dri. E Bol —7K 85
Council Av. Hou S —3B 128
Council Rd. Ash —3A 10
Council Ter. Wash —1H 113
Counden Rd. Newc T —2E 58
Countess Av. Whit B —6G 37
Countess Dri. Newc T —6G 59

Coupland Gro. Jar —3B 84
Coupland Rd. Ash —4A 10
Courtfield Rd. Newc T —5D 62
Court La. Dur —3B 164
Courtney Ct. Newc T —5J 41
Courtney Dri. Pelt —2H 125
Courtney Dri. Sund —1B 130
Court Rd. Bed —7H 15
Court St. Pet —7D 158
Court, The. Whi —1J 95
Courtyard, The. Tan L —1C 122
Cousin St. Sund —1G 117
Coutts Rd. Newc T —5C 62
Covent Garden Newb S —2J 11
Covent Garden. Sund —1G 117
Coventry Gdns. Newc T —2A 80
Coventry Gdns. N Shi —1E 64
Coventry Rd. Dur —4C 152
Coventry Way. Jar —4B 84
Coverdale. Gate —1E 98
Coverdale. W'snd —7D 44
Coverdale Av. Bly —2E 20
Coverdale Av. Wash —7G 99
Coverdale Wlk. S Shi —6J 65
Coverley. Gt Lum —2E 140
Coverley Rd. Sund —5H 101
Covers, The. Bent —6C 44
Covers, The. Mor —1G 13
Cove, The. Hou S —3B 128
Cowan Clo. Bla T —2A 78
Cowans Av. Camp —7A 34
Cowan Ter. Sund —2F 117
Cowdray Ct. Newc T —5J 41
Cowdray Rd. Sund —5H 101
Cowdrey Ho. N Shi —2D 64
Cowell Gro. Highf —5G 93
Cowell St. Pet —5D 170
Cowen Gdns. Gate —6J 97
Cowen Rd. Bla T —3D 78
Cowen St. Bla T —6B 78
Cowen St. Newc T —7D 62
Cowen Ter. Row G —4K 93
Cowgarth. Hex —1C 68
**Cowgate. —4K 59**
Cowgate. Newc T —1G 81 (6H 5)
Cow La. Cor —7D 50
(in two parts)
Cowley Cres. E Rai —6C 142
Cowley Pl. Bly —1F 21
Cowley Rd. Bly —7F 17
Cowley St. Shot C —6F 169
Cowpath Gdns. Gate —5E 82
**Cowpen. —1E 20**
Cowpen Hall Rd. Bly —1E 20
**Cowpen New Town. —7E 16**
Cowpen Rd. Bly —1C 20
(in two parts)
Cowpen Sq. Bly —7H 17
Cowper Ter. Newc T —3A 44
Cox Chare. Newc T —1H 81 (6J 5)
Coxfoot Clo. S Shi —1J 85
**Cox Green. —5B 114**
Coxgreen Rd. Hou S —1A 128
**Coxlodge. —7C 42**
Coxlodge Rd. Newc T —7C 42
Coxlodge Ter. Newc T —7C 42
Coxon St. Gate —4F 83
Coxon St. Sund —3G 117
Coxon Ter. Gate —5A 82
Crabtree Rd. Stoc —7J 73
Cradock Av. Heb —2H 83
Cragdale Gdns. Hett H —1F 155
Craggyknowe. Wash —2D 112
Craghall Dene. Newc T —1G 61
Craghall Dene Av. Newc T —1G 61
**Craghead. —7J 123**
Craghead La. S'ley —7J 123
Craghead Rd. Pelt F —5G 125
Cragleas. Hob —4A 108
Cragside. Ches S —5J 125
Cragside. Cor —6F 51
Cragside. Cra —6K 23
Cragside. Newc T —2K 61
Cragside. S Shi —1D 86
Cragside. Wash —1E 112
Cragside. Whit B —4E 36
Cragside. Wide —5D 32
Cragside. Wit G —3D 150
Cragside Av. N Shi —4D 46
Cragside Ct. Con —6E 118
Cragside Ct. Hou S —2F 143
Cragside Ct. Newc T —3A 80
Cragside Ct. S'ley —6K 121
Cragside Gdns. Gate —2C 96
Cragside Gdns. Kil —7D 34
Cragside Gdns. W'snd —2K 63
Cragston Av. Newc T —2J 59
Cragston Clo. Blak —3J 59
Cragston Ho. Newc T —3J 59
Cragston Way. Newc T —3J 59
Cragton Gdns. Bly —2F 21
Crag Works. Con —3A 120
Craigavon Rd. Sund —6H 101
Craig Cres. Dud —3J 33
Craigend. Cra —5A 24
Craighill. Hou S —3A 128
*Craiglands, The. Sund —5E 116*
*(off Tunstall Rd.)*
Craigland Vs. Sac —1E 150
Craigmillar Av. Newc T —2J 59
Craigmillar Clo. Newc T —2H 59
Craigmill Pk. Bly —1E 20
*Craigmont Ct. Newc T —6B 44*
*(off West Av.)*
Craigshaw Rd. Sund —4F 101
Craigshaw Sq. Sund —4F 101
Craig St. Bir —3A 112
Craig Ter. Pet —1K 169
Craigwell Dri. Sund —5C 130
Crake Way. Wash —6D 112
Cramer St. Gate —5H 81
**Cramlington. —3J 23**
Cramlington Rd. Sund —6F 101
Cramlington Sq. Sund —5F 101
Cramlington Ter. Bly —5G 21
Cramlington Ter. W All —3J 45
**Cramlington Village. —3K 23**
Cramond Ct. Gate —4G 97
Cramond Way. Cra —6K 23
Cranberry Rd. Sund —5G 101
Cranberry Sq. Sund —5G 101
Cranborne. Sund —3J 129
Cranbourne Gro. N Shi —1H 47
Cranbrook Av. Newc T —5E 42
Cranbrook Ct. Newc T —5A 42
Cranbrook Dri. Pru —4D 74
Cranbrook Pl. Newc T —2H 79
Cranbrook Rd. Newc T —2H 79
Cranemarsh Clo. Ash —6A 10
Craneshaugh Clo. Hex —2G 69
Cranesville. Gate —3A 98
(in two parts)
Craneswater Av. Whit B —2F 37
Cranfield Pl. Newc T —6C 58
Cranford Gdns. Newc T —6E 58
Cranford St. S Shi —7J 65
Cranford Ter. Pet —7K 157
Cranford Ter. Sund —3C 116
Cranham Clo. Newc T —7D 34
Cranlea. Newc T —6J 41
Cranleigh. Gt Lum —3E 140
Cranleigh Av. Newc T —5J 41
Cranleigh Gro. Pru —3F 75
Cranleigh Pl. Whit B —5D 36
Cranleigh Rd. Sund —5G 101
Cranshaw Pl. Cra —5A 24
Cranston Pl. Sund —3J 131
Crantock Rd. Newc T —7B 42
Cranwell Ct. Newc T —5J 41
Cranwell Dri. Wide —5D 32
Craster Av. Newc T —3D 44
Craster Av. Shir —1J 45
Craster Av. S Shi —5D 66
Craster Clo. Bly —2G 21
Craster Clo. Ches S —1H 139
Craster Clo. Whit B —5D 36
Craster Gdns. W'snd —2K 63
Craster Rd. N Shi —7D 46
Craster Sq. Newc T —6C 42
Craster Ter. Newc T —3K 61
Crathie. Bir —1A 112
Craven Ct. Sund —6H 103
**Crawcrook. —3C 76**
*Crawcrook Houses. Ryton*
*(off Old Main St.) —3C 76*
Crawcrook La. Wylam —1B 76
Crawcrook Ter. Ryton —3C 76
Crawford Av. Pet —4B 170
Crawford Av. W. Pet —4A 170
Crawford Clo. Sher —3K 165
Crawford Cotts. Mor —6G 7
Crawford Ct. Sund —3B 130
Crawford Gdns. Ryton —2E 76
Crawford Pl. Whit B —7E 36
Crawford St. Bly —7H 17
Crawford Ter. Mor —6G 7
Crawford Ter. Newc T —1D 82
Crawhall Cres. Mor —1E 12
Crawhall Rd. Newc T
—1H 81 (5K 5)
Crawlaw Bungalows. Pet —6C 158
Crawlaw Rd. Pet —6B 158
Crawley Av. Heb —3H 83
Crawley Gdns. Whi —7J 79
Crawley Rd. W'snd —4F 63
Crawley Sq. Heb —3H 83
Craythorne Gdns. Newc T —3A 62
Creeverlea. Wash —5G 113
Creighton Av. Newc T —2A 60
Creland Way. Newc T —2J 59
Crescent Av. Hex —1B 68
Crescent, The. Bar —1G 93
Crescent, The. B Col —2H 181
Crescent, The. Brid —5D 118
Crescent, The. B'hpe —2A 136
Crescent, The. Ches S —6K 125
Crescent, The. Ches M —3J 139
Crescent, The. Cle —6B 86
Crescent, The. Con —5H 119
Crescent, The. Dud —6B 80
Crescent, The. Dur —1J 163
Crescent, The. Hett H —7G 143
Crescent, The. H Spen —4D 92
Crescent, The. Jar —2A 84
Crescent, The. Ken F —6H 41
Crescent, The. Kib —2E 110
Crescent, The. Lang P —5G 149
Crescent, The. Loan —2F 13
Crescent, The. Longb —7K 43
Crescent, The. Nett —6H 139
Crescent, The. New S —7C 116
Crescent, The. N Shi —4J 47
Crescent, The. Pelt —1H 125
Crescent, The. Pet —6C 158
Crescent, The. Phil —5D 128
Crescent, The. Pon —1E 38
Crescent, The. Row G —5K 93
Crescent, The. Ryton —1H 77
Crescent, The. Seg —2D 34
Crescent, The. Sher —3K 165
Crescent, The. Shin R —4A 128
Crescent, The. Shot B —4E 118
Crescent, The. S Shi —2B 86
Crescent, The. Sun —5H 95
Crescent, The. Tan L —1D 122
Crescent, The. Thro —3H 57
Crescent, The. W'snd —2F 63
Crescent, The. W Rai —1K 153
Crescent, The. Whi —1J 95
Crescent, The. Whit B —7H 37
Crescent, The. Wit G —2D 150
Crescent, The. Wylam —1K 75
*Crescent Va. Whit B —7G 37*
*(off Jesmond Ter.)*
Crescent Way. Newc T —4C 44
Cres. Way N. Newc T —4C 44
Cres. Way S. Newc T —4C 44
Creslow. Gate —1D 98
Cressbourne Av. Sund —3G 103
Cresswell Av. Newc T —3C 44
Cresswell Av. N Shi —5F 47
Cresswell Av. Pet —6E 170
Cresswell Av. Sea S —4C 26
Cresswell Clo. Bla T —6A 78
Cresswell Clo. Whit B —1E 46
Cresswell Dri. Bly —4G 21
Cresswell Dri. Newc T —5A 42
Cresswell Rd. W'snd —4E 62
Cresswell St. Newc T —7B 62
(in two parts)
Cresswell Ter. Ash —3A 10
Cresswell Ter. Sund —3E 116
Cresthaven. Gate —1C 98
Crest, The. Bed —7G 15
Crest, The. Din —4H 31
Crest, The. Sea S —6D 26
Crewe Av. Dur —3F 165
Crichton Av. Ches S —1B 140
Cricket Ter. Burn —2A 108
Cricklewood Dri. Pen —2B 128
Cricklewood Rd. Sund —6F 101
Criddle St. Gate —2J 81 (8L 5)
Crieff Gro. Jar —3D 84
Crieff Sq. Sund —5F 101
Crigdon Hill. Newc T —4F 59
Crighton. Wash —3E 112
Crimdon Gro. Hou S —3C 142
Crimea Rd. Sund —5F 101
Crime Rigg Bank. Shad —4D 166
Crindledykes. Wash —6J 113
Cripps Av. Gate —6F 83
Crocus Clo. Bla T —4A 78
Croft Av. Newc T —5C 44
Croft Av. Sund —2C 116
Croft Av. W'snd —3G 63
Croft Clo. Ryton —2H 77
Croft Ct. Lan —6J 135
Croftdale Rd. Bla T —4C 78
Crofter Clo. Ann —2J 33
Crofthead Dri. Cra —6K 23
Crofton Mill Ind. Est. Bly —3K 21
Crofton St. Bly —2J 21
Crofton St. S Shi —7J 65
Crofton Way. Newc T —6B 58
Croft Rigg. B'don —2C 172
Croft Rd. Bly —2J 21
Crofts Av. Cor —1E 70
Crofts Clo. Cor —1E 70
Croftside. Bir —3A 112
Croftside Av. Whit —6H 87
Croftside Ho. Sund —4B 130
Crofts La. Hor —5E 54
Crofts Pk. Hep —3A 14
Croft Stairs. Newc T —6H 5
Crofts, The. Pon —5K 29
Croft St. Newc T —1G 81 (5G 4)
Croft St. Sac —7E 138
Crofts Way. Cor —1E 70
Croftsway. Newc T —2B 80
Croft Ter. Jar —7B 64
Croft Ter. S'ley —5A 122
Croft, The. Ken —1C 60
Croft, The. Kil —7C 34
Croft, The. Ned V —1C 18
Croft, The. Ryton —2H 77
Croft, The. S'hm —1F 157
Croft, The. S Hill —3D 166
Croft Vw. Lan —6J 135
Croft Vw. Newc T —2C 44
Croft Vw. O'ham —2D 74
Croft Vw. Ryton —3C 76
Croft Vs. Craw —4D 76
Croft Vs. Ryton —3C 76
Croftwell Clo. Bla T —5D 78
Cromarty. Ous —6H 111
Cromarty St. Sund —5F 103
Cromdale Pl. Newc T —4H 59
Cromer Av. Gate —5H 97
Cromer Ct. Gate —4J 97
Cromer Gdns. Newc T —2G 61
Cromer Gdns. Whit B —5G 37
Crompton RD. Newc T —4K 61
Cromwell Av. Bla T —4B 78
Cromwell Ct. Bla T —2A 78
Cromwell Pl. Bla T —5A 78
Cromwell Rd. Gate —4F 83
Cromwell Rd. Whi —6J 79
Cromwell St. Bla T —2A 78
Cromwell St. Gate —5J 81
Cromwell St. Sund —1C 116
Cromwell Ter. Bill Q —4F 83
Cromwell Ter. Gate —5F 81
Cromwell Ter. N Shi —6F 47
Crondall St. S Shi —6K 65
Cronin Av. S Shi —2H 85
Cronniewell. Ham C —3K 105
**Crookgate Bank. —2C 108**
**Crookhall. —1K 133**
Crookhall La. Lead —7A 120
(in two parts)
Crookhall Rd. Con —6J 119
Crookham Gro. Mor —3H 13
Crookham Way. Cra —6A 24
**Crookhill. —1J 77**
Crookhill Ter. Ryton —2J 77
Cropthorne. Gate —1F 99
Crosby Ct. Sund —3H 117
Crosby Gdns. Gate —4K 97
Crosland Pk. Cra —1H 23
Crosland Way. Cra —7H 19
Cross Av. W'snd —1D 62
Cross Bank. Acomb —3A 48
Crossbank Rd. Newc T —2K 59
Crossbank Vw. Acomb —4B 48
Crossbrook Rd. Newc T —3K 59
Cross Camden La. N Shi —7H 47
Cross Carliol St. Newc T
—1G 81 (5G 4)
Cross Dri. Ryton —7G 57
Crossfell. Pon —1G 39
Crossfell Gdns. Chop —7J 9
Crossfield. Sac —1E 150
Crossfield Cres. Shot C —6E 168
Crossfield Pk. Fel —1A 98
Crossfield Ter. Newc T —2E 82
Crossgate. Dur —3K 163
Crossgate. S Shi —3J 65
**Crossgate Moor. —2J 163**
Crossgate Moor Gdns. Dur
—1H 163
Crossgate Peth. Dur —3J 163
Crossgate Rd. Hett H —1G 155
Crossgill. Wash —1F 113
Crosshill Rd. Newc T —2H 79
Cross Keys La. Gate —2H 97
Cross La. Gate —4C 96
(nr. Coach Rd.)
Cross La. Gate —5K 79
(nr. Scotswood Vw.)
Cross La. Sac —6D 138
Cross La. Swa —6J 79
Crosslaw. Newc T —4F 59
Crosslea Av. Sund —5D 116
Crossleas. Sac —7E 138
Crossley Ter. Art H —7B 60
Crossley Ter. Newc T —3D 44
Cross Morpeth St. Newc T
—5D 60 (1B 4)
Cross Pde. Newc T —2D 80 (7A 4)
Cross Pl. Sund —1G 117
Cross Row. Gate —5K 81
Cross Row. O Pit —4A 152
Cross Row. Ryton —2J 77
Cross St. Con —5F 119
Cross St. Crox —6K 173
Cross St. Gate —5H 81
Cross St. Hou S —2A 142
(nr. Front St.)
Cross St. Hou S —1D 142
(nr. Station Rd.)
Cross St. L'ton —7D 154
Cross St. Newc T —1E 80 (6D 4)
(NE1)
Cross St. Newc T —1J 81 (5M 5)
(NE6)
Cross St. Pet —7D 158
Cross Ter. Row G —6H 93
Cross Ter. Ryton —7G 57
Cross Va. Rd. Sund —4E 116
Cross Vw. Ter. Dur —4J 163
Cross Villa Pl. No. 2. Newc T
—1E 80 (6C 4)
Cross Villa Pl. No. 3. Newc T
—1E 80 (6C 4)
Cross Villa Pl. No. 4. Newc T
—1D 80 (6B 4)
Cross Villa Pl. No. 5. Newc T
—1D 80 (6B 4)
Crossway. Chop —1H 15
Crossway. Gate —1J 97
(in two parts)
Crossway. Jes —2G 61
Crossway. N Shi —4J 47
Cross Way. S Shi —1C 86
Crossways. E Bol —7A 86
Crossways. Jar —5C 84
Crossways. Lang P —5J 149
Crossways. Sac —1E 150
Crossways. Sund —2B 130
Crossways, The. Haz —7C 32
Cross Way, The. Ken —1B 60
Crossway, The. Lem —6D 58
Cross Way, The. Loan —2F 13
Crosthwaite Gro. Sund —6G 101
Croudace Row. Gate —6B 82
Crow Bank. W'snd —3G 63
Crow Hall La. Cra —7H 19
Crowhall La. Gate —6B 82
Crow Hall Rd. Cra —1H 23
Crowhall Towers. Gate —6B 82
Crow La. Sund —2H 129
Crowley Av. Whi —6J 79
Crowley Gdns. Bla T —4C 78
Crowley Rd. Swa —5G 79
*Crowley Vs. Swa —5G 79*
*(off Crowley Rd.)*
Crown Rd. Sund —7C 102
Crown St. Bly —2K 21
Crown St. Mor —7G 7
Crown Ter. G'sde —5F 77
Crowther Ind. Est. Wash —3D 112
Crowther Rd. Wash —3D 112
Crowtree Rd. Sund —2E 116
Crowtrees La. Bow —5H 175
**Croxdale. —6K 173**
Croxdale Ct. S Shi —1G 85
Croxdale Gdns. Gate —4E 82
Croxdale Ter. Gate —5E 82
Croxdale Ter. G'sde —5G 77
Croydon Rd. Newc T —7C 60
Crozier St. Sund —6E 102
Cruddas Pk. Shop. Cen. Newc T
—3C 80 (8A 4)
Crudwell Clo. Bol C —4E 84
Crummock Av. Sund —3E 102
Crummock Ct. W'snd —1A 64
Crummock Rd. Newc T —5H 59
Crumstone Ct. Newc T —7C 34
Crusade Wlk. Jar —1B 84
Cuba St. Sund —4G 117
Cuillin Clo. Wash —5F 113
Culford Pl. W'snd —6J 45
**Cullercoats. —1J 47**
Cullercoats Rd. Sund —6F 101
Cullercoats Sq. Sund —6F 101
Cullercoats St. Newc T —7C 62
(in two parts)
Culloden Ter. Pet —1D 170
Culloden Wlk. Newc T —7B 34
Culzean Ct. Con —5F 119
Cumberland Av. Bed —7G 15
Cumberland Av. Newb S —3H 11
Cumberland Ct. Heb —1H 83
Cumberland Pl. Bir —7B 112
Cumberland Pl. S Shi —6D 66
Cumberland Rd. Con —3C 132
Cumberland Rd. N Shi —5B 46
Cumberland Rd. Sund —1C 130
Cumberland St. Sund —1F 117
(in two parts)
Cumberland St. W'snd —3G 63
(nr. Boyd Rd.)
Cumberland St. W'snd —4B 64
(nr. Norman Ter.)
Cumberland Wlk. Newc T —1K 61
(in two parts)
Cumberland Way. Wash —5H 99
Cumbrian Av. Ches S —7A 126
(in two parts)
Cumbrian Av. Sund —2E 102

Cumbrian Gdns. Gate —1C 96
Cumbrian Way. Pet —6C 170
Cumbria Pl. S'ley —2G 123
Cumbria Wlk. Newc T —1C 80 (6A 4)
Cummings Av. Sher —2K 165
Cummings Sq. Win —5F 179
Cummings St. Bly —1J 21
Cunningham Pl. Dur —1D 164
Curlew Clo. Ash —7B 10
Curlew Clo. Newc T —5J 43
Curlew Clo. Ryton —2J 77
Curlew Clo. Wash —6E 112
Curlew Hill. Mor —5D 6
Curlew Rd. Jar —5C 64
(in two parts)
Curlew Way. Bly —5J 21
Curly Kews. Mor —7E 6
Curran Ho. Jar —6C 64
Curren Gdns. Gate —4A 82
*Curry's Bldgs. Mor —6E 6*
*(off Buller's Grn.)*
Curtis Rd. Newc T —6B 60
Curzon Pl. Newc T —3H 59
Curzon Rd. W. W'snd —4F 63
Curzon St. Gate —6G 81
Cushat Clo. Newc T —1A 82 (6P 5)
Cushycow La. Ryton —2H 77
Customs Ho. N Shi —1H 65
Customs House, The. —3H 65
Cut Bank. Newc T —1J 81 (5M 5)
Cuthbert Av. Dur —3F 165
Cuthbert Clo. Dur —3F 165
(nr. Cuthbert Av.)
Cuthbert Clo. Dur —3F 165
(nr. Front St.)
Cuthbertson Ct. Sund —2G 103
Cuthbert St. Gate —4F 81
Cuthbert St. Heb —7H 63
(in two parts)
Cuthbert St. Mar H —6G 95
Cuthbert Wlk. Newc T —7G 43
Cutlers Av. Con —4E 118
Cutlers Hall Rd. Con —3E 118
Cut Throat La. H Wes —4K 105
Cutting St. S'hm —1H 145
Cygnet Clo. Ash —7B 10
Cygnet Clo. Newc T —1D 58
Cyncopa Way. Newc T —3K 59
Cypress Av. Newc T —5K 59
Cypress Ct. B'don —2D 172
Cypress Cres. Bly —2J 21
Cypress Cres. Gate —6B 80
Cypress Dri. Bly —2J 21
Cypress Gdns. Bly —2J 21
Cypress Gdns. Newc T —7A 34
Cypress Gro. Dur —1E 164
Cypress Gro. Ryton —7F 57
(in two parts)
Cypress Pk. Esh W —4D 160
Cypress Rd. Bla T —4C 78
Cypress Rd. Gate —5B 98
Cypress Sq. Sund —1C 130
Cypress Vw. Whe H —2A 178
Cyprus Gdns. Gate —1J 97
Cyril St. Con —5H 119

**D**achet Rd. Whit B —4D 36
Dacre Gdns. Con —7J 119
Dacre Rd. Sund —3F 103
Dacre St. Mor —6F 7
Dacre St. S Shi —5J 65
(in two parts)
Daffodil Av. Pet —5D 170
Daffodil Clo. B Col —2H 181
Daffodil Clo. Bla T —4B 78
Dahlia Ct. Sund —1D 116
Dahlia Cres. Pet —1B 170
Dahlia Pl. Newc T —6K 59
Dahlia Way. Heb —2J 83
(in three parts)
Dainton Clo. Hou S —5C 128
Dairnbrook. Wash —2E 112
Dairy La. Hou S —2C 142
Dairy Wlk. Ches S —3F 127
Daisy Cotts. Bir —4A 112
**Daisy Hill. —4D 138**
Dalden Gro. S'hm —2B 146
Dale Ct. Hex —2E 68
Dalegarth. Wash —2F 113
Dalegarth Gro. Sund —2E 102
Dale Rd. Whit B —7D 36
Dalesford Grn. Newc T —2B 62
Daleside. Sac —5E 138
Dales, The. Newc T —3A 60
Dale St. Camb —7J 17
Dale St. Con —6F 119
Dale St. Lang P —4J 149
Dale St. Ryton —2D 76
Dale St. S Shi —2K 65
Dale St. Ush M —2B 162
Dale Ter. Dal D —5J 145
Dale Ter. Sund —4G 103
Dale Top. H'wll —2J 35
Dale Vw. Gdns. Ryton —3C 76
Dalla St. Sund —1G 115
Dallymore Dri. Bow —3G 175
Dalmahoy. Wash —4H 99
Dalmatia Ter. Bly —3J 21
Dalston Pl. Bly —5J 21
Dalton Av. S'hm —3J 145
(in two parts)
Dalton Clo. Cra —4K 23
Dalton Ct. Heb —6J 63
Dalton Ct. W'snd —7D 44
Dalton Cres. Newc T —7K 61 (4P 5)
Dalton Heights. Dal D —4G 145
(in two parts)
**Dalton-le-Dale. —5H 145**
Dalton Pl. Newc T —2C 58
Daltons La. S Shi —3H 65
Dalton St. Newc T —7K 61 (4N 5)
(in two parts)
Dalton Ter. C'wl —7K 91
Dalton Ter. Mur —1F 157
Dalton Ter. Whe H —4A 178
Dalton Way. Hou S —2A 128
Dame Dorothy Cres. Sund —6G 103
(in two parts)
Dame Dorothy St. Sund —7F 103
Dame Flora Robson Av. S Shi —2F 85
Damside. Mor —6G 7
Damson Way. Drag —2F 165
Danby Clo. Sund —3D 130
Danby Clo. Wash —1D 126
Danby Gdns. Newc T —3B 62
Danelaw. Gt Lum —2E 140
Danville Rd. Sund —3F 103
Daphne Cres. S'hm —4A 146
D'Arcy Ct. Sund —2G 117
D'Arcy Sq. Mur —6G 145
D'Arcy St. Lang P —4J 149
D'Arcy St. Sund —2G 117
Darden Clo. Newc T —7D 34
Darden Lough. Newc T —4F 59
Darenth St. S Shi —1J 85
Darien Av. Sund —3F 103
Dark La. Mor —6G 7
Darley Ct. Plaw —6J 139
Darley Ct. Sund —3B 130
Darley Pl. Newc T —1G 79
Darling Pl. S'ley —4G 123
Darlington Av. Pet —4D 170
Darlington Rd. Dur —4J 163
Darnell Pl. Newc T —7D 60 (4A 4)
Darnley Rd. Ash —4A 10
Darras Ct. S Shi —4K 65
Darras Dri. N Shi —5C 46
**Darras Hall. —7F 29**
Darras M. Pon —1G 39
Darras Rd. Pon —1E 38
Darrell St. Bru V —5C 32
Dartford Clo. Sea D —7H 25
Dartford Rd. S Shi —3B 66
Dartford Rd. Sund —3F 103
Dartmouth Av. Gate —4H 97
Dartmouth Clo. Dal D —4J 145
Dartmouth Rd. N Shi —6C 46
Darvall Clo. Whit B —4D 36
Darwin Cres. Newc T —2B 60
Darwin St. Sund —6B 102
Daryl Clo. Bla T —5A 78
Daryl Way. Gate —6H 83
Davenport Dri. Newc T —3D 42
David Gdns. Sund —4H 103
Davidson Cotts. Newc T —2G 61
Davidson Rd. Gate —4F 83
Davidson St. Gate —6B 82
David St. W'snd —4F 63
David Ter. Bow —3H 175
David Ter. Quar H —6D 176
David Ter. Ryton —3D 76
Davies Wlk. Pet —4C 170
Davis Cres. Lang P —4G 149
Davison Av. Sund —2D 130
Davison Av. Whit B —5F 37
Davison Cres. Mur —7D 144
Davison Pl. Gate —6C 80
Davison St. Bly —1J 21
Davison St. Bol C —5E 84
Davison St. Newc T —5J 57
Davison Ter. Sac —6D 138
*Davison Ter. Sund —5C 102*
*(off N. Hylton Rd.)*
Davis Ter. Pet —7B 158
Davy Bank. W'snd —4H 63
Davy Dri. N West —5H 169
**Dawdon. —5B 146**
Dawdon Cres. S'hm —4B 146
Dawlish Clo. N Shi —4D 46
Dawlish Clo. S'hm —4H 145
Dawlish Gdns. Gate —4K 97
Dawlish Pl. Newc T —2C 58
Dawson Pl. Mor —6F 7
Dawson Rd. Win —5G 179
Dawson Sq. N Shi —5K 47
Dawson St. Newc T —7E 62
Dawson Ter. Sund —1G 115
Daylesford Dri. Newc T —1H 61
Daylesford Rd. Cra —7J 19
Dayshield. Newc T —4F 59
Deacon Clo. Newc T —3B 58
Deaconsfield Clo. Sund —4B 130
(in two parts)
Deadridge La. Cor —7F 51
**Deaf Hill. —7B 178**
Deaf Hill Ter. Trim S —7B 178
Deal Clo. Bly —5J 21
Dean Clo. Pet —7D 170
Deanery St. Bed —7H 15
Deanery Vw. Lan —6K 135
Deanham Gdns. Newc T —5J 59
Dean Ho. Newc T —5E 62
Dean Rd. S Shi —6H 65
(in three parts)
**Deans. —6J 65**
Deans Av. Newb S —2G 11
Deans Clo. Whi —6H 79
Deansfield Clo. Sund —4B 130
Deansfield Gro. Newc T —2B 58
Dean St. Gate —2H 97
Dean St. Hex —1E 68
Dean St. Lang P —4K 149
Dean St. Newc T —1G 81 (6G 4)
Deans Wlk. Dur —1D 164
Dean Ter. Ryton —1G 77
Dean Ter. S Shi —6H 65
Dean Ter. Sund —6B 102
Dearham Gro. Cra —7J 19
Debdon Gdns. Newc T —4A 62
Debdon Pl. Cra —4K 23
Debdon Rd. Ash —5D 10
Debussy Ct. Jar —7C 64
**Deckham. —6J 81**
Deckham St. Gate —6J 81
Deckham Ter. Gate —6J 81
Deepbrook Rd. Newc T —4J 59
Deepdale. W'snd —7D 44
Deepdale. Wash —7E 112
Deepdale Clo. Whi —3F 95
Deepdale Cres. Cow —3K 59
Deepdale Grn. Newc T —3A 60
Deepdale Rd. N Shi —2H 47
Deepdale St. Hett H —1G 155
Deepdene Gro. Sund —2G 103
Deepdene Rd. Sund —2F 103
Deerbolt Pl. Newc T —5A 44
Deerbush. Newc T —4F 59
Deerfell Clo. Ash —5K 9
Deerness Ct. B'don —1E 172
Deerness Gro. Esh W —3D 160
Deerness Heights. B'don —7D 162
Deerness Pl. Wat —6C 160
Deerness Rd. Sund —3G 117
**Deerness View. —2K 161**
Deerness Vw. Ush M —2K 161
Dee Rd. Heb —3K 83
Deer Pk. Way. Bla T —5E 78
Dees Av. W'snd —2F 63
Dee St. Jar —6C 64
Defender Ct. Sund E —7H 101
Defoe Av. S Shi —3J 85
De Grey St. Newc T —3C 80
Deighton Wlk. Newc T —4F 59
Delacour Rd. Bla T —3C 78
Delamere Ct. Sund —3C 130
Delamere Cres. Cra —7J 19
Delamere Gdns. Pet —7A 158
Delamere Rd. Newc T —7B 42
**Delaval. —2H 79**
Delaval. Ches S —6J 125
Delaval Av. N Shi —6E 46
Delaval Av. Sea D —7G 25
Delaval Ct. Bed —6A 16
Delaval Ct. S Shi —4K 65
Delaval Cres. Bly —5F 21
Delavale Clo. Pet —6D 170
Delaval Gdns. Bly —5F 21
Delaval Gdns. Newc T —2H 79
Delaval Rd. For H —4B 44
Delaval Rd. Newc T —2H 79
(in two parts)
Delaval Rd. Whit B —7J 37
Delaval St. Bly —5F 21
Delaval Ter. Bly —1H 21
(in two parts)
Delaval Ter. Newc T —1C 60
Delaval Trad. Est. Sea D —5G 25
Delhi Cres. W'sde —3E 76
Delhi Gdns. W'sde —3E 76
Delhi Vw. W'sde —3E 76
Delight Bank. Dip —2H 121
Delight Ct. Dip —1H 121
Delight Row. Dip —1H 121
Dellfield Dri. Sund —4G 115
Dell, The. Hou S —6D 128
Dell, The. Mor —4E 6
Delta Bank Rd. Met P —3J 79
Delvedere. Con —1K 133
**Delves. —2K 133**
Delves La. Con —7J 119
Delves La. Ind. Est. Con —3K 133
De Merley Rd. Mor —5F 7
Demesne Dri. Bed —1H 19
Demesne, The. Ash —5F 11
De Mowbray Way. Mor —5D 6
Dempsey Rd. Haz —7D 32
Denbeigh Pl. Newc T —5A 44
Denbigh Av. Sund —3F 103
Denbigh Av. W'snd —1A 64
Denby Clo. Cra —7J 19
Denby Wlk. Newc T —2C 58
Dene Av. Bru V —5C 32
Dene Av. Hex —2E 68
Dene Av. Hou S —3G 143
Dene Av. Lem —7D 58
Dene Av. Pet —5C 158
Dene Av. Row G —6H 93
Dene Av. Shot C —6F 169
Dene Av. S Gos —1G 61
Dene Av. W Moor —2J 43
Denebank. Whit B —6E 36
Dene Bank. Wit G —3C 150
Dene Bank Av. Pet —6E 170
Dene Bank Vw. Newc T —2A 60
Deneburn. Gate —7E 82
Deneburn Ter. Con —2E 132
Dene Clo. Newc T —4J 61
Dene Clo. O'ham —1D 74
Dene Clo. Rid M —7K 71
Dene Clo. Ryton —1H 77
Dene Cotts. Ches S —1F 139
Dene Ct. Bir —1A 112
Dene Ct. Ham C —2K 105
Dene Ct. Lem —5E 58
Dene Ct. Newc T —4K 61
Dene Ct. Shad —6E 166
Dene Ct. Wash —2G 113
Dene Ct. Wit G —2D 150
Dene Cres. Newc T —1G 61
Dene Cres. Row G —6H 93
Dene Cres. Ryton —1H 77
Dene Cres. Sac —7F 139
Dene Cres. Shot C —6F 169
Dene Cres. W'snd —3H 63
Dene Cres. Whit B —5F 37
Denecrest. Con —6J 105
Denecroft. Wylam —7J 55
Dene Dri. Dur —6H 153
Deneford. Gate —6J 97
Dene Gdns. Gate —5F 83
Dene Gdns. Hou S —3F 143
Dene Gdns. Newc T —7D 58
Dene Gdns. Whit B —6E 36
Dene Gth. O'ham —1C 74
Dene Gro. Newc T —1G 61
Dene Gro. Pru —3D 74
Dene Gro. Seg —1E 34
Deneholm. W'snd —2H 63
Deneholm. Whit B —5E 36
Deneholme Ter. Edm —3K 137
Dene Ho. Rd. S'hm —2A 146
Denelands. Hex —1E 68
Dene La. Cle —7E 86
Dene La. Shad —6F 167
Dene La. Sund —3F 103
Dene M. Sund —6J 101
Dene Pk. Esh W —4D 160
Dene Pk. Hex —2E 68
Dene Pk. Pon —1F 39
Dene Pk. Sund —6J 101
Dene Rd. B Col —2J 181
Dene Rd. Bla T —3C 78
Dene Rd. Chop —1G 15
Dene Rd. N Shi —4J 47
Dene Rd. Row G —6H 93
Dene Rd. S'hm —5H 145
Dene Rd. Sund —6J 101
Dene Rd. Wylam —7K 55
**Deneside. —4J 145**
Dene Side. Bla T —4D 78
Deneside. Den B —6G 59
Deneside. Gate —7B 80
Deneside. Ham C —2K 105
Deneside. Jar —5C 84
Deneside. Lan —7K 135
Deneside. Sac —6E 138
Deneside. Seg —1E 34
Deneside. S Shi —7E 66
Deneside. Who G —1F 59
Deneside. Wit G —3D 150
Deneside Av. Gate —3G 97
Deneside Ct. Newc T —5J 61
Dene St. Hett H —4G 143
Dene St. H'wll —1K 35
Dene St. New S —7C 116
Dene St. Pet —5E 170
Dene St. Pru —3G 75
Dene St. S'ley —4C 122
Dene St. Sund —1B 116
Denesyde. Con —6J 105
*Dene Ter. Bla T —4B 78*
*(off Park Av.)*
Dene Ter. Gos —1G 61
Dene Ter. Jar —2A 84
Dene Ter. O'ton —2K 73
Dene Ter. Pet —6E 170
Dene Ter. Pru —4C 74
*Dene Ter. Rid M —6K 71*
*(off Dene Clo.)*
Dene Ter. S'hm —2B 146
Dene Ter. Shot C —6F 169
Dene Ter. Sund —3F 103
Dene Ter. Walb —4K 57
*Dene Ter. E. Wylam —7J 55*
*(off Algernon Ter.)*
*Dene Ter. W. Wylam —7J 55*
*(off Algernon Ter.)*
Dene, The. Ches M —3K 139
Dene, The. Con —6J 105
Dene, The. W Rai —1A 154
Dene, The. Whit B —6E 36
Dene, The. Wylam —7K 55
Dene Vw. Ash —4J 9
Dene Vw. Bed —7A 16
Dene Vw. Burn —2A 108
Dene Vw. Cass —3F 177
Dene Vw. Cas E —6B 180
Dene Vw. Crag —2J 123
Dene Vw. Gos —1G 61
Dene Vw. Highf —5G 93
Dene Vw. H Hes —4G 181
Dene Vw. H Spen —4E 92
Dene Vw. H'wll —1K 35
Dene Vw. O'ton —2K 73
Dene Vw. Ct. Bly —1F 21
Dene Vw. Cres. Sund —2H 115
Dene Vw. Dri. Bly —1F 21
Dene Vw. E. Bed —1A 20
Dene Vw. W. Bed —1K 19
Dene Vs. Ches S —1B 140
Dene Vs. Pet —6F 171
(in two parts)
Dene Wlk. N Shi —3E 64
Deneway. Row G —3A 94
Dene Way. S'hm —2A 146
Denewell Av. Gate —2H 97
Denewell Av. Newc T —2J 61
Denewood. Kil —2B 44
Denewood Ct. Will Q —4A 64
Denham Av. Sund —3F 103
Denham Dri. Sea D —1H 35
Denham Gro. Bla T —6K 77
Denham Wlk. Newc T —2B 58
Denhill Pk. Newc T —7K 59
Denholm Av. Cra —7J 19
Denholme Lodge. Gate —5B 80
Denmark Cen. S Shi —2J 65
Denmark Ct. Newc T —6A 62 (2P 5)
Denmark St. Gate —4H 81
Denmark St. Newc T —6A 62 (2P 5)
Dennison Cres. Bir —2A 112
Dennison Ri. Pru —4F 75
Dennis St. Whe H —2B 178
Denshaw Clo. Cra —7J 19
Dent Clo. Has —1A 168
Dentdale. Hou S —1J 127
Denton Av. Newc T —7D 58
Denton Av. N Shi —6C 46
**Denton Burn. —5F 59**
Denton Chare. Newc T —2F 81 (7F 4)
Denton Ct. Newc T —6G 59
Denton Gdns. Newc T —1J 79
Denton Ga. Newc T —2G 59
Denton Gro. Newc T —2G 59
Denton Hall Turrett —5F 59
Denton Pk. Shop. Cen. Newc T —3E 58
Denton Rd. Newc T —7F 59
Denton Vw. Bla T —4B 78
Dent St. Bly —3K 21
Dent St. Sund —3F 103
Denver Gdns. Newc T —1C 82
Denway Gro. Sea S —3B 26
*Denwick Av. Newc T —7C 58*
*(off Shirley St.)*
Denwick Clo. Ches S —2J 139
Denwick Ter. N Shi —5J 47
Depot Rd. Newc T —6B 62
**Deptford. —7D 102**
Deptford Rd. Gate —2J 81 (7M 5)
Deptford Rd. Sund —1D 116

Deptford Ter. Sund —7C 102
Derby Ct. Newc T —7D 60 (4B 4)
Derby Cres. Con —3C 132
Derby Cres. Heb —1H 83
Derby Dri. Con —3C 132
Derby Gdns. W'snd —2E 62
Derby Rd. S'ley —4E 122
Derbyshire Dri. Dur —2H 165
Derby St. Jar —6C 64
Derby St. Newc T —7D 60 (4B 4)
Derby St. S Shi —3J 65
Derby St. Sund —2E 116
Derby Ter. S Shi —3K 65
Dereham Clo. Sea S —5D 26
Dereham Ct. Newc T —1H 59
Dereham Rd. Sea S —6D 26
Dereham Ter. Chop —7A 10
Dereham Way. N Shi —4B 46
Dere Pk. Lead —5A 120
Dere Rd. Con —1K 133
Dere St. Que —6A 148
(in three parts)
Derry Av. Sund —3G 103
Derwent Av. Heb —3J 83
Derwent Av. Newc T —6J 57
Derwent Av. Row G —6J 93
Derwent Av. Team T —2F 97
Derwent Cen., The. Con —7H 119 (off Trafalgar St.)
Derwent Clo. Sac —7D 138
Derwent Clo. S'hm —2A 146
Derwent Cote. Ham C —3K 105
Derwentcote Steel Furnace. —3C 106
Derwent Ct. Newc T —1J 61
Derwent Cres. Con —4B 120
Derwent Cres. Gt Lum —3F 141
Derwent Cres. Ham C —3K 105
Derwent Cres. Swa —6G 79
Derwent Crook Dri. Gate —2G 97
Derwent Crookfoot Rd. Gate —3G 97
Derwent Dale. Con —4E 118
Derwentdale Ct. B'hll —6F 119 (off Meadowfield)
Derwentdale Gdns. Newc T —2K 61
Derwentdale Ho. Ryton —7G 57
Derwentdale Ind. Est. Con —6F 119
Derwent Gdns. Gate —2J 97
Derwent Gdns. W'snd —1A 64
Derwenthaugh. —3H 79
Derwenthaugh Ind. Est. Swa —3F 79
Derwenthaugh Marina. Bla T —3G 79
Derwenthaugh Riverside Pk. Gate —4G 79
Derwenthaugh Rd. Bla T & Swa —3G 79
Derwent Haven. Ham C —3K 105
Derwent M. B'hll —5F 119
Derwent Pk. Cvn. & Camping Pk. Row G —5K 93
Derwent Pl. Bla T —5B 78
Derwent Pl. Con —3E 118
Derwent Rd. Hex —2E 68
Derwent Rd. N Shi —2H 47
Derwent Rd. Pet —5C 170
Derwent Rd. Sea S —4B 26
Derwentside. Swa —6G 79
Derwent St. B Mill —2K 105
Derwent St. C'wl —6K 91
Derwent St. Con —5F 119
Derwent St. Eas L —1H 155
Derwent St. Newc T —1H 79
Derwent St. Shin R —3B 128
Derwent St. S'ley —1E 122
Derwent St. Sund —2E 116
Derwent Ter. Burn —2B 108
Derwent Ter. S Het —3A 156
Derwent Ter. S'ley —6J 121
Derwent Ter. Wash —4J 113
Derwent Tower. Gate —5C 80
Derwent Valley Cotts. Row G —6K 93
Derwent Valley Vs. Low W —2J 105
Derwent Vw. Bla T —5B 78
Derwent Vw. Burn —2B 108
Derwent Vw. C'wl —5A 92
Derwent Vw. Con —3K 119
Derwent Vw. Ter. Dip —7H 107
Derwentwater Av. Ches S —1K 139
Derwentwater Ct. Gate —5F 81
Derwentwater Gdns. Whi —7K 79
Derwentwater Rd. Gate —6D 80
(in two parts)
Derwentwater Rd. Newb S —3G 11
Derwentwater Ter. S Shi —5J 65
Derwent Way. Bla T —5E 78
Derwent Way. Kil —1A 44
Deuchar St. Newc T —5H 61
Devon Av. Whi —7J 79
Devon Clo. Ash —3H 9
Devon Cres. Bir —2K 111
Devon Cres. Con —3D 132
Devon Dri. Sund —1C 130
Devon Gdns. Gate —7H 81
Devon Gdns. S Shi —6D 66
Devonport. Hou S —6C 128
Devon Rd. Heb —3K 83
Devon Rd. N Shi —3D 46
Devonshire Dri. Hol —3G 45
Devonshire Gdns. W'snd —2E 62
Devonshire Pl. Newc T —4H 61
Devonshire Rd. Dur —1H 165
Devonshire St. S Shi —6H 65
Devonshire St. Sund —6E 102
Devonshire Ter. Newc T —6F 61 (1F 4)
Devonshire Ter. Whit B —7H 37
Devonshire Tower. Sund —6F 103
Devon St. Hett H —6F 143
Devon St. Hou S —3C 128
Devon Wlk. Wash —6H 99
Devonworth Pl. Bly —2E 20
De Walden Sq. Peg —4A 8
De Walden Ter. Peg —4B 8
Dewhurst Ter. Sun —5H 95
Dewley. Cra —5K 23
Dewley Ct. Cra —5K 23
Dewley Pl. Newc T —2E 58
Dewley Rd. Newc T —4G 59
Dewsgreen. Cra —4K 23
Dexter Ho. N Shi —2D 64
Dexter Way. Gate —6A 82
Deyncourt. Dur —6J 163
Deyncourt. Pon —2H 39
Deyncourt Clo. Pon —3H 39
Diamond Ct. Newc T —7J 41
Diamond Sq. Hex —2D 68
Diamond St. W'snd —3F 63
Diamond Ter. Dur —2A 164
Diana St. Newc T —1D 80 (5B 4)
Dibley Sq. Newc T —1K 81 (5P 5)
Dibley St. Newc T —1K 81 (5P 5)
Dickens Av. S Shi —3H 85
Dickens Av. Swa —6G 79
Dickens St. Hou S —2D 142
Dickens St. Sund —6C 102
Dickens Wlk. Newc T —2C 58
Dickens Wynd. Dur —5J 163
Dickins Wlk. Pet —7C 170
Dickson Dri. Hex —3A 68
Dick St. Ryton —3D 76
Didcot Av. N Shi —1E 64
Didcot Way. E Bol —7E 84
Dillon St. Jar —1A 84
Dillon St. S'hm —3B 146
Dilston. —3B 70
Dilston Av. Hex —2E 68
Dilston Av. Whit B —7H 37
Dilston Clo. Peg —4C 8
Dilston Clo. Pet —2A 180
Dilston Clo. Shir —2K 45
Dilston Clo. Wash —4E 112
Dilston Dri. Ash —5B 10
Dilston Dri. Newc T —3E 58
Dilston Gdns. Sund —3B 116
Dilston Rd. Dur —5B 152
Dilston Rd. Newc T —1C 80
(in two parts)
Dilston Ter. Jar —3B 84
Dilston Ter. Newc T —1G 61
Dimbula Gdns. Newc T —3B 62
Dinmont Pl. Cra —5K 23
Dinnington. —4H 31
Dinnington Rd. Din —5J 31
Dinnington Rd. N Shi —6C 46
Dinsdale Av. W'snd —1G 63
Dinsdale Cotts. Sund —3H 131
Dinsdale Dri. Dur —7H 153
Dinsdale Pl. Newc T —6H 61 (2K 5)
Dinsdale Rd. Newc T —6H 61
(in two parts)
Dinsdale Rd. Sund —5G 103
Dinsdale St. Sund —3H 131
Dinsdale St. S. Sund —3H 131
Dinting Clo. Pet —7K 169
Dipe La. W Bol —1G 101
Dipton. —1H 121
Dipton Av. Newc T —2A 80
Dipton Clo. Hex —2G 69
Dipton Gdns. Sund —6D 116
Dipton Gro. Cra —4K 23
Diptonmill. —7B 68
Dipton Mill Rd. Hex —7B 68
Dipton Rd. Whit B —4D 36
Dipwood Rd. Row G —7H 93
Dipwood Way. Row G —7H 93
Discovery Ct. Sund —3B 130
Dishforth Grn. Gate —6K 97
Dispensary La. Newc T —1F 81 (6D 4)
Disraeli St. Bly —1H 21
(in two parts)
Disraeli St. Hou S —2B 142
Disraeli Ter. C'wl —6K 91
Dissington. —7A 28
Dissington La. Newc T —5B 38
Dissington March. —4F 39
Dissington Pl. Newc T —5J 59
Dissington Pl. Whi —2G 95
Ditchburn Ter. Sund —7B 102
Dixon Av. Con —5H 105
Dixon Est. Shot C —7E 168
Dixon Est. Bungalows. Shot C —1E 178
Dixon Pl. Gate —6B 80
Dixon Ri. Pet —6F 171
Dixon Rd. Hou S —4D 142
Dixons Sq. Sund —6F 103
Dixon St. Con —5G 119
Dixon St. Gate —5E 80
Dixon St. S Shi —4J 65
Dobson Clo. Newc T —3D 80 (9A 4)
Dobson Cres. Newc T —2A 82
Dobson Ho. Newc T —2A 44
Dobson Ter. Mur —7E 144
Dobson Ter. Win —4F 179
Dockendale La. Whi —7J 79
Dock Rd. N Shi —1G 65
Dock Rd. S. N Shi —2G 65
Dock St. S Shi —7H 65
Dock St. Sund —7G 103
Dockwray Clo. N Shi —7H 47
Dockwray Sq. N Shi —7H 47
Doctor Henry Russell Ct. Newc T —1G 79
Doddfell Clo. Wash —2E 112
Doddington Clo. Newc T —6B 58
Doddington Dri. Cra —4K 23
Doddington Vs. Gate —7A 82
Dodd's Bldgs. Bol C —5E 84
Dodds Clo. Whe H —2C 178
Dodd's Ct. Sund —4G 101
Dodds Ter. Bir —2A 112
Dodds Ter. Win —4F 179
Dodd Ter. S'ley —6K 121
Dodsworth N. G'sde —5F 77
Dodsworth Ter. G'sde —5F 77
Dodsworth Vs. G'sde —5F 77
Dogbank. Newc T —2G 81 (7H 5)
Dogger Bank. Mor —6E 6
Dog Leap Stairs. Newc T —7G 4 (off Side)
Dolley Bldgs. S'hm —3B 146
Dolley Dri. Pelt —2G 125
Dolley Gro. Whe H —2B 178
Dolphin Ct. Newc T —1K 79
Dolphin Quay. N Shi —7H 47
Dolphin St. Newc T —1K 79
Dolphin Vs. Haz —7D 32
Dominies Clo. Row G —4K 93
Dominion Rd. B'don —2D 172
Donald Av. S Het —3A 156
Donald St. Newc T —7G 43
Doncaster Rd. Newc T —6H 61 (2K 5)
Don Cres. Gt Lum —3F 141
Doncrest Rd. Wash —6F 99
Don Dixon Dri. Jar —5B 84
Don Gdns. Wash —6H 99
Don Gdns. W Bol —7F 85
Donkin Rd. Arm —1E 112
Donkins St. Bol C —5E 84
Donkin Ter. N Shi —5J 47
Donkin Ter. Ryton —3C 76
Donnington Clo. Sund —6G 101
Donnington Ct. Newc T —1H 61
Donnini Ho. Pet —7A 158
Donnini Pl. Dur —1D 164
Donnison Gdns. Sund —1G 117
Donridge. Wash —6F 99
Don Rd. Jar —6D 64
Donside. Gate —3D 98
Don St. Team T —3E 96
Donvale Rd. Wash —6E 98
Don Vw. W Bol —7F 85
Donwell. —6F 99
Dorcas Av. Newc T —1J 79
Dorcas Ter. Wash —7H 99
Dorchester Clo. Newc T —2B 58
Dorchester Ct. N Har —4G 25
Dorchester Gdns. Gate —5H 97
Doreen Av. Dal D —4H 145
Doric Rd. New B —5B 162
Dorking Av. N Shi —1E 64
Dorking Clo. Bly —5J 21
Dorking Rd. Sund —3G 103
Dorlonco Vs. Mead —2E 172
Dormand Ct. Win —7H 179
Dormand Dri. Pet —2B 180
Dornoch Cres. Gate —1C 98
Dorothy Ter. Sac —1E 150
Dorrington Rd. Newc T —6A 42
Dorset Av. Bir —7B 112
Dorset Av. Heb —1K 83
Dorset Av. S Shi —6D 66
Dorset Av. Sund —3G 103
Dorset Av. W'snd —3E 62
Dorset Clo. Ash —3H 9
Dorset Cres. Con —3D 132
Dorset Gro. N Shi —3D 46
Dorset La. Sund —2D 130
Dorset Rd. Gate —2J 81 (7L 5)
Dorset Rd. Newc T —7F 59
Dorset St. Eas L —3J 155
Dotland Clo. Hex —2G 69
Douai Dri. Con —2A 134
Double Row. Sea D —6F 25
Douglas Av. Newc T —2C 60
Douglas Av. Pet —5D 170
Douglas Clo. S Shi —2J 85
Douglas Ct. G'cft —6J 121
Douglas Ct. Team T —5G 97
Douglas Gdns. Dur —5J 163
(in two parts)
Douglas Gdns. Gate —7C 80
Douglas Pde. Heb —4A 84
Douglas Rd. Sund —3G 103
Douglass St. W'snd —3F 63
Douglas St. W'snd —4A 64
Douglas Ter. Dip —3E 120
Douglas Ter. Hou S —1C 128
Douglas Ter. Newc T —1D 80 (5A 4)
Douglas Ter. Wash —5H 99
Douglas Vs. Dur —2C 164
Douglas Way. Newc T —4E 4
Doulting Clo. Newc T —6K 43
Douro Ter. Sund —3F 117
Dove Av. Jar —3C 84
Dove Clo. B'don —1C 172
Dove Clo. Kil —7A 34
Dovecote Clo. Whit B —5C 36
Dovecote Farm. Ches S —7H 125
Dovecote Rd. Newc T —5C 44
Dove Ct. Bir —3A 112
Dove Ct. N Shi —1J 47
Dovecrest Ct. W'snd —1K 63
Dovedale Av. Bly —2E 20
Dovedale Ct. S Shi —2G 85
Dovedale Gdns. Gate —3J 97
Dovedale Gdns. Newc T —2J 61
Dovedale Rd. Sund —2E 102
Dover Clo. Bed —7F 15
Dover Clo. Newc T —2C 58
Dovercourt Rd. Newc T —2E 82
Dove Row. N Shi —1J 47
Dowling Av. Whit B —7F 37
Downe Clo. Bly —5J 21
Downend Rd. Newc T —2D 58
Downfield. Wash —4H 99
Downham. Newc T —4F 59
Downham Ct. S Shi —4J 65
Downhill. —4H 101
Downhill La. W Bol —3C 100
Downies Bldgs. Newb S —2K 11
Downing Dri. Mor —1E 12
Downs La. Hett H —5H 143
(in two parts)
Downs Pit La. Hett H —6H 143
Downswood. Kil —1D 44
Dowsey Rd. Sher —2K 165
Dowson Sq. Mur —7C 144
Doxford Av. Hett H —4F 143
Doxford Cotts. Hett H —4F 143
Doxford Dri. S West —6H 169
Doxford Gdns. Newc T —4K 59
Doxford International Bus. Pk. Dox I —4J 129
Doxford Park. —4C 130
Doxford Pl. Cra —5K 23
Doxford Ter. Hett H —4G 143
Doxford Ter. N. Mur —7C 144
Doxford Ter. S. Mur —7C 144
Dragon La. Dur —1F 165
Dragon Villa. Dur —3F 165
Dragonville Ind. Est. Dur —1F 165
(in two parts)
Dragonville Pk. Dur —2F 165
Drake Clo. S Shi —5H 65
Drake's Cotts. Ryton —3D 76
Drawback Clo. Pru —4F 75
Drayton Rd. Newc T —1A 60
Drayton Rd. Sund —3F 103
Drey, The. Pon —1F 39
Drivecote. Gate —6C 82
Drive, The. Bir —6B 112
Drive, The. Con —3F 119
Drive, The. Den B —5F 59
Drive, The. Gate —7H 81
(NE9)
Drive, The. Gate —6C 82
(NE10)
Drive, The. Gos —2E 60
Drive, The. Longb —1K 61
Drive, The. N Shi —4K 47
Drive, The. W'snd —3F 63
Drive, The. Wash —6G 99
Drive, The. Whi —1J 95
Dronfield Clo. Ches S —1H 139
Drove Rd. Newc T —1F 57
Drover Rd. Con —4C 132
Drover Ter. Con —4C 132
Dr. Pit Cotts. Bed —7H 15
Dr. Syntax Rd. Pru —4E 74
Drumaldrace. Wash —2E 112
Drum Ind. Est. Ches S —2K 125
Drummond Building. Newc T —1F 4
Drummond Cres. S Shi —1F 85
Drummond Rd. Newc T —2B 60
Drummond Ter. N Shi —5H 47
Drumoyne Clo. Sund —3H 129
Drumoyne Gdns. Whit B —1D 46
Drum Rd. Ches S —1K 125
Drumsheugh Pl. Newc T —3H 59
Druridge Av. Sund —2G 103
Druridge Cres. Bly —3F 21
Druridge Cres. S Shi —5D 66
Druridge Dri. Bly —3F 21
Druridge Dri. Newc T —4J 59
Drury La. Dur —3A 164
Drury La. Jar —5C 64
Drury La. Newc T —6F 4 (off Mosley St.)
Drury La. N Shi —5C 46
Drury La. Sund —1G 117
Dr. Winterbottom Hall. S Shi —4B 66
Drybeck Ct. Cra —2B 24
Drybeck Ct. Newc T —1D 80 (7A 4)
Drybeck Sq. Sund —3D 130
Drybeck Wlk. Cra —2B 24
Dryborough St. Sund —1D 116
Dryburgh. Wash —3H 113
Dryburgh Clo. N Shi —4E 46
Dryburn Hill. Dur —6J 151
Dryburn Pk. Dur —6J 151
Dryburn Rd. Dur —7J 151
Dryburn Vw. Dur —6J 151
Dryden Clo. S Shi —4H 85
Dryden Clo. S'ley —3G 123
Dryden Ct. Gate —6H 81
Dryden Rd. Gate —6H 81
Dryden St. Sund —5C 102
Drysdale Ct. Bru V —5C 32
Drysdale Cres. Bru V —5C 32
Dubmire Cotts. Hou S —3K 141
Dubmire Ct. Hou S —2A 142
Dubmire Ind. Est. Hou S —1B 142
Duce Dri. Gate —6B 80
Duce Gdns. NE13 —5C 32
Duchess Cres. E. Jar —3B 84
Duchess Cres. W. Jar —3B 84
Duchess Dri. Newc T —6G 59
Duchess St. Whit B —6G 37
Duckets Dean. Pru —3F 75
Duckpool La. Whi —7J 79
Duckpool La. N. Whi —6J 79
Duddon Clo. Pet —6C 170
Duddon Pl. Gate —3K 97
Dudley. —3H 33
Dudley Av. Sund —3F 103
Dudley Ct. Cra —4J 23
Dudley Dri. Dud —3J 33
Dudley Gdns. Sund —2J 129
Dudley Ho. Newc T —3B 4
Dudley La. Cra —7J 23
Dudley La. Dud —1J 33
Dudley La. Sea B —3E 32
(in two parts)
Duffy Ter. S'ley —6A 122
Dugdale Ct. Newc T —7K 41
Dugdale Rd. Newc T —7K 41
Duke of Northumberland Ct. W'snd —7J 45
Duke's Av. Heb —2H 83
Dukes Cotts. Back —6G 35
Dukes Cotts. Newc T —6K 57
Dukes Ct. Pru —2G 75
Dukes Dri. Newc T —3D 42
Dukesfield. Cra —4K 23
Duke's Gdns. Bly —1G 21
Dukes Mdw. Wool —4E 40
Dukes Rd. Hex —1A 68
Duke St. Ash —3A 10
Duke St. Newc T —2E 80 (8C 4)
Duke St. N Shi —1H 65
Duke St. Pel —5E 82
Duke St. S'hm —2K 145

Duke St. S'ley —4J 121
Duke St. Sund —2C 116
Duke St. Whit B —6G 37
Duke St. N. Sund —5F 103
Dukes Way. Pru —2G 75
Dukesway. Team T —2D 96
Dukesway Ct. Team T —4E 96
Dukesway W. Team T —5E 96
Duke Wlk. Gate —5E 80
Dulverton Clo. Newc T —2C 58
Dulverton Av. S Shi —6K 65
Dulverton Ct. Newc T —3H 61
Dumas Wlk. Newc T —2C 58
Dumfries Cres. Jar —3E 84
Dunbar Clo. Newc T —2C 58
Dunbar Gdns. W'snd —1A 64
Dunbar St. Sund —3B 116
Dunblane Cres. Newc T —5F 59
Dunblane Dri. Bly —5J 21
Dunblane Rd. Sund —2G 103
Dunbreck Gro. Sund —4C 116
Duncairn. S'ley —2F 123
 (off View La.)
Duncan Gdns. Mor —1F 13
Duncan St. Gate —5K 81
Duncan St. Newc T —7E 62
Duncan St. Sund —1B 116
Duncombe Cres. S'ley —1F 123
Dun Cow La. Dur —3A 164
Dun Cow St. Sund —1E 116
Dundas St. Sund —7F 103
Dundas Way. Gate —6A 82
Dundee Clo. Newc T —2C 58
Dundee Ct. Jar —3E 84
Dundrennan. Wash —5G 113
Dunelm. Sac —1E 150
Dunelm. Sund —4C 116
 (in two parts)
Dunelm Clo. Bir —4A 112
Dunelm Clo. Con —6B 120
Dunelm Ct. B'don —2C 172
Dunelm Ct. Dur —3A 164
Dunelm Ct. Heb —1H 83
Dunelm Cres. Con —3D 132
Dunelm Dri. Hou S —2C 142
Dunelm Dri. W Bol —7H 85
Dunelm Pl. Shot C —6F 169
Dunelm Rd. Con —2C 132
Dunelm Rd. Hett H —6F 143
Dunelm Rd. Thor —2G 177
Dunelm S. Sund —4D 116
Dunelm St. S Shi —3K 65
Dunelm Ter. Dal D —6H 145
Dunelm Wlk. Con —6B 120
Dunelm Wlk. Pet —5B 170
Dunelm Way. Con —6B 120
Dunford Gdns. Newc T —1D 58
Dunholm Clo. Hou S —3E 142
Dunholme Clo. Ayk H —6K 151
Dunholme Rd. Newc T —1B 80
Dunira Clo. Newc T —3H 61
Dunkeld Clo. Bly —5J 21
Dunkirk Av. Hou S —3F 143
Dunlin Clo. Ryton —2J 77
Dunlin Dri. Bly —5J 21
Dunlin Dri. Wash —5D 112
Dunlop Clo. Newc T —1A 62
Dunlop Cres. S Shi —7C 66
Dunmoor Clo. Newc T —1C 60
Dunmoor Ct. Ches S —1J 139
Dunmore Av. Sund —2G 103
Dunmorlie St. Newc T —7B 62
Dunn Av. Sund —7C 116
Dunne Rd. Bla T —2E 78
Dunning St. Sund —1E 116
Dunnlynn Clo. Sund —3A 130
Dunnock Dri. Sun —4G 95
Dunnock Dri. Wash —6D 112
Dunn Rd. Pet —5B 170
 (in two parts)
Dunns Clo. Newc T
 —5D 60 (1B 4)
Dunn's Ter. Newc T
 —5D 60 (1A 4)
Dunn St. Newc T —3D 80 (10B 4)
Dunn St. S'ley —5K 121
Dunns Yd. W Kyo —4K 121
Dunn Ter. Newc T —7K 61 (4N 5)
Dunnykirk Av. Newc T —7K 41
Dunraven Clo. Phil —4C 128
Dunsany Ter. Pelt F —5G 125
Dunsdale Dri. Cra —2B 24
Dunsdale Rd. H'will —1J 35
Dunsgreen. Pon —6J 29
Dunsgreen Ct. Pon —6J 29
Dunsley Gdns. Din —4H 31
Dunslow Cft. Hor —4E 54
Dunsmuir Gro. Gate —6F 81
Dunstable Pl. Newc T —2B 58
Dunstanburgh Clo. Bed —7F 15
Dunstanburgh Clo. Newc T
 —1B 82

Dunstanburgh Clo. Wash
 —4F 113
Dunstanburgh Ct. Gate —7F 83
Dunstanburgh Rd. Newc T
 —1B 82
Dunstan Clo. Ches S —1J 139
Dunstan Wlk. Newc T —4F 59
Dunston. —6C 80
Dunston Bank. Gate —7A 80
Dunston Enterprise Pk. Dun
 —4A 80
Dunston Hill. —7B 80
Dunston Pl. Bly —2F 21
Dunston Rd. Dun —6B 80
Dunston Rd. Gate —4B 80
Dunvegan. Bir —6C 112
Dunvegan Av. Ches S —1K 139
Dunwoodie Ter. Hex —1C 68
 (off Cockshaw)
Durant Rd. Newc T
 —7G 61 (4G 4)
Durban St. Bly —1H 21
Durdham St. Newc T —1A 80
Durham. —2A 164
Durham Av. Pet —4D 170
Durham Av. Wash —7F 99
Durham Castle. —2A 164
Durham Cathedral. —3A 164
Durham City Northern By-Pass.
 —3K 151
Durham Clo. Bed —7F 15
Durham College of Agriculture &
 Horticulture. —5C 164
 (in two parts)
Durham County Cricket Ground.
 —7C 126
Durham Ct. Heb —1H 83
Durham Ct. Sac —1F 151
Durham Dri. Jar —5A 84
Durham Gdns. Wit G —2D 150
Durham Gro. Jar —4A 84
Durham Heritage Centre &
 Museum. —3A 164
Durham La. Eas V —2H 169
 (in two parts)
Durham La. Has —4E 166
Durham Light Infantry Museum &
 Arts Cen. —3A 164
Durham Moor. Dur —4J 151
Durham Pl. Bir —1A 126
Durham Pl. Gate —5H 81
Durham Pl. Hou S —6D 128
 (off Front St.)
Durham Rd. Ann P —6A 122
Durham Rd. Ayk H —7J 151
Durham Rd. Bear —1E 162
Durham Rd. Bir —2A 112
Durham Rd. B'hll —7F 119
Durham Rd. Bow —4G 175
Durham Rd. Bran —5A 172
Durham Rd. Ches S —2A 140
Durham Rd. Cra —1A 24
Durham Rd. E Rai —6C 142
 (in two parts)
Durham Rd. Esh W —4E 160
Durham Rd. Gate & Low F
 —5H 81
Durham Rd. Hou S —2E 142
 (DH4)
Durham Rd. Hou S & Nbtle
 (DH5) —7F 129
Durham Rd. Lan —7K 135
Durham Rd. Lead —5B 120
Durham Rd. Sac —1E 150
Durham Rd. S'ley —4G 123
Durham Rd. Sund —4D 116
 (in two parts)
Durham Rd. Sund —3H 129
 (SR3)
Durham Rd. Ush M —2B 162
Durham Rd. Win —4E 178
Durham Rd. Trad. Est. Bir
 —1A 126
Durham Rd. W. Bow —5H 175
Durham St. Gate —5D 82
Durham St. Hou S —2A 142
Durham St. Lang P —4J 149
Durham St. Newc T —2B 80
 (in two parts)
Durham St. S'hm —2K 145
Durham St. W'snd —3G 63
Durham St. W. W'snd —3G 63
Durham Ter. Dur —5J 151
Durham Ter. Sund —7C 116
Durham University Botanic
 Garden. —6B 164
Durham University Oriental
 Museum. —5A 164
Durham Way. Pet —1K 179
Dutton Ct. Bla T —2F 79
Duxfield Rd. Newc T —2K 61
Duxford Pk. Way. Sund —3A 130
Dwyer Cres. Sund —3H 131

Dyer Sq. Sund —5D 102
Dykefield Av. Newc T —5A 42
Dyke Heads. —4F 77
Dyke Heads La. G'sde —4F 77
Dykelands Rd. Sund —3F 103
Dykelands Way. S Shi —3F 85
Dykenook Clo. Whi —3G 95
Dykes Way. Gate —2B 98
Dymock Ct. Newc T —7H 41

Eaglescliffe Dri. Newc T —3B 62
Eaglesdene. Hett H —6G 143
Eagle St. Team T —1D 96
Ealing Clo. Newc T —6H 41
Ealing Dri. N Shi —3J 47
Ealing Sq. Cra —4F 23
Ealing Sq. Sund —4C 102
Eardulph Av. Ches S —6B 126
Earl Grey Way. N Shi —2F 65
Earlington St. Newc T —3C 44
Earl of Durham Monument.
 —7C 114
Earls Ct. Pru —2G 75
Earls Ct. Sund —3C 102
Earl's Ct. Team T —2F 97
Earls Dene. Gate —3H 97
Earls Dri. Gate —3H 97
Earl's Dri. Newc T —6G 59
Earl's Gdns. Bly —1G 21
Earls Grn. E Rai —7D 142
Earlston St. Sund —3C 102
Earlston Way. Cra —7A 20
Earl St. S'hm —2J 145
Earl St. S'ley —4K 121
Earl St. Sund —2D 116
Earls Way. Newc T —4F 4
Earlsway. Team T —7E 80
Earlswood Av. Gate —3H 97
Earlswood Gro. Bly —6H 21
Earlswood Pk. Gate —3H 97
Earnshaw Way. Whit B —4D 36
Earsdon. —6A 36
Earsdon Clo. Newc T —4G 59
Earsdon Grange Rd. Hou S
 —1F 143
Earsdon Rd. Hou S —2F 143
Earsdon Rd. Newc T —2A 60
Earsdon Rd. Shir —2H 45
Earsdon Ter. S All —3J 45
Earsdon Ter. W All —3J 45
Earsdon Vw. Shir —7K 35
Easby Clo. Newc T —4F 43
Easby Rd. Wash —4H 113
Easedale. Sea S —4C 26
Easedale Av. Newc T —3E 42
Easedale Gdns. Gate —3J 97
Easington. —7K 157
Easington Av. Cra —7A 20
Easington Av. Gate —4A 98
Easington Colliery. —6C 158
Easington Lane. —2J 155
Easington Lea. —5B 158
Easington St. Pet —7B 158
Easington St. Sund —7E 102
Easington St. N. Sund —7E 102
East Acres. Bla T —4D 78
East Acres. Din —3J 31
E. Atherton St. Dur —3K 163
East Av. Ches M —3J 139
East Av. Newc T —6B 44
East Av. Pet —5C 158
East Av. S Shi —7C 66
 (in two parts)
East Av. Wash —7F 113
East Av. Whit B —6E 36
E. Back Pde. Sund —3H 117
East Bailey. Newc T —7B 34
East Block. Wit G —3C 150
East Boldon. —7A 86
East Boldon Rd. Sund —6A 86
Eastbourne Av. Gate —6G 81
Eastbourne Av. Newc T —7E 62
Eastbourne Ct. Newc T —7E 62
Eastbourne Gdns. Cra —4F 23
Eastbourne Gdns. Newc T —7E 62
Eastbourne Gdns. Whit B —5F 37
Eastbourne Gro. S Shi —2K 65
Eastbourne Pde. Heb —4A 84
Eastbourne Sq. Sund —3D 102
E. Bridge St. Hou S —7J 113
Eastburn Gdns. Gate —4E 82
Eastcheap. Newc T —4A 62
E. Cleft Rd. Sund —2D 116
E. Coronation St. Mur —7F 145
Eastcliffe Av. Newc T —2C 60
East Clo. S Shi —7C 66
Eastcombe Clo. Bol C —4E 84
E. Coronation St. Mur —7F 145
Eastcote Ter. Newc T —2D 82
East Cramlington. —5C 24

E. Cramlington Ind. Est. Cra
 —6C 24
East Cramlington Pond.
 (Nature Reserve) —6E 24
East Cres. Bed —6B 16
E. Cross St. Sund —1F 117
Eastdene Rd. S'hm —3H 145
Eastdene Way. Pet —7D 170
East Denton. —5G 59
E.D. Morel Ter. C'wl —7A 92
East Dri. Bly —5G 21
East Dri. Cle —6B 86
E. Ellen St. Mur —1F 157
 (off W. Ellen St.)
East End. Sea S —6E 26
Easten Gdns. Gate —5B 82
Eastern Av. Lang P —5J 149
Eastern Av. Team T & Gate
 —3F 97
Eastern Ter. W'snd —4C 64
Eastern Way. Newc T —3K 59
Eastern Way. Pon —6H 29
Eastfield. Pet —7D 170
Eastfield Av. Newc T —5E 62
Eastfield Av. Whit B —7D 36
Eastfield Ho. Newc T —5E 62
Eastfield Rd. Newc T —6A 44
Eastfield Rd. S Shi —4B 66
Eastfields. Hex —2F 69
Eastfields. S'ley —4E 122
East Fields. Sund —6H 87
Eastfield St. Sund —3B 116
Eastfield Ter. Newc T —6B 44
E. Ford Rd. Chop —7A 10
E. Forest Hall Rd. Newc T —4C 44
East Front. Newc T
 —5G 61 (1G 4)
Eastgarth. Newc T —7G 41
 (in two parts)
Eastgate. Gate —3H 81 (9J 5)
Eastgate. Hex —2D 68
East Ga. Mor —1G 13
Eastgate. Sco Q —3H 15
Eastgate Bank. Mic —6B 74
Eastgate Gdns. Newc T —2B 80
East Gateshead. —3K 81
E. George Potts St. S Shi —4K 65
E. George St. N Shi —6J 47
East Grange. H'will —1K 35
East Grange. Sund —4E 102
E. Grange Ct. Eas V —1K 169
East Grn. Sco Q —3H 15
East Grn. Shot C —6F 169
East Gro. Sund —3H 115
East Hartford. —6K 19
E. Hendon Rd. Sund —2H 117
East Herrington. —2H 129
E. Hill Rd. Gate —5K 81
E. Holburn. S Shi —3H 65
East Holywell. —1J 35
East Howdon By-Pass. W'snd
 —4C 64
East Howdon. —3C 64
East Jarrow. —7D 64
East Kyo. —3B 122
Eastlands. Bla T —5B 78
Eastlands. Hett H —7F 143
Eastlands. H Ric —2C 126
Eastlands. Newc T —2J 61
East Law. Ebc —7F 105
East Lea. Bla T —6C 78
East Lea. Newb S —1J 11
East Lea. Thor —7J 167
Eastlea Cres. S'hm —3J 145
Eastlea Rd. S'hm —3H 145
Eastleigh Clo. Bol C —6E 84
East Loan. Mor —5G 7
East Moor Rd. Sund —1B 116
E. Norfolk St. N Shi —7H 47
E. Oakwood. Oak —5G 49
Easton Homes. Bed —6A 16
East Pde. Con —7J 119
East Pde. Kim —7H 139
East Pde. S'ley —2G 123
East Pde. Whit B —6H 37
E. Park Gdns. Bla T —5C 78
E. Park Rd. Gate —1G 97
 (in two parts)
E. Park Vw. Bly —2K 21
E. Pastures. Ash —5K 9
E. Percy St. N Shi —6J 47
East Rainton. —6D 142
East Riggs. Bed —1H 19
E. Sea Vw. Newb S —2J 11
E. Side Av. Bear —1C 162
East Sleekburn. —5E 16
East Sq. Cra —4J 23

E. Stainton St. S Shi —4K 65
East Stanley. —2G 123
E. Stanley By-Pass. S'ley
 —2H 123
E. Stevenson St. S Shi —4K 65
East St. B Col —1H 181
East St. Con —7J 119
East St. C'hll —7K 119
East St. Gate —3H 81 (9J 5)
East St. Gran V —4C 124
East St. Heb —6K 63
 (in three parts)
East St. Hett —7C 174
East St. H Spen —3D 92
East St. Mic —5B 74
East St. Sac —6D 138
East St. Shot C —6F 169
East St. S Shi —2J 65
East St. S'ley —2H 123
East St. Sund —1A 116
 (SR4)
East St. Sund —6H 87
 (SR6)
East St. Thor —1A 178
East St. Tyn —4K 47
East Ter. Chop —1A 16
East Ter. C'wl —1A 106
East Ter. Hes —5E 180
East Ter. Sta T —7H 179
East Thorp. Newc T —7F 41
East Vw. Bed —5B 16
East Vw. Bla —3D 78
East Vw. Bol C —6F 85
East Vw. Burn —2A 108
East Vw. C'twn —6J 101
East Vw. Clar V —7C 56
East Vw. Con —5H 119
East Vw. Dip —1H 121
East Vw. E Bol —7G 85
East Vw. Gate —1D 98
East Vw. Kim —1H 151
East Vw. Mead —2E 172
East Vw. Mor —7G 7
East Vw. Mur —1F 157
East Vw. Pet —4E 170
East Vw. Row G —5G 93
East Vw. Ryh —3G 131
East Vw. S'hm —1H 145
East Vw. Sea D —5G 25
East Vw. Seg —2D 34
East Vw. S Hill —3D 166
East Vw. S Moor —6E 122
East Vw. Sund —4G 103
East Vw. Whe H —4B 178
East Vw. Wide —4D 32
East Vw. Av. Cra —4K 23
East Vw. S. Sund —6J 101
East Vw. Ter. Dud —3J 33
East Vw. Ter. Gate —1D 98
East Vs. Ter. Swa —6H 79
East Vs. Has —7B 156
East Vines. Sund —1H 117
Eastward Grn. Whit B —7D 36
Eastway. S Shi —1D 86
East-West Link Rd. Cra —3K 23
Eastwood. Sac —1E 150
Eastwood Av. Bly —6H 21
Eastwood Clo. Burr —6A 34
Eastwood Ct. Newc T —5B 44
Eastwood Gdns. Fel —5A 82
Eastwood Gdns. Low F —1J 97
Eastwood Gdns. Newc T —1B 60
Eastwood Grange Ct. Hex —2G 69
Eastwood Grange Rd. Hex
 —2G 69
E. Woodlands. Hex —2F 69
Eastwood Pl. Cra —7A 20
Eastwoods Rd. Pru —3H 75
Eastwood Ter. Pru —4H 75
Eaton Pl. Newc T —1B 80
Eavers Ct. S Shi —1J 85
Ebba Wlk. Newc T —7F 43
Ebchester. —5H 105
Ebchester Av. Gate —4B 98
Ebchester Ct. Newc T —7J 41
Ebchester Hill. Con —5G 105
Ebchester Roman Museum &
 Baths. —5G 105
Ebchester St. S Shi —1G 85
Ebdon La. Sund —3F 103
Ebor St. S Shi —2G 85
Ebor St. Newc T —5A 62
Eccles Ct. Back —6G 35
Eccles Ter. W All —3J 45
Eccleston Rd. S Shi —3A 66
Ecgfrid Ter. Jar —1C 84
Eddison Rd. Wash —4K 113
Eddleston. Wash —7E 112
Eddleston Av. Newc T —2C 60
Eddrington Gro. Newc T —2C 58

Ede Av. Gate —6B 80
Ede Av. S Shi —7D 66
Eden Av. Burn —2A 108
Eden Av. Con —4B 120
Edenbridge Cres. Newc T —5K 43
Eden Clo. Newc T —3C 58
Eden Cotts. Hes —4E 180
Eden Ct. Bed —1J 19
Eden Ct. W'snd —4F 63
Edencroft. W Pel —3C 124
Eden Dale. Ryton —2D 76
Edendale Av. Bly —1F 21
Edendale Av. Kil V —5A 44
Edendale Av. Newc T —7E 62
Edendale Ct. Bly —1F 21
Edendale Ct. S Shi —2G 85
Edendale Ter. Gate —6H 81
Edendale Ter. Pet —6D 170
Edenfield. W Pel —2C 124
Edengarth. N Shi —2F 47
Eden Gro. Mor —2G 13
Edenhill Rd. Pet —5C 170
Eden Ho. Rd. Sund —3D 116
Eden La. Pet —4B 170
Eden Pl. N Shi —3G 47
Eden Rd. Dur —5A 152
Eden St. Pet —5E 170
Eden St. W'snd —4F 63
Eden St. W. Sund —1E 116
Eden Ter. Dur —1F 165
Eden Ter. Hou S —3B 128
Eden Ter. S'ley —4D 122
Eden Ter. Sund —3D 116
Eden Va. Sund —3D 116
Edenvale Est. Pet —6D 170
Eden Vw. Shot C —6F 169
Eden Vs. Wash —4J 113
Eden Wlk. Jar —3C 84
Edgar St. Newc T —7H 43
Edgecote. Wash —7K 99
Edge Ct. Dur —2D 164
Edgefield Av. Newc T —7B 42
Edgefield Dri. Cra —7A 20
Edgehill. Mor —2H 13
Edge Hill. Pon —3F 39
Edgehill Clo. Pon —3G 39
Edge La. Lan —2A 136
Edgemount. Kil —7C 34
Edgeware Ct. Sund —4C 102
Edgeware Rd. Gate —6J 81
Edgeware Wlk. Newc T —3A 80
Edgewell Av. Pru —5D 74
Edgewell Grange. Pru —4E 74
Edgewell Ho. Rd. Pru —7C 74
Edgewell Rd. Pru —4D 74
Edgewood. Hex —2F 69
Edgewood. Pon —2H 39
Edgewood Av. Bed —7A 16
Edgeworth Clo. Bol C —4E 84
Edgeworth Cres. Sund —5F 103
Edgmond Ct. Sund —1G 131
Edhill Av. S Shi —1G 85
Edhill Gdns. S Shi —2F 85
Edinburgh Ct. Newc T —4K 41
Edinburgh Rd. Jar —2E 84
Edinburgh Sq. Sund —4C 102
Edington Gdns. Clar V —7C 56
Edington Gro. N Shi —3G 47
Edington Rd. N Shi —3G 47
Edison Gdns. Gate —7G 81
Edison St. Mur —7E 144
Edith Av. Bla T —4C 78
Edith Av. Wash —7J 99
Edith Moffat Ho. N Shi —6G 47
(off Albion Rd.)
Edith St. Con —7H 119
Edith St. Jar —6A 64
Edith St. N Shi —4J 47
Edith St. S'hm —5C 146
Edith St. Sund —4G 117
Edith Ter. Hou S —6D 128
Edlingham Clo. S Gos —1H 61
Edlingham Ct. Hou S —2F 143
Edlingham Rd. Dur —6A 152
Edmondsley. —3D 138
Edmondsley La. Sac —4D 138
Edmondsley Rd. Edm —3D 138
Edmonton Sq. Sund —4C 102
Edmund Ct. Bear —7C 150
Edmund Pl. Gate —2H 97
Edna St. Bow —5H 175
Edna Ter. Newc T —2G 59
Edrich Ho. N Shi —2E 64
Edward Av. Bow —4H 175
Edward Av. Pet —5D 170
Edward Burdis St. Sund —5D 102
Edward Cain Ct. Pet —5E 170
Edwardia Ct. Con —7G 119
Edward Pl. Newc T —1D 80 (5A 4)
Edward Rd. Bed —5B 16
Edward Rd. Bir —3K 111
Edward Rd. W'snd —2K 63
Edwardson Rd. Mead I —2F 173
Edwards Rd. Whit B —7J 37
Edward St. Bla T —3D 78
Edward St. Bly —1H 21
Edward St. Ches S —6A 126
Edward St. Dur —2D 164
Edward St. Esh W —4E 160
Edward St. Heb —7G 63
Edward St. Hett H —6G 143
Edward St. Hob —4A 108
Edward St. Mor —7G 7
Edward St. Newc T —7E 42
Edward St. Peg —4B 8
Edward St. Ryton —3C 76
Edward St. S'hm —4B 146
Edward St. S'ley —7J 123
Edward St. Sund —2C 130
Edward's Wlk. Newc T —7F 61 (3E 4)
Edward Ter. New B —4B 162
Edward Ter. Pelt —3E 124
Edward Ter. S'ley —5B 122
Edwina Gdns. N Shi —5E 46
Edwin Gro. W'snd —2A 64
Edwin's Av. Newc T —4C 44
Edwin's Av. S. Newc T —4C 44
Edwin St. Bru V —5C 32
Edwin St. Hou S —1E 142
Edwin St. Newc T —3P 5
Edwin St. Sund —1A 116
Edwin Ter. G'sde —4G 77
Egerton Rd. S Shi —7J 65
Egerton St. Newc T —2K 79
(in two parts)
Egerton St. Sund —3G 117
Eggleston Clo. Dur —5C 152
Eggleston Clo. Gt Lum —3F 141
Eggleston Dri. Sund —6C 116
Egham Rd. Newc T —3C 58
Eglesfield Rd. S Shi —5J 65
Eglingham Av. N Shi —3J 47
Eglinton St. Sund —6E 102
Eglinton St. N. Sund —6E 102
Eglinton Tower. Sund —6F 103
Egremont Dri. Gate —1J 97
Egremont Gdns. Gate —1J 97
Egremont Gro. Pet —2J 179
Egremont Pl. Whit B —7H 37
Egremont Way. Cra —7A 20
Egton Ter. Bir —3A 112
Eider Clo. Bly —6J 21
Eider Wlk. Kil —7A 34
Eighteenth Av. Bly —4G 21
(in two parts)
Eighth Av. Ash —5C 10
Eighth Av. Bly —4H 21
Eighth Av. Ches S —6K 125
Eighth Av. Mor —1H 13
Eighth Av. Newc T —5A 62 (1P 5)
Eighth Av. Team T —4E 96
Eighth Row. Ash —3K 9
Eighth St. B Col —1H 181
Eighth St. Pet —5E 170
Eighton Banks. —5B 98
Eighton Ter. Gate —4C 98
Eilansgate. Hex —1B 68
Eilansgate Ter. Hex —1C 68
Eilanville. Hex —1C 68
Eishort Way. Newc T —6K 43
Eland Clo. Newc T —7K 41
Eland Edge. Pon —4K 29
Eland Grange. Pon —5K 29
Eland La. Pon —5K 29
Eland Vw. Pon —5K 29
Elberfield Ct. Jar —7B 64
Elder Clo. Ush M —3D 162
Elder Gdns. Gate —6A 98
Elder Gro. Gate —2H 97
Elder Gro. S Shi —3B 86
Elder Sq. Ash —5C 10
Elders Wlk. Whit —6H 87
Elderwood Gdns. Gate —2D 96
Eldon Clo. Lang P —5G 149
Eldon Ct. Newc T —7F 61
Eldon Ct. W'snd —4B 64
(off Eldon St.)
Eldon Gdns. Newc T —7F 61 (4E 4)
Eldon Ho. Newc T —6E 42
Eldon La. Newc T —1F 81 (5F 4)
Eldon Pl. Lem —6D 58
Eldon Pl. Newc T —6F 61 (2F 4)
Eldon Pl. S Shi —6H 65
Eldon Rd. Hex —2F 69
Eldon Rd. Newc T —6D 58
Eldon Sq. Newc T —1F 81 (5E 4)
Eldon Sq. Bus Concourse. Newc T —4E 4
(off Percy St.)
Eldon Sq. Shop. Cen. Newc T —7F 61 (4F 4)
Eldon St. Gate —4J 81 (10L 5)
Eldon St. S Shi —4H 65
Eldon St. Sund —2C 116
Eldon St. W'snd —4B 64
Eldon Wlk. Newc T —4E 4
Eldon Way. Newc T —7F 61 (4F 4)
Eleanor St. N Shi —7J 37
Eleanor St. S Shi —2K 65
Eleanor Ter. Ryton —2E 76
Eleanor Ter. Whi —7G 79
(off Whickham Bank)
Electric Cres. Hou S —5C 128
Elemore Clo. Lang P —5H 149
Elemore La. H Pitt & Eas L —6C 154
Elemore St. H Pitt —6B 154
Elemore Vale. —3H 155
Elemore Vw. S Het —4B 156
Elenbel Av. Bed —7A 16
Eleventh Av. Bly —3J 21
Eleventh Av. Ches S —6K 125
Eleventh Av. Mor —1H 13
Eleventh Av. Team T —5F 97
Eleventh Av. N. Team T —4G 97
Eleventh Row. Ash —3K 9
Eleventh St. B Col —1G 181
(in two parts)
Eleventh St. Pet —5D 170
Elford Clo. Whit B —6D 36
Elfordleigh. Hou S —5C 128
Elgar Av. Newc T —3C 58
Elgar Clo. S'ley —4G 123
Elgen Vs. Row G —6H 93
Elgin Av. S'hm —3H 145
Elgin Av. W'snd —1K 63
Elgin Clo. Bed —6A 16
Elgin Clo. Cra —4F 23
Elgin Clo. N Shi —4C 46
Elgin Ct. Gate —4F 83
Elgin Gdns. Newc T —7D 62
Elgin Gro. S'ley —3H 123
Elgin Pl. Bir —6B 112
Elgin Rd. Gate —7K 81
Elgin St. Jar —2E 84
Elgy Rd. Newc T —2D 60
Elisabeth Av. Bir —2K 111
Elite Bldgs. S'ley —2F 123
Elizabeth Clo. Cra —4H 23
Elizabeth Ct. Newc T —4E 44
Elizabeth Cres. Dud —3J 33
Elizabeth Diamond Gdns. S Shi —5H 65
Elizabeth Dri. Newc T —4E 44
Elizabeth M. Newb S —2J 11
Elizabeth Pl. Shot C —6F 169
(off East St.)
Elizabeth Rd. W'snd —2A 64
Elizabeth St. B Col —3J 181
Elizabeth St. C'twn —6H 101
Elizabeth St. C'wl —6K 91
Elizabeth St. Cra —5D 24
Elizabeth St. Hou S —1E 142
Elizabeth St. Newc T —7J 61 (3M 5)
Elizabeth St. S'hm —3A 146
Elizabeth St. S Shi —3K 65
Elizabeth St. S'ley —6A 122
Elizabeth St. Sund —4E 102
Eliza St. Sac —1D 150
Ellam Av. Dur —4J 163
Ella McCambridge Ho. Newc T —1E 82
Ell-Dene Cres. Gate —7C 82
Ellen Ct. Jar —6B 64
Ellen Ter. Wash —7K 99
Ellen Wilkinson Ct. Heb —6J 63
Ellerbeck Clo. Gate —6A 82
Ellerby Ho. Newc T —3C 82
(off McCutcheon Ct.)
Ellersmere Gdns. N Shi —2H 47
Ellerton Way. Cra —7A 20
Ellerton Way. Gate —6A 82
Ellesmere. Hou S —6H 127
(in three parts)
Ellesmere Av. Gos —1G 61
Ellesmere Av. Walkg —6C 62
Ellesmere Av. W'hpe —3G 59
Ellesmere Ct. Lee I —7G 117
Ellesmere Dri. S'hm —3H 145
Ellesmere Gdns. Chop —7A 10
Ellesmere Rd. Newc T —1A 80
Ellesmere Ter. Sund —4G 103
Ellie Bldgs. S'ley —2E 122
(off Royal Rd.)
Ellington Clo. Newc T —6B 58
Ellington Clo. Ous —6G 111
Ellington Clo. Ryh —4H 131
Ellington Rd. Ash —3H 9
Ellington Ter. Ash —3H 9
Elliot Ct. Mor —2H 13
Elliot St. Thor —1K 177
Elliott Clo. Hou S —2B 128
Elliott Dri. Gate —6B 82
Elliott Gdns. S Shi —4K 85
Elliott Gdns. W'snd —1E 62
Elliott Rd. Gate —4K 81
(in two parts)
Elliott Rd. Pet —5B 170
Elliott St. Bly —5F 21
Elliott St. Sac —7E 138
Elliott Ter. Newc T —1B 80
Elliott Ter. Wash —7J 99
Elliott Wlk. Haz —7B 32
Ellis Leazes. Dur —2C 164
Ellison Building. Newc T —4G 4
Ellison Main Gdns. Gate —6C 82
Ellison Pl. Gate —3H 97
Ellison Pl. Jar —5B 64
Ellison Pl. Newc T —7G 61 (4G 4)
Ellison Rd. Gate —6B 80
Ellison Rd. Pet —5C 170
Ellison St. Gate —3G 81 (10H 5)
Ellison St. Heb —6G 63
(in two parts)
Ellison St. Jar —5B 64
(in two parts)
Ellison Ter. G'sde —5D 76
Ellison Ter. Newc T —7G 61 (4G 4)
Ellison Vs. Gate —5J 81
Ellis Rd. Sund —4C 102
Ellis Sq. Peg —4B 8
Ellis Sq. Sund —4D 102
Ellwood Gdns. Gate —6H 81
Elm Av. B Col —3K 181
Elm Av. B'don —2D 172
Elm Av. Din —4H 31
Elm Av. Gate —7B 80
Elm Av. Pelt —3E 124
Elm Av. S Shi —2B 86
Elm Av. Whi —6J 79
Elm Bank Rd. Wylam —1K 75
Elm Clo. Cra —7A 20
Elm Clo. Hex —3A 68
Elm Ct. Sac —7E 138
Elm Ct. Whi —2H 95
Elm Cres. Kim —7H 139
Elm Cres. S'hm —5A 146
Elm Croft Rd. Newc T —5C 44
Elmdale Rd. Con —6J 119
Elm Dri. Bed —2H 19
Elm Dri. Sund —5J 87
Elmfield. Lan —6J 135
Elmfield App. Newc T —2E 60
Elmfield Av. Dur —1F 165
Elmfield Clo. Sund —3J 129
Elmfield Gdns. Newc T —1D 60
Elmfield Gdns. W'snd —2D 62
Elmfield Gdns. Whit B —1D 46
Elmfield Gro. Newc T —1D 60
Elmfield Pk. Newc T —2D 60
Elmfield Rd. Con —5H 119
Elmfield Rd. Gos —2D 60
Elmfield Rd. Heb —3K 83
Elmfield Rd. Thro —3J 57
Elmfield Ter. Gate —5E 82
Elmfield Ter. Heb —2K 83
Elm Gro. Burn —2K 107
Elm Gro. Faw —5B 42
Elm Gro. For H —3B 44
Elm Gro. S Shi —2B 86
Elm Gro. Ush M —3D 162
Elm Pk. Rd. Con —2H 119
Elm Pk. Ter. Con —2G 119
Elm Pl. Hou S —6D 128
Elm Rd. Bla T —4D 78
Elm Rd. N Shi —5B 46
Elm Rd. Pon —6A 30
Elmsford Gro. Newc T —6K 43
Elmsleigh Gdns. Sund —4C 86
Elms, The. Eas L —3K 155
Elms, The. Gos —2D 60
Elms, The. H Hes —4H 181
Elms, The. Sund —3F 117
Elm St. Ches S —6A 126
Elm St. Con —5H 119
Elm St. Jar —6A 64
Elm St. Lang P —4J 149
(in two parts)
Elm St. Sea B —3E 32
Elm St. S'ley —5D 122
Elm St. Sun —5H 95
Elm St. Team T —1D 96
Elm St. W Mic —6A 74
Elm St. W. Sun —5H 95
Elms W. Sund —3F 117
Elm Ter. Bir —3K 111
Elm Ter. Con —5B 120
Elm Ter. Crag —6H 123
Elm Ter. Haz —6C 32
Elm Ter. Pet —6E 170
Elm Ter. S'ley —5J 121
Elm Ter. Tant —6B 108
Elm Ter. W'snd —3G 63
Elmtree Gdns. Whit B —1E 46
Elmtree Gro. Newc T —2D 60
Elmway. Ches S —4J 125
Elmwood. Ches S —7H 125
Elmwood. Lem —5C 58
(off Hospital La.)
Elmwood Av. N Gos —6E 32
Elmwood Av. Sund —4B 102
Elmwood Av. W'snd —3K 63
(in three parts)
Elmwood Cres. Newc T —4D 62
Elmwood Dri. Pon —4J 29
Elmwood Gdns. Gate —1D 96
Elmwood Gro. Whit B —5G 37
Elmwood Ho. Newc T —1J 61
Elmwood Rd. Whit B —7E 36
Elmwood Sq. Sund —5B 102
Elmwood St. Hou S —1J 141
Elmwood St. Sund —3D 116
Elrick Clo. Newc T —3C 58
Elrington Gdns. Newc T —5H 59
Elsdon Av. Sea D —7G 25
Elsdonburn Rd. Sund —4A 130
Elsdon Clo. Bly —2G 21
Elsdon Clo. Ches S —1H 139
Elsdon Clo. Pet —2A 180
Elsdon Ct. Whi —2G 95
Elsdon Dri. Ash —4A 10
Elsdon Dri. Newc T —4D 44
Elsdon Gdns. Con —4H 119
Elsdon Gdns. Gate —6C 80
Elsdon M. Heb —6K 63
Elsdon Pl. N Shi —1G 65
Elsdon Rd. Dur —5B 152
Elsdon Rd. Newc T —7E 42
Elsdon Rd. Whi —1G 95
Elsdon St. N Shi —1G 65
Elsdon Ter. N Shi —1D 64
Elsdon Ter. W'snd —4F 63
Elsham Grn. Newc T —6A 42
Elsing Clo. Newc T —1H 59
Elstob Cotts. Sund —6C 116
Elstob Pl. Newc T —2C 82
Elstob Pl. Sund —6C 116
Elston Clo. Newc T —3C 58
Elstree Ct. Newc T —5H 41
Elstree Gdns. Bly —6H 21
Elstree Sq. Sund —3C 102
Elswick. —2B 80
Elswick Ct. Newc T —7F 61 (4F 4)
Elswick Dene. Newc T —3C 80
Elswick E. Ter. Newc T —2D 80 (7B 4)
Elswick Rd. Arm —1E 112
Elswick Rd. Newc T —2A 80 (7A 4)
Elswick Row. Newc T —1D 80 (6A 4)
Elswick St. Newc T —1D 80 (6A 4)
Elswick Way. S Shi —7G 65
Elswick Way Ind. Est. S Shi —7G 65
Elsworth Grn. Newc T —2J 59
Elterwater Rd. Ches S —1K 139
Eltham St. S Shi —5H 65
Elton St. E. W'snd —4F 63
Elton St. W. W'snd —4F 63
Eltringham. —4C 74
Eltringham Clo. W'snd —3E 62
Eltringham Rd. Pru —4C 74
Elvaston Dri. Hex —3C 68
Elvaston Gro. Hex —3D 68
Elvaston Pk. Rd. Hex —3C 68
Elvaston Rd. Hex —2C 68
Elvaston Rd. Ryton —7G 57
Elvet Bri. Dur —3B 164
Elvet Clo. Newc T —6A 62 (2P 5)
Elvet Clo. Wide —5C 32
Elvet Ct. Newc T —6A 62 (2P 5)
Elvet Cres. Dur —3B 164
Elvet Grn. Ches S —7A 126
Elvet Grn. Hett H —2G 155
Elvet Hill Rd. Dur —5A 164
Elvet Moor. Dur —5J 163
Elvet Waterside. Dur —3B 164
Elvet Way. Newc T —6A 62 (2P 5)
Elvington St. Sund —4G 103
Elwin Clo. Sea S —5D 26
Elwin Pl. Pelt —3G 125
Elwin Pl. Sea S —5D 26
Elwin St. Pelt —3G 125
Elwin Ter. Sund —3E 116
Ely Clo. Newc T —1B 62
Ely Rd. Dur —3B 152
Elysium La. Gate —5F 81
Ely St. Gate —5G 81
Ely Ter. S'ley —4C 122
Ely Way. Jar —5B 84
Embankment Rd. S'hm —4B 146
(nr. Cottages Rd.)
Embankment Rd. S'hm —2K 145
(nr. Stanley St.)
Embassy Gdns. Newc T —7H 59
Emblehope. Wash —2E 112

Emblehope Dri. Gos —1C 60
Embleton Av. Newc T —6C 42
Embleton Av. S Shi —5D 66
Embleton Av. W'snd —7J 45
Embleton Clo. Dur —4B 152
Embleton Cres. N Shi —4C 46
Embleton Dri. Bly —4G 21
Embleton Dri. Ches S —1H 139
Embleton Gdns. Gate —5B 82
Embleton Gdns. Newc T —4K 59
Embleton Rd. Gate —4F 83
Embleton Rd. N Shi —4C 46
Embleton St. S'hm —5B 146
Embleton Wlk. Gate —4F 81
(off St Cuthbert's Rd.)
Emden Rd. Newc T —6B 42
Emerson. —6D 112
Emerson Ct. Pet —5E 170
Emerson Ct. Shir —1J 45
Emerson Rd. Newb S —2H 11
Emerson Rd. Wash —4D 112
Emily Davison Av. Mor —7E 6
Emily St. Gate —5K 81
Emily St. Hou S —5D 128
Emily St. Newc T —7C 62
Emily St. S'hm —3A 146
Emily St. E. S'hm —3B 146
(in two parts)
Emlyn Rd. S Shi —7J 65
Emma Ct. Sund —3G 117
Emma St. Con —5H 119
Emma Vw. Ryton —3D 76
Emmaville. Ryton —2E 76
Emmbrook Clo. E Rai —6D 142
Emmerson Pl. Shir —1J 45
Emmerson Sq. Thor —7J 167
Emmerson Ter. Sund —2D 130
Emmerson Ter. Wash —3J 113
Emmerson Ter. W. Sund —2D 130
Empire Bldgs. Dur —2E 164
Empress Rd. Newc T —2F 83
Empress St. Sund —6E 102
Emsworth Rd. Sund —4C 102
Emsworth Sq. Sund —4C 102
Enderby Dri. Hex —2A 68
Enderby Rd. Sund —1D 116
Enfield Av. Swa —5H 79
Enfield Gdns. Whi —2H 95
Enfield Rd. Gate —6H 81
Enfield Rd. S'hm —3H 145
Enfield St. Sund —1B 116
Engels Ter. S'ley —4G 123
Engel St. Row G —5F 93
Engine Inn Rd. W'snd —1K 63
Engine La. Low F —3H 97
Engine Rd. C'wl —3G 91
Engleby Ho. Mor —7F 7
(off Oldgate.)
Englefeld. Gate —3D 98
Englefield Clo. Newc T —5K 41
Englemann Way. Sund —4A 130
Enid Av. Sund —4F 103
Enid Gdns. B Col —2J 181
Enid St. Haz —7C 32
Ennerdale. Bir —6C 112
Ennerdale. Gate —6E 82
Ennerdale. Sund —4E 116
Ennerdale. Wash —1G 113
Ennerdale Clo. Dur —7J 153
Ennerdale Clo. Pet —5B 170
Ennerdale Clo. S'hm —3H 145
Ennerdale Cres. Bla T —6B 78
Ennerdale Cres. Hou S —1A 128
Ennerdale Gdns. Gate —2J 97
Ennerdale Gdns. W'snd —1A 64
Ennerdale Pl. Ches S —1A 140
Ennerdale Rd. Bly —1C 20
Ennerdale Rd. Newc T —7D 62
Ennerdale Rd. N Shi —2G 47
Ennerdale St. Hett H —1F 155
Ennerdale Ter. Low W —3J 105
Ennerdale Wlk. Whi —3F 95
Ennismore Ct. Newc T —6B 44
Ensign Ho. N Shi —5K 47
Enslin Gdns. Newc T —3D 82
Enslin St. Newc T —3D 82
Enterprise Ct. Cra —1H 23
Enterprise Ho. Team T —3F 97
Entra Way. Sund —1A 116
Eothen Rest Ho. Whit B —6G 37
Epinay Wlk. Jar —7C 64
Epping Clo. S'hm —4H 145
Epping Ct. Cra —4F 23
Epping Sq. Sund —4C 102
Eppleton. —5G 143
Eppleton Clo. Lang P —5H 149
Eppleton Est. Hett H —5H 143
Eppleton Hall Clo. S'hm —2G 145
Eppleton Row. Hett H —6H 143
Eppleton Ter. Pelt —2D 124
Eppleton Ter. E. Hett H —6H 143
Eppleton Ter. W. Hett H —6H 143
Epsom Clo. Con —2G 119
Epsom Clo. N Shi —1F 65
Epsom Ct. Newc T —5J 41
Epsom Sq. Sund —4C 102
Epsom Way. Bly —6H 21
Epwell Gro. Cra —7A 20
Epworth. Tan L —1C 122
Epworth Gro. Gate —5F 81
Equitable St. W'snd —4F 63
Erick St. Newc T —1G 81 (5G 4)
(in two parts)
Erin Sq. Sund —4D 102
Erith Ter. Sund —2B 116
Ermine Cres. Gate —1K 97
Ernest Pl. Dur —2E 164
Ernest St. Bol C —6G 85
Ernest St. Pelt —2G 125
Ernest St. Sund —4G 117
Ernest Ter. Ches S —7A 126
Ernest Ter. S'ley —2F 123
Ernest Ter. Sund —3J 131
Ernwill Av. Sund —6H 101
Errington Bungalows. Sac —7D 138
Errington Clo. Pon —2G 39
Errington Dri. Tan L —1C 122
Errington Pl. Pru —4E 74
Errington Rd. Pon —2F 39
Errington Ter. Newc T —3C 44
Errol Pl. Bir —6B 112
Erskine Rd. S Shi —3K 65
Erskine Way. S Shi —3K 65
Escallond Dri. Dal D —4H 145
Escombe Ter. Newc T —1A 82
(off St Peter's Rd.)
Esdale. Sund —3G 131
Esh. —6F 149
Esh Bank. Esh —6D 148
Esher Ct. Newc T —5J 41
Esher Gdns. Bly —6H 21
Esher Pl. Cra —4F 23
Esh Hillside. Lang P —5J 149
Esh Laude. Esh —7E 148
Eshmere Cres. Newc T —2C 58
Eshott Clo. Gos —6C 42
Eshott Clo. W Den —4G 59
Eshott Ct. Newc T —4G 59
Esh Rd. Ush M —2H 161
Esh Ter. Lang P —5J 149
Esh Winning. —4E 160
Esh Winning Ind. Est. Esh W —3E 160
Esk Av. Gt Lum —3F 141
Esk Ct. Sund —3B 130
Eskdale. Bir —7C 112
Eskdale. Hou S —1A 128
Eskdale Av. Bly —1E 20
Eskdale Av. W'snd —7G 45
Eskdale Clo. Dur —7J 153
Eskdale Clo. S'hm —3H 145
Eskdale Ct. S Shi —7J 65
Eskdale Cres. Wash —7F 99
Eskdale Dri. Jar —3D 84
Eskdale Gdns. Gate —4J 97
Eskdale Rd. Sund —1H 103
Eskdale St. Hett H —1F 155
Eskdale St. S Shi —1J 85
Eskdale Ter. Newc T —5G 61 (1G 4)
Eskdale Ter. N Shi —7J 37
Eskdale Wlk. Pet —6C 170
Esk St. Gate —7K 81
Esk Ter. Bir —3A 112
Eslington Ct. Gate —6D 80
Eslington M. Ash —3D 10
Eslington Rd. Newc T —6G 61 (1H 5)
Eslington Ter. Newc T —5G 61 (1H 5)
Esmeralda Gdns. Seg —2E 34
Esplanade. Whit B —6H 37
Esplanade Av. Whit B —6H 37
Esplanade Pl. Whit B —6H 37
Esplanade, The. Sund —3F 117
Esplanade W. Sund —3F 117
Espley Clo. Newc T —4E 44
Espley Ct. Faw —5A 42
Essen Way. Sund —5D 116
Essex Av. Con —4C 132
Essex Clo. Ash —3J 9
Essex Clo. Newc T —3D 80 (9A 4)
Essex Cres. S'hm —3H 145
Essex Dri. Wash —5H 99
Essex Gdns. Gate —7H 81
Essex Gdns. S Shi —6E 66
Essex Gdns. W'snd —2J 63
Essex Gro. Sund —1C 130
Essex Pl. Pet —4A 170
Essex St. Hett H —6F 143
Essington Way. Pet —3A 170
Estate Houses. B'mr —5J 127
Esther Campbell Ct. Newc T —6E 60 (1C 4)
Esther Sq. Wash —4J 113
Esthwaite Av. Ches S —1K 139
Eston Ct. Bly —1F 21
Eston Ct. W'snd —7D 44
Eston Gro. Sund —4E 102
Estuary Way. Sund —1H 115
Etal Av. N Shi —1D 64
Etal Av. Whit B —7H 37
Etal Clo. Shir —1K 45
Etal Ct. N Shi —6G 47
Etal Cres. Jar —2E 84
Etal Cres. Shir —1K 45
Etal La. Newc T —2G 59
Etal Pl. Newc T —5C 42
Etal Rd. Bly —6F 21
Etal Way. Newc T —1H 59
Ethel Av. Bla T —4C 78
Ethel Av. Sund —3J 131
Ethel St. Dud —5J 33
Ethel St. Newc T —2K 79
Ethel Ter. H Spen —4D 92
Ethel Ter. S Shi —1H 85
Ethel Ter. Sund —6H 101
Etherley Clo. Dur —4B 152
Etherley Rd. Newc T —6B 62
Etherstone Av. Newc T —3A 62
Eton Clo. Cra —7A 20
Eton Sq. Heb —7K 63
Ettrick Clo. Newc T —7A 34
Ettrick Gdns. Gate —6K 81
Ettrick Gdns. Sund —4B 116
Ettrick Gro. Sund —4B 116
Ettrick Rd. Jar —1A 84
Ettrick Ter. N. S'ley —6H 123
Ettrick Ter. S. S'ley —6H 123
European Way. Sund —1K 115
Euryalus Ct. S Shi —4B 66
Eustace Av. N Shi —7E 46
Euston Ct. Sund —3C 102
Evanlade. Gate —1F 99
Evansleigh Rd. Con —2E 132
Eva St. Newc T —7C 58
Evelyn St. Sund —3D 116
Evelyn Ter. Bla T —3C 78
Evelyn Ter. S'ley —3E 122
Evelyn Ter. Sund —3H 131
Evenwood Gdns. Gate —2K 97
Evenwood Rd. Esh W —4E 160
Everall Gth. Kil —7A 34
Everard St. H'fd —6K 19
Everest Gro. W Bol —7H 85
Everest Sq. Sund —3C 102
Ever Ready Ind. Est. Tan L —6E 108
Eversleigh Pl. Newc T —3J 57
Eversley Cres. Sund —4C 102
(in three parts)
Eversley Pl. Newc T —6K 61 (1N 5)
Eversley Pl. W'snd —2K 63
Everton Dri. S'hm —3H 145
Everton La. Sund —4C 102
Evesham. Sund —2G 115
Evesham Av. Whit B —5F 37
Evesham Clo. Bol C —5F 85
Evesham Gth. Newc T —2A 60
Evesham Pl. Cra —3F 23
Evesham Rd. S'hm —3H 145
Eve St. Pet —6F 171
Evistones Gdns. Newc T —3C 82
Evistones Rd. Gate —1H 97
(in three parts)
Ewart Ct. Newc T —5C 42
Ewart Cres. S Shi —2E 84
Ewbank Av. Newc T —6A 60
Ewe Hill Cotts. Hou S —1K 141
Ewe Hill Ter. Hou S —1K 141
Ewe Hill Ter. W. Hou S —1K 141
Ewehurst Cres. Dip —7J 107
Ewehurst Gdns. Dip —7J 107
Ewehurst Pde. Dip —7J 107
Ewehurst Rd. Dip —7J 107
Ewen Ct. N Shi —4B 46
Ewesley. Wash —1E 126
Ewesley Clo. Newc T —4G 59
Ewesley Gdns. Wide —5D 32
Ewesley Rd. Sund —3B 116
Ewing Pl. Sund —3C 116
Ewing Rd. Sund —3D 116
Exchange Bldgs. Whit B —6H 37
Exelby Clo. Newc T —4F 43
Exell Ri. Pet —5E 82
Exeter Av. S'hm —3K 145
(in two parts)
Exeter Clo. Ash —5E 10
Exeter Clo. Cra —4G 23
Exeter Clo. Gt Lum —4E 140
Exeter Ct. Heb —1H 83
Exeter Rd. N Shi —3C 46
Exeter Rd. W'snd —7E 44
Exeter St. Gate —5G 81
Exeter St. Newc T —2E 82
Exeter St. Sund —1B 116
Exeter Way. Jar —4B 84
Exmouth Clo. S'hm —4J 145
Exmouth Rd. N Shi —7C 46
Exmouth Sq. Sund —4C 102
Exmouth St. Sund —4C 102
Extension Rd. Sund —2H 117
Eyemouth Ct. S Shi —1G 85
Eyemouth La. Sund —4C 102
Eyemouth Rd. N Shi —7C 46
Eyre St. S'ley —4D 122

Faber Rd. Sund —4C 102
Factory Rd. Bla T —2D 78
Factory, The. Cas E —4K 179
Fairacres. Hett H —7H 143
Fairbairn Rd. Pet —4B 170
Fairburn Av. Hou S —4E 142
Fairburn Av. Newc T —1A 62
Fairclough Ct. Pet —7K 169
Fairdale Av. Newc T —1A 62
Fairfalls Ter. New B —4A 162
Fairfield. Con —1K 133
Fairfield. Hex —2B 68
Fairfield. Longb —6H 43
Fairfield. Pelt —2F 125
Fairfield. S'ley —4K 121
Fairfield Av. Bly —5H 21
Fairfield Av. Newc T —4B 44
Fairfield Av. Whi —2G 95
Fairfield Clo. Gate —5B 80
Fairfield Cres. Oak —5G 49
Fairfield Dri. Ash —5E 10
Fairfield Dri. N Shi —2H 47
Fairfield Dri. Sund —4H 87
Fairfield Dri. Whit B —7C 36
Fairfield Grn. Whit B —7C 36
Fairfield Ind. Est. Bill Q —4E 82
Fairfield Rd. Newc T —4F 61
Fairfields. Ryton —1F 77
Fairfield Ter. Gate —5E 82
Fair Grn. Whit B —7C 36
Fairgreen Clo. Sund —4B 130
Fairhaven. Spri —5D 98
Fairhaven Av. Newc T —7E 62
Fairhill Clo. Newc T —1A 62
Fairhills Av. Dip —2G 121
Fairholme Av. S Shi —7B 66
Fairholme Rd. Sund —5E 116
Fairholm Rd. Newc T —1A 80
Fairisle. Ous —7J 111
Fairlands E. Sund —5F 103
Fairlands W. Sund —5F 103
Fairlawn Gdns. Sund —4A 116
Fairlawns Clo. Trim C —7B 178
Fairless Gdns. Newc T —3C 80
(off Brunel Ter.)
Fairless Gdns. Newc T —7B 62
(off Grace St.)
Fairles St. S Shi —1K 65
Fairmead Way. Sund —3G 115
Fairmile Dri. Sund —4C 130
Fairmont Way. Newc T —1A 62
Fair Moor. —3C 6
Fairney Clo. Pon —5K 29
Fairney Edge. Pon —5K 29
Fairnley Wlk. Newc T —3G 59
Fairport Ter. Pet —1D 170
Fairspring. Newc T —3G 59
Fair Vw. B'hpe —7D 136
Fair Vw. Burn —2J 107
Fair Vw. Esh W —3E 160
Fair Vw. Pru —4E 74
Fair Vw. W Rai —1K 153
Fair Vw. Wit G —2C 150
Fairview Av. S Shi —6B 66
Fairview Dri. Con —1J 119
Fairview Grn. Newc T —1A 62
Fairview Ter. S'ley —6J 121
Fairville Clo. Cra —7K 19
Fairville Cres. Newc T —1A 62
Fairway. Bla T —2A 78
Fairway. Chop —7J 9
Fairway. Whit B —7E 36
Fairway Clo. Newc T —4D 42
Fairways. Con —4H 119
Fairways. Sund —2D 130
Fairways. Whit B —6C 36
Fairways Av. Newc T —1A 62
Fairways, The. S Moor —7E 122
Fairways, The. W Pel —3C 124
Fairway, The. Loan —3F 13
Fairway, The. Newc T —4D 42
Fairway, The. Wash —4G 99
Fairwood Rd. Hex —2F 69
Fairy St. Hett H —6G 143
Falconars Ct. Newc T —1F 81
Falconar St. Newc T —7G 61
Falcon Ct. Ash —6K 9
Falconers Ct. Newc T —6E 4
Falconer St. Newc T —4H 5
Falcon Hill. Mor —1D 12
Falcon Pl. Newc T —5J 43
Falcon Ter. Wylam —7K 55
Falcon Way. Esh W —3C 160
Falcon Way. S Shi —2H 85
Faldonside. Newc T —3B 62
Falkirk. Newc T —7B 34
Falkland Av. Heb —7J 63
Falkland Av. Newc T —2B 60
Falkland Rd. Sund —2A 116
Falkous Ter. Wit G —3C 150
Falla Pk. Cres. Gate —6A 82
Falla Pk. Rd. Gate —6A 82
Falloden Av. Newc T —4B 42
Fallodon Gdns. Newc T —3K 59
Fallodon Rd. N Shi —7D 46
Fallowfeld. Gate —1E 98
(in two parts)
Fallowfield Av. Newc T —6B 42
Fallowfield Dene Cvn. Pk. Acomb —1D 48
Fallowfield Ter. S Het —5C 156
Fallowfield Way. Ash —5K 9
Fallowfield Way. Wash —6J 113
Fallow Pk. Av. Bly —3G 21
Fallow Rd. S Shi —7F 67
Fallsway. Dur —6H 153
Falmouth Clo. Dal D —4J 145
Falmouth Dri. Jar —1D 84
Falmouth Rd. Newc T —6K 61 (2N 5)
Falmouth Rd. N Shi —3D 46
Falmouth Rd. Sund —1A 116
Falmouth Sq. Sund —2A 116
Falmouth Wlk. Cra —2J 23
Falsgrave Pl. Whi —2F 95
Falstaff Rd. N Shi —6D 46
Falston Clo. Newc T —4E 44
Falstone. Gate —2D 98
Falstone. Wash —6J 113
Falstone Av. Newc T —5E 58
Falstone Av. S Shi —7C 66
Falstone Cres. Ash —6C 10
Falstone Dri. Ches S —1H 139
Falstone Sq. Newc T —6C 42
Falstone Way. Hex —3B 68
Falston Rd. Bly —4G 21
Fancett Ga. S Well —6B 36
Fannybush Rd. C'wl —6K 91
Faraday Clo. Wash —3B 114
Faraday Gro. Gate —7F 81
Faraday Gro. Sund —2A 116
Faraday Rd. N East —3C 170
Faraday St. Mur —7E 144
Faraday Ter. Has —1A 168
Farbridge Cres. Con —5H 105
Farding Lake Ct. S Shi —7E 66
Farding Sq. S Shi —7F 67
Fareham Gro. Bol C —6D 84
Fareham Way. Cra —3K 23
Farewell Hall. —7K 163
Farewell Vw. Lang M —6G 163
Farlam Av. N Shi —3G 47
Farlam Rd. Newc T —5H 59
Farleigh Ct. N Shi —4B 46
Farm Clo. Sun —5H 95
Farm Clo. Wash —6F 99
Farm Cotts. Shot C —5F 169
Farmer Cres. Mur —7D 144
Farm Hill Rd. Sund —4C 86
Farm Rd. Hou —7B 164
Farm St. Sund —6D 102
Farm Wlk. Sund —4C 130
Farnborough Clo. Cra —2K 23
Farnborough Dri. Sund —1D 130
Farn Ct. Newc T —4K 41
Farndale. W'snd —7D 44
Farndale Av. Chop —6J 9
Farndale Av. Sund —1H 103
Farndale Clo. Bla T —6K 77
Farndale Clo. Din —4H 31
Farndale Ct. Bly —5H 21
Farndale Rd. Newc T —1A 80
Farne Av. Ash —5B 10
Farne Av. Newc T —5C 42
Farne Av. S Shi —6D 66
Farne Rd. Newc T —4C 44
Farne Rd. Shir —1K 45
Farne Sq. Sund —1K 115
Farne Ter. Newc T —7C 62
Farnham Clo. Dur —6A 152
Farnham Clo. Newc T —7D 58
Farnham Gro. Bly —5H 21
Farnham Lodge. Newc T —5K 43
Farnham Rd. Dur —6A 152
Farnham Rd. N Shi —1D 64
Farnham Rd. S Shi —7J 65
Farnham St. Newc T —7D 58
Farnham Ter. Sund —3B 116
Farnley Hey Rd. Dur —3J 163

Farnley Mt. Dur —3J 163
Farnley Ridge. Dur —3J 163
Farnley Rd. Newc T —4A 62
Farnon Rd. Newc T —7C 42
Farquhar St. Newc T —5H 61
Farrfeld. Gate —3D 98
Farrier Clo. Wash —6J 113
Farriers Ct. Chop —3A 16
**Farringdon. —2K 129**
Farringdon Av. Sund —1J 129
Farringdon Rd. N Shi —2G 47
Farringdon Row. Sund —7E 102
Farrington's Ct. Newc T —1F 81 (6F 4)
Farrow Dri. Sund —5G 87
Farthings, The. Wash —5F 99
**Fatfield. —7H 113**
Fatfield Pk. Wash —6H 113
Fatfield Rd. Wash —4J 113
Fatherly Ter. Hou S —2B 142
Faversham Ct. Newc T —5K 41
Faversham Pl. Cra —2K 23
Fawcett Hill Ter. S'ley —7J 123
Fawcett St. Sund —1F 117 (in two parts)
Fawcett Ter. Ryh —3J 131
Fawcett Way. S Shi —2J 65
**Fawdon. —6B 42**
Fawdon Clo. Newc T —4B 42
Fawdon Gro. Peg —4K 7
Fawdon Ho. Newc T —4B 42
Fawdon La. Newc T —5B 42
Fawdon Pk. Cen. Newc T —6B 42
*Fawdon Pk. Ho. Newc T —6B 42 (off Fawdon Pk. Rd.)*
Fawdon Pk. Rd. Newc T —5A 42
Fawdon Pl. N Shi —6C 46
Fawdon Wlk. Newc T —5K 41
Fawlee Grn. Newc T —1J 59
Fawley Clo. Bol C —5E 84
Fawn Rd. Sund —2J 115
Fearon Wlk. Dur —3B 164
Featherbed La. Ryh —3J 131
Featherstone. Gt Lum —2F 141
Featherstone. Wash —3D 112
Featherstone Gro. Jar —3A 84
Featherstone Rd. Dur —6B 152
Featherstone St. Sund —5H 103
Featherstone Vs. Sund —5H 103
Federation Sq. Mur —1E 156
Federation Ter. Tant —6B 108
Federation Way. Dun —5A 80
Fee Ter. Sund —3G 131
Feetham Av. Newc T —4D 44
Feetham Ct. Newc T —3E 44
Felixstowe Dri. Newc T —2A 62
Fell Bank. Bir —4A 112
Fell Clo. Bir —5C 112
Fell Clo. Sun —5H 95
Fell Clo. Wash —1F 113
*Fell Cotts. Gate —6D 98 (off Fell Rd.)*
Fell Ct. Gate —2K 97
Fellcross. Bir —3A 112
Felldyke. Gate —2C 98
**Fellgate. —5B 84**
Fellgate Av. Jar —5C 84
Fellgate Gdns. Gate —6G 83
**Felling. —5B 82**
Felling By-Pass. Gate —4A 82
Felling Dene Gdns. Gate —5C 82 (in two parts)
Felling Ga. Gate —5A 82
Felling Ho. Gdns. Gate —5B 82
Felling Ind. Est. Gate —4B 82
Felling Shore Ind. Est. Gate —3B 82
Felling Vw. Newc T —3D 82
Fellmere Av. Gate —6E 82
Fell Pl. Gate —6D 98
Fell Rd. Gate —6D 98
Fell Rd. Pelt F —6G 125
Fell Rd. Sund —1K 115
Fellrose Ct. Pelt F —5G 125
Fellsdyke Ct. Gate —1A 98
**Fellside. —5E 94**
Fellside. Bir —5B 112
Fell Side. Con —2K 133
Fellside. Pon —3F 39
Fellside. S Shi —1D 86
Fellside Av. Sun —4H 95
Fellside Clo. Pon —3F 39
Fellside Clo. S'ley —2H 123
Fellside Ct. Wash —2F 113
Fellside Ct. Whi —7G 79
Fellside Gdns. Dur —7G 153
**Fellside Park. —1F 95**
Fellside Rd. Burn —1C 108
Fellside Rd. Whi —1F 95
Fellside Ter. S'ley —7D 122
Fell Side, The. Newc T —1B 60
Fell Sq. Sund —1J 115
Fells Rd. Gate —7F 81
Fells, The. Gate —1J 97
Fell Ter. Burn —2B 108
Felltop. Con —6F 119
Fell Vw. Con —1E 132
Fell Vw. H Spen —4E 92
Fell Vw. Ryton —3D 76
Fell Vw. S'ley —4E 122
Fell Vw. W. Ryton —3D 76
Fell Way, The. Newc T —4D 58
Felsham Sq. Sund —2A 116
Felstead Cres. Sund —1K 115
Felstead Pl. Bly —5H 21
Felstead Sq. Sund —2K 115
Felthorpe Ct. Newc T —1H 59
Felton Av. Newc T —6C 42
Felton Av. S Shi —7C 66
Felton Av. Whit B —7H 37
Felton Clo. Mor —2H 13
Felton Clo. Shir —1K 45
Felton Cres. Gate —7G 81
Felton Dri. Newc T —3D 44
Felton Grn. Newc T —7A 62
Felton Ter. Ash —5B 10
*Felton Ter. N Shi —4K 47 (off Hotspur St.)*
Felton Wlk. Newc T —7A 62
*Femwick Wlk. Gate —4F 81 (off St Cuthbert's Rd.)*
**Fence Houses. —1A 142**
Fencer Ct. Newc T —4E 42
Fencer Hill Pk. Newc T —4E 42
Fence Rd. Ches S —3J 127
**Fenhall. —5K 135**
Fenhall Pk. Lan —6J 135
**Fenham. —5K 59**
Fenham Chase. Newc T —5K 59
Fenham Ct. Newc T —5A 60
Fenham Hall Dri. Fenh —5K 59
Fenham Rd. Newc T —7C 60 (in two parts)
Fenkle St. Newc T —1F 81 (6D 4)
Fennel. Gate —3A 98
Fennel Gro. S Shi —3A 86
Fenning Pl. Newc T —2A 82
Fenside Rd. Sund —1H 131
Fenton Clo. Ches S —7J 125
Fenton Sq. Sund —2K 115
Fenton Ter. Hou S —3D 128
Fenton Wlk. Newc T —3G 59
Fenton Well La. Gt Lum —3C 140
Fenwick Av. Bly —4H 21
Fenwick Av. S Shi —1G 85
Fenwick Clo. Ches S —1H 139
Fenwick Clo. Hou S —2B 128
Fenwick Clo. Newc T —4H 61
Fenwick Gro. Hex —1C 68
Fenwick Gro. Mor —6G 7
Fenwick Row. S'hm —4C 146
Fenwick St. Bol C —5E 84
Fenwick St. Hou S —1B 128
Fenwick Ter. Dur —4H 163
Fenwick Ter. Newc T —4H 61
Ferens Clo. Dur —1B 164
Ferens Pk. Dur —1B 164
Ferguson Cres. Haz —7C 32
Ferguson's La. Newc T —7G 59
Ferguson St. Sund —2H 117
Fern Av. Cra —7K 19
Fern Av. Faw —5B 42
Fern Av. Jes —4G 61
Fern Av. N Shi —6F 47
Fern Av. S'ley —4D 122
Fern Av. Sund —5C 102
Fern Av. Whit —4H 87
Fern Av. Whit B —6H 37
Fernbank. Sea S —4B 26
Fern Ct. Guid —1G 15
Fern Cres. S'hm —6A 146
Ferndale. Dur —1H 165
Ferndale Av. E Bol —7K 85
Ferndale Av. Newc T —3F 43
Ferndale Av. W'snd —3G 63
Ferndale Clo. Bly —1E 20
Ferndale Clo. Win —7H 179
Ferndale Gro. E Bol —7K 85
Ferndale La. E Bol —7K 85
Ferndale Rd. Hou S —1A 128
Ferndale Ter. Gate —6D 98
Ferndale Ter. Sund —7A 102
Fern Dene. W'snd —1J 63
Ferndene Av. Pelt F —6G 125
Ferndene Ct. Newc T —2F 61
Ferndene Cres. Sund —2B 116
Ferndene Gro. Newc T —2K 61
Ferndene Gro. Ryton —7H 57
Fern Dene Rd. Gate —6G 81
Ferndown Ct. Gate —7F 83
Ferndown Ct. Ryton —2H 77
Fern Dri. Dud —3J 33
Fern Dri. Sund —5B 86
Fern Gdns. Gate —1H 97
Ferngrove. Jar —6C 84
Fernhill Av. Whi —7G 79
Fernlea. Dud —3K 33
Fernlea Clo. Wash —6J 113
Fernlea Gdns. Ryton —2E 76
Fernlea Grn. Newc T —7B 42
Fernleigh. Gt Lum —3E 140
Fernley Vs. Cra —4A 24
Fernlough. Gate —2A 98
Fern Rd. Sac —7F 139
Fern St. Con —6H 119
Fern St. Sund —1D 116
Fernsway. Sund —5D 116
Fern Ter. Tant —7K 107
Fernville Av. Sun —5H 95
Fernville Rd. Newc T —2D 60
Fernville St. Sund —3D 116
Fernway. Mor —7H 7
Fernwood. Sac —1D 150
Fernwood Av. Newc T —6F 43
Fernwood Clo. Sund —4C 130
Fernwood Gro. Ham M —3D 106
Fernwood Rd. Jes —5G 61
Fernwood Rd. Lem —7D 58
Fernwood Rd. Newc T —1H 5
Ferrand Dri. Hou S —2D 142
Ferriby Clo. Newc T —4F 43
Ferrisdale Way. Newc T —5B 42
Ferry App. S Shi —2H 65
Ferryboat La. Sund —4F 101
Ferrydene Av. Newc T —1B 60
Ferry St. Jar —5B 64
Ferry St. S Shi —2H 65
Festival Cotts. Camp —6K 33
**Festival Park. —7D 80**
Festival Pk. Dri. Gate —7D 80
Festival Way. Gate —5C 80
Fetcham Ct. Newc T —5J 41
Fewster Sq. Gate —1E 98
Field Clo. Newc T —7H 61 (4K 5)
Fieldfare Clo. Wash —5D 112
Field Fare Ct. Burn —3C 108
Field Ho. S Shi —5B 66
Fieldhouse Clo. Hep —3A 14
Fieldhouse La. Dur —1J 163
Fieldhouse La. Hep —3A 14
Field Ho. Rd. Gate —7G 81
Fieldhouse Ter. Dur —1K 163
Field Ho. Ter. Has —1B 168
Fielding Ct. Newc T —1G 59
Fielding Ct. S Shi —3G 85
Fielding Pl. Gate —6K 81
Field La. Gate —6D 82
Fieldside. E Rai —7C 142
Fieldside. Pelt —2G 125
Fieldside. Sund —5G 87
Field Sq. Sund —2K 115
Field St. Gate —5B 82
Field St. Newc T —7G 43
Field Ter. Jar —1B 84
Field Ter. Newc T —3H 57
Field Vw. Bear —1D 162
Fieldway. Jar —5C 84
Fiennes Rd. N West —5H 169
Fife Av. Ches S —6K 125
Fife Av. Jar —3E 84
Fife St. Gate —5J 81
Fife St. Mur —1F 157
Fife Ter. B Mill —2K 105
Fifteenth Av. Bly —3H 21
Fifth Av. Ash —5B 10
Fifth Av. Bly —3H 21
Fifth Av. Ches S —6K 125
Fifth Av. Mor —1H 13
Fifth Av. Newc T —6A 62 (1P 5)
Fifth Av. Team T —2E 96 (in two parts)
Fifth Av. Bus. Pk. Team T —3F 97
Fifth Av. E. Team T —2F 97
Fifth St. B Col —1H 181
Fifth St. Con —7K 119
Fifth St. Pet —5E 170 (in two parts)
Filby Dri. Dur —6H 153
Filey Clo. Cra —2K 23
Filton Clo. Cra —2K 23
Finchale. Wash —5G 113
Finchale Av. Bras —3C 152
Finchale Clo. Gate —1B 96
Finchale Clo. Hou S —2D 142
Finchale Clo. Sund —3G 117
Finchale Ct. W Rai —1K 153
Finchale Gdns. Gate —5A 98
Finchale Gdns. Newc T —2H 57
Finchale Priory. —7F 141
Finchale Rd. Dur —6K 151 (nr. Front St.)
Finchale Rd. Dur —3B 152 (nr. Pit La.)
Finchale Rd. Heb —4J 83
Finchale Ter. Hou S —1J 141
Finchale Ter. Jar —2D 84
Finchale Ter. Newc T —1A 82
Finchale Vw. Dur —3K 151
Finchale Vw. W Rai —1J 153
Finchdale Clo. N Shi —1F 65
Finchdale Ter. Ches S —6A 126
Finchley Ct. Newc T —5E 62
Finchley Cres. Newc T —5E 62
Findon Av. Sac —7E 138
Findon Av. Wit G —2D 150
Findon Gro. N Shi —1F 65 (in two parts)
Findon Hill. Sac —1E 150
Fine La. Con —4E 104
Fines Pk. S'ley —5A 122
Fines Rd. Con —1K 119
Finings Av. Lang P —5G 149
Finings St. Lang P —5H 149
Finney Ter. Dur —2B 164
Finsbury Av. Newc T —7C 62
Finsbury St. Sund —6E 102
Finsmere Pl. Newc T —4H 59
Finstock Ct. Newc T —1H 61
Fir Av. B'don —2D 172
Fir Av. Dur —3E 164
Firbank Av. N Shi —2H 47
Firbanks. Jar —5D 84
Fire Sta. Cotts. Sund —3F 103
Firfield Rd. Newc T —3J 59
Fir Gro. S Shi —1B 86
Fir Pk. Ush M —2D 162
First Av. Ash —3B 10
First Av. Bly —3H 21
First Av. Ches S —1K 125
First Av. Mor —1H 13
First Av. Newc T —6A 62 (2P 5)
First Av. Team T —1E 96
First Av. Tyn T —1B 64
Firs Ter. Lang P —4K 149
Firs, The. Newc T —1D 60
Fir St. Jar —6A 64
Fir St. Team T —2E 96
First Row. Ash —3J 9
First St. B Col —2H 181
First St. Con —4A 120 (in two parts)
First St. C'hll —7K 119
First St. Gate —5F 81
First St. Pet —5E 170
First St. Whe H —2B 178
Fir Ter. Burn —2B 108
Fir Terraces. Esh W —3D 160
Firth Sq. Sund —1K 115
Firtree Av. For H —3B 44
Firtree Av. Walkv —4E 62
Firtree Av. Wash —7F 113
Fir Tree Clo. Dur —7E 152
Fir Tree Copse. Hep —4A 14
Firtree Cres. Newc T —3A 44
Firtree Gdns. Whit B —1F 47
Firtree Rd. Whi —1G 95
Firtrees. Ches S —4K 125
Firtrees. Gate —2C 98
Firtrees Av. W'snd —2B 64
Firwood Cres. H Spen —4E 92
Firwood Gdns. Gate —2D 96
Fisher Ind. Est. Newc T —7F 63
Fisher La. Sea B —1D 32
Fisher Rd. Back —6F 35
Fisher St. Newc T —6F 63
Fisherwell Rd. Gate —4E 82
Fish Quay. N Shi —7J 47
Fitzpatrick Pl. S Shi —3A 66
Fitzroy Ter. Sund —5B 102
Fitzsimmons Av. W'snd —2F 63
Flag Chare. Newc T —6J 5
Flagg Ct. S Shi —2K 65
Flagg Ct. Ho. S Shi —2K 65
Flake Cotts. Ches S —5B 126
Flambard Rd. Dur —6K 151
Flass Av. Ush M —2B 162
Flassburn Rd. Dur —1J 163
Flasshall La. Esh W —2H 161
Flass Hall Ter. Esh W —2G 161
Flass St. Dur —2K 163
Flass Ter. Ush M —2B 162
Flaunden Clo. S Shi —1D 86
Flaxby Clo. Newc T —4F 43
Flax Cotts. Sco G —3G 15
Flax Sq. Sund —1J 115
Fleece Cotts. Edm —4D 138
Fleece Ter. Edm —4D 138
Fleetham Clo. Ches S —1H 139
Fleet St. Sund —2H 117
Fleming Bus. Cen., The. Newc T —5F 61
Fleming Ct. Gate —4E 80
Fleming Ct. Shot C —5D 168
Fleming Fld. Farm Rd. Shot C —5D 168
Fleming Gdns. Gate —7A 82
Fleming Pl. Pet —6B 170
Fletcher Cres. Hou S —3E 128
Fletcher Ter. Hou S —5D 128
Flexbury Gdns. Fel —6A 82
Flexbury Gdns. Har G —5J 97
Flexbury Gdns. Newc T —6E 58
Flight, The. Winl —5A 78
**Flint Hill. —7J 107**
Flint Hill Bank. Dip —7J 107
Flock Sq. Sund —1K 115
Flodden. Newc T —7B 34
Flodden Clo. Ches S —1H 139
Flodden Rd. Sund —2K 115
Flodden St. Newc T —1B 82
Floral Dene. Sund —2G 115
Floralia Av. Sund —3J 131
Flora St. Newc T —7K 61 (3P 5)
Florence Av. Gate —1J 97
Florence Cres. Sund —5B 102
Florence St. Bla T —5B 78
Florence Ter. Hett H —1G 155
Florida St. Sund —1B 116
Flotterton Gdns. Newc T —6J 59
Flour Mill Rd. Dun —4B 80
Flying Ho. Sund —4B 130
Folds Clo. New B —5A 162
Folds, The. Chil M —2B 142
Fold, The. Burn —1A 108
Fold, The. Newc T —5E 62
Fold, The. Que —7C 148
Fold, The. Whit B —6E 36
Folldon Av. Sund —4F 103
**Follingsby. —2H 99**
Follingsby Av. Gate —2H 99
Follingsby Clo. Gate —1H 99
Follingsby Dri. Gate —7G 83
Follingsby La. Gate —2G 99
Follonsby La. W Bol —3D 100
Follonsby Ter. Gate —7J 83
Follonsby Ter. W Bol —7J 85
Folly Cotts. G'sde —5F 77
Folly La. W'sde —4E 76
Folly Ter. Dur —4J 151
**Folly, The. —4G 77**
Folly, The. W Bol —7G 85
Folly Yd. G'sde —4G 77
Fondlyset La. Dip —2H 121
Fontburn Ct. Sund —3B 102
Fontburn Cres. Ash —4D 10
Fontburn Gdns. Mor —1E 12
Fontburn Pl. Newc T —7J 43
Fontburn Rd. Bed —7A 16
Fontburn Rd. Sea D —7H 25
Fontburn Ter. N Shi —6H 47
Fonteyn Pl. Cra —7K 19
Fonteyn Pl. S'ley —4H 123
Font Side. Mit —6A 6
Fontwell Dri. Gate —7F 81
Forbeck Rd. Sund —2K 115
Forber Av. S Shi —7D 66
Forbes Ter. Sund —3G 131
Ford Av. Ash —5B 10
Ford Av. N Shi —1D 64
Ford Av. Sund —2G 115
Ford Cres. Jar —3B 84
Ford Cres. Lan —7K 135
Ford Cres. Shir —1J 45
Ford Cres. Sund —2G 115
Ford Dri. Bly —2G 21
Fordenbridge Cres. Sund —2K 115
Fordenbridge Rd. Sund —2K 115
Fordenbridge Sq. Sund —2A 116
**Ford Estate. —2A 116**
Fordfield Rd. Sund —2J 115
Ford Gro. Newc T —5D 42
Fordhall Dri. Sund —2A 116
Fordham Rd. Dur —5A 152
Fordham Rd. Sund —1K 115
Fordham Sq. Sund —2A 116
Fordland Pl. Sund —2B 116
**Fordley. —3K 33**
Fordmoss Wlk. Newc T —3G 59
Ford Oval. Sund —1H 115
Ford Pk. Chop —7K 9
Ford Rd. Dur —4B 152
Ford Rd. Lan —7K 135
Ford St. Con —2K 133
Ford St. Gate —5K 81
Ford St. Lan —7K 135
Ford St. Newc T —1J 81 (5M 5)
Ford Ter. Chop —1H 15
Ford Ter. Sund —2B 116
Ford Ter. W'snd —3K 63
Ford, The. Pru —3E 74
Ford Vw. Dud —2J 33
Forest Av. Newc T —4C 44
Forestborn Ct. Newc T —3F 59
Forest Dri. Wash —1D 126
Forest Ga. Win —5F 179
**Forest Hall. —4B 44**
Forest Hall Rd. Newc T —4C 44
Forest Pl. Shir —1J 45
Fore St. Hex —1D 68

Fore St. Newc T —5J 61 (1M 5)
Forest Rd. Newc T —2J 79
Forest Rd. S Shi —3J 65
Forest Rd. Sund —1K 115
Forest Vw. B'don —2B 172
Forest Way. Seg —2D 34
Forfar St. Sund —5F 103
Forge Clo. B Mill —2K 105
Forge La. Ches S —1F 141
Forge La. Ham C —2B 106
Forge Rd. Gate —6C 80
Forge, The. Acomb —4B 48
Forge, The. Bran —4A 172
Forge Wlk. Newc T —4K 57
Forres Ct. S'ley —3H 123
Forres Pl. Cra —2K 23
Forrest Rd. W'snd —4E 62
Forster Av. Bed —7G 15
Forster Av. Mur —2G 157
Forster Av. Sher —2K 165
Forster Av. S Shi —6A 66
Forster Cres. S Het —5D 156
Forster Sq. Win —5F 179
Forster St. Bly —2K 21
Forster St. Con —7J 119
Forster St. Newc T —1H 81 (6J 5)
Forster St. Sund —5G 103
Forsyth Rd. Newc T —4F 61
Forsyth St. N Shi —3B 46
Forth Banks. Newc T —2F 81
Forth Banks Clo. Newc T —8E 4
Forth Clo. Pet —7B 170
Forth Ct. S Shi —1J 85
Forth Ct. Sund —3B 130
Forth La. Newc T —2F 81
(in two parts)
Forth Pl. Newc T —2E 80 (7D 4)
Forth St. C'wl —6A 92
Forth St. Newc T —2E 80 (8D 4)
Fortrose Av. Sund —5C 116
Fort Sq. S Shi —1J 65
Fort St. S Shi —1K 65
Forum Ct. Bed —7H 15
Forum, The. Newc T —6F 59
Forum, The. W'snd —4F 63
Forum Way. Cra —4H 23
Fossdyke. Gate —2D 98
Fossefeld. Gate —7E 82
Fosse Law. Newc T —4J 57
Fosse Ter. Gate —1J 97
Foss Way. Con —5G 105
Fossway. Newc T —6B 62
Foss Way. S Shi —1H 85
Foster Ct. Team T —4E 96
Foster Memorial Homes. Bly —2H 21
Foster St. Walk —7F 63
(in two parts)
Foster Ter. Crox —7K 173
Foundry. Cas E —5A 180
Foundry Ct. Newc T —2A 82
Foundry La. Newc T —7J 61 (4M 5)
Foundry La. Swa —5G 79
Foundry Rd. S'hm —3C 146
Fountain Clo. Bed —7H 15
Fountain Gro. S Shi —5B 66
Fountain Head Bank. Sea S —4C 26
Fountain La. Bla T —3C 78
(in two parts)
Fountain Row. Newc T —6D 60 (1A 4)
Fountains Clo. Gate —1B 96
Fountains Clo. Wash —4H 113
Fountains Cres. Heb —3J 83
Fountains Cres. Hou S —7C 128
Fouracres Rd. Newc T —3A 60
Four La. Ends. Hett H —1H 155
Fourstones. Newc T —3G 59
Fourstones Clo. Newc T —7K 41
Fourstones Rd. Sund —1A 116
Fourteenth Av. Bly —3H 21
Fourth Av. Ash —4B 10
Fourth Av. Bly —3H 21
Fourth Av. Ches S —6K 125
Fourth Av. Mor —1H 13
Fourth Av. Newc T —6A 62
Fourth Av. Team T —2E 96
Fourth St. B Col —2H 181
Fourth St. Con —3A 120
(in two parts)
Fourth St. C'hll —7K 119
Fourth St. Gate —5F 81
Fourth St. Pet —5E 170
(in two parts)
Fourth St. S'ley —7D 122
Fourway Ct. Win —4G 179
Fowberry Cres. Newc T —6A 60
Fowberry Rd. Newc T —2F 79
Fowler Clo. Phil —5C 128
Fowler Gdns. Gate —5B 80
Fowler St. S Shi —2J 65
Fox Av. S Shi —2F 85
Fox Cover. Ash —6D 10
Foxcover Ct. S'hm —5A 146
Foxcover La. Sund —2H 129
Foxcover Rd. Sund —6F 115
Fox Covert La. Pon —5H 29
Foxes Row. Bran —5A 172
Foxglove. Ches S —7H 125
Foxglove Ct. S Shi —2H 85
Foxhill Clo. Ash —6K 9
Foxhills Clo. Wash —6J 113
Foxhills Covert. Whi —2E 94
Foxhills Cres. Lan —6H 135
Foxhills, The. Whi —1E 94
Foxhomes. Jar —6D 84
Fox & Hounds La. Newc T —7J 59
Fox & Hounds Rd. Newc T —6J 59
Foxhunters Rd. Whit B —1F 47
Foxlair Clo. Sund —5C 130
Fox Lea Wlk. Seg —2C 34
Foxley. Wash —7J 99
Foxley Clo. Newc T —7D 34
Foxpit La. S'ley —5G 109
Fox St. Gate —5A 82
Fox St. S'hm —4B 146
Fox St. Sund —3D 116
Foxton Av. Newc T —5B 42
Foxton Av. N Shi —1H 47
Foxton Clo. N Shi —2E 64
Foxton Ct. Cle —5C 86
Foxton Grn. Newc T —7A 42
Foxton Hall. Wash —4H 99
Foxton Way. Gate —4F 83
Foxton Way. H Shin —7F 165
Foyle St. Sund —2F 117
Framlington Ho. Newc T —6E 60
Framlington Pl. Newc T —6E 60 (1C 4)
Framwelgate. Dur —2A 164
Framwelgate Peth. Dur —1K 163
Framwelgate Waterside. Dur —2A 164
**Framwellgate Moor. —6J 151**
Frances St. Bla T —4A 78
Frances St. New S —2C 130
Frances Ville. Sco G —3G 15
Francis St. Sund —5F 103
Francis Way. Hett H —6G 143
Frank Av. S'hm —4J 145
(in two parts)
Frankel Ho. Chop —1G 15
Frankham St. Newc T —3F 59
Frankland Dri. Whit B —1E 46
Frankland La. Dur —1A 164
Frankland Mt. Whit B —1E 46
Frankland Rd. Dur —6K 151
Franklin Ct. Wash —7H 99
Franklin St. S Shi —3J 65
Franklin St. Sund —1C 116
Franklyn Av. Sea S —3B 26
Franklyn Rd. Pet —5A 170
Frank Pl. Bir —5A 112
Frank Pl. N Shi —6G 47
Frank St. Dur —2E 164
Frank St. G'sde —5D 76
Frank St. Sund —5D 102
Frank St. W'snd —4F 63
Fraser Clo. S Shi —5H 65
Fraser Fld. Newc T —1F 81
Frater Ter. W'snd —3C 64
Frazer Ter. Gate —5E 82
Freda St. Sund —6B 102
Frederick Gdns. Hou S —2A 128
Frederick Pl. Hou S —2E 142
Frederick Rd. Sund —1F 117
Frederick St. C'wl —7K 91
Frederick St. S'hm —3B 146
Frederick St. S Hyl —2G 115
Frederick St. S Shi —5J 65
Frederick St. Sund —1F 117
Frederick St. N. Mead —2E 172
Frederick St. S. Mead —2E 172
Frederick Ter. Eas L —2H 155
Frederick Ter. S Het —5B 156
Frederick Ter. Sund —5H 87
Fred Peart Sq. Whe H —3B 178
Freehold Av. Chop —1H 15
Freehold St. Bly —1K 21
Freeman Rd. S Gos & H Hea —1H 61
Freemans Pl. Dur —2A 164
Freeman Way. Ash —6D 10
Freeman Way. Whit B —4E 36
Freesia Gdns. Sund —4E 102
Freesia Grange. Wash —5J 113
Freezemoor Rd. Hou S —3D 128
Freight Village. Wool —2E 40
Fremantle Rd. S Shi —1D 86
Frenchmans Way. S Shi —6D 66
French St. Bly —1J 21
Frensham. Wash —4A 114
Frensham Way. Mead —1E 172
Frenton Clo. Newc T —3C 58
Friarage Av. Sund —4F 103
Friar Rd. Sund —2K 115
Friars. Newc T —6E 4
(off Low Friar St.)
Friars Dene Rd. Gate —4A 82
Friarsfield Clo. Sund —4A 130
Friars Ga. Mor —1D 12
**Friars Goose. —3B 82**
Friarside. Wit G —3D 150
Friarside Cres. Row G —7H 93
Friarside Gdns. Burn —2K 107
Friarside Gdns. Whi —1G 95
Friarside Rd. Newc T —5A 60
Friar Sq. Sund —2K 115
Friar's Row. Burn —3K 107
Friars Row. Dur —1D 164
Friars St. Newc T —1E 80 (6D 4)
Friar St. Shot C —6F 169
Friars Way. Newc T —5J 59
Friar Way. Jar —6C 64
Friary Gdns. Gate —4A 82
Friday Fields La. Newc T —2G 61
Friendly Bldgs. Din —4H 31
Frobisher Ct. Sund —3B 130
Frobisher St. Heb —7K 63
Frome Gdns. Gate —5H 97
Frome Pl. Cra —2K 23
Frome Sq. Sund —2J 115
Front Rd. Sund —1K 115
Front St. Ann —2K 33
Front St. Bent —7A 44
Front St. Bly —2B 20
Front St. Bol C —5E 84
Front St. B'pk —4E 162
Front St. B'hpe —5D 136
Front St. Burn —2J 107
Front St. Camp —6K 33
Front St. C'sde —3B 132
Front St. Ches S —5A 126
Front St. Cle —5C 86
Front St. Col R —2A 142
Front St. Con —7H 119
Front St. Cor —1D 70
Front St. Crag —6J 123
Front St. Cra —4K 23
(nr. Church St.)
Front St. Cra —5B 24
(nr. High Pit Rd.)
Front St. Crox —7K 173
Front St. Cul —7J 37
Front St. Din —4H 31
Front St. Dip —2G 121
(in two parts)
Front St. Ear —6A 36
Front St. Eas L —3A 156
Front St. E Bol —7J 85
Front St. Ebc —5G 105
Front St. Edm —3D 138
Front St. Esh —6F 149
Front St. Fram M & Pity Me —6J 151
Front St. Gt Lum —3E 140
Front St. Guid —1G 15
Front St. Has —1B 168
Front St. Hes —4D 180
Front St. Hett H —6G 143
(nr. Houghton Rd.)
Front St. Hett H —2E 154
(nr. Moorsley Rd.)
Front St. H Spen —2D 92
Front St. Kel —7E 176
Front St. Lan —6J 135
Front St. Lang M —6G 163
Front St. Lead —5A 120
Front St. L Pit —5A 154
Front St. Monk —7E 36
(in two parts)
Front St. Newb S —3H 11
Front St. Nbtle —6D 128
Front St. New D —3F 165
(in two parts)
Front St. Newf —4F 125
Front St. Pelt —2F 125
(nr. Pelton)
Front St. Pelt —1H 125
(nr. Perkinsville)
Front St. Pen —1C 128
Front St. Pre —4G 47
Front St. Pru —4F 75
Front St. Que —7B 148
Front St. Seg —2C 34
Front St. Shot B —3E 118
Front St. Shot C —5F 169
Front St. S'ley —2G 123
(nr. Chester Rd.)
Front St. S'ley —3E 122
(in two parts)
Front St. Sta T —7H 179
Front St. Tan —4D 108
Front St. Tant —6B 108
Front St. Tyn —5K 47
Front St. Wash —7H 99
Front St. W Kyo —5K 121
Front St. Whe H —2B 178
Front St. Whi —7G 79
Front St. Whit —6G 87
Front St. Winl —5B 78
(in three parts)
Front St. Wit G —3B 150
Front St. Wylam —7H 55
Front St. E. Bed —1J 19
Front St. E. Crox —7K 173
Front St. E. Has —1B 168
Front St. E. Pen —1B 128
Front St. E. Win —6F 179
Front St. N. Quar H —6D 176
Front St. S. Quar H —6D 176
Front St. W. Bed —1H 19
Front St. W. Has —7B 156
Front St. W. Pen —1B 128
Front St. W. Win —6F 179
Front Ter. Hou S —6D 128
Frosterley Clo. Dur —5B 152
Frosterley Clo. Eas L —3K 155
Frosterley Clo. Gt Lum —3F 141
Frosterley Gdns. S'ley —5K 121
Frosterley Gdns. Sund —6D 116
Frosterley Pl. Newc T —7C 60 (4A 4)
Frosterley Wlk. Sun —4H 95
Froude Av. S Shi —3J 85
Fuchsia Pl. Newc T —3K 59
**Fulbeck. —4E 6**
Fulbrook Clo. Cra —7A 20
Fulbrook Rd. Newc T —7B 42
Fulforth Clo. Bear —7C 150
Fulforth Way. Sac —6D 138
Fuller Rd. Sund —4G 117
Fullerton Pl. Gate —6J 81
Fulmar Dri. Bly —5J 21
Fulmar Dri. Wash —4D 112
Fulmar Wlk. Sund —4H 87
Fulton Pl. Newc T —3J 59
**Fulwell. —3F 103**
Fulwell Av. S Shi —6D 66
Fulwell Grn. Newc T —4H 59
Fulwell Rd. Pet —6C 170
Fulwell Rd. Sund —3F 103
Furnace Bank. Bly —7B 16
Furness Clo. Pet —6K 169
Furness Ct. Sund —3B 130
Furrowfield. Gate —2A 98
Furzefield Rd. Newc T —1D 60
Fuschia Gdns. Heb —3J 83
Fylingdale Dri. Sund —2E 130
Fyndoune. Sac —1E 150
Fyndoune Way. Wit G —2D 150
Fynes Clo. Pet —4B 170
Fynes St. Bly —1J 21
Fynway. Sac —1E 150

Gables Ct. Sund —5J 115
Gables, The. Bly —1H 21
Gables, The. B'hpe —6D 136
Gables, The. Ken F —6H 41
Gables, The. Thor —1J 177
Gables, The. Wash —4J 113
(off Fatfield Rd.)
Gable Ter. Whe H —2B 178
Gadwall Rd. Hou S —4B 142
Gainers Ter. W'snd —5G 63
Gainford. Ches S —6J 125
Gainford. Gate —5H 97
(in three parts)
Gainford Ho. Ches S —6J 125
Gainsborough Av. S Shi —3K 85
Gainsborough Av. Wash —4J 113
Gainsborough Clo. Whit B —5C 36
Gainsborough Cres. Gate —7K 81
Gainsborough Cres. Shin R —4A 128
Gainsborough Gro. Newc T —7B 60
Gainsborough Pl. Cra —7K 23
Gainsborough Rd. S'ley —4F 123
Gainsborough Rd. Sund —6J 115
Gainsborough Sq. Sund —6J 115
Gainsford Av. Gate —3G 97
Gair Ct. Nett —6H 139
Gairloch Dri. Pelt —2H 125
Gairloch Dri. Wash —5E 112
Gairloch Rd. Sund —5J 115
Gairsay Clo. Sund —1G 131
Gaitskell Ct. Heb —6K 63
Galashiels Gro. Hou S —4B 128
Galashiels Rd. Sund —5H 115
Galashiels Sq. Sund —5J 115
Gale St. S'ley —4D 122
Galfrid Clo. Dal D —4H 145
Gallagher Cres. Pet —6D 170
Gallalaw Ter. Newc T —7H 43
Gallant Ter. W'snd —4C 64
Galleria, The. Gate —5J 79
Galleries Shop. Cen., The. Wash —3G 113
Galley's Gill Rd. Sund —1E 116
Galloping Grn. Cotts. Gate —5B 98
Galloping Grn. Farm Clo. Gate —5B 98
Galloping Grn. Rd. Gate —4B 98
Galloway Rd. Pet —5B 170
Gallowgate. Newc T —1E 80 (5D 4)
Gallowhill La. O'ham —1D 74
Gallows Bank. Hex —3D 68
Galsworthy Rd. S Shi —3G 85
Galsworthy Rd. Sund —5J 115
Galt St. Thor —1K 177
Galway Rd. Sund —5H 115
Galway Sq. Sund —5H 115
Gambia Rd. Sund —6H 115
Gambia Sq. Sund —6H 115
Ganton Av. Cra —6K 23
Ganton Clo. Wash —5G 99
Ganton Ct. S Shi —3B 86
Gaprigg Ct. Hex —2D 68
Gaprigg La. Hex —2C 68
Garasdale Clo. Bly —5H 21
Garcia Ter. Sund —3G 103
(in two parts)
Garden Av. Dur —5J 151
Garden Av. Lang P —5H 149
Garden City Vs. Ash —4B 10
Garden Clo. Con —6H 119
Garden Clo. Sea B —3D 32
Garden Cres. Con —4H 105
Garden Cft. Newc T —4C 44
Garden Dri. Heb —2H 83
Garden Est. Hett H —6H 143
Garden Ho. Cres. Whi —6J 79
Garden Ho. Dri. Acomb —4B 48
Garden Ho. Est. Ryton —2C 76
Garden La. S Shi —3J 65
Garden La. Sund —6B 86
Garden Pk. W'snd —1K 63
Garden Pl. Con —6H 119
(off George St.)
Garden Pl. Lead —5A 120
Garden Pl. Pen —2B 128
Garden Pl. Sund —1E 116
(in two parts)
Gardens, The. Ches S —6K 125
Gardens, The. Wash —4J 113
Gardens, The. Whit B —7F 37
Garden St. Bla T —3C 78
Garden St. Hou S —6D 128
Garden St. Newc T —7E 42
Garden Ter. Con —5A 120
Garden Ter. Crag —6H 123
Garden Ter. Ear —6A 36
Garden Ter. Hex —1C 68
Garden Ter. Hou S —6D 128
Garden Ter. Ryton —2D 76
Garden Ter. S'ley —4E 122
Garden Ter. Thor —1K 177
Garden Ter. Winl —5B 78
(off Florence St.)
Garden Ter. W'sde —3E 76
Garden Wlk. Gate —4J 79
Gardiner Cres. Pelt F —5G 125
Gardiner Rd. Sund —5G 115
Gardiner Sq. Gate —3E 110
Gardiner Sq. Sund —5H 115
Gardner Pk. N Shi —7F 47
Gardner Pl. N Shi —7H 47
Gardners Pl. Lang M —7F 163
Garesfield Gdns. Burn —2K 107
Garesfield Gdns. Row G —4J 93
Garesfield La. Bla T —2J 93
Gareston Clo. Bly —2F 21
Garfield St. Sund —1B 116
Garforth Clo. Cra —6J 23
Garland Ter. Hou S —2A 142
Garleigh Clo. Kil —1E 44
Garmondsway. Newc T —1A 82
Garner Clo. Newc T —2D 58
Garnet St. Sund —1B 116
Garnwood St. S Shi —5H 65
Garrick Clo. N Shi —5C 46
Garrick St. S Shi —5J 65
Garrigill. Wash —7K 113
Garrigill Pl. Newc T —6J 43
(in two parts)
Garron St. S'hm —4B 146
(in two parts)
Garsdale. Bir —7C 112
Garsdale Av. Wash —7G 99
Garsdale Rd. Whit B —2E 36
Garside Av. Bir —2A 112
Garside Gro. Pet —4K 169

Garside Mans. Newc T —7H 61
Garstin Clo. Newc T —2C 62
Garth Cotts. Hex —2C 68
Garth Cres. Bla T —5B 78
Garth Cres. S Shi —4C 66
Garth Farm Rd. Bla T —5B 78
Garthfield Clo. Newc T —2G 59
Garthfield Corner. Newc T —2G 59
Garthfield Cres. Newc T —2G 59
Garth Four. Newc T —1A 44
Garth Heads. Newc T —1H 81 (6J 5)
Garth Six. Newc T —1A 44
Garth Sixteen. Newc T —7B 34
Garths, The. Lan —7K 135
Garth, The. Bla T —5B 78
Garth, The. Ken —1B 60
Garth, The. M'sly —6A 106
Garth, The. Pelt —2G 125
Garth, The. W Den —4E 58
Garth Thirteen. Newc T —7A 34
Gth. Thirty Three. Newc T —1B 44
Gth. Thirty Two. Newc T —1C 44
Garth Twenty. Newc T —1C 44
Gth. Twenty Five. Newc T —1D 44
Gth. Twenty Four. Newc T —1C 44
Gth. Twenty One. Newc T —7C 34
Gth. Twenty Seven. Newc T —1D 44
Gth. Twenty Two. Newc T —1C 44
Gartland Rd. Sund —5G 115
Garvey Vs. Gate —1K 97
Gashouse Dri. Ches S —3G 127
Gas Ho. La. Mor —7G 7
Gaskell Av. S Shi —3H 85
Gas La. Bla T —2C 78
Gas Works Rd. S'hm —4C 146
Gatacre St. Bly —1J 21
Gateley Av. Bly —5H 21
Gatesgarth. Gate —2J 97
Gatesgarth Gro. Sund —2F 103
**Gateshead. —3H 81**
Gateshead F.C. —3K 81
Gateshead Highway. Gate —3H 81 (9J 5)
Gateshead International Stadium. —3K 81
Gateshead Rd. Sun —6H 95
Gateshead Thunder R.L.F.C. —3K 81
Gateshead Western By-Pass. Whi —5J 79
Gatwick Ct. Newc T —5H 41
Gatwick Rd. Sund —5H 115
Gaughan Clo. Newc T —3D 82
*Gaweswell Ter. Hou S —5D 128 (off North St.)*
Gayfield Ter. Pet —1D 170
Gayhurst Cres. Sund —3C 130
Gayton Rd. Wash —6J 99
Geddes Rd. Sund —5H 115
Gellesfield Chare. Whi —3H 95
Gelt Cres. Eas L —1H 155
General Graham St. Sund —3C 116
General Havelock Rd. Sund —1A 116
General's Wood, The. Wash —1F 127
Genesis Way. Con —7G 119
Geneva Rd. Sund —5H 115
Genister Pl. Newc T —5K 59
Geoffrey Av. Dur —4J 163
Geoffrey St. S Shi —3J 85
Geoffrey St. Sund —5H 87
Geoffrey Ter. S'ley —4D 122
George All. Sund —1B 116
George Av. Pet —6C 158 (in two parts)
George Clo. Esh W —4E 160
George Gro. Hett H —6G 143
George Pit La. Gt Lum —4F 141
George Pl. Newc T —7F 61 (3F 4)
George Rd. Bed —6B 16
George Rd. Newc T & W'snd —5F 63
George Scott St. S Shi —1K 65
George Smith Gdns. Gate —4A 82
George Sq. N Shi —6H 47
George Sq. Shad —6E 166
George Sq. Shot C —6F 169
Georges Rd. Newc T —2B 80 (in two parts)
George Stephenson's Birthplace. —6B 56
George Stephenson Way. N Shi —2F 65
George St. Ash —3C 10
George St. Bir —4K 111
George St. B'hll —4F 119
George St. Bla T —3D 78
George St. Bly —3J 21
George St. Bow —3G 175
George St. Bru V —5C 32
George St. Ches S —7B 126
George St. Con —6H 119
George St. Dip —1H 121
George St. Dur —3J 163
George St. Esh W —4E 160
George St. Gate —5D 82
George St. Gos —7C 42
George St. Has —1B 168
George St. Hett H —5G 143
George St. Lang P —4J 149
George St. Mur —1F 157
George St. Newc T —2E 80 (7B 4)
George St. N Shi —6H 47
George St. Ryton —3D 76
George St. S'hm —3A 146
George St. Shad —4E 166
George St. Sher —3K 165
George St. S'ley —7J 123
George St. Sund —3J 131
George St. Walb —3K 57
George St. W'snd —4B 64
George St. Whi —7G 79
George St. E. Sund —1C 130
George St. Ind. Est. S'hm —3A 146
George St. N. Sund —7F 103
George St. W. Sund —1C 130
George's Vw. Dud —4J 33
George Ter. Bear —1E 162
George Ter. Jar —3B 84
George Way. Newc T —2E 80 (8C 4)
Georgia Ct. Con —7G 119
Georgian Ct. Newc T —3K 43
Georgian Ct. Sund —4C 116
Gerald St. Newc T —2K 79
Gerald St. S Shi —3J 85
Gerrard Clo. Cra —6K 23
Gerrard Clo. Whit B —2E 36
Gerrard Rd. Sund —5H 115
Gerrard Rd. Whit B —2E 36
Gertrude St. Hou S —7D 128
Ghyll Edge. Mor —6D 6
Ghyll Fld. Rd. Dur —6K 151
Gibbons Wlk. S Shi —4G 85
Gibbs Ct. Ches S —7A 126
**Gibside. —6C 94**
Gibside. —6A 94
Gibside. Ches S —6J 125
Gibside Clo. S'ley —2H 123
Gibside Ct. Gate —1B 96
Gibside Cres. Burn —7D 94
Gibside Gdns. Newc T —7H 59
Gibside Ter. Burn —2B 108
Gibside Vw. Bla T —5B 78
Gibside Way. Gate —4H 79
Gibson Ct. Bol C —6F 85
*Gibson Ho. Hex —2C 68 (off Battle Hill)*
Gibson Pl. Hex —1C 68
*Gibsons Bldgs. Ryton —2E 76 (off Main St.)*
Gibson St. Con —6H 119
Gibson St. Newb S —4H 11
Gibson St. Newc T —1H 81 (6K 5)
Gibson St. W'snd —7K 45
*Gibson Ter. Ryton —2E 76 (off Main St.)*
Gifford Sq. Sund —4J 115
Gilberdyke. Gate —2E 98
Gilbert Rd. Pet —5A 170
Gilbert Rd. Sund —5H 115
Gilbert Sq. Sund —6H 115
Gilbert St. S Shi —5J 65
Gilderdale. Hou S —1J 127
Gilderdale Way. Cra —7J 23
**Gilesgate. —2D 164**
Gilesgate. Dur —2B 164
Gilesgate. Hex —1C 68
Gilesgate Clo. Dur —2B 164
**Gilesgate Moor. —2E 164**
Gilesgate Rd. Eas L —1H 155
Gilhurst Ho. Sund —1D 116
Gillas La. Hou S —3G 143
Gillas La. E. Hou S —3F 143
Gillas La. W. Hou S —4E 142
Gill Cres. N. Hou S —7J 127
Gill Cres. S. Hou S —1J 141
Gill Cft. Ches S —7K 125
**Gilley Law. —1A 130**
Gilley Law Ter. Sund —1B 130
Gillhurst Grange. Sund —1D 116
Gillies St. Newc T —7B 62
Gilliland Cres. Bir —2A 112
Gillingham Rd. Sund —5H 115
Gillside Ct. S Shi —1G 85
Gill Side Gro. Sund —5G 103
Gill Side Vw. Con —5E 118
Gill Street. Con —1H 133
Gill St. Newc T —1A 80
*Gill Ter. Sund —1G 115 (off Pottery La.)*
Gilmore Clo. Newc T —2D 58
Gilpin St. Hou S —2D 142
Gilsland Av. W'snd —2K 63
Gilsland Gro. Cra —1K 23
Gilsland St. Sund —2C 116
Gilwell Way. Newc T —3D 42
Gingler La. W'sde —4E 76
Girtin Rd. S Shi —4K 85
Girton Clo. Pet —7K 169
Girvan Clo. S'ley —3H 123
Girven Ter. Eas L —2J 155
Girven Ter. W. Eas L —2H 155
Gishford Way. Newc T —3H 59
Givens St. Sund —5G 103
Gladeley Way. Sun —5G 95
Glade, The. Jar —5B 84
Glade, The. Newc T —3A 58
Gladewell Ct. Chop —2G 15
Gladstonbury Pl. Newc T —6A 44
Gladstone Av. Whit B —5F 37
Gladstone Gdns. Con —6J 119
Gladstone M. Bly —1H 21
Gladstone Pl. Newc T —6G 61 (2H 5)
Gladstone St. Beam —2K 123
Gladstone St. Bly —1H 21
Gladstone St. Col R —2B 142
Gladstone St. Con —6J 119
Gladstone St. Heb —7A 64
Gladstone St. Lem —7C 58
Gladstone St. Mor —7H 7
Gladstone St. Oxh —4D 122
Gladstone St. Sund —6F 103
Gladstone St. W'snd —4B 64
Gladstone Ter. Bed —1J 19
Gladstone Ter. Bir —4K 111
Gladstone Ter. Bol C —4E 84
Gladstone Ter. Gate —5H 81
Gladstone Ter. Newc T —6G 61 (2H 5)
Gladstone Ter. Pen —1K 127
Gladstone Ter. Sta T —7G 179
Gladstone Ter. Wash —7K 99
Gladstone Ter. Whit B —7H 37
Gladstone Ter. W. Gate —5G 81
Gladstone Vs. Dur —4B 164
Gladwyn Rd. Sund —6H 115
Gladwyn Sq. Sund —6H 115
Glaholm Rd. Sund —2H 117
Glaisdale Ct. S Shi —2G 85
Glaisdale Dri. Sund —1G 103
Glaisdale Rd. Newc T —7J 43
Glamis Av. Newc T —2E 42
Glamis Av. Sund —4J 115
Glamis Ct. S Shi —3B 86
Glamis Cres. Row G —3A 94
Glamis Ter. Mar H —6G 95
Glamis Vs. Bir —2A 112
Glanmore Rd. Sund —5H 115
Glantlees. Newc T —3G 59
Glanton Av. Sea D —7G 25
Glanton Clo. Ches S —7J 125
Glanton Clo. Gate —7G 83
Glanton Clo. Newc T —2A 82
Glanton Ct. Gate —5C 80
Glanton Rd. Hex —2F 69
Glanton Rd. N Shi —5D 46
Glanton Sq. Sund —5J 115
Glanton Ter. Pet —6F 171
Glanton Wynd. Newc T —5D 42
Glanville Clo. Gate —7D 80
Glanville Rd. Sund —4K 129
Glasbury Av. Sund —4J 115
Glasgow Rd. Jar —2E 84
Glassey Ter. Bed —7B 16
Glasshouse Bri. Newc T —1J 81 (6M 5)
Glasshouse St. Newc T —2A 82
Glastonbury. Wash —4H 113
Glastonbury Gro. Newc T —3H 61
Glaston Ho. Bly —1F 21
Gleaston Ct. Pet —2K 179
**Glebe. —3H 113**
Glebe Av. Newc T —5B 44
Glebe Av. Pet —7B 158
Glebe Av. Whi —7H 79
Glebe Cen. Wash —3H 113
Glebe Clo. Newc T —2D 58
Glebe Clo. Pon —4J 29
Glebe Ct. Bed —7H 15
Glebe Cres. Newc T —3B 44
Glebe Cres. Pet —7B 158
Glebe Cres. Wash —2J 113
Glebe Dri. S'hm —7H 131
Glebe Est. S'hm —7H 131
Glebe Farm. Chop —7G 9
Glebelands. Cor —7E 50
Glebe M. Bed —7H 15
Glebe Mt. Wash —2J 113
Glebe Ri. Whi —7H 79
Glebe Rd. Bed —7H 15
Glebe Rd. Newc T —3B 44
Glebeside. Hett H —5G 143
Glebeside. Hou S —3D 150
Glebe Ter. Gate —6B 80 (in four parts)
Glebe Ter. Hou S —1D 142
Glebe Ter. Newc T —3B 44
Glebe Ter. Pet —7A 158 (in two parts)
Glebe Ter. Sco G —4G 15
Glebe Vw. Mur —6G 145 (in two parts)
Glebe Vs. Newc T —3A 44
Glebe Wlk. Whi —7H 79
Glenallen Gdns. N Shi —3J 47
Glenamara Ho. Newc T —3H 5
Glen Av. Stoc —7J 73
Glenavon Av. Ches S —5K 125
Glen Barr. Ches S —5K 125
Glenbrooke Ter. Gate —3H 97
Glenburn Clo. Wash —5D 112
Glencarron Clo. Wash —5E 112
Glen Clo. Row G —4J 93
Glencoe. Newc T —7B 34
Glencoe Av. Ches S —5K 125
Glencoe Av. Cra —7K 23
Glencoe Ri. Row G —6G 93
Glencoe Rd. Sund —6H 115
Glencoe Sq. Sund —5H 115
Glencoe Ter. Row G —6G 93
Glencot Gro. Haw —4J 157
Glencourse. E Bol —7A 86
Glen Ct. Heb —7H 63
Glendale Av. Bly —1C 20
Glendale Av. Chop —7J 9
Glendale Av. Newc T —1C 60
Glendale Av. N Shi —6E 46
Glendale Av. W'snd —1F 63
Glendale Av. Wash —7G 99
Glendale Av. Whi —1G 95
Glendale Av. Whit B —4G 37
Glendale Clo. Bla T —6K 77
Glendale Clo. Newc T —2D 58
Glendale Clo. Sund —3J 129
Glendale Gdns. Chop —7J 9
Glendale Gdns. Gate —2K 97
Glendale Gro. N Shi —6F 47
Glendale Rd. Ash —5E 10
Glendale Rd. Shir —1A 46
Glendale Ter. Newc T —7A 62
Glendford Pl. Bly —5H 21
Glendower Av. N Shi —6D 46
Glendyn Clo. Newc T —4J 61
Gleneagle Clo. Newc T —2D 58
Gleneagles. S Shi —4B 66
Gleneagles. Whit B —6D 36
Gleneagles Clo. Bent —7A 44
Gleneagles Ct. Whit B —6D 36
Gleneagles Dri. Wash —5F 99
Gleneagles Rd. Gate —4G 97
Gleneagles Rd. Sund —6H 115
Gleneagles Sq. Sund —6H 115
Glenesk Gdns. Sund —6E 116
Glenesk Rd. Sund —5E 116
Glenfield Av. Cra —1K 23
Glenfield Rd. Newc T —5K 43 (in two parts)
Glengarvan Clo. Wash —5E 112
Glenholme Clo. Wash —5D 112
Glenholme Ter. B Col —2J 181
Glenhurst Cotts. Pet —7B 158
Glenhurst Dri. Newc T —2D 58
Glenhurst Dri. Whi —3F 95
Glenhurst Gro. S Shi —7B 66
Glenhurst Rd. Pet —7B 158
Glenhurst Ter. Mur —7F 145
Glenkerry Clo. Wash —5E 112
Glenleigh Dri. Sund —4J 115
Glenluce. Bir —5C 112 (in two parts)
Glenluce Ct. Con —6E 118
Glenluce Ct. Cra —6K 23
Glenluce Dri. Cra —7J 23
Glen Luce Dri. Sund —6H 117
Glenmeads. Nett —6H 139
Glenmoor. Heb —6H 63
Glenmore. Con —2A 134
Glenmore Av. Ches S —5A 126
Glenmuir Av. Cra —7J 23
Glenorrin Clo. Wash —5E 112
Glen Path. Sund —5F 117
Glenridge Av. Newc T —4K 61
Glenroy Gdns. Ches S —5K 125
Glens Flats. H Pitt —6B 154
Glenshiel Clo. Wash —5E 112
Glenside. Con —3F 119
Glenside. Jar —4C 84
Glenside Ter. Pelt F —5H 125
Glen St. Heb —1H 83
Glen Ter. Ches S —5J 125
Glen Ter. Hex —1B 68
*Glen Ter. Hou S —1B 128 (off Rainton St.)*
Glen Ter. Wash —4J 113
Glen, The. Sund —5F 117
Glenthorne Rd. Sund —5G 103
Glenthorn Rd. Newc T —3G 61
Glen Thorpe Av. Sund —5G 103
Glenthorpe Ho. S Shi —4K 65
Glenwood. Ash —5A 10
Glenwood Wlk. Newc T —2D 58
Gloria Av. N Har —4H 25
Glossop St. H Spen —3D 92
Gloucester Av. Sund —3G 103
Gloucester Clo. Gt Lum —4E 140
Gloucester Ct. Newc T —4J 41
Gloucester Pl. Pet —5K 169
Gloucester Pl. S Shi —1C 86
Gloucester Rd. Con —1J 133
Gloucester Rd. Newc T —1C 80
Gloucester Rd. N Shi —5B 46
Gloucestershire Dri. Dur —1G 165
Gloucester St. N Har —5H 25
Gloucester Ter. Has —3A 168
Gloucester Ter. Newc T —2C 80 (7A 4)
Gloucester Way. Jar —5B 84
Gloucester Way. Newc T —2D 80 (8A 4)
Glover Ind. Est. Wash —1K 113
Glover Rd. Sund —6H 115
Glover Rd. Wash —7K 99
Glover Sq. Sund —6H 115
Glue Gth. Dur —2D 164
Glynfellis. Gate —2D 98
Glynfellis Ct. Gate —2D 98
Glynwood Clo. Cra —1K 23
Glynwood Gdns. Gate —2J 97
Goalmouth Clo. Sund —5G 103
Goatbeck Ter. Lang M —7F 163
Goathland Av. Newc T —6K 43
Goathland Dri. Sund —2D 130
Godfrey Rd. Sund —5H 115
Gofton Wlk. Newc T —3G 59
Goldcrest Rd. Wash —5D 112
Golden Acre. Con —3F 119
Goldfinch Clo. Newc T —3B 80
Goldlynn Dri. Sund —3A 130
Goldsborough Ct. Win —4G 179
Goldsbrough Ct. Newc T —6E 60 (1C 4)
Goldsmith Rd. Sund —6H 115
Goldspink La. Newc T —6H 61 (1L 5)
Goldstone Ct. Newc T —7C 34
Golf Course Rd. Hou S —5K 127
Gompertz Gdns. S Shi —5H 65
Goodrich Clo. Phil —4C 128
Good St. S'ley —1E 122
Goodwell Lea. Bran —4A 172
Goodwood. Newc T —1C 44
Goodwood Av. Gate —6E 80
Goodwood Clo. Con —3F 119
Goodwood Clo. Newc T —2D 58
Goodwood Rd. Sund —5G 115
Goodwood Sq. Sund —5G 115
Goodyear Cres. Dur —3E 164
Goole Rd. Sund —5J 115
Goose Hill. Mor —7G 7
Gordon Av. Newc T —1E 60
Gordon Av. Pet —5D 170
Gordon Av. Sund —7G 101
*Gordon Ct. Gate —5B 82 (off Church Pl.)*
Gordon Dri. E Bol —7K 85
Gordon Rd. Bly —4K 21
Gordon Rd. Newc T —1K 81 (5P 5)
Gordon Rd. S Shi —7J 65
Gordon Rd. Sund —6H 115
Gordon Sq. Newc T —1K 81 (5P 5)
Gordon Sq. Whit B —7J 37
Gordon St. S Shi —5J 65
Gordon Ter. Bed —1J 19
Gordon Ter. Chop —1A 16
Gordon Ter. O Pen —1C 128
Gordon Ter. Pru —4F 75
Gordon Ter. Ryh —3J 131
Gordon Ter. S'ley —1F 123
Gordon Ter. Sund —5C 102
Gordon Ter. Whit B —6J 37
Gordon Ter. W. Chop —1A 16
Gorecock La. Con & S'ley —2F 135
Gore Hill Est. Thor —1J 177
Gorleston Way. Sund —5C 130
Gorse Av. S Shi —1B 86
Gorsedale Gro. Dur —1H 165
Gorsedene Av. Whit B —2F 37

Gorsedene Rd. Whit B —2E 36
Gorsehill. Gate —2A 98
Gorse Hill Way. Newc T —2J 59
Gorse Rd. Sund —3F 117
Gorseway. Mor —1D 12
Gort Pl. Dur —1D 164
Goschen St. Bly —1H 21
(in two parts)
Goschen St. Gate —6F 81
Goschen St. Sund —5C 102
**Gosforth. —7E 42**
Gosforth Av. S Shi —2J 85
Gosforth Bus. Pk. Newc T —5H 43
Gosforth Cen., The. Newc T —1E 60
Gosforth Ind. Est. Newc T —7G 43
Gosforth Pk. Vs. N Gos —7E 32
Gosforth Pk. Way. Newc T (in two parts) —5H 43
Gosforth St. Gate —5B 82
Gosforth St. Newc T (in three parts) —7H 61 (3J 5)
Gosforth St. Sund —6G 103
Gosforth Ter. Gate —5D 82
Gosforth Ter. Newc T —7G 43
Gosport Way. Bly —5H 21
Gossington. Wash —3A 114
Goswick Av. Newc T —3K 61
Goswick Dri. Newc T —4B 42
Gouch Av. Bed —4J 15
Goundry Av. Sund —3J 131
Gourock Sq. Sund —5G 115
Gowanburn. Cra —7J 23
Gowanburn. Wash —6K 113
Gowan Ter. Newc T —4H 61
Gower Rd. Sund —5C 102
Gower St. Newc T —2E 82
Gower Wlk. Gate —6A 82
Gowland Av. Newc T —6A 60
Gowland Sq. Mur —7D 144
Goy Cotts. Dur —3K 163
Goy Ho. Win —5F 179
Goy Mt. Craw —3C 76
Goy Pk. S Shi —1J 85
Goy Vw. Bed —5B 16
Grace Ct. G'cft —6J 121
Gracefield Clo. Newc T —2D 58
Grace Gdns. W'snd —1E 62
Grace Ho. N Shi —2E 64
Grace St. Gate —6B 80
Grace St. Newc T —7A 62
(in two parts)
Grafton Clo. Newc T —7K 61 (3P 5)
Grafton Ho. Newc T —3N 5
Grafton Pl. Newc T —7K 61 (3P 5)
Grafton Rd. Whit B —7J 37
Grafton St. Newc T —7K 61 (3P 5)
Grafton St. Sund —1D 116
Gragareth Way. Wash —2E 112
Graham Av. Whi —6G 79
Graham Ct. Sac —7E 138
Graham Pk. Rd. Newc T —2E 60
Graham Rd. Heb —1H 83
Grahamsley St. Gate —4H 81 (10J 5)
Graham St. S Shi —3K 65
Graham Ter. H Pitt —6B 154
Graham Ter. Mur —7F 145
Graham Way, The. S'hm —4H 145
Grainger Mkt. Newc T —1F 81 (5E 4)
Grainger Pk. Rd. Newc T —2B 80
Grainger St. Newc T —2F 81 (7E 4)
*Graingerville N. Newc T —1C 80 (off Westgate Rd.)*
*Graingerville S. Newc T —1C 80 (off Westgate Rd.)*
Grampian Av. Ches S —7K 125
(in two parts)
Grampian Clo. N Shi —3F 47
Grampian Ct. S'ley —6J 121
Grampian Dri. Pet —7K 169
Grampian Gdns. Gate —1D 96
Grampian Gro. E Bol —7H 85
Grampian Pl. Newc T —3K 43
Granaries, The. H Spen —3D 92
Granaries, The. Hou S —2B 142
Granby Clo. Sund —5D 116
Granby Clo. Sun —4H 95
Granby Ter. Sun —5H 95
Granby Ter. Win —4G 179
Grand Pde. N Shi —2J 47
Grandstand Rd. Newc T —5B 60
Grand Vw. Sher —5K 165
Grange Av. Bed —5C 16
Grange Av. Hou S —1A 142
Grange Av. Newc T —6C 44
Grange Av. Pet —1K 169
Grange Av. Shir —7K 35
Grange Clo. Bly —5H 21
Grange Clo. N Shi —2H 47
Grange Clo. Pet —4A 170
Grange Clo. W'snd —3G 63
Grange Clo. Whit B —7D 36
Grange Ct. Gate —7E 82
Grange Ct. Gran V —4D 124
Grange Ct. Jar —6B 64
Grange Ct. Mor —1G 13
Grange Ct. Pru —4F 75
Grange Ct. Ryton —2G 77
Grange Cres. Gate —7E 82
Grange Cres. Ryton —2G 77
Grange Cres. Sund —3F 117
Grange Dri. Ryton —2G 77
Grange Est. Gate —2E 110
Grange Farm Dri. Whi —2G 95
Grange La. Whi —2G 95
Grange Lonnen. Ryton —1F 77
Grangemere Clo. Sund —6G 117
Grange Nook. Whi —2G 95
**Grange Park. —5C 16**
Grange Pk. Whit B —7D 36
Grange Pk. Av. Bed —5B 16
Grange Pk. Av. Sund —4E 102
Grange Pk. Cres. Bow —5J 175
Grange Pl. Jar —6B 64
Grange Rd. Dur —7G 153
Grange Rd. Fenh —7J 59
Grange Rd. Gate —7E 82
Grange Rd. Gos —5E 42
Grange Rd. Jar —6B 64
(in two parts)
Grange Rd. Mor —1G 13
Grange Rd. Newb —5J 57
Grange Rd. Pon —4J 29
Grange Rd. Ryton —1G 77
Grange Rd. S'ley —3D 122
Grange Rd. Sund —7G 101
Grange Rd. W. Jar —6B 64
Granger Vw. Newc T —7C 58
Grange St. Con —2K 133
Grange St. Pelt —2G 125
Grange St. S. Sund —6H 117
Grange Ter. Con —7K 105
Grange Ter. Dec —6J 81
Grange Ter. E Bol —7K 85
Grange Ter. Kib —2E 110
Grange Ter. Pelt F —5F 125
Grange Ter. Pru —4F 75
Grange Ter. Shot C —5E 168
Grange Ter. Sund —3E 116
(SR2)
Grange Ter. Sund —5D 102
(SR5)
Grange, The. E Bol —7K 85
Grange, The. Ned V —1C 18
Grange, The. Tan L —1C 122
Grange, The. Whit B —7C 36
**Grangetown. —6H 117**
Grange Vw. E Rai —5D 142
Grange Vw. Nbtle —6D 128
Grange Vw. Ryton —2G 77
Grange Vw. Sund —4E 102
Grange Villa. —4C 124
Grange Vs. W'snd —3G 63
Grange Wlk. Whi —2G 95
Grangeway. N Shi —3F 47
Grangewood Clo. Shin R —4A 128
Grangewood Ct. Hou S —3A 128
Grantham Av. S'hm —4K 145
Grantham Dri. Gate —3G 97
Grantham Pl. Cra —6J 23
(in three parts)
Grantham Rd. Newc T —6H 61 (2J 5)
Grantham Rd. Sund —5G 103
Grantham St. Bly —3K 21
Grants Cres. S'hm —3A 146
Grant St. Jar —6A 64
Grant St. Pet —5E 170
Granville Av. Newc T —3C 44
Granville Av. Sea S —5D 26
Granville Av. S'ley —5K 121
Granville Ct. Newc T —5H 61 (1H 5)
Granville Cres. Newc T —5C 44
Granville Dri. Cha P —2D 58
Granville Dri. For H —5C 44
Granville Dri. Phil —4C 128
Granville Gdns. Chop —7J 9
Granville Gdns. Newc T —5J 61
Granville Rd. Gos —5F 43
Granville Rd. Jes —5H 61
Granville Rd. Newc T —1J 5
Granville Rd. Pet —7D 170
Granville St. Gate —5H 81
Granville St. Sund —1D 116
Granville Ter. Whe H —2B 178
Grape La. Dur —3A 164
(in two parts)
Grasmere. Bir —6C 112
Grasmere. Sund —5C 86
Grasmere Av. Eas L —3J 155
Grasmere Av. Gate —6D 82
Grasmere Av. Jar —3D 84
Grasmere Av. Newb —6J 57
Grasmere Av. Walk —1C 82
Grasmere Ct. Kil —1A 44
Grasmere Ct. Newc T —6J 57
Grasmere Cres. Bla T —6B 78
Grasmere Cres. Shin R —3B 128
Grasmere Cres. Sund —4E 102
Grasmere Cres. Whit B —4F 37
Grasmere Gdns. S Shi —7A 66
Grasmere Gdns. Wash —4J 113
Grasmere Ho. Newc T —1C 82
Grasmere M. Con —5B 120
Grasmere Pl. Newc T —5E 42
Grasmere Rd. Ches S —1K 139
Grasmere Rd. Heb —1K 83
Grasmere Rd. Pet —5C 170
Grasmere Rd. W'snd —4E 62
Grasmere Rd. Whi —7J 79
Grasmere St. Gate —5G 81
Grasmere St. W. Gate —5G 81
Grasmere Ter. Mur —1F 157
Grasmere Ter. Newb S —3H 11
Grasmere Ter. S Het —4D 156
Grasmere Ter. S'ley —5D 122
Grasmere Ter. Wash —4J 113
Grasmere Way. Bly —1E 20
Grasmoor Pl. Newc T —6B 58
Grassbanks. Gate —1F 99
Grassdale. Dur —1H 165
Grassholm Meadows. Sund —6D 116
Grassholm Pl. Newc T —5J 43
Grassington Dri. Cra —6J 23
Grasslees. Wash —1D 126
**Grasswell. —7D 128**
Grasswell Cvn. Pk. Gras —7D 128
Grasswell Dri. Newc T —2K 59
Grasswell Ter. Hou S —7D 128
Gravel Walks. Hou S —1E 142
Gravesend Rd. Sund —6H 115
Gravesend Sq. Sund —6J 115
Gray Av. Ches S —7K 125
Gray Av. Dur —6K 151
Gray Av. Hes —4D 180
Gray Av. Mur —7E 144
Gray Av. Sher —2K 165
Gray Av. Wide —4E 32
Gray Ct. Pet —7B 158
Gray Ct. Sund —4F 117
Graylands. H Ric —1C 126
Grayling Ct. Dox I —4J 129
Gray Rd. Sund —4F 117
(in two parts)
*Grays Cross. Sund —1G 117 (off High St. E.)*
Gray Sq. Win —5G 179
Grays Ter. Bol C —5E 84
Grays Ter. Dur —3J 163
Graystones. Gate —7F 83
Gray St. Camb —7J 17
Gray St. Con —6G 119
Gray St. Jar —6C 64
Gray's Wlk. S Shi —4G 85
Gray Ter. S'ley —5C 122
Graythwaite. Ches S —6H 125
**Great Eppleton. —5K 143**
Greathead St. S Shi —6H 65
Gt. Lime Rd. Newc T —1J 43
(in two parts)
**Great Lumley. —3E 140**
Gt. North Rd. Cli —6G 13
Gt. North Rd. Dur —5J 151
Gt. North Rd. Gos & Jes —4E 42
Gt. North Rd. Newc T —2F 61
(NE2)
Gt. North Rd. Newc T —4E 42
(NE3)
Grebe Clo. Ash —6C 10
Grebe Clo. Bly —4J 21
Greely Rd. Newc T —3F 59
Greenacre Pk. Gate —4H 97
Green Acres. Mor —1E 12
Greenacres. Pelt —2F 125
Greenacres. Pon —2G 39
Greenacres Clo. Ryton —3E 76
Greenacres Rd. Con —4F 119
Green Av. Hou S —5D 128
Greenbank. Bla T —4C 78
Green Bank. Hex —2E 68
Greenbank. Jar —6B 64
Greenbank Dri. Sund —3G 115
Greenbank St. Ches S —5B 126
Greenbank Ter. Ches S —5A 126
Greenbourne Gdns. Gate —7A 82
Green Clo. N Shi —3H 47
Green Clo. Whit B —7D 36
Green Ct. Esh —7F 149
Green Cres. Dud —3G 33
**Greencroft. —6J 121**
Greencroft. Ash —5A 10
Greencroft. S Het —4C 156
Greencroft Av. Cor —7E 50
Greencroft Av. Newc T —5E 62
Greencroft Ind. Est. G'cft —7J 121
Greencroft Ind. Pk. G'cft —7J 121
**Greencroft Park. —2J 135**
Greencroft Parkway. S'ley —1J 135
Greencroft Rd. Con —2A 134
Greencroft Ter. S'ley —6H 121
Greendale Clo. Bly —1E 20
Greendale Gdns. Hett H —1F 155
Green Dri. S'hm —5B 146
Greendyke Ct. Newc T —7G 41
Greener Ct. Pru —5D 74
Greenfield Av. Newc T —3G 59
Greenfield Dri. Chop —2G 15
Green Fld. Pl. Newc T —1E 80 (6C 4)
Greenfield Pl. Ryton —1G 77
Greenfield Rd. Newc T —2D 42
Greenfields. Ous —6J 111
Green Fields. Ryton —1F 77
Greenfield Ter. Gate —5D 82
Greenfield Ter. S'ley —5K 121
Greenfinch Clo. Wash —6D 112
Greenford. Gate —2F 111
Greenford La. Gate —7G 97
Greenford Rd. Newc T —3D 82
Green Gro. W'sde —3F 77
Greenhall Vw. Newc T —3A 60
Greenhaugh. W Moor —3K 43
Greenhaugh Rd. Whit B —6B 36
Greenhead. Wash —4D 112
Greenhead Rd. C'wl —4J 91
Greenhead Ter. C'wl —5K 91
Greenhill. Mur —7F 145
Greenhills. Kil —6B 34
Greenhills Est. Win —4G 179
Greenhills Ter. Whe H —2B 178
Greenhill Vw. Newc T —3A 60
Green Hill Wlk. S Shi —7E 66
Greenholme Clo. Cra —1K 23
Greenhow Clo. Ryh —4H 131
Greenland Rd. Que —7C 148
Greenlands. Jar —4C 84
Greenlands. S'ley —5D 122
Greenlands Ct. Sea D —6H 25
Green La. Ash —4K 9
Green La. B'hpe —2E 136
Green La. Dud —3H 33
Green La. Dur —3C 164
Green La. E Bol —1K 101
Green La. Fel —5A 82
(in two parts)
Green La. Gate —4B 82
Green La. Gil —2D 164
(in two parts)
Green La. Kil —7C 34
Green La. L'ton —7G 155
(in two parts)
Green La. Mor —7H 7
Green La. Newc T —1C 44
Green La. Pel —5E 82
Green La. Sea —4A 144
Green La. Sher —3J 165
Green La. S Shi —2G 85
Green La. Trim S —5K 177
Green La. Wool —4F 41
Green La. Gdns. Gate —4A 82
Green La. Ind. Est. Pel —5E 82
Greenlaw. Newc T —5E 58
Greenlaw Rd. Cra —7J 23
Greenlea. N Shi —3B 46
Green Lea. Wit G —2D 150
Greenlea Clo. H Spen —4E 92
Greenlea Clo. Sund —5J 115
Greenlee. Ash —5C 10
Greenlee Dri. Newc T —2B 62
Green Mkt. Newc T —5E 4
Green Pk. W'snd —2C 62
Greenrigg. Bla T —5D 78
Greenrigg. Sea S —4C 26
Greenrigg Gdns. Sund —5D 116
Greenriggs Av. Newc T —3F 43
Greenrising. O'ton —2K 73
Green's Bank. W Pel —2C 124
Greenshields Rd. Sund —6H 115
Greenshields Sq. Sund —6H 115
**Greenside. —5F 77**
Greenside. Ash —3A 10
Greenside. S Shi —7D 66
Greenside Av. Bru V —5C 32
Greenside Av. Pet —5D 170
Greenside Av. W'snd —2K 63
Greenside Ct. Sund —6J 115
Greenside Cres. Newc T —6G 59
Greenside Rd. Craw —3C 76
(in two parts)
Green's Pl. S Shi —1J 65
(in two parts)
Green Sq. Whit B —7D 36
Green St. Con —6H 119
Green St. Lead —5A 120
Green St. S'hm —3B 146
Green St. Shot B —2E 118
Green St. Sund —1F 117
(in two parts)
Green Ter. Sund —2E 116
Green, The. Acomb —4C 48
Green, The. Ches S —6K 125
Green, The. C'wl —7K 91
Green, The. Fel —6C 82
Green, The. Gos —2B 60
Green, The. Hett —7C 174
Green, The. H Shin —1F 175
Green, The. Hou S —1F 143
Green, The. Nett —6H 139
Green, The. O'ton —2J 73
Green, The. Pet —1J 179
Green, The. Pon —3K 29
Green, The. Row G —5G 93
Green, The. S'hm —4K 157
Green, The. S'wck —6C 102
Green, The. Thor —2J 177
Green, The. Walb —4K 57
Green, The. W'snd —3G 63
Green, The. Wash —2H 113
Green, The. Whit B —5E 36
Greentree La. S'ley —4J 121
Greentree Sq. Newc T —3H 59
Greenway. Cha P —1C 58
Greenway. Fenh —5K 59
Green Way. Whit B —7D 36
Greenway Ct. Con —2A 134
Greenways. Con —3A 134
Greenway, The. Sund —4J 115
Greenwell Clo. Bla T —5A 78
Greenwell Pk. Lan —7K 135
Greenwell Ter. Ryton —2C 76
Greenwich Pl. Gate —2J 81 (8M 5)
Greenwood. Kil —1D 44
Greenwood Av. Bed —5B 16
Greenwood Av. B'hpe —6D 136
Greenwood Av. Hou S —2C 142
Greenwood Av. Newc T —4E 62
Greenwood Clo. Whe H —2C 178
Greenwood Cotts. Thor —1J 177
Greenwood Gdns. Fel —5B 82
Greenwood Gdns. Lob H —2C 96
Greenwood Rd. Sund —5H 115
Greenwood Sq. Sund —6H 115
Greetlands Rd. Sund —6E 116
Gregory Rd. Sund —6H 115
Gregory Ter. Hou S —1A 142
Gregson St. Sac —7E 138
Gregson Ter. S'hm —1H 145
Gregson Ter. S Het —5D 156
Grenada Clo. Whit B —3F 37
Grenada Dri. Whit B —3F 37
Grenada Pl. Whit B —3F 37
Grenfell Sq. Sund —6H 115
Gren La. Mor —1H 13
Grenville Ct. Cra —5J 23
Grenville Ct. Pon —7E 28
Grenville Dri. Newc T —3D 42
Grenville Ter. Newc T —1H 81 (5J 5)
Grenville Way. Whit B —4E 36
Gresford St. S Shi —7J 65
Gresham Clo. Cra —6K 23
Gresley Rd. S West —6J 169
Greta Av. Hou S —3A 128
Greta Gdns. S Shi —5K 65
Greta Pl. Lan —7K 135
Greta St. N. Pelt —3E 124
Greta St. S. Pelt —3E 124
Greta Ter. Sund —3C 116
Gretna Dri. Jar —4F 85
Gretna Rd. Newc T —6H 59
Gretna Ter. Gate —6A 82
Gretton Pl. Newc T —2J 61
Grey Av. Cra —7J 23
Greybourne Gdns. Sund —6E 116
Grey Ct. Newc T —1F 81
Greyfriars La. Newc T —6J 43
Grey Gables. B'don —1E 172
Greyhound Stadium. —7B 62
Grey Lady Wlk. Pru —3F 75
Greylingstadt Ter. S'ley —6G 123
Grey Pl. Mor —7G 7
Grey Ridges. B'don —1E 172
Grey's Ct. Newc T —6F 4
Grey's Monument. —7F 61 (4F 4)
Greystead Clo. Newc T —2D 58
Greystead Rd. S Well —6B 36
Greystoke Av. Newc T —6J 61 (1L 5)
Greystoke Av. Sund —6E 116
Greystoke Av. Whi —1H 95
Greystoke Gdns. Gate —5K 97
*Greystoke Gdns. Mor —6F 7 (off Howard Rd.)*

Greystoke Gdns. Newc T —5J 61 (1L 5)
Greystoke Gdns. Sund —5E 116
Greystoke Gdns. Whi —2H 95
Greystoke Pk. Newc T —4E 42
Greystoke Pl. Cra —7J 23
(in three parts)
Greystoke Wlk. Whi —2G 95
Greystone Pl. Sund —5C 102
Greystones. Lud —5J 167
Grey St. Bru V —5C 32
Grey St. Hou S —1D 142
Grey St. Newc T —1F 81 (5F 4)
Grey St. N Shi —6H 47
Grey St. W'snd —3G 63
Grey Ter. Sund —3H 131
Greywood Av. Newc T —6A 60
Grieves Bldgs. N Her —3C 128
Grieves' Row. Dud —2J 33
Grieve St. Bly —7H 17
Griffin La. B Col —2H 181
Griffith Ter. W All —3H 45
Grimsby St. Bly —3J 21
Grindleford Ct. S Shi —1A 86
Grindon. —5H 115
Grindon Av. Sund —3H 115
Grindon Clo. Cra —7J 23
Grindon Clo. Whit B —2E 46
Grindon Ct. Sund —5J 115
Grindon Gdns. Sund —5J 115
Grindon La. Sund —5J 115
(nr. Broadway, The)
Grindon La. Sund —3H 115
(nr. Hylton Rd.)
Grindon Museum. —5J 115
Grindon Pk. Sund —5J 115
Grindon Ter. Sund —3C 116
Grinstead Clo. S Shi —6B 66
Grinstead Way. Dur —6H 153
Grisedale Gdns. Gate —3J 97
Grisedale Rd. Pet —6C 170
Grizedale. Wash —2F 113
Grizedale Ct. Sund —1E 102
Groat Mkt. Newc T —1F 81 (6F 4)
Grosmont. Gt Lum —2E 140
Grosvener Ter. Con —6J 119
Grosvenor Av. Newc T —4H 61
Grosvenor Av. Swa —6H 79
Grosvenor Clo. Cra —7J 23
Grosvenor Ct. Newc T —2D 58
Grosvenor Cres. Heb —2K 83
Grosvenor Dri. S Shi —5B 66
Grosvenor Dri. Sund —5A 86
Grosvenor Dri. Whit B —7G 37
Grosvenor Gdns. Newc T —5J 61
Grosvenor Gdns. S Shi —7B 66
Grosvenor Gdns. W'snd —2A 64
Grosvenor M. N Shi —6G 47
Grosvenor Pl. Newc T —4G 61
Grosvenor Pl. N Shi —6G 47
Grosvenor Rd. Newc T —4H 61
Grosvenor Rd. S Shi —5A 66
Grosvenor St. Sund —5B 102
Grosvenor Vs. Newc T —4H 61
Grosvenor Way. Newc T —3D 58
Grotto Gdns. S Shi —6F 67
Grotto Rd. S Shi —7F 67
Grousemoor. Wash —1E 112
Grousemoor Dri. Ash —5A 10
Grove Av. Newc T —1F 61
Grove Cotts. Bir —4A 112
Grove Cotts. Ryton —2D 76
Grove Ct. Hett —7C 174
Grove Ct. Shot C —7E 168
Grove Ho. Dri. Gil —2C 164
Grove Ind. Est., The. Con —1F 133
Grove Rd. B'don —2C 172
Grove Rd. Gate —1J 97
Grove Rd. Newc T —4K 57
Grove Rd. Shop. Units. B'don —2D 172
Grove St. Dur —3K 163
Grove Ter. Burn —2B 108
Grove Ter. Lang M —6G 163
Grove, The. —1E 132
Grove, The. B'hpe —6D 136
Grove, The. C'twn —6H 101
Grove, The. Dur —1J 163
Grove, The. For H —6B 44
Grove, The. Gos —1E 60
Grove, The. Hou S —4D 142
Grove, The. Jar —5B 84
Grove, The. Jes —3H 61
(in two parts)
Grove, The. Mor —6F 7
Grove, The. New R —4J 89
Grove, The. Pet —7J 157
Grove, The. Pon —6H 29
Grove, The. Row G —6K 93
Grove, The. Ryh —3H 131
Grove, The. Sund —4F 117
Grove, The. W Den —4D 58
Grove, The. Whi —1J 95
Grove, The. Whit B —7F 37
Guardians Ct. Pon —4K 29
Gubeon Wood. Tra W —6B 12
Guelder Rd. Newc T —2A 62
Guernsey Rd. Sund —6H 115
Guernsey Sq. Sund —6H 115
Guessburn. Stoc —7G 73
Guide Post. —1G 15
Guildford Pl. Newc T —6K 61 (2P 5)
Guildford St. Sund —4G 117
Guillemot Clo. Bly —4J 21
Guillemot Row. Kil —7A 34
Guisborough Dri. N Shi —4B 46
Guisborough St. Sund —3B 116
Gullane. Wash —4H 99
Gullane Clo. Gate —4G 83
Gullane Clo. S'ley —3H 123
Gully Rd. Win —5G 179
Gunnerston Gro. Newc T —7K 41
Gunnerton Clo. Cra —6K 23
Gunnerton Pl. N Shi —6D 46
Gunn St. Gate —6B 80
Gut Rd. W'snd —3K 63
Guyzance Av. Newc T —6C 42

Habgood Dri. Dur —3E 164
Hackwood Pk. Hex —3D 68
Hackworth Gdns. Wylam —7K 55
Hackworth Rd. B Col —1H 181
Hackworth Rd. N West —3H 169
Hackworth Way. N Shi —2F 65
Haddington Rd. Whit B —4C 36
Haddock St. S Shi —5H 65
Haddon Clo. Whit B —6B 36
Haddon Grn. Whit B —6B 36
Haddon Rd. Sund —6H 117
Haddricksmill Ct. Newc T —1G 61
Haddricksmill Rd. Newc T —1G 61
Hadleigh Rd. Sund —3K 115
Hadrian Av. Ches S —4B 126
Hadrian Ct. Newc T —5E 58
Hadrian Ct. Pon —3F 39
Hadrian Gdns. Bla T —5D 78
Hadrian Pl. Gate —7J 81
Hadrian Pl. Newc T —3H 57
Hadrian Rd. Bly —6G 21
Hadrian Rd. Jar —3D 84
(in three parts)
Hadrian Rd. Newc T —6K 59
Hadrian Rd. W'snd —4G 63
Hadrians Ct. Team T —3F 97
Hadrian St. Sund —1C 116
Hadrians Way. Con —5G 105
Hadstone Pl. Newc T —4J 59
Hagan Hall. Jar —5C 84
Haggerston Clo. Newc T —1H 59
Haggerston Ct. Newc T —1H 59
Haggerston Cres. Newc T —1H 59
Haggerstone Dri. Sund —6G 101
Haggerston Ter. Jar —2E 84
Haggie Av. W'snd —2H 63
Haggs La. Gate —7C 96
Hahnemann Ct. Sund —5D 102
Haig Av. Whit B —7F 37
Haig Cres. Dur —3E 164
Haig Cres. Newc T —1G 79
Haigh Ter. Gate —6A 98
Haig Rd. Bed —1K 19
Haig St. Gate —6B 80
Hailsham Av. Newc T —5A 44
Hailsham Pl. Pet —6B 170
Haining. —6H 129
Haining Cres. Newc T —7K 59
Haininghead. Wash —6J 113
Hainingwood Ter. Gate —4F 83
Haldane Ct. Newc T —5G 61
Haldane St. Ash —3A 10
Haldane Ter. Newc T —5G 61
Haldon Pl. Pet —7K 169
Hale Ri. Pet —6C 170
Hales Clo. B Col —2H 181
Halewood Av. Newc T —7A 42
Half Fields Rd. Bla T —5B 78
Half Moon La. Gate
(in two parts) —3G 81 (9H 5)
Half Moon La. N Shi —5K 47
(off Front St.)
Half Moon St. Chop —7K 9
Half Moon Yd. Newc T —1F 81 (6F 4)
Halfway Ho. La. Sund —5J 117
Halidon Rd. Sund —7F 117
Halidon Sq. Sund —7F 117
Halifax Pl. Gate —5A 80
Halifax Pl. Ryh —3H 131
Halifax Rd. Dun —5A 80
Halkirk Way. Cra —1J 23
Hallam Rd. Pet —5B 170
Hall Av. Newc T —7A 60
Hall Av. Ush M —2B 162
Hall Clo. S'hm —1F 145
Hall Clo. W Rai —1A 154
Hall Cres. Pet —3C 170
Hall Dri. Camp —6A 34
Halleypike Clo. Newc T —2B 62
Hall Farm. Shin —6D 164
Hall Farm Clo. Stoc —7H 73
Hall Farm Rd. Sund —4B 130
Hallfield Clo. Sund —4C 130
Hallfield Dri. Pet —1J 169
Hall Gdns. Gate —7B 82
Hall Gdns. Sher —3A 166
Hall Gdns. W Bol —7G 85
Hallgarth. —7B 154
Hallgarth. Gate —7E 82
(in three parts)
Hall Gth. Newc T —4E 42
Hallgarth Bungalows. Hett H —1G 155
Hallgarth Ct. Sund —6H 103
Hallgarth Ho. S Shi —5J 65
Hallgarth La. H Pitt —7B 154
Hallgarth Rd. Bla T —4B 78
Hallgarth St. Dur —3B 164
Hallgarth St. Sher —3K 165
Hallgarth Ter. Lan —7K 135
Hallgarth, The. Dur —4B 164
Hallgarth Vw. Dur —4B 164
Hallgarth Vw. H Pitt —6C 154
Hallgarth Vs. Sher —3A 166
Hallgate. Hex —1D 68
Hall Grn. Bly —2F 21
Hall Grn. Whit B —6H 37
Halliday Gro. Lang M —7F 163
Halling Clo. Newc T —2E 82
Hallington Dri. Sea D —7H 25
Hallington M. Newc T —1A 44
Halliwell St. Hou S —1D 142
Hall La. Has —1B 168
Hall La. Hou S —2E 142
Hall La. Shin —7D 164
Hall La. W Rai —1A 154
Hallorchard Rd. Hex —1D 68
Hallow Dri. Newc T —4G 57
Hall Pk. Bla T —2A 78
Hall Rd. C'wl —6A 92
Hall Rd. Con —7E 118
Hall Rd. Esh —7F 149
Hall Rd. Heb —1J 83
Hall Rd. Wash —7J 99
Hallside Rd. Bly —3F 21
Hallstile Bank. Hex —1D 68
Hall St. S Het —4B 156
Hall Ter. Bly —1J 21
Hall Ter. Gate —4F 83
Hall Vw. Sund —6H 87
Hall Walks. Pet —7H 157
Hallwood Clo. Ned V —1C 18
Halstead Pl. S Shi —3K 65
(in two parts)
Halstead Sq. Sund —3K 115
Halterburn Clo. Newc T —1C 60
Halton. —1F 51
Halton Castle. —1F 51
Halton Clo. Stoc —1K 89
Halton Dri. Back —1H 45
Halton Dri. Wide —5D 32
Halton Rd. Dur —6B 152
Hamar Clo. Tyn T —1C 64
Hambard Way. Wash —4H 113
Hambledon Av. Ches S —7K 125
(in two parts)
Hambledon Av. N Shi —1G 47
Hambledon Clo. Bol C —6E 84
Hambledon Gdns. Newc T —2J 61
Hambledon Pl. Pet —7J 169
Hambledon St. Bly —1H 21
Hambleton Ct. Ash —6D 10
Hambleton Dri. S'hm —2K 145
Hambleton Grn. Gate —6K 97
Hambleton Rd. Wash —5F 113
Hamilton Ct. Gate —6J 81
Hamilton Ct. Shot C —6E 168
Hamilton Ct. Sund —5H 103
Hamilton Cres. Newc T —7D 60 (4A 4)
Hamilton Cres. N Shi —4C 46
Hamilton Dri. Whit B —3F 37
Hamilton Pl. Newc T —7D 60 (4A 4)
Hamilton Row. Wat —6B 160
Hamilton St. Pet —5D 170
Hamilton Ter. Mor —7G 7
(off Jackson Ter.)
Hamilton Ter. Sac —4D 138
Hamilton Ter. W Bol —7G 85
(off Dipe La.)
Hamilton Way. Whit B —3F 37
Hammermill La. Con —2A 118
Hammer Sq. Bank. Beam —1A 124
Hampden Rd. Sund —5G 103
Hampden St. S Shi —5J 65
Hampshire Ct. Newc T —4C 80 (10A 4)
Hampshire Gdns. W'snd —1J 63
Hampshire Pl. Pet —5K 169
Hampshire Pl. Wash —6H 99
Hampshire Rd. Dur —1G 165
Hampshire Way. S Shi —6E 66
Hampstead Clo. Bly —6G 21
Hampstead Gdns. Jar —4D 84
Hampstead Rd. Newc T —1A 80
Hampstead Rd. Sund —4K 115
Hampstead Sq. Sund —4J 115
Hampton Clo. Cra —3B 24
Hampton Ct. Ches S —2B 126
Hampton Ct. Swa —5H 79
Hampton Dri. Gate —6A 82
Hampton Rd. N Shi —2F 47
Hamsteels Bank. Que —5A 148
Hamsteels La. Que —5A 148
Hamsterley. —3K 105
Hamsterley Clo. Gt Lum —3F 141
Hamsterley Ct. Sund —3C 130
Hamsterley Cres. Dur —5B 152
Hamsterley Cres. Gate —4A 98
Hamsterley Cres. Newc T —6B 58
Hamsterley Dri. Newc T —7A 34
Hamsterley Gdns. S'ley —5J 121
Hamsterley Mill. —3E 106
Hanby Gdns. Sund —5C 116
Hancock Museum. —6F 61 (2F 4)
Hancock St. Newc T —6F 61 (2F 4)
Handel St. S Shi —3K 65
Handel St. Sund —2C 116
Handel Ter. Whe H —3A 178
Handley Cres. E Rai —6C 142
Handley Cross. M'sly —6A 106
Handley St. Pet —5D 170
Handy Dri. Dun —4K 79
Hangingstone La. S'ley —6F 121
Hangmans La. Hou S & Sund —7A 130
Hanlon Ct. Jar —5K 63
Hanmore Rd. Gate —4F 83
Hannington Pl. Byker —7J 61
Hannington Pl. Newc T —3M 5
Hannington St. Newc T —7J 61 (3M 5)
Hann Ter. Wash —7K 99
Hanover Clo. Newc T —3C 58
Hanover Ct. Ann —2K 33
Hanover Ct. Dur —3K 163
Hanover Ct. Gate —5J 97
Hanover Dri. Bla T —5A 78
Hanover Gdns. W'snd —4A 64
(off Station Rd.)
Hanover Pl. Cra —7J 19
Hanover Pl. Sund —7D 102
Hanover Sq. Bla T —5A 78
(off Waterloo St.)
Hanover Sq. Newc T —2F 81 (8F 4)
Hanover St. Newc T —2F 81 (8F 4)
Hanover Wlk. Bla T —6A 78
Hanover Wlk. Newc T —3C 58
Harbord Ter. Sea S —5K 25
Harbottle Av. Newc T —6C 42
Harbottle Av. Shir —2K 45
Harbottle Ct. Newc T —2A 82
Harbottle Cres. Jar —4B 84
Harbour Dri. S Shi —1K 65
Harbour, The. Hou S —3B 128
Harbour Vw. E Sle —5F 17
Harbour Vw. S Shi —7J 47
Harbour Vw. Sund —5H 103
Harbour Wlk. S'hm —2A 146
Harcourt Pk. Gate —2J 97
Harcourt Rd. Sund —7F 117
Harcourt St. Gate —2J 97
Hardgate Rd. Sund —7F 117
Hardie Av. Whi —6G 79
Hardie Ct. Heb —6K 63
Hardie Dri. W Bol —7G 85
Hardman Clo. Ryton —1H 77
Hardman Gdns. Ryton —1H 77
Hardwick Ct. Gate —5J 81
Hardwick Pl. Newc T —2C 60
Hardwick Ri. Sund —7G 103
Hardwick St. B Col —2G 181
Hardwick St. Pet —6E 170
Hardyards Ct. S Shi —1J 85
Hardy Av. S Shi —3H 85
Hardy Gro. W'snd —7E 44
Hardy Sq. Sund —5C 102
Hardy St. S'hm —3B 146
Hardy Ter. S'ley —5C 122
Harebell Rd. Gate —3B 98
Harehills Av. Newc T —2K 59
Harehills Tower. Newc T —2A 60
Hareholme Ct. New B —3J 161
Harelaw. —3J 121
Harelaw Clo. Pelt —3F 125
Harelaw Dri. Ash —6K 9
Harelaw Gdns. Dip —3J 121
Harelaw Gro. Newc T —4D 58
Harelaw Ind. Est. Dip —2J 121
Hareshaw Rd. S Well —6B 36
Hareshaw Ter. Newc T —2A 82
(off St Peter's Rd.)
Hareside. Cra —5J 23
Hareside Clo. Newc T —5K 57
Hareside Ct. Newc T —5K 57
Hareside Path. Newc T —6K 57
Hareside Wlk. Newc T —5K 57
Harewood Clo. Whi —3G 95
Harewood Clo. Whit B —7B 36
Harewood Ct. Whit B —7B 36
Harewood Cres. Whit B —7B 36
Harewood Dri. Bed —6A 16
Harewood Gdns. Peg —3A 8
Harewood Gdns. Sund —5C 116
Harewood Grn. Gate —5K 97
Harewood Rd. Newc T —6E 42
Hareydene. Newc T —6F 41
Hargill Dri. Wash —7E 112
Hargrave Ct. Bly —3G 21
Harland Way. Wash —3H 113
Harle Clo. Newc T —4E 58
Harlequin Lodge. Gate —6B 82
Harle Rd. Back —1H 45
Harleston Way. Gate —1C 98
Harle St. Brow —2F 173
Harle St. W'snd —3F 63
Harley Ter. Newc T —7F 43
Harley Ter. Sher —2K 165
Harleyville. Hett H —7H 143
Harlow Av. Back —1H 45
Harlow Av. Newc T —5B 42
Harlow Clo. Cra —1J 23
Harlow Green. —5K 97
Harlow Grn. La. Gate —5J 97
Harlow Pl. Newc T —2K 61
Harlow St. Sund —2D 116
Harnham Av. N Shi —7D 46
Harnham Gdns. Newc T —5J 59
Harnham Gro. Cra —5J 23
Harold Sq. Sund —3G 117
Harold St. Jar —6C 64
Harold Wilson Dri. Hes —4D 180
Harper Bungalows. Whe H
(off Bevan Cres.) —4A 178
Harperley. —3A 122
Harperley Dri. Sund —6D 116
Harperley Gdns. S'ley —4J 121
Harperley La. Tant —7B 108
Harperley Rd. S'ley —4K 121
Harper St. Bly —2H 21
Harraby Gdns. Gate —4J 97
Harras Bank. Bir —5A 112
Harraton. —7F 113
Harraton Ter. Lam P —4A 112
Harriet Pl. Newc T —7A 62
Harriet St. Bla T —4C 78
Harriet St. Newc T —7B 62
Harrington Gdns. Chop —7K 9
Harrington St. W'snd —3F 63
(off Blenkinsop St.)
Harriot Dri. Newc T —2J 43
Harrison Clo. Pet —7C 170
Harrison Ct. Ann —3K 33
Harrison Ct. Bir —5A 112
Harrison Gdns. Gate —7F 81
Harrison Gth. Sher —2K 165
Harrison Pl. Newc T —6G 61 (2H 5)
Harrison Rd. W'snd —2A 64
Harrison Ter. Pet —7B 158
Harrison Vs. Newc T —1H 59
Harrogate St. Sund —3G 117
Harrogate Ter. Mur —7E 144
Harrow Cres. Hou S —3A 128
Harrow Gdns. Wide —6E 32
Harrow Sq. Sund —3K 115
Harrow St. Shir —7J 35
Hartburn. Gate —2E 98
Hartburn Dri. Newc T —2D 58
Hartburn Pl. Newc T —6B 60
Hartburn Rd. N Shi —3F 47
Hartburn Ter. Sea D —7H 25
Hartburn Wlk. Newc T —7K 41
(in two parts)
Hart Cres. B Col —4K 181
Hartford. Kil —6B 34
Hartford Bank. H Bri —5E 18
Hartford Bridge. —4E 18
Hartford Bri. Farm. H Bri —4E 18
Hartford Cvn. Site. H Bri —3D 18
Hartford Ct. Bed —1G 19
Hartford Cres. Ash —5B 10
Hartford Cres. Bed —1G 19
Hartford Dri. H Bri —4E 18

206 A-Z Tyne & Wear

Hartford Ho. Newc T —3B 4
Hartford Rd. Bed —4E 18
Hartford Rd. Newc T —5F 43
Hartford Rd. S Shi —1G 85
Hartford Rd. Sund —3K 115
Hartford Rd. E. Bed —1H 19
Hartford Rd. W. Bed —1H 19
Hartford St. Newc T —5A 62
Hartforth Cres. Gate —4G 83
Harthope Av. Sund —4J 101
Harthope Clo. Wash —1D 126
Harthope Dri. N Shi —2E 64
Hartington Rd. N Shi —3G 47
Hartington St. Con —6H 119
Hartington St. Gate —5H 81
Hartington St. Newc T —1C 80
Hartington St. Sund —5G 103
Hartington Ter. S Shi —5K 65
Hartland Dri. Bir —5B 112
Hartlands. Bed —1G 19
(in two parts)
Hartleigh Pl. Bly —2F 21
Hartlepool Av. Pet —4D 170
Hartlepool St. Thor —1K 177
**Hartley. —6D 26**
Hartley Av. Whit B —6E 36
Hartleyburn Av. Heb —3H 83
**Hartleyburn Estate. —3H 83**
Hartley Gdns. Sea D —7G 25
Hartley Gdns. Sund —4E 102
Hartley La. Whit B —5A 36
Hartley Sq. Sea S —6D 26
Hartley St. Sea D —7G 25
Hartley St. Sund —1H 117
Hartley St. N. Sea D —7G 25
Hartley Ter. Bly —5G 21
Hartoft Clo. Hou S —6D 128
**Harton. —7B 66**
Harton Gro. S Shi —6A 66
Harton Ho. Rd. S Shi —6A 66
Harton Ho. Rd. E. S Shi —6C 66
Harton La. S Shi —1J 85
**Harton Nook. —1B 86**
Harton Ri. S Shi —6B 66
Harton Vw. W Bol —7G 85
**Hartside. —3F 151**
Hartside. Bir —7B 112
Hartside. Newc T —6C 58
Hartside Cotts. S'ley —5K 121
Hartside Cres. Back —7H 35
Hartside Cres. Bla T —6A 78
Hartside Cres. Cra —7J 19
Hartside Gdns. Eas L —2J 155
Hartside Gdns. Newc T —4H 61
Hartside Pl. Newc T —3E 42
Hartside Rd. Sund —4K 115
Hartside Sq. Sund —4K 115
Hartside Vw. Bear —7C 150
Hartside Vw. Dur —4J 151
Hart Sq. Sund —3A 116
Hartswood. Gate —6J 97
Hart Ter. Sund —1H 103
Harvard Rd. Newc T —7A 42
Harvest Clo. Sund —4B 130
Harvey Clo. Ash —4E 10
Harvey Clo. Cwthr —3D 112
Harvey Clo. Pet —5B 170
Harvey Combe. Newc T —1K 43
Harvey Cres. Gate —6F 83
Harwood Clo. Cra —5J 23
Harwood Clo. Wash —7E 112
Harwood Ct. Cra —5J 23
Harwood Dri. Kil —1D 44
Harwood Grn. Newc T —6A 42
Hascombe Clo. Whit B —5D 36
Haslemere Dri. Sund —5C 116
Hassop Way. Bed —6H 15
Hastings Av. Dur —5J 163
Hastings Av. King P —5K 41
Hastings Av. Longb —5B 44
Hastings Av. Sea S —3B 26
Hastings Av. Whit B —3E 36
Hastings Ct. Bed —6A 16
Hastings Ct. N Har —4H 25
Hastings Ct. Wash —7J 99
Hastings Dri. N Shi —4J 47
Hastings Gdns. N Har —4H 25
**Hastings Hill. —6G 115**
Hastings Ho. W'snd —3D 64
Hastings Pde. Heb —3A 84
Hastings St. Cra —5A 24
Hastings St. Sund —4G 117
Hastings Ter. N Har —3H 25
Hastings Ter. Shan —1B 24
Hastings Ter. Sund —5H 117
*Hastings Wlk. Wash —7J 99*
*(off Hastings Ct.)*
**Haswell. —1B 168**
Haswell Clo. Gate —7H 83
Haswell Ho. N Shi —5K 47
**Haswell Plough. —3A 168**
Hatfield Av. Heb —7K 63
Hatfield Clo. Fram M —5J 151
Hatfield Dri. Seg —1D 34
Hatfield Gdns. Sund —5C 116
Hatfield Gdns. Whit B —6B 36
Hatfield Pl. Pet —7C 170
Hatfield Sq. S Shi —2K 65
Hatfield Vw. Dur —3B 164
Hathaway Gdns. Sund —5C 116
Hatherley Gro. B Col —2H 181
Hathersage Gdns. S Shi —1K 85
Hatherton Av. N Shi —1H 47
Hathery La. Bly —2B 20
Hathery Rd. Bly —6B 20
Haugh La. Bla T —7J 57
(in three parts)
Haugh La. Hex —1C 68
Haugh La. Ind. Est. Hex —7C 48
Haughs, The. Pru —3F 75
Haughton Cres. Jar —4B 84
Haughton Cres. Newc T —4E 58
Haughton Ter. Bly —2J 21
Haur Laur Pl. Hett H —7G 143
Hautmont Rd. Heb —2K 83
Hauxley. Kil —6B 34
Hauxley Dri. Ches S —2H 139
Hauxley Dri. Cra —7H 19
Hauxley Dri. Newc T —5A 42
Hauxley Gdns. Newc T —3K 59
Havanna. Kil —6B 34
Havannah Cres. Din —4H 31
Havannah Nature Reserve.
—7B 32
Havannah Rd. Wash —1F 113
Havant Gdns. Wide —4D 32
Havelock Clo. Gate —4G 81
Havelock Ct. Sund —2K 115
Havelock Cres. E Sle —5D 16
Havelock M. E Sle —5D 16
Havelock Pl. Newc T
—1D 80 (6A 4)
Havelock Rd. Back —1H 45
Havelock St. Bly —1J 21
Havelock St. S Shi —4H 65
Havelock St. Sund —1H 117
Havelock Ter. C'wl —6K 91
Havelock Ter. Gate —4G 81
Havelock Ter. Jar —1B 84
*Havelock Ter. S'ley —2F 123*
*(off High St. Stanley,)*
Havelock Ter. Sund —3D 116
Havelock Ter. Tant —6B 108
Havelock Vs. E Sle —5D 16
Haven Ct. Bly —3G 21
Haven Ct. Dur —3A 152
Haven Ct. Sund —6H 103
Haven Ho. Con —6A 120
Haven, The. B'hpe —6D 136
Haven, The. Con —5A 120
Haven, The. Hou S —3B 128
Haven, The. Lang P —4G 149
Haven, The. Newb S —3J 11
Haven, The. N Shi —2G 65
Haven, The. Pru —4F 75
Haven Vw. Newb S —3J 11
Havercroft. Gate —7F 83
Haverley Dri. S'hm —1G 145
Haversham Clo. Newc T —7J 43
Haversham Pk. Sund —2E 102
Havlock St. S Shi —4J 65
Hawarden Cres. Sund —3C 116
Hawes Av. Ches S —1A 140
Hawes Ct. Sund —2E 102
Hawesdale Cres. Bla T —6B 78
Hawes Rd. Pet —5B 170
Haweswater Clo. S Shi —7K 65
Haweswater Cres. Newb S
—3G 11
Hawick Ct. S'ley —3H 123
Hawick Cres. Newc T
—2K 81 (7P 5)
Hawick Cres. Ind. Est. Newc T
—2K 81 (7P 5)
Hawkesley Rd. Sund —3K 115
Hawkey's La. N Shi —6F 47
Hawkhill Clo. Ches S —2J 139
Hawkhills Ter. Bir —3A 112
Hawkhurst. Wash —6J 113
Hawkins Ct. Sund —3B 130
Hawkins Rd. Mur —2G 157
Hawksbury. Whi —7G 79
Hawksfeld. Gate —3C 98
Hawkshead Ct. Newc T —5K 41
Hawkshead Pl. Gate —2K 97
Hawkshill Ter. Corn C —1A 160
Hawksley. Newc T —3F 59
Hawksmoor Clo. Ash —6A 10
Hawks Rd. Gate —2H 81 (8J 5)
Hawks St. Gate —2J 81 (8M 5)
Hawk Ter. Bir —5C 112
Hawkwell Ri. Newc T —4H 57
Hawsker Clo. Sund —2E 130
**Hawthorn. —4K 157**
Hawthorn Av. Bru V —6C 32
Hawthorn Av. S Shi —2B 86
Hawthorn Av. Sund —1D 130
Hawthorn Clo. Kim —7H 139
Hawthorn Clo. S'hm —1F 157
Hawthorn Clo. Whi —2H 95
Hawthorn Cotts. B'hll —5F 119
Hawthorn Cotts. S Het —4D 156
Hawthorn Ct. Mor —7E 6
Hawthorn Cres. Dur —1E 164
Hawthorn Cres. Pet —6E 170
Hawthorn Cres. Quar H —6C 176
Hawthorn Cres. Wash —7F 113
Hawthorn Dri. Gate —6B 80
Hawthorne Av. B Col —2J 181
Hawthorne Av. Heb —7K 63
Hawthorne Clo. Lang P —5H 149
Hawthorne Dri. Jar —4D 84
Hawthorne Rd. Bly —3K 21
Hawthorne Ter. Lang P —4K 149
Hawthorne Ter. Shot C —6E 168
Hawthorne Ter. Tan —5D 108
Hawthorn Gdns. Fel —5B 82
Hawthorn Gdns. Low F —1H 97
Hawthorn Gdns. Newc T —1B 60
Hawthorn Gdns. N Shi —5F 47
Hawthorn Gdns. Ryton —2J 77
Hawthorn Gdns. Whit B —6F 37
Hawthorn Gro. W'snd —3F 63
Hawthorn M. Newc T —1E 60
Hawthorn Pk. B'don —1D 172
Hawthorn Pl. Dur —3K 151
Hawthorn Pl. Kil —7A 34
Hawthorn Pl. Newc T
—2D 80 (8A 4)
Hawthorn Rd. Ash —3B 10
Hawthorn Rd. Bla T —4C 78
Hawthorn Rd. Dur —6H 153
Hawthorn Rd. Newc T —1E 60
Hawthorn Rd. S Het —4E 156
Hawthorn Rd. W. Newc T —1E 60
Hawthorn Sq. S'hm —2B 146
Hawthorns, The. E Bol —7K 85
Hawthorns, The. Gate —6B 98
Hawthorns, The. Newc T
—3C 80 (9A 4)
Hawthorn St. Con —5F 119
Hawthorn St. Hou S —7C 128
Hawthorn St. Jar —6A 64
Hawthorn St. Newc T —3K 57
Hawthorn St. Pet —6B 158
Hawthorn St. Sund —2C 116
Hawthorn Ter. Ches S —7B 126
Hawthorn Ter. Con —5F 119
Hawthorn Ter. Dur —3K 163
Hawthorn Ter. Gate —6B 98
Hawthorn Ter. New B —4A 162
Hawthorn Ter. Newc T
—2C 80 (7A 4)
Hawthorn Ter. Pelt F —4G 125
Hawthorn Ter. Ryton —3C 76
Hawthorn Ter. S'ley —5B 122
Hawthorn Ter. Sund —1G 103
Hawthorn Ter. Walb —3K 57
Hawthorn Vs. Cra —4A 24
Hawthorn Vs. W'snd —3F 63
Hawthorn Wlk. Newc T
—2D 80 (8A 4)
Hawthorn Way. Pon —1H 39
Haydn St. Gate —6H 81
Haydock Dri. Gate —7G 83
Haydon. Wash —7J 113
Haydon Clo. Newc T —4B 42
Haydon Dri. Whit B —1F 47
Haydon Gdns. Back —1H 45
Haydon Pl. Newc T —5G 59
Haydon Rd. Ash —5B 10
Haydon Sq. Sund —3K 115
Hayes Wlk. Wide —5D 32
Hayfield La. Whi —1H 95
Hayhole Rd. N Shi —3E 64
Haylands Sq. S Shi —1A 86
Hayleazes Rd. Newc T —6F 59
Haymarket. Newc T —7F 61 (4F 4)
Haymarket La. Newc T
—7F 61 (3E 4)
Haynyng, The. Gate —7C 82
Hayricks, The. Tan —4D 108
Hay St. Sund —7E 102
Hayton Av. S Shi —1C 86
Hayton Clo. Cra —3A 24
Hayton Rd. N Shi —3F 47
Hayward Av. Sea D —7H 25
Hayward Pl. Newc T —3H 59
Hazard La. E Rai —7D 142
Hazel Av. B'don —2C 172
Hazel Av. Hou S —2C 142
Hazel Av. N Shi —5F 47
Hazel Av. Quar H —6D 176
Hazel Av. Sund —1D 130
Hazel Cres. Pet —1B 170
Hazeldene. Jar —6C 84
Hazeldene. Whit B —6D 36
Hazeldene Av. Newc T —1J 59
Hazeldene Ct. N Shi —5J 47
Hazel Dri. Hes —4D 180
Hazeley Gro. Newc T —7K 41
Hazeley Way. Newc T —7K 41
Hazel Gro. Burn —3C 108
Hazel Gro. Ches S —4J 125
Hazelgrove. Gate —7F 83
Hazel Gro. Newc T —2K 43
Hazel Gro. S Shi —2B 86
Hazel Leigh. Gt Lum —3E 140
Hazelmere Av. Bed —7G 15
Hazelmere Av. Newc T —3F 43
Hazelmere Cres. Cra —2A 24
Hazelmere Dene. Seg —2C 34
Hazelmoor. Heb —6H 63
**Hazelrigg. —7C 32**
Hazel Rd. Bla T —4D 78
Hazel Rd. Gate —6E 80
Hazel St. Jar —6A 64
Hazel Ter. Hou S —7C 128
Hazel Ter. Shot C —6E 168
Hazel Ter. S'ley —6H 123
Hazelwood. Jar —7D 64
Hazelwood. Kil —1D 44
Hazelwood Av. Newb S —2H 11
Hazelwood Av. Newc T —3G 61
Hazelwood Av. Sund —5B 102
Hazelwood Clo. Gate —5B 98
Hazelwood Ct. Lang P —5J 149
Hazelwood Gdns. Wash —7F 113
Hazelwood Ter. W'snd —2A 64
Hazeldene Ter. Sund —2B 116
Hazlitt Av. S Shi —3H 85
Hazlitt Pl. Seg —2E 34
*Headlam Gdns. Newc T —7B 62*
*(off Grace St.)*
*Headlam Grn. Newc T —7A 62*
*(off Headlam St.)*
Headlam St. Newc T —7A 62
(in two parts)
Headlam Vw. W'snd —3A 64
Healey Dri. Sund —6D 116
**Healeyfield. —5A 132**
Healeyfield La. Con —5A 132
Hearn Sq. Gate —4B 98
Heartsbourne Dri. S Shi —3B 86
Heath Clo. Bow —5H 175
Heath Clo. Gate —7D 80
Heath Clo. Pet —7C 170
(in two parts)
Heathcote Grn. Newc T —2H 59
Heath Ct. Newc T —1G 81 (6G 4)
Heath Cres. Newc T —2G 79
Heathdale Gdns. Newc T —2K 61
Heather Clo. Sund —4C 86
Heatherdale Cres. Dur —7H 153
Heatherdale Ter. Gate —4K 97
Heather Dri. Hett H —5G 143
Heather Gro. Gate —4K 81 (10P 5)
Heather Hill. Gate —6D 98
Heatherlaw. Gate —2A 98
Heatherlaw. Wash —2D 112
Heather Lea. Dip —6J 107
Heatherlea Gdns. Sund —5D 116
Heatherlee Gdns. Chop —7J 9
Heather Pl. Newc T —5A 60
Heather Pl. Ryton —2E 76
Heatherslaw Rd. Newc T —5J 59
Heather Ter. Burn —2B 108
Heather Way. S'ley —3D 122
Heatherwell Grn. Gate —7A 82
Heathery La. Newc T —5G 43
Heathfield. Ches S —7H 125
Heathfield. Mor —2G 13
Heathfield. Sund —6E 116
Heathfield Cres. Newc T —2K 59
Heathfield Farm. G'sde —5E 76
Heathfield Gdns. Cat —4K 121
Heathfield Gdns. G'sde —5E 76
Heathfield M. Ryton —1G 77
Heathfield Pl. Newc T —3F 43
Heathfield Rd. Gate —1H 97
Heath Grange. Hou S —1E 142
Heathmeads. Pelt —3E 124
Heath Sq. Sund —3A 116
Heath Vw. Sta T —7J 179
Heathway. Jar —4C 84
Heathway. S'hm —5A 146
Heathways. H Shin —7F 165
Heathwell Gdns. Swa —6H 79
Heathwell Rd. Newc T —6F 59
Heathwood Av. Whi —7G 79
**Heaton. —5A 62**
Heaton Clo. Newc T
—6K 61 (2P 5)
Heaton Gdns. S Shi —4J 85
Heaton Gro. Newc T
—6K 61 (2N 5)
Heaton Hall Rd. Newc T
—6K 61 (2P 5)
Heaton Pk. Ct. Newc T
—6K 61 (3N 5)
Heaton Pk. Rd. Newc T
—6K 61 (2N 5)
Heaton Pk. Vw. Newc T
—6K 61 (1N 5)
Heaton Pl. Newc T —6K 61 (2P 5)
Heaton Rd. Newc T —4K 61 (1P 5)
Heaton Ter. Newc T
—7J 61 (3M 5)
Heaton Ter. N Shi —6E 46
Heaton Wlk. Newc T
—7K 61 (3P 5)
Heaviside Pl. Dur —2C 164
**Hebburn. —1J 83**
**Hebburn Colliery. —6K 63**
**Hebburn New Town. —1H 83**
Hebburn St. Pet —7A 158
Heber St. Newc T —1E 80 (5C 4)
Hebron Av. Peg —3K 7
Hebron Pl. Ash —4D 10
Hebron Way. Cra —4J 23
Hector St. Shir —7K 35
Heddon Av. Haz —7C 32
Heddon Banks. Hed W —4B 56
(in two parts)
Heddon Clo. Newc T —6C 42
Heddon Clo. Ryton —1H 77
**Heddon-on-the-Wall. —3C 56**
Heddon Vw. Bla T —4B 78
Heddon Vw. Ryton —1H 77
Heddon Way. Mid I —7H 65
Hedge Clo. Gate —7D 80
**Hedgefield. —1K 77**
Hedgefield Av. Bla T —1K 77
Hedgefield Cotts. Bla T —1K 77
Hedgefield Ct. Bla T —1K 77
Hedgefield Gro. Bly —6G 21
Hedgefield Vw. Dud —2J 33
Hedgehope. Wash —2E 112
Hedgehope Rd. Newc T —1G 59
Hedgelea. Ryton —1F 77
Hedgelea Rd. E Rai —7C 142
Hedgeley Rd. Heb —7H 63
Hedgeley Rd. Newc T —5E 58
Hedgeley Rd. N Shi —5D 46
Hedgeley Ter. Newc T —7D 62
Hedgerow M. Ash —5K 9
Hedley Av. Bly —3J 21
Hedley Clo. S Shi —1J 65
Hedley Ct. Bly —3K 21
Hedleyhill La. Esh W —2A 160
Hedley Hill Rd. Wat —6A 160
Hedley Hill Ter. Wat —7A 160
Hedley La. Mar H —2H 109
**Hedley on the Hill. —4B 90**
Hedley Pl. W'snd —4F 63
Hedley Rd. H'wll —1J 35
Hedley Rd. N Shi —2F 65
Hedley Rd. Wylam —7K 55
Hedley St. Gate —6F 81
Hedley St. Gos —7E 42
Hedley St. S Shi —1J 65
Hedley Ter. Dip —3E 120
Hedley Ter. Newc T —7E 42
Hedley Ter. S Het —4B 156
Hedley Ter. Sund —3J 131
**Hedworth. —4D 84**
Hedworth Av. S Shi —2G 85
Hedworth Ct. Sund —2G 117
Hedworth La. Jar & Bol C —3C 84
Hedworth Pl. Gate —4A 98
Hedworth Sq. Sund —2G 117
Hedworth St. Ches S —6A 126
Hedworth Ter. Hou S —3B 128
Hedworth Ter. Sund —2G 117
(SR1)
*Hedworth Ter. Sund —6H 87*
*(off North Guards)*
Hedworth Vw. Jar —3D 84
Hedworth Vw. Newc T —3D 82
Heighley St. Newc T —1F 79
Helena Av. Whit B —6H 37
Helen St. Bla T —4A 78
Helen St. Cra —5D 24
Helen St. Sund —3G 103
Helford Rd. Pet —1A 180
Hellpool La. Hex —1B 68
Hellvellyn Ct. S'ley —6K 121
Helmdon. Wash —7J 99
Helmsdale Av. Gate —5B 82
Helmsdale Rd. Sund —3K 115
Helmsley Clo. Shin R —3A 128
Helmsley Ct. Sund —4A 102
Helmsley Dri. W'snd —3K 63
Helmsley Grn. Gate —5K 97
Helmsley Rd. Dur —4A 152
Helmsley Rd. Newc T
—6H 61 (2J 5)
Helston Ct. Newc T —6B 58
Helvellyn Av. Wash —5E 112
Helvellyn Rd. Sund —7F 117

Hemel St. Ches S —7A 126
Hemlington Clo. Ryh —4H 131
Hemmel Courts. B'don —7E 162
Hemming St. Sund —6H 117
Hemsley Rd. S Shi —4B 66
Hencotes. Hex —2C 68
*Hencote's Ct. Hex —2C 68*
*(off St Cuthbert's Ter.)*
Hencotes M. Hex —2C 68
Henderson Av. Whe H —3A 178
Henderson Av. Whi —6G 79
Henderson Clo. Hex —3B 68
Henderson Gdns. Gate —6F 83
Henderson Rd. S Shi —2F 85
Henderson Rd. Sund —2B 116
Henderson Rd. W'snd —1F 63
*Hendersons Bldgs. Newb S*
*(off Vernon Pl.) —2J 11*
Hendersyde Clo. Newc T —2H 59
**Hendon. —4G 117**
Hendon Burn Av. Sund —3G 117
Hendon Burn Av. W. Sund —4G 117
Hendon Clo. N Shi —2G 65
Hendon Clo. Sund —2G 117
Hendon Gdns. Jar —4D 84
Hendon Rd. Gate —6K 81
Hendon Rd. Sund —1G 117
(in two parts)
Hendon St. Sund —2H 117
Hendon Valley Ct. Sund —4G 117
Hendon Valley Rd. Sund —3G 117
Henley Av. Pelt F —6G 125
Henley Clo. Cra —3B 24
Henley Gdns. Con —7J 119
Henley Gdns. W'snd —1B 64
Henley Rd. N Shi —3J 47
Henley Rd. Sund —3K 115
Henley St. Newc T —6A 62
Henley Way. Bol C —6E 84
Henlow Rd. Newc T —6C 58
Henry Av. Bow —3H 175
(in two parts)
Henry Nelson St. S Shi —1K 65
Henry Robson Way. S Shi —3J 65
Henry Sq. Newc T —7H 61 (4J 5)
Henry St. Con —6G 119
Henry St. Hett H —4G 143
Henry St. Hou S —1E 142
Henry St. Newc T —7E 42
Henry St. N Shi —7G 47
Henry St. S'hm —2B 146
Henry St. Shin R —3B 128
Henry St. S Shi —1K 65
Henry St. Walb —3A 58
Henry St. E. Sund —2H 117
*Henry St. N. Mur —7F 145*
*(off Henry St. S.)*
Henry St. S. Mur —7F 145
Henry Ter. Fenc —7K 127
Hensby Ct. Newc T —1H 59
Henshaw Ct. Ash —5J 9
Henshaw Gro. H'wll —1K 35
Henshaw Pl. Newc T —6H 59
Henshelwood Ter. Newc T —4G 61
Henson Clo. Wash —4H 113
Hepburn Gdns. Gate —5A 82
Hepburn Gro. Sund —6F 101
Hepple Ct. Bly —3G 21
Hepple Rd. Newb S —4G 11
Hepple Way. Newc T —6C 42
**Hepscott. —4A 14**
Hepscott Av. B Col —2J 181
Hepscott Dri. Whit B —5D 36
**Hepscott Park. —7A 14**
Hepscott Ter. S Shi —6K 65
Hepscott Wlk. Mor —4A 8
Herbert St. Con —6H 119
Herbert St. Gate —5J 81
Herbert Ter. S'hm —3B 146
Herbert Ter. Sund —2D 102
Herd Clo. Bla T —5A 78
Herd Ho. La. Bla T —4K 77
Herdinghill. Wash —2D 112
Herdlaw. Cra —4J 23
Hereford Ct. Newc T —4K 41
Hereford Ct. Sund —7F 117
Hereford Rd. Sund —7F 117
Herefordshire Dri. Dur —1G 165
Hereford Sq. Sund —7F 117
Hereford Way. Jar —5B 84
(in two parts)
Hermiston. Whit B —6E 36
Hermitage Pk. Ches S —1A 140
Heron Clo. Ash —6C 10
Heron Clo. Bly —5J 21
Heron Clo. Wash —6E 112
Heron Dri. S Shi —1J 65
Heron Pl. Newc T —5J 43
Heron Vs. S Shi —2H 85
Herrick St. Newc T —2G 59
Herring Gull Clo. Bly —6J 21
Herrington Clo. Lang P —5H 149
Herrington M. Hou S —3E 128
Herrington Rd. Hou S —3F 129
Herrington Rd. Sund —2H 129
Herschel Building. Newc T —3E 4
Hersham Clo. Newc T —5K 41
Hertburn Gdns. Wash —1H 113
Hertburn Ind. Est. Hert —1J 113
Hertford. Gate —5H 97
Hertford Av. S Shi —6E 66
Hertford Clo. Whit B —5C 36
Hertford Cres. Hett H —6F 143
Hertford Gro. Cra —3A 24
Hertford Pl. Pet —4A 170
Herton Clo. Pet —5A 170
(in two parts)
Hesket Ct. Newc T —5A 42
**Hesleden. —4E 180**
Hesleden Rd. Hes & B Col —3E 180
Hesledon La. Haw —2K 157
Hesledon Wlk. Mur —6G 145
Hesleyside. Ash —6D 10
Hesleyside Dri. Newc T —5H 59
Hesleyside Rd. S Well —6B 36
Hessewell Cres. Has —3A 168
Hester Av. N Har —4H 25
*Hester Bungalows. N Har —4H 25*
*(off Hester Av.)*
Hester Gdns. N Har —4J 25
Heswall Rd. Cra —7J 19
**Hett. —7C 174**
Hett La. Crox —5K 173
**Hetton Downs. —5H 143**
**Hetton-le-Hole. —7G 143**
Hetton Lyons Country Park. —6J 143
Hetton Lyons Ind. Est. Hett H —7H 143
Hetton Rd. Hou S —3E 142
Heugh Edge. Sac —5D 138
Heugh Hall Row. Old Q —5K 175
Heugh Hill. Gate —5E 98
Hewitson Ter. Gate —7A 82
Hewitt Av. Sund —1G 131
Hewley Cres. Newc T —4H 57
**Heworth. —6C 82**
Heworth Av. Gate —5E 82
Heworth Burn Cres. Gate —6C 82
Heworth Ct. S Shi —1H 85
Heworth Cres. Wash —7H 99
Heworth Dene Gdns. Gate
(in two parts) —5C 82
Heworth Gro. Wash —7G 99
Heworth Rd. Wash —5H 99
Heworth Way. Gate —6E 82
Hewson Pl. Gate —1K 97
**Hexham. —1E 68**
Hexham. Wash —4D 112
Hexham Abbey. —1D 68
Hexham Av. Cra —3A 24
Hexham Av. Heb —4J 83
Hexham Av. Newc T —1D 82
Hexham Av. S'hm —4K 145
(in two parts)
Hexham Clo. N Shi —5C 46
Hexham Ct. Gate —1B 96
Hexham Ct. Newc T —7E 62
Hexham Ct. Sac —7D 138
Hexham Dri. S'ley —4K 121
Hexham Ho. Newc T —7E 62
Hexham Moothall Gallery. —1D 68
Hexham Old Rd. Ryton —1G 77
Hexham Race Course Cvn. Site. Hex —5A 68
Hexham Rd. Hed W —3C 56
Hexham Rd. Sund —3K 115
Hexham Rd. Swa —5F 79
Hextol Ct. Hex —2B 68
Hextol Cres. Hex —2C 68
Hextol Gdns. Newc T —6F 59
Hextol Ter. Hex —2B 68
Heybrook Av. N Shi —4F 47
Heyburn Gdns. Newc T —1K 79
Heywood's Ct. Newc T —1F 81
Heywoods's Ct. Newc T —6F 4
Hibernian Rd. Jar —6B 64
Hibernia Rd. Newc T —2E 82
Hickling Ct. Newc T —1J 59
Hickstead Clo. W'snd —5J 45
Hickstead Gro. Cra —3B 24
Hiddleston Av. Newc T —7K 43
Higgins Ter. Sund —2D 130
**Higham Dykes. —1C 28**
Higham Pl. Newc T —7G 61 (4G 4)
High Axwell. Bla T —4D 78
High Back Clo. Jar —2A 84
**High Barnes. —3A 116**
High Barnes. Gt Lum —3E 140
High Barnes Ter. Sund —3C 116
High Bri. Newc T —1F 81 (6F 4)
Highburn. Cra —5J 23
High Burn Ter. Gate —7C 82
High Burswell. Hex —1B 68
Highbury. Gate —6C 82
Highbury. Newc T —4F 61
Highbury. Whit B —6E 36
Highbury Av. Gate —5E 98
Highbury Clo. Gate —5E 98
Highbury Pl. N Shi —7E 46
**High Callerton. —2J 39**
High Carr Clo. Fram M —6K 151
Highcarr Rd. Dur —6J 151
High Chare. Ches S —6A 126
**High Church. —1F 13**
Highcliffe Gdns. Gate —6J 81
High Clo. Pru —3H 75
High Croft. Wash —6F 99
High Cft. Clo. Heb —2H 83
Highcroft Dri. Whit —5G 87
Highcroft Pk. Sund —5H 87
(in two parts)
Highcrofts. Hor —5E 54
Highcross Rd. N Shi —1G 47
High Cross St. Cass —4F 177
High Dene. Newc T —4J 61
High Dene. S Shi —1H 85
High Downs Sq. Hett H —5G 143
**High Dubmire. —2B 142**
**High Fell. —1K 97**
**Highfield. —5G 93**
Highfield. Bir —2A 112
Highfield. Pru —4E 74
Highfield. Sac —7E 138
Highfield. Sun —4H 95
Highfield Av. Newc T —4B 44
Highfield Clo. Newc T —2F 59
Highfield Ct. Gate —7C 82
Highfield Cres. Ches S —4A 126
Highfield Dri. Ash —5D 10
Highfield Dri. Hou S —2B 142
Highfield Dri. S Shi —5B 66
Highfield Gdns. Ches S —4A 126
Highfield Grange. Hou S —3B 142
Highfield La. Pru —5E 74
Highfield Pl. Sund —2B 116
Highfield Pl. Wide —6C 32
Highfield Ri. Ches S —4A 126
Highfield Rd. Gate —5J 81
Highfield Rd. Hou S —3A 128
Highfield Rd. Newc T —3F 59
Highfield Rd. Row G —5G 93
Highfield Rd. S Shi —4B 66
Highfield Ter. Newc T —2D 82
Highfield Ter. Ush M —3B 162
High Flatworth. N Shi —7B 46
Highford Gdns. Mor —1E 12
Highford La. Hex —3A 68
High Friar La. Newc T —1F 81 (5F 4)
High Friars. Newc T —5E 4
**High Friarside. —2J 107**
*High Gth. Sund —1G 117*
*(off High St. E.)*
Highgate Gdns. Jar —4D 84
Highgate Rd. Sund —3K 115
High Ga., The. Newc T —1A 60
High Graham. St. Sac —1E 150
Highgreen Chase. Whi —3G 95
High Grindon Ho. Sund —5J 115
High Gro. Newc T —2C 80 (7A 4)
High Gro. Ryton —2H 77
Highgrove. W Den —3D 58
High Hamsterley Rd. Ham M —3E 106
**High Handenhold. —2D 124**
Highheath. Wash —2D 112
**High Heaton. —2K 61**
High Hedgefield Ter. Bla T —1J 77
High Hermitage Cvn. Pk. O'ham —1F 75
**High Hesleden. —4H 181**
**High Heworth. —1C 98**
High Heworth La. Gate —7C 82
High Horse Clo. Row G —3A 94
High Horse Clo. Wood. Row G —3A 94
High Ho. Clo. Mor —7D 6
High Ho. Gdns. Gate —6C 82
(in two parts)
High Ho. La. Con —7G 133
High Ho. Rd. Mor —1C 12
Highland Rd. Newc T —2K 59
High La. Nbtle —5E 128
High La. Row. Heb —5K 63
High Lanes. Gate —7D 82
High Laws. S Gos —1H 61
Highlaws Gdns. Gate —5K 97
High Level Rd. Gate —3G 81 (9G 4)
High Mkt. Ash —3H 9
High Mdw. S Shi —5B 66
High Meadows. B'don —7C 162
High Meadows. Newc T —2A 60
**High Mickley. —7B 74**
High Mill Rd. Ham M —3E 106
Highmoor. Mor —1D 12
High Moor Ct. Newc T —3A 60
High Moor Pl. S Shi —1J 85
**High Moorsley. —3D 154**
**High Newport. —1C 130**
High Pk. Mor —1F 13
High Pk. Newc T —5J 61 (1L 5)
High Pasture. Wash —7J 113
High Pit Rd. Cra —5B 24
**High Pittington. —6B 154**
High Primrose Hill. Hou S —6H 127
High Quay. Bly —1K 21
High Ridge. Bed —7G 15
Highridge. Bir —3A 112
Highridge. Con —6E 118
High Ridge. Haz —7D 32
High Rd., The. S Shi —7B 66
High Row. Hou S —1J 141
High Row. Newc T —7C 58
High Row. Ryton —2J 77
High Row. Wash —6H 99
High Sandgrove. Sund —5C 86
High Shaw. Pru —5D 74
High Shaws. B'don —7E 162
**High Shields. —4J 65**
**High Shincliffe. —7F 165**
Highside Dri. Sund —5C 116
**High Southwick. —4C 102**
**High Spen. —3D 92**
High Spen Ct. H Spen —3E 92
**High Stanners. —6E 6**
High Stanners. Mor —6E 6
Highstead Av. Cra —1J 23
Highsteads. M'sly —7K 105
High Stobhill. Mor —2G 13
High St. Blyth, Bly —2H 21
(in two parts)
High St. Brandon, Lang M —7G 163
High St. Carrville, Carr —7G 153
High St. Easington Lane, Eas L —2J 155
High St. Felling, Fel —6B 82
High St. Gateshead, Gate
(in two parts) —2G 81 (8H 5)
High St. Gosforth, Gos —7E 42
High St. Guide Post, Chop —1G 15
High St. High Shincliffe, H Shin —7F 165
High St. Jarrow, Jar —6C 64
High St. Low Pittington, L Pit —5B 154
High St. Newbiggin-by-the-Sea, Newb S —2J 11
High St. Newburn, Newc T —6K 57
High St. Shincliffe, Shin —6D 164
High St. South Hylton, Sund —2G 115
High St. Stanley, S'ley —2F 123
High St. Thornley, Thor —1J 177
High St. Wrekenton, Gate —4A 98
High St. E. Sund —1G 117
High St. E. W'snd —4G 63
High St. N. Lang M —7F 163
High St. N. Shin —6E 164
High St. S. Lang M —7G 163
High St. S. Shin —6E 164
High St. S. Bk. Lang M —7G 163
High St. W. Sund —2E 116
(in two parts)
High St. W. W'snd —4E 62
High Swinburne Pl. Newc T —1E 80 (6C 4)
Hightree Clo. Sund —4B 130
**High Urpeth. —1D 124**
High Vw. Hed —4B 90
High Vw. Pon —2H 39
High Vw. Ush M —2B 162
High Vw. W'snd —2F 63
High Vw. N. W'snd —1E 62
High Villa Pl. Newc T —1E 80 (6C 4)
High Wlk. Ches S —3G 127
High Well Gdns. Gate —5C 82
Highwell La. Newc T —4E 58
High W. Av. Row G —6H 93
High W. La. Haw —4J 157
High W. St. Gate —4H 81 (10J 5)
**High Westwood. —4K 105**
*High Winning Cotts. Cas E*
*(off Wellfield Ter.) —4H 179*
Highwood Rd. Newc T —6F 59
*High Wood Ter. Dur —4B 164*
*(off Stockton Rd.)*
High Wood Vw. Dur —4B 164
Highworth Dri. Gate —6D 98
Highworth Dri. Newc T —2B 62
Hilda Av. Dur —3E 164
Hilda Clo. Dur —3F 165
Hilda Pk. Ches S —4J 125
Hilda St. Gate —5F 81
Hilda St. S'ley —4J 121
Hilda St. Sund —4F 103
(in two parts)
Hilda Ter. Ches S —4K 125
(in two parts)
Hilda Ter. Newc T —3H 57
Hilden Bldgs. Newc T —3A 62
Hilden Gdns. Newc T —3A 62
Hillary Av. Newc T —4C 44
Hillary Pl. Newc T —2G 59
Hill Av. Seg —1E 34
Hill Brow. Sund —3D 130
Hill Cres. Mur —7D 144
(in two parts)
Hillcrest. Ash —5E 10
Hill Crest. B'hpe —6D 136
Hill Crest. Burn —2B 108
Hillcrest. C'sde —4B 132
Hillcrest. Dur —2B 164
Hill Crest. Esh —7F 149
Hillcrest. Gate —1C 98
Hillcrest. H Shin —7F 165
Hillcrest. Jar —4D 84
Hillcrest. Pru —4F 75
Hillcrest. S Shi —1D 86
Hillcrest. Sund —2H 129
Hillcrest. Whit B —6E 36
Hillcrest Av. Chop —7H 9
Hillcrest Ct. Pru —4F 75
Hillcrest Dri. Gate —7A 80
Hillcrest Dri. Hex —2E 68
Hill Crest Gdns. Newc T —1G 61
Hillcrest M. Dur —2B 164
Hillcrest Pl. Hes —4D 180
Hillcroft. Bir —3A 112
Hillcroft. Gate —1J 97
Hillcroft. Row G —5G 93
Hill Dyke. Gate —5A 98
Hillfield. Con —6F 119
Hillfield. Whit B —6D 36
Hillfield Gdns. Sund —5D 116
Hillfield St. Gate —4G 81
Hillford Ter. C'wl —6K 91
Hillgarth. Con —4D 132
Hillgate. Gate —2G 81 (8H 5)
Hillgate. Mor —7F 7
Hill Head Dri. Newc T —4D 58
Hillhead Gdns. Gate —1C 96
Hillhead La. Burn —6D 94
Hillhead Parkway. Newc T —3C 58
Hillhead Rd. Newc T —4D 58
Hillheads Rd. Whit B —1F 47
Hillhead Way. Newc T —2E 58
Hill Ho. Rd. Newc T —3G 57
Hillingdon Gro. Sund —6G 115
Hill La. Hou S —7C 114
Hill Meadows. H Shin —7E 164
Hillmeads. Nett —6H 139
Hill Pk. Pon —2H 39
**Hill Park Estate. —1C 84**
Hill Pk. Rd. Jar —1C 84
Hill Ri. Ryton —3D 76
Hill Ri. Wash —2H 113
Hillrise Cres. S'hm —2F 145
Hill Rd. Hex —7D 68
Hills Ct. Bla T —2E 78
Hillsden Rd. Whit B —4D 36
Hillside. Ash —3A 10
Hillside. Bir —4B 112
Hillside. Bla T —4B 78
Hillside. Ches S —5A 126
Hillside. Gate —7A 80
Hillside. Mor —1F 13
Hillside. Newc T —2C 44
Hillside. Pon —3G 39
Hillside. S Shi —2D 86
Hillside. Sund —5E 116
Hillside. W Bol —7G 85
Hillside. Wit G —2D 150
Hillside Av. Newc T —6E 58
Hillside Clo. B Col —3J 181
Hillside Clo. Row G —4J 93
Hillside Cres. Newc T —2G 79
Hillside Dri. Sund —5G 87
Hillside Gdns. S'ley —1G 123
(in two parts)
Hillside Gdns. Sund —5E 116
Hillside Gro. H Pitt —6B 154
Hillside Pl. Gate —1J 97
Hillside Rd. Hex —2F 69
Hillside Vw. Sher —2K 165
Hillside Vs. Pet —5D 170
Hillside Way. Hou S —1E 142
Hillsleigh Rd. Newc T —2K 59
Hills St. Gate —3G 81 (9H 5)
Hill St. Cor —1D 70

Hill St. Jar —6A 64
Hill St. S'hm —4B 146
Hill St. S Shi —4H 65
Hill St. Sund —2C 130
Hillsview Av. Newc T —7A 42
Hillsyde Cres. Thor —1J 177
Hill Ter. Hou S —3E 128
Hill, The. O'ham —2D 74
Hillthorne Clo. Wash —4J 113
Hill Top. Bla T —5B 78
Hilltop. S'ley —2H 123
Hill Top Av. Gate —2J 97
Hilltop Bungalows. Thor —2H 177
Hill Top Clo. Chop —7H 9
Hill Top Gdns. Gate —2J 97
Hilltop Gdns. New S —2E 130
Hilltop Ho. Newc T —3G 59
Hilltop Rd. Bear —7C 150
Hilltop Vw. Sund —4G 87
Hill Vw. Beam —2K 123
Hill Vw. B'pk —4E 162
Hill Vw. Esh W —4E 160
Hillview. Sund —2H 129
Hillview Cres. Hou S —6D 128
Hill View Gdns. Sund —5D 116
Hillview Gro. Hou S —6D 128
Hillview Rd. Hou S —6D 128
Hill View Rd. Sund —6F 117
Hill View Sq. Sund —6F 117
Hilton Av. Newc T —3H 59
Hilton Clo. Cra —7J 19
Hilton Dri. Pet —7B 170
**Hindley. —4F 89**
Hindley Clo. Ryton —3C 76
Hindley Gdns. Newc T —6K 59
Hindmarch Dri. W Bol & Bol C —7G 85
Hindson's Cres. N. Hou S —4A 128
Hindson's Cres. S. Hou S —4A 128
Hind St. Sund —2E 116
Hinkley Clo. Sund —3D 130
Hippingstones La. Cor —7D 50
Hipsburn Dri. Sund —5C 116
Hiram Dri. E Bol —7K 85
**Hirst. —4C 10**
Hirst Head. Bed —7J 15
Hirst Ter. N. Bed —7J 15
Hirst Vs. Bed —7J 15
Hirst Yd. Ash —3B 10
Histon Ct. Newc T —2H 59
Histon Way. Newc T —2H 59
Hither Grn. Jar —4D 84
Hobart. Whit B —4F 37
Hobart Av. S Shi —3F 85
Hobart Gdns. Newc T —7K 43
**Hobson. —3A 108**
Hobson Ind. Est. Hob —3A 108
Hodgkin Gdns. Gate —1K 97
Hodgkin Pk. Cres. Newc T —1J 79
Hodgkin Pk. Rd. Newc T —1J 79
Hodgson's Rd. Bly —1H 21
Hodgson Ter. Wash —7K 99
Hogarth Cotts. Bed —1J 19
Hogarth Dri. Wash —5J 113
Hogarth Rd. S Shi —4J 85
Holbein Rd. S Shi —3J 85
Holborn Clo. Esh W —4E 160
Holborn Ct. Ush M —3D 162
Holborn Pl. Newc T —4E 58
Holborn Rd. Sund —4K 115
Holborn Sq. Sund —4K 115
Holburn Clo. Ryton —1H 77
Holburn Cres. Ryton —1J 77
Holburn Gdns. Ryton —1J 77
Holburn La. Ryton —7H 57
Holburn La. Ct. Ryton —1H 77
Holburn Ter. Ryton —1J 77
Holburn Wlk. Ryton —1J 77
Holburn Way. Ryton —1H 77
Holden Pl. Newc T —3K 59
Holder Ho. Way. S Shi —3A 86
Holderness Rd. Newc T —4K 61
Holderness Rd. W'snd —2A 64
Hole La. Sun —3F 95
(in three parts)
Holeyn Hall Rd. Wylam —4H 55
Holeyn Rd. Newc T —4G 57
Holland Dri. Newc T —6D 60 (2A 4)
Holland Pk. Newc T —6D 60 (1A 4)
Holland Pk. W'snd —2C 62
Holland Pk. Dri. Jar —4D 84
Hollinghill Rd. H'wll —1J 35
Hollings Cres. W'snd —1F 63
Hollingside La. Dur —5A 164
Hollingside Way. S Shi —1K 85
Hollings Ter. C'wl —6J 91
Hollington Av. Newc T —6K 43
Hollington Clo. Newc T —6K 43
Hollinhill. Row G —3A 94
Hollinhill La. Row G —2K 93
Hollin Hill Rd. Wash —1J 113
Hollinhill Ter. Rid M —6K 71
Hollinside Clo. Whi —2G 95
Hollinside Gdns. Newc T —7H 59
Hollinside Rd. Gate —4H 79
Hollinside Rd. Sund —3K 115
Hollinside Sq. Sund —3J 115
Hollinside Ter. Row G —5H 93
Hollon St. Mor —6E 6
Hollowdene. Hett H —7G 143
Hollow Meadows. Hex —1E 68
Hollow, The. Ash —5F 11
Hollow, The. Jar —5B 84
Holly Av. Faw —6B 42
Holly Av. For H —3B 44
Holly Av. Gate —7B 80
Holly Av. Hou S —2E 142
Holly Av. Jes —4G 61
Holly Av. Mor —1E 12
Holly Av. Newb S —2G 11
Holly Av. New S —1D 130
Holly Av. Ryton —7G 57
Holly Av. S Shi —1C 86
Holly Av. W'snd —4G 63
Holly Av. Well —6B 36
Holly Av. Whi —5H 87
Holly Av. Whit B —6G 37
Holly Av. Winl M —1C 94
Holly Av. W. Newc T —4G 61
Holly Bush Gdns. Ryton —2J 77
Hollybush Rd. Gate —6A 82
Hollybush Vs. Ryton —1J 77
Hollycarrside Rd. Sund —1G 131
Holly Clo. Hex —3A 68
Holly Clo. Kil —7K 33
Holly Ct. Sund —2C 116
Holly Ct. Whit B —6F 37
Holly Cres. Sac —7E 138
Holly Cres. Wash —7G 113
Hollycrest. Ches S —4K 125
Hollydene. Kib —2F 111
Hollydene. Row G —5K 93
Holly Gdns. Con —2E 132
Holly Gdns. Gate —1H 97
Holly Gro. Pru —3D 74
Holly Haven. E Rai —6D 142
Holly Hill. Gate —6B 82
Holly Hill Gdns. S'ley —4F 123
Holly Hill Gdns. E. S'ley —4G 123
Holly Hill Gdns. W. S'ley —5F 123
(in two parts)
Hollyhock Gdns. Heb —3J 83
Hollyhock Ter. Coxh —7J 175
Hollymount Av. Bed —1J 19
Hollymount Sq. Bed —1J 19
Hollymount Ter. Bed —1J 19
Holly Pk. B'don —1D 172
Holly Pk. Ush M —2C 162
Holly Pk. Vw. Gate —6B 82
Holly Rd. N Shi —5F 47
Hollyside Clo. Bear —7C 150
Hollys, The. Bir —1K 111
Holly St. Ash —4B 10
Holly St. Dur —3K 163
Holly St. Jar —6A 64
Holly Ter. Burn —2C 108
Holly Ter. Cat —4J 121
Holly Ter. S Moor —4D 122
Holly Vw. Gate —6A 82
Hollywell Ct. Ush M —3D 162
Hollywell Gro. Wool —4F 41
Hollywell Rd. N Shi —6D 46
Hollywood Av. Gos —6F 43
Hollywood Av. Sund —5B 102
Hollywood Av. Walkv —4E 62
Hollywood Cres. Newc T —6F 43
Hollywood Gdns. Gate —2D 96
Holman Ct. S Shi —3J 65
Holmcroft. Newb S —2J 11
Holmdale. Ash —5A 10
Holmdale. Hex —2E 68
Holme Av. Newc T —4D 62
Holme Av. Whi —7G 79
Holme Gdns. Sund —5D 116
Holme Gdns. W'snd —3A 64
Holme Ri. Whi —7H 79
Holmesdale Rd. Newc T —4K 59
Holmeside. Sund —2F 117
Holmeside Ter. Sun —5J 95
Holmewood Dri. Row G —7H 93
Holmfield Av. S Shi —6A 66
Holmfield Vs. Coxh —7J 175
Holm Grn. Whit B —7C 36
Holmhill La. Ches S & Plaw —3A 140
Holmhill La. Pet —6B 158
Holmland. Newc T —2J 79
Holmlands. Whit B —6E 36
Holmlands Clo. Whit B —6E 36
Holmlands Cres. Dur —6J 151
Holmlands Pk. Ches S —7B 126
Holmlands Pk. N. Sund —4E 116
Holmlands Pk. S. Sund —4E 116
Holmlea. B'hpe —6D 136
**Holmside. —3K 137**
Holmside Av. Gate —6C 80
Holmside Av. Lan —7K 135
Holmside Hall Rd. S'ley & B'hpe —1G 137
Holmside La. B'hpe —6C 136
Holmside Pl. Newc T —6K 61 (1N 5)
Holmside Ter. S'ley —7J 123
Holmsland Vs. Sac —1E 150
Holmwood Av. Newb S —2H 11
Holmwood Av. Whit B —7D 36
Holmwood Gro. Newc T —3F 61
Holwick Clo. Wash —6E 112
**Holy Cross. —2H 63**
Holyfields. W All —2H 45
Holy Island. Hex —1C 68
Holy Jesus Bungalows. Newc T —1A 4
Holy Jesus Bungalows. Spi T —5D 60
Holylake Sq. Sund —3K 115
Holyoake Gdns. Bir —4A 112
Holyoake Gdns. Gate —6H 81
Holyoake St. Pelt —3E 124
Holyoake St. Pru —3F 75
Holyoake Ter. S'ley —5E 122
Holyoake Ter. Sund —4G 103
Holyoake Ter. Wash —7H 99
Holyrood. Gt Lum —2E 140
Holyrood Rd. Sund —6H 117
**Holystone. —3G 45**
Holystone Av. Bly —4G 21
Holystone Av. Newc T —6D 42
Holystone Av. Whit B —7H 37
Holystone Clo. Bly —4F 21
Holystone Clo. Hou S —7B 128
Holystone Ct. Gate —5F 81
Holystone Cres. Newc T —2K 61
Holystone Dri. Hol —2G 45
Holystone Gdns. N Shi —4D 46
Holystone St. Heb —7H 63
Holystone Trad. Est. Heb —7H 63
**Holywell. —1K 35**
Holywell Av. H'wll —1K 35
Holywell Av. Newc T —3C 82
Holywell Av. Whit B —5E 36
Holywell Clo. Bla T —5D 78
Holywell Clo. H'wll —1K 35
Holywell Clo. Newc T —7D 60 (3B 4)
Holywell Dene Rd. H'wll —2K 35
Holywell La. Sun —4H 95
Holywell Ter. W All —3H 45
Home Av. Gate —3H 97
Homedale. Pru —4G 75
Homedale Pl. Pru —5G 75
Homedowne Ho. Newc T —7E 42
Home Farm Clo. Ash —3H 9
Homeforth Ho. Newc T —7E 42
Homelea. Hou S —5J 127
Home Pk. W'snd —2C 62
Homeprior Ho. Whit B —7E 36
Homer Ter. Dur —4J 163
Homestall Clo. S Shi —1K 85
Home Vw. Wash —3J 113
Honeycomb Clo. Sund —4B 130
Honeysuckle Av. S Shi —2H 85
Honeysuckle Clo. Sund —4C 130
Honister Av. Newc T —2G 61
Honister Clo. Newc T —6D 58
Honister Dri. Sund —4E 102
Honister Pl. Newc T —6D 58
Honister Rd. N Shi —2H 47
Honister Way. Bly —6G 21
Honiton Clo. Hou S —5C 128
Honiton Ct. Newc T —6H 41
Honiton Way. N Shi —4B 46
Hood Clo. Sund —6E 102
Hood Sq. Bla T —5A 78
Hood St. Mor —6F 7
Hood St. Newc T —1F 81 (5F 4)
Hood St. Swa —5G 79
**Hooker Gate. —5E 92**
Hookergate La. H Spen —3D 92
(in two parts)
Hope Av. Pet —6E 170
Hopedene. Gate —2E 98
Hope Shield. Wash —7D 112
Hope St. Con —5G 119
Hope St. Jar —6C 64
(in two parts)
Hope St. Sher —3K 165
Hope St. Sund —1E 116
(SR1)
Hope St. Sund —6H 117
(SR2)
Hope Vw. Sund —2H 131
Hopgarth Ct. Ches S —5B 126
Hopgarth Gdns. Ches S —5B 126
Hopkins Ct. Sund —1B 116
Hopkins Wlk. Bol C & S Shie —4G 85
Hopper Pl. Dur —6A 152
Hopper Pl. Gate —3H 81 (10J 5)
Hopper Rd. Gate —7A 82
Hopper St. Gate —3H 81 (10J 5)
Hopper St. N Shi —7G 47
Hopper St. Pet —7K 157
Hopper St. W'snd —3E 62
Hopper St. W. N Shi —7F 47
Hopper Ter. Shot C —6E 168
Horatio Ho. N Shi —5K 47
Horatio St. Newc T —1J 81 (6L 5)
Horatio St. Sund —6G 103
**Horden. —4D 170**
Hornbeam Pl. Newc T —3D 80 (9A 4)
Horncliffe Gdns. Swa —6J 79
Horncliffe Pl. Newc T —3F 57
Horncliffe Wlk. Newc T —6A 58
Horning Ct. Newc T —1H 59
Hornsea Clo. Wide —6D 32
Hornsey Cres. Eas L —2H 155
Hornsey Ter. Eas L —2H 155
Horse Crofts. Bla T —3C 78
Horsegate Bank. C'wl —3B 92
Horsham Gdns. Sund —5C 116
Horsham Gro. N Shi —1E 64
Horsham Ho. N Shi —1E 64
**Horsley. —5E 54**
Horsley Av. Ryton —3C 76
Horsley Av. Shir —2K 45
Horsley Bldgs. Mor —7G 7
Horsley Clo. Chop —7H 9
Horsley Ct. Newc T —6K 42
Horsley Gdns. Gate —6C 80
Horsley Gdns. H'wll —1K 35
Horsley Gdns. Sund —5C 116
Horsley Heddon By-Pass. Newc T —2H 57
**Horsley Hill. —5C 66**
Horsley Hill Rd. S Shi —4A 66
Horsley Hill Sq. S Shi —6D 66
(in two parts)
Horsley Ho. Newc T —6E 42
Horsley Rd. Newc T —4K 61
Horsley Rd. O'ham —1C 74
Horsley Rd. Wash —2A 114
Horsley Ter. Newc T —1D 82
Horsley Ter. N Shi —5K 47
Horsley Va. S Shi —6B 66
Horsley Vw. Pru —3H 75
Horsley Wood Cotts. Hor —6F 55
Horton Av. Bed —1H 19
Horton Av. Shir —2K 45
Horton Av. S Shi —3K 85
Horton Cres. Bow —3H 175
Horton Cres. Din —4H 31
Hortondale Gro. Bly —2F 21
Horton Dri. Cra —1J 23
Horton Pl. Bly —5F 21
Horton Rd. Bly —4A 20
Horton St. Bly —2K 21
Horwood Av. Newc T —3E 58
Hospital Dri. Heb —2H 83
Hospital La. Newc T —6A 58
Hospital Rd. Lang P —5H 149
Hotch Pudding Pl. Newc T —5F 59
Hotspur Av. Bed —1H 19
Hotspur Av. S Shi —6A 66
Hotspur Av. Whit B —7G 37
Hotspur Rd. W'snd —7E 44
Hotspur St. Newc T —6J 61 (2L 5)
Hotspur St. N Shi —4K 47
Hotspur Way. Newc T —7F 61 (4F 4)
**Houghall. —7B 164**
**Houghton. —3B 56**
Houghton Av. Newc T —2A 60
Houghton Av. N Shi —1H 47
Houghton Cut. Hou S —1E 142
Houghton Ga. Ches S —6F 127
**Houghton-le-Spring. —1D 142**
Houghton Rd. Hett H —4F 143
Houghton Rd. Nbtle —6D 128
Houghton Rd. W. Hett H —6G 143
Houghtonside. Hou S —1E 142
Houghton St. Sund —2C 116
Houghwell Gdns. Tan L —1D 122
Houlet Gth. Newc T —1A 82 (6P 5)
Houlskye Clo. Sund —2E 130
Houndelee Pl. Newc T —4J 59
Houndslow Dri. Ash —5K 9
Hounslow Gdns. Jar —4D 84
House Ter. Wash —7H 99
Housing La. M'sly —7A 106
Houston Ct. Newc T —2D 80 (7B 4)
Houston St. Newc T —2D 80 (7B 4)
Houxty Rd. S Well —6B 36
Hovingham Clo. Pet —7C 170
Hovingham Gdns. Sund —5C 116
Howard Ct. N Shi —7H 47
Howard Gro. Peg —4A 8
Howardian Clo. Wash —5F 113
Howard Pl. Newc T —7E 42
Howard Rd. Mor —6G 7
Howard St. Gate —5K 81
(NE8)
Howard St. Gate —1A 98
(NE10)
Howard St. Jar —7C 64
Howard St. Newc T —1H 81 (5K 5)
Howard St. N Shi —7H 47
Howard St. Sund —6F 103
Howard Ter. H Spen —3D 92
Howard Ter. Mor —6F 7
Howarth St. Sund —2C 116
Howarth Ter. Has —1B 168
Howat Av. Newc T —4A 60
Howburn Cres. Peg —4A 8
Howden. Con —6F 119
Howden Bank. Lan —4K 135
Howden Bank Cotts. Lan —3A 136
Howdene Clo. Cor —1F 71
Howdene Rd. Newc T —7F 59
Howden Gdns. Win —5G 179
Howden Grn. Ind. Est. W'snd —3B 64
Howden Rd. W'snd —4C 64
**Howdon. —3A 64**
Howdon La. W'snd —2A 64
**Howdon Pans. —4C 64**
Howdon Rd. W'snd & N Shi —3C 64
Howe Sq. Sund —3J 115
Howe St. Gate —5K 81
Howe St. Heb —7A 64
Howford La. Acomb —4A 48
Howick Av. Newc T —5C 42
Howick Pk. Sund —7F 103
Howick Rd. Sund —7F 103
Howlcroft Vs. Dur —3K 163
Howletch La. Pet —6A 170
Howlett Hall Rd. Newc T —6F 59
Howley Av. Sund —5J 101
Howlings La. Dur —6A 164
Hownam Clo. Newc T —1C 60
Hownsgill Dri. Con —3K 133
Hownsgill Ind. Est. Con —2H 133
Hoy Cres. S'hm —1H 145
Hoylake Av. Newc T —7A 44
Hoyle Av. Newc T —7A 60
Hoyle Fold. Sund —5C 130
Hoyson Vs. Gate —4F 83
Hubert St. Bol C —6F 85
Hubert St. Gate —5F 81
Hucklow Gdns. S Shi —1K 85
Huddart Ter. Bir —3A 112
Huddlestone Ri. Sund —7G 103
Huddleston Rd. Newc T —6B 62
Hudleston. N Shi —7J 37
Hudshaw Gdns. Hex —2F 69
Hudson Av. Ann —3K 33
Hudson Av. Bed —7K 15
Hudson Av. Pet —5D 170
Hudson Pl. Mor —6F 7
Hudson Rd. Sund —2G 117
Hudson St. Gate —3G 81 (9H 5)
Hudson St. N Shi —6H 47
Hudson St. S Shi —7H 65
(in two parts)
Hudspeth Cres. Dur —4J 151
Hugar Rd. H Spen —4D 92
Hugh Av. Shir —7K 35
Hugh Gdns. Newc T —2A 80
Hugh St. Sund —3G 103
Hugh St. W'snd —4F 63
Hugh St. Wash —4K 113
Hull St. Newc T —1B 80
Hulme Ct. Pet —7A 170
Hulne Av. N Shi —5K 47
Hulne Ter. Newc T —7C 58
Humber Ct. Sund —3B 130
Humber Gdns. Gate —5K 81
Humber Hill. S'ley —4G 123
Humberhill Dri. Lan —7J 135
Humberhill La. Lan —5C 134
Humber St. C'wl —6A 92
Humbert St. Jar —7B 64
Humbleburn La. Edm —1A 138
Humbledon Pk. Sund —5C 116
Humbledon Vw. Sund —4E 116
Hume St. Newc T —1J 81 (5M 5)
Hume St. Sund —2C 116
(in two parts)
Humford Grn. Bly —2D 20
Humford Way. Bed —2J 19
Humsford Gro. Cra —2A 24

Humshaugh Rd. N Shi —6C 46
Hunns Bldgs. Sco G —3G 15
Hunstanton Ct. Gate —4G 97
Huntcliffe Av. Sund —1G 103
Huntcliffe Gdns. Newc T —4A 62
Hunter Av. Bly —3J 21
Hunter Av. Ush M —2B 162
Hunter Clo. E Bol —1K 101
Hunter Ho. Newc T —2E 82
Hunter Pl. Pet —7B 158
Hunter Rd. S West —7J 169
Hunters Clo. N Shi —1D 64
Hunter's Ct. Newc T —7G 43
Hunters Ct. W'snd —3G 63
Hunters Hall Rd. Sund —3D 116
Hunters Lodge. W'snd —3G 63
Hunters Moor Clo. Newc T —6D 60 (1A 4)
Hunters Pl. Newc T —5D 60 (1A 4)
Hunter's Rd. Gos —7H 43
Hunters Rd. Newc T —1A 4
Hunter's Rd. Spi T —6C 60
*Hunter's Ter. Gate —6D 98*
*(off Peareth Hall Rd.)*
Hunter St. Hou S —4A 128
Hunter St. S Shi —4K 65
Hunter St. W'snd —4G 63
Hunter Ter. Sund —4G 117
Huntingdon Clo. Newc T —4J 41
Huntingdon Dri. Cra —3A 24
Huntingdon Gdns. Sund —5C 116
Huntingdon Pl. N Shi —5K 47
Huntingdon Rd. Pet —4A 170
Huntingdonshire Dri. Dur —1H 165
Hunt Lea. Whi —2E 94
Huntley Av. Mur —7D 144
Huntley Cres. Bla T —6A 78
Huntley Sq. Sund —3K 115
Huntley Ter. Sund —3H 131
Huntly Rd. Whit B —4C 36
Huntscliffe Ho. S Shi —3J 85
Hurbuck Cotts. Lan —5C 134
Hurst Ter. Newc T —7C 62
Hurstwood Rd. Sund —4C 116
Hurworth Av. S Shi —7C 66
Hurworth Pl. Jar —7B 64
Hustledown Gdns. S'ley —5F 123
Hustledown Ho. S'ley —3F 123
Hustledown Rd. S'ley —5E 122
Hutchinson Av. Con —6H 119
Hutton Clo. Ches S —1C 140
Hutton Clo. Cwthr —3D 112
Hutton Clo. Hou S —2C 142
**Hutton Henry. —7A 180**
Hutton Ho. N Shi —2E 64
Hutton St. Bol C —5F 85
Hutton St. Newc T —7C 42
Hutton St. Sund —3D 116
Hutton Ter. Gate —3H 97
Hutton Ter. Newc T —6H 61 (1J 5)
Huxley Clo. S Shi —4H 85
Huxley Cres. Gate —7F 81
Hyacinth Ct. Sund —1D 116
Hydenside. Con —2E 132
Hyde Pk. W'snd —2D 62
Hyde Pk. St. Gate —6F 81
Hyde St. S Shi —3K 65
Hyde St. Sund —4H 117
Hyde Ter. Newc T —7F 43
Hylton Av. S Shi —7D 66
Hylton Bank. Sund —2H 115
**Hylton Castle. —5G 101**
Hylton Castle. —5H 101
Hylton Castle Rd. Sund —6H 101
Hylton Clo. Bed —7F 15
Hylton Clo. Lang P —5H 149
Hylton Ct. Wash —3F 113
Hylton La. W Bol & Sund —1G 101
Hylton Pk. Sund —6K 101
Hylton Pk. Rd. Sund E —6K 101
**Hylton Red House. —5J 101**
Hylton Riverside Retail Pk. Sund —6K 101
Hylton Rd. Dur —5A 152
Hylton Rd. Jar —2B 84
Hylton Rd. Sund —4G 115
Hylton St. Gate —5K 81
Hylton St. Hou S —7D 128
Hylton St. N Shi —1G 65
Hylton St. Sund —2C 116
Hylton Ter. Gate —4F 83
Hylton Ter. N Shi —7G 47
Hylton Ter. Pelt —2G 125
Hylton Ter. Sund —3G 131
Hylton Wlk. Sund —3G 115
(in two parts)
Hymers Av. S Shi —2F 85
Hymers Ct. Gate —2H 81 (8J 5)
Hyperion Av. S Shi —1G 85
Hysehope Ter. Con —7J 119

Ilchester St. S'hm —4B 146
Ilderton Pl. Newc T —5E 58
Ilford Av. Cra —1J 23
Ilford Pl. Gate —6J 81
Ilford Rd. Newc T —2F 61
Ilford Rd. W'snd —2K 63
Ilfracombe Av. Newc T —1A 80
Ilfracombe Gdns. Gate —4H 97
Ilfracombe Gdns. Whit B —5F 37
Illingworth Ho. N Shi —2E 64
Ilminster Ct. Newc T —6J 41
Imeary Gro. S Shi —4K 65
Imeary St. S Shi —4K 65
Imperial Bldgs. Hou S —2E 142
Inchberry Clo. Newc T —2A 80
Inchcape Ter. Pet —1D 170
Inchcliffe Cres. Newc T —3J 59
Independence Sq. Wash —3G 113
Industrial Rd. Hert —7J 99
(in two parts)
Industrial St. Pelt —3E 124
Industry Rd. Newc T —3B 62
Ingham Grange. S Shi —4K 65
Ingham Gro. Cra —1J 23
Ingham Pl. Newc T —7H 61 (4K 5)
Ingham Ter. Wylam —7K 55
Ingleborough Clo. Wash —2E 112
Ingleborough Dri. Ryton —2H 77
Ingleby Ter. Sund —3C 116
Ingleby Way. Bly —6G 21
Inglemere Pl. Newc T —7G 59
Ingleside. S Shi —7D 66
Ingleside. Whi —1F 95
Ingleside Rd. N Shi —5F 47
Ingleton Ct. Sund —3D 116
Ingleton Dri. Newc T —3F 57
Ingleton Gdns. Bly —6G 21
Inglewood Clo. Bly —2D 20
Inglewood Pl. Newc T —3E 42
Ingoe Av. Newc T —5B 42
Ingoe Clo. Bly —2G 21
Ingoe St. Newc T —7C 58
Ingoe St. W'snd —3C 64
Ingoldsby Ct. Sund —4A 116
Ingram Av. Newc T —4B 42
Ingram Clo. Ches S —1J 139
Ingram Clo. W'snd —7K 45
Ingram Dri. Bly —2F 21
Ingram Dri. Newc T —1D 58
Ingram Ter. Newc T —7E 62
Ingram Way. Win —4G 179
Inkerman Rd. Wash —6H 99
Inkerman St. Sund —6C 102
Innesmoor. Heb —6H 63
Inskip Ho. S Shi —1J 85
Inskip Ter. Gate —6H 81
Institute Rd. Ash —3K 9
Institute Ter. Bear —1E 162
Institute Ter. E. Pelt —1H 125
Institute Ter. W. Pelt —1H 125
International Centre for Life, The. —2E 80 (8D 4)
Inverness Rd. Jar —3E 84
Inverness St. Sund —5F 103
Invincible Dri. Newc T —3C 80 (10A 4)
Iolanthe Cres. Newc T —6C 62
Iolanthe Ter. S Shi —3A 66
Iona Ct. W'snd —1K 63
Iona Pl. Newc T —7E 62
Iona Rd. Gate —7K 81
Iona Rd. Jar —3E 84
Irene Av. Sund —7H 117
Irene Ter. Lang P —5J 149
Iris Clo. Bla T —4A 78
Iris Cres. Ous —6H 111
Iris Pl. Newc T —6K 59
Iris Steadman Ho. Newc T —4A 4
Iris Ter. Hou S —6J 127
Iris Ter. Ryton —3D 76
Ironside St. Hou S —1E 142
Irthing Av. Newc T —2B 82
Irton St. Newc T —7E 42
Irwin Av. W'snd —2G 63
Isabella Clo. Newc T —3A 80
Isabella Colliery Rd. Bly —3G 21
**Isabella Pit. —3G 21**
Isabella Rd. Bly —3G 21
Isabella Wlk. Thro —4H 57
Isis Rd. Pet —7A 170
Islay Ho. Sund —3C 130
Ivanhoe. Whit B —6E 36
Ivanhoe Cres. Sund —4D 116
Ivanhoe Ter. Ches S —7B 126
Ivanhoe Ter. Dip —7J 107
Ivanhoe Vw. Gate —5K 97
Iveagh Clo. Newc T —2K 79
Ivesley Cotts. Wat —6A 160
Ivesley La. Esh W —4A 160
Iveson Rd. Hex —3A 68
Iveson St. Sac —7D 138
**Iveston. —1E 134**
Iveston La. Con —1D 134
Iveston Rd. Con —2K 133
(in two parts)
Iveston Ter. S'ley —2F 123
Ivor St. Sund —6J 117
Ivy Av. Newb S —2G 11
Ivy Av. Ryton —7G 57
Ivy Av. S'hm —4K 145
(in two parts)
Ivy Clo. Newc T —3D 80 (9B 4)
Ivy Clo. Ryton —7G 57
Ivy La. Gate —4J 97
Ivymount Rd. Newc T —4K 61
Ivy Pl. Tant —5C 108
Ivy Rd. For H —4C 44
Ivy Rd. Gos —7E 42
Ivy Rd. Walkv —5D 62
Ivy St. Sea B —3E 32
Ivy Ter. Crag —6H 123
Ivy Ter. Hou S —3B 128
Ivy Ter. Lang P —5J 149
*Ivy Ter. Ryton —3C 76*
*(off Old Main St.)*
Ivy Ter. S Moor —5D 122
Ivyway. Pelt —2G 125

Jack Lawson Ter. Whe H —3A 178
Jackson Av. Pon —4K 29
Jackson Rd. Wylam —7K 55
Jackson St. Gate —3H 81 (10J 5)
Jackson St. Newc T —7D 62
Jackson St. N Shi —6H 47
Jackson St. Sund —3C 116
Jackson St. W. N Shi —6H 47
Jackson Ter. Mor —7G 7
Jackson Ter. Pet —7J 157
Jack's Ter. S Shi —1J 85
Jacobins Chare. Newc T —1E 80 (5D 4)
Jacques St. Sund —1B 116
Jacques Ter. Ches S —5K 125
Jade Clo. Newc T —5C 58
James Armitage St. Sund —5D 102
James Av. Shir —7K 35
James Bowman Ho. Newc T —1C 44
James Clydesdale Ho. Newc T —6G 59
James Mather St. S Shi —2K 65
Jameson Dri. Cor —6F 51
Jameson St. Con —6H 119
James St. Ann P —5A 122
James St. Dip —2F 121
James St. Els —2B 80
James St. Pet —6B 158
James St. S'hm —4B 146
James St. S Row —7F 109
James St. Sund —5C 102
James St. W'hpe —3F 59
James St. Whi —7G 79
James St. N. Mur —7F 145
*James St. S. Mur —7F 145*
*(off N. Coronation St.)*
James Ter. Eas L —3H 155
James Ter. Fenc —2A 142
James Ter. Sund —2D 130
James Ter. W'snd —4F 63
James Williams St. Sund —1G 117
Jamieson Ter. S Het —5D 156
Jane Eyre Ter. Gate —5K 81
Jane St. Hett H —4G 143
Jane St. Newc T —7A 62
Jane St. S'ley —5D 122
Jane Ter. Newc T —1E 82
Janet Sq. Newc T —1A 82
Janet St. Newc T —2A 82
(in three parts)
Janus Clo. Newc T —1C 58
**Jarrow. —6B 64**
Jarrow Riverside Pk. Jar —5C 64
Jarrow Rd. S Shi —7F 65
Jarvis Rd. Pet —4B 170
Jasmin Av. Newc T —1C 58
Jasmine Clo. Newc T —4C 62
Jasmine Ct. Ash —6A 10
Jasmine Ct. Sund —1D 116
Jasmine Cres. S'hm —5A 146
Jasmine Ter. Bir —4B 112
*Jasmine Vs. Whi —7G 79*
*(off Front St.)*
Jasper Av. G'sde —5F 77
Jasper Av. S'hm —4K 145
(in two parts)
Jedburgh Clo. Gate —5H 81
Jedburgh Clo. Mur —1C 156
Jedburgh Clo. Newc T —1C 58
Jedburgh Clo. N Shi —4E 46
Jedburgh Ct. Team T —5G 97
Jedburgh Gdns. Newc T —7H 59
Jedburgh Rd. Hou S —3B 128
Jedburgh Rd. Newc T —1C 4
Jedmoor. Heb —6H 63
Jefferson Clo. Sund —3E 102
Jefferson Pl. Newc T —7D 60 (4B 4)
Jellicoe Rd. Newc T —3C 82
Jellico Ter. Leam —7H 141
Jenifer Gro. Newc T —2J 61
Jenison Av. Newc T —1J 79
Jennifer Av. Sund —6H 101
Jervis St. Heb —7K 63
**Jesmond. —5G 61**
Jesmond Dene Rd. Newc T —3F 61
Jesmond Dene Ter. Newc T —4J 61
Jesmond Gdns. Newc T —4H 61
Jesmond Gdns. S Shi —3J 85
Jesmond Pk. Ct. Newc T —4K 61
Jesmond Pk. E. Newc T —3K 61
Jesmond Pk. W. Newc T —3J 61
Jesmond Pl. Newc T —4G 61
Jesmond Rd. Newc T —6G 61 (1H 5)
Jesmond Rd. W. Newc T —6F 61 (2F 4)
Jesmond Ter. Whit B —7H 37
**Jesmond Vale. —5J 61**
Jesmond Va. Newc T
(in two parts) —6J 61 (1L 5)
Jesmond Va. La. Newc T —5K 61
(in two parts)
Jesmond Va. Rd. Newc T —1N 5
Jesmond Va. Ter. Newc T
(in two parts) —5K 61
Jessel St. Gate —3H 97
Joan Av. Sund —7H 117
Joannah St. Sund —4E 102
Joanna Wlk. Newc T —6F 59
Joan St. Newc T —2K 79
(in two parts)
Jobling Av. Bla T —4A 78
Jobling Cres. Mor —1H 13
Joel Ter. Gate —4F 83
Joe's Pond Nature Reserve. —4B 142
John Av. G'sde —5F 77
John Brown Ct. Bed —7H 15
John Candlish Rd. Sund —1C 116
John Clay St. S Shi —4K 65
John Dobson St. Newc T —7F 61 (3F 4)
John F. Kennedy Est. Wash
(in two parts) —3J 113
John Reid Rd. S Shi —2E 84
(in two parts)
Johnson Clo. Pet —4B 170
Johnson Est. Whe H —3B 178
Johnson's Bldgs. Ive —1C 134
Johnson's St. Win —7G 179
Johnson St. Dun —5B 80
Johnson St. Gate —5D 80
Johnson St. Newc T —7C 58
Johnson St. S Shi —6J 65
Johnson St. Sund —1D 116
Johnson Ter. Crox —6K 173
Johnson Ter. H Spen —3D 92
Johnson Ter. S'ley —6A 122
Johnson Ter. Wash —7K 99
Johnson Vs. Chop —1D 14
Johnston Av. Heb —3H 83
John St. Ash —3A 10
John St. Beam —2K 123
John St. B'hll —5F 119
John St. Bly —1F 21
John St. Bol C —6F 85
John St. Con —7H 119
John St. Cox —7C 42
John St. Crag —7J 123
John St. Cul —7J 37
John St. Dur —3K 163
John St. Ear —6A 36
John St. Fenc —2A 142
John St. Gate —5K 81
(NE8)
John St. Gate —5D 82
(NE10)
John St. Hett H —6G 143
John St. Hou S —2F 143
John St. New S —2C 130
John St. Peg —4B 8
John St. Pet —6C 158
John St. Pru —3G 75
John St. Ryh —3J 131
John St. Sac —7E 138
John St. S Gos —7G 43
John St. S Hyl —1G 115
John St. S Moor —5D 122
John St. Sund —1F 117
John St. W'snd —3F 63
John St. N. Mead —1F 173
John St. S. Mead —1F 173
John St. Sq. Con —6H 119
John Taylor Ct. Sund —4C 102
John Wesley Ct. Pru —4F 75
John Williamson St. S Shi —6H 65
John Wilson Ct. Pet —5E 170
Joicey Gdns. S'ley —2F 123
Joicey Pl. Gate —1J 97
Joicey Rd. Gate —1H 97
Joicey Sq. S'ley —2F 123
Joicey St. Gate —5E 82
Joicey Ter. Tan L —1D 122
Jolliffe St. Ches S —1B 140
Jonadab Rd. Gate —4E 82
Jonadab St. Gate —5E 82
Jones Ct. Bow —4H 175
Jones St. Bir —4A 112
Jonquil Clo. Newc T —1C 58
Joseph Clo. Newc T —2A 80
Joseph St. S'ley —4E 122
Joseph Ter. C'wl —6K 91
Jowett Sq. Sund —5C 102
Joyce Clo. Gate —6H 83
Joyce Ter. Sund —6H 101
Joyce Ter. Ush M —2K 161
Jubilee Av. Dal D —4H 145
Jubilee Av. Gate —6A 98
Jubilee Clo. Edm —3D 138
Jubilee Clo. New B —5B 162
Jubilee Cotts. Coal —7B 76
Jubilee Cotts. Hou S —2D 142
Jubilee Ct. Ann —2K 33
Jubilee Ct. Bly —3H 21
Jubilee Ct. Con —2C 132
Jubilee Ct. Heb —7A 64
Jubilee Cres. Newc T —7C 42
Jubilee Cres. S Hill —3D 166
(in two parts)
Jubilee Est. Ash —6B 10
Jubilee Ho. Eas L —2J 155
Jubilee Ind. Est. Ash —5B 10
Jubilee M. Newc T —7D 42
Jubilee Pl. Dur —6D 164
Jubilee Pl. Shot C —5E 168
Jubilee Rd. Bly —3J 21
Jubilee Rd. Gos —6C 42
Jubilee Rd. Newc T —1H 81 (5J 5)
Jubilee Sq. Eas L —3J 155
Jubilee Sq. S Het —4B 156
Jubilee Sq. Wash —3G 113
Jubilee St. W'snd —3F 63
Jubilee Ter. Bed —6B 16
Jubilee Ter. Newb S —3H 11
Jubilee Ter. Newc T —7B 62
(in two parts)
*Jubilee Ter. Ryton —3C 76*
*(off Greenside Rd.)*
Jubilee Ter. Sea B —3D 32
Jubilee Ter. S'ley —5B 122
Jubilee Ter. Swa —5G 79
Jubilee Ter. Tant —6A 108
Jubilee Ter. Wash —6A 114
Jude Pl. Pet —4A 170
Jude St. Pet —7A 158
Judson Rd. N West —5H 169
Julian Av. Newc T —6C 62
Julian Av. S Shi —1K 65
Julian Rd. Gate —6H 83
Julian St. S Shi —1K 65
Juliet Av. N Shi —6D 46
Juliet St. Ash —3C 10
Julius Caesar St. Sund —5C 102
June Av. Winl M —1C 94
Juniper Clo. Newc T —3F 43
Juniper Clo. Sund —4G 117
Juniper Ct. Bla T —3C 78
Juniper Wlk. Newc T —1D 58
Jupiter Ct. Eas —7A 158
Jutland Av. Heb —1J 83
Jutland Ter. Tan L —1D 122

Kalmia St. Team T —2E 96
Kane Gdns. Gate —1A 98
Karen Av. Sund —5D 116
Kateregina. Bir —4B 112
Katherine St. Ash —3C 10
Katrine Clo. Ches S —7K 125
Katrine Ct. Sund —4C 130
Kayll Rd. Sund —2B 116
**Kaysburn. —3A 150**
Kaysburn. Wit G —3A 150
Kay's Cotts. Gate —7K 81
Kay St. S'ley —2F 123
Kearsley Clo. Sea D —7H 25
Kearton Av. Newc T —2C 58
Keating Clo. B Col —2H 181

Keats Av. Bly —4G 21
Keats Av. Bol C —6H 85
Keats Av. Sund —5C 102
Keats Clo. S'ley —3G 123
Keats Gro. Ash —4D 10
Keats Rd. Newc T —7A 58
Keats Wlk. Gate —4J 81
Keats Wlk. S Shi —3G 85
Keeble Ct. Ash —4F 11
Keebledale Av. Newc T —6D 62
Keele Dri. Cra —4F 23
Keelman's Ho. Bly —1J 21
(off Summers St.)
Keelmans La. Sund —1J 115
Keelman Sq. Newc T —6J 5
Keelman's Rd. Sund —1H 115
Keelmans Ter. Bly —1J 21
Keel Row. Bly —1J 21
Keighley Av. Sund —3H 101
Keighley Sq. Sund —3G 101
Keir Hardie Av. Gate —6E 82
Keir Hardie Av. S'ley —4F 123
Keir Hardie Ct. Newb S —2J 11
Keir Hardie St. Hou S —2B 142
Keir Hardie Ter. Bir —2K 111
Keith Clo. Newc T —2A 80
Keith Sq. Sund —3H 101
Keldane Gdns. Newc T —1A 80
Kelham Sq. Sund —3G 101
Kell Cres. S Hill —3C 166
Kellfield Av. Gate —1J 97
Kellfield Rd. Gate —2J 97
**Kelloe. —7E 176**
Kell Rd. Pet —6D 170
Kells Bldgs. Dur —4H 163
Kells Gdns. Gate —2J 97
Kells La. Gate —3H 97
Kellsway. Gate —2D 98
Kell's Way. Row G —6J 93
Kellsway Ct. Gate —2D 98
Kelly Clo. B'hll —5F 119
Kelly Rd. Heb —3J 83
Kelso Clo. Newc T —1C 58
Kelso Dri. N Shi —4E 46
Kelso Gdns. Bed —7A 16
Kelso Gdns. Newc T —7H 59
Kelso Gdns. W'snd —1A 64
Kelso Gro. Hou S —3A 128
Kelson Way. Cha P —1C 58
Kelso Pl. Gate —5D 80
Kelston Way. Blak —3J 59
Kelvin Gdns. Con —7H 119
(off Palmerston St.)
Kelvin Gdns. Gate —5B 80
Kelvin Gro. Cle —5A 86
Kelvin Gro. Gate —6F 81
Kelvin Gro. Newc T —6H 61 (1K 5)
Kelvin Gro. N Shi —4G 47
Kelvin Gro. S Shi —4B 66
Kelvin Gro. Sund —5G 103
Kelvin Pl. Newc T —3E 44
Kemble Sq. Sund —3H 101
Kemp Rd. Pet —5A 170
Kempton Clo. Con —2F 119
Kempton Gdns. Gate —7E 80
Kenber Dri. B Col —2H 181
Kendal. Bir —6C 112
(in two parts)
Kendal Av. Bly —3H 21
Kendal Av. N Shi —2H 47
Kendal Clo. Pet —2J 179
Kendal Cres. Gate —3K 97
Kendal Dri. Cra —2A 24
Kendal Dri. E Bol —7J 85
Kendale Wlk. Newc T —2E 58
Kendal Gdns. W'snd —7A 46
Kendal Pl. Newc T —1K 81 (4P 5)
Kendal St. Newc T —1K 81 (5P 5)
Kendor Gro. Loan —2F 13
Kenilworth. Gt Lum —2E 140
Kenilworth. Newc T —7B 34
Kenilworth Ct. Newc T —2C 80
Kenilworth Ct. Wash —7K 99
Kenilworth Rd. Ash —3A 10
Kenilworth Rd. Newc T —2C 80
Kenilworth Rd. Whit B —6F 37
Kenilworth Sq. Sund —3J 101
Kenilworth Vw. Gate —5K 97
Kenley Rd. Newc T —5G 59
Kenley Rd. Sund —3H 101
Kenmoor Way. Newc T —2C 58
Kenmore Cres. G'sde —4F 77
Kennersdene. N Shi —3J 47
Kennet Av. Jar —3C 84
Kennet Sq. Sund —3H 101
Kennford. Gate —5J 97
Kennington Gro. Newc T —1C 82
Kenny Pl. Dur —1D 164
Kensington Av. Newc T —5E 42
Kensington Clo. Whit B —6F 37
Kensington Ct. Fel —6A 82
Kensington Ct. Heb —1H 83
Kensington Ct. S Shi —5A 66
Kensington Gdns. N Shi —6H 47
Kensington Gdns. W'snd —2C 62
Kensington Gdns. Whit B —6F 37
Kensington Gro. N Shi —5H 47
Kensington Ter. Gate —6B 80
Kensington Ter. Newc T —6F 61 (1F 4)
Kensington Vs. Newc T —2E 58
Kent Av. Gate —6C 80
Kent Av. Heb —1H 83
Kent Av. W'snd —3K 63
Kentchester Rd. Sund —3J 101
Kent Clo. Ash —3J 9
Kent Ct. Newc T —4K 41
Kent Gdns. Hett H —6F 143
Kentmere. Bir —7B 112
Kentmere Av. Newc T —7D 62
Kentmere Av. Sund —2E 102
Kentmere Clo. Seg —1E 34
Kentmere Ho. Hou S —7C 128
Kentmere Pl. Pet —6C 170
**Kenton. —1A 60**
Kenton Av. Newc T —2C 60
**Kenton Bankfoot. —5J 41**
**Kenton Bar. —1K 59**
Kenton Ct. S Shi —4K 65
Kenton Cres. Newc T —1B 60
Kenton Cres. Thor —2J 177
Kenton Gro. Sund —6F 103
Kenton La. Newc T —1K 59
Kenton Pk. Shop. Cen. Newc T —2C 60
Kenton Rd. Newc T —7C 42
Kenton Rd. N Shi —5C 46
Kent Pl. S Shi —7C 66
Kent Rd. Con —2D 132
Kent St. Jar —7A 64
Kent Ter. Has —3A 168
Kentucky Rd. Sund —3G 101
Kent Vs. Jar —7A 64
Kent Wlk. Pet —4A 170
Kenwood Gdns. Gate —5J 97
(in two parts)
Kenya Rd. Sund —3J 101
Kepier Chare. Ryton —2D 76
Kepier Ct. Dur —2B 164
Kepier Cres. Dur —1E 164
(in two parts)
Kepier Gdns. Sund —2G 115
Kepier Heights. Dur —2B 164
Kepier La. Dur —1C 164
Kepier Ter. Dur —2B 164
Kepier Vs. Dur —2B 164
Keppel St. Gate —5B 80
Keppel St. S Shi —2J 65
Kepwell Bank Top. Pru —3E 74
Kepwell Ct. Pru —3F 75
Kepwell Rd. Pru —4E 74
Kerry Clo. Bly —1J 21
Kerryhill Dri. Pity Me —3A 152
Kerry Sq. Sund —3H 101
Kestel Clo. Ryton —2E 76
Kesteven Sq. Sund —3H 101
Kestrel Clo. Wash —6E 112
Kestrel Ct. Bir —4A 112
Kestrel Dri. Ash —6K 9
Kestrel Lodge Flats. S Shi —2K 65
Kestrel M. Whi —7G 79
Kestrel Pl. Newc T —5J 43
Kestrel Sq. Sund —3H 101
Kestrel St. Team T —2E 96
Kestrel Way. N Shi —2G 65
Kestrel Way. S Shi —2H 85
Kestrel Way. Newc T —7C 10
Keswick Av. Sund —3E 102
Keswick Dri. N Shi —2H 47
Keswick Gdns. W'snd —2A 64
Keswick Gro. Newc T —5G 59
Keswick Rd. Pet —5C 170
Keswick Rd. S'ley —5D 122
Keswick St. Gate —5G 81
Keswick Ter. S Het —3A 156
Kettering Pl. Cra —2A 24
Kettering Sq. Sund —3H 101
Kettlewell Ter. N Shi —6H 47
Ketton Clo. Newc T —6K 43
Kew Gdns. Whit B —5F 37
Kew Sq. Sund —3G 101
Keyes Gdns. Newc T —2G 61
**Kibblesworth. —2E 110**
Kibblesworth Bank. Gate —3C 110
Kidd Av. Sher —3K 165
Kidderminster Dri. Newc T —2C 58
Kidderminster Rd. Sund —4H 101
Kidderminster Sq. Sund —4H 101
Kidd Sq. Sund —3H 101
Kidland Clo. Ash —3D 10
Kidlandlee Grn. Newc T —1G 59
Kidlandlee Pl. Newc T —1G 59
Kidsgrove Sq. Sund —4H 101
Kielder. Wash —4D 112
Kielder Av. Cra —4F 23
Kielder Clo. Bly —4F 21
Kielder Clo. Kil —7A 34
Kielder Clo. Newc T —2G 59
Kielder Dri. Ash —4A 10
Kielder Gdns. Chop —6J 9
Kielder Gdns. Jar —3B 84
Kielder Ho. Sund —3C 130
Kielder Pl. S Well —6B 36
Kielder Rd. Newc T —6C 58
Kielder Rd. S Well —6B 36
Kielder Ter. N Shi —6H 47
Kielder Way. Newc T —6D 42
Kier Hardie St. Row G —5F 93
Kier Hardie Way. Sund —6D 102
Kilburn Clo. Ryh —3J 131
Kilburn Dri. Pet —3D 170
Kilburne Clo. Newc T —2C 62
Kilburn Gdns. Per M —2D 64
Kilburn Grn. Gate —6K 97
(in two parts)
Kilchurn. Con —6F 119
Kildale. Hou S —1J 127
Kildare Sq. Sund —3H 101
Killarney Av. Sund —3H 101
Killarney Sq. Sund —3H 101
Killiebrigs. Hed W —3B 56
Killin Clo. Newc T —1C 58
**Killingworth. —1B 44**
Killingworth Av. Back —7E 34
Killingworth Dri. Newc T —2K 43
Killingworth Dri. Sund —4K 115
Killingworth Ind. Area. Newc T —1K 43
Killingworth La. Newc T —2D 44
Killingworth Pl. Newc T —7F 61 (4E 4)
Killingworth Rd. Kil —3C 44
Killingworth Rd. S Gos —7H 43
Killingworth Shop. Cen. Newc T —1B 44
**Killingworth Village. —2C 44**
Killingworth Way. Newc T —7J 33
Killowen St. Gate —3G 97
Kilnhill Wlk. Pet —6C 170
Kiln Ri. Whi —3G 95
Kilnshaw Pl. Newc T —3F 43
Kilsyth Av. N Shi —2E 46
Kilsyth Sq. Sund —4H 101
Kimberley. Wash —3A 114
Kimberley Av. N Shi —6E 46
Kimberley Gdns. Newc T —5J 61
Kimberley Gdns. S'ley —6J 123
Kimberley Gdns. Stoc —7J 73
Kimberley St. Bly —1H 21
Kimberley St. Sund —2B 116
Kimberley Ter. Bly —1J 21
**Kimblesworth. —7H 139**
Kinfauns Ter. Gate —2J 97
Kingarth Av. Sund —2G 103
King Charles Tower. Newc T —7H 61 (3J 5)
Kingdom Pl. N Shi —2G 65
King Edward VIII Ter. S'ley —1G 123
King Edward Pl. Gate —5K 81
King Edward Rd. Newc T —4K 61
King Edward Rd. N Shi —5J 47
King Edward Rd. Ryton —2J 77
King Edward Rd. S'hm —4B 146
King Edward Rd. Sund —2H 115
King Edward St. Gate —5K 81
King Edward St. Tan L —7C 108
Kingfisher Clo. Ash —7C 10
Kingfisher Ind. Est. S'hm —2J 145
Kingfisher Lodge. Jar —7A 64
Kingfisher Rd. Newc T —5J 43
Kingfisher Way. Bly —5K 21
Kingfisher Way. W'snd —6A 46
King George Av. Gate —7B 80
King George Rd. Newc T —6A 42
King George Rd. S Shi —6A 66
King George VI Building. Newc T —3E 4
King Georges Rd. Newb S —2G 11
Kingham Ct. Newc T —1H 61
King Henry Ct. Sund —3G 101
Kinghorn Sq. Sund —3H 101
King James Ct. Sund —3G 101
King James St. Gate —5H 81
King John's Ct. Pon —7E 28
King John St. Newc T —5K 61 (1P 5)
King John Ter. Newc T —5K 61 (1P 5)
Kings Av. Heb —1K 83
King's Av. Mor —5F 7
King's Av. Sund —2G 103
Kingsbridge. Newc T —5H 43
Kingsbury Clo. Sund —3H 101
Kingsclere Av. Sund —3H 101
Kingsclere Sq. Sund —4H 101
Kings Clo. Gate —5K 81
Kings Ct. Jar —6A 64
King's Ct. N Shi —6H 47
Kings Ct. Team T —4F 97
Kingsdale Av. Bly —2E 20
Kingsdale Av. Wash —7F 99
Kingsdale Rd. Newc T —5H 43
Kings Dri. G'sde —5F 77
King's Dri. Whit B —6G 37
King's Gdns. Bly —1G 21
Kingsgate. Hex —1C 68
Kingsgate Ter. Hex —1C 68
Kings Gro. Dur —5J 163
Kingsland. Newc T —5G 61
Kingsland Sq. Sund —4H 101
King's La. Pelt —2F 125
(in two parts)
Kingsley Av. Newc T —3E 42
Kingsley Av. S Shi —3G 85
Kingsley Av. Whit B —7F 37
Kingsley Clo. S'ley —2H 123
Kingsley Clo. Sund —6C 102
Kingsley Pl. Gate —5B 80
Kingsley Pl. Newc T —6K 61 (1N 5)
Kingsley Pl. W'snd —2K 63
Kingsley Pl. Whi —6H 79
Kingsley Ter. Newc T —1C 80
Kingsley Ter. Ryton —2C 76
Kingsley Vs. Ryton —2C 76
King's Mnr. Newc T —1G 81 (5H 5)
Kings Mdw. Jar —5C 84
Kings Meadows. Newc T —3C 80
Kingsmere. Ches S —2A 126
Kingsmere Gdns. Newc T —2E 82
Kings Pk. Sco G —3G 15
King's Pl. Sund —1C 116
King's Rd. Bed —6B 16
King's Rd. Con —4F 119
King's Rd. Newc T —7F 61 (3E 4)
(NE1)
Kings Rd. Newc T —3A 44
(NE12)
Kings Rd. W'snd —1F 63
King's Rd. Whit B —5F 37
King's Rd. Win —4F 179
King's Rd., The. Sund —5C 102
Kings Ter. Gate —6D 98
King's Ter. Sund —1B 116
Kingston Av. Bear —1C 162
Kingston Av. Newc T —1B 82
Kingston Av. S'hm —4K 145
Kingston Clo. Whit B —3F 37
Kingston Ct. Whit B —3F 37
(off Kingston Dri.)
Kingston Cres. Has —1A 168
Kingston Dri. Whit B —3F 37
Kingston Grn. Newc T —1B 82
**Kingston Park. —6J 41**
Kingston Park. —5J 41
Kingston Pk. Av. Newc T —6J 41
Kingston Pk. Rd. Newc T —4K 41
Kingston Pk. Shop. Cen. Newc T —6J 41
Kingston Pl. Gate —6J 81
Kingston Rd. Gate —6J 81
Kingston Ter. Sund —5F 103
Kingston Way. Whit B —3F 37
King St. Bir —4K 111
King St. Bly —1J 21
King St. Gate —6E 80
King St. Newb S —2J 11
King St. Newc T —2G 81 (7H 5)
King St. N Shi —6H 47
King St. Pel —5E 82
King St. Sher —3K 165
King St. Shot C —6F 169
King St. S Shi —2J 65
King St. S'ley —4K 121
King St. Sund —1F 117
(SR1)
King St. Sund —3F 103
(SR6)
King's Wlk. Newc T —6F 61 (2F 4)
(NE1)
Kings Wlk. Newc T —1B 58
(NE5)
Kingsway. Bly —3J 21
Kingsway. Hou S —2F 143
Kingsway. Lang P —5J 149
Kingsway. Newc T —5A 60
Kingsway. N Shi —4J 47
Kingsway. Pon —5J 29
Kingsway. S Shi —3B 66
Kingsway. Sun —4G 95
Kingsway Av. Newc T —5E 42
Kingsway N. Team T —1E 96
Kingsway Rd. Sund —3G 101
Kingsway S. Team T —3F 97
Kingsway Sq. Sund —3H 101
Kingsway Vs. Pelt —2F 125
Kingswell. Mor —1G 13
Kingswood Av. Newc T —2F 61
Kingswood Clo. Bol C —5E 84
Kingswood Dri. Pon —7G 29
Kingswood Gro. Sund —6F 115
Kingswood Rd. Cra —2A 24
Kingswood Sq. Sund —4H 101
King Ter. S'ley —4D 122
Kinlet. Wash —3A 114
Kinley Rd. Dur —6H 153
Kinloch Ct. Ches S —1K 139
Kinloss Sq. Cra —2A 24
Kinnaird Av. Newc T —7G 59
Kinnock Clo. Sher —3A 166
Kinross Clo. Bir —6B 112
Kinross Ct. Gate —4F 83
Kinross Dri. Newc T —7A 42
Kinross Dri. S'ley —3H 123
Kinsale Sq. Sund —4H 101
Kinver Dri. Newc T —2C 58
**Kip Hill. —1F 123**
Kip Hill Ct. S'ley —1G 123
Kipling Av. B Col —7G 171
Kipling Av. Bol C —6H 85
Kipling Av. Heb —7K 63
Kipling Av. Swa —6H 79
Kipling Clo. S'ley —3G 123
Kipling Ct. Swa —6H 79
Kiplings Ter. Dur —5H 163
Kipling St. Sund —6C 102
Kipling Wlk. Gate —4J 81
Kira Dri. Dur —3A 152
Kirby Av. Dur —6J 151
Kirby Clo. S Shi —2F 85
Kirkbride Pl. Cra —2A 24
(in two parts)
Kirkdale Ct. Burr —6A 34
Kirkdale Ct. S Shi —2G 85
Kirkdale Grn. Newc T —2D 80 (7A 4)
Kirkdale Sq. Sund —4H 101
Kirkdale St. Hett H —1F 155
Kirkfield Gdns. S'ley —4J 121
Kirkham. Wash —4H 113
Kirkham Av. Newc T —5J 41
Kirkham Rd. Dur —5B 152
Kirkharle Dri. Peg —3A 8
Kirkheaton Pl. Newc T —5J 59
Kirkland Hill. Pet —5C 170
Kirklands. Burr —6A 34
Kirkland Wlk. Shir —1J 45
Kirklea Rd. Hou S —2F 143
Kirkleatham Gdns. Newc T —3B 62
Kirkley Av. S Shi —7C 66
Kirkley Clo. Newc T —6D 42
Kirkley Clo. Flats. Newc T —6D 42
Kirkley Dri. Ash —5C 10
Kirkley Dri. Pon —4J 29
Kirkley Rd. Shir —2K 45
Kirklinton Rd. N Shi —2G 47
Kirknewton Clo. Hou S —2F 143
Kirkside. N Her —3E 128
Kirkston Av. Newc T —6D 58
Kirkstone. Bir —6B 112
Kirkstone Av. Jar —3D 84
Kirkstone Av. N Shi —2G 47
Kirkstone Av. Pet —6C 170
Kirkstone Av. Sund —4E 102
Kirkstone Clo. Hou S —2F 143
Kirkstone Dri. Dur —6G 153
Kirkstone Gdns. Newc T —2J 61
Kirkstone Rd. Gate —5D 82
Kirk St. Con —6G 119
Kirk St. Newc T —1B 82
Kirk Vw. Nbtle —6D 128
Kirkwall Clo. Sund —6G 101
Kirkwood. Burr —6A 34
Kirkwood. Sac —7D 138
Kirkwood Av. Sund —6G 115
Kirkwood Dri. Newc T —7A 42
Kirkwood Gdns. Gate —6F 83
Kirkwood Pl. Newc T —3D 42
Kirton Av. Newc T —7A 60
Kirton Way. Cra —2A 24
Kismet St. Sund —5C 102
Kitchener Rd. Whit —2G 87
Kitchener St. Gate —6J 81
Kitchener St. Sund —4B 116
Kitchener Ter. Hou S —3D 128
Kitchener Ter. Jar —1B 84
Kitchener Ter. N Shi —5J 47
Kitchener Ter. Sund —7H 117
Kitching Rd. N West —3H 169
Kitswell Rd. Lan —5G 135
Kittiwake Clo. Bly —6J 21
Kittiwake Clo. W'snd —5A 46
Kittiwake Dri. Wash —5D 112
Kittiwake Ho. Whit B —6H 37
Kittiwake St. Team T —2E 96
Kitty Brewster Ind. Est. Bly —7D 16

Kitty Brewster Rd. Bly —1D 20
Kiwi St. Team T —2E 96
Knaresborough Clo. Bed —7F 15
Knaresborough Rd. Mur —7E 144
Knaresborough Sq. Sund —3J 101
Knaresdale. Bir —7B 112
Knarsdale Av. N Shi —6D 46
Knarsdale Pl. Newc T —4E 58
Kneller Clo. S'ley —3F 123
Knightsbridge. Newc T —6E 42
Knightsbridge. Sund —1A 130
Knightside Gdns. Gate —1B 96
Knightside Wlk. Newc T —2C 58
**Knitsley. —4J 133**
Knitsley Gdns. Con —1H 133
Knitsley La. Con —7H 119
(nr. Front St.)
Knitsley La. Con —6F 133
(nr. Longedge La.)
Knivestone Ct. Newc T —7C 34
Knoll Ri. Gate —7B 80
Knollside Clo. Sund —4B 130
Knoll, The. Sund —3D 116
Knott Flats. N Shi —5K 47
Knott Pl. Newc T —1H 79
Knoulberry. Wash —2E 112
(in four parts)
Knoulberry Rd. Wash —2D 112
(in two parts)
Knowledge Hill. Bla T —5B 78
Knowle Pl. Newc T —7K 43
Knowles, The. Whi —7J 79
Knowsley Ct. Newc T —7H 41
Knox Clo. Bed —6B 16
Knox Rd. Bed —1K 19
Knox Sq. Sund —5C 102
Knutsford Wlk. Cra —2A 24
Kristin Av. Jar —2C 84
Kyffin Vw. S Shi —1D 86
Kyle Clo. Newc T —2D 80 (8B 4)
Kyle Rd. Gate —6E 80
Kylins, The. Mor —2F 13
Kyloe Av. Sea D —1H 35
Kyloe Clo. Newc T —5A 42
Kyloe Pl. Newc T —2G 59
(in two parts)
Kyloe Vs. Newc T —2G 59
Kyo Bog La. Pru & Wylam —6J 75
Kyo Clo. Wylam —5K 75
Kyo Heugh Rd. S'ley —3A 122
Kyo La. Coal —7B 76
Kyo La. S'ley —3B 122
Kyo Rd. W Kyo —4K 121

Laburnum Av. Bly —1H 21
Laburnum Av. Con —5G 119
Laburnum Av. Dur —3K 163
Laburnum Av. Gate —7E 82
Laburnum Av. Newc T —5D 62
Laburnum Av. W'snd —3F 63
Laburnum Av. Wash —7E 112
Laburnum Av. Whit B —6G 37
Laburnum Clo. Sund —2G 115
Laburnum Ct. Guid —1G 15
Laburnum Ct. Newc T —7A 34
Laburnum Ct. Sac —7D 138
Laburnum Ct. Ush M —2D 162
Laburnum Cres. Gate —2E 110
Laburnum Cres. Pet —7A 158
Laburnum Cres. S'hm —6A 146
Laburnum Gdns. Fel —5B 82
Laburnum Gdns. Jar —2A 84
Laburnum Gdns. Low F —1H 97
Laburnum Gro. C'twn —7G 101
Laburnum Gro. Cle —5C 86
Laburnum Gro. Heb —3J 83
Laburnum Gro. S Shi —1B 86
Laburnum Gro. Sun —4H 95
Laburnum Gro. Whi —7G 79
Laburnum Ho. W'snd —4G 63
Laburnum Pk. B'don —2B 172
Laburnum Rd. Bla T —4C 78
Laburnum Rd. Sund —4F 103
Laburnum Sq. Trim S —7D 178
Laburnum St. Sund —2G 115
Laburnum Ter. Ash —3B 10
Laburnum Ter. Shot C —6E 168
Laburnum Ter. S'ley —4J 121
Lacebark. Sund —5A 130
Ladock Clo. Sund —1J 131
Lady Anne Rd. Sher —2K 165
Ladybank. Newc T —2B 58
Lady Beatrice Ter. Hou S —2E 128
Ladycutters La. Cor —3C 70
Lady Durham Clo. Sher —3J 165
Ladyhaugh Dri. Whi —3G 95
Ladykirk Rd. Newc T —1A 80
Ladykirk Way. Cra —4G 23
**Lady Park. —5E 96**
Ladyrigg. Pon —7H 29
Ladysmith Ct. S'ley —4G 123
(in two parts)
Ladysmith St. S Shi —3K 65
Ladysmith Ter. Ush M —2B 162
Lady's Piece La. L Pit —5A 154
Lady St. Hett H —5G 143
Lady's Wlk. Mor —6E 6
(in two parts)
Lady's Wlk. S Shi —1J 65
Ladywell. Stoc —7K 73
Ladywell Rd. Bla T —4C 78
Ladywell Rd. Con —2A 134
Ladywell Way. Pon —4H 29
Ladywood Pk. Hou S —1K 127
Laet St. N Shi —7H 47
Laider Clo. B Col —2H 181
Laindon Av. Sund —3F 103
Laing Art Gallery. —7G 61 (4G 4)
Laing Gro. W'snd —2A 64
Laing Sq. Win —4F 179
Laing St. Con —5H 119
Laith Rd. Newc T —7A 42
Lake App. Bla T —5E 78
Lake Av. S Shi —7E 66
Lake Bank Ter. Sta T —7G 179
Lake Ct. Sund —3C 130
Lakeland Dri. Pet —5C 170
Lakemore. Pet —7A 170
Lake Rd. Hou S —2E 142
Lakeside. Bla T —5F 79
Lakeside. S Shi —7F 67
Lake Vw. Heb —2H 83
Lake Vw. Sta T —7G 179
Laleham Ct. Newc T —5K 41
Lamara Dri. Sund —4E 102
Lambden Clo. N Shi —2E 64
Lambert Rd. Wash —1D 112
Lambert Sq. Newc T —7C 42
Lambeth Pl. Gate —6J 81
Lamb Farm Clo. For H —3C 44
Lambley Av. N Shi —2H 47
Lambley Clo. Sun —5G 95
Lambley Cres. Heb —3H 83
Lambourn Av. N Shi —1D 64
Lambourne Av. Newc T —5A 44
Lambourne Clo. Hou S —6J 127
Lambourne Rd. Sund —5E 116
*Lambs Arms Bldgs. Craw —3D 76*
*(off Greenside Rd.)*
Lamb's Clo. Hut H —7C 180
Lamb's Pl. Bow —5H 175
Lamb St. Cra —5C 24
Lamb St. Newc T —1E 82
Lamb Ter. W All —3H 45
**Lambton. —5F 113**
Lambton Av. Con —2K 133
Lambton Av. Whi —6J 79
Lambton Cen. Wash —5F 113
Lambton Clo. Ryton —3D 76
Lambton Ct. H Ric —1C 126
Lambton Ct. Pet —2A 180
Lambton Ct. Sund —2J 129
Lambton Dri. Hett H —1G 155
Lambton Gdns. Burn —3J 107
(in two parts)
Lambton La. Hou S —7K 127
Lambton Lea. Hou S —5A 128
Lambton Pl. O Pen —1B 128
Lambton Rd. Heb —6K 63
Lambton Rd. Newc T —5G 61 (1G 4)
Lambton St. Ches S —7B 126
Lambton St. Dur —2K 163
Lambton St. Gate —3G 81 (9H 5)
Lambton St. Lang P —4H 149
Lambton St. Sund —1F 117
Lambton Ter. Hou S —1K 127
Lambton Ter. Jar —2B 84
Lambton Ter. S'ley —6K 123
*Lambton Tower. Sund —1G 117*
*(off High St. E.)*
*Lambton Wlk. Dur —3A 164*
*(off Silver St.)*
**Lamesley. —7G 97**
Lamesley Rd. Lam —6G 97
Lampeter Clo. Newc T —2H 59
Lamport St. Heb —6G 63
Lampton Ct. Bed —6A 16
Lanark Clo. N Shi —4C 46
Lanark Dri. Jar —3E 84
Lancashire Dri. Dur —1H 165
Lancaster Ct. Newc T —5K 41
Lancaster Dri. W'snd —5H 45
Lancaster Hill. Pet —4K 169
(in two parts)
Lancaster Ho. Cra —5B 24
Lancaster Ho. Newc T —3C 80 (10A 4)
Lancaster Pl. Gate —5A 80
Lancaster Rd. Con —3C 132
Lancaster Rd. Gate —5A 80
Lancaster St. Newc T —1D 80 (6B 4)
Lancaster Ter. Ches S —7B 126
*Lancaster Ter. Mor —6G 7*
*(off Bennett' Wlk.)*
Lancaster Way. Jar —5A 84
(in two parts)
Lancastrian Rd. Cra —5H 23
Lancefield Av. Newc T —2D 82
Lancet Ct. Gate —4H 81 (10K 5)
**Lanchester. —6J 135**
Lanchester. Wash —6J 113
Lanchester Av. Gate —4B 98
Lanchester Clo. Gate —1G 99
Lanchester Grn. Bed —6H 15
Lanchester Rd. Dur —4F 151
Lanchester Rd. Lan —3A 136
Lancing Ct. Newc T —5J 41
*Land of Grn. Ginger. N Shi*
*(off Front St.) —5K 47*
Landsale Cotts. G'sde —5E 76
Landscape Ter. G'sde —5F 77
Landsdowne Cres. Bow —5J 175
Landseer Clo. S'ley —3F 123
Landseer Gdns. Gate —6K 81
Landseer Gdns. S Shi —4K 85
Landswood Ter. Winl M —7D 78
Lane Corner. S Shi —1J 85
Lane Head. Ryton —1G 77
Lanercost. Wash —3H 113
Lanercost Av. Bla T —4B 78
Lanercost Dri. Newc T —5H 59
Lanercost Gdns. Gate —1A 98
Lanercost Gdns. Newc T —3H 57
Lanercost Pk. Cra —5B 24
Lanercost Rd. N Shi —7E 46
Langdale. Bir —7C 112
Langdale. Wash —1G 113
Langdale. Whit B —6E 36
Langdale Clo. Con —5B 120
Langdale Clo. Newc T —6J 43
Langdale Cres. Bla T —6B 78
Langdale Cres. Dur —6G 153
Langdale Dri. Cra —3G 23
Langdale Gdns. Newc T —7E 62
Langdale Gdns. W'snd —7A 46
Langdale Pl. Newc T —7J 43
Langdale Pl. Pet —6C 170
Langdale Rd. Gate —2J 97
Langdale Rd. Pen —1A 128
Langdale St. Hett H —1F 155
Langdale Ter. Low W —3J 105
Langdale Way. E Bol —6J 85
Langdale Way. Lang P —5K 149
Langdon Clo. N Shi —3F 47
Langdon Gdns. S'ley —4J 121
Langdon Rd. Newc T —3D 58
Langford Dri. Bol C —4F 85
Langham Rd. Newc T —1F 79
Langholm Av. N Shi —4C 46
*Langholm Ct. E Bol —7A 86*
*(off Station Rd.)*
Langholm Rd. E Bol —6K 85
Langholm Rd. Newc T —5E 42
Langhorn Clo. Newc T —6K 61 (2P 5)
Langhurst. Sund —1G 131
Langleeford Rd. Newc T —1G 59
Langley Av. Bly —1F 21
Langley Av. B'hpe —5D 136
Langley Av. Gate —1F 99
Langley Av. Hex —2F 69
Langley Av. Shir —2A 46
Langley Av. Whit B —1D 46
Langley Clo. B'hpe —3A 136
Langley Clo. Wash —4F 113
Langley Cres. Lang M —7F 163
Langley La. B'hpe —6C 136
Langley Mere. For H —4B 44
**Langley Moor. —6G 163**
Langley Moor Ind. Est. Lang M
(in two parts) —7G 163
**Langley Park. —4J 149**
Langley Pk. N. Ind. Est. Lang P —3J 149
Langley Rd. Ash —4A 10
Langley Rd. Dur —5A 152
Langley Rd. E Den —5F 59
Langley Rd. N Shi —6C 46
Langley Rd. Sund —6D 116
Langley Rd. Walk —7D 62
Langley St. Hou S —3D 128
Langley St. Lang P —4J 149
Langley Tarn. N Shi —1G 65
Langley Ter. B'hpe —5D 136
Langley Ter. Jar —3B 84
Langley Ter. S'ley —5A 122
Langley Vw. S'ley —6C 122
Langport Rd. Sund —5F 117
Langthorne Av. Pet —6F 171
Langton Clo. Sund —2D 116
Langton Ct. Pon —7F 29
Langton Lea. H Shin —7F 165
Langton St. Gate —4H 81
(in two parts)
Langton Ter. Hou S —7J 127
Langton Ter. Newc T —3K 61
Langwell Cres. Ash —3A 10
Langwell Ter. Peg —3B 8
Lanivet Clo. Sund —1H 131
*Lannerwood. N Shi —1G 65*
*(off Coach La.)*
Lansbury Clo. Bir —2K 111
Lansbury Ct. Heb —6K 63
Lansbury Dri. Bir —2K 111
Lansbury Dri. Mur —7E 144
Lansbury Gdns. Gate —6E 82
Lansbury Rd. Whi —1J 95
Lansbury Way. Sund —6H 101
Lansdowne. Sund —2G 131
Lansdowne Ct. Hex —3B 68
Lansdowne Cres. Newc T —7E 42
Lansdowne Gdns. Chop —7J 9
Lansdowne Gdns. Newc T —5J 61
Lansdowne Pl. Newc T —7E 42
Lansdowne Rd. Newc T —4B 44
Lansdowne St. Sund —1D 116
Lansdowne Ter. Newc T —7E 42
Lansdowne Ter. N Shi —6F 47
Lansdowne Ter. E. Newc T —7E 42
Lansdowne Ter. W. N Shi —6E 46
Lanthwaite Rd. Gate —2J 97
Lanton St. Hou S —3D 128
Lapwing Clo. Bly —5J 21
Lapwing Clo. Wash —5D 112
Lapwing Ct. Burn —3C 108
L'Arbre Cres. Whi —7F 79
Larch Av. Hou S —1C 142
Larch Av. S Shi —1C 86
Larch Av. Sund —5J 87
Larch Clo. Gate —5B 98
Larches Rd. Dur —1J 163
Larches, The. Burn —1B 108
Larches, The. Esh W —4D 160
Larches, The. Newc T —3C 80 (9A 4)
Larchlea. Pon —2G 39
Larchlea S. Pon —2G 39
Larch Rd. Bla T —3D 78
Larch St. Con —6H 119
Larch St. Sun —5H 95
Larch Ter. Lang P —5J 149
Larch Ter. S'ley —6H 123
Larch Ter. Tant —7A 108
Larchwood. Wash —7F 113
Larchwood Av. Faw —5B 42
(in two parts)
Larchwood Av. N Gos —6E 32
Larchwood Av. Walk —5C 62
Larchwood Dri. Ash —6A 10
Larchwood Gdns. Gate —2D 96
Larchwood Gro. Sund —6E 116
Larkfield Cres. Hou S —4A 128
Larkfield Rd. Sund —5E 116
Larkhill. Sund —2H 131
Larkrise Clo. Newc T —2B 62
Larkspur. Gate —2A 98
Larkspur Clo. Tan L —1D 122
Larkspur Rd. Whi —1G 95
Larkspur Ter. Newc T —4G 61
Larkswood. S Shi —6D 66
Larne Cres. Gate —2J 97
Larriston Pl. Cra —4H 23
Lartington Ct. Gt Lum —4F 141
Lartington Gdns. Newc T —7H 43
Larwood Ct. Ches S —1C 140
Larwood Ct. G'cft —6J 121
Lascelles Av. S Shi —1A 86
Laski Gdns. Gate —6F 83
Latimer St. N Shi —4K 47
Latrigg Ct. Sund —3B 130
Laude Bank. Que —7C 148
Lauderdale Av. W'snd —1G 63
Launceston Clo. Newc T —4K 41
Launceston Ct. Sund —2J 129
Launceston Dri. Sund —2J 129
Laura St. S'hm —4B 146
Laura St. Sund —2F 117
Laurel Av. Dur —3E 164
Laurel Av. Faw —6C 42
Laurel Av. Newc T —3E 44
Laurel Av. S'hm —3K 145
Laurel Ct. Ches S —4K 125
Laurel Ct. N Shi —7H 47
Laurel Cres. Hou S —7C 128
Laurel Cres. Newc T —4D 62
Laurel Cres. Pelt —2D 124
Laurel Cres. Thor —2J 177
Laurel Dri. Ash —6A 10
Laurel Dri. Con —6B 120
Laurel End. Newc T —3E 44
Laurel Gro. Sund —6E 116
Laurel Pl. Cra —3K 23
Laurel Pl. Newc T —3D 44
Laurel Rd. Bla T —4D 78
*Laurels, The. Sund —1C 130*
*(off Chelmsford St.)*
Laurel St. Thro —2H 57
Laurel St. W'snd —4G 63
Laurel Ter. Bir —2K 107
Laurel Ter. H'wll —1J 35
Laurel Ter. Lang P —5K 149
Laurel Wlk. Newc T —7E 42
Laurel Way. Ryton —3E 76
Laurelwood Gdns. Gate —2D 96
Lauren Ct. Eas —7A 158
Laurens Ct. Wash —7H 99
Lavender Ct. Ash —6A 10
Lavender Gdns. Gate —1H 97
Lavender Gdns. Newc T —4F 61
Lavender Gdns. Sac —7F 139
Lavender Gro. Sund —6G 101
Lavender La. S Shi —1H 85
Lavender Rd. Whi —1G 95
Lavender St. Sund —2G 115
Lavender Wlk. Heb —3J 83
Laverick. Gate —1D 98
Laverick Ter. S'ley —6A 122
Laverock Ct. Newc T —1A 82 (6P 5)
Laverock Hall Rd. Bly —7C 20
Laverock Pl. Bly —6F 21
Laverock Pl. Newc T —7K 41
Lavers Rd. Bir —3A 112
Lavington Rd. S Shi —5A 66
**Lawe, The. —7K 47**
Lawn Cotts. Silk —3B 130
Lawn Dri. W Bol —1F 101
Lawnhead Sq. Sund —3D 130
Lawnside. S'hm —4J 145
Lawns, The. Eas L —2J 155
Lawns, The. S'hm —4J 145
Lawns, The. Silk —3B 130
Lawns, The. Whit —6H 87
Lawnsway. Jar —5C 84
Lawnswood. Hou S —3F 143
Lawn, The. Ryton —7G 57
Lawrence Av. Bla T —3C 78
Lawrence Av. S Shi —3K 85
Lawrence Ct. Bla T —3C 78
Lawrence Gdns. Gate —6G 83
Lawrence Hill Ct. Gate —6F 83
Lawrence St. Sund —2G 117
Lawson Av. Jar —3C 84
Lawson Ct. Ches S —7A 126
Lawson Cres. Sund —3F 103
Lawson Rd. Bow —4H 175
Lawson St. N Shi —1G 65
Lawson St. W'snd —4G 63
Lawson St. W. N Shi —1G 65
Lawson Ter. Dur —3K 163
Lawson Ter. Eas L —2H 155
Laws St. Sund —3F 103
Laxey St. S'ley —3E 122
Laxford. Bir —6B 112
Laxford Ct. Sund —4C 130
Laybourn Gdns. S Shi —2G 85
(in three parts)
Layburn Gdns. Newc T —5E 58
Layburn Pl. Pet —5A 170
Laycock Gdns. Seg —2C 34
Layfield Rd. Newc T —3E 42
Laygate. S Shi —4H 65
(in two parts)
Laygate Pl. S Shi —4J 65
Laygate St. S Shi —4H 65
Lea Av. Jar —4C 84
Leabank. Newc T —5D 58
Leaburn Ter. Pru —4D 74
**Leadgate. —4J 91**
**(nr. Chopwell)**
**Leadgate. —5B 120**
**(nr. Consett)**
Lead Ga. Hor —4E 54
Leadgate Ind. Est. Con —7C 120
Leadgate Rd. Con —6J 119
(in two parts)
Lead La. Con —3E 104
Lead Rd. C'wl —4G 91
Lead Rd. G'sde & Bla T —5E 76
Lead Rd. Stoc —4H 89
Leafield Cres. S Shi —5C 66
Lea Grn. Bir —7C 112
Leagreen Ct. Newc T —7C 42
Leaholme Cres. Bly —3G 21
Leaholme Ter. B Col —3J 181
Lea La. Pet —5K 157
Lealholm Rd. Newc T —7J 43
Leam Gdns. Gate —6G 83
Leamington St. Sund —2D 116
Leam La. Gate —4C 98
(in two parts)
Leam La. Jar —1E 84
**Leam Lane Estate. —2E 98**
**Leamside. —1J 153**

Leamside. *Gate* —1D **98**
Leamside. *Jar* —2C **84**
Leander Av. *Ches S* —1B **126**
Leander Av. *Chop* —7J **9**
Leander Ct. *Stak* —7K **9**
Leander Dri. *Bol C* —6E **84**
Leaplish. *Wash* —6K **113**
Leap Mill Farm Mill. —1B **108**
Lea Rigg. *W Rai* —1A **154**
(in two parts)
Lea Side. *Con* —2K **133**
Leas, The. —7F **67**
Leas, The. *Hou S* —6D **128**
Leasyde Wlk. *Whi* —2E **94**
(in two parts)
Leatham. *Sund* —1G **131**
Lea Vw. *S Shi* —5D **66**
Leaway. *Pru* —4D **74**
**Leazes. —2K 107**
Leazes Ct. *Dur* —2B **164**
Leazes Ct. *Newc T* —7D **60** (3A **4**)
Leazes Cres. *Hex* —1B **68**
Leazes Cres. *Newc T* —7E **60** (4D **4**)
Leazes La. *Cor* —5E **50**
Leazes La. *Dur* —2C **164**
Leazes La. *Hex* —1A **68**
Leazes La. *Newc T* —7F **61** (4E **4**)
Leazes Pde. *Newc T* —7D **60** (3A **4**)
Leazes Pk. *Hex* —1A **68**
Leazes Pk. Rd. *Newc T* —7E **60** (4D **4**)
Leazes Parkway. *Newc T* —4G **57**
Leazes Pl. *Dur* —2B **164**
Leazes Ri. *Pet* —6D **170**
Leazes Rd. *Dur* —2A **164**
Leazes Sq. *Newc T* —7F **61** (4E **4**)
Leazes Ter. *Hex* —1B **68**
Leazes Ter. *Newc T* —7E **60** (3D **4**)
Leazes, The. *Bow* —5H **175**
Leazes, The. *Burn* —2K **107**
Leazes, The. *Newc T* —4G **57**
Leazes, The. *S Shi* —7B **66**
Leazes, The. *Sund* —2D **116**
Leazes Vw. *Row G* —5H **93**
Leazes Vs. *Burn* —2A **108**
Lecondale. *Gate* —3D **98**
Lecondale Ct. *Gate* —3D **98**
Ledbury Rd. *Sund* —5F **117**
Leechmere Cres. *S'hm* —1G **145**
Leechmere Ind. Est. *Sund* —7G **117**
Leechmere Rd. *Sund* —6E **116**
Leechmere Vw. *Sund* —1H **131**
Leechmere Way. *Sund* —1G **131**
(in two parts)
Lee Clo. *Wash* —3B **114**
Leeds St. *Sund* —5F **103**
Lee Hill Ct. *Lan* —6J **135**
Leeholme. *Hou S* —3F **143**
Leeholme Ct. *S'ley* —6A **122**
Leeman's La. *Hett* —7C **174**
Leeming Gdns. *Gate* —1K **97**
Leesfield Dri. *Mead* —2E **172**
Leesfield Gdns. *Mead* —2E **172**
Leesfield Rd. *Mead* —2E **172**
Lees St. *S'ley* —2F **123**
Lee St. *Sund* —6D **102**
(SR5)
Lee St. *Sund* —3F **103**
(SR6)
Lee Ter. *Hett H* —1G **155**
Lee Ter. *Pet* —7A **158**
Lee Ter. *Shot C* —6E **168**
Legg Av. *Bed* —5C **16**
Legion Gro. *Newc T* —6F **59**
Legion Rd. *Newc T* —6F **59**
Leicester Clo. *W'snd* —7E **44**
Leicestershire Dri. *Dur* —2H **165**
Leicester St. *Newc T* —1C **82**
Leicester Wlk. *Pet* —4A **170**
Leicester Way. *Jar* —5A **84**
Leighton Rd. *Sund* —6F **117**
Leighton St. *Newc T* —7J **61** (4M **5**)
Leighton St. *S Shi* —3A **66**
Leighton Ter. *Bir* —2K **111**
Leith Ct. *S Shi* —1J **85**
Leith Gdns. *Tan L* —7D **108**
Leland Pl. *Mor* —1D **12**
Lemington Gdns. *Newc T* —6J **59**
Lemington Rd. *Newc T* —6A **58**
Lemon St. *S Shi* —7H **65**
Lena Av. *Whit B* —7E **36**
Lenin Ter. *C'wl* —7A **92**
Lenin Ter. *S'ley* —5F **123**
Lenore Ter. *G'sde* —4F **77**
Leominster Rd. *Sund* —6F **117**
Leopold St. *Jar* —7B **64**
Leopold St. *Sund* —1C **116**
Lesbury Av. *Ash* —5B **10**
Lesbury Av. *Chop* —6J **9**
Lesbury Av. *Shir* —1J **45**
Lesbury Av. *W'snd* —2K **63**
Lesbury Chase. *Newc T* —5D **42**
Lesbury Clo. *Ches S* —1H **139**
Lesbury Gdns. *Wide* —5E **32**
Lesbury Rd. *Newc T* —4K **61**
Lesbury St. *Newc T* —7C **58**
Lesbury St. *W'snd* —4C **64**
Lesbury Ter. *C'wl* —7K **91**
Leslie Av. *Heb* —1J **83**
Leslie Clo. *Ryton* —2J **77**
Leslie Cres. *Newc T* —2E **60**
Leslie's Vw. *Mor* —5E **6**
Leslie Ter. *Newc T* —2F **81** (8E **4**)
Letch Av. *S'hm* —3K **157**
Letch Path. *Newc T* —6B **58**
Letch, The. *Newc T* —3B **44**
Letch Way. *Newc T* —6C **58**
Letchwell Vs. *Newc T* —3C **44**
Leuchars Ct. *Bir* —5A **112**
Leven Av. *Ches S* —1K **139**
Leven Ho. *Sund* —3C **130**
Levens Wlk. *Cra* —3G **23**
Leven Wlk. *Pet* —1A **180**
Levisham Clo. *Sund* —2E **130**
Lewis Cres. *Sund* —3H **117**
Lewis Dri. *Newc T* —7B **60**
Lewis Gdns. *S Shi* —3J **85**
Lexington Ct. *B'don* —3C **172**
Leybourne Av. *Newc T* —3B **44**
Leybourne Dene. *Newc T* —2B **44**
Leybourne Hold. *Bir* —2A **112**
Leyburn Clo. *Hou S* —1D **142**
Leyburn Clo. *Ous* —7F **111**
Leyburn Dri. *Newc T* —2J **61**
Leyburn Gro. *Hou S* —1C **142**
Leyburn Pl. *Bir* —2K **111**
Leyfield Clo. *Sund* —4D **130**
Leyland Clo. *Bow* —3J **175**
Leyton Pl. *Gate* —6J **81**
Liberty Ter. *Tant* —6B **108**
Liberty Way. *Sund* —7G **103**
Library Ter. *S'ley* —5K **121**
Library Wlk. *S'ley* —4K **121**
Lichfield Av. *Newc T* —2C **82**
Lichfield Clo. *Ash* —5D **10**
Lichfield Clo. *Gt Lum* —4E **140**
Lichfield Clo. *Newc T* —5A **42**
Lichfield Rd. *Dur* —3B **152**
(in two parts)
Lichfield Rd. *Sund* —4C **102**
Lichfield Way. *Jar* —5A **84**
(in two parts)
Lidcombe Clo. *Sund* —2D **130**
Liddell Ct. *Sund* —5H **103**
Liddells Fell Rd. *Bla T* —5F **77**
Liddell St. *N Shi* —7H **47**
Liddell St. *Sund* —7F **103**
Liddell Ter. *Gate* —5F **81**
Liddell Ter. *Kib* —2E **110**
Liddle Av. *Sher* —3K **165**
Liddle Clo. *Pet* —4K **169**
Liddle Ct. *Newc T* —1C **80** (5A **4**)
Liddle Rd. *Newc T* —1C **80** (5A **4**)
Liddles St. *Bed* —5B **16**
Lidell Ter. *Whe H* —4A **178**
Lieven St. *Haz* —7C **32**
Liffey Rd. *Heb* —3K **83**
Lightbourne Rd. *Newc T* —7E **62**
Lightwood Av. *Newc T* —2G **79**
Lilac Av. *B Col* —3K **181**
Lilac Av. *Bly* —1H **21**
Lilac Av. *Dur* —6K **151**
Lilac Av. *Hou S* —2F **143**
Lilac Av. *Newc T* —4D **44**
Lilac Av. *New S* —1D **130**
Lilac Av. *Sac* —1E **150**
Lilac Av. *S Shi* —1B **86**
Lilac Av. *Whit* —3H **87**
Lilac Clo. *Newc T* —1B **58**
Lilac Ct. *Ash* —6A **10**
Lilac Cres. *Burn* —2A **108**
Lilac Gdns. *Gate* —1H **97**
Lilac Gdns. *Pelt* —2D **124**
Lilac Gdns. *Sund* —4C **86**
Lilac Gdns. *Wash* —7G **113**
Lilac Gdns. *Whi* —7G **79**
Lilac Gro. *Ches S* —4J **125**
Lilac Gro. *Sund* —4F **103**
Lilac Pk. *Ush M* —3C **162**
Lilac Pl. *Con* —6B **120**
Lilac Rd. *Newc T & Newc T* —4E **62**
Lilac Sq. *Hou S* —6J **127**
Lilac St. *Sund* —2G **115**
Lilac Ter. *Shot C* —6E **168**
Lilac Ter. *S'ley* —4J **121**
Lilac Wlk. *Heb* —3J **83**
Lilburn Clo. *Byker* —2A **82**
Lilburn Clo. *Ches S* —2J **139**
Lilburn Clo. *E Bol* —6J **85**
Lilburne Clo. *Sund* —1G **117**
Lilburn Gdns. *Newc T* —1H **61**
Lilburn Pl. *S'wck* —6C **102**
Lilburn Rd. *Shir* —2J **45**
Lilburn St. *N Shi* —7F **47**
Lilian Av. *Sund* —1G **131**
Lilian Av. *W'snd* —4E **62**
Lilian Ter. *Lang P* —5J **149**
Lilleycroft. *Row G* —5K **93**
Lilley Gro. *Sund* —6H **101**
Lilley Ter. *Row G* —4K **93**
Lily Av. *Bed* —1K **19**
Lily Av. *Newc T* —4G **61**
Lily Bank. *W'snd* —3G **63**
Lily Clo. *Bla T* —4A **78**
Lily Cres. *Newc T* —4G **61**
Lily Cres. *Sund* —3H **87**
Lily Gdns. *Dip* —1J **121**
Lily St. *Sund* —1D **116**
Lily Ter. *Hou S* —5D **128**
Lily Ter. *Newc T* —2G **59**
Lilywhite Ter. *Eas L* —1H **155**
Lime Av. *B Col* —2J **181**
Lime Av. *Hou S* —1C **142**
Limecrag Av. *Dur* —1F **165**
Limecroft. *Jar* —5C **84**
Lime Gro. *Pru* —3D **74**
Lime Gro. *Ryton* —1F **77**
Limekiln Rd. *W'snd* —3H **63**
Lime Pk. *B'don* —1D **172**
Limes Av. *Bly* —7H **17**
Limes, The. *Pen* —1B **128**
Limes, The. *Sund* —4F **117**
*Limes, The. Whit —6G **87***
*(off Front St.)*
Limestone La. *Pon* —4F **29**
Lime St. *Bla T* —5D **78**
Lime St. *Newc T* —7J **61** (4L **5**)
Lime St. *S'ley* —6D **122**
Lime St. *Sund* —1D **116**
Lime St. *Thro* —2H **57**
Lime St. *Wald* —1G **139**
Lime Ter. *Lang P* —5K **149**
Limetree. *Wash* —6J **113**
Limetrees Gdns. *Gate* —7H **81**
Limewood Ct. *Newc T* —5D **60** (1B **4**)
Limewood Gro. *N Gos* —6D **32**
Linacre Clo. *Newc T* —6H **41**
Linacre Ct. *Pet* —7K **169**
Linbridge Dri. *Newc T* —4D **58**
Linburn. *Wash* —1F **127**
Lincoln Av. *Sund* —1C **130**
Lincoln Av. *W'snd* —2E **62**
Lincoln Ct. *Heb* —1H **83**
Lincoln Cres. *Hett H* —6F **143**
Lincoln Grn. *Newc T* —3E **42**
Lincoln Pl. *Con* —3C **132**
Lincoln Rd. *Con* —3C **132**
Lincoln Rd. *Cra* —7A **20**
Lincoln Rd. *Dur* —4B **152**
Lincoln Rd. *S Shi* —6D **66**
Lincolnshire Clo. *Dur* —1G **165**
Lincoln St. *Gate* —5G **81**
Lincoln St. *Sund* —1B **116**
Lincoln Wlk. *Gt Lum* —3E **140**
Lincoln Wlk. *Pet* —4A **170**
Lincoln Way. *Jar* —5B **84**
(in two parts)
Lindale Av. *Whi* —2G **95**
Lindale Rd. *Newc T* —5A **60**
Lindean Pl. *Cra* —4H **23**
Linden. *Gate* —3B **98**
Linden Av. *Fenh* —6K **59**
Linden Av. *Gos* —1E **60**
Linden Clo. *Chop* —7J **9**
Linden Gdns. *Sund* —5E **116**
Linden Gro. *Con* —6B **120**
Linden Gro. *Gate* —6C **80**
Linden Gro. *Hou S* —2D **142**
Linden Pk. *B'don* —1D **172**
Linden Rd. *Bear* —1D **162**
Linden Rd. *Bent* —6B **44**
Linden Rd. *Bla T* —4D **78**
Linden Rd. *Gos* —1E **60**
Linden Rd. *Sea D* —7F **25**
Linden Rd. *Sund* —5E **116**
Linden Ter. *Gate* —6D **98**
Linden Ter. *Newc T* —6B **44**
Linden Ter. *Whit B* —6H **37**
Linden Way. *B'hll* —5G **119**
Linden Way. *Gate* —5A **98**
Linden Way. *Pon* —1G **39**
Lindfield Av. *Newc T* —4H **59**
Lindisfarne. *H Shin* —7F **165**
Lindisfarne. *Pet* —1A **180**
Lindisfarne. *Sund* —3G **131**
Lindisfarne. *Wash* —4G **113**
Lindisfarne Av. *Ches S* —6B **126**
*Lindisfarne Av. Chop —1G **15***
*(off Morpeth Rd.)*
Lindisfarne Clo. *Ches S* —1J **139**
Lindisfarne Clo. *E Den* —4F **59**
Lindisfarne Clo. *Hou S* —7C **128**
Lindisfarne Clo. *Jes* —3H **61**
Lindisfarne Clo. *Mor* —2G **13**
Lindisfarne Clo. *Peg* —3C **8**
Lindisfarne Ct. *Jar* —7F **65**
Lindisfarne Dri. *Gate* —4H **81** (10K **5**)
Lindisfarne La. *Mor* —1G **13**
Lindisfarne Pl. *W'snd* —2H **63**
Lindisfarne Recess. *Jar* —2D **84**
Lindisfarne Ri. *Dur* —6B **152**
Lindisfarne Rd. *Dur* —6B **152**
Lindisfarne Rd. *Heb* —3J **83**
Lindisfarne Rd. *Jar* —2D **84**
(in two parts)
Lindisfarne Rd. *Newc T* —3H **61**
Lindisfarne Ter. *N Shi* —5G **47**
Lindom Av. *Ches S* —6B **126**
Lindon Mnr. *Kil* —7A **34**
Lindon Rd. *S'ley* —4E **122**
Lindrick Ct. *Gate* —7G **83**
Lindsay Av. *Bly* —1G **21**
Lindsay Clo. *Sund* —3G **117**
Lindsay Ct. *Whit* —4H **87**
Lindsay Rd. *Sund* —2G **117**
Lindsay St. *Hett H* —4H **143**
Lindsey Clo. *Cra* —4G **23**
Lindum Rd. *Gate* —6H **81**
Linfield. *Sund* —2G **131**
Lingcrest. *Gate* —2A **98**
Lingdale. *Dur* —1H **165**
Lingdale Av. *Sund* —1G **103**
Lingey Clo. *Sac* —6D **138**
Lingey Gdns. *Gate* —6G **83**
Lingey La. *Gate* —7F **83**
Lingfield Rd. *Con* —6H **119**
Lingholme. *Ches S* —5J **125**
Lingmell. *Wash* —2F **113**
Lingshaw. *Gate* —7F **83**
Lingside. *Jar* —4C **84**
(in two parts)
Linhope Av. *Newc T* —5B **42**
Linhope Rd. *Newc T* —3F **59**
Link Av. *Bed* —7F **15**
Link Rd. *Haz* —7C **32**
Link Rd. *Newc T* —3A **60**
Links Av. *N Shi* —2J **47**
Links Av. *Whit B* —4F **37**
Links Ct. *Whit B* —4G **37**
Links Dri. *Con* —4G **119**
Links Grn. *Newc T* —6F **43**
Links Grn. Wlk. *Newc T* —6F **43**
Links Ho. Gdns. Cvn. Site. *Bly* —5K **21**
Links Rd. *Bly* —4K **21**
Links Rd. *N Shi* —1J **47**
Links Rd. *Sea S* —1A **26**
Links, The. *Dur* —7H **153**
Links, The. *Sea S* —4C **26**
Links, The. *Whit B* —2F **37**
Links Vw. *Ash* —7E **10**
Links Vw. *Bly* —5G **21**
Links Wlk. *Newc T* —3F **59**
Link, The. *Hex* —1B **68**
Linkway. *Jar* —5D **84**
Linkway. *Sac* —7E **138**
Linley Hill. *Whi* —2E **94**
Linnel Dri. *Newc T* —5E **58**
Linnels Bank. *Hex* —6H **69**
Linnet Clo. *Wash* —5E **112**
Linnet Ct. *Ash* —5K **9**
Linnet Gro. *Sund* —6J **101**
Linney Gdns. *S Shi* —2G **85**
Linnheads. *Pru* —5D **74**
Linshiels Gdns. *Ash* —5D **10**
Linskell. *Sund* —1G **131**
Linskill Pl. *Newc T* —2B **60**
Linskill Pl. *N Shi* —5H **47**
Linskill St. *N Shi* —7H **47**
Linskill Ter. *N Shi* —6H **47**
Linslade Wlk. *Cra* —4H **23**
Lintfort. *Pick* —2C **126**
Linthorpe Ct. *S Shi* —1G **85**
Linthorpe Rd. *Newc T* —5E **42**
Linthorpe Rd. *N Shi* —3H **47**
Linton. *Kil* —6B **34**
Linton Rd. *Gate* —4H **97**
Linton Rd. *Whit B* —2E **36**
Lintonville Rd. *Ash* —3A **10**
Lintonville Ter. *Ash* —2A **10**
**Lintz. —2K 107**
**Lintzford. —1G 107**
Lintzford Clo. *Row G* —7H **93**
Lintzford Gdns. *Newc T* —6E **58**
Lintzford Gdns. *Row G* —7H **93**
Lintzford La. *H Spen* —5E **92**
Lintzford Rd. *Ham M* —3D **106**
**Lintz Green. —3G 107**
Lintz Grn. La. *L Grn* —2G **107**
Lintz La. *Burn* —3G **107**
Lintz Ter. *Burn* —2K **107**
Lintz Ter. *S'ley* —4C **122**
Linum Pl. *Newc T* —5A **60**
Linwood Pl. *Newc T* —3E **42**
Lion Wlk. *N Shi* —2G **65**
Lipman Building. *Newc T* —2G **4**
Lisa Av. *Sund* —3G **115**
Lisburn Ter. *Sund* —1C **116**
Lish Av. *Whit B* —7J **37**
*Lishman Cotts. Ryton —2C **76***
*(off Main St.)*
Lishman Ter. *Ryton* —2E **76**
Lisle Ct. *W'snd* —3F **63**
Lisle Gro. *W'snd* —2A **64**
Lisle Rd. *S Shi* —6B **66**
Lisle St. *Newc T* —7F **61** (4F **4**)
Lisle St. *W'snd* —3F **63**
Lismore Av. *S Shi* —6K **65**
Lismore Pl. *Newc T* —7K **59**
Lismore Ter. *Gate* —6D **98**
Lister Av. *Gate* —5B **80**
Lister Av. *G'sde* —6D **76**
Lister Clo. *Hou S* —4D **142**
Lister Rd. *N West* —4J **169**
Listers La. *Gate* —6J **81**
Lister St. *Newc T* —2F **79**
Litchfield Cres. *Bla T* —5B **78**
Litchfield La. *Bla T* —5B **78**
Litchfield St. *Bla T* —5B **78**
Litchfield Ter. *Bla T* —5B **78**
Lit. Bedford St. *N Shi* —7G **47**
Littlebridge Ct. *Fram M* —5J **151**
**Littleburn. —7G 163**
Littleburn Clo. *Hou S* —7C **128**
Littleburn Ind. Est. *Lang M* —1H **173**
Littleburn La. *Lang M* —7G **163**
Littleburn Rd. *Lang M* —7G **163**
Littledene. *Gate* —7H **81**
Little Dene. *Newc T* —2F **61**
Little Eden. *Pet* —5B **170**
Little Museum of Gilesgate, The. —2D **164**
**Little Thorpe. —2A 170**
**Littletown. —1E 166**
Littletown La. *L'ton* —2D **166**
Lit. Villiers St. *Sund* —1G **117**
Little Way. *Newc T* —2H **79**
Litton Ct. *Sund* —3B **130**
Littondale. *W'snd* —1D **62**
Liverpool St. *Newc T* —7F **61** (4E **4**)
Livingstone Pl. *S Shi* —1J **65**
Livingstone Rd. *Sund* —1E **116**
Livingstone St. *Con* —6H **119**
Livingstone St. *S Shi* —1K **65**
Livingstone Vw. *N Shi* —5J **47**
Lizard La. *S Shi & Sund* —7F **67**
Lizard La. Cvn. & Camping Site. *S Shi* —7F **67**
Lizard Vw. *Sund* —3G **87**
Lloyd Av. *E Rai* —6C **142**
Lloyd Ct. *Dun* —4A **80**
Lloyds Ter. *Lang P* —5J **149**
Lloyd St. *Ryton* —3D **76**
**Loaning Burn. —7H 157**
**Loansdean. —3F 13**
Lobban Av. *Heb* —3H **83**
Lobelia Av. *Gate* —4K **81**
Lobelia Clo. *Newc T* —2B **58**
Lobley Gdns. *Gate* —1C **96**
**Lobley Hill. —2C 96**
Lobley Hill. *Mead* —1F **173**
Lobleyhill Rd. *Burn* —1C **108**
Lobley Hill Rd. *Gate* —1C **96**
Local Av. *S Hill* —3C **166**
*Locarno Ct. Newb S —2J **11***
*(off Locarno Pl.)*
Locarno Pl. *Newb S* —3J **11**
Lochcraig Pl. *Cra* —4G **23**
Lochfield Gdns. *Gate* —2E **110**
Lochmaben Ter. *Sund* —5F **103**
Lockerbie Gdns. *Newc T* —6E **58**
Lockerbie Rd. *Cra* —4H **23**
**Lockhaugh. —3A 94**
Lockhaugh Rd. *Row G* —4K **93**
Locksley Clo. *N Shi* —3B **46**
Locomotion Way. *Camp I* —6K **33**
Locomotion Way. *N Shi* —2G **65**
Lodge Clo. *Ham M* —3E **106**
Lodgeside Mdw. *Sund* —4D **130**
Lodges Rd., The. *Gate* —4G **97**
Lodge Ter. *W'snd* —3H **63**
Lodore Ct. *Sund* —3B **130**
Lodore Gro. *Jar* —3D **84**
Lodore Rd. *Newc T* —2F **61**
Loefield. *Gt Lum* —2E **140**
Lofthill. *Sund* —4A **130**
Logan Rd. *Newc T* —4D **62**
Logan St. *Hett H* —7G **143**
Logan St. *Lang P* —4J **149**
*Logan Ter. S Het —3A **156***
*(off Front St.)*

Lola St. Haz —7B 32
Lombard Dri. Ches S —2A 126
Lombard St. Newc T —2G 81 (7H 5)
Lombard St. Sund —1G 117
Lomond Clo. Wash —5F 113
Lomond Ct. Sund —3C 130
Lomond Pl. Ches S —1K 139
London Av. Wash —6F 99
Londonderry Bungalows. Pet —7B 158
Londonderry Ct. S'hm —2B 146
Londonderry St. S'hm —5C 146
Londonderry St. Sund —2C 130
Londonderry Ter. Pet —7B 158
Londonderry Ter. Sund —2D 130
Londonderry Way. Hou S —2A 128
Longacre. Hou S —2C 142
Longacre. Wash —7J 113
Long Acres. Dur —1D 164
Long Bank. Bir —1A 112
Long Bank. Gate —7K 97
**Longbenton. —7A 44**
Longborough Ct. Newc T —1J 61
Long Burn Dri. Ches S —7H 125
Long Clo. Bank. M'sly & S'ley —6B 106
Long Clo. Rd. Ham M —3D 106
Long Crag. Wash —3E 112
Long Dale. Ches S —7K 125
Longdean Clo. Heb —1G 83
Longdean Pk. Ches S —3A 126
Long Dri. Loan —3F 13
Long Edge. B'hpe —7E 136
Longedge La. Con —6D 132
Longfellow St. Hou S —3E 142
Long Fld. Clo. S Shi —2K 85
Longfield Rd. Sund —4F 103
Longfield Ter. Newc T —2E 82
Long Gair. Bla T —6A 78
Long Gth. Dur —7H 151
Long Headlam. Newc T —7A 62
Longhirst. Gate —7E 82
Longhirst. Kil —6B 34
**Longhirst. —1B 8**
Longhirst. Newc T —3F 59
Longhirst Dri. Wide —6D 32
Longhirst Rd. Peg —4B 8
Longhirst Village. Longh —1A 8
Longlands. Hex —2C 68
Longlands Dri. Hou S —3E 142
Longleat Gdns. Peg —3A 8
Longleat Gdns. S Shi —2K 65
Longley St. Newc T —7C 60 (4A 4)
Long Mdw. Clo. Ryton —3D 76
Longmeadows. Pon —1F 39
Longmeadows. Sund —3J 129
Longnewton St. S'hm —5B 146
Longniddry. Wash —4G 99
Longniddry Ct. Gate —4G 97
Long Pk. Newb S —3H 11
Longridge. Bla T —5A 78
Longridge Av. Newc T —2B 62
Longridge Av. Wash —5E 112
Longridge Dri. Whit B —4E 36
Longridge Rd. Bla T —4G 77
Longridge Sq. Sund —6F 117
Longridge Way. Bed —5J 15
Longridge Way. Cra —4H 23
Longrigg. Gate —7D 82 (NE10)
Long Rigg. Gate & Swa —4G 79 (NE11)
Longriggs, The. Rid M —7J 71
Longrow. S Shi —2H 65
**Long Sands. —3K 47**
Longshank La. Bir —2J 111
Longstaff Gdns. S Shi —2F 85
Long Stairs. Newc T —2G 81 (7G 4)
Longston Av. N Shi —1H 47
Longstone Ct. Newc T —7C 34
Longstone Sq. Newc T —4D 58
Longwood Clo. Sun —4H 95
Lonnen Av. Newc T —5K 59
Lonnen Dri. Swa —6G 79
Lonnen, The. Ryton —1J 77
Lonnen, The. S Shi —1D 86
Lonsdale. Bir —7C 112
Lonsdale Av. Bly —1C 20
Lonsdale Av. Sund —1G 103
Lonsdale Ct. Newc T —3G 61
Lonsdale Ct. S Shi —2G 85
Lonsdale Gdns. W'snd —1A 64
Lonsdale Rd. Sund —5G 103
Lonsdale Ter. Newc T —3G 61
Lope Hill Rd. Con —7C 120
Loraine Ter. Newc T —7C 58
Lord Byrons Wlk. S'hm —1H 145
Lordenshaw. Newc T —3F 59
Lord Gort Clo. Sund —6C 102
Lord Nelson St. S Shi —7H 65
Lord St. Newc T —2E 80 (7C 4)
Lord St. S'hm —3B 146
Lord St. S Shi —4A 66
Lord St. Sund —2D 130
Lorimers Clo. Pet —1K 179
Lorne St. Eas L —4H 155
Lorne Ter. Sund —3E 116
Lorrain Rd. S Shi —4K 85
Lort Ho. Newc T —7H 61 (3J 5)
Lorton Av. N Shi —2G 47
Lorton Rd. Gate —3J 97
Losh Ter. Newc T —1D 82
Lossiemouth Rd. N Shi —7C 46
Lothian Clo. Bir —7B 112
Lothian Ct. Newc T —2J 59
Lotus Clo. Newc T —2B 58
Lotus Pl. Newc T —6K 59
Loudon St. S Shi —1J 85
Loud Ter. S'ley —5H 121
Loud Vw. Ter. S'ley —6J 121
Loughborough Av. N Shi —3J 47
Loughborough Av. Sund —5E 116
Loughbrow Pk. Hex —4D 68
Lough Ct. Gate —2K 97
Loughrigg Av. Cra —4G 23
Louie Ter. Gate —2J 97
Louisa Ter. S'ley —3E 122
Louisa Ter. Wit G —3D 150
Louis Av. Sund —4F 103
Louise Ter. Ches S —6A 126
Loup St. Bla T —3C 78
Loup Ter. Bla T —3C 78
Louvain Ter. Chop —1H 15
Louvain Ter. Hett H —5G 143
Louvain Ter. W. Hett H —5G 143
Lovaine Av. N Shi —7G 47
Lovaine Av. Whit B —7G 37
Lovaine Hall. Newc T —2H 5
Lovaine Pl. N Shi —7G 47
Lovaine Pl. W. N Shi —7F 47
Lovaine Row. N Shi —4K 47
Lovaine St. Newc T —5J 57
Lovaine St. Pelt —3E 124
Lovaine Ter. N Shi —6G 47
Love Av. Dud —4K 33
Love Av. Cotts. Dud —3K 33
*Lovelady Ct. Tyn —5K 47 (off St Oswin's Pl.)*
Love La. Bla T —5B 78
Love La. Newc T —1H 81 (6J 5)
Loveless Gdns. Gate —6F 83
Lovett Wlk. Gate —4E 80 (10D 4)
Lowbiggin. Newc T —7E 40
Low Bri. Newc T —1G 81 (6G 4)
Low Burswell. Hex —1B 68
Low Carrs Cvn. Pk. Dur —4K 151
Low Chare. Ches S —6A 126
Low Chu. St. S'ley —4K 121
Low Clo. Pru —3G 75
Lowden Ct. Newc T —6E 60
Lowdham Av. N Shi —1E 64
Lowdon Ct. Newc T —1C 4
Low Downs Rd. Hett H —4G 143
Low Downs Sq. Hett H —4H 143
Lower Dundas St. Sund —7F 103
Lower Rudyerd St. N Shi —7H 47
Lowerson Av. Hou S —4A 128
Lowery La. S'ley —7K 123
**Lowe's Barn. —5H 163**
Lowe's Barn Bank. Dur —5H 163
Lowes Ct. Dur —4J 163
Lowes Fall. Dur —4J 163
Lowes Ri. Dur —4J 163
Loweswater Av. Ches S —1K 139
Loweswater Av. Eas L —3J 155
Loweswater Clo. Bly —7D 16
Loweswater Rd. Gate —3J 97
Loweswater Rd. Newc T —5H 59
Loweswood Clo. Newc T —4J 61
Lowes Wynd. Dur —4J 163
**Low Fell. —2H 97**
Lowfield Ter. Newc T —2D 82
Lowfield Wlk. Whi —7G 79
Low Flatts Rd. Ches S —3A 126
Low Fold. Newc T —1K 81 (5N 5)
Low Friar La. Newc T —1F 81 (6E 4)
**Low Friarside. —1H 107**
Low Friar St. Newc T —1F 81 (6E 4)
Lowgate. Newc T —4H 57
Low Gosforth Ct. Newc T —3F 43
*Low Graham St. Sac —7E 138 (off Front St.)*
Low Grn. Shin —6D 164
**Low Greenside. —4E 76**
Low Haugh. Pon —4K 29
Low Heighley Dri. Mor —1B 6
Low Heworth La. Gate —4D 82
Lowhills Rd. Pet —4K 169
Lowick Clo. Bir —7B 112
Lowick Ct. Newc T —1G 61
Lowland Clo. Sund —4C 130
Lowland Ho. B'don —1D 172
Lowland Rd. B'don —1D 172
Low La. S Shi —1J 85
Lowleam Ct. Newc T —4F 59
Low Level Bri. Newc T —1J 81 (6M 5)
**Low Lights. —6J 47**
Low Mann Pl. Cra —4K 23
Low Meadows. Cle —5C 86
Low Moor Cotts. Pity Me —2B 152
Low Moor Rd. Lang P —6D 148
**Low Moorsley. —2E 154**
Lownds Ter. Newc T —7C 62
**Low Pittington. —5B 154**
**Low Prudhoe. —2G 75**
Low Prudhoe Ind. Est. Pru —2F 75
Low Quay. Bly —1K 21
Lowrey's La. Gate —2H 97
Low Rd. Dur —6D 164
Low Rd. E. Shin —6D 164
Low Rd. W. Shin —6D 164
Low Row. Pet —7K 157
Low Row. Ryton —3J 77
Low Row. Sund —2E 116
Lowry Gdns. S Shi —4K 85
Lowry Rd. Sund —2G 103
**Low Southwick. —6D 102**
Low Sta. Rd. Leam —1J 153
Low Stobhill. Mor —1G 13
Low St. Sund —1G 117
Lowther Av. Ches S —7K 125 (in two parts)
Lowther Clo. Ash —6D 10
Lowther Clo. Pet —5B 170
Lowther Ct. Pet —3K 179
Lowther Sq. Cra —4G 23
Lowthian Cres. Newc T —1C 82
Lowthian Ter. Wash —4K 113
**Low Walker. —7F 63**
Low Well Gdns. Gate —5C 82 (in two parts)
Low W. Av. Row G —6G 93
**Low Westwood. —3J 105**
Lucas St. Sund —1D 130
Lucknow St. Sund —1H 117
Lucock St. S Shi —1H 85
Lucy St. Bla T —3D 78
Lucy St. Ches S —5A 126
Ludlow Av. N Shi —4E 46
Ludlow Ct. Newc T —5A 42
Ludlow Dri. Whit B —7B 36
Ludlow Rd. Sund —6F 117
**Ludworth. —5J 167**
Luffness Dri. S Shi —3B 86
Luke Av. Cass —4E 176
Luke Cres. Mur —7D 144
Lukes La. Heb —4K 83
Luke Ter. Whe H —3A 178
Lulsgate. Sund —6G 101
Lulworth Av. Jar —1D 84
Lulworth Ct. Sund —2J 129
Lulworth Gdns. Sund —5E 116
Lumley Av. S Shi —7D 66
Lumley Av. Swa —5H 79
Lumley Clo. Ches S —6K 125
Lumley Clo. Wash —3F 113
Lumley Ct. Bed —6A 16
Lumley Ct. Sund —2J 129
Lumley Cres. Hou S —5C 128
Lumley Dri. Con —2A 134
Lumley Dri. Pet —2B 180
Lumley Gdns. Burn —3J 107 (in two parts)
Lumley Gdns. Gate —5K 81
Lumley New Rd. Ches S —7D 126
Lumley Rd. Dur —4A 152
Lumley's La. Pru —7C 74
Lumley St. Hou S —7D 128
Lumley St. Sund —2C 116
Lumley Ter. Ches S —7B 126
Lumley Ter. Jar —3B 84
Lumley Ter. Sund —3H 131
**Lumley Thicks. —1G 141**
Lumley Tower. Sund —1G 117
Lumley Wlk. Gate —5C 80
Lumsden's La. Mor —7F 7
Lumsden Sq. Mur —7D 144
Lumsden Ter. S'ley —4J 121
Lund Av. Dur —5K 151
Lund's La. Con —1E 134
Lunedale Av. Sund —2E 102
Lunedale Clo. Gt Lum —4F 141
Lune Grn. Jar —4C 84
Lunesdale St. Hett H —1G 155
Lupin Clo. Newc T —1C 58
Luss Av. Jar —3E 84
Luton Cres. N Shi —1D 64
Lutterworth Clo. Newc T —7K 43
Lutterworth Dri. Newc T —6J 43
Lutterworth Pl. Newc T —7K 43
Lutterworth Rd. Newc T —7K 43
Lutterworth Rd. Sund —5E 116
Luxembourg Rd. Sund —1K 115
Lychgate Ct. Gate —3H 81 (10K 5)
Lydbury Clo. Cra —1A 24
Lydcott. Wash —4B 114
Lyden Ga. Gate —4J 97
Lydford Ct. Hou S —6C 128
Lydford Ct. Newc T —6J 41
Lydford Way. Bir —5B 112
Lydney Clo. Newc T —4G 57
Lymington. Esh W —5E 160
Lyncroft. Ash —5A 10
Lyncroft Rd. N Shi —6E 46
Lyndale. Cra —1A 24
Lynden Gdns. Newc T —2G 59
Lynden Rd. Sund —1H 131
**Lyndhurst. —3J 97**
Lyndhurst Av. Ches S —3A 126
Lyndhurst Av. Gate —3H 97
Lyndhurst Av. Newc T —3G 61
Lyndhurst Clo. Bla T —6A 78
Lyndhurst Cres. Gate —3J 97
Lyndhurst Dri. Dur —3J 163
Lyndhurst Dri. Gate —3J 97
Lyndhurst Gdns. Newc T —3F 61
Lyndhurst Grn. Gate —3H 97
Lyndhurst Gro. Gate —3J 97
Lyndhurst Rd. Ash —6D 10
Lyndhurst Rd. Newc T —5B 44
Lyndhurst Rd. S'ley —3D 122
Lyndhurst Rd. Whit B —6E 36
Lyndhurst St. S Shi —3K 65
Lyndhurst Ter. Sund —7A 102
Lyndhurst Ter. Swa —5G 79
Lyndon Clo. E Bol —7H 85
Lyndon Dri. E Bol —7H 85
Lyndon Gro. E Bol —7H 85
Lyndon Wlk. Bly —1D 20
Lyne Clo. Pelt —1H 125
Lyne's Dri. Lang M —7F 163
Lynfield. Whit B —4E 36
Lynfield Ct. Newc T —2H 59
Lynfield Pl. Newc T —2H 59
Lynford Gdns. Sund —5E 116
Lyngrove. Sund —1H 131
Lynholm Gro. Newc T —4B 44
Lynmouth Pl. Newc T —2K 61
Lynmouth Rd. Gate —4H 97
Lynmouth Rd. N Shi —7C 46
Lynn Cres. Cass —4E 176 (in two parts)
Lynndale Av. Bly —2E 20
Lynnholme Gdns. Gate —6H 81 (in two parts)
Lynn Rd. N Shi —5D 46
Lynn Rd. W'snd —4E 62
Lynn St. Bly —2H 21
Lynn St. Ches S —7A 126
Lynn Ter. Whe H —1C 178
Lynnwood Av. Newc T —1B 80
Lynnwood Ter. Newc T —1B 80
Lynthorpe. Sund —1H 131
Lynthorpe Gro. Sund —3G 103
Lynton Av. Jar —1E 84
Lynton Ct. Hou S —6C 128
Lynton Ct. Newc T —2H 59
Lynton Pl. Newc T —2H 59
Lynton Way. Newc T —2H 59
Lynwood Av. Bla T —3C 78
Lynwood Av. Newb S —2H 11
Lynwood Av. Sund —6G 115
Lynwood Clo. Pon —2G 39
**Lyons. —1J 155**
Lyons Av. Eas L —1H 155
Lyons La. Eas L —2J 155
Lyon St. Heb —7H 63
Lyric Clo. N Shi —4C 46
Lysdon Av. N Har —4H 25
Lyster Clo. S'hm —1G 145
Lytchfeld. Gate —7F 83
(in two parts)
Lytham Clo. Cra —4G 23
Lytham Clo. W'snd —5J 45
Lytham Clo. Wash —5G 99
Lytham Dri. Whit B —6D 36
Lytham Grange. Shin R —5A 128
Lytham Grn. Gate —4F 83
Lytham Pl. Newc T —1C 82
Lythe Way. Newc T —6A 44

Mabel St. Bla T —3C 78
Macadam St. Gate —7F 81
McAnany Av. S Shi —1K 85
McAteer Ct. Has —3A 168
Macbeth Wlk. Pet —6F 171
McClaren Way. Hou S —2F 129
McCracken Clo. Gos —4E 42
McCracken Dri. Wide —4E 32
McCutcheon Ct. Newc T —3C 82
McCutcheon St. S'hm —1G 145
MacDonald Rd. Newc T —2K 79
McErlane Sq. Gate —5E 82
McEwan Gdns. Newc T —1B 80
McGuinness Av. Pet —3C 170 (in two parts)
McIlvenna Gdns. W'snd —1E 62
McIntyre Hall. Heb —6K 63
McIntyre Rd. Heb —6K 63
McKendrick Vs. Newc T —4K 59
McLennan Ct. Wash —2H 113
Maclynn Clo. Sund —3A 130
Macmerry Clo. Sund —7F 101
Macmillan Gdns. Gate —6E 82
McNally Pl. Dur —2D 164
McNamara Rd. W'snd —2J 63
Maddison Ct. Sund —1H 117
Maddison Gdns. Seg —2C 34
Maddison St. Bly —1J 21
Maddox Rd. Newc T —6B 44
Madeira Av. Whit B —4F 37
Madeira Clo. Newc T —1C 58
Madeira Ter. S Shi —4K 65
Madras St. S Shi —2G 85
Mafeking Pl. N Shi —3B 46
Mafeking St. Gate —6J 81
Mafeking St. Newc T —3D 82
Mafeking St. Sund —1B 116
Mafeking Ter. Sac —1D 150
Magdalene Av. Dur —7G 153
*Magdalene Ct. Con —7K 105 (off N. Magdalene)*
Magdalene Ct. Dur —2C 164
Magdalene Ct. Newc T —6D 60 (1B 4)
Magdalene Ct. S'hm —2B 146
Magdalene Heights. Gil —2C 164
Magdalene Pl. Sund —1B 116
Magdalene St. Dur —2C 164
Magenta Cres. Newc T —7C 40
Maglona St. S'hm —4B 146
Magnolia Dri. Ash —6A 10
Magpie Ct. Ash —5K 9
Mahogany Row. Beam —7K 109
Maiden La. W'sde —4E 76
**Maiden Law. —2A 136**
Maiden Law. Hou S —3A 142
Maidens Cft. Hex —2B 68
Maidens St. Newc T —3D 80
Maiden St. Newc T —9B 4
Maiden's Wlk. Hex —2D 68
Maidstone Clo. Sund —3K 129
Maidstone Ter. Hou S —5D 128
Main Cres. W'snd —1D 62
Main Rd. Din —4H 31
Main Rd. Ken F —6H 41
Main Rd. O'ham —2D 74
Main Rd. Ryton —1E 76
Main Rd. Stoc —7G 73
Main Rd. Wylam —7J 55
Mains Ct. Dur —6J 151
Mainsforth Ter. Sund —3H 117
Mainsforth Ter. W. Sund —4G 117
Mains Pk. Rd. Ches S —6B 126
Mains Ter. Mor —6F 7
Mainstone Clo. Cra —4J 23
Main St. Acomb —4B 48
Main St. Cor —1E 70
Main St. Craw —2D 76
Main St. C'hll —7K 119
Main St. Pon —5J 29
Main St. N. Seg —2D 34
Main St. S. Seg —2D 34
Maitland Ter. Newb S —3H 11
Makendon St. Heb —6J 63
Makepeace Ter. Gate —6D 98
Malaburn Way. Sund —6C 102
Malaga Clo. Newc T —1B 58
Malaya Dri. Newc T —1F 83
Malcolm Av. Quar H —6D 176
Malcolm Ct. Whit B —7D 36
Malcolm St. Newc T —7J 61 (3M 5)
Malcolm St. S'hm —4A 146
Malden Clo. Cra —4H 23
Maling Pk. Sund —1H 115
Malings Clo. Sund —2H 117
Maling St. Newc T —1J 81 (5M 5)
Mallard Clo. Ash —7B 10
Mallard Clo. Wash —4D 112
Mallard Ct. Kil —7A 34
Mallard Lodge. Gate —6B 82
Mallard Way. Bly —6K 21
Mallard Way. Hou S —3B 142
Mallard Way. W'snd —6A 46
Mallowburn Cres. Newc T —1J 59
Malmo Clo. Tyn T —7B 46
Malone Gdns. Bir —2B 112
Malory Pl. Gate —4H 81
Maltby Clo. Sund —4A 130
Maltby Clo. Wash —4H 113
Malt Cres. Pet —5D 170
Malthouse Way. Newc T —1H 59

Maltings, The. Sund —2E 130
Maltings, The. Win —4G 179
Maltkiln. Hex —2C 68
Malton Clo. Bly —2F 21
Malton Clo. Newc T —7E 58
Malton Ct. Jar —6A 64
Malton Cres. N Shi —1E 64
Malton Gdns. W'snd —1F 63
Malton Grn. Gate —6K 97
Malvern Av. Ches S —7K 125
(in two parts)
Malvern Clo. Ash —6D 10
Malvern Clo. Pet —7K 169
Malvern Ct. Gate —1C 96
Malvern Ct. Newc T —6B 58
Malvern Ct. Sund —5B 86
Malvern Cres. S'hm —3J 145
Malvern Cres. Trim S —7C 178
Malvern Gdns. Gate —1C 96
(in two parts)
Malvern Gdns. Sund —4G 103
Malvern Rd. N Shi —4E 46
Malvern Rd. Sea S —5D 26
Malvern Rd. W'snd —2K 63
Malvern Rd. Wash —5F 113
Malvern St. Newc T —2C 80
Malvern St. S Shi —6J 65
Malvern Ter. S'ley —4G 123
Malvern Vs. Dur —2D 164
Malvins Clo. Rd. Bly —2G 21
Malvins Rd. Bly —1F 21
Manchester St. Mor —6F 7
Mandale Cres. N Shi —1G 47
Mandarin Clo. Newc T —1B 58
Mandarin Lodge. Gate —6B 82
(off Coldwell St.)
Mandarin Way. Wash —2C 114
Mandela Clo. S'ley —4D 122
Mandela Clo. Sund —1H 117
Mandela Way. Gate —3K 79
Manderville Pk. Hett H —7H 143
Mandeville. Wash —7K 99
Manet Gdns. S Shi —2K 85
Mangrove Clo. Newc T —1B 58
Manila St. Sund —4G 117
Manisty Ho. Newc T —2A 80
Manisty Ter. Pet —7A 158
Manley Vw. Ash —5E 10
Mann Cres. Mur —6F 145
Manners Gdns. Sea D —6G 25
Manningford Clo. Cra —5J 23
Manningford Dri. Sund —4A 130
Manor Av. Bent —7A 44
Manor Av. Newb —5K 57
Manor Chare. Newc T —1G 81 (6H 5)
Manor Clo. Newc T —7F 43
Manor Clo. Rid M —7K 71
Manor Clo. Shin —6E 164
Manor Cotts. Cor —7D 50
Manor Ct. S Shi —4B 66
Manor Dri. Newb S —2J 11
Manor Dri. Newc T —7A 44
Manor Dri. S'ley —4K 121
Manorfields. Bent —6B 44
Manor Gdns. Gate —6F 83
Manor Gdns. Newc T —7A 44
Manor Grange. Lan —7A 136
Manor Gro. Bent —7A 44
Manor Gro. Hou S —2F 129
Manor Gro. Newb —6K 57
Manor Hall Clo. S'hm —2G 145
Manor Ho. Clo. Newc T —1A 82
Manor Ho. Est. Hut H —7A 180
(in two parts)
Manor Ho. Farm Cotts. Newc T —1K 59
Manor Ho. Rd. Newc T —4H 61
Manor Pk. Cor —7D 50
Manor Pk. Wash —7H 99
Manor Pl. Newc T —7A 44
Manor Pl. Sund —2F 117
Manor Rd. M'sly —7K 105
Manor Rd. Newc T —1A 62
Manor Rd. N Shi —4K 47
Manor Rd. S'ley —2F 123
Manor Rd. Wash —7H 99
Manors, The. Pru —3G 75
Manor Ter. Bla T —5A 78
Manor Ter. Winl M —7C 78
Manor Vw. H Pitt —7B 154
Manor Vw. Newb S —2J 11
Manor Vw. Wash —7J 99
Manor Vw. E. Wash —7J 99
Manor Wlk. Newc T —7A 44
Mnr. Walks Shop. Cen. Cra —4J 23
Manorway. Jar —5C 84
Manorway. N Shi —4K 47
Manor Way. Pet —7C 170
Mansell Cres. Pet —5C 170
Mansell Pl. Newc T —2A 60
Mansel Ter. Bly —2C 20
Manse St. Con —5G 119
Mansfield Ct. W Bol —7G 85
Mansfield Cres. Sund —4G 103
Mansfield Pl. Newc T —1D 80 (5B 4)
Mansfield St. Newc T —1D 80 (5A 4)
Mansion Ho. E Bol —7G 85
Manston Clo. Sund —3K 129
Manx Sq. Sund —4D 102
Maple Av. Dur —2E 164
Maple Av. Gate —7C 80
Maple Av. Sund —1D 130
Maple Av. Whit B —1F 47
Maplebeck Clo. Sund —4K 129
Maple Clo. Bed —7H 15
Maple Clo. Newc T —7E 58
Maple Ct. B'don —2B 172
Maple Ct. Newc T —7A 34
Maple Ct. N Har —4H 25
Maple Cres. Bly —1D 20
Maple Cres. S'hm —6A 146
Mapledene Rd. Newc T —6B 42
Maple Gdns. Con —5E 118
Maple Gro. Fel —6C 82
Maple Gro. Gate —7G 81
Maple Gro. Pru —4D 74
Maple Gro. S Shi —2B 86
Maple Gro. S'ley —5D 122
Maple Gro. Sund —5H 87
Maple Pk. Ush M —3D 162
Maple Rd. Bla T —4C 78
Maple Row. Gate —4H 79
Maple St. Ash —3B 10
Maple St. Con —6H 119
Maple St. Jar —6A 64
Maple St. Newc T —2D 80 (8B 4)
Maple St. S'ley —5D 122
Maple Ter. Burn —2K 107
Maple Ter. Hou S —4A 128
Maple Ter. Newc T —2D 80 (8A 4)
Maple Ter. S'ley —4J 121
(off Pine Ter.)
Maplewood. Ches S —4J 125
Maplewood. Newc T —5C 62
Maplewood Av. Sund —4B 102
Maplewood Ct. Lang P —5H 149
Maplewood Cres. Wash —7F 113
Maplewood Dri. Has —1B 168
Maplewood St. Hou S —1J 141
Mapperley Dri. Newc T —6E 58
Marblet Ct. Gate —7D 80
Marbury Clo. Sund —3K 129
Marchburn La. Rid M —7J 71
March Rd. Dud —3K 33
March Ter. Din —4G 31
Marcia Av. Shot C —5E 168
Marcia Av. Sund —4F 103
Marconi Way. Gate —4H 79
Marcross Clo. Newc T —3B 58
Marcross Dri. Sund —4K 129
Mardale. Wash —1F 113
Mardale Gdns. Gate —4J 97
Mardale Rd. Newc T —4H 59
Mardale St. Hett H —1G 155
**Marden. —1G 47**
Marden Av. N Shi —1J 47
Marden Clo. Mor —1D 12
Marden Ct. Sea S —3B 26
Marden Cres. Whit B —7J 37
Marden Farm Dri. N Shi —1H 47
Marden Rd. Whit B —6G 37
(in two parts)
Marden Rd. S. Whit B —7H 37
(in two parts)
Marden Ter. N Shi —1J 47
Mareburn Cres. Gate —6C 82
Maree Clo. Sund —4A 130
Mares Clo. Seg —7E 24
Margaret Alice St. Sund —1A 116
Margaret Cotts. Whit B —2F 47
(off Zetland Clo.)
Margaret Ct. Bow —4H 175
Margaret Dri. Newc T —4E 44
Margaret Gro. S Shi —1G 85
Margaret Rd. Whit B —7J 37
Margaret St. Lud —5J 167
Margaret St. S'hm —4B 146
Margaret St. Sund —6J 117
Margaret Ter. Hou S —3C 128
Margaret Ter. Row G —6G 93
Margaret Ter. Tan L —7C 108
Margaret Ter. Trim S —7C 178
Margate St. Sund —1C 130
Margery La. Dur —3K 163
Marguerite Ct. Sund —1D 116
Marian Ct. Gate —5F 81
Marian Dri. Gate —4F 83
Marian Way. Pon —2F 39
Marian Way. S Shi —3B 86
Maria St. Newc T —2A 80
Maria St. S'hm —3B 146
Maria St. Sund —2C 130
Marie Curie Dri. Newc T —2B 80
Marigold Av. Gate —4K 81
Marigold Ct. Sund —1D 116
Marigold Cres. Hou S —6J 127
Marigold Wlk. S Shi —1H 85
Marina Av. Sund —4E 102
Marina Ct. Sund —4F 103
Marina Dri. S Shi —2A 66
Marina Dri. Whit B —7B 36
Marina Gro. Sund —4F 103
Marina Ter. Ryh —3H 131
Marina Ter. Sund —5H 87
Marina Vw. Heb —7G 63
Marina Vw. W'snd —3K 63
Marine Activity Centre. —5H 103
Marine App. S Shi —3K 65
Marine Av. Whit B —6F 37
Marine Cotts. Newb S —3H 11
Marine Ct. E. Whit B —5G 37
(off Marine Av.)
Marine Ct. W. Whit B —6G 37
(off Marine Av.)
Marine Cres. B Col —3K 181
Marine Dri. Heb —3A 84
Marine Dri. Lee —1H 131
Marine Gdns. Whit B —6G 37
Mariner's Cotts. S Shi —2A 66
(in two parts)
Mariners' La. N Shi —5J 47
Mariners Point. N Shi —5K 47
Mariner Sq. Sund —7H 103
Marine St. Newb S —2J 11
Marine Ter. Bly —2J 21
Marine Ter. E. Bly —2J 21
Marine Vw. Sea S —3B 26
Marine Wlk. Sund —4H 103
Marion St. Sund —4G 117
Maritime Cres. Pet —2D 170
Maritime Pl. Mor —6F 7
Maritime St. Sund —2F 117
Maritime Ter. Sund —2F 117
Marius Av. Hed W —3D 56
Mariville E. Sund —4J 131
Mariville W. Sund —4J 131
Marjorie St. Cra —5C 24
Markby Clo. Sund —4A 130
Market Cres. N Her —3C 128
Market Cres. Win —7G 179
Market Hall. S'ley —2E 122
Market La. Gate —6A 80
Market La. Newc T —1G 81 (6G 4)
Market La. Whi & Swa —5G 79
Market Pl. Bed —1H 19
Market Pl. Bly —1J 21
Market Pl. Ches S —5A 126
Market Pl. Cor —1D 70
Market Pl. Dur —3A 164
(off Silver St.)
Market Pl. Esh W —4E 160
Market Pl. Hex —1D 68
Market Pl. Hou S —2F 143
Market Pl. Mor —6F 7
Market Pl. S Shi —2J 65
Market Pl. Ind. Est. Hou S —1F 143
Market Pl. W. Mor —7F 7
Market Sq. Jar —6B 64
Market Sq. Sund —2F 117
Market St. Bly —1J 21
Market St. Con —5F 119
(off Queen's Rd.)
Market St. Dud —3H 33
Market St. Hett H —6H 143
Market St. Hex —1D 68
Market St. Newc T —1F 81 (5F 4)
Market Way. Team T —1F 97
Mark Gdns. Wylam —7J 55
Mark Ga. Pet —5B 170
Markham Av. Sund —6J 87
Markham St. Sund —6H 117
Markington Dri. Ryh —3H 131
Markle Gro. E Rai —5D 142
Mark Ri. Hett H —5G 143
Mark's La. W Rai —6J 141
Marlboro Av. Swa —6H 79
Marlborough. S'hm —3B 146
Marlborough App. Newc T —5E 42
Marlborough Av. Newc T —5D 42
Marlborough Ct. Hou S —4E 142
Marlborough Ct. Jar —1B 84
Marlborough Ct. Newc T —5K 41
Marlborough Cres. Gate —4A 98
Marlborough Cres. Newc T —2E 80 (7D 4)
Marlborough Cres. Pet —6F 171
Marlborough Ho. Whit B —5F 37
Marlborough Rd. Sund —5F 115
Marlborough Rd. Wash —6J 99
Marlborough St. N. S Shi —5K 65
Marlborough St. S. S Shi —5K 65
Marlborough Ter. Sco G —4H 15
Marleen Av. Newc T —5A 62
Marleen Ct. Hea —5A 62
Marlene Av. Bow —3G 175
Marlesford Clo. Sund —3K 129
Marley Cres. Sund —4B 102
**Marley Hill. —7H 95**
**Marley Pots. —4B 102**
Marleys Cotts. Que —7A 148
Marlfield Ct. Newc T —2H 59
Marlow Dri. Sund —4K 129
Marlowe Gdns. Gate —5H 81
Marlowe Pl. Hou S —3E 142
Marlowe Wlk. S Shi —3G 85
Marlow Pl. Newc T —6A 44
Marlow St. Bly —2H 21
Marlow Way. Whi —2F 95
Marmion Rd. Newc T —5D 62
Marmion Ter. Whit B —7F 37
Marne St. Hou S —3C 128
Marondale Av. Newc T —6D 62
Marquis Av. Newc T —7C 40
Marquis Clo. Newc T —7B 44
Marquis Ct. L Pru —2G 75
Marquisway. Team T —4F 97
Marquisway Cen. Team T —4E 96
Marr Rd. Heb —1K 83
**Marsden. —7D 66**
Marsden Av. Sund —3H 87
Marsden Clo. Hou S —2C 142
Marsden Gro. Gate —4B 98
Marsden Gro. Sund —5H 87
Marsden La. Newc T —2G 59
Marsden La. S Shi —6D 66
Marsden Rd. S Shi —6B 66
Marsden Rd. Sund —6B 86
Marsden Vw. Sund —3H 87
Marshall's Ct. Newc T —1F 81 (6E 4)
Marshall St. Sund —3F 103
Marshall Ter. Dur —1F 165
Marshall Wallis Rd. S Shi —5J 65
(in two parts)
Marsham Clo. Newc T —6E 58
Marsham Clo. Sund —4C 86
Marsham Rd. Newc T —2E 58
Marsh Ct. Gate —7D 80
Marshes Houses. W Sle —1B 16
Marshmont Av. N Shi —3J 47
Marske Ter. Newc T —7C 62
Marston. Newc T —7B 34
Marston Wlk. Whi —2F 95
Martello Gdns. Newc T —3B 62
Martha St. Tant —6B 108
Martin Ct. Wash —6D 112
Martindale Av. Sund —3E 102
Martindale Pk. Hou S —3E 142
Martindale Pl. Sea D —7J 25
Martindale Wlk. Win —4G 179
Martin Hall. Jar —7C 64
Martin Rd. W'snd —3K 63
Martin Ter. Sund —1B 116
Martin Way. Bru V —5C 32
Marwell Dri. Wash —5J 99
Marwood Ct. Whit B —5D 36
Marwood Gro. Pet —2A 180
Marx Cres. S'ley —4F 123
(in four parts)
Marx Ter. C'wl —7A 92
Mary Agnes St. Newc T —7C 42
Mary Av. Bir —2K 111
Mary Cres. Kel —7E 176
Maryhill Clo. Newc T —2A 80
Maryside Pl. Clar V —6D 56
Mary's Pl. Newc T —7F 63
Mary St. Ann P —6A 122
Mary St. Bla B —4A 78
Mary St. Bla T —3C 78
Mary St. New S —1C 130
Mary St. S'hm —3C 146
Mary St. S'ley —3E 122
Mary St. Sund —2E 116
Mary Ter. Bow —4G 175
Mary Ter. Newc T —3G 59
Masefield Av. Swa —5H 79
Masefield Clo. S'ley —2H 123
Masefield Dri. S Shi —3G 85
Masefield Pl. Gate —4H 81
Masefields. Pelt F —6G 125
**Mason. —3H 31**
Mason Av. Whit B —6H 37
Mason Cres. Pet —6D 170
Mason Rd. W'snd —1E 62
Mason St. Bru V —5C 32
Mason St. Con —7H 119
Mason St. Newc T —1A 82 (5P 5)
Mason Vw. Sea B —3D 32
Massingham Way. S Shi —1H 85
Master Mariner's Homes. N Shi —5J 47
Master's Cres. Pru —4D 74
Mast La. N Shi —1H 47
Matamba Ter. Sund —2D 116
Matanzas St. Sund —5G 117
Matfen Av. Haz —7C 32
Matfen Av. Shir —2A 46
Matfen Clo. Bly —2G 21
Matfen Clo. Newc T —7E 58
Matfen Ct. Ches S —6J 125
Matfen Dri. Sund —3K 129
Matfen Gdns. W'snd —7K 45
Matfen Pl. Cox —6C 42
Matfen Pl. Fenh —6B 60
Matfen Ter. Newb S —4H 11
Mather Rd. Newc T —2D 80 (8A 4)
Mathesons Gdns. Mor —7F 7
Matlock Gdns. Newc T —2F 59
Matlock Rd. Jar —1C 84
Matlock St. Sund —1F 117
Matterdale Rd. Pet —6D 170
Matthew Bank. Jes —2G 61
Matthew Rd. Bly —4K 21
Matthews Cres. S Het —5D 156
Matthews Rd. Mur —2G 157
Matthew St. Newc T —7K 61 (3P 5)
Maude Gdns. W'snd —4F 63
Maudlin Pl. Newc T —4K 59
Maudlin St. Hett H —4H 143
Mauds La. Sund —1G 117
Mauds Ter. Newb S —2J 11
Maud St. Newc T —7C 58
Maud St. Sund —3G 103
Maud Ter. Tan —5D 108
Maud Ter. W All —3H 45
Maudville. Con —4C 132
Maughan St. Bly —2K 21
Maureen Av. B Col —3J 181
Maureen Ter. Dur —5G 153
Maureen Ter. S'hm —3A 146
Maurice Rd. W'snd —5F 63
Maurice Rd. Ind. Est. Newc T & W'snd —5E 62
Mautland Sq. Hou S —1E 142
Mautland St. Hou S —1E 142
Mavin St. Dur —4B 164
Maxstoke Pl. Newc T —6J 43
Maxton Clo. Sund —4K 129
Maxwell St. Gate —7F 81
Maxwell St. S Shi —3J 65
Maxwell St. Sund —1B 116
May Av. Newb S —2G 11
May Av. Ryton —7G 57
May Av. Winl M —7C 78
May Cres. Trim S —7D 178
Maydown Clo. Sund —7F 101
Mayfair Ct. Heb —1H 83
Mayfair Gdns. Gate —6J 81
Mayfair Gdns. Pon —5K 29
Mayfair Gdns. S Shi —6A 66
Mayfair Rd. Newc T —3F 61
Mayfield. Mor —1E 12
Mayfield. Whi —2H 95
Mayfield Av. Cra —4A 24
Mayfield Av. Newc T —4J 57
Mayfield Ct. Sund —4F 103
Mayfield Dri. Sund —6D 86
Mayfield Gdns. Jar —7A 64
Mayfield Gdns. Newc T —4J 57
Mayfield Gdns. W'snd —2D 62
Mayfield Gro. Sund —6G 115
Mayfield Pl. Wide —6C 32
Mayfield Rd. Newc T —1D 60
Mayfield Rd. Sund —2G 115
Mayfield Ter. Newc T —4A 60
May Gro. Sund —3H 87
May Lea. Wit G —2D 150
Maynards Row. Dur —2D 164
Mayo Dri. Sund —4A 130
Mayoral Way. Team T —4F 97
Mayorswell Clo. Dur —2B 164
Mayorswell Fld. Dur —2C 164
Mayorswell St. Dur —2B 164
Maypole Clo. Sund —6D 102
May St. Bir —4A 112
May St. Bla T —5B 78
May St. Dur —3K 163
May St. S Shi —4K 65
May St. Sund —1D 116
Mayswood Rd. Sund —4F 103
May Ter. Lang P —5J 149
Maythorne Dri. S Het —5D 156
Maytree Ho. Newc T —8A 4
Maywood Clo. Newc T —1A 60
Mazine Ter. Has —3A 168
Meaburn St. Sund —2G 117
Meaburn Ter. Sund —2G 117
Meacham Way. Whi —2G 95
Mead Av. Newc T —4C 44
Mead Cres. Newc T —4C 44
Meadow Av. B Col —3J 181
Meadowbank. Lang P —5H 149
Meadow Bank Dri. Chop —2G 15

Meadow Brook Dri. C'wl —5A 92
Meadowbrook Dri. Gate —7G 83
Meadow Clo. Ann —3J 33
Meadow Clo. Bla T —5K 77
Meadow Clo. Gate —5A 80
Meadow Clo. Hou S —3F 143
Meadow Clo. Newc T —6K 43
Meadow Clo. Ryton —1H 77
Meadow Clo. Seg —1D 34
Meadow Ct. Bed —7G 15
Meadow Ct. Pon —6J 29
Meadowcroft M. Gate —5F 81
Meadowdale Cres. Bed —7F 15
Meadowdale Cres. Newc T —2K 59
Meadow Dri. Ches S —7H 125
Meadow Dri. E Her —3H 129
Meadow Dri. Sea B —3E 32
Meadow Dri. S Hyl —3H 115
**Meadowfield. —2E 172**
Meadowfield. Ash —5E 10
Meadowfield. Con —6F 119
Meadowfield. Gate —6D 98
Meadowfield. Pon —4J 29
Meadowfield. Whit B —6D 36
Meadowfield Av. Newc T —6C 42
Meadowfield Cres. Ryton —2E 76
Meadowfield Dri. Sund —5C 86
Meadowfield Gdns. W'snd —4E 62
Meadowfield Ind. Est. B'don —2G 173
Meadowfield Ind. Est. Mead —2F 173
*Meadowfield Pk. Pon —5J 29*
*(off Meadowfield)*
Meadowfield Pk. S. Stoc —2J 89
Meadowfield Pl. B'don —1F 173
Meadowfield Rd. Newc T —1D 60
Meadowfield Rd. Stoc —1H 89
Meadowfield Ter. Newc T —3D 44
Meadowfield Ter. Stoc —7K 73
Meadowfield Way. Tan L —1C 122
Meadow Gdns. Sund —5D 116
Meadow Grange. New L —7J 127
Meadow Gro. Sund —3H 115
Meadow La. Dur —6G 153
Meadow La. Gate —5A 80
Meadow La. Ryton —2E 76
Meadow La. Sund —3H 129
Meadow Laws. S Shi —2C 86
Meadow Pk. Rid M —7K 71
Meadow Ri. Con —7J 119
Meadow Ri. Newc T —1H 59
Meadow Rd. Monk —7D 36
Meadow Rd. Newc T —5D 58
Meadow Rd. Sea S —4B 26
Meadow Rd. W'snd —3K 63
Meadowside. Sund —4D 116
Meadows La. Hou S —6B 142
Meadows, The. B'mr —6H 127
Meadows, The. Newc T —6B 42
Meadows, The. Ryton —1H 77
Meadows, The. W Rai —1A 154
Meadow St. E Rai —7C 142
Meadow Ter. Hou S —3C 128
Meadowvale. Pon —2E 38
Meadow Va. Sund —4E 116
Meadow Vw. Con —3A 134
Meadow Vw. Dip —7J 107
Meadow Vw. Jar —6D 84
Meadow Vw. N Har —4H 25
Meadow Vw. Sac —7E 138
Meadow Vw. Sund —3H 129
Meadow Vw. W'sde —4E 76
Meadow Wlk. Ryton —1H 77
Meadow Wlk. Sund —4B 130
Meadow Way. Lan —7J 135
Meadow Well Way. N Shi —1E 64
Mead Wlk. Newc T —7D 62
Mead Way. Newc T —4C 44
Meadway Dri. Newc T —5D 44
Meadway Ho. Newc T —5D 44
Meal Mkt. Hex —1D 68
Means Ct. Burr —5K 33
Means Dri. Burr —5K 33
**Medburn. —2C 38**
Medburn Av. N Shi —2J 47
Medburn Rd. H'wll —1J 35
Medburn Rd. Newc T —6B 58
Medina Clo. Sund —4A 130
Medlar. Gate —3A 98
**Medomsley. —7K 105**
Medomsley Gdns. Gate —3C 98
Medomsley Rd. Con —7H 119
Medomsly St. Sund —1C 116
Medway. Gt Lum —3E 140
Medway. Jar —4C 84
Medway Av. Heb —3J 83
Medway Clo. Pet —1A 180
Medway Cres. Gate —5K 81
Medway Gdns. N Shi —5G 47
Medway Gdns. S'ley —5E 122
Medway Gdns. Sund —4K 115
Medway Pl. Cra —1A 24
Medwyn Clo. Bly —5H 21
Medwyn Clo. Hou S —6J 127
Megstone Av. Cra —5J 23
Megstone Ct. Newc T —7C 34
Melbeck Dri. Ous —6G 111
Melbourne Ct. Gate —3G 81 (9H 5)
Melbourne Ct. Newc T —1H 81 (5K 5)
Melbourne Cres. Whit B —1E 46
Melbourne Gdns. S Shi —3F 85
Melbourne Pl. Sund —4A 116
Melbourne St. Newc T —1G 81 (6H 5)
Melbourne Ter. Sac —5D 138
Melbury. Whit B —5C 36
Melbury Ct. Sund —4F 103
Melbury Rd. Newc T —4J 61
Melbury St. S'hm —5B 146
Meldon Av. Newc T —5B 42
Meldon Av. Sher —3A 166
Meldon Av. S Shi —7A 66
Meldon Clo. W'snd —2J 63
Meldon Ct. Ryton —3C 76
Meldon Gdns. Chop —7H 9
Meldon Gdns. Gate —2C 96
Meldon Ho. Bly —1F 21
Meldon Rd. Sund —1B 116
Meldon St. Newc T —2C 80
Meldon St. W'snd —4C 64
Meldon Ter. G'sde —5D 76
Meldon Ter. Newb S —4H 11
Meldon Ter. Newc T —5K 61
Meldon Way. Bla T —6K 77
Meldon Way. H Shin —7F 165
Meldon Way. S'ley —5B 122
Melgarve Dri. Sund —4A 130
Melkington Ct. Newc T —2H 59
Melkridge Gdns. Newc T —2B 62
Melkridge Pl. Cra —5H 23
Mellendean Clo. Newc T —2H 59
Melling Rd. Cra —4H 23
Melmerby Clo. Newc T —5F 43
Melness Rd. Haz —6C 32
Melock Ct. Haz —6C 32
Melrose. Wash —5H 113
Melrose Av. Back —6G 35
Melrose Av. Bed —7B 16
Melrose Av. Gate —2J 97
Melrose Av. Heb —3J 83
Melrose Av. Mur —1C 156
Melrose Av. N Shi —2G 47
Melrose Av. Sea D —2H 35
Melrose Av. Whit B —7F 37
Melrose Clo. Gos —2D 42
Melrose Clo. W Den —7E 58
Melrose Ct. Bed —6B 16
Melrose Ct. Con —5E 118
Melrose Cres. S'hm —2H 145
Melrose Gdns. Hou S —6C 128
Melrose Gdns. Sund —4G 103
Melrose Gdns. W'snd —7A 46
Melrose Gro. Jar —2E 84
Melrose Ter. Bed —6B 16
Melrose Ter. Newb S —4H 11
Melrose Vs. Bed —6B 16
Melsonby Clo. Sund —3K 129
Meltham Ct. Newc T —3B 58
Meltham Dri. Sund —4A 130
Melton Av. Newc T —1D 82
Melton Cres. Sea S —6D 26
Melton Dri. N Har —4H 25
Melton Ter. N Har —4H 25
Melvaig Clo. Sund —4A 130
Melville Av. Bly —5H 21
Melville Gdns. Whit B —7C 36
Melville Gro. Newc T —2J 61
Melville St. Ches S —7A 126
Melvin Pl. Newc T —3H 59
Melvyn Gdns. Sund —4G 103
Membury Clo. Sund —4A 130
Memorial Av. Pet —7C 158
Memorial Homes. Tan L —1D 122
Memorial Sq. Newb S —2H 11
Menai Ct. Sund —3B 130
Menceforth Cotts. Ches S —5K 125
Mendham Clo. Gate —1C 98
Mendip Av. Ches S —7K 125
(in two parts)
Mendip Clo. Ash —6C 10
Mendip Clo. N Shi —3F 47
Mendip Clo. Pet —6K 169
Mendip Dri. Wash —5F 113
Mendip Gdns. Gate —1D 96
Mendip Ho. Ches S —7A 126
Mendip Ter. S'ley —4G 123
Mendip Way. Newc T —6H 43
Mentieth Clo. Wash —5F 113
Menvill Pl. Sund —2G 117
Mercantile Rd. Hou S —3C 142
Merchants Wharf. Newc T —3A 82
Mercia Retail Pk. Dur —3A 152
Mercia Way. Newc T —1E 78
Meredith Gdns. Gate —5H 81
Mere Dri. Dur —4K 151
Mere Knolls Rd. Sund —2G 103
Meresyde. Gate —1E 98
Meresyde Ct. Gate —7E 82
Merevale Clo. Wash —5J 99
*Merganser Lodge. Gate —6B 82*
*(off Crowhall La.)*
Meridan Way. Newc T —2B 62
Merlay Dri. Din —5H 31
Merle Gdns. Mor —5D 6
Merle Gdns. Newc T —1A 82 (6P 5)
Merle Ter. Sund —7B 102
Merley Cft. Mor —2G 13
Merley Ga. Mor —2G 13
Merley Hall. Newc T —2E 82
Merlin Clo. S'hm —2A 146
Merlin Ct. Esh W —4C 160
*Merlin Ct. Gate —6B 82*
*(off High St. Felling,)*
Merlin Cres. W'snd —2K 63
Merlin Dri. Ches S —2B 126
Merlin Pl. Newc T —5J 43
Merrick Ho. Sund —3B 130
Merrington Clo. N Har —3H 25
Merrington Clo. Sund —3K 129
Merrion Clo. Sund —3K 129
Merryfield Gdns. Sund —4G 103
**Merryoaks. —5J 163**
Mersey Ct. Sund —3B 130
Mersey Pl. Gate —6K 81
Mersey Rd. Gate —6K 81
Mersey Rd. Heb —3J 83
Mersey St. C'wl —6A 92
Mersey St. Con —4B 120
Merton Ct. Newc T —2A 80
Merton Rd. Newc T —3D 82
Merton Rd. Pon —5J 29
*Merton Sq. Bly —1J 21*
*(off Regent St.)*
Merton Way. Pon —5J 29
Merz Ct. Newc T —2E 4
Messenger Bank. Shot B —3E 118
Metcalfe Cres. Mur —7D 144
Metcalfe Rd. Con —1K 133
Metcalf Ho. Dur —2K 163
Methold Houses. Beam —1A 124
Methuen St. Gate —6J 81
Metro Cen. Gate —5J 79
Metro Pk. W. Gate —4H 79
Metro Retail Pk. Gate —4H 79
Mews, The. Bla T —4E 78
Mews, The. Gate —6F 83
Mews, The. Newc T —7F 61 (4E 4)
Mews, The. N Shi —4K 47
Mews, The. Shin —6D 164
Mews, The. Sund —2H 129
Michaelgate. Newc T —1A 82
Mickle Clo. Wash —2E 112
Mickle Hill Rd. B Col —4E 180
Mickleton Clo. Gt Lum —3F 141
Mickleton Gdns. Sund —6D 116
Micklewood Clo. Longh —1A 8
**Mickley Square. —5B 74**
Mid Cross St. Newc T —3D 80 (9B 4)
Middlebrook. Pon —1F 39
Middle Chare. Ches S —6A 126
Middle Clo. Wash —7F 113
Middle Dri. Pon —2E 38
Middle Dri. Wool —2F 41
(in two parts)
Middle Engine La. W'snd & Newc T —7K 45
Middlefield. Pelt —2G 125
Middlefields Ind. Est. S Shi —7G 65
Middlefield Ter. Ush M —3B 162
Middlegarth. Newc T —3K 59
Middle Ga. Loan —2F 13
Middle Ga. Newc T —4D 58
Middle Grn. Whit B —7C 36
Middle Gro. B'don —2C 172
Middleham Clo. Ous —7F 111
Middleham Ct. Sund —4A 102
Middleham Rd. Dur —4B 152
**Middle Herrington. —1J 129**
**Middle Rainton. —7B 142**
Middle Row. Hou S —1J 141
Middle Row. Ryton —2J 77
Middles Rd. S'ley —5F 123
**Middles, The. —6H 123**
Middle St. B Col —2H 181
Middle St. Bly —5F 21
Middle St. Con —7H 119
Middle St. Cor —1D 70
Middle St. Newc T —7D 62
Middle St. N Shi —5K 47
(in two parts)
Middle St. Sund —1E 116
(in two parts)
Middle St. E. Newc T —7E 62
Middleton Av. Newc T —7A 60
Middleton Av. Row G —6K 93
Middleton Clo. Sea —1G 145
Middleton St. Bly —2J 21
Middlewood Pk. Newc T —6A 60
Middlewood Rd. Lan —7J 135
Middridge Rd. Lang P —5G 149
Midfield Dri. Sund —5G 103
Midgley Dri. Sund —4A 130
Midhill Clo. B'don —1D 172
Midhill Clo. Lang P —5J 149
Midhurst Av. S Shi —5B 66
Midhurst Clo. Sund —3K 129
Midhurst Rd. Newc T —5B 44
Midmoor Rd. Sund —1A 116
Midsomer Clo. Sund —4K 129
Midway. Newc T —7E 62
Milbanke Clo. Ous —7H 111
Milbanke St. Ous —7H 111
Milbank Ter. Shot C —6E 168
Milbourne St. N Shi —2G 65
Milbur Clo. Hex —4B 68
Milburn Clo. Ches S —7C 126
Milburn Dri. Newc T —7H 59
Milburn Rd. Ash —4B 10
Milburn St. Sund —1D 116
Milburn Ter. Chop —2A 16
Milcombe Clo. Sund —3K 129
Mildmay Rd. Newc T —3F 61
Mildred St. Hou S —1E 142
Milecastle Ct. Newc T —3D 58
Mile End Rd. S Shi —1J 65
(in three parts)
Milfield Av. Shir —1K 45
Milfield Av. W'snd —1G 63
Milford Gdns. Newc T —3D 42
Milford Rd. Newc T —1J 79
Military Rd. Hed W —1J 55
Military Rd. N Shi —6H 47
Military Vehicle Museum. —5F 61
Milkwell. Cor —7E 50
Milkwell La. Cor —5E 50
Millais Gdns. S Shi —4J 85
Mill Bank. Sund —3E 102
Millbank Ct. Dur —2K 163
Millbank Cres. Bed —7J 15
Millbank Ho. S'hm —2H 145
Millbank Ind. Est. S Shi —3J 65
Millbank Pl. Bed —1K 19
Millbank Rd. Bed —7K 15
Millbank Rd. Newc T —2E 82
Millbank Ter. Bed —7J 15
Millbank Ter. Sta T —7H 179
Millbeck Gdns. Gate —4K 97
Millbeck Gro. Hou S —4D 142
**Millbourne. —1A 28**
Millbrook. Gate —7C 82
Millbrook. N Shi —7E 46
Millbrook Rd. Cra —1A 24
Millburngate. Dur —2A 164
Millburngate Shop. Cen. Dur —2A 164
Millburn Ho. Newc T —3A 60
Millburn Ter. Shin R —3B 128
Mill Clo. N Shi —7E 46
Mill Clo. Rid M —7K 71
Mill Ct. B Mill —2K 105
Mill Ct. Hou S —7J 127
Mill Cres. Heb —4G 83
Mill Cres. Shin R —3B 128
Milldale. S'hm —2H 145
Milldale Av. Bly —2E 20
Milldam. S Shi —3H 65
Milldene Av. N Shi —4J 47
Mill Dene Vw. Jar —1C 84
Milldyke Clo. Whit B —6C 36
Millennium Way. Sund —7E 102
Miller Gdns. Pelt F —5F 125
Millers Bank. W'snd —3K 63
Millersfield. Acomb —3B 48
(in four parts)
Millers Hill. Hou S —3C 128
Millershill La. Con —7F 133
Miller's La. Swa —5H 79
Millers Rd. Newc T —6A 62
Miller St. Gate —6F 81
Miller Ter. Sund —1C 130
Mill Farm Clo. Newc T —1D 80 (6A 4)
Mill Farm Rd. Ham M —2E 106
**Millfield. —2C 116**
Millfield. Bed —2J 19
Millfield. Lan —6J 135
Millfield. Sea S —5D 26
Millfield Av. Newc T —2A 60
Millfield Clo. Ches S —1J 139
Millfield Clo. Newc T —6K 57
Millfield Ct. Bed —1J 19
Millfield Ct. Con —6E 118
Millfield Ct. Hex —1B 68
Millfield Ct. Sea S —5D 26
Millfield Ct. Whi —7J 79
Millfield E. Bed —2J 19
Millfield Gdns. Bly —7H 17
Millfield Gdns. Gate —6A 82
Millfield Gdns. Hex —1B 68
Millfield Gdns. N Shi —4J 47
Millfield Gro. N Shi —3J 47
Millfield La. Newc T —5K 57
Millfield N. Bed —1J 19
Millfield Rd. Rid M —7K 71
Millfield Rd. Whi —1H 95
Millfield S. Bed —2J 19
Millfield Ter. C'wl —6K 91
Millfield Ter. Hex —1B 68
Millfield Ter. Sund —3H 87
Millfield W. Bed —1J 19
Millford. Gate —7F 83
Millford Ct. Gate —1F 99
Millford Way. Bow —4J 175
Mill Grange. Rid M —6A 72
Mill Gro. N Shi —4J 47
Mill Gro. S Shi —2D 86
Millgrove Vw. Newc T —2B 60
Mill Hill. Hou S —4D 142
Mill Hill. N West —4H 169
Mill Hill La. Dur —5J 163
Mill Hill Rd. Newc T —5F 59
Mill Hill Rd. Sund —3B 130
Mill Hill Wlk. Sund —3C 130
Mill Ho. Ct. Dur —2E 164
Milling Ct. Gate —4E 80
Mill La. Dur —2E 164
Mill La. Ebc —4G 105
Mill La. Heb —3H 83
Mill La. Hed W —2D 56
(in two parts)
Mill La. New B —4C 162
Mill La. Newc T —2C 80
Mill La. Plaw G —6J 139
Mill La. Seg —2A 34
Mill La. Sher —3A 166
Mill La. Shin —5E 164
Mill La. S'ley —6F 111
Mill La. Sund —2H 87
Mill La. Winl M —7B 78
Mill La. N. Newc T —1C 80
Millne Ct. Bed —7H 15
Millom Ct. Pet —2J 179
Millom Pl. Gate —3K 97
Mill Pit. Hou S —3B 128
Mill Race Clo. B Mill —2K 105
Mill Ri. S Gos —1G 61
Mill Rd. C'wl —6K 91
Mill Rd. Gate —2H 81 (8K 5)
Mill Rd. Lang M —7G 163
Mill Rd. S'hm —2H 145
Mills Gdns. W'snd —2F 63
Millside. Mor —7F 7
Mill St. Con —2K 133
Mill St. Sund —2D 116
Mill Ter. Hou S —4D 142
Mill Ter. Pet —7J 157
Mill Ter. Shin R —3B 128
Millthorp Clo. Sund —7J 117
Millum Ter. Sund —6G 103
Mill Vw. Gate —7A 82
Mill Vw. W Bol —7G 85
Mill Vw. Av. Sund —4F 103
Millview Dri. N Shi —3H 47
Mill Vs. W Bol —7G 85
Millway. Gate —7J 81
Mill Way. Hor —5F 55
Millway. Sea S —5D 26
Millway Gro. Sea S —5D 26
Milner Cres. Bla T —5A 78
Milner St. S Shi —3A 66
Milne Way. Newc T —7B 42
Milrig Clo. Sund —4A 130
Milsted Clo. Sund —4K 129
Milsted Ct. Newc T —3B 58
Milton Av. B Col —7G 171
Milton Av. Heb —7J 63
Milton Av. Hou S —3E 142
(in two parts)
Milton Clo. Newc T —6H 61 (2J 5)
Milton Clo. S'hm —3K 145
Milton Clo. S'ley —3H 123
Milton Grn. Newc T —6H 61 (2J 5)
Milton Gro. Ash —4D 10
(in two parts)
Milton Gro. N Shi —6F 47
(in two parts)
Milton Gro. Pru —5D 74
Milton Gro. Shot C —6F 169
Milton La. Pet —7A 158
Milton Pl. Gate —6D 98
Milton Pl. Newc T —6H 61 (2J 5)
Milton Pl. N Shi —6F 47

Milton Rd. *Swa & Whi* —6G **79**
Milton Sq. *Gate* —4J **81**
(in two parts)
Milton St. *G'sde* —5C **76**
Milton St. *Jar* —5B **64**
Milton St. *S Shi* —5K **65**
Milton St. *Sund* —1C **116**
Milton Ter. *N Shi* —6F **47**
Milton Ter. *Pelt F* —6G **125**
Milvain Av. *Newc T* —7A **60**
Milvain Clo. *Gate* —5H **81**
Milvain St. *Gate* —5H **81**
Milverton Ct. *Newc T* —6J **41**
Mimosa Dri. *Heb* —3J **83**
Mimosa Pl. *Newc T* —5K **59**
Minden St. *Newc T* —1G **81** (5H **5**)
Mindrum Ter. *Newc T* —2D **82**
Mindrum Ter. *N Shi* —1D **64**
Mindrum Way. *Sea D* —7H **25**
Minehead Gdns. *Sund* —1C **130**
Miners' Vs. *Whe H* —2C **178**
Minerva Clo. *Newc T* —1C **58**
Mingarry. *Bir* —6C **112**
Mingary Clo. *E Rai* —6C **142**
Minorca Clo. *Sund* —2G **117**
Minorca Pl. *Newc T* —2B **60**
Minskip Clo. *Sund* —4A **130**
Minster Ct. *Dur* —1G **165**
Minster Ct. *Gate* —3H **81** (10K **5**)
Minster Gro. *Newc T* —2B **58**
Minsterley. *Gt Lum* —3E **140**
Minster Pde. *Jar* —6C **64**
Minting Pl. *Cra* —4H **23**
Minton Ct. *N Shi* —1F **65**
Minton La. *N Shi* —1F **65**
Minton Sq. *Sund* —1A **116**
Mirk La. *Gate* —2G **81** (8H **5**)
Mirlaw Rd. *Cra* —5H **23**
Mistletoe Rd. *Newc T* —4G **61**
Mistletoe St. *Dur* —3K **163**
Mitcham Cres. *Newc T* —2K **61**
Mitchell Av. *Newc T* —2G **61**
Mitchell Av. *Whit B* —7D **36**
Mitchell Clo. *Pet* —4K **169**
Mitchell Dri. *Ash* —4F **11**
Mitchell Gdns. *S Shi* —6B **66**
Mitchell St. *Ann P* —5A **122**
Mitchell St. *Bir* —4K **111**
Mitchell St. *Dur* —2K **163**
Mitchell St. *Newc T* —7E **62**
(in two parts)
*Mitchell St. Ryton —3C 76*
*(off Wesley Gro.)*
Mitchell St. *S Moor* —5D **122**
Mitchell Ter. *Tant* —6B **108**
**Mitford. —7A 6**
Mitford Av. *Bly* —3G **21**
Mitford Av. *Peg* —3A **8**
Mitford Av. *Sea D* —7G **25**
Mitford Clo. *Ches S* —1B **126**
Mitford Clo. *H Shin* —7F **165**
Mitford Clo. *Wash* —4F **113**
Mitford Ct. *Pet* —1B **180**
Mitford Dri. *Ash* —5B **10**
Mitford Dri. *Newc T* —2E **58**
Mitford Dri. *Sher* —3A **166**
Mitford Gdns. *Chop* —7H **9**
(in two parts)
Mitford Gdns. *Gate* —2C **96**
Mitford Gdns. *W'snd* —7K **45**
Mitford Gdns. *Wide* —4E **32**
Mitford Pl. *Newc T* —6C **42**
Mitford Rd. *Mor* —6E **6**
Mitford Rd. *S Shi* —7A **66**
Mitford St. *Sund* —3G **103**
Mitford St. *W'snd* —3C **64**
Mitford Ter. *Jar* —4B **84**
Mitford Way. *Din* —5H **31**
Mithras Gdns. *Hed W* —3C **56**
Mitre Pl. *S Shi* —5H **65**
Moat Gdns. *Gate* —6G **83**
Moatside La. *Dur* —3A **164**
Modder St. *Newc T* —3D **82**
Model Dwellings. *Wash* —4J **113**
Model Ter. *Hou S* —1A **128**
Modigars La. *Stoc* —3A **90**
Moffat Av. *Jar* —2E **84**
Moffat Clo. *N Shi* —4C **46**
Moine Gdns. *Sund* —4G **103**
Moir Ter. *Sund* —3J **131**
Molesdon Clo. *N Shi* —3G **47**
Molineux Clo. *Newc T*
—7K **61** (3N **5**)
Molineux Ct. *Newc T*
—7K **61** (3N **5**)
Molineux St. *Newc T*
—7K **61** (3N **5**)
Mollyfair Clo. *Ryton* —2D **76**
Monarch Av. *Dox I* —4J **129**
Monarch Rd. *Newc T*
—3C **80** (10A **4**)
Monarch Ter. *Bla T* —4C **78**
Monastery Ct. *Jar* —6B **64**
Mona St. *S'ley* —2F **123**
Moncreiff Ter. *Pet* —7B **158**
Monday Cres. *Newc T*
(in two parts) —7D **60** (3A **4**)
Monday Pl. *Newc T*
—7D **60** (3A **4**)
Money Slack. *Dur* —7K **163**
Monkchester Grn. *Newc T*
—1C **82**
Monkchester Rd. *Newc T*
—1C **82**
Monk Ct. *Gate* —4H **81** (10K **5**)
Monk Ct. *Pet* —2K **179**
Monkdale Av. *Bly* —3E **20**
**Monk Hesleden. —6H 181**
Monkhouse Av. *N Shi* —3G **47**
Monkridge. *Newc T* —3B **58**
Monkridge. *Whit B* —4E **36**
Monkridge Ct. *Newc T* —1G **61**
Monkridge Gdns. *Gate* —7B **80**
Monks Av. *Whit B* —1D **46**
Monks Cres. *Dur* —1D **164**
Monks Dormitory. —3A **164**
**Monkseaton. —6F 37**
Monkseaton Dri. *Whit B* —4F **37**
Monkseaton Rd. *Well* —6A **36**
Monkseaton Ter. *Ash* —6C **10**
Monksfeld. *Gate* —7C **82**
Monksfield Clo. *Sund* —4B **130**
Monkside. *Cra* —5H **23**
Monkside Clo. *Wash* —6E **112**
Monks Mdw. *Hex* —2F **69**
Monks Pk. Way. *Newc T* —6J **43**
Monks Ridge. *Mor* —1D **12**
Monks Rd. *Whit B* —1C **46**
Monk's Ter. *Hex* —2F **69**
Monkstone Av. *N Shi* —4J **47**
Monkstone Clo. *N Shi* —4J **47**
Monkstone Cres. *N Shi* —4J **47**
Monk St. *Newc T* —1E **80** (6D **4**)
Monk St. *Sund* —6F **103**
Monksway. *Jar* —7E **64**
Monks Way. *N Shi* —3J **47**
Monks Wood. *N Shi* —4E **46**
Monkswood Sq. *Sund* —3D **130**
Monk Ter. *Jar* —7C **64**
**Monkton. —2A 84**
Monkton. *Gate* —1D **98**
Monkton Av. *S Shi* —2G **85**
Monkton Dene. *Jar* —2A **84**
Monkton Hall. *Jar* —2K **83**
Monkton La. *Heb* —4J **83**
Monkton La. *Mon V* —3K **83**
Monkton Rd. *Jar* —6B **64**
(in three parts)
Monkton Ter. *Jar* —6C **64**
**Monkwearmouth. —7F 103**
Monkwearmouth Station
Museum. —7F **103**
Monmouth Gdns. *W'snd* —1A **64**
Monroe Pl. *Newc T* —3K **59**
Mons Av. *Heb* —7J **63**
Mons Cres. *Hou S* —3C **128**
Montagu Av. *Newc T* —2C **60**
Montagu Ct. *Newc T* —3C **60**
Montague St. *Lem* —7D **58**
Montague St. *Sund* —4F **103**
(in two parts)
Monteigne Dri. *Bow* —4H **175**
Monterey. *Sund* —4A **130**
Monterey. *Wash* —6H **99**
Montfalcon Clo. *Pet* —6A **170**
Montford Clo. *Sund* —4K **129**
Montgomery Rd. *Dur* —1D **164**
Montorosso. *Pres* —6C **30**
Montpelier Ter. *Sund* —4G **117**
Montpellier Pl. *Newc T* —2B **60**
Montrose Clo. *N Har* —4H **25**
Montrose Cres. *Gate* —7K **81**
Montrose Dri. *Gate* —7F **83**
Montrose Gdns. *Mor* —1F **13**
Montrose Gdns. *Sund* —5C **116**
Monument Mall Shop. Cen.
*Newc T* —1F **81** (5F **4**)
Monument Ter. *Bir* —4A **112**
Monument Ter. *Hou S* —1A **128**
Monument Vw. *New P* —1B **128**
Moonfield. *Hex* —2D **68**
**Moor. —4D 44**
Moor Clo. *N Shi* —4C **46**
Moor Clo. *Sund* —1H **117**
Moor Ct. *Hou S* —6J **127**
Moor Ct. *Newc T* —3D **60**
Moor Ct. *Whi* —6G **87**
Moor Cres. *Dur* —1E **164**
Moor Cres. *Lud* —5H **167**
Moor Cres. *Newc T* —3E **60**
*Moor Crest Ter. N Shi —4F 47*
*(off Walton Av.)*
Moor Cft. *Newb S* —2J **11**
Moorcroft Clo. *Newc T* —6D **58**
Moorcroft Rd. *Newc T* —6E **58**
Moor Cft. Vw. *Newb S* —2J **11**
Moordale Av. *Bly* —3E **20**
Moore Av. *Gate* —6B **80**
Moore Av. *S Shi* —7A **66**
Moore Ct. *Newc T* —6G **57**
Moore Cres. *Bir* —2A **112**
Moore Cres. N. *Hou S* —3E **142**
Moore Cres. S. *Hou S* —3E **142**
Moor Edge. *B'don* —2D **172**
Moor Edge. *C Moor* —2H **163**
Moor Edge Rd. *Shir* —7J **35**
**Moor End. —7G 153**
Moor End Ter. *Dur* —7G **153**
Moor End Vs. *Newb S* —2K **11**
Moore Sq. *Win* —4F **179**
Moore St. *Gate* —5J **81**
Moore St. *S'ley* —4E **122**
Moore St. *Whe H* —3B **178**
*Moore St. Vs. Gate —5J 81*
*(off Sunderland Rd.)*
Moore Ter. *Shot C* —7F **169**
Moorfield. *Newc T* —2F **61**
Moorfield Gdns. *Sund* —7C **86**
Moorfields. *Mor* —2G **13**
Moorfoot Av. *Ches S* —7A **126**
(in two parts)
Moorfoot Gdns. *Gate* —7C **80**
Moor Gdns. *N Shi* —4C **46**
Moor Grange. *Pru* —5F **75**
Moorhead. *Newc T* —4A **60**
Moorhead M. *Newc T* —4A **60**
Moorhouse Clo. *S Shi* —1K **85**
Moorhouse Est. *Ash* —3C **10**
Moorhouse Gdns. *Hett H*
(in two parts) —1G **155**
Moorhouse La. *Ash* —4D **10**
Moorhouses Rd. *N Shi* —4C **46**
Moorland Av. *Bed* —5C **16**
Moorland Cotts. *Bed* —5B **16**
Moorland Ct. *Bed* —5C **16**
Moorland Cres. *Bed* —5C **16**
Moorland Cres. *Con* —4B **132**
Moorland Cres. *Newc T* —6C **62**
Moorland Dri. *Bed* —6C **16**
Moorlands. *Con* —4E **118**
Moorlands. *Jar* —5D **84**
Moorlands. *Pru* —5G **75**
Moorlands Cres. *Con* —5E **118**
Moorlands, The. *Dip* —7J **107**
Moorlands, The. *Dur* —2E **164**
Moorland Vw. *C'wl* —7K **91**
Moorland Vw. *Con* —4B **132**
Moorland Vs. *Bed* —5C **16**
Moorland Way. *Cra* —1G **23**
Moor La. *E Bol & Cle* —6A **86**
Moor La. *Ken* —1K **59**
Moor La. *Pon* —7F **29**
Moor La. *S Shi* —7A **66**
Moor La. *Win* —6G **179**
Moor La. E. *S Shi* —7B **66**
Moormill. *Gate* —2E **110**
Moormill La. *Kib* —2F **111**
Moor Pk. Ct. *N Shi* —5C **46**
Moor Pk. Rd. *N Shi* —5B **46**
(in three parts)
Moor Pl. *Newc T* —2E **60**
Moor Rd. *Pru* —5F **75**
Moor Rd. N. *Newc T* —7F **43**
Moor Rd. S. *Newc T* —2F **61**
Moorsburn Dri. *Hou S* —1C **142**
Moors Clo. *Hou S* —2B **142**
Moorsfield. *Hou S* —2B **142**
**Moorside. —3D 132**
**(nr. Castleside)**
**Moorside. —4A 130**
**(nr. New Silksworth)**
Moorside. *Jar* —5C **84**
Moorside. *Newc T* —2K **43**
Moorside. *Wash* —1F **113**
Moorside Ct. *Newc T* —4A **60**
Moorside Ind. Est. *Sund* —4K **129**
Moorside N. *Newc T* —4A **60**
Moorside Pl. *Newc T* —5B **60**
Moorside Rd. *Sund* —3K **129**
Moorside S. *Newc T* —6B **60**
Moorsley Rd. *Hett H* —2E **154**
Moorsley Rd. *L Pit & Hett H*
—4B **154**
Moor St. *Sund* —1G **117**
(nr. Coronation St.)
Moor St. *Sund* —2H **117**
(nr. Woodbine St.)
Moor Ter. *Sund* —1H **117**
Moorvale La. *Newc T* —3A **60**
Moor Vw. *Camp* —6A **34**
Moorview. *Con* —5G **119**
Moor Vw. *Ken* —1K **59**
Moor Vw. *Newb S* —2J **11**
Moor Vw. *Ryton* —2E **76**
Moor Vw. *Sund* —6G **87**
Moor Vw. *Thor* —1A **178**
Moor Vw. *Whe H* —2B **178**
Moor Vw. Clo. *Peg* —4K **7**
Moorview Cres. *Newc T* —3A **60**
Moor Vw. Ter. *S'ley* —7J **121**
Moor Vw. Wlk. *Camp* —7A **34**
Moorway. *Wash* —1F **113**
Moorway Dri. *Newc T* —6E **58**
Moraine Cres. *B Mill* —2K **105**
Moralee Clo. *Newc T* —2B **62**
Moran St. *Sund* —3F **103**
Moray Clo. *Bir* —7B **112**
Moray Clo. *Pet* —7A **170**
Moray St. *Sund* —5F **103**
Morcott Gdns. *N Shi* —1F **65**
Morden St. *Newc T* —7F **61** (4E **4**)
Mordey Clo. *Sund* —3G **117**
Mordue Ter. *S'ley* —6A **122**
Morecambe Pde. *Heb* —4A **84**
Moreland Rd. *S Shi* —3K **85**
Moreland St. *Sund* —5F **103**
Morgan St. *Sund* —5D **102**
Morgans Way. *Bla T* —4A **78**
Morgy Hill E. *Ryton* —3D **76**
Morgy Hill S. *Ryton* —3D **76**
Morgy Hill W. *Ryton* —2C **76**
Morland Av. *Wash* —5J **113**
Morland Gdns. *Gate* —7K **81**
Morley Av. *Gate* —4F **83**
Morley Ct. *Newc T* —6A **62**
Morley Cres. *Kel* —7E **176**
Morley Gdns. *Con* —5H **119**
Morley Hill Rd. *Newc T* —5F **59**
Morley La. *B'don* —7K **161**
(in two parts)
*Morley Pl. Shir —7K 35*
*(off Earsdon Rd.)*
Morley Ter. *Gate* —6B **82**
Morley Ter. *Hou S* —1A **142**
Morningside. *Sac* —6E **138**
Morningside. *Wash* —1C **126**
Morningside Ct. *Ches S* —5A **126**
Mornington Av. *Newc T* —2B **60**
**Morpeth. —1G 13**
Morpeth Av. *Jar* —3B **84**
Morpeth Av. *Peg* —3K **7**
Morpeth Av. *S Shi* —6K **65**
Morpeth Av. *Wide* —4E **32**
Morpeth Castle. —7G **7**
*Morpeth Chantry Bagpipe*
*Museum. —7G 7*
*(off Bridge St.)*
*Morpeth Clock Tower. —7F 7*
*(off Bridge St.)*
Morpeth Clo. *Chop* —2G **15**
Morpeth Clo. *Wash* —4E **112**
Morpeth Dri. *Sund* —3K **129**
Morpeth Rd. *Ash* —3H **9**
Morpeth Rd. *Chop* —1C **14**
(in two parts)
Morpeth St. *Newc T*
—5D **60** (1B **4**)
Morpeth St. *Pet* —3D **170**
Morpeth Ter. *N Shi* —1D **64**
Morris Av. *S Shi* —3H **85**
Morris Ct. *Dud* —3K **33**
Morris Cres. *Bol C* —6G **85**
Morris Cres. *Thor* —1J **177**
Morris Gdns. *Gate* —6F **83**
Morrison Ind. Est. *S'ley* —6A **122**
Morrison Rd. *Mor* —6F **7**
Morrison Rd. *S'ley* —7A **122**
Morrison Rd. N. Ind. Est. *S'ley*
—6A **122**
Morrison St. *Gate* —4E **80**
Morrison Ter. *Acomb* —4B **48**
Morris Rd. *Whi* —6H **79**
Morris Sq. *Pet* —1A **170**
Morris St. *Bir* —4K **111**
Morris St. *Gate* —6E **80**
Morris St. *Wash* —7G **99**
Morris Ter. *Hou S* —3F **143**
Morrit Ct. *Newc T* —7A **44**
Morston Dri. *Newc T* —7E **58**
Mortimer Av. *Newc T* —2F **59**
Mortimer Av. *N Shi* —6D **46**
Mortimer Chase. *E Har* —6K **19**
Mortimer Rd. *S Shi* —5K **65**
Mortimer St. *Con* —6F **119**
Mortimer St. *Sund* —1B **116**
*Mortimer Ter. H'wll —1J 35*
*(off Laurel Ter.)*
Mortimer Ter. *Peg* —3B **8**
Morton Clo. *Wash* —4H **113**
Morton Cres. *Hou S* —1K **141**
Morton Cres. *Newc T* —6B **40**
Morton Grange Ter. *Hou S*
—1J **141**
Morton Sq. *Pet* —5A **170**
Morton St. *Newc T* —7B **62**
Morton St. *S Shi* —1J **65**
Morton Wlk. *S Shi* —1J **65**
Morval Clo. *Sund* —4K **129**
Morven Dri. *Gate* —5F **83**
Morven Lea. *Bla T* —4B **78**
Morven Pl. *Ash* —3K **9**
Morven Ter. *Ash* —3K **9**
Morwick Clo. *Cra* —5H **23**
Morwick Pl. *Newc T* —4K **59**
Morwick Rd. *N Shi* —4D **46**
Mosley St. *Newc T*
—1F **81** (6G **4**)
Mossbank. *Gate* —4K **97**
Moss Clo. *Newc T* —5C **58**
Moss Ct. *Dur* —2B **164**
Moss Cres. *Ryton* —2E **76**
Mossdale. *Dur* —7J **153**
Moss Gdns. *Gate* —5F **81**
Moss Gth. *Ches S* —7A **126**
Moss Mans. *Newc T* —6F **4**
Mosspool. *Bla T* —4A **78**
Moss Side. *Gate* —4A **98**
Mossway. *Pelt* —2F **125**
**Mosswood. —1A 132**
Mostyn Grn. *Newc T* —7B **42**
Moulton Ct. *Newc T* —3J **59**
Moulton Pl. *Newc T* —3J **59**
Mountbatten Av. *Heb* —2J **83**
Mount Clo. *Kil* —7B **34**
Mount Clo. *Sund* —2H **115**
Mount Clo. *Whit B* —1D **46**
Mt. Cottage. *Gate* —7C **98**
Mountfield Gdns. *Newc T* —1B **60**
Mountford Rd. *N Har* —3H **25**
Mount Gro. *Gate* —7B **80**
Mount Gro. *Sund* —4C **116**
Mt. Joy Cres. *Dur* —4B **164**
Mount La. *Gate* —7C **98**
Mt. Lonnen. *Gate* —7C **98**
Mt. Park Dri. *Lan* —6J **135**
**Mount Pleasant. —1J 127**
**(nr. Fatfield)**
**Mount Pleasant. —5J 81**
**(nr. Gateshead)**
Mt. Pleasant. *Bir* —3A **112**
Mt. Pleasant. *Bla T* —5B **78**
Mt. Pleasant. *B'hpe* —6D **136**
Mt. Pleasant. *Dip* —7J **107**
Mt. Pleasant. *Hou S* —2F **143**
Mt. Pleasant. *Lan* —6J **135**
Mt. Pleasant. *Sac* —6D **138**
Mt. Pleasant. *Sund* —6C **102**
Mt. Pleasant Bungalows. *Bir*
—3A **112**
Mt. Pleasant Ct. *Newc T* —3H **57**
Mt. Pleasant Gdns. *Gate* —5J **81**
Mount Pleasant Marsh Nature
Reserve. —1E **100**
Mount Rd. *Bir* —3A **112**
Mount Rd. *Gate* —7C **98**
Mount Rd. *Sund* —4B **116**
Mountside. *Con* —3F **119**
Mountside Gdns. *Gate* —7B **80**
Mount Sq. *Gate* —7C **98**
Mt. Stewart St. *S'hm* —5B **146**
Mount Ter. *S Shi* —3J **65**
Mount, The. *Con* —3F **119**
Mount, The. *Newc T* —3G **57**
Mount, The. *Ryton* —1G **77**
Mount Vw. *Lan* —6J **135**
Mount Vw. *Ryton* —3D **76**
Mount Vw. *Swa* —6H **79**
Mount Vw. Ter. *Stoc* —7G **73**
Mourne Gdns. *Gate* —1C **96**
Moutter Clo. *Pet* —4C **170**
Mowbray Clo. *Sund* —3F **117**
Mowbray Rd. *Newc T* —4B **44**
Mowbray Rd. *N Shi* —6D **46**
Mowbray Rd. *S Shi* —4K **65**
Mowbray Rd. *Sund* —3F **117**
Mowbray St. *Dur* —2K **163**
Mowbray St. *Newc T*
—7J **61** (3L **5**)
Mowbray Ter. *Chop* —1H **15**
Mowbray Ter. *Hou S* —7D **128**
Moyle Ter. *Hob* —4A **108**
Mozart St. *S Shi* —3K **65**
Muirfield. *S Shi* —4B **66**
Muirfield. *Whit B* —6D **36**
Muirfield Clo. *Con* —4G **119**
Muirfield Dri. *Gate* —1B **98**
Muirfield Dri. *Wash* —5G **99**
Muirfield Rd. *Newc T* —7A **44**
Mulben Clo. *Newc T* —2A **80**
Mulberry Gdns. *Gate* —4A **82**
Mulberry Pl. *Newc T*
—3D **80** (9A **4**)
Mulberry St. *Gate* —5A **82**
Mulberry Ter. *S'ley* —5B **122**
Mulberry Trad. Est. *Gate* —5A **82**
Mulberry Way. *Hou S* —1B **142**
Mulcaster Gdns. *W'snd* —1E **62**
Mulgrave Dri. *Sund* —7G **103**
Mulgrave Ter. *Gate*
—3G **81** (10H **5**)

Mulgrave Vs. Gate —4G 81 (10H 5)
Mullen Dri. Ryton —2G 77
Mullen Gdns. W'snd —1E 62
Mullen Rd. W'snd —1E 62
Mull Gro. Jar —3E 84
Mullin Clo. Bear —1D 162
Muncaster M. Pet —2J 179
Mundella Ter. Newc T —6K 61 (1P 5)
Mundell St. S'ley —5E 122
Mundle Av. Winl M —1C 94
Mundles La. E Bol —7K 85
Municipal Ter. Wash —2H 113
Munslow Rd. Sund —1J 129
Muriel St. S'ley —6E 122
Murphy Gro. Sund —2G 131
Murray Av. Hou S —1A 142
Murray Ct. Con —4F 119
Murrayfield. Seg —1D 34
Murrayfield Dri. B'don —2C 172
Murrayfield Rd. Newc T —3K 59
Murrayfields. W All —3H 45
Murray Gdns. Gate —7C 80
Murray Pl. Ches S —6K 125
Murray Rd. Ches S —6K 125
Murray Rd. W'snd —2K 63
Murray St. Bla T —3C 78
Murray St. Pet —6E 170
Murray Ter. Dip —1H 121
Murtagh Diamond Ho. S Shi —1J 85
**Murton. —7E 144**
**(nr. Easington Lane)**
**Murton. —2B 46**
**(nr. Shiremoor)**
Murton Ho. N Shi —3C 46
Murton La. Eas L —2J 155
Murton La. Mur V —3A 46
Murton St. Mur —1F 157
Murton St. Sund —2G 117
Muscott Gro. Newc T —7G 59
Musgrave Gdns. Dur —2E 164
Musgrave Rd. Gate —1H 97
Musgrave Ter. Gate —5E 82
Musgrave Ter. Newc T —7C 62
Musgrave Ter. Wash —2H 113
Muswell Hill. Newc T —1G 79
Mutual St. W'snd —4F 63
Mylord Cres. Camp —6K 33
Myra Av. Hes —4E 180
Myrella Cres. Sund —6E 116
Myreside Pl. Newc T —5K 43
Myrtle Av. Gate —6B 80
Myrtle Av. Sund —5H 87
Myrtle Cres. Newc T —3B 44
Myrtle Gro. Burn —2K 107
Myrtle Gro. Gate —2H 97
Myrtle Gro. Newc T —3G 61
Myrtle Gro. S Shi —2B 86
Myrtle Gro. Sund —2D 130
Myrtle Gro. W'snd —4H 63
Myrtle Rd. Bla T —5C 78
Myrtles. Ches S —4K 125
Myrtle St. Ash —3B 10

Nafferton Pl. Newc T —5J 59
Nailor's Bank. Gate —2J 81 (7L 5)
Nailsworth Clo. Bol C —4E 84
Nairn Clo. Bir —7B 112
Nairn Clo. Wash —5G 99
Nairn Rd. Cra —3K 23
Nairn St. Jar —3E 84
Naisbitt Av. Pet —4C 170
Nansen Clo. Newc T —3F 59
Nansen St. Con —6J 119
Napier Clo. Ches S —1B 126
Napier Ct. Whi —3H 95
Napier Rd. S'hm —2J 145
Napier Rd. Swa —5G 79
Napier St. Jar —6B 64
(in two parts)
Napier St. Newc T —7H 61 (3J 5)
Napier St. S Shi —7H 65
Napier Way. Bla T —4E 78
Narvik Way. Tyn T —7B 46
Nash Av. S Shi —3K 85
Naters St. Whit B —7J 37
National Glass Centre. —7G 103
Natley Av. E Bol —7A 86
Nattress Ter. Win —5F 179
Navenby Clo. Newc T —4F 43
Navenby Clo. S'hm —1J 145
Naworth Av. N Shi —3G 47
Naworth Ct. Pet —2K 179
Naworth Dri. Newc T —2D 58
Naworth Ter. Jar —2D 84
Nawton Av. Sund —5E 102
Nayland Rd. Cra —3J 23
Naylor Av. Winl M —1C 94
Naylor Bldgs. Winl M —1C 94
Naylor Ct. Bla T —2E 78
Naylor Pl. Sea S —3B 26
Nazareth M. Newc T —1K 5
Neale St. Pru —3F 75
Neale St. S'ley —5A 122
Neale St. Sund —4F 103
Neale St. Tant —6B 108
Neale Ter. Bir —4A 112
Neale Wlk. Newc T —2A 60
Nearlane Clo. Sea B —3E 32
Neasdon Cres. N Shi —3H 47
Neasham Rd. S'hm —1J 145
**Nedderton. —7C 14**
Nedderton Clo. Newc T —1B 58
Needham Pl. Cra —3K 23
Neil Cres. Quar H —6D 176
Neill Dri. Sun —5H 95
Neilson Rd. Gate —4K 81 (10P 5)
Neil St. Eas L —2J 155
Nellie Gormley Ho. Newc T —2K 43
Nell Ter. Row G —6G 93
Nelson Av. Nel V —2G 23
Nelson Av. Newc T —7C 42
Nelson Av. S Shi —2A 66
Nelson Clo. Ash —5C 10
Nelson Clo. Pet —4E 170
(in two parts)
Nelson Clo. Sund —3G 117
Nelson Cres. N Shi —2D 64
Nelson Dri. Cra —3F 23
Nelson Ho. N Shi —5K 47
Nelson Ind. Est. Cra —1G 23
Nelson Pk. Cra —1G 23
Nelson Pk. E. Cra —1H 23
Nelson Pk. W. Cra —1F 23
Nelson Rd. Chop —1J 15
Nelson Rd. Cra —1F 23
Nelson Rd. Newc T —2F 83
Nelson Rd. Well —6B 36
Nelson Sq. Sund —7G 103
Nelson St. Ches S —7A 126
Nelson St. Con —7H 119
Nelson St. Gate —3G 81 (9H 5)
Nelson St. G'sde —5D 76
Nelson St. Hett H —7G 143
Nelson St. Lead —5A 120
Nelson St. Newc T —1F 81 (5F 4)
Nelson St. N Shi —7G 47
Nelson St. S'hm —2K 145
Nelson St. S Shi —2J 65
Nelson St. Sund —2H 131
Nelson St. Wash —4J 113
Nelson Ter. C'wl —7K 91
Nelson Ter. N Shi —2D 64
Nelson Ter. Sher —3A 166
**Nelson Village. —2G 23**
Nelson Way. Cra —7F 19
Nene Ct. Wash —7J 99
Nent Gro. Hex —2E 68
Nenthead Clo. Gt Lum —3F 141
Neptune Rd. Newc T —6E 58
Neptune Rd. W'snd —5F 63
Neptune St. S'hm —3K 145
Neptune Way. Eas —7A 158
Nesbit Rd. Pet —7C 170
Nesburn Rd. Sund —4C 116
Nesham Pl. Hou S —2E 142
Nesham St. Newc T —3C 80
Nesham Ter. Sund —1H 117
Ness Ct. Bla T —4A 78
Nest Rd. Gate —4B 82
Netherburn Rd. Sund —5E 102
Netherby Dri. Newc T —5J 59
Netherdale. Bed —7F 15
Nether Farm Rd. Gate —5D 82
Nether Riggs. Bed —1H 19
Netherton. Kil —7B 34
Netherton Av. N Shi —4D 46
Netherton Clo. Ches S —7H 125
Netherton Clo. Lang P —5H 149
Netherton Gdns. Wide —5D 32
Netherton Gro. N Shi —5D 46
Netherton La. Bed —6E 14
Nettleham Rd. Sund —5E 102
Nettles La. Sund —3D 130
**Nettlesworth. —6H 139**
Neville Ct. Wash —7K 99
Neville Cres. Bir —2A 112
Nevilledale Ter. Dur —3K 163
Neville Dene. Dur —3H 163
Neville Rd. Newc T —6D 58
Neville Rd. Pet —5A 170
Neville Rd. Sund —1B 116
Nevilles Ct. Nev X —3J 163
**Neville's Cross. —4J 163**
Neville's Cross Bank. Dur —5H 163
Neville's Cross Rd. Heb —1K 83
Neville's Cross Vs. Dur —4J 163
Neville Sq. Dur —5J 163
Neville St. Dur —3A 164
Neville St. Newc T —2E 80 (7E 4)
Neville Ter. Bow —5J 175
Neville Ter. Dur —2J 163
Neville Wlk. Wash —6K 99
(off Marlborough Rd.)
Nevill Rd. Stoc —7K 73
Nevinson Av. S Shi —3K 85
Nevis Clo. Whit B —3E 36
Nevis Ct. Whit B —3E 36
Nevis Gro. W Bol —7H 85
Nevis Way. Whit B —4E 36
New Acres. Ush M —2C 162
New Acres Rd. S'ley —7E 122
Newark Clo. Pet —5A 170
(in two parts)
Newark Cres. S'hm —1J 145
Newark Dri. Sund —6H 87
Newark Sq. N Shi —1F 65
Newarth Clo. Newc T —6E 58
Newbank Wlk. Bla T —5A 78
**Newbiggin. —7F 69**
**(nr. Hexham)**
**Newbiggin. —7F 135**
**(nr. Lanchester)**
**Newbiggin-by-the-Sea. —3J 11**
**Newbiggin Hall Estate. —1F 59**
Newbiggin La. Lan —6D 134
Newbiggin La. Newc T —1F 59
Newbiggin Rd. Ash —6B 10
New Blackett St. S'ley —5J 121
Newbold Av. Sund —5E 102
Newbold St. Newc T —1B 82
Newbolt Ct. Gate —4J 81
**Newbottle. —6D 128**
Newbottle La. Hou S —3K 141
Newbottle St. Hou S —1D 142
**New Brancepeth. —5B 162**
New Brancepeth Clo. Lang M —6G 163
Newbridge Av. Sund —5E 102
Newbridge Bank. Ches S —4D 126
Newbridge Banks. Ches S —5C 124
New Bri. St. Newc T —1G 81 (5H 5)
New Bri. St. W. Newc T —1F 81
(in two parts)
Newbrough Cres. Newc T —3G 61
Newburgh Av. Sea D —1G 35
**Newburn. —5K 57**
New Burn Av. Bow —4H 175
Newburn Av. Sund —5E 102
Newburn Bri. Rd. Bla T —7J 57
Newburn Ct. S Shi —4K 65
Newburn Cres. Hou S —1D 142
Newburn Hall Motor Museum. —5K 57
Newburn Haugh Ind. Est. Newc T —7B 58
Newburn Ind. Est. Newc T —7A 58
Newburn Rd. Newc T —3H 57
Newburn Rd. S'ley —1F 123
Newbury Av. Gate —6F 81
(in two parts)
Newbury Clo. Newc T —6D 58
Newbury Dri. Con —2G 119
Newbury St. S Shi —6K 65
Newbury St. Sund —4E 102
Newby La. H Pitt —6C 154
Newby Pl. Gate —3K 97
Newcastle Airport. —1D 40
Newcastle Arena. —3E 80 (9C 4)
Newcastle Av. Pet —4D 170
Newcastle Bank. Bir —1K 111
Newcastle Bus. Pk. Newc T
(in two parts) —3B 80 (10A 4)
Newcastle College. Newc T —3G 4
Newcastle Discovery Museum. —2E 80 (7C 4)
Newcastle Falcons R.U.F.C. —5J 41
Newcastle Race Course. —1F 43
Newcastle Rd. Bir —2A 112
Newcastle Rd. Bly —5G 21
Newcastle Rd. Ches S —5A 126
Newcastle Rd. Cor —1F 71
Newcastle Rd. C Moor & Nev X —7H 151
Newcastle Rd. Gate —7J 83
Newcastle Rd. Hou S —2C 142
Newcastle Rd. Jar & S Shie —2E 84
Newcastle Rd. Sund —2C 102
Newcastle Science Pk. Newc T —1G 81 (5H 5)
Newcastle St. N Shi —7G 47
Newcastle Ter. Dur —5J 151
Newcastle Ter. N Shi —5K 47
Newcastle United F.C. —7E 60
**Newcastle upon Tyne. —1F 81**
Newcastle Western By-Pass. Newc T —3B 42
New Cotts. Chop —1E 14
New Cross Row. Win —5F 179
**New Delavel. —6F 21**
Newdene Wlk. Newc T —6D 58
New Dri. S'hm —1K 145
(in two parts)
New Durham Rd. S'ley —6A 122
New Durham Rd. Sund —2E 116
New Elvet. Dur —3B 164
New Elvet Bri. Dur —3B 164
**Newfield. —4E 124**
Newfield Rd. Newf —4E 124
Newfield Ter. Newf —4E 124
Newfield Wlk. Whi —1G 95
New Front St. Ann P —5K 121
New Front St. Tan L —7D 108
Newgate Shop. Cen. Newc T —1F 81 (6E 4)
Newgate St. Mor —6F 7
Newgate St. Newc T —1F 81 (5E 4)
New George St. S Shi —5J 65
New Grange Ter. Pelt F —5F 125
New Grn. St. S Shi —4J 65
Newham Av. Haz —7C 32
**New Hartley. —4H 25**
Newhaven Av. Sund —5E 102
**New Herrington. —3D 128**
New Herrington Ind. Est. Hou S —3C 128
Newhouse Av. Esh W —3D 160
Newhouse Rd. Esh W —3E 160
Newington Ct. Sund —6E 102
Newington Ct. Wash —7G 99
Newington Rd. Newc T
(in three parts) —6H 61 (2K 5)
Newington Rd. Depot. Newc T —2K 5
New King St. Newb S —2K 11
**New Kyo. —5B 122**
**New Lambton. —7K 127**
Newland Ct. S Shi —1J 85
**Newlands. —5E 104**
Newlands. Con —4F 119
Newlands. N Shi —2G 47
Newlands Av. Bly —4H 21
Newlands Av. Newc T —3E 42
Newlands Av. Sund —5D 116
Newlands Av. Whit B —1D 46
Newlands Pl. Bly —4H 21
Newlands Rd. Bly —4H 21
Newlands Rd. Dur —7G 153
Newlands Rd. Newc T —2F 61
Newlands Rd. E. S'hm —2K 145
Newlands Rd. W. S'hm —2J 145
Newlyn Cres. N Shi —7E 46
Newlyn Dri. Cra —3J 23
Newlyn Dri. Jar —7D 64
Newlyn Rd. Newc T —7A 42
Newman Pl. Gate —6J 81
Newman Ter. Gate —6J 81
Newmarch St. Jar —6A 64
New Mkt. Mor —7F 7
(off Waterside.)
Newmarket St. Con —6H 119
Newmarket Wlk. S Shi —3J 65
(in two parts)
New Mills. Newc T —3A 4
Newminster Clo. Hou S —7B 128
Newminster Rd. Newc T —7J 59
Newmin Way. Whi —2F 95
Newport Gro. Sund —1C 130
New Quay. N Shi —1H 65
Newquay Gdns. Gate —5H 97
New Queen St. Newb S —2J 11
New Rainton. Hou S —1B 128
(off Rainton St.)
New Rainton St. Hou S —1B 128
(off Rainton St.)
New Redheugh Bri. Rd. Newc T —3E 80 (9D 4)
**New Ridley. —4H 89**
New Ridley Rd. Stoc —7K 73
Newriggs. Wash —6H 113
New Rd. Beam —2B 124
New Rd. Bol C —6F 85
New Rd. Burn —1A 108
New Rd. Fat —1G 127
(in two parts)
New Rd. Team T —1D 96
New Rd. Thor —5J 167
New Sandridge. Newb S —2K 11
(off Sandridge)
**Newsham. —5G 21**
Newsham Clo. Newc T —1B 58
Newsham Rd. Bly —4G 21
**New Silksworth. —2B 130**
New S. Ter. Bir —4B 112
Newstead Ct. Wash —3G 113
(in two parts)
Newstead Ri. Con —4E 118
Newstead Rd. Hou S —7C 128
Newsteads Clo. Whit B —6D 36
Newsteads Dri. Whit B —6C 36
Newsteads Farm Cotts. Whit B —7C 36
Newstead Sq. Sund —3C 130
New Strangford Rd. S'hm —2K 145
New St. Dur —2K 163
New St. Sher —3A 166
New St. Sund —2G 115
**Newton. —7C 52**
Newton Av. N Shi —1H 47
Newton Av. W'snd —2K 63
Newton Clo. Newc T —6E 58
Newton Dri. Dur —6K 151
Newton Gro. S Shi —1G 85
**Newton Hall. —4B 152**
**(nr. Durham)**
**Newton Hall. —6D 52**
**(nr. Ovington)**
Newton Hall. Newc T —3K 61
Newton Ho. Newc T —3B 4
Newton Pl. Newc T —3K 61
Newton Rd. Newc T —2J 61
Newton St. Dun —5B 80
Newton St. Gate —6F 81
Newton St. Wit G —3C 150
Newton Ter. Mic —5A 74
Newton Vs. Coxh —7J 175
**New Town. —6F 85**
**(nr. Boldon)**
**New Town. —2F 143**
**(nr. Houghton-le-Spring)**
Newtown Ind. Est. Bir —6A 112
Newtown Vs. Sac —7E 138
New Watling St. Con —5A 120
**New York. —4B 46**
New York By-Pass. N Shi —3B 46
New York Rd. Shir & N Shi
(in two parts) —1J 45
New York Way. Shir —4A 46
(in two parts)
Nicholas Av. Whi —6H 87
Nicholas St. Hett H —5H 143
Nichol Ct. Newc T —1K 79
Nicholson Clo. Sund —2G 117
Nicholson's Ter. Beam —1B 124
Nicholson Ter. Newc T —3C 44
Nichol St. Newc T —1K 79
Nickleby Chare. Dur —5K 163
Nidderdale Av. Hett H —1F 155
Nidderdale Clo. Bly —1E 20
Nidsdale Av. Newc T —6E 62
Nightingale Clo. Sund —4G 115
Nightingale Pl. S'ley —4H 123
Nile Clo. Newc T —5C 58
Nile Ct. Gate —5J 81
Nile St. Con —7H 119
Nile St. N Shi —7G 47
Nile St. S Shi —3H 65
Nile St. Sund —1G 117
Nilverton Av. Sund —5F 117
Nimbus Ct. Sund —3C 130
Nine Lands. Hou S —2C 142
Nine Pins. Gate —1G 97
Ninnian Ter. Dip —2G 121
Ninth Av. Bly —3H 21
Ninth Av. Ches S —6K 125
Ninth Av. Mor —1H 13
Ninth Av. Newc T —5A 62 (1P 5)
Ninth Av. Team T —4F 97
Ninth Av. E. Team T —4F 97
Ninth Row. Ash —3J 9
Ninth St. B Col —1H 181
Ninth St. Pet —5E 170
Nissan Way. Sund —1B 114
Nithdale Clo. Newc T —5F 63
Nixon St. Gate —2J 81 (8L 5)
Nixon Ter. Bla T —5B 78
Nixon Ter. Bly —3K 21
Nobbyends La. Bla T —6K 77
Noble Gdns. S Shi —2F 85
Noble's Bank Rd. Sund —3H 117
Noble St. Gate —5B 82
Noble St. Newc T —3B 80
Noble St. Pet —6C 158
Noble St. Sund —3H 117
Noble St. Ind. Est. Newc T —3B 80
Noble Ter. Mor —7G 7
Noble Ter. Sund —3H 117
Noel Av. Winl M —1C 94
Noel St. S'ley —2H 123
Noel Ter. Winl M —7D 78
Noirmont Way. Sund —3A 130
Nook Cotts., The. Sund —4J 115
Nookside. Sund —4J 115
Nookside Ct. Sund —4J 115
Nook, The. N Shi —7F 47
Nook, The. Whit B —7F 37
**No Place. —2K 123**
Nora St. S Shi —1J 85
Nora St. Sund —4B 116

Norburn La. Wit G —7B 138
Norburn Pk. Wit G —2C 150
Norbury Gro. Newc T —1B 82
Nordale Way. Bly —1E 20
Norfolk Av. Bir —7A 112
Norfolk Av. Sund —1B 130
Norfolk Clo. Ash —3J 9
Norfolk Clo. S'hm —1J 145
Norfolk Dri. Wash —5H 99
Norfolk Gdns. W'snd —1J 63
Norfolk M. N Shi —6G 47
Norfolk Pl. Bir —7B 112
Norfolk Rd. Con —3D 132
Norfolk Rd. Gate —2J 81 (8L 5)
Norfolk Rd. S Shi —6E 66
Norfolk Sq. Newc T —7K 61 (4P 5)
Norfolk St. Hett H —6F 143
Norfolk St. N Shi —6H 47
Norfolk St. Sund —1F 117
Norfolk Wlk. Pet —4A 170
Norfolk Way. Newc T —6E 58
Norgas Ho. Newc T —2A 44
Norham Av. N. S Shi —5C 66
Norham Av. S. S Shi —5C 66
Norham Clo. Bly —2G 21
Norham Clo. Wide —6C 32
Norham Ct. Wash —4F 113
Norham Dri. Mor —2H 13
Norham Dri. Newc T —2E 58
Norham Dri. Pet —2A 180
Norham Gdns. Chop —6J 9
Norham Pl. Newc T —4G 61
Norham Rd. Ash —5B 10
Norham Rd. Dur —4B 152
Norham Rd. Newc T —6D 42
Norham Rd. N Shi —6C 46
Norham Rd. Whit B —6F 37
Norham Rd. N. N Shi —4B 46
Norham Ter. Bla T —4B 78
Norham Ter. Jar —2B 84
Norhurst. Newc T —2E 94
Norland Rd. Newc T —7F 59
Norley Av. Sund —5E 102
Norma Cres. Whit B —7J 37
Norman Av. Sund —2D 130
Normanby Clo. S'hm —1J 145
Normanby Ct. Sund —6H 103
Normandy Cres. Hou S —2F 143
Norman Rd. Row G —6J 93
Norman Ter. Con —6G 119
Norman Ter. H Pitt —6C 154
Norman Ter. Mor —7G 7
Norman Ter. Will Q —3B 64
Normanton Ter. Newc T —1C 80
Normount Av. Newc T —1A 80
Normount Gdns. Newc T —1A 80
Normount Rd. Newc T —1A 80
Northampton Rd. Pet —4A 170
Northamptonshire Dri. Dur —1H 165
North App. Ches S —5K 125
North Av. Chop —1G 15
North Av. Gos —1D 60
North Av. Pet —5D 170
North Av. S Shi —7B 66
North Av. Wash —6G 99
North Av. W'hpe —3F 59
North Bailey. Dur —3A 164
North Bank Ct. Sund —5D 102
**North Blyth. —7J 17**
Northbourne Av. Mor —5F 7
Northbourne Rd. Jar —7A 64
Northbourne St. Gate —6H 81
Northbourne St. Newc T —2B 80
N. Brancepeth Ter. Lang M —6G 163
N. Bridge St. Sund —7F 103
North Burns. Ches S —5A 126
Northburn Wood. Cra —7J 19
N. Church St. N Shi —6H 47
North Clo. Newc T —6A 62 (2P 5)
North Clo. Ryton —1G 77
North Clo. S Shi —7B 66
N. Coronation St. Mur —7F 145
Northcote. Whi —2G 95
Northcote Av. Newc T —4C 58
Northcote Av. Sund —2G 117
Northcote Av. Whit B —7D 36
Northcote St. Newc T —1C 80 (5A 4)
Northcote St. S Shi —5K 65
Northcott Gdns. Seg —2C 34
North Ct. Jar —6B 64
North Cres. Chop —7K 9
North Cres. Dur —1J 163
North Cres. Pet —1K 169
North Cres. Wash —7F 113
North Cft. Newc T —5C 44
N. Cross St. Con —5A 120
N. Cross St. Newc T —7E 42
Northdene. Bir —1A 112
Northdene Av. S'hm —2B 146
North Dri. Heb —1G 83
North Dri. Sund —5A 86
North Dri. Wash —2B 126
N. Durham St. Sund —1G 117
North East Aircraft Museum. —5E 100
N. Eastern Ct. Gate —7A 80
N. E. Exhibition Cen. Newc T —1F 43
N. E. Fruit & Vegetable Mkt. Team T —1F 97
N. East Ind. Est. Pet —3B 170
**North End. —1J 163**
North End. B'don —7C 162
North End. Dur —1J 163
Northern Promenade. Whit B —3G 37
Northern Ter. Dud —2J 33
Northern Way. Sund —5C 102
North Farm. Ned V —1C 18
North Farm Av. Sund —6H 115
North Farm Rd. Heb —1H 83
Northfield. E Sle —4F 17
Northfield Clo. Whi —1F 95
Northfield Dri. Newc T —2K 43
Northfield Dri. Sund —6H 115
Northfield Gdns. S Shi —5B 66
Northfield Rd. Newc T —1D 60
Northfield Rd. S Shi —4B 66
Northfield Vw. Con —6J 119
Northgate. Newc T —7B 34
Northgate. S'ley —6K 121
North Grange. Pon —3J 29
North Gro. Ryton —1H 77
North Gro. Sund —4G 103
North Guards. Sund —6G 87
North Hall Rd. Sund —4K 115
North Haven. S'hm —2K 145
N. Holm. Con —5A 120
**North Hylton. —1G 115**
N. Hylton Rd. Sund —5K 101
N. Hylton Rd. Ind. Est. Sund —5K 101
N. Jesmond Av. Newc T —2G 61
N. King St. N Shi —6H 47
Northland Clo. Sund —6H 115
Northlands. Bla T —5B 78
Northlands. Ches S —3A 126
Northlands. N Shi —3H 47
Northlands Rd. Mor —5F 7
North La. E Bol —7J 85
North La. Hett H —4A 144
**Northlea. —2K 145**
Northlea. Newc T —5E 58
(in two parts)
Northlea Rd. S'hm —2J 145
North Leech. Mor —5D 6
North Leigh. Tan L —7D 108
**North Lodge. —2B 126**
North Lodge. Ches S —2A 126
N. Magdalene. Con —7K 105
N. Mason Lodge. Din —3H 31
North Meadows. O'ham —1D 74
N. Milburn St. Sund —1D 116
N. Moor Cotts. Sund —7A 116
N. Moor Ct. Sund —7A 116
N. Moor La. Sund —7A 116
Northmoor Rd. Newc T —5C 62
N. Moor Rd. Sund —7A 116
N. Nelson Ind. Est. Cra —7G 19
North of England Open Air Museum, The. —6K 109
Northolt Av. Cra —3K 23
North Pde. Chop —2G 15
North Pde. N Shi —3E 64
North Pde. Whit B —6H 37
N. Railway St. S'hm —3J 146
N. Ravensworth St. Sund —1D 116
N. Ridge. Bed —7F 15
(Netherton La.)
N. Ridge. Bed —7G 15
(Northumberland Av.)
North Ridge. Whit B —6C 36
North Rd. Bol C —5E 84
(in two parts)
North Rd. Ches S —2A 126
North Rd. Dip —2J 121
North Rd. Dur —1K 163
North Rd. E Bol —7J 85
(in two parts)
North Rd. Hett H —4D 142
North Rd. N Shi —4F 47
North Rd. Pon —3J 29
(in two parts)
North Rd. S'hm —1B 146
North Rd. W'snd —3F 63
North Rd. Win —4F 179
North Rd. E. Win —6F 179
North Rd. W. Win —6F 179
North Row. Back —4J 35
N. Sands Bus. Cen. Sund —7G 103
**North Seaton. —5E 10**
**North Seaton Colliery. —7E 10**
N. Seaton Ind. Est. Ash —6D 10
N. Seaton Rd. Ash —3B 10
N. Seaton Rd. Newb S —4H 11
**North Shields. —7G 47**
**Northside. —2B 112**
North Side. Bir —2B 112
North Side. Shad —6E 166
Northside Pl. H'wll —1J 35
N. Stead Dri. Con —4E 118
North St. Bir —5C 112
North St. B Col —2H 181
North St. Bla T —5A 78
North St. Cle —5C 86
North St. Con —7K 119
North St. E Rai —6D 142
North St. Hett —7C 174
North St. Jar —6B 64
North St. Nbtle —5D 128
North St. Newc T —7G 61 (4F 4)
North St. New S —1C 130
North St. S Shi —2J 65
North St. Sund —6E 102
North St. W Rai —1K 153
North St. Ct. Newc T —4G 4
North St. E. Newc T —7G 61 (4G 4)
North Ter. C'wl —5K 91
North Ter. Dur —5J 151
North Ter. Hex —2D 68
North Ter. Newc T —6E 60 (1D 4)
North Ter. Pet —1K 169
North Ter. S'hm —2B 146
North Ter. Seg —1D 34
North Ter. S'ley —4C 122
North Ter. Sund —1D 130
North Ter. W'snd —3H 63
North Ter. W All —3J 45
North Ter. Wit G —3C 150
N. Thorn. S'ley —2F 123
N. Tyne Ind. Est. Bent —4E 44
Northumberland Annexe. Newc T —3G 4
Northumberland Av. Bed —7G 15
Northumberland Av. For H —5B 44
Northumberland Av. Gos —1C 60
Northumberland Av. Newb S —4H 11
Northumberland Av. W'snd —3K 63
Northumberland Building. Newc T —3G 4
Northumberland Clo. Ash —3J 9
Northumberland County Cricket Ground. —5H 61
Northumberland Ct. Heb —1H 83
Northumberland Dock Rd. W'snd —4C 64
Northumberland Gdns. Jes —5J 61
Northumberland Gdns. Walb —2B 58
Northumberland Ho. Cra —4A 24
Northumberland Pl. Bir —7B 112
Northumberland Pl. Newc T —7F 61 (5F 4)
Northumberland Pl. N Shi —6G 47
Northumberland Pl. Pet —4K 169
Northumberland Rd. Lem —7C 58
Northumberland Rd. Newc T (in two parts) —7F 61
Northumberland Rd. Ryton —7G 57
Northumberland Sq. N Shi —6G 47
Northumberland Sq. Whit B —6G 37
Northumberland St. Gate —5E 80
Northumberland St. Newc T (in two parts) —7F 61
Northumberland St. N Shi —6J 47
Northumberland St. Pet —4D 170
Northumberland St. W'snd —3G 63
Northumberland Ter. Newc T —7K 61 (4N 5)
Northumberland Ter. N Shi —5K 47
*Northumberland Ter. W'snd —3K 63*
*(off Northumberland Av.)*
Northumberland Vs. W'snd —3J 63
Northumberland Way. Wash (NE37) —3G 99
Northumberland Way. Wash (NE38) —2J 113
Northumbria Birds of Prey Centre. —1J 43
Northumbria Ho. Newc T —6E 42
Northumbria Lodge. Newc T —4A 60
Northumbrian Cra —5K 23
Northumbrian Rd. Cra —2J 23
Northumbrian Way. Newc T —1K 43
Northumbrian Way. N Shi —2G 65
Northumbria Pl. S'ley —2H 123
Northumbria Wlk. Newc T —4F 59
North Vw. Ash —3A 10
North Vw. Bear —1C 162
North Vw. Bed —5B 16
North Vw. B'hll —5F 119
North Vw. Camb —2G 17
North Vw. Cas E —4K 179
North Vw. C'twn —6J 101
North Vw. Clar V —6C 56
North Vw. Cul —7J 37
North Vw. Din —4H 31
North Vw. Dur —2E 164
North Vw. Eas L —2J 155
North Vw. For H —4B 44
North Vw. Gate —4K 97
North Vw. Has —3A 168
North Vw. Haz —7C 32
North Vw. Jar —7A 64
North Vw. Lud —5J 167
North Vw. Mead —2E 172
North Vw. M'sly —7K 105
North Vw. Mur —1E 156
North Vw. Newb S —4H 11
North Vw. Newc T —7K 61 (3N 5)
(in two parts)
North Vw. Newf —4F 125
North Vw. New L —7J 127
North Vw. Pet —6C 158
North Vw. Pre —4F 47
*North Vw. Ryh —3H 131*
*(off Stockton Rd.)*
North Vw. Ryton —1E 76
North Vw. S Hill —3C 166
North Vw. S Hyl —3G 115
North Vw. S Shi —5B 66
North Vw. Stak —7A 10
North Vw. S'ley —6H 123
North Vw. Sund —4F 103
North Vw. W'snd —3G 63
North Vw. Wash —7H 99
North Vw. Whi —7G 79
North Vw. Bungalows. H Spen —4D 92
N. View E. Row G —5G 93
N. View Ter. Col R —2B 142
N. View Ter. Gate —5A 82
N. View W. Row G —5F 93
North Vs. Dud —2J 33
N. Walbottle Rd. N Wal & Newc T —3A 58
Northway. Chop —1H 15
Northway. Gate —7K 81
Northway. Newc T —2H 57
North Way. Ous —7G 111
N. West Ind. Est. N West —5J 169
Northwood Ct. Sund —5E 102
Northwood Rd. S'hm —2K 145
Norton Av. Bow —4H 175
Norton Av. S'hm —1J 145
Norton Clo. Ches S —1H 139
Norton Rd. Bed —2K 19
Norton Rd. Sund —4C 102
Norton Way. Newc T —7E 58
Norway Av. Sund —4A 116
Norwich Av. Wide —6D 32
Norwich Clo. Ash —5E 10
Norwich Clo. Gt Lum —3F 141
Norwich Rd. Dur —4B 152
Norwich Way. Cra —3J 23
(in two parts)
Norwich Way. Jar —5B 84
Norwood Av. Gos —3E 42
Norwood Av. Hea —4K 61
Norwood Ct. Eig B —5A 98
Norwood Ct. Newc T —6B 44
Norwood Cres. Row G —5K 93
Norwood Gdns. Gate —6J 81
Norwood Rd. Gate —6D 80
Norwood Rd. Newc T —5D 58
Nottingham Pl. Pet —4K 169
Nottinghamshire Rd. Dur —1G 165
Number One Ind. Est. Con —5J 119
Numbers Gth. Sund —1G 117
Nuneaton Way. Newc T —1B 58
Nunn St. Hou S —4A 128
Nunnykirk Clo. O'ham —2C 74
Nuns La. Gate —3H 81 (10J 5)
Nuns La. Newc T —1F 81 (6E 4)
**Nuns Moor. —4B 60**
Nuns Moor Cres. Newc T —6A 60
Nuns Moor Rd. Newc T —6A 60
Nuns' Row. Dur —1D 164
Nun St. Newc T —1F 81 (5E 4)
Nunthorpe Av. Sund —7H 117
Nunwick Gdns. N Shi —6C 46
Nunwick Way. Newc T —2B 62
Nurseries, The. Cle —5C 86
Nursery Clo. Sund —6C 116
Nursery Ct. B Mill —2K 105
Nursery Grange. Hex —3B 68
Nursery La. Cle —5C 86
(in two parts)
Nursery La. Gate —7A 82
Nursery Pk. Ash —7C 10
Nursery Rd. Sund —6C 116
Nutley Pl. Newc T —1G 79
Nye Dene. Sund —6H 101

Oakapple Clo. Bed —7H 15
Oak Av. B Col —2J 181
Oak Av. Din —4J 31
Oak Av. Dur —3E 164
Oak Av. Gate —7B 80
Oak Av. Hou S —1D 142
Oak Av. S Shi —1C 86
Oak Clo. Hex —3A 68
Oak Ct. Sac —7E 138
Oak Cres. Kim —6J 139
Oak Cres. Whi —5J 87
Oakdale. Ned V —1D 18
Oakdale Clo. Newc T —7D 58
Oakdale Rd. Con —6J 119
Oakdale Ter. Ches S —7A 126
Oakenshaw. Newc T —7E 58
Oakerside Dri. Pet —7A 170
Oakey's Rd. S'ley —1F 123
Oakfield. Ches S —7H 125
Oakfield Av. Whi —1H 95
Oakfield Clo. Sund —3J 129
Oakfield Clo. Whi —1H 95
Oakfield Ct. Sund —3J 129
Oakfield Cres. Bow —4J 175
Oakfield Dri. Kil —1D 44
Oakfield Dri. Whi —1H 95
Oakfield Gdns. Newc T —1K 79
Oakfield Gdns. W'snd —2D 62
Oakfield La. Con —1E 132
Oakfield N. Ryton —1F 77
Oakfield Pk. Pru —4F 75
Oakfield Rd. Gate —1C 96
Oakfield Rd. Newc T —2D 60
Oakfield Rd. Whi —2F 95
Oakfields. Burn —1B 108
Oakfield Ter. For H —3C 44
Oakfield Ter. Gate —5E 82
Oakfield Ter. Gos —1D 60
Oakfield Ter. Pru —4F 75
Oakfield Way. Seg —2D 34
Oakgreen. B'don —1D 172
Oak Gro. Newc T —4B 44
Oak Gro. W'snd —4H 63
Oakham Av. Newc T —1F 95
Oakham Dri. Dur —6H 153
Oakham Gdns. N Shi —1E 64
(in two parts)
Oakhurst Dri. Newc T —2C 60
Oakhurst Ter. Newc T —6B 44
Oakland Rd. Newc T —3F 61
Oakland Rd. Whit B —7D 36
Oaklands. Newc T —2E 60
Oaklands. Pon —7H 29
Oaklands. Rid M —7K 71
Oaklands. Stak —1J 15
Oaklands. Swa —5H 79
Oaklands Av. Newc T —2E 60
Oaklands Ct. Pon —7H 29
Oaklands Cres. Sund —5B 102
Oaklands Ri. Rid M —7K 71
Oaklands Ter. Sund —3C 116
Oakland Ter. Ash —3A 10
Oak La. Con —2E 118
Oaklea. Ches S —4J 125
Oak Lea. Wit G —2D 150
Oakleigh Gdns. Sund —4C 86
Oakley Clo. Ann —3K 33
Oakley Dri. Cra —3A 24
Oakmere Clo. Shin R —3B 128
Oakridge. Whi —1F 95
Oakridge Rd. Ush M —2C 162
Oak Rd. N Shi —5B 46
Oak Rd. Pet —7A 158
Oak Sq. Gate —5E 80
Oaks, The. Esh W —5D 160
Oaks, The. G'sde —5F 77
Oaks, The. Hex —3B 68
Oaks, The. Pen —1B 128
Oaks, The. Sund —3G 117
Oak St. Con —7H 119
Oak St. Hou S —1J 141
Oak St. Jar —6A 64
Oak St. Lang P —4J 149
Oak St. Newc T —3H 57

Oak St. Sea B —3E 32
Oak St. Sund —2H 117
Oak St. Wald —1G 139
Oak St. Wash —4K 113
Oak St. W Mic —6A 74
Oaks W., The. Sund —3F 117
Oak Ter. Bla T —5C 78
Oak Ter. Burn —1C 108
Oak Ter. Cat —4J 121
Oak Ter. Con —5B 120
Oak Ter. Crag —6H 123
Oak Ter. Edm —3K 137
Oak Ter. Mur —7F 145
Oak Ter. Pelt —2E 124
Oak Ter. Pet —6E 170
Oak Ter. Tant —6B 108
Oaktree Av. Newc T —4E 62
Oaktree Gdns. Whit B —1E 46 (in two parts)
Oaktree Ter. Pru —4F 75
Oakville. Ash —5E 10 (in two parts)
Oakwellgate. Gate —2H 81 (8J 5)
**Oakwood. —5G 49**
Oakwood. Gate —2C 98 (in three parts)
Oakwood. Heb —6G 63
Oakwood. Lan —1A 148
Oakwood. Oak —5F 49
Oakwood. S Het —5D 156
Oakwood. S'ley —5J 121
Oakwood Av. Gate —4J 97
Oakwood Av. Newb S —2H 11
Oakwood Av. N Gos —6E 32
Oakwood Bank. Hex —6E 48
Oakwood Clo. Gate —6D 98
Oakwood Clo. Sac —7E 138
Oakwood Ct. S'ley —5J 121
Oakwood Gdns. Gate —1D 96
Oakwood Pl. Newc T —4J 59
Oakwood St. Sund —3D 116
Oakwood Ter. W'snd —3D 64
Oatens Bank. Hor —2C 54
Oates St. Sund —2C 116
Oatfield Clo. Ash —5K 9
Oatlands Rd. Sund —4A 116
Oatlands Way. Dur —3A 152
Oban Av. W'snd —1K 63 (in two parts)
Oban Ct. Newc T —1A 82
Oban Gdns. Newc T —1A 82
Oban St. Gate —5A 82
Oban St. Jar —3E 84
Oban Ter. Gate —5A 82
Obelisk La. Dur —2K 163
Occupation Rd. S Shi —3B 86
Ocean Rd. S Shi —2J 65
Ocean Rd. Sund —6H 117
Ocean Rd. E. Sund —6J 117
Ocean Rd. N. Sund —6H 117 (off Ocean Rd.)
Ocean Rd. S. Sund —6H 117 (off Ocean Rd.)
Ocean Vw. B Col —3J 181 (in two parts)
Ocean Vw. Newb S —3J 11
Ocean Vw. Sund —2H 131
Ocean Vw. Whit B —6H 37
Ochiltree Ct. Sea S —4D 26
Octavia Clo. Bed —6G 15
Octavia Ct. W'snd —1K 63
Octavian Way. Team T —4E 96
**Offerton. —5E 114**
Offerton Clo. Sund —2G 115
Offerton La. Sund —6C 114
Offerton St. Sund —2C 116
Office Pl. Hett H —7G 143
Office Row. Burr —6A 34
Office Row. Hou S —2E 128
Office Row. Wash —7E 112
Office St. Pet —7D 158
Office St. Whe H —2D 178
Official Ter. Lan —2B 148
Ogden St. Sund —2C 116
Ogle Av. Haz —7C 32
Ogle Av. Mor —7E 6
Ogle Dri. Bly —3G 21
Ogle Gro. Jar —3A 84
O'Hanlon Cres. W'snd —1E 62
Oil Mill Rd. Newc T —6F 63
Okehampton Ct. Gate —5J 97
Okehampton Dri. Hou S —5C 128
Okehampton Sq. Sund —4C 102
**Old Benwell. —1H 79**
Old Blackett St. S'ley —4J 121
Old Brewery Sq. O'ton —2J 73
**Old Cassop. —1D 176**
Old Coronation St. S Shi —3J 65
Old Course Rd. Sund —6C 86
Old Crow Hall La. Cra —3H 23
**Old Durham. —4D 164**
Old Durham Rd. Gate —5H 81
Old Elvet. Dur —3B 164
Old Farm Ct. Sun —5H 95
Oldfield Rd. Newc T —3D 82
**Old Fold. —4A 82**
Old Fold Rd. Gate —4K 81 (10P 5)
Old Forge, The. Newt —1C 72
Old Gaol, The. —1D 68
Oldgate. Mor —7F 7
Oldgate Ct. Mor —7F 7
Old George Yd. Newc T —1F 81 (6F 4)
Old Hall Rd. Con —1K 133
**Old Hartley. —6E 26**
Old Hartley Cvn. Site. Sea S —6E 26
Old Main St. Ryton —3C 76
Old Mill La. Gt Lum —5D 140
Old Mill Rd. Hen —3H 117
Old Mill Rd. Sund —4C 102
Old Newbiggin La. Newc T —7F 41
Old Orchard, The. Rid M —6A 72
Old Pit La. Dur —4A 152
Old Pit Ter. Dur —4A 152
**Old Quarrington. —5A 176**
Old Rectory Clo. Tan —4D 108
Old Sawmill. Mit —7A 6
Old Sta. Ct. Pon —1G 39
Oldstead Gdns. Sund —4A 116
Oldstone Rd. Cra —5C 24
**Old Thornley. —4J 177**
Old Vicarage Wlk. Newc T —1A 82
Old Well La. Bla T —5B 78
**Old Wingate. —5A 178**
Oley Meadows. Con —2E 118
Olga Ter. Row G —6G 93
Olive Gdns. Gate —1J 97
Olive Pl. Newc T —6K 59
Oliver Av. Newc T —7A 60
Oliver Ct. Newc T —3D 82
Oliver Cres. Bir —2A 112
Oliver Cres. Shad —6E 166
Oliver Pl. Dur —5J 163
Olivers Mill. Mor —7F 7 (off Waterside)
Oliver St. Mur —2G 157
Oliver St. S'hm —2K 145
Oliver St. S'ley —5E 122
Oliver St. Wash —4J 113
Olive St. S Shi —7H 65
Olive St. Sund —2E 116
Olive St. Wald —1G 139 (in two Parts)
Ollerton Dri. Newc T —3F 57
Ollerton Gdns. Gate —1A 98
Olney Clo. Cra —3B 24
Olympia Av. Chop —1G 15
Olympia Gdns. Mor —6F 7
Olympia Hill. Mor —6F 7
Ongar Way. Newc T —5K 43
Onslow Gdns. Gate —2H 97
Onslow St. Sund —1A 116
Onslow Ter. Lang M —7G 163
Open, The. Newc T —7F 61 (4E 4)
Oram Clo. Mor —7H 7
Orange Gro. Ann —2K 33
Orange Gro. Whi —7J 79
Orchard Av. Acomb —4B 48
Orchard Av. Row G —6H 93
Orchard Clo. Mor —7H 7
Orchard Clo. Newc T —2D 44
Orchard Clo. Pru —4F 75
Orchard Clo. Row G —7H 93
Orchard Clo. Sun —4H 95
Orchard Clo. W Pel —3C 124
Orchard Ct. G'sde —5D 76
Orchard Ct. Ryton —1G 77
Orchard Dene. Row G —6H 93
Orchard Dri. Dur —1C 164
Orchard Gdns. Ches S —1A 140
Orchard Gdns. Gate —3J 97
Orchard Gdns. Sund —6G 87
Orchard Gdns. W'snd —2E 62
Orchard Grn. Newc T —2K 59
Orchard Hill. Pru —3E 74
Orchard Leigh. Newc T —7E 58
Orchard M. Mor —6F 7
Orchard Pk. Bir —4A 112
Orchard Pl. Newc T —4H 61
Orchard Rd. Row G —6H 93
Orchard Rd. Whi —7J 79
Orchards, The. Bly —1F 21
Orchard St. Bir —4A 112
Orchard St. Newc T —2F 81 (7F 4)
Orchard St. Pelt —2G 125
Orchard St. Sund —1B 116
Orchard Ter. Ches S —1A 140
Orchard Ter. Lem —7C 58
Orchard Ter. Newc T —3H 57
Orchard, The. Ches S —5B 126
Orchard, The. Cor —1E 70
Orchard, The. E Bol —7J 85
Orchard, The. Hep —3A 14
Orchard, The. Newc T —7D 58
Orchard, The. N Shi —7G 47
Orchard, The. Pity Me —4K 151
Orchard, The. Whi —7J 79
Orchard, The. Wylam —7J 55
Orchard Vw. Cor —7D 50
Orchid Clo. Ash —5A 10
Orchid Clo. S Shi —1H 85
Orchid, The. Whi —7J 79
Ord Ct. Newc T —6K 59
Orde Av. W'snd —2J 63
Ordley Clo. Newc T —1E 78
Ord St. Newc T —3E 80 (9C 4)
Ord Ter. Chop —7K 9
Orkney Dri. Ryh —1F 131
Orlando Rd. N Shi —6E 46
Ormesby Rd. Sund —4F 103
Ormiscraig. Newc T —7E 58
Ormiston. Newc T —7E 58
Ormonde Av. Newc T —7G 59
Ormonde St. Jar —6B 64
Ormonde St. Sund —3B 116
Ormsby Grn. Newc T —5G 59
Ormskirk Clo. Newc T —7D 58
Ormskirk Gro. Cra —3A 24
Ormston St. H'fd —6K 19
Orpen Av. S Shi —3J 85
Orpine Ct. Ash —5A 10
Orpington Av. Newc T —6C 62
Orpington Rd. Cra —3A 24
Orr Av. Sund —3D 130
Orton Clo. Newc T —2A 80
Orwell Clo. Pet —1K 179
Orwell Clo. S Shi —4H 85
Orwell Gdns. S'ley —5E 122
Orwell Grn. Newc T —2A 60
Osbaldeston Gdns. Newc T —2D 60
Osborne Av. Hex —1B 68
Osborne Av. Newc T —5G 61
Osborne Av. S Shi —4K 65
Osborne Bldgs. S'ley —5D 122
Osborne Clo. Bed —6A 16
Osborne Ct. Newc T —5H 61
Osborne Gdns. N Shi —5G 47
Osborne Gdns. Whit B —6F 37
Osborne Pl. Newc T —3D 44
Osborne Rd. Ches S —6A 126
Osborne Rd. Newc T —2F 61 (1H 5)
Osborne Rd. Sund —1G 115
Osbornes Cotts. B Mill —2A 106 (off Chopwell Rd.)
Osborne St. Sund —5F 103
Osborne Ter. Cra —3J 23
Osborne Ter. Gate —5G 81
Osborne Ter. Newc T —1H 5
Osborne Ter. Pet —1K 169
Osborne Vs. Newc T —5G 61
Osborne Vs. S'ley —1E 122
Osbourne Rd. Newc T —5G 61
Osbourne Ter. Newc T —6G 61
Osier Ct. Stak —1A 16
Oslo Clo. Tyn T —1B 64
Osman Clo. Sund —3G 117
Osman Ter. Hou S —7A 128
Osmond Ter. Shin R —3A 128
Osprey Clo. Esh W —4C 160
Osprey Dri. Bly —4J 21
Osprey Way. S Shi —2H 85
Oswald Av. Dur —3E 164
Oswald Clo. Dur —3E 164
Oswald Cotts. Gate —4A 98
Oswald Ct. Dur —4B 164
Oswald Rd. Hett H —5G 143
Oswald Rd. Mor —5G 7
Oswald Rd. Newb S —2H 11
Oswald St. S Shi —3J 85
Oswald St. S'ley —7K 123
Oswald St. Sund —1C 116
Oswald Ter. Gate —5F 81
Oswald Ter. Pet —7B 158
Oswald Ter. S'ley —6E 122
Oswald Ter. Sund —6H 117
Oswald Ter. S. Sund —6J 101
Oswald Ter. W. Sund —6J 101
Oswald Wlk. Newc T —7G 43
Oswestry Pl. Cra —3A 24 (in two parts)
Oswin Av. Newc T —4B 44
Oswin Ct. Newc T —3C 44
Oswin Rd. Newc T —3B 44
Oswin Ter. N Shi —7D 46
Otley Clo. Cra —3B 24
Otterburn Av. Newc T —1C 60
Otterburn Av. S Well —7B 36
Otterburn Clo. Newc T —4D 44
Otterburn Ct. Gate —3F 81
Otterburn Ct. Whit B —7B 36
Otterburn Cres. Hou S —1C 142
Otterburn Dri. Ash —5K 9
Otterburn Gdns. Dun —7C 80
Otterburn Gdns. Gate —2G 97
Otterburn Gdns. S Shi —7A 66
Otterburn Gdns. Whi —7H 79
Otterburn Gro. Bly —4F 21
Otterburn Rd. N Shi —5F 47
Otterburn Ter. Newc T —4G 61
Otterburn Vs. Newc T —4G 61 (off Otterburn Ter.)
Otterburn Vs. N. Newc T —4G 61
Otterburn Vs. S. Newc T —4G 61 (off Otterburn Ter.)
Otter Burn Way. Pru —5C 74
Ottercap Clo. Newc T —7D 58
Ottercops. Pru —5D 74
Otterington. Wash —4A 114
Ottershaw. Newc T —7E 58
Otto Ter. Sund —3D 116
Ottovale Cres. Bla T —5A 78
Ottringham Clo. Newc T —7D 58
Oulton Clo. Cra —3A 24
Oulton Clo. Newc T —1H 59
Ousby Ct. Newc T —5K 41
Ouseburn Clo. Sund —1H 131
Ouseburn Pk. Newc T —5L 5
Ouseburn Rd. Newc T (NE1) —7J 61 (4L 5)
Ouseburn Rd. Newc T (NE6) —6J 61 (1M 5)
Ouse Cres. Gt Lum —3F 141
Ouselaw. Gate —2F 111
Ouse St. Newc T —1J 81 (5M 5)
Ouslaw La. Kib —2D 110
Ousterley Ter. S'ley —7J 123
**Ouston. —6H 111**
Ouston Clo. Gate —7G 83
Ouston La. Pelt —2H 125 (in two parts)
Ouston St. Newc T —1F 79
Outlet Rd. Hex —1E 68
Outputs La. Con —6G 133
Outram St. Hou S —1E 142
Oval Pk. Vw. Gate —7B 82
Oval, The. Bed —7A 16
Oval, The. Bly —6F 21
Oval, The. Ches M —3K 139
Oval, The. For H —6C 44
Oval, The. Hou S —2D 142
Oval, The. Ous —6H 111
Oval, The. Ryton —1G 77
Oval, The. Sund —5D 102 (off Burnbank)
Oval, The. Walk —3B 82
Oval, The. Wash —7H 99
Oval, The. Wool —4F 41
Overdale Ct. Chop —2G 15
Overdene. Dal D —5H 145
Overdene. Newc T —6F 59
Overdene. O'ton —7J 53
Overfield Rd. Newc T —7B 42
Overhill Ter. Gate —5F 81
Overman St. H Shin —1F 175
Overstone Av. G'sde —4D 76
Overton Clo. Newc T —7D 58
Overton Rd. N Shi —4E 46
**Ovingham. —2D 74**
Ovingham Clo. Wash —3K 113
Ovingham Gdns. Wide —5D 32
Ovingham Rd. Wylam —7J 55
**Ovington. —2K 73**
Ovington Gro. Newc T —6J 59
Ovington Vw. Pru —5D 74
Owen Brannigan Dri. Dud —4K 33
Owen Ct. Newc T —6E 60 (1C 4)
Owen Dri. W Bol & Bol C —6H 85
Owengate. Dur —3A 164
Owen Ter. C'wl —7A 92
Owen Ter. Tant —6B 108
Owlet Clo. Bla T —5A 78
Oxberry Gdns. Gate —7A 82
Oxbridge St. Sund —6H 117
**Oxclose. —3E 112**
Ox Clo. Wylam —5K 55
Oxclose Rd. Wash —4J 113
Oxclose Village Cen. Wash —4E 112
Oxford Av. Cra —3A 24
Oxford Av. S Shi —5K 65
Oxford Av. W'snd —2E 62
Oxford Av. Wash —7F 99
Oxford Clo. Sund —1B 130
Oxford Cres. Heb —7K 63
Oxford Cres. Hett H —6F 143
Oxford Pl. Bir —7A 112
Oxford Rd. Chop —1J 15
Oxfordshire Dri. Dur —1G 165
Oxford Sq. Sund —1A 116
Oxford St. Bly —2K 21
Oxford St. Newc T —7G 61 (4G 4)
Oxford St. S'hm —3J 145
Oxford St. S Shi —5K 65
Oxford St. S'ley —4K 121
Oxford St. Sund —1A 116
Oxford St. Tyn —5K 47
Oxford St. Whit B —6H 37
Oxford Ter. Bow —5H 175
Oxford Ter. Gate —5G 81
Oxford Ter. Shin R —3A 128
Oxford Way. Jar —5B 84
**Oxhill. —4D 122**
Oxhill Vs. S'ley —4B 122
Oxley St. Con —5F 119
Oxley Ter. Dur —4J 151
Oxnam Cres. Newc T —6D 60 (1A 4)
Oxted Clo. Cra —3B 24
Oxted Pl. Newc T —3C 82
Oyston St. S Shi —3J 65
Ozanan Clo. Dud —4K 33

Pacific Hall Clo. S'hm —2G 145
Packham Rd. Sund —3J 115
Paddock Clo. Pru —4G 75
Paddock Clo. Shin R —4K 127
Paddock Clo. Sund —5A 86
Paddock Hill. Pon —4K 29
Paddock La. Dal —6A 28
Paddock La. Sund —2D 130
Paddock Ri. Ash —5K 9
Paddock, The. Bly —2G 21
Paddock, The. Cra —5B 24
Paddock, The. Gate —1D 98
Paddock, The. H Spen —3D 92
Paddock, The. Kil —1C 44
Paddock, The. Lan —7J 135
Paddock, The. Newc T —4K 57
Paddock, The. Stoc —2J 89
Paddock, The. Tan L —1C 122
Paddock, The. W Her —2F 129
Paddock, The. Wool —4F 41
Paddock Wood. Pru —4G 75
Pader Clo. Haz —6C 32
Padgate Rd. Sund —2J 115
Padonhill. Sund —4A 130
Padstow Clo. Sund —1H 131
Padstow Gdns. Gate —5H 97
Padstow Rd. N Shi —1E 64
Page Av. S Shi —6A 66
Page's Bldgs. Bol C —6E 84
Page St. Heb —6K 63
Paignton Av. Newc T —1A 80
Paignton Av. Whit B —7D 36
Paignton Sq. Sund —6A 116
**Painshawfield. —1J 89**
Painshawfield Rd. Stoc —1J 89
Painter Heugh. Newc T —2G 81 (6G 4)
Paisley Sq. Sund —6A 116
Palace Grn. Dur —3A 164
Palace Rd. Bed —6B 16
Palace St. Newc T —2D 80 (7B 4)
Palatine St. S Shi —1J 65
Palatine Vw. Dur —3K 163 (off Margery La.)
Palermo St. Sund —7B 102
Paley St. Sund —1E 116
Palgrove Rd. Sund —3J 115
Palgrove Sq. Sund —3J 115
Pallinsburn Ct. Newc T —2H 59
**Pallion. —7B 102**
Pallion Ind. Est. Sund —1K 115
Pallion New Rd. Sund —7B 102
Pallion Pk. Sund —1B 116
Pallion Retail Pk. Sund —7A 102
Pallion Rd. Sund —2B 116
Pallion Subway. Sund —7A 102
Pallion Way. Sund —1K 115
Pallion W. Ind. Est. Sund —7K 101
Palm Av. Newc T —6A 60
Palm Av. S Shi —1C 86
Palm Ct. Newc T —3D 44
Palmer Cres. Heb —7K 63
Palmer Cres. Pet —5E 170
Palmer Gdns. Gate —6G 83
Palmer Rd. Dip —7J 107
Palmer Rd. S West —7J 169
Palmers Gth. Dur —3B 164
Palmers Grn. Newc T —3D 44
Palmer's Hill Rd. Sund —7F 103
Palmerston Av. Newc T —6C 62
Palmerstone Rd. Sund —4J 115
Palmerston Rd. Sund —5G 115
Palmerston Sq. Sund —4J 115
Palmerston St. Con —7H 119
Palmerston Wlk. Gate —4E 80
Palmer St. Gate —6D 98
Palmer St. Jar —6A 64
Palmer St. S Het —5D 156
Palmer St. S'ley —4D 122
**Palmersville. —3E 44**
Palmersville. Newc T —3D 44
Palm Lea. B'don —1C 172
Palmstead Rd. Sund —3H 115
Palmstead Sq. Sund —3J 115

Palm St. Con —6H 119
Palm St. Lang P —4K 149
Palm Ter. S'ley —6H 123
Palm Ter. Tant —5C 108
Pancras Rd. Sund —6A 116
Pandon. Newc T —1G 81 (6H 5)
Pandon Bank. Newc T —1G 81 (6H 5)
Pandon Building. Newc T —3H 5
Pandon Ct. Newc T —7H 61 (3J 5)
Panfield Ter. Hou S —7J 127
Pangbourne Clo. Newc T —5C 58
Pankhurst Gdns. Gate —6E 82
Pankhurst Pl. S'ley —4H 123
Pann La. Sund —1F 117 (in two parts)
Panns Bank. Sund —1F 117
Pantiles, The. Wash —5H 99
Parade Clo. Walk —1E 82
Parade, The. Ches S —1B 140
Parade, The. Gate —4J 79
Parade, The. Pelt —3E 124 (in two parts)
Parade, The. Sund —2H 117
Parade, The. Walk —1E 82
Parade, The. W'snd —7H 45
Parade, The. Wash —4J 113
**Paradise. —2J 79**
Paradise Cres. Pet —7B 158
Paradise La. Pet —7B 158
Paradise Row. Cra —4K 23
Paradise St. Pet —5F 171
Park Av. Bed —5C 16
Park Av. B Col —2H 181
Park Av. Bla T —4C 78
Park Av. Con —6J 119
Park Av. Coxh —7J 175
Park Av. Faw —5B 42
Park Av. Gate —7A 80
Park Av. Gos —6C 42 (in two parts)
Park Av. Hex —1B 68
Park Av. New S —2D 130
Park Av. N Shi —5J 47
Park Av. Pru —5G 75
Park Av. Shir —1K 45
Park Av. S Shi —2B 86
Park Av. S'ley —2F 123
Park Av. Sund —4G 103
Park Av. W'snd —3F 63
Park Av. Wash —6H 99
Park Av. Whit B —6G 37
Park Av. Winl —4B 78
Park Chare. Wash —3H 113
Park Clo. Lang P —5K 149
Park Clo. Newc T —2C 80
Park Clo. S'ley —6A 122
Park Cotts. B Mill —2H 105
Park Ct. Walkg —4E 62
Park Cres. N Shi —5H 47
Park Cres. Shir —1K 45 (in two parts)
Park Cres. E. N Shi —5J 47
Parkdale Ri. Whi —7G 79
Park Dri. Bly —5F 21
Park Dri. For H —4C 44
Park Dri. Lang P —5J 149
Park Dri. Mel P —3E 42
Park Dri. Mor —1F 13
Park Dri. Stan —7K 13
Park Dri. Whi —7J 79
Parker Av. Newc T —1D 60
Parker Ct. Dun —4A 80
Parker's Bldgs. Ive —1C 134
Pk. Farm Vs. Bly —7G 21
Parkfield. Jar —5C 84
Park Fld. Ryton —1F 77
Parkfield. Sea S —4C 26
Parkfield Ter. S'ley —3J 121
Park Gdns. Whit B —6G 37
Park Ga. Sund —4G 103
Parkgate La. Bla T —6B 78
Park Gro. Shir —1K 45
Park Gro. Wash —6H 99
Parkham Clo. Cra —1K 23
Parkhead. G'cft I —7J 121
Park Head. Newc T —4J 61
Parkhead Gdns. Bla T —6B 78
Pk. Head Rd. Newc T —3J 61
Parkhead Sq. Bla T —5C 78
Park Hill Est. Coxh —7J 175
Parkhouse Av. Sund —7H 101
Park Ho. Clo. Sher —2K 165
Pk. House Gdns. Sher —2K 165 (in two parts)
Pk. House Rd. Dur —5J 163
Parkhurst Rd. Sund —4H 115
Parkin Gdns. Gate —7C 82
Parkinson Cotts. Ryton —2J 77
Parkland. Bla T —2A 78
Parkland. Newc T —6B 44
Parkland Av. Bla T —6B 78
Parklands. Gate —6G 83
Parklands. Ham M —3D 106
Parklands. Pon —2F 39
Parklands Ct. Cas E —4K 179
Parklands Ct. Gate —5G 83
Parklands Ct. S'hm —2K 145
Parklands Gro. S Het —5D 156
Parklands Way. Wardl —6G 83
Parkland Ter. S'hm —2K 145
Park La. Bla T —6B 78
Park La. Gate —3H 81 (10K 5)
Park La. Mur —7D 144
Park La. Pet —5E 170
Park La. Pru —5F 75 (in two parts)
Park La. Shir —1K 45
Park La. Sund —2E 116
Parklea. Sea S —4C 26
Park Lea. Sund —3G 129
Pk. Lea Rd. Sund —4G 103
Parkmore Rd. Sund —5G 115
Park Pde. Sund —5G 103
Park Pde. Whit B —6G 37
Park Pl. Ches S —4B 126
Park Pl. Hett H —7G 143
Park Pl. E. Sund —3F 117
Park Pl. W. Sund —3F 117
Park Ri. Newc T —6C 58
Park Rd. Ash —4K 9
Park Rd. Bed —7J 15
Park Rd. Bly —2K 21
Park Rd. Con —6F 119
Park Rd. Els —2C 80
Park Rd. Gate —3J 81 (10M 5)
Park Rd. Heb —1J 83
Park Rd. Hett H —6G 143
Park Rd. Jar —7A 64
Park Rd. Newb —5K 57
Park Rd. Newc T —8A 4
Park Rd. Pet —4D 170
Park Rd. Row G —5H 93
Park Rd. Sea D —7G 25
Park Rd. Sher —2K 165
Park Rd. Shir —1K 45
Park Rd. S'ley —4D 122
Park Rd. Sund —3F 117
Park Rd. W'snd —3F 63
Park Rd. Whit B —5G 37
Park Rd. Central. Ches S —6B 126
Park Rd. E. Ash —4A 10
Park Rd. Ind. Est. B'hll —6F 119
Park Rd. N. Ches S —3A 126
Park Rd. S. Ches S —1A 140
Park Row. Gate —6B 82
Park Row. Sund —6B 102
Parkshiel. S Shi —2C 86
**Parkside. —5A 146**
Parkside. Bed —5C 16
Parkside. B'hll —6G 119
Parkside. B'hpe —5E 136
Parkside. Dur —2K 163
Parkside. Gate —6B 80
Parkside. Heb —2G 83
Parkside. N Shi —3K 47
Parkside. Sac —7E 138
Parkside. Sund —3H 129
Parkside. Tan L —7C 108
Parkside. Thro —4J 57
Parkside. W'snd —2H 63
Parkside. W Moor —2J 43
Parkside Av. Bla T —5C 78
Parkside Av. Newc T —7K 43
Parkside Cotts. Tan L —7C 108
Parkside Cres. N Shi —4K 47
Parkside Cres. S'hm —5A 146
Parkside S. Sund —3H 129
Parkside Ter. W'snd —1E 62
Park Site. Hep —3B 14
Parks, The. Ches S —1C 140
Parkstone Clo. Sund —6G 115
Park St. Con —5G 119
Park St. S'hm —4B 146
Park St. S. Sund —6J 101
Park Ter. Bed —5B 16
Park Ter. Bla T —5D 78
Park Ter. C'sde —4C 132
Park Ter. Dun —6B 80
Park Ter. Kil —2K 43
Park Ter. Lead —5B 120
Park Ter. Newc T —6F 61 (1E 4)
Park Ter. N Shi —5J 47
Park Ter. Pet —6E 170
Park Ter. Sund —5B 102
Park Ter. Swa —5G 79
Park Ter. W'snd —3F 63
Park Ter. Wash —6H 99
Park Ter. Whit B —5G 37
Park Vw. Ash —3K 9
Park Vw. B'hll —6H 119
Park Vw. Bla T —6C 78
Park Vw. Bly —2K 21
Park Vw. B'mr —5H 127
Park Vw. Burn —2B 108
Park Vw. Ches S —4K 125
Park Vw. Cra —4K 23 (off Station Rd.)
Park Vw. Fel —6B 82
Park Vw. Hett H —7G 143
Park Vw. Jar —2B 84
Park Vw. Lang M —6G 163
Park Vw. Nett —6H 139
Park Vw. Newc T —4B 44
Park Vw. Pet —5E 170
Park Vw. S'hm —2H 145
Park Vw. Sea D —7H 25 (in two parts)
Park Vw. Shin R —3B 128
Park Vw. Swa —5F 79
Park Vw. Walk —1E 82
Park Vw. W'snd —3F 63
Park Vw. Whit B —6G 37
Park Vw. Wide —5E 32
Park Vw. Wit G —3B 150
Park Vw. Clo. Ryton —1H 77
Park Vw. Ct. Ken —7A 42
Park Vw. Ct. Newc T —2K 43
Pk. View Ct. Whit B —6G 37
Park Vw. Gdns. Ryton —1H 77
Park Vs. Ash —3K 9
Park Vs. Con —5B 120 (off Dunelm Way)
Park Vs. Dip —2G 121
Park Vs. Newc T —3D 60
Park Vs. W'snd —3F 63
Parkville. Newc T —6J 61 (1M 5)
Park Wlk. Sund —4C 130
Parkway. Chop —1H 15
Parkway. Wash —3G 113
Parkwood Av. Bear —1C 162
Parkwood Av. Pru —3H 75
Parliament St. Bla T —5B 78
Parliament St. Con —6G 119
Parliament St. Heb —6G 63
Parmeter St. S'ley —5E 122
Parmontley St. Newc T —1F 79
Parnaby St. Con —7H 119
Parnell St. Hou S —2B 142
Parrish Cft. Dur —6J 151
Parrish Mans. Newc T —4B 44
Parry Dri. Sund —5G 87
Parson Rd. Wylam —7K 55
Parson's Av. Newc T —1D 82
Parsons Dri. Ryton —1G 77
Parsons Gdns. Gate —5B 80
Parsons Ind. Est. Wash —1F 113
Parsons Rd. N East —3B 170
Parsons Rd. Par I —1F 113
Partick Rd. Sund —4H 115
Partick Sq. Sund —4J 115
Partridge Clo. Wash —4D 112
Partridge Ter. Win —5F 179
Passfield Sq. Pet —1A 170
Passfield Sq. Thor —1J 177
Passfield Way. Pet —1J 179
Pasteur Rd. S Het —4B 156
Paston Rd. Sea D —1H 35
Pastures, The. Bly —5H 21
Pastures, The. Mor —2D 12
Pastures, The. Stoc —6H 73
**Path Head. —3B 78**
Pathside. Jar —4C 84
Path, The. Gate —3H 97
Patience Av. Sea B —3E 32
Patina Clo. Newc T —5C 58
Paton Rd. Sund —6B 116
Paton Sq. Sund —6B 116
Patrick Cres. S Het —3A 156
Patrick Ter. Dud —4K 33
Patterdale Clo. Dur —7J 153
Patterdale Clo. E Bol —7J 85
Patterdale Gdns. Newc T —2K 61
Patterdale Gro. Sund —3E 102
Patterdale M. Con —5B 120
Patterdale Rd. Bly —1E 20
Patterdale St. Hett H —1G 155
Patterdale Ter. Gate —6H 81
Patterson Clo. Hex —3A 68
Patterson Ho. Bly —3J 21
Patterson St. Bla T —2E 78
Pattinson Gdns. Carr H —7K 81
Pattinson Gdns. Gate —4A 82
Pattinson Ind. Est. Wash —2B 114
Pattinson N. Ind. Est. Wash —3B 114
Pattinson Rd. Wash —5K 113
Pattinson S. Ind. Est. Wash —5K 113
Pattison Cres. B Rocks —3K 181
Pattison Gdns. B Rocks —3K 181
Patton Wlk. Whe H —2C 178
Patton Way. Peg —4A 8
Paula Fld. Cra —4K 23
Pauline Av. Sund —4F 103
Pauline Gdns. Newc T —6G 59
Pauls Grn. Hett H —4G 143
Paul's Rd. Sund —2G 117
Paulsway. Jar —7E 64
Pavilion M. Newc T —4H 61
Pavilion Ter. B'hpe —5D 136
Pavilion Ter. Hett H —7G 143
Pawston Rd. H Spen —2E 92
Paxford Clo. Newc T —7J 43
Paxton Ter. Sund —1C 116
Peacehaven Ct. Wash —5G 99
Peacock Ct. Gate —7D 80
Peacock La. Mor —5D 6
Peacock St. W. Sund —2B 116
Peacock Ter. Wash —7H 99
Pea Flatts La. Gt Lum —3G 141
Peareth Edge. Gate —6D 98
Peareth Gro. Sund —4H 103
Peareth Hall Rd. Gate & Wash —6D 98
Peareth Rd. Sund —3G 103
Peareth Ter. Bir —4A 112
Pear Lea. B'don —1C 172
Pearl Rd. Sund —6B 116
Pea Rd. S'ley —3D 122
Pearson Ct. Bla T —2E 78
Pearson Ct. N Shi —6H 47
Pearson Pl. Jar —5C 64
Pearson Pl. N Shi —6H 47
Pearson's Ter. Hex —1C 68
Pearson St. S Shi —1K 65
Pearson St. S'ley —1F 123
Peart Clo. Sher —3A 166
Peartree Bungalows. B Mill —2A 106
Peartree Ct. B Mill —2A 106
Peartree Gdns. Newc T —4E 62
Peartree Ter. B'hpe —4H 137
Pear Tree Ter. Cas D —1F 141
Pear Tree Ter. C'wl —7K 91
Peary Clo. Newc T —3F 59
Pease Av. Newc T —7J 59
Peasemore Rd. Sund —3H 115
Pease Rd. N West —4H 169
Pebble Beach. Whi —7H 87
Pecket Clo. Bly —4E 20
Peddars Way. S Shi —1H 85
Peebles Clo. N Shi —4C 46
Peebles Rd. Sund —6A 116
Peel Av. Dur —2F 165
Peel Cen., The. Wash —1K 113
Peel Gdns. S Shi —2E 84
Peel La. Newc T —2E 80 (7D 4)
Peel St. Newc T —1E 80 (7D 4)
Peel St. Sund —3G 117
Peggy's Wicket. Beam —1B 124
**Pegswood. —4B 8**
Pegswood Ho. Newc T —3B 4
Pegswood Ind. Est. Peg —3B 8
Pegwood Rd. Sund —3J 115
Peile Ct. Shot B —3E 118
Peile Pk. Shot B —3E 118
**Pelaw. —5E 82**
Pelaw Av. Ches S —4K 125
Pelaw Av. Newb S —2H 11
Pelaw Av. S'ley —1G 123
Pelaw Bank. Ches S —5A 126
Pelaw Cres. Ches S —4K 125 (in two parts)
Pelaw Grange Ct. Ches S —1A 126
Pelaw Leazes La. Dur —2B 164
Pelaw Pl. Ches S —4A 126
Pelaw Rd. Ches S —4A 126
Pelaw Sq. Ches S —4K 125
Pelaw Sq. Sund —1J 115
Pelaw Ter. Ches S —4K 125
Pelaw Way. Gate —5E 82
Peldon Clo. Newc T —7H 43
Pelham Ct. Newc T —5K 41
**Pelton. —2F 125**
Peltondale Av. Bly —3E 20
**Pelton Fell. —5G 125**
Pelton Fell Rd. Ches S —5G 125
Pelton Ho. Farm Est. Pelt F —3G 125
Pelton La. Ches S —5C 124
Pelton La. Pelt —2G 125
**Pelton Lane Ends. —3E 124**
Pelton M. Pelt —3E 124
Pelton Rd. Sund —4J 115
Pemberton Av. Con —2E 132
Pemberton Bank. Eas L —2H 155
Pemberton Clo. Sund —6D 102
Pemberton Gdns. Sund —5D 116
Pemberton Rd. Con —1B 132
Pemberton St. Hett H —6G 143
Pemberton Ter. N. S'ley —6H 123
Pemberton Ter. S. S'ley —6H 123
Pembridge. Wash —3E 112
Pembroke Av. Bir —7B 112 (in two parts)
Pembroke Av. Newc T —5C 62
Pembroke Av. Sund —3D 130
Pembroke Ct. Newb S —2J 11
Pembroke Ct. Newc T —5K 41
Pembroke Ct. Sund —3G 101
Pembroke Dri. Pon —6E 28
Pembroke Gdns. Ash —6E 10
Pembroke Gdns. W'snd —1A 64
Pembroke Pl. Pet —4K 169
Pembroke Ter. S Shi —6J 65
Pendeford. Wash —4A 114
Pendle Clo. Pet —7K 169
Pendle Clo. Wash —5F 113
Pendle Grn. Sund —3C 116
Pendleton Dri. Cra —1J 23
Pendower Way. Newc T —7J 59
Pendragon. Gt Lum —2F 141
Penfold Clo. Newc T —1A 62
Penhale Dri. Sund —2H 131
Penhill Clo. Ous —7G 111
Penistone Rd. Sund —4G 115
Penman Pl. N Shi —1G 65
Penman Sq. Sund —4H 115
Pennant Sq. Sund —2J 115
Pennine Av. Ches S —7K 125 (in two parts)
Pennine Ct. S'ley —6K 121
Pennine Ct. Sund —3B 130
Pennine Dri. Ash —6C 10
Pennine Dri. Pet —7J 169
Pennine Gdns. Gate —7C 80
Pennine Gdns. S'ley —4G 123
Pennine Gro. W Bol —7H 85
Pennine Ho. Wash —4F 113
Pennine Vw. C'wl —7K 91
Pennine Way. Newc T —6J 43
Pennon Pl. Newc T —4E 4
Penn Sq. Sund —2J 115
Penn St. Newc T —3D 80 (10A 4)
Pennycross Rd. Sund —4G 115
Pennycross Sq. Sund —3G 115
Pennyfine Clo. N Shi —4G 47
Pennyfine Rd. Sun —4J 95
Pennygate Sq. Sund —3G 115
Pennygreen Sq. Sund —3G 115
Pennymore Sq. Sund —4G 115
**Pennywell. —4J 115**
Pennywell Ind. Est. Sund —4G 115
Pennywell Rd. Sund —4J 115
Penrith Av. N Shi —2G 47
Penrith Gdns. Gate —3K 97
Penrith Gro. Gate —3K 97
Penrith Rd. Heb —2K 83
Penrith Rd. Sund —3E 102
Penrose Grn. Newc T —7B 42
Penrose Rd. Sund —4H 115
Penryn Av. Mur —7F 145
Penryn Way. Mead —1E 172
Pensford Ct. Newc T —6J 41
**Penshaw. —1B 128**
Penshaw Clo. Lang P —5H 149
Penshaw Gdns. S'ley —2H 123 (in two parts)
Penshaw Grn. Newc T —2K 59
Penshaw La. Hou S —1B 128
Penshaw Vw. Bir —5C 112
Penshaw Vw. Heb —2J 83
Penshaw Vw. Jar —2B 84
Penshaw Vw. Sac —1F 151
Penshaw Vw. Wardl —6G 83
Penshaw Way. Bir —4C 112
Pensher St. Gate —5A 82
Pensher St. Sund —2D 116
Pensher St. E. Gate —5A 82
Pensher Vw. Wash —6K 99
Pentland Clo. Ash —6C 10
Pentland Clo. Cra —1K 23
Pentland Clo. N Shi —3F 47
Pentland Clo. Pet —7J 169
Pentland Clo. Wash —5F 113
Pentland Ct. Ches S —7A 126
Pentland Gdns. Gate —7C 80
Pentland Gro. Newc T —3K 43
Pentlands Ter. S'ley —4G 123
Pentridge Clo. Cra —3A 24
Penwood Rd. Sund —3J 115
Penyghent Way. Wash —2E 112
Penzance Bungalows. Mur —6F 145
Penzance Pde. Heb —4A 84
Penzance Rd. Sund —4H 115
Peoples Museum of Memorabilia & Antiques Centre. —1F 81 (6F 4)
Peplow Sq. Sund —1J 115
Peppercorn Ct. Newc T —7H 5
Peppermires. Bran —4C 172
Percival St. Sund —1B 116
Percy Av. N Shi —7J 37
Percy Av. S'ley —4J 121
Percy Av. Whit B —6F 37
Percy Building. Newc T —2E 4
Percy Clo. Hex —4B 68

Percy Cotts. Sea D —7J 25
(in two parts)
Percy Ct. N Shi —2D 64
Percy Cres. Lan —7K 135
Percy Cres. N Shi —2D 64
Percy Gdns. Chop —7J 9
Percy Gdns. Con —1K 133
(in two parts)
Percy Gdns. Gate —7C 80
Percy Gdns. Newc T —4B 44
Percy Gdns. N Shi —4K 47
Percy Gdns. Whit B —7G 37
Percy Gdns. Cotts. N Shi —4K 47
(off Percy Gdns.)
Percy La. Dur —3J 163
**Percy Main. —2D 64**
Percy Pk. N Shi —4K 47
Percy Pk. Rd. N Shi —4K 47
Percy Rd. Whit B —6H 37
Percy Scott St. S Shi —3J 85
Percy Sq. Dur —5J 163
Percy St. Ash —3C 10
Percy St. Bly —1K 21
Percy St. Cra —5A 24
Percy St. For H —3D 44
Percy St. Hett H —6H 143
Percy St. Jar —6C 64
Percy St. Lem —7C 58
Percy St. Newc T —7F 61 (5E 4)
Percy St. N Shi —5K 47
Percy St. S Shi —3K 65
Percy St. S'ley —4D 122
Percy St. Thor —1K 177
Percy St. W'snd —3G 63
Percy St. Whe H —2B 178
Percy St. S. Bly —2K 21
Percy Ter. Con —1K 133
Percy Ter. Dur —3J 163
Percy Ter. Gos —7G 43
Percy Ter. Hou S —1A 128
Percy Ter. Newb —6K 57
Percy Ter. S'ley —5B 122
Percy Ter. Sund —4G 117
(in two parts)
Percy Ter. Whit —5H 87
Percy Ter. Whit B —6E 36
Percy Ter. S. Sund —5G 117
Percy Way. Newc T —4A 58
Peregrine Ct. N Shi —6F 47
Peregrine Pl. Newc T —5J 43
Perivale Rd. Sund —4H 115
Perkins Memorial Cottage Homes. Bir —5A 112
**Perkinsville. —1H 125**
Perrycrofts. Sund —5C 130
(in two parts)
Perry St. Gate —6H 81
Perth Av. Jar & S Shie —3E 84
Perth Clo. N Shi —4C 46
Perth Clo. W'snd —1K 63
Perth Ct. Sund —7A 116
Perth Ct. Team T —5G 97
Perth Gdns. W'snd —1K 63
Perth Grn. Jar —3E 84
Perth Rd. Sund —7A 116
Perth Sq. Sund —6B 116
Pescott Ct. Hex —2D 68
Pesspool Av. Has —1B 168
Pesspool Bungalows. Has —2B 168
Pesspool La. Has & Pet —1B 168
Pesspool Ter. Has —1B 168
Peterborough Clo. Gate —4G 81
Peterborough Rd. Dur —4C 152
Peterborough Way. Jar —5B 84
Peterbrough St. Gate —4G 81
**Peterlee. —6B 170**
Peterlee Clo. Pet —5A 170
Peter Lee Cotts. Whe H —3A 178
Peter's Bank. S'ley —2A 122
Petersfield Rd. Sund —4H 115
Petersham Rd. Sund —2J 115
Peter Stracey Ho. Sund —3F 103
Peth Bank. Lan —7K 135
Petherton Ct. Newc T —6J 41
Peth Grn. Eas L —2H 155
**Peth Head. —1E 68**
Peth Head. Hex —1E 68
Peth La. B'hpe —6A 136
Peth La. Ryton —7H 57
(in two parts)
Pethside. Lan —7A 136
Peth, The. Dur —3K 163
Petrel Clo. S Shi —2J 65
Petrel Way. Bly —5K 21
Petteril. Wash —7E 112
Petwell Cres. Pet —7A 158
Petwell La. Eas —7K 157
Petworth Clo. S Shi —2K 65
Petworth Gdns. Peg —3A 8
Pevensey Clo. N Shi —3F 47
Pexton Way. Newc T —5G 59
Phalp St. S Het —5D 156
Pheasantmoor. Wash —2E 112
**Philadelphia. —5D 128**
Philadelphia Complex. Phil —4D 128
Philadelphia La. Nbtle —3B 128
Philip Av. Bow —3H 175
Philip Av. Con —2K 133
Philip Bldgs. Sund —1G 117
Philip Ct. Gate —2K 97
Philiphaugh. W'snd —5F 63
(in three parts)
Philip Pl. Newc T —7C 60 (3A 4)
Philipson St. Newc T —7D 62
Philip Sq. Sund —6A 116
Philip St. Newc T —7C 60
Phillips Av. Whi —6G 79
Phillips Clo. Has —1A 168
Phipp M. Newc T —6B 44
Phipp Pas. Cra —3A 24
Phoenix Chase. N Shi —4B 46
Phoenix Clo. Lang P —5H 149
Phoenix Ct. Con —6E 118
Phoenix Ct. Mor —7F 7
Phoenix Ct. N Shi —4C 46
Phoenix Rd. Sund —2J 115
Phoenix Rd. Wash —2D 112
Phoenix St. Bly —5F 21
Phoenix Way. Hou S —3C 142
Phoenix Work Shops. Pet —4E 170
Piccadilly. Sund —1A 130
Picherwell. Gate —7B 82
Pickard Clo. Pet —5C 170
Pickard St. Sund —1C 116
Pickering Ct. Jar —6A 64
Pickering Grn. Gate —5K 97
**Pickering Nook. —4A 108**
Pickering Rd. Sund —5G 115
Pickering Sq. Sund —4H 115
Pickhurst Rd. Sund —5G 115
Pickhurst Sq. Sund —5H 115
**Picktree. —2C 126**
Picktree Cotts. Ches S —5B 126
Picktree Cotts. E. Ches S —5B 126
Picktree Farm Cotts. Pick —3C 126
Picktree La. Ches S —3C 126
(nr. Chester Rd.)
Picktree La. Ches S —5B 126
(nr. North Burns)
Picktree La. Wash —1C 126
Picktree Lodge. Ches S —1B 126
Picktree Ter. Ches S —5B 126
Pickwick Clo. Dur —5K 163
Pier Pde. S Shi —1A 66
Pier Rd. N Shi —5K 47
Pier Vw. Sund —5H 103
Pike Hill. Shot B —7A 104
Pikestone Clo. Wash —5E 112
Pikesyde. Dip —2F 121
Pilgram St. Newc T —2G 81
Pilgrim Clo. Sund —6E 102
Pilgrim St. Newc T —1F 81 (5F 4)
(in two parts)
Pilgrims Way. Dur —1D 164
Pilgrimsway. Gate —7J 81
Pilgrimsway. Jar —7E 64
Pilgrims Way. Mor —1D 12
Pilton Rd. Newc T —2F 59
Pilton Wlk. Newc T —2F 59
Pimlico. Dur —4A 164
Pimlico Ct. Gate —3H 97
Pimlico Rd. Hett H —2H 155
Pimlico Rd. Sund —4H 115
Pinders Way. S Hill —3D 166
Pine Av. Burn —2K 107
Pine Av. Chop —1F 15
Pine Av. Din —4J 31
Pine Av. Dur —3E 164
Pine Av. Hou S —2D 142
Pine Av. Newc T —5B 42
Pine Av. S Shi —1C 86
Pinedale Dri. S Het —4B 156
Pinegarth. Pon —2G 39
Pine Lea. B'don —1C 172
Pine Pk. Ush M —3D 162
Pine Rd. Bla T —4C 78
Pines, The. G'sde —5F 77
Pines, The. Newc T —3C 80 (9A 4)
Pine St. Bir —3A 112
Pine St. Ches S —6A 126
Pine St. Gate —5E 80
Pine St. Gran V —4C 124
Pine St. G'sde —5F 77
Pine St. Jar —7A 64
Pine St. Lang P —4J 149
Pine St. Pelt —2D 124
Pine St. Sea B —3E 32
Pine St. S'ley —5D 122
Pine St. Sund —1B 116
Pine St. Thro —2H 57
Pine St. Wald —1G 139
(in two parts)
Pinesway. Sund —5D 116
Pine Ter. S'ley —4J 121
Pine Tree. Esh W —5D 160
Pinetree Gdns. Whit B —1E 46
Pinetree Way. Gate —4H 79
Pine Vw. S'ley —5D 122
Pine Vw. Vs. Esh W —4F 161
Pinewood. Heb —6G 63
Pinewood Av. Cra —1K 23
Pinewood Av. N Gos —6E 32
Pinewood Av. Wash —7G 113
Pinewood Clo. King P —6H 41
Pinewood Clo. Walkv —4D 62
Pinewood Dri. Mor —6C 6
Pinewood Gdns. Gate —2C 96
Pinewood Rd. Sund —5B 102
Pinewood Sq. Sund —5B 102
Pinewood St. Hou S —1J 141
Pinewood Vs. S Shi —7C 66
Pink La. Newc T —1E 80 (6D 4)
(in three parts)
Pinner Pl. Newc T —2C 82
Pinner Rd. Sund —3J 115
Pioneer Ter. Bed —6A 16
Piper Rd. O'ham —1D 74
Pipershaw. Wash —2D 112
Pipe Track La. Newc T —2K 79
Pipewellgate Gate —3F 81 (10F 4)
Pitcairn Rd. Sund —3H 115
Pit Ho. La. Leam —6J 141
Pithouse Rd. Con —1K 119
Pit La. Dur —5K 151
Pit La. Esh W —7K 161
Pit La. Seg —2C 34
Pit Row. Sund —1B 130
**Pittington. —4A 154**
Pittington Crossing. L Pit —4B 154
Pittington Rd. Rain G —3K 153
Pitt St. Con —7H 119
Pitt St. Newc T —7D 60 (4B 4)
**Pity Me. —4K 151**
Pity Me By-Pass. Dur —6H 151
Pixley Dell. Con —3A 134
**Plains Farm. —6B 116**
Plains Rd. Sund —6B 116
Plaistow Sq. Sund —2J 115
Plaistow Way. Cra —1K 23
Plane St. Con —7J 119
Planesway. Gate —2C 98
Planetarium, The. —5A 66
Planet Pl. Newc T —2A 44
Planetree Av. Newc T —5K 59
Plane Tree Ct. Sund —3A 130
Plantagenet Av. Ches S —7B 126
Plantation Av. L'ton —1D 166
Plantation Av. Swa —6G 79
Plantation Gro. Gate —4F 83
Plantation Rd. Sund —1A 116
Plantation Sq. Sund —1A 116
Plantation St. Con —5B 120
Plantation St. W'snd —5F 63
Plantation, The. Gate —2J 97
Plantation Vw. W Pel —3B 124
Plantation Wlk. S Het —4B 156
**Plawsworth. —6J 139**
Plawsworth Gdns. Gate —4A 98
Plawsworth Rd. Sac —7E 138
Pleasant Pl. Bir —3A 112
Pleasant Vw. Brid —5D 118
Pleasant Vw. B'hpe —6D 136
Pleasant Vw. Con —3K 119
Plenmeller Pl. Sun —4G 95
Plessey Av. Bly —3K 21
Plessey Ct. Bly —5F 21
Plessey Cres. Whit B —7H 37
Plessey Gdns. N Shi —7D 46
Plessey Rd. Bly —5F 21
(in three parts)
Plessey St. H'fd —6K 19
Plessey Ter. Newc T —3K 61
Plessey Woods Country Park. —5D 18
Plough Rd. Sund —4B 130
Plover Clo. Bly —5J 21
Plover Clo. Wash —5D 112
Plover Dri. Burn —3C 108
Ploverfield Clo. Ash —5A 10
Plover Lodge. Bir —2A 112
Plummer Chare. Newc T —2G 81 (7H 5)
Plummer St. Newc T —3E 80 (9C 4)
Plumtree Av. Sund —5J 101
(in two parts)
Plunkett Rd. Dip —7J 107
Plunkett Ter. Pelt F —5F 125
Plymouth Clo. Dal D —4H 145
Plymouth Rd. N Shi —6C 46
Plymouth Sq. Sund —6A 116
**Point Pleasant. —4K 63**
Point Pleasant Ind. Est. W'snd —3K 63
Point Pleasant Ter. W'snd —3J 63
Polden Clo. Pet —7J 169
Polden Cres. N Shi —3F 47
Polebrook Rd. Sund —2J 115
Polemarch St. S'hm —4B 146
Polinaize St. S'ley —2H 123
Pollard St. S Shi —2K 65
Polmaise St. Bla T —4C 78
Polmuir Rd. Sund —6A 116
Polmuir Sq. Sund —6A 116
Polpero Clo. Bir —5B 112
Polperro Clo. Ryh —2H 131
Polton Sq. Sund —2J 115
Polwarth Cres. Newc T —4E 42
Polwarth Dri. Newc T —3D 42
Polwarth Pl. Newc T —4E 42
Polwarth Rd. Newc T —3E 42
Polworth Sq. Sund —6B 116
Ponds Ct. Bus. Pk. G'sde —5D 76
Ponds Cotts. Con —7G 119
Pond St. H Shin —1F 175
Pont Bungalows. Con —3K 119
Pontburn Wood Nature Reserve. —3F 107
Pontdyke. Gate —3D 98
Pontefract Rd. Sund —5H 115
**Ponteland. —5J 29**
Ponteland Clo. N Shi —5C 46
Ponteland Clo. Wash —4D 112
Ponteland Gro. Newc T —4A 60
Ponteland Rd. Newc T —4B 60 (1A 4)
Ponteland Rd. Pres & Newc T —1D 40
Ponteland Rd. Thro —1H 57
Pont Haugh. Pon —4K 29
Ponthaugh. Row G —4K 93
Pont La. Lead —2K 119
**Pontop. —3F 121**
Pontop Ct. S'ley —5K 121
Pontop Pike La. Dip —4F 121
Pontop Sq. Sund —1J 115
Pontop St. E Rai —6C 142
Pontopsyde. Dip —2G 121
Pontop Ter. S'ley —6J 121
Pontop Vw. Con —2K 133
Pontop Vw. Dip —2F 121
Pontop Vw. Row G —5H 93
Pont Rd. Con —4B 120
Pont St. Ash —4B 10
Pont Ter. Con —5A 120
Pont Vw. Con —3K 119
Pont Vw. Pon —4K 29
Pool Bri. Gate —7J 83
Poole Clo. Cra —3A 24
Poole Rd. Sund —2J 115
Pooley Clo. Newc T —4H 59
Pooley Rd. Newc T —5H 59
Poplar Av. B Col —3J 181
Poplar Av. Bly —7H 17
Poplar Av. Burn —2K 107
Poplar Av. Din —4J 31
Poplar Av. Hou S —2D 142
Poplar Av. Newc T —4D 62
Poplar Clo. Heb —3J 83
Poplar Ct. Ches S —6A 126
Poplar Cres. Ben —5G 81
Poplar Cres. Bir —3K 111
Poplar Cres. Dun —7B 80
Poplar Dri. Dur —1E 164
Poplar Dri. Sund —5H 87
Poplar Gro. Bed —7K 15
Poplar Gro. Dip —1J 121
Poplar Gro. S Shi —1B 86
Poplar Gro. Sund —1G 131
Poplar Lea. B'don —1C 172
Poplar Pl. Newc T —7E 42
Poplar Rd. Bla T —5C 78
Poplar Rd. Dur —7H 153
Poplars, The. Ches S —1B 140
Poplars, The. Eas L —2J 155
Poplars, The. Gos —2E 60
Poplars, The. Newc T —3C 80
Poplars, The. Pen —1B 128
Poplars, The. S Hyl —2G 115
Poplars, The. Sund —5B 102
Poplars, The. Wash —4H 113
Poplar St. Ash —3B 10
Poplar St. Ches S —6A 126
Poplar St. Pelt —2D 124
Poplar St. Sac —7E 138
Poplar St. S'ley —5D 122
Poplar St. Thro —3H 57
Poplar St. Wald —1G 139
(in two parts)
Poplar Ter. Ches S —5B 126
Popplewell Gdns. Gate —3J 97
Popplewell Ter. N Shi —4G 47
Poppyfields. Ches S —7H 125
Porchester Dri. Cra —2A 24
Porchester St. S Shi —6H 65
Porlock Ct. Cra —1J 23
Porlock Ho. Jar —1D 84
Porlock Rd. Jar —1D 84
Portadown Rd. Sund —5H 115
Portberry St. S Shi —5H 65
Portberry Way. S Shi —4H 65
(in two parts)
Portchester Gro. Bol C —6E 84
Portchester Rd. Sund —3J 115
Portchester Sq. Sund —4J 115
Porter Ter. Mur —7E 144
Porthcawl Dri. Wash —5G 99
Portia St. Ash —3C 10
Portland Av. S'hm —3J 145
Portland Clo. Ches S —1J 139
Portland Clo. W'snd —7A 46
Portland Gdns. Cra —3A 24
Portland Gdns. Gate —5H 97
Portland Gdns. N Shi —5G 47
Portland M. Newc T —6H 61 (2J 5)
Portland Rd. Shie —6H 61 (2J 5)
(in two parts)
Portland Rd. Sund —6B 116
Portland Rd. Thro —3J 57
Portland Sq. Sund —5B 116
Portland St. Bly —7H 17
Portland St. Gate —5E 82
Portland St. Newc T —2B 80
Portland Ter. Ash —2H 9
Portland Ter. Hex —1B 68
Portland Ter. Newc T —6G 61 (1H 5)
Portman M. Newc T —3K 5
Portman Pl. Newc T —3C 82
Portman Sq. Sund —3J 115
Portmarnock. Wash —5F 99
**Portmeads. —4B 112**
Portmeads Ri. Bir —4B 112
Portmeads Rd. Bir —4B 112
**Portobello. —5C 112**
Portobello Ind. Est. Bir —4C 112
Portobello La. Sund —6F 103
Portobello Rd. Bir —3C 112
Portobello Ter. Bir —5C 112
Portobello Way. Bir —4B 112
Portree Clo. Bir —7B 112
Portree Sq. Sund —6A 116
Portrush Clo. Wash —5G 99
Portrush Rd. Sund —2J 115
Portrush Way. Newc T —7A 44
Portslade Rd. Sund —4H 115
Portsmouth Rd. N Shi —7C 46
Portsmouth Rd. Sund —3H 115
Portsmouth Sq. Sund —3H 115
Portugal Pl. W'snd —4F 63
Postern Cres. Mor —1F 13
Post Office La. N Shi —4G 47
Post Office St. Bly —1K 21
Potterhouse La. Pity Me —3G 151
Potterhouse Ter. Dur —3J 151
Potteries, The. S Shi —4A 66
Potter Pl. S'ley —4H 123
Potters Bank. Dur —5J 163
Potters Clo. Dur —5K 163
Potter Sq. Sund —6B 116
Potter St. Jar —6A 64
Potter St. W'snd —4A 64
Pottersway. Gate —7J 81
Pottery Bank. Mor —5E 6
Pottery Bank. Newc T —3D 82
Pottery Bank. Sund —7H 103
Pottery Bank Ct. Mor —5E 6
Pottery La. Newc T —3E 80 (9D 4)
Pottery La. Sund —1G 115
Pottery Rd. Sund —6C 102
Pottery Yd. Hou S —2E 142
Potto St. Shot C —6F 169
Potts St. Newc T —7A 62
Poultry Farm. Hou S —3C 128
Powburn Clo. Ches S —1J 139
Powburn Gdns. Newc T —5A 60
Powis Rd. Sund —6B 116
Powis Sq. Sund —6B 116
Powys Pl. Newc T —7C 60 (3A 4)
Poxon Dri. Dur —5B 152
Poxon Pk. W'snd —7H 45
Poynings Clo. Newc T —7J 41
Praetorian Dri. W'snd —4F 63
Prebend Row. Pelt —3F 125
Prebends Fld. Dur —7D 152
Precinct, The. Sund —6E 116
Prefect Pl. Gate —7J 81
Premier Rd. Sund —6A 116
Prendwick Av. Heb —3H 83
Prendwick Clo. Ches S —2J 139
Prendwick Ct. Heb —3H 83
Prengarth Av. Sund —4F 103
Prensgarth Way. S Shi —3F 85
Prescot Rd. Sund —2J 115

Press La. Sund —1F 117
Prestbury Av. Cra —1J 23
Prestbury Rd. Sund —4G 115
Prestdale Av. Bly —2E 20
Presthope Rd. Sund —4G 115
Prestmede. Gate —7C 82
**Preston. —4G 47**
Preston Av. N Shi —5G 47
*Preston Ct. N Shi —4G 47*
*(off Rosebery Av.)*
Preston Ga. N Shi —3F 47
**Preston Grange. —3F 47**
Prestonhill. Sund —4A 130
Preston N. Rd. N Shi —2F 47
Preston Pk. N Shi —5G 47
Preston Rd. N Shi —4G 47
Preston Rd. Sund —4H 117
Preston Ter. N Shi —4F 47
Preston Ter. W All —3J 45
Preston Wood. N Shi —3G 47
**Prestwick. —5C 30**
Prestwick. Gate —2C 98
Prestwick Av. N Shi —5C 46
Prestwick Clo. Wash —5G 99
Prestwick Dri. Gate —7G 83
Prestwick Gdns. Newc T —1B 60
Prestwick Ho. Newc T —3B 4
Prestwick Pit Houses. Pres —7C 30
Prestwick Rd. Din —4G 31
Prestwick Rd. Sund —2J 115
**Prestwick Road End. —7C 30**
Prestwick Ter. Pres —1C 40
Pretoria Av. Mor —7F 7
Pretoria Sq. Sund —6A 116
Pretoria St. Newc T —2G 79
Price St. Heb —6G 63
Price St. Mor —6E 6
Priestburn Clo. Esh W —3D 160
Priestclose Cotts. Pru —4H 75
Priestclose Rd. Pru —4F 75
Priestclose Wood Nature Reserve. —4H 75
Priestfield Gdns. Burn —2K 107
Priestlands Av. Hex —2C 68
Priestlands Clo. Hex —3C 68
Priestlands Cres. Hex —2C 68
Priestlands Dri. Hex —2C 68
Priestlands La. Hex —2C 68
Priestlands Rd. Hex —2C 68
Priestley Ct. S Shi —3G 85
Priestley Gdns. Gate —6F 83
Priestly Cres. Sund —7D 102
Priestman Av. Con —1E 132
Priestman Ct. Sund —2K 115
Priestpopple. Hex —2D 68
Priestsfield Clo. Sund —4B 130
Primary Gdns. Sund —3H 117
Primate Rd. Sund —7A 116
**Primrose. —3B 84**
Primrose Av. Pet —5D 170
Primrose Av. S Shi —1H 85
Primrose Clo. Ann —3J 33
Primrose Ct. Ash —6K 9
Primrose Ct. B Col —2H 181
Primrose Cres. Hou S —6J 127
Primrose Cres. Sund —4F 103
Primrose Gdns. Ous —6H 111
Primrose Gdns. W'snd —1E 62
Primrose Hill. Gate —2J 97
Primrose Hill. Hou S —7J 127
Primrose Hill. Jar —3C 84
Primrose Hill Ter. Jar —3C 84
Primrose Pl. Gate —2H 97
Primrose Precinct. Sund —4F 103
Primrose St. Sund —2G 115
Primrose Ter. Bir —4B 112
Primrose Ter. Jar —2B 84
Prince Albert Ter. Newc T —7H 61 (4J 5)
Prince Charles Av. Bow —3H 175
Prince Consort Ind. Est. Heb —6G 63
Prince Consort La. Heb —7H 63
(in two parts)
Prince Consort Rd. Gate —4G 81 (10H 5)
Prince Consort Rd. Heb —7G 63
Prince Consort Rd. Jar —7C 64
Prince Consort Way. N Shi —2G 65
Prince Edward Ct. S Shi —1C 86
Prince Edward Gro. S Shi —7E 66
Prince Edward Rd. S Shi —1B 86
Prince George Av. Sund —3F 103
Prince Georg Sq. S Shi —2K 65
Prince of Wales Clo. S Shi —1A 86
Prince Philip Clo. Newc T —1J 79
Prince Rd. W'snd —2F 63
Princes Av. Newc T —6D 42
Prince's Av. Sund —2G 103
Princes Clo. Newc T —4D 42
Prince's Gdns. Sund —2G 103
Princes Gdns. Whit B —6E 36
Princes Mdw. Newc T —7C 42
Princes Rd. Newc T —3D 42
Princess Av. Con —4F 119
Princess Clo. B Col —3J 181
Princess Ct. N Shi —2F 65
Princess Ct. Pru —2F 75
Princess Dri. Gate —5C 80
Princes's Gdns. Bly —1G 21
Princess Gdns. Hett H —5G 143
Princess Louise Rd. Bly —2H 21
Princess Mary Ct. Jes —4F 61
Princess Rd. S'hm —3A 146
Princess Sq. Newc T —7G 61 (4G 4)
Princess St. Pel —5E 82
Princess St. Sund —3E 116
Princess St. Sun —5H 95
Princes St. Cor —1D 70
Princes St. Dur —2K 163
Princes St. N Shi —5H 47
Princes St. Shin R —4A 128
Prince's St. S'ley —4J 121
Princess Way. Pru —3D 74
Prince St. C'wl —6K 91
Prince St. Sund —1F 117
Princesway. Team T —3E 96
Princesway Central. Team T —3E 96
Princesway N. Team T —1E 96
Princesway S. Team T —3E 96
(in two parts)
Princetown Ter. Sund —6A 116
Princeway. N Shi —4K 47
Pringle Clo. New B —5A 162
Pringle Gro. New B —5B 162
Pringle Pl. New B —5B 162
Prinn Pl. Sun —5H 95
Priors Clo. Dur —2J 163
Priors Grange. H Pitt —6B 154
Priors Path. Dur —3K 163
Prior's Ter. N Shi —5K 47
Priors Wlk. Mor —1E 12
Priors Way. W'snd —3J 63
Prior Ter. Cor —7D 50
Prior Ter. Hex —7C 48
Priory Av. Whit B —7F 37
Priory Clo. Con —4E 118
Priory Cotts. Whit B —5G 37
Priory Ct. Sac —1E 150
Priory Gdns. Cor —6D 50
Priory Grange. Bly —2G 21
Priory Grn. Newc T —7K 61 (4P 5)
Priory Gro. Sund —3B 116
Priory M. N Shi —5K 47
Priory Orchard. Dur —3K 163
Priory Pl. Chop —7J 9
Priory Pl. Newc T —1A 82 (5P 5)
Priory Pl. Wide —6C 32
Priory Rd. Dur —6K 151
Priory Rd. Jar —5C 64
Priory Way. Newc T —1F 59
Proctor Ct. Newc T —1E 82
Proctor Sq. Sund —6B 116
Proctor St. Newc T —1E 82
Promenade. Newb S —4H 11
Promenade. S Shi —1A 66
Promenade. Sund —5J 117
Promenade. Whit B —5G 37
Promenade Ter. N Shi —5K 47
Promenade, The. Con —5H 119
Promontory Ter. N Shi & Whit B —7J 37
Promotion Clo. Sund —5G 103
Prospect Av. Sea D —7G 25
Prospect Av. W'snd —2F 63
Prospect Av. N. W'snd —1F 63
Prospect Cotts. Chop —3A 16
Prospect Cotts. Gate —6D 98
Prospect Ct. Newc T —1C 80 (5A 4)
Prospect Cres. Eas L —3J 155
Prospect Gdns. W Bol —7G 85
*Prospect Pl. Con —6H 119*
*(off Prospect St.)*
Prospect Pl. Newb S —2K 11
Prospect Pl. New B —4A 162
Prospect Pl. Newc T —1C 80 (5A 4)
Prospect Row. Sund —1H 117
Prospect St. Ches S —5A 126
Prospect St. Con —6H 119
Prospect St. Gate —4F 81
Prospect Ter. Ches S —5A 126
Prospect Ter. Dur —4J 163
Prospect Ter. E Bol —7K 85
Prospect Ter. Eig B —6B 98
Prospect Ter. Hob —4A 108
Prospect Ter. Kib —2E 110
Prospect Ter. Lan —7J 135
Prospect Ter. New B —4B 162
Prospect Ter. N Shi —6J 47
Prospect Ter. Pru —4D 74
Prospect Ter. Shin —6E 164
Prospect Ter. Spri —5D 98
Prospect Ter. S'ley —5B 122
Prospect Vw. W Rai —1K 153
Providence Pl. Dur —1F 165
(nr. Dragon La.)
Providence Pl. Dur —2B 164
(nr. Providence Row)
Providence Pl. Gate —5B 82
Providence Row. Dur —2B 164
Provident St. Pelt —3E 124
Provident Ter. Crag —6K 123
Provident Ter. W'snd —3E 62
Provost Gdns. Newc T —2K 79
**Prudhoe. —4F 75**
Prudhoe Castle. —3E 74
Prudhoe Chare. Newc T —7F 61 (4F 4)
Prudhoe Ct. Newc T —5A 42
Prudhoe Gro. Jar —3A 84
Prudhoe Pl. Newc T —7F 61 (4E 4)
Prudhoe St. Newc T —7F 61 (4E 4)
Prudhoe St. N Shi —7G 47
Prudhoe St. Sund —1B 116
Prudhoe Ter. Tyn —4K 47
Pudding Chare. Newc T —1F 81 (6F 4)
Pudding M. Hex —1D 68
Pudsey Ct. Dur —5A 152
Puffin Clo. Bly —6K 21
Pullman Ct. Gate —2G 97
Purbeck Clo. N Shi —2F 47
Purbeck Gdns. Cra —3A 24
Purbeck Rd. Newc T —6K 43
Purley. Wash —4A 114
Purley Clo. W'snd —1K 63
Purley Gdns. Newc T —1B 60
Purley Rd. Sund —6A 116
Purley Sq. Sund —6A 116
Putney Sq. Sund —4H 115
Pykerley M. Whit B —7E 36
Pykerley Rd. Whit B —6E 36

Quadrant, The. N Shi —7E 46
Quadrant, The. Sund —1H 117
**Quaking Houses. —7D 122**
Quality Row. Cass —4E 176
Quality Row. Newc T —1J 81 (5M 5)
Quality Row Rd. Swa —5G 79
Quality St. H Shin —7F 165
Quantock Av. Ches S —7J 125
(in two parts)
Quantock Clo. Newc T —6J 43
Quantock Clo. N Shi —2F 47
Quantock Pl. Pet —6J 169
**Quarrington Hill. —5D 176**
Quarrington Hill Ind. Est. Quar H —6D 176
Quarry Bank Ct. Newc T —1D 80 (6A 4)
Quarry Cotts. Burr —5A 34
Quarry Cotts. Din —4H 31
Quarry Cres. Bear —1C 162
Quarry Edge. Hex —3E 68
Quarryfield Rd. Gate —2H 81
(in two parts)
Quarryheads La. Dur —4K 163
Quarry Ho. Gdns. E Rai —6C 142
(in two parts)
Quarry Ho. La. Dur —3H 163
Quarry Ho. La. E Rai —6D 142
Quarry La. S Shi —1C 86
(in two parts)
Quarry Rd. Heb —1J 83
Quarry Rd. Newc T —7C 58
Quarry Rd. S'ley —2F 123
Quarry Rd. Sund —2D 130
(in two parts)
Quarry Row. Gate —5B 82
Quarry St. Sund —2C 130
Quatre Bras. Hex —1B 68
Quay Rd. Bly —1K 21
**Quayside. —2G 81**
Quayside. Bly —1K 21
Quayside. Newc T —2G 81 (7H 5)
(in three parts)
Quayside Ct. Bly —1K 21
Quayside Ct. N Shi —7H 47
Quayside Ho. Newc T —6J 5
Quay, The. Hett H —7G 143
Quay Vw. W'snd —3A 64
**Quebec. —7C 148**
Quebec St. Lang P —5H 149
Queen Alexandra Bri. Sund —7C 102
Queen Alexandra Rd. N Shi —5F 47
Queen Alexandra Rd. S'hm —4B 146
Queen Alexandra Rd. Sund —4C 116
Queen Alexandra Rd. W. N Shi —5E 46
Queen Anne Ct. Newc T —6A 62
*Queen Anne St. Newc T —6A 62*
*(off Shields Rd.)*
Queen Elizabeth Av. Gate —2K 97
Queen Elizabeth Ct. S Shi —3F 85
Queen Elizabeth Dri. Eas L —3K 155
Queen Elizabeth II Jubilee Country Park. —1D 10
Queen's Av. Dal D —4H 145
Queen's Av. Sund —2G 103
Queensberry St. Sund —1D 116
Queensbridge. Newc T —5H 43
Queensbury Dri. Newc T —2A 58
Queensbury Rd. S'hm —3J 145
Queens Clo. Acomb —4C 48
Queens Ct. Gate —5E 80
Queens Ct. Gos —2E 42
Queen's Ct. Newc T —7D 60 (4B 4)
Queens Ct. Walb —4A 58
Queen's Cres. Heb —2H 83
Queen's Cres. Sund —3C 116
Queen's Cres. W'snd —2E 62
Queens Dri. Sun —5H 95
Queens Dri. Whi —2J 95
Queen's Dri. Whit B —6G 37
Queens Gdns. Ann —2K 33
Queen's Gdns. Bly —1G 21
Queen's Gdns. Mor —1E 12
Queen's Gdns. Newc T —6B 44
Queens Gth. Crox —6K 173
Queens Gro. Dur —5J 163
*Queens Hall Bldgs. Sea D —7H 25*
*(off Hayward Av.)*
Queensland Av. S Shi —2F 85
Queens La. Newc T —2G 81 (7F 4)
Queensmere. Ches S —2A 126
Queens Pde. S'ley —5K 121
Queens Pde. Sund —2H 103
Queens Pk. Ches S —7B 126
Queens Pl. Newb S —2J 11
Queens Rd. Ann —2K 33
Queen's Rd. Bed —6B 16
Queen's Rd. Con —5F 119
Queen's Rd. Jes —4G 61
(in two parts)
Queens Rd. Newc T —2G 59
Queens Rd. Sea S —4D 26
Queen's Rd. Sund —6C 102
Queens Rd. Walb —4A 58
Queen's Rd. Whit B —5F 37
Queen's Rd. Win —5F 179
Queens Sq. Newc T —7F 61 (4F 4)
Queen's Ter. Newc T —4H 61
Queens Ter. W'snd —2F 63
Queen St. Ash —3C 10
Queen St. Bir —4K 111
Queen St. Con —7H 119
Queen St. Gate —6E 80
Queen St. Gran V —4C 124
Queen St. Hett H —5G 143
Queen St. Mor —7G 7
Queen St. Newb S —2J 11
Queen St. Newc T —2G 81 (7H 5)
Queen St. N Shi —6H 47
Queen St. Ryh —1H 131
Queen St. S'hm —3A 146
Queen St. S Shi —2J 65
Queen St. E. Sund —1G 117
Queens Way. Con —4E 118
Queensway. Fenh —5K 59
Queensway. Gos —3D 42
Queensway. Hex —1A 68
Queensway. Hou S —3F 143
Queensway. Mor —1D 12
Queensway. N Shi —4K 47
Queensway. Pon —1H 39
Queensway. Wash —4J 113
Queensway N. Team T —7E 80
Queensway S. Team T —3F 97
Queen Victoria Rd. Newc T —7F 61 (3E 4)
Queen Victoria St. Gate —5D 82
Quentin Av. Newc T —7K 41
Que Sera. Hett H —7G 143
Quetlaw Rd. Whe H —3A 178
Quigley Ter. Bir —2K 111
Quilstyle Rd. Whe H —3A 178
Quin Cres. Win —5F 179
Quinn Clo. Pet —7B 170
Quinn's Ter. Dur —4J 163
Quin Sq. S Het —4C 156

Rabbit Banks Rd. Gate —3F 81 (10F 4)
Raby Av. Pet —6C 158
Raby Clo. Bed —7F 15
Raby Clo. Hou S —1A 142
Raby Cres. Newc T —7A 62 (4P 5)
Raby Dri. Sund —2J 129
Raby Gdns. Burn —2J 107
Raby Gdns. Jar —2B 84
Raby Ga. Newc T —7A 62 (4P 5)
Raby Rd. Dur —4A 152
Raby Rd. Wash —3D 112
Raby St. Gate —6H 81
Raby St. Newc T —7K 61 (3P 5)
(in two parts)
Raby St. Sund —2D 116
Raby Wlk. Newc T —7A 62 (3P 5)
Raby Way. Newc T —7A 62 (4P 5)
Rachel Clo. Sund —2E 130
Rackley Way. Sund —6H 87
(in two parts)
Radcliffe Pl. Newc T —3K 59
Radcliffe Rd. Hex —2E 68
Radcliffe Rd. Sund —5A 102
Radcliffe St. Bir —5A 112
Radlett Rd. Sund —5K 101
Radnor Gdns. W'snd —2A 64
Radnor St. Newc T —7G 61 (3H 5)
Radstock Pl. Newc T —5A 44
Rae Av. W'snd —1F 63
Raeburn Av. Wash —4J 113
Raeburn Gdns. Gate —7K 81
Raeburn Rd. S Shi —4K 85
Raeburn Rd. Sund —4J 101
Raey Ct. Ches S —7A 126
Raglan. Wash —3E 112
Raglan Av. Sund —5G 117
Raglan Pl. Burn —1B 108
Raglan Row. Hou S —4C 128
Raglan St. Con —7H 119
Raglan St. Jar —6C 64
Railton Gdns. Gate —1K 97
Railway Clo. Sher —3J 165
Railway Cotts. Beb —1C 20
Railway Cotts. Bir —4K 111
Railway Cotts. B Col —3K 181
Railway Cotts. B'hgh —6A 72
*Railway Cotts. Cas E —4H 179*
*(off Wellfield Rd.)*
Railway Cotts. Ches S —4J 125
Railway Cotts. C Moor —3H 163
Railway Cotts. Crox —6E 168
Railway Cotts. Dub —2K 141
Railway Cotts. Pen —1A 128
Railway Cotts. Shir —1H 45
Railway Cotts. Sund —2G 115
Railway Gdns. S'ley —5K 121
Railway Pl. Con —6F 119
Railway Row. Sund —2D 116
Railway St. Ann P —6A 122
Railway St. Con —7H 119
Railway St. Crag —7J 123
Railway St. Gate —4B 80
Railway St. Gras —7D 128
Railway St. Heb —6K 63
Railway St. Hett H —6G 143
Railway St. Jar —6B 64
Railway St. Lan —7K 135
Railway St. Lang P —4J 149
Railway St. Lead —5B 120
Railway St. Newc T —3D 80 (10B 4)
Railway St. N Shi —7G 47
Railway St. Sund —2H 117
(SR1)
Railway St. Sund —1B 116
(SR4)
Railway Ter. Bly —2H 21
Railway Ter. Hett H —5G 143
Railway Ter. Newc T —3D 80 (10A 4)
Railway Ter. N Her —3D 128
Railway Ter. N Shi —7G 47
Railway Ter. Pen —1A 128
Railway Ter. S New —7G 21
Railway Ter. W'snd —4H 63
Railway Ter. Wash —4K 113
Railway Ter. N. N Her —2D 128
Raine Gro. Sund —2G 117
Rainford Av. Sund —5G 117
Rainhill Clo. Ste I —6K 99
Rainhill Rd. Wash —6J 99
Rainton Bank. Hou S —4F 143
Rainton Bri. N. Ind. Est. Hou S —3B 142
Rainton Bri. S. Ind. Est. Hou S —4B 142
Rainton Clo. Gate —1G 99

**Rainton Gate. —2K 153**
Rainton Gro. Hou S —4E 142
Rainton St. Hou S —1B 128
Rainton St. S'hm —4B 146
Rainton St. Sund —2C 116
Rainton Vw. W Rai —1K 153
Rake La. N Shi —3C 46
Raleigh Clo. S Shi —5H 65
Raleigh Rd. Sund —5K 101
Raleigh Sq. Sund —5K 101
Ralph Av. Sund —1G 131
Ralph St. Heb —6K 63
Ramilies. Sund —3F 131
Ramillies Rd. Sund —4J 101
Ramillies Sq. Sund —4J 101
Ramona Av. Kel —7C 176
Ramparts, The. Newc T —5E 58
Ramsay Rd. C'wl —5K 91
Ramsay Sq. Sund —4A 102
Ramsay St. Bla T —5B 78
Ramsay St. H Spen —2E 92
Ramsay Ter. Con —2K 133
Ramsey Clo. Dur —2E 164
Ramsey Clo. Pet —4B 170
Ramsey St. Ches S —7A 126
Ramsgate Rd. Sund —4A 102
Ramshaw Clo. Lang P —5G 149
Ramside Vw. Dur —6H 153
Randolph St. Jar —6C 64
Range Vs. Sund —5H 87
Rangoon Rd. Sund —4J 101
Ranksborough St. S'hm —2K 145
Ranmere Rd. Newc T —1H 79
Ranmore Clo. Cra —3K 23
Rannoch Av. Ches S —1K 139
Rannoch Clo. Wardl —6F 83
Rannoch Rd. Sund —4J 101
Ransom Pl. N Shi —4C 46
Ranson Cres. S Shi —1F 85
Ranson St. Sund —4D 116
Raphael Av. S Shi —3J 85
Rathmore Gdns. N Shi —5G 47
Ratho Ct. Gate —1C 98
Ravel Ct. Jar —7C 64
Ravenburn Gdns. Newc T —7F 59
Raven Ct. Esh W —4D 160
Ravenna Rd. Sund —4H 101
Ravensbourne Av. E Bol —6K 85
Ravensburn Wlk. Newc T —3G 57
Ravenscar Clo. Whi —2E 94
Ravenscleugh Ct. Newc T —2A 82 (off Harbottle Ct.)
Ravenscourt Pl. Gate —5F 81 (off Airey Ter.)
Ravenscourt Rd. Sund —4J 101
Ravensdale Cres. Gate —1J 97
Ravensdale Gro. Bly —2E 20
Ravens Hill Dri. Ash —5J 9
Ravenshill Rd. Newc T —4D 58
Ravenside Rd. Newc T —5A 60
Ravenside Ter. C'wl —6J 91
Ravenside Ter. Con —5F 119
Ravenstone. Wash —1F 113
Ravenswood Clo. Newc T —4C 44
Ravenswood Gdns. Gate —4H 97
Ravenswood Rd. Newc T —4A 62
Ravenswood Rd. Sund —4H 101
Ravenswood Sq. Sund —4H 101
Ravensworth. Sund —3E 130
Ravensworth Av. Gate —5A 98
Ravensworth Av. Hou S —1A 142
Ravensworth Clo. W'snd —3K 63
Ravensworth Ct. Bed —5B 16
Ravensworth Ct. Gate —5C 80
Ravensworth Ct. Newc T —5K 41
Ravensworth Ct. S Het —3B 156
Ravensworth Cres. Burn —7D 94
Ravensworth Gdns. Bir —3K 111
Ravensworth Pk. Est. Gate —3B 96
Ravensworth Rd. Bir —3K 111
Ravensworth Rd. Gate —6C 80
Ravensworth St. Bed —5B 16
Ravensworth St. Sund —1D 116
Ravensworth St. W'snd —3K 63
Ravensworth Ter. Bed —5B 16
Ravensworth Ter. Bir —4A 112
Ravensworth Ter. Dun —6C 80
Ravensworth Ter. Dur —2B 164
Ravensworth Ter. Jar —3B 84
Ravensworth Ter. Newc T —1D 80 (6B 4)
Ravensworth Ter. S Shi —5J 65
Ravensworth Ter. Sun —5H 95
Ravensworth Vw. Gate —4C 80
Ravensworth Vs. Gate —5A 98
Raven Ter. Bir —3A 112
Ravine Ter. Sund —4H 103 (in two parts)
Rawdon Ct. W'snd —4F 63
Rawdon Rd. Sund —4A 102
Rawling Rd. Gate —6F 81
Rawlston Way. Newc T —2J 59
Rawmarsh Rd. Sund —4J 101
Raydale. Sund —4A 102
Raydale Av. Wash —7F 99
Raylees Gdns. Gate —7C 80
Rayleigh Dri. Wide —4D 32
Rayleigh Gro. Gate —6F 81
Raynes Clo. Mor —1D 12
Raynham Clo. Cra —7H 23
Raynham Ct. S Shi —4J 65
Readhead Av. S Shi —4A 66
Readhead Dri. Newc T —2D 82
Readhead Rd. S Shi —5A 66
Reading Rd. S Shi —6K 65
Reading Rd. Sund —4K 101
Reading Sq. Sund —4J 101
Reasby Gdns. Ryton —1F 77
Reasby Vs. Ryton —1F 77
Reavley Av. Bed —5C 16
Reay Cres. Bol C —6H 85
Reay Gdns. Newc T —2G 59
Reay Pl. Newc T —7C 42
Reay Pl. S Shi —1H 85
Reay St. Gate —4F 83
Rectory Av. Newc T —1F 61
Rectory Bank. W Bol —7G 85
Rectory Cotts. Ryton —7G 57
Rectory Ct. Whi —7H 79
Rectory Dene. Mor —2F 13
Rectory Dri. Newc T —1G 61
Rectory Grn. W Bol —7F 85
Rectory Gro. Newc T —7F 43
Rectory La. Bla T —5B 78
Rectory La. Whi —1H 95
Rectory Pk. Mor —1F 13
Rectory Pl. Gate —5F 81
Rectory Rd. Fel —7A 82
Rectory Rd. Gate —5F 81
Rectory Rd. Hett H —7G 143
Rectory Rd. Newc T —2F 61
Rectory Rd. E. Gate —7B 82 (in two parts)
Rectory Ter. Newc T —1G 61
Rectory Ter. W Bol —1F 101
Rectory Vw. Shad —5E 166
Red Admiral Ct. Gate —7D 80
Red Banks. Ches S —7H 125
Red Barns. Newc T —1H 81 (5K 5)
Redberry Way. S Shi —2H 85
Red Briar Wlk. Dur —4J 151
Red Bungalows. Gate —6C 98
Redburn Clo. Hou S —2C 142
Redburn Cres. Acomb —4B 48
Redburn Rd. Hou S —3B 142
Redburn Rd. Newc T —1F 59
Redburn Row. Hou S —3B 142
Redcar Rd. Newc T —4B 62
Redcar Rd. Sund —5K 101
Redcar Rd. W'snd —2A 64
Redcar Sq. Sund —5A 102
Redcar Ter. W Bol —1G 101
Redcliffe Way. Newc T —2H 59
Red Courts. B'don —1E 172
Redcroft Grn. Newc T —2H 59
Redditch Sq. Sund —4K 101
Rede Av. Heb —7J 63
Rede Av. Hex —2E 68
Redemarsh. Gate —1D 98
Redesdale Av. Bla T —6K 77
Redesdale Av. Newc T —6C 42
Redesdale Clo. For H —4A 44
Redesdale Clo. S Den —6E 58
Redesdale Gdns. Gate —7B 80
Redesdale Gro. N Shi —6D 46
Redesdale Pl. Bly —2F 21
Redesdale Rd. Ches S —1J 139
Redesdale Rd. N Shi —6C 46
Redesdale Rd. Sund —4J 101
Rede St. Jar —1A 84
Rede St. Team T —2E 96
Redewater Gdns. Whi —1G 95
Redewater Rd. Newc T —5A 60
Red Firs. B'don —1D 172
Redford Pl. Burr —6A 34
Red Hall Dri. Newc T —2B 62
**Redheugh. —4E 80**
Redheugh Bri. Rd. Newc T —3E 80 (9D 4)
Redheugh Ct. Gate —6D 80
Redheugh Rd. S Well —6B 36
Redhill Dri. Whi —3E 94
Redhill Rd. Sund —4K 101
Redhills La. Dur —2J 163
Red Hills Ter. Dur —3J 163
Redhills Way. Hett H —1G 155
Red Hill Vs. Dur —2K 163
Redhill Wlk. Cra —3K 23
Redhouse Clo. Sac —1F 151
Red Ho. Dri. Whit B —6C 36
Red Ho. Farm Est. Bed —1F 19
Red Ho. Rd. Heb —7K 63
Redland Av. Newc T —6K 41
Redlands. Hou S —2A 128
Redlands. Mar H —7G 95
Redland Wlk. Newc T —6A 42
Red Lion Building. Gate —6B 98
Red Lion La. Wash —5G 99
Redmayne Ct. Gate —6B 82
Redmires Clo. Ous —7G 111
Redmond Rd. Sund —4A 102
Redmond Sq. Sund —4A 102
Rednam Pl. Newc T —3H 59
Red Ridges. B'don —7E 162
Red Rose Ter. Ches S —7B 126
Red Row. Bed —4A 16
Red Row Ct. Bed —4A 16
Red Row Dri. Bed —5A 16
Redruth Gdns. Gate —5H 97
Redruth Sq. Sund —4K 101
Redshank Clo. Wash —6D 112
Redshank Dri. Bly —5J 21
Red Wlk. Newc T —3J 61
Redwell Ct. Pru —4F 75
Redwell Ct. S Shi —6E 66
Redwell Hills. Con —5C 120
Redwell La. S Shi —6F 67
Redwell Rd. Pru —4F 75
Redwing Clo. Wash —5D 112
Redwood. B'don —5D 160
Redwood Clo. Hett H —7F 143
Redwood Clo. Newc T —7A 34
Redwood Ct. B'hll —5G 119
Redwood Flats. B'don —1D 172
Redwood Gdns. Gate —2D 96
Reed Av. Camp —6A 34
Reedham Ct. Newc T —1H 59
Reedling Ct. Sund —3J 101
Reedside. Ryton —1H 77
Reedsmouth Pl. Newc T —5H 59
Reed St. N Shi —6H 47
Reed St. S Shi —5H 65
Reedswood Cres. Cra —5B 24
Reestones Pl. Newc T —7K 41
Reeth Rd. Sund —5K 101
Reeth Sq. Sund —5K 101
Reeth Way. Newc T —4G 57
Regal Rd. Sund —1C 116
Regency Ct. S'hm —3B 146
Regency Dri. Sund —1D 130
Regency Dri. Whi —1F 95
Regency Gdns. N Shi —5E 46
Regency Way. Pon —6E 28
Regent Av. Newc T —7D 42
Regent Cen. Gos —6E 42
Regent Clo. Newc T —3K 43
Regent Ct. Bly —2H 21
Regent Ct. Gate —4H 81 (10J 5)
Regent Ct. Heb —1H 83
Regent Ct. Newc T —2J 43
Regent Ct. S Shi —4J 65
Regent Dri. Whi —3F 95
Regent Farm Ct. Newc T —7E 42
Regent Farm Rd. Newc T —6C 42
Regent Rd. Jar —7C 64
Regent Rd. Newc T —7E 42
Regent Rd. Ryh —4J 131
Regent Rd. W'snd —2E 62
Regent Rd. N. Newc T —7E 42
Regents Ct. W'snd —1C 62
Regents Dri. N Shi —3J 47
Regents Pk. W'snd —2C 62
Regent St. Bly —7J 17
Regent St. Gate —4G 81 (10H 5)
Regent St. Hett H —5G 143
Regent St. S Shi —4H 65
Regent St. S'ley —4K 123
Regent Ter. Gate —4G 81 (10H 5)
Regent Ter. N Shi —5E 46
Regent Ter. Sund —6H 117
Reginald St. Bol C —6F 85 (in two parts)
Reginald St. Gate —5K 81
Reginald St. Sund —1B 116
Regina Sq. Sund —4K 101
Reg Vardy Arts Foundation Gallery, The. —4F 117
Rehill. Sund —6G 87
Reid Av. W'snd —2F 63
Reid Pk. Clo. Newc T —3H 61
Reid Pk. Ct. Newc T —3H 61
Reid Pk. Rd. Newc T —3H 61
Reid's La. Seg —2C 34
Reid St. Mor —6G 7
Reigate Sq. Cra —3K 23
Reins Ct. Hex —1A 68
Rekendyke Ind. Est. S Shi —5H 65
Rekendyke La. S Shi —4H 65
Relley Clo. Ush M —3D 162
Relley Gth. Lang M —7F 163
Relly Path. Dur —4J 163
Relton Av. Newc T —2B 82
Relton Clo. Hou S —3A 142
Relton Ct. Whit B —6E 36
Relton Pl. Whit B —6E 36
Relton Ter. Ches S —7A 126
Relton Ter. Whit B —6E 36
Rembrandt Av. S Shi —3J 85
Remscheid Way. Ash —5A 10
Remus Av. Hed W —3B 56
Remus Clo. Wide —6D 32
Rendel St. Gate —5B 80
Rendle Rd. Newc T —2F 83
Renforth St. Gate —6B 80
Renfrew Clo. N Shi —4C 46
Renfrew Grn. Newc T —2H 59
Renfrew Pl. Bir —6B 112
Renfrew Rd. Sund —4K 101
Rennie Rd. Sund —4H 101
Rennie Sq. Sund —4H 101
Rennington. Gate —2E 98
Rennington Av. N Shi —3J 47
Rennington Clo. Mor —3H 13
Rennington Clo. N Shi —3J 47
Rennington Pl. Newc T —3K 59
Renny's La. Dur —2E 164 (in two parts)
Renny St. Dur —2B 164
Renoir Gdns. S Shi —4K 85
Renwick Av. Newc T —6A 42
Renwick Rd. Bly —2H 21
Renwick St. Newc T —7B 62
Renwick Ter. Gate —6E 80
Renwick Wlk. Mor —7E 6
Rescue Sta. Cotts. Hou S —4F 143
Resida Clo. Newc T —5C 58
Retail World. Team T —5F 97
Retford Gdns. N Shi —1D 64
Retford Rd. Sund —4K 101
Retford Sq. Sund —4K 101
Retreat, The. Newb —6K 57
Retreat, The. Sund —2D 116
Revell Ter. Newc T —4A 60
Revelstoke Rd. Sund —4H 101
Revesby St. S Shi —7J 65
Reynolds Av. Newc T —2K 43
Reynolds Av. S Shi —3K 85
Reynolds Av. Wash —4J 113
Reynolds Clo. S'ley —3F 123
Reynolds Ct. Pet —6F 171
Reyrolle Ct. Heb —1H 83
Rheims Ct. Sund —1K 115
Rheydt Av. W'snd —3D 62
Rhoda Ter. Sund —7H 117
Rhodesia Rd. Sund —4K 101
Rhodes St. Newc T —1E 82
Rhodes Ter. Dur —4H 163
Rhondda Rd. Sund —4H 101
Rhuddlan Ct. Newc T —1H 59
Rhyl Pde. Heb —4A 84
Rhyl Sq. Sund —4A 102
Ribbledale Gdns. Newc T —2K 61
Ribble Rd. Sund —5J 101
Ribblesdale. Hou S —2B 128
Ribblesdale. W'snd —1D 62
Ribblesdale Av. Bly —1E 20 (in two parts)
Ribble Wlk. Jar —3C 84
Richard Av. Sund —4C 116
Richard Browell Rd. Newc T —4H 57
Richard Hollon Ct. Mor —7F 7
Richardson Av. S Shi —2F 85 (in two parts)
Richardson Rd. Newc T —6D 60 (1B 4)
Richardsons Bldgs. Sco G —3G 15
Richardson St. Ash —5C 10
Richardson St. Newc T —5A 62
Richardson St. W'snd —3G 63
Richardson Ter. C'wl —6K 91
Richardson Ter. Sund —3J 131
Richardson Ter. Wash —7H 99 (in four parts)
Richard St. Bly —2J 21
Richard St. Hett H —7G 143
Richmond. Sund —2E 130
Richmond Av. Gate —5G 83
Richmond Av. Swa —5H 79
Richmond Av. Wash —2H 113
Richmond Clo. Bed —7G 15
Richmond Ct. Dur —4B 152
Richmond Ct. Gate —5H 81 (NE8)
Richmond Ct. Gate —3H 97 (NE9)
Richmond Ct. Jar —6A 64
Richmond Fields. Pon —6E 28
Richmond Gdns. W'snd —2J 63
Richmond Gro. N Shi —7E 46
Richmond M. Newc T —2D 60
Richmond Pk. W'snd —1C 62
Richmond Rd. Dur —4B 152
Richmond Rd. S Shi —7J 65
Richmond St. Sund —7E 102
Richmond Ter. Fel —6B 82
Richmond Ter. Gate —5G 81
Richmond Ter. Has —1B 168
Richmond Ter. Newc T —4K 57
Richmond Ter. Whit B —4F 37
Richmond Way. Cra —7H 23
Richmond Way. Pon —6E 28
Rickaby St. Sund —7H 103
Rickgarth. Gate —2D 98 (in two parts)
**Rickleton. —1C 126**
Rickleton Av. Ches S —4B 126
Rickleton Village Cen. Wash —1D 126
Rickleton Way. Wash —7D 112
Riddell Av. Newc T —1J 79
Riddell Ct. Ches S —7A 126
Riddell Ter. Newc T —7C 42
Ridding Ct. Esh W —4D 160
Ridding Rd. Esh W —5D 160
Riddings Rd. Sund —4K 101
Riddings Sq. Sund —4K 101
Ridge Ct. Haz —7D 32
Ridgely Clo. Pon —5A 30
Ridgely Dri. Pon —5A 30
Ridge Ter. Bed —7G 15
Ridge, The. Ryton —2G 77
Ridge Vs. Bed —7G 15
Ridgeway. Ash —5E 10
Ridgeway. Bir —3A 112
Ridgeway. Chop —7J 9
Ridgeway. Fenh —5A 60
Ridgeway. Gate —7F 83
Ridgeway. H'wll —2J 35
Ridgeway. Lan —6J 135
Ridgeway. Sund —3E 130
Ridgeway Cres. Sund —5D 116
Ridgeway, The. Hett H —7G 143
Ridge Way, The. Ken —1B 60
Ridgeway, The. S Shi —3B 86
Ridgewood Cres. Newc T —7H 43
Ridgewood Gdns. Newc T —7G 43
Ridgewood Vs. Newc T —7G 43
Riding Bank. Acomb —4C 48
Riding Barns Way. Sun —5G 95
Riding Clo. Ryton —3C 76
Riding Dene. Mic —5B 74
Riding Grange. Rid M —6J 71
Riding Hill. Gt Lum —3E 140
Riding Hill Rd. W Kyo —4A 122
Riding La. Both —6F 9
Riding La. Gate —3C 110
**Riding Lea. —6H 71**
Riding Lea. Bla T —5A 78
**Riding Mill. —7K 71**
Ridings Ct. Ryton —3C 76
Ridings, The. Whit B —5C 36
Riding Ter. Mic —5A 74 (off Station Bank)
Riding, The. Newc T —2A 60
Ridley Av. Bly —2K 21
Ridley Av. Ches S —7K 125
Ridley Av. Sund —2H 131
Ridley Av. W'snd —1A 64
Ridley Building. Newc T —1E 4
Ridley Clo. Hex —3B 68
Ridley Clo. Mor —7E 6
Ridley Clo. Newc T —4B 42
Ridley Ct. Newc T —1F 81 (6F 4)
Ridley Gdns. Swa —5G 79
Ridley Gro. S Shi —6C 66
Ridley Ho. Newc T —7E 42
Ridley Mill Rd. Stoc —1H 89
Ridley Pl. Newc T —7F 61 (3F 4)
Ridley St. Bly —1K 21
Ridley St. Cra —5A 24
Ridley St. Gate —6F 81
Ridley St. S'ley —2F 123
Ridley St. Sund —5C 102
Ridley Ter. Camb —4H 17
Ridley Ter. Con —5B 120
Ridley Ter. Gate —6C 82
Ridley Ter. Sund —3H 117
Ridsdale. Pru —4D 74
Ridsdale Av. Newc T —4D 58
Ridsdale Clo. Sea D —7G 25
Ridsdale Clo. W'snd —1G 63
Ridsdale Ct. Gate —5F 81
Ridsdale Sq. Ash —4A 10
Rievaulx. Wash —5G 113
Riga Sq. Sund —4J 101
Riggs, The. B'don —7E 162
Riggs, The. Cor —6D 50
Riggs, The. Hou S —2F 143
Rignall. Wash —3A 114
Riley St. Jar —6A 64
RIngmore Ct. Sund —6E 116
Ringway. Chop —7H 9
Ringway. Sund —7F 101
Ringwood Dri. Cra —3K 23
Ringwood Grn. Newc T —5A 44
Ringwood Rd. Sund —4K 101

Ringwood Sq. Sund —4K 101
Rink St. Bly —1K 21
Rink Way. Whit B —1F 47
Ripley Av. N Shi —7E 46 (in two parts)
Ripley Clo. Bed —6F 15
Ripley Ct. Gate —6K 97
Ripley Dri. Cra —7H 23
Ripley Ter. Newc T —7C 62
Ripon Clo. Cra —7H 23
Ripon Ct. Sac —7D 138
Ripon Gdns. Newc T —5J 61
Ripon Gdns. W'snd —2J 63
Ripon Rd. Dur —3B 152
Ripon Sq. Jar —5B 84
Ripon St. Ches S —1A 140
Ripon St. Gate —5G 81
Ripon St. Sund —5G 103
Ripon Ter. Mur —7E 144
Ripon Ter. Plaw G —7J 139
Rise, The. Bla T —2A 78
Rise, The. Con —4C 132
*Rise, The. Gate —5K 81 (off Duncan St.)*
Rise, The. Newc T —1A 60
Rise, The. Pon —1F 39
Rise, The. Sea S —6D 26
Rishton Sq. Sund —4J 101
Rising Sun Cotts. W'snd —7F 45
Rising Sun Country Park & Countryside Centre. —5G 45
Rising Sun Vs. W'snd —7F 45
Ritson Av. Bear —1C 162
Ritson Clo. N Shi —5E 46
Ritson's Rd. Con —4F 119
Ritson St. Con —5F 119
Ritson St. S'ley —3F 123
Ritson St. Sund —3G 103
River Bank. Stak —7A 10
River Bank E. Chop —7A 10
Riverbank Rd. Sund —5K 101
Riverdale. Sund —7H 101
River Dri. S Shi —2J 65
*River Garth. Sund —1G 117 (off High St. E.)*
River La. Ryton —7G 57
Rivermead. Wash —7J 113
Rivermede. Pon —4K 29
Riversdale Av. Chop —7J 9
Riversdale Ct. B Mill —2K 105
Riversdale Ct. Chop —1J 15
Riversdale Ct. Newc T —7C 58
Riversdale Rd. Gate —3F 81 (10F 4)
Riversdale Ter. Sund —3D 116
Riversdale Way. Newc T —7B 58
Riverside. Con —3E 118
*Riverside. Mor —7F 7 (off Waterside.)*
Riverside. Pon —5J 29
Riverside Av. Chop —1F 15
Riverside Ct. Gate —5C 80
Riverside Ct. S Shi —3H 65
Riverside E. Ind. Est. Newc T —2K 81 (7P 5)
Riverside Ind. Est. Lang P —4J 149
Riverside Leisure Pk. Hex —7B 48
Riverside Pk. S Hyl —1H 115
Riverside Rd. Sund —5K 101
Riverside Studios. Newc T —3B 80
Riverside, The. Heb —6G 63
Riverside Vw. Newc T —3B 82
Riverside Way. Row G —7H 93
Riverside Way. Swa —3G 79
River St. S Shi —5G 65
River Ter. Ches S —5B 126
River Vw. Bed —7B 16
River Vw. B Mill —2K 105
River Vw. Bla T —4B 78
River Vw. Mor —6G 7
River Vw. N Shi —6J 47
River Vw. Pru —4E 74
River Vw. Ryton —1J 77
River Vw. Clo. Bed —7B 16
Riverview Lodge. Newc T —2K 79
River Vw. Ter. Wash —1H 127
Roachburn Rd. Newc T —3E 58
Roadside Cotts. Bla T —1K 77
Robert Allen Ct. Bru V —5C 32
Robert Owen Gdns. Gate —7A 82
Robertson Rd. Sund —5H 101
Robertson Sq. Sund —4H 101
Robert Sq. S'hm —4C 146
Roberts St. Newc T —2G 79
Roberts Ter. Jar —1B 84
Robert St. Bly —2J 21
Robert St. New S —2D 130
Robert St. S'hm —4C 146
Robert St. S Shi —4K 65
Robert St. Sund —1C 116
Robert Ter. Bow —3H 175
Robert Ter. H Spen —3D 92
Robert Ter. S'ley —1F 123
Robert Ter. Cotts. H Spen —3D 92
Robert Westall Way. N Shi —2G 65
Robert Wheatman Ct. Sund —7G 117
Robin Ct. E Rai —7C 142
Robin Gro. Sund —6J 101
Robin La. Hett H —2A 154
Robinson Gdns. Sund —5H 87
Robinson Gdns. W'snd —2A 64
Robinson Ho. Pet —5E 170
Robinson St. Con —5G 119
Robinson St. Newc T —7A 62
Robinson St. S Shi —4K 65
Robinson Ter. Hob —4A 108
Robinson Ter. New S —2D 130
Robinson Ter. Sund —4H 117
Robinson Ter. Wash —4K 113
Robinswood. Gate —2H 97
Robsheugh Pl. Newc T —5J 59
Robson Av. Pet —5B 170
Robson Cres. Bow —3H 175
Robson Dri. Hex —3B 68
Robson Pl. Sund —3J 131
Robson St. Con —7J 119
Robson St. Gate —2H 97
Robson St. Newc T —7K 61 (3N 5)
Robson Ter. Dip —7J 107
Robson Ter. Gate —6B 98
Robson Ter. Row G —4E 92
Robson Ter. Shin —6D 164
Rochdale Rd. Sund —4K 101
Rochdale St. Hett H —1G 155
Rochdale St. W'snd —4E 62
Rochdale Way. Sund —4K 101
Roche Ct. Wash —3G 113
Rochester Gdns. Gate —6C 80
Rochester Rd. Dur —4B 152
Rochester Sq. Jar —5B 84
Rochester St. Newc T —2E 82
Rochester Ter. Gate —6C 82
Rochford Gro. Cra —7J 23
Rochford Rd. Sund —4J 101
Rockcliffe. S Shi —4B 66
Rockcliffe Av. Whit B —7J 37 (in two parts)
Rockcliffe Gdns. Newc T —6F 59
Rockcliffe Gdns. Whit B —6J 37
Rockcliffe St. Whit B —6J 37
Rockcliffe Way. Gate —5A 98
Rocket Way. Newc T —4D 44
Rock Gro. Gate —2H 97
Rockingham Rd. Sund —4J 101
Rockingham Sq. Sund —4J 101
Rock Lodge Gdns. Sund —4G 103
Rock Lodge Rd. Sund —4H 103
Rockmore Rd. Bla T —5C 78
Rock Ter. New B —4B 162
Rock Ter. Newc T —7H 61 (3J 5)
Rock Ter. Wash —7J 99
Rockville. Sund —3G 103
Rock Wlk. Ches S —3F 127
Rockwood Gdns. G'sde —5C 76
Rockwood Hill Est. G'sde —6C 76
Rockwood Hill Rd. G'sde —6C 76
Rockwood Ter. G'sde —5D 76
Rodham Ter. S'ley —1F 123
Rodin Av. S Shi —4K 85
Rodney Clo. Sund —3E 130
Rodney Clo. Tyn —5K 47
*Rodney Ct. Whit B —4D 36 (off Woodburn Sq.)*
Rodney St. Newc T —1K 81 (6P 5)
Rodney Way. Whit B —4D 36
Rodridge Pk. Sta T —7G 179
Rodsley Av. Gate —6G 81
Roeburn Way. Newc T —2B 60
Roedean Rd. Sund —4A 102
Roehedge. Gate —1F 99
*Rogan Av. Wash —2E 112 (off Thirlmoor)*
Rogerley Ter. S'ley —4J 121
Rogers Clo. Pet —6E 170
Rogerson Clo. Crox —6K 173
Rogerson Ter. Crox —6K 173
Rogerson Ter. Newc T —3E 58
Roger St. Con —6G 119
Roger St. Newc T —7K 61 (3N 5)
Rogues La. H Spen —1E 92
Rokeby Av. Newc T —7D 58
Rokeby Dri. Newc T —1B 60
Rokeby Sq. Dur —5J 163
Rokeby St. Newc T —7D 58
Rokeby St. Sund —2D 116
Rokeby Ter. Newc T —4A 62 (in two parts)
Rokeby Vw. Gate —5J 97
Rokeby Vs. Newc T —7D 58
**Roker. —4G 103**
Roker Av. Sund —7F 103
Roker Av. Whit B —7E 36
Roker Baths Rd. Sund —5F 103
Rokerby Av. Whi —1J 95
Roker Pk. Clo. Sund —5G 103
Roker Pk. Rd. Sund —5G 103
Roker Pk. Ter. Sund —5H 103
Roker Ter. Sund —4H 103
Roland Rd. W'snd —3J 63
Roland St. Wash —4J 113
Rollesby Ct. Newc T —1H 59
Rolling Mill Rd. Jar —5A 64
Romaldkirk Clo. Sund —3H 115
Roman Av. Ches S —6B 126
Roman Av. Newc T —6C 62
Roman Rd. B'don —3C 172
Roman Rd. Jar —4B 84 (in two parts)
Roman Rd. S Shi —1K 65
Roman Rd. N. S Shi —1J 65
Roman Wall. W'snd —5F 63
Roman Way. Cor —7D 50
Roman Way, The. Newc T —4D 58
Romany Dri. Con —7G 119
Romford Clo. Cra —7J 23
Romford Pl. Gate —6J 81
Romford St. Sund —2B 116
Romiley Gro. Gate —7H 83
Romilly St. S Shi —3K 65
Romney Av. S Shi —3K 85
Romney Av. Sund —5G 117
Romney Av. Wash —4J 113
Romney Clo. Phil —4C 128
Romney Clo. Whit B —7J 37
Romney Dri. Dur —6H 153
Romney Gdns. Gate —7K 81
Romney Vs. Wash —4J 113
Romsey Clo. Cra —3K 23
Romsey Dri. Bol C —6D 84
Romsey Gro. Newc T —5C 58
Ronald Dri. Newc T —7G 59
Ronald Gdns. Heb —2H 83
Ronaldsay Clo. Ryh —1G 131
Ronald Sq. Sund —4F 103
Ronan M. W Rai —1A 154
Ronsdorf Ct. Jar —7B 64
Rookery Clo. Bly —2F 21
Rookery La. Whi —3E 94
Rookery, The. Burn —2K 107
Rookhope. Wash —1D 126
Rooksleigh. Bla T —5B 78
Rookswood. Mor —2G 13
Rookswood Gdns. Row G —4J 93
Rookwood Dri. Sea B —3E 32
Rookwood Rd. Newc T —5G 59
Roosevelt Rd. Dur —1D 164
Ropery La. Ches S —7B 126
Ropery La. Heb —7H 63
Ropery La. W'snd —3J 63
Ropery Rd. Gate —6D 80
Ropery Rd. Sund —7C 102
Ropery, The. Newc T —2B 82
Ropery Wlk. S'hm —4B 146
Rosalie Ter. Sund —4H 117
Rosalind Av. Bed —1J 19
Rosalind St. Ash —3B 10
Rosamond Pl. Bly —2K 21
Rosa St. S Shi —3K 65
Rose Av. Hou S —1K 141
Rose Av. Nel V —2H 23
Rose Av. S'ley —4D 122
Rose Av. Whi —7H 79
Rosebank Clo. Sund —1G 131
Rosebank Cotts. Gate —6D 98
Rosebank Hall. W'snd —3K 63
Rosebay Rd. Lang M —7G 163
Roseberry Ct. Wash —7J 99
Roseberry Cres. Thor —1J 177
Roseberry Grange. Newc T —3E 44
Roseberry St. Beam —2K 123
Roseberry Ter. Bol C —5E 84
Roseberry Ter. Con —7H 119
Roseberry Vs. Newf —4E 124
Rosebery Av. Bly —2H 21
Rosebery Av. Gate —6J 81
Rosebery Av. N Shi —4G 47
Rosebery Av. S Shi —4A 66
Rosebery Ct. Whit B —6E 36
Rosebery Cres. Newc T —5J 61
Rosebery Pl. Newc T —5H 61
Rosebery St. Sund —6F 103
Roseby Rd. Pet —5D 170
Rose Cotts. Burn —3J 107
Rose Cotts. S Het —4C 156
Rose Ct. Esh W —2C 160
Rose Ct. Heb —1H 83
Rose Ct. Pet —2K 179
Rose Cres. Hou S —6H 127
Rose Cres. Sac —7F 139
Rose Cres. Sund —4H 87 (in two parts)
Rosedale. Bed —7G 15
Rosedale. W'snd —1D 62
Rosedale Av. Con —4F 119
Rosedale Av. Sund —1G 103
Rosedale Ct. Newc T —3D 58
Rosedale Cres. Hou S —7B 128
*Rosedale Gdns. Edm —3D 138 (off Tyzack St.)*
Rosedale Rd. Dur —7H 153
Rosedale Rd. Ryton —3D 76
Rosedale St. Hett H —2E 154
Rosedale St. Sund —2D 116
Rosedale Ter. Nbtle —6E 128
Rosedale Ter. Newc T —6H 61 (2J 5)
Rosedale Ter. N Shi —5H 47
Rosedale Ter. Pet —5D 170
Rosedale Ter. Sund —3G 103
Roseden Ct. Longb —5A 44
Rosedene Vs. Cra —4B 24
Rosefinch Lodge. Gate —2H 97
Rose Gdns. Gate —2E 110
Rose Gdns. W'snd —1F 63
Rosegill. Wash —2F 113
**Rosehill. —3K 63**
Rosehill Bank. W'snd —3J 63
Rosehill Rd. W'snd —3K 63
Rosehill Ter. W'snd —3J 63
Rose Hill Way. Newc T —4J 59
Roselea. Jar —5C 84
Roselea. Thor —1J 177
Rose Lea. Wit G —2D 150
Roselea Av. Sund —2H 131
Rosemary Gdns. Gate —5B 98
Rosemary La. Newc T —1F 81 (7F 4)
Rosemary La. Pet —7K 157
Rosemary Rd. Sund —4K 101
Rosemary Ter. Bly —3K 21
Rosemount. Dur —3B 152
Rosemount. Mor —1G 13
Rosemount. Newc T —3F 59
Rosemount. Sund —3G 115
Rosemount Av. Gate —7F 83
Rosemount Clo. Wash —5G 99
Rosemount Ct. W Bol —7H 85
Rosemount Way. Newc T —7A 44
Rosemount Way. Whit B —6C 36
Roseneath Ct. Ash —4B 10
Rose St. Gate —4E 80
Rose St. Heb —1H 83
Rose St. Hou S —2D 142
Rose St. Sund —1D 116
Rose St. E. Pen —1B 128
Rose St. W. Pen —1B 128
Rose Ter. G'sde —5G 77
Rose Ter. Lang P —5J 149
Rose Ter. Newc T —4A 60
Rose Ter. Pelt F —4G 125
Rosetown Av. Pet —6E 170
Rose Villa La. Whi —7H 79
Rose Vs. Newc T —1B 80
Roseville St. Sund —3D 116
Rosewell Pl. Whi —2G 95
Rosewood. Kil —1D 44
Rosewood Av. Newc T —6F 43
Rosewood Clo. Sac —7E 138
Rosewood Cres. Newc T —4D 62
Rosewood Cres. Sea S —6D 26
Rosewood Gdns. Ches S —4K 125
Rosewood Gdns. Gate —2K 97
Rosewood Gdns. Newc T —1B 60
Rosewood Sq. Sund —6G 115
Rosewood Ter. Bir —3K 111
Rosewood Ter. W'snd —3A 64
Roseworth Av. Newc T —2E 60
Roseworth Clo. Newc T —1F 61
Roseworth Cres. Newc T —2F 61
Roseworth Ter. Newc T —1E 60
Roseworth Ter. Whi —7H 79
Roslin Pk. Bed —7A 16
Roslin Way. Cra —7J 23
Ross. Ous —6J 111
Ross Av. Gate —5B 80
*Rossdale. Ryton —3C 76 (off Bank Top)*
Rosse Clo. Wash —7F 99
Rossendale Pl. Newc T —6H 43
Ross Gth. Hou S —3E 142
Ross Gro. Nel V —3H 23
Ross Lea. Hou S —4A 128
Rosslyn Av. Gate —1J 97
Rosslyn Av. Newc T —7A 42
Rosslyn Av. Sund —2H 131
Rosslyn M. Sund —2C 116 (in two parts)
Rosslyn Pl. Bir —6B 112
Rosslyn St. Sund —2C 116
Rosslyn Ter. Sund —2C 116
Ross St. S'hm —3B 146
Ross St. Sund —6E 102
Ross Way. Newc T —4B 42
Ross Way. Whit B —4E 36
Rosyth Rd. Sund —4A 102
Rosyth Sq. Sund —4A 102
Rotary Parkway. Ash —3K 9
Rotary Way. Bly —3J 21
Rotary Way. Hex —7E 48
Rotary Way. N Shi —2E 64
Rothay Pl. Newc T —3J 59
Rothbury. Sund —3F 131
Rothbury Av. Bly —3F 21
Rothbury Av. Gate —5E 82
Rothbury Av. Mon V —2A 84
Rothbury Av. Newc T —6C 42
Rothbury Av. Pet —4D 170
Rothbury Clo. Ches S —1J 139
Rothbury Clo. Newc T —1A 44
Rothbury Gdns. Gate —2C 96
Rothbury Gdns. W'snd —2K 63
Rothbury Gdns. Wide —5E 32
Rothbury Rd. Dur —4A 152
Rothbury Rd. Sund —4K 101
Rothbury Ter. Newc T —5K 61
Rothbury Ter. N Shi —1C 64
Rotherfield Clo. Cra —3K 23
Rotherfield Gdns. Gate —5J 97
Rotherfield Rd. Sund —5J 101
Rotherfield Sq. Sund —4J 101
Rotherham Clo. Hou S —4D 142
Rotherham Rd. Sund —4J 101
Rothesay. Ous —7H 111
Rothesay Ter. Bed —7K 15
Rothlea Gdns. Chop —7J 9
Rothley. Wash —6K 113
Rothley Av. Ash —5B 10
Rothley Av. Newc T —6J 59
Rothley Av. Pet —4D 170
Rothley Clo. Newc T —7F 43
Rothley Clo. Pon —4H 29
Rothley Ct. Newc T —1A 44
Rothley Ct. Sund —3B 102
Rothley Gdns. N Shi —3H 47
Rothley Gro. Sea D —7G 25
Rothley Ter. Con —7K 105
Rothley Way. Whit B —4E 36
Rothsay Ter. Newb S —4H 11
Rothwell Rd. Newc T —7E 42
Rothwell Rd. Sund —5J 101
**Round Hill. —6D 52**
Roundhill. Jar —5D 84
Roundhill Av. Newc T —3J 59
Roundstone Gro. Newc T —1B 62
Roundway, The. Newc T —5K 43
Routledge's Bldgs. Bed —5A 16
Rowan Av. Wash —7G 113
Rowanberry Rd. Newc T —6K 43
Rowan Clo. Bed —6H 15
Rowan Clo. Sund —3H 115
Rowan Ct. Esh W —5C 160
Rowan Ct. Newc T —4D 44
Rowan Dri. Bras —3C 152
Rowan Dri. Hett H —7F 143
Rowan Dri. Newc T —6A 42
Rowan Dri. Pon —4J 29
Rowan Gro. Cra —5B 24
Rowan Gro. Pru —4D 74
Rowan Lea. B'don —1D 172
Rowans, The. Gate —5B 98 (in two parts)
Rowan Tree Av. Dur —7E 152
Rowantree Rd. Newc T —4E 62
Rowanwood Gdns. Gate —2C 96
Rowedge Wlk. Newc T —3G 59
Rowell Clo. Sund —3E 130
Rowell St. Newc T —3D 80 (10A 4)
Rowes M. Newc T —2A 82
Rowlands Bldgs. Dud —2J 33
**Rowlands Gill. —6K 93**
Rowlandson Ter. Gate —6B 82
Rowlandson Ter. Sund —4G 117
Rowlands Ter. Win —7G 179
**Rowley. —5D 132**
Rowley Bank. Con —4B 132
Rowley Clo. New B —5A 162
Rowley Cres. Esh W —3D 160
Rowley Dri. Ush M —3D 162
Rowley Link. Esh W —3D 160
Rowley St. Bly —2J 21
Rowlington Ter. Ash —5B 10
Rowntree Way. N Shi —2G 65
Rowsley Rd. Jar —1C 84
Row's Ter. Newc T —7G 43
Roxborough Ho. Whit B —6G 37
Roxburgh Clo. Bla T —6A 78
Roxburgh Pl. Newc T —6K 61 (1P 5)
Roxburgh St. Sund —5F 103
Roxburgh Ter. Whit B —6G 37
Roxby Gdns. N Shi —7E 46
Roxby Wynd. Win —4G 179
Royal Arc. Newc T —1G 81 (6G 4)
Royal Cres. Newc T —5A 60

Royal Ind. Est. Heb —6K 63
Royal Quays Outlet Shop. N Shi —3E 64
Royal Rd. S'ley —2E 122
Royalty, The. Sund —3D 116
Roydon Av. Sund —5G 117
Royle St. Sund —6H 117
Royston Ter. Newc T —2E 82
Ruabon Clo. Cra —7J 23
Rubens Av. S Shi —3K 85
Ruby St. Hou S —7D 128
Rudby Clo. Newc T —4F 43
Rudchester Pl. Newc T —5J 59
Ruddock Sq. Newc T —1A 82 (7P 5)
Rudyard Av. Sund —5G 117
Rudyerd Ct. N Shi —7H 47
Rudyerd St. N Shi —7G 47
Rugby Gdns. Gate —4A 98
Rugby Gdns. W'snd —2J 63
Ruislip Pl. Cra —7H 23
Ruislip Rd. Sund —3G 115
Runcie Rd. Bow —5H 175
Runcorn. Sund —2E 130
Runcorn Rd. Sund —4J 101
Runhead Est. Ryton —2H 77
Runhead Gdns. Ryton —1H 77
Runhead Ter. Ryton —1J 77
**Running Waters. —7C 166**
Runnymede. Gt Lum —2E 140
Runnymede. Sund —2F 131
Runnymede Gdns. C'wl —1K 105
Runnymede Rd. Pon —7E 28
Runnymede Rd. Sund —4K 101
Runnymede Rd. Whi —1G 95
Runnymede Way. Newc T —1A 60
Runnymede Way. Sund —4K 101
Runswick Av. Newc T —6H 43
Runswick Clo. Sund —2E 130
Rupert Sq. Sund —4A 102
Rupert St. Sund —5H 87
Rupert Ter. Newc T —5K 57
Rushall Pl. Newc T —6K 43
Rushbury Ct. Back —6G 35
Rushey Gill. B'don —1C 172
Rushford. Sund —2F 131
Rushie Av. Newc T —1J 79
Rushley Cres. Bla T —3C 78
Rushsyde Clo. Whi —2E 94
Rushton Av. Sund —5G 117
Rushyrig. Wash —2E 112
(in two parts)
Ruskin Av. Ash —5D 10
Ruskin Av. Eas L —3J 155
Ruskin Av. Gate —5B 80
Ruskin Av. Newc T —3A 44
Ruskin Av. Pelt F —6G 125
Ruskin Clo. Pru —5D 74
Ruskin Clo. S'ley —2H 123
Ruskin Cres. S Shi —3H 85
Ruskin Cres. Thor —1J 177
Ruskin Dri. Bol C —6G 85
Ruskin Dri. Newc T —3B 62
Ruskin Rd. Bir —4A 112
Ruskin Rd. Gate —7K 81
Ruskin Rd. Swa —6G 79
Rusling Vw. Whi —2H 95
Russell Av. S Shi —7C 66
Russell Clo. Bran —4A 172
Russell Clo. Con —6J 119
Russell Ct. Gate —5E 80
Russell Cres. Trim S —7D 178
Russell Sq. Sea B —3D 32
Russell St. Jar —6C 64
Russell St. N Shi —7G 47
Russell St. S Shi —2J 65
Russell St. Sund —1G 117
Russell St. Wash —7G 99
Russell St. Wat —6C 160
Russell Ter. Bed —1H 19
Russell Ter. Bir —2K 111
(in tw parts)
Russell Ter. Newc T —7H 61 (4J 5)
Russell Way. Gate —4J 79
Rustic Ter. Newb S —2J 11
Ruswarp Dri. Sund —3D 130
Ruth Av. Bla T —4C 78
Rutherford Av. S'hm —2H 145
Rutherford Clo. Chop —1G 15
Rutherford Ct. Lang P —4H 149
Rutherford Hall. Newc T —3G 4
Rutherford Ho. Pet —7B 158
Rutherford Pl. Mor —1F 13
Rutherford Rd. Ste I —6J 99
Rutherford Rd. Sund —4H 101
Rutherford Sq. Sund —4H 101
Rutherford St. Bly —2H 21
Rutherford St. Newc T —1E 80 (6D 4)
Rutherford St. W'snd —2B 64
Rutherglen Rd. Sund —4A 102
Rutherglen Sq. Sund —4A 102
Rutland Av. Newc T —6E 62
Rutland Av. Sund —2B 130
Rutland Pl. Con —3D 132
Rutland Pl. N Shi —6E 46
Rutland Pl. Wash —5H 99
Rutland Rd. Con —3C 132
Rutland Rd. Heb —3K 83
Rutland Rd. W'snd —4E 62
Rutland Sq. Bir —3K 111
Rutland St. Ash —4A 10
Rutland St. Hett H —6F 143
Rutland St. S'hm —2K 145
(in two parts)
Rutland St. S Shi —7H 65
Rutland St. Sund —1B 116
Rutland Ter. Has —3A 168
Rutland Wlk. Pet —4A 170
Ryal Clo. Bly —2G 21
Ryal Clo. Sea D —7H 25
Ryall Av. Haz —7C 32
Ryal Ter. Newc T —1D 82
Ryal Wlk. Newc T —1K 59
Ryan Ter. Whe H —4A 178
Rydal. Gate —6E 82
Rydal Av. Eas L —3J 155
Rydal Av. N Shi —2G 47
Rydal Av. S'ley —4D 122
Rydal Clo. E Bol —6J 85
Rydal Clo. Kil —1D 44
Rydal Clo. Sac —7D 138
Rydal Cres. Bla T —6B 78
Rydal Cres. Pet —6C 170
Rydale Ct. Trim S —7C 178
Rydal Gdns. S Shi —7A 66
Rydal M. Con —5B 120
Rydal Mt. C'twn —7G 101
Rydal Mt. Newb S —4G 11
Rydal Mt. Pet —7B 158
Rydal Mt. Sund —4E 102
Rydal Rd. Ches S —1K 139
Rydal Rd. Gos —7F 43
Rydal Rd. Lem —5D 58
Rydal St. Gate —5G 81
Rydal Ter. N Gos —7D 32
Ryde Pl. Cra —3K 23
Ryde Ter. Gate —5C 80
Ryde Ter. S'ley —5K 121
Ryde Ter. Bungalows. S'ley
(off Lwr. Church St.) —4K 121
Rye Clo. Newc T —4J 57
Ryedale. Dur —1H 165
Ryedale. Sund —7H 87
Ryedale. W'snd —7D 44
Ryedale Clo. Ash —5K 9
Ryedale Ct. S Shi —2G 85
Ryehaugh. Pon —5K 29
Rye Hill. Ches S —6A 126
Rye Hill. Newc T —2D 80 (6A 4)
Ryehill Vw. E Rai —6C 142
Ryelands Way. Dur —3A 152
Ryemount Rd. Sund —2F 131
Rye Ter. Hex —1B 68
Rye Vw. Sund —2H 131
**Ryhope. —3J 131**
Ryhope Beach Rd. Sund —3J 131
**Ryhope Colliery. —1G 131**
Ryhope Engines Museum. —4G 131
Ryhope Gdns. Gate —3B 98
Ryhope Grange Ct. Sund —7H 117
Ryhope Rd. Ryh —3F 117
Ryhope St. Hou S —2F 143
Ryhope St. Sund —6H 117
Ryhope St. N. Sund —2G 131
Ryhope St. S. Sund —2H 131
Rymers Clo. Pet —1J 169
**Ryton. —7G 57**
Ryton Ct. S Shi —4K 65
Ryton Crawcrook By-Pass. Ryton —3E 76
Ryton Cres. S'hm —3J 145
Ryton Cres. S'ley —1G 123
Ryton Hall Dri. Ryton —7G 57
Ryton Ind. Est. Bla T —1K 77
Ryton Sq. Sund —5G 117
Ryton Ter. Newc T —2D 82
Ryton Ter. W All —3J 45
**Ryton Village. —7G 57**
**Ryton Woodside. —4F 77**

Sabin Ter. S'ley —5B 122
Sackville Rd. Newc T —4A 62
Sackville Rd. Sund —5A 116
**Sacriston. —7E 138**
Sacriston Av. Sund —5B 116
Sacriston Gdns. Gate —5A 98
Sacriston Ind. Est. Sac —7E 138
Sacriston La. Wit G —3C 150
Saddleback. Wash —7F 99
(in two parts)
Saddler St. Dur —2A 164
Saffron Pl. Newc T —1E 82
Sage Clo. Newc T —5C 58
St Accas Ct. Hex —7B 48
St Agatha's Clo. B'don —7E 162
St Agnes' Gdns. Ryton —2C 76
St Agnes' Gdns. N. Ryton —2C 76
St Agnes' Gdns. W. Ryton —2C 76
St Agnes Ter. Ryton —2C 76
St Agnes Vs. Ryton —3C 76
(off Main St.)
St Aidan Cres. Thor —2J 177
St Aidans Av. Dur —6K 151
St Aidan's Av. Newc T —3G 45
St Aidans Av. Sund —7H 117
St Aidans Clo. N Shi —4D 46
St Aidans College Gardens. —5K 163
St Aidan's Ct. N Shi —5J 47
St Aidan's Cres. C Moor —2J 163
St Aidan's Cres. Mor —2G 13
St Aidan's Cres. S'ley —6K 121
St Aidan's Pl. Con —5G 119
St Aidan's Rd. S Shi —1K 65
St Aidan's Rd. W'snd —4E 62
St Aidan's Sq. Newc T —3G 45
St Aidan's St. Con —5G 119
St Aidans St. Gate —5F 81
St Aidan's Ter. Hou S —3E 128
St Aidan's Ter. Trim S —7C 178
St Albans Clo. Ash —5E 10
St Alban's Clo. Ear —6A 36
St Albans Clo. Gt Lum —4F 141
St Albans Cres. Gate —7A 82
St Alban's Cres. Newc T —3B 62
St Albans Pl. Gate —7A 82
St Albans Pl. N Shi —5K 47
St Alban's St. Sund —5G 117
St Alban's Ter. Gate —5H 81
St Albans Vw. Shir —2K 45
St Aldwyn Rd. S'hm —2K 145
St Andrew's. Hou S —2B 142
St Andrew's Av. Wash —7F 99
St Andrew's Clo. Con —5F 119
St Andrews Ct. Newc T —7A 44
St Andrew's Ct. N Shi —4F 47
(off Walton Av.)
St Andrew's Cres. Con —5F 119
St Andrew's Dri. Gate —4G 97
St Andrew's Gdns. Con —5E 118
St Andrew's La. O'ton —2K 73
St Andrew's Rd. Con —5E 118
St Andrew's Rd. Hex —2C 68
St Andrew's Rd. Tan L —7F 109
St Andrew's Sq. Mur —6G 145
St Andrew's St. Heb —6G 63
St Andrew's St. Newc T —1E 80 (5D 4)
St Andrew's Ter. Ash —4C 10
St Andrews Ter. S'hm —6H 145
St Andrew's Ter. Sund —5G 103
St Annes Clo. Bla T —5B 78
St Anne's Clo. Newc T
(in two parts) —1J 81 (5K 5)
St Anne's Ct. Whit B —1E 46
St Anne's Yd. Newc T —1J 81 (5L 5)
St Ann's Wharf. Newc T —6K 5
St Anselm Cres. N Shi —5C 46
St Anselm Rd. N Shi —5C 46
**St Anthony's. —2D 82**
St Anthony's Rd. Newc T —1C 82
St Anthony's Wlk. Newc T —3D 82
St Asaph Clo. Newc T —1B 62
St Aubyns Way. S'ley —2H 123
St Austell Clo. Newc T —1J 59
St Austell Gdns. Gate —5H 97
St Barnabas. Hou S —6H 127
St Barnabas Way. Hen —3H 117
St Bartholomews Clo. Ash —2D 10
St Bede Cres. Thor —2H 177
St Bede's. E Bol —7K 85
(in two parts)
St Bedes Clo. Dur —3J 163
St Bede's Clo. Hett H —6G 143
St Bede's Ct. Lan —5J 135
St Bede's Dri. Gate —4H 81 (10J 5)
St Bede's Ho. Mor —7F 7
(off Mathiesons Gdns.)
St Bede's Pk. Sund —3F 117
St Bedes Pl. Bly —5F 21
St Bede's Pl. Mor —7F 7
(off Oldgate.)
St Bedes Rd. Bly —5F 21
St Bede's Ter. Sund —3F 117
St Bede's Way. Lang M —7G 163
St Benet's Clo. Sund —7G 103
St Benet's Way. Sund —7F 103
St Brandon's Gro. B'don —1C 172
St Brelades Way. S'ley —2H 123
St Buryan Cres. Newc T —1J 59
St Catherine's Ct. Sund E —7J 101
St Catherines Gro. Newc T —6J 61 (1K 5)
St Chad's Cres. Sund —2H 129
St Chad Sq. Thor —2J 177
St Chad's Rd. Sund —2H 129
St Chad's Vs. E Bol —7K 85
St Christophers Clo. Ash —2D 10
St Christopher's Ho. Mor —7E 6
St Christopher's Rd. Sund —6C 116
St Christopher Way. N Shi —2D 64
St Clements Ct. Ash —5E 10
St Clements Ct. Newc T —4B 42
St Columba Ct. Sund —5E 102
Saint Ct. Sund —4C 130
St Cuthbert Av. Ches S —6B 126
St Cuthbert Rd. Thor —2J 177
St Cuthbert's Av. Con —4E 118
St Cuthberts Av. Dur —6J 151
St Cuthberts Av. S Shi —5C 66
St Cuthbert's Clo. Hett H —6G 143
St Cuthberts Clo. Hex —2C 68
St Cuthberts Clo. Pru —4F 75
St Cuthberts Ct. Bly —2K 21
St Cuthbert's Ct. Gate —4F 81 (10F 4)
St Cuthbert's Ct. Newc T —7C 42
St Cuthbert's Dri. Gate —7D 82
(in two parts)
St Cuthberts Dri. Sac —7D 138
St Cuthbert's Grn. Newc T —6J 59
St Cuthbert's La. Hex —2C 68
St Cuthberts Pk. Mar H —7G 95
St Cuthbert's Pl. Dur —1K 163
St Cuthbert's Pl. Gate —5F 81
St Cuthbert's Rd. Gate —4F 81
(in two parts)
St Cuthbert's Rd. Hol —3G 45
St Cuthbert's Rd. Hou S —2F 129
St Cuthbert's Rd. Mar H —6H 95
St Cuthbert's Rd. Newc T —6H 59
(in three parts)
St Cuthberts Rd. Pet —7B 170
St Cuthbert's Rd. W'snd —2H 63
St Cuthbert's Ter. Dal D —5H 145
St Cuthbert's Ter. Hex —2C 68
St Cuthbert's Ter. Sund —1D 116
St Cuthbert's Wlk. Ches S —6A 126
St Cuthberts Wlk. Lang M —7G 163
St Cuthbert's Way. Bla T —3D 78
St Cuthberts Way. Sher —3K 165
St Cuthrbert's Rd. Nbtle —6D 128
St Davids Clo. Ash —2D 10
St David's Clo. Whit B —3E 36
St David's Ct. Whit B —3E 36
St David's Way. Jar —5C 84
St David's Way. Whit B —3F 37
St Ebba's Way. Con —5G 105
St Edmund's Ct. Gate —5J 81
St Edmund's Dri. Gate —7D 82
St Edmund's Rd. Gate —5H 81
St Edmund's Ter. Dip —2G 121
St Elvins Pl. Gt Lum —3F 141
St Etienne Ct. Gate —5B 82
(off Carlisle St.)
St Gabriel's Av. Newc T —4K 61
St Gabriel's Av. Sund —2B 116
St George's Av. S Shi —5A 66
St George's Clo. Newc T —3G 61
St Georges Ct. Gate —7F 83
St George's Cres. N Shi —7F 47
St Georges Cres. Whit B —7F 37
St George's Est. Wash —7G 113
St Georges Pl. Con —6G 119
St George's Pl. Newc T —1E 78
St George's Rd. Hex —2C 68
St George's Rd. Newc T —1E 78
St George's Rd. N Shi —1J 47
St George's Ter. E Bol —7K 85
St George's Ter. Jes —4G 61
St George's Ter. Newc T —1E 78
St George's Ter. Sund —5H 103
St George's Way. Sund —3F 117
St Godric's Clo. Dur —4A 152
St Godric's Dri. W Rai —1A 154
St Gregorys Ct. S Shi —1B 86
St Helen's Cres. Gate —2G 97
St Helen's Cres. Quar H —6D 176
St Helen's La. Cor —7D 50
St Helen's Pl. Gate —2H 97
St Helen's St. Cor —7D 50
St Heliers Way. S'ley —2H 123
St Hilda Ind. Est. S Shi —3J 65
St Hildas Av. W'snd —2J 63
St Hilda's La. S Shi —2J 65
St Hilda's Rd. Hex —2C 68
St Hilda St. S Shi —3J 65
St Hilds La. Dur —2C 164
St Ignatius Clo. Sund —3G 117
St Ives Ct. Con —5C 120
St Ives Pl. Mur —6F 145
St Ives' Rd. Con —5B 120
St Ives Way. Newc T —1J 59
St James Clo. Rid M —7K 71
St James Ct. Gate —5K 81
(in two parts)
St James' Cres. Newc T —2K 79
St James Gdns. Newc T —1K 79
St James' Mall. Heb —1H 83
St James' Park. —7E 60
St James Rd. Gate —4J 81 (10M 5)
St James Rd. Newc T —1K 79
St James Sq. Gate —3J 81 (10M 5)
St James St. Gos —7F 43
St James St. Newc T —7E 60 (4D 4)
St James Ter. Mor —6F 7
(off Copper Chare.)
St James' Ter. N Shi —2D 64
St John's Av. Heb —1H 83
St John's Clo. Whit B —3F 37
St John's Ct. Back —6G 35
St John's Cres. Bed —5B 16
St John's Cres. Bow —4H 175
St John's Grn. N Shi —2D 64
St John's Ho. S Shi —2K 65
(off Beach Rd.)
St John's Mall. Heb —1H 83
St John's Pl. Bed —5B 16
St John's Pl. Bir —4A 112
(in two parts)
St John's Pl. Gate —6B 82
St John's Pl. Whit B —3F 37
St John's Precinct. Heb —1H 83
(off St John's Mall)
St John's Rd. Bed —6B 16
St John's Rd. Dur —3J 163
St Johns Rd. Hex —3B 68
St John's Rd. H Pitt —5B 154
St John's Rd. Mead —1F 173
St John's Rd. Newc T —2A 80
St John's Sq. S'hm —3B 146
St John's Ter. Dip —2G 121
St John's Ter. E Bol —7A 86
St John's Ter. Jar —6B 64
St John's Ter. N Shi —2D 64
St John's Ter. S'hm —1G 145
St John St. Newc T —1F 81 (6E 4)
St John St. N Shi —2D 64
(in two parts)
St Johns Va. Sund —4G 115
St John's Wlk. Heb —1J 83
St John's Wlk. Newc T —2A 80
(in two parts)
St John's Wlk. N Shi —2D 64
St John's W. Bed —5B 16
St Josephs Clo. Dur —2E 164
St Josephs Ct. Bir —3A 112
St Josephs Ct. Heb —3H 83
St Joseph's Way. Jar —5C 84
St Jude's Ter. S Shi —5J 65
St Julien Gdns. Newc T —2B 62
St Julien Gdns. W'snd —2B 64
St Just Pl. Newc T —1J 59
St Keverne Sq. Newc T —1J 59
St Kitt's Clo. Whit B —3F 37
**St Lawrence. —1K 81**
St Lawrence Clo. H Pitt —6C 154
St Lawrence Rd. H Pitt —6B 154
St Lawrence Rd. Newc T —1K 81 (6N 5)
St Lawrence Sq. Newc T —1K 81 (6N 5)
St Leonards. Dur —1K 163
St Leonards Clo. Pet —7K 169
St Leonard's La. Mit —6A 6
St Leonard St. Sund —4G 117
St Leonard's Wlk. Mor —5C 6
St Lucia Clo. Sund —3G 117
St Lucia Clo. Whit B —3E 36
St Lukes Clo. Ash —2E 10
St Lukes Rd. Hex —3C 68
St Luke's Rd. N Shi —2D 64
St Luke's Rd. Sund —3H 115
St Luke's Ter. Sund —1B 116
St Margarets Av. Newc T —6B 44
St Margarets Av. Sund —6G 101
St Margarets Ct. Dur —3K 163
St Margaret's Ct. Sund —6G 101
St Margaret's Ct. Whit B —7J 37
(off Margaret Rd.)
St Margaret's Dri. Tan —5D 108
St Margarets Gth. Dur —3K 163
St Margaret's Rd. Newc T —2G 79
St Mark's Clo. Newc T —6A 62
St Mark's Ct. N Shi —3D 64
St Mark's Ct. Shir —1J 45

St Marks Cres. Sund —2D 116
St Marks Rd. Hex —2C 68
St Mark's Rd. Sund —2C 116
St Mark's St. Mor —6E 6
St Mark's St. Newc T —6A 62
St Mark's St. Sund —2D 116
St Mark's Ter. Sund —2D 116
St Mark's Way. S Shi —4J 65
St Martin's Clo. Whit B —4E 36
St Martin's Ct. Whit B —4E 36
St Martin's Way. Whit B —4E 36
St Mary Magdalene Hospital. Newc T —5D 60
St Mary's Av. S Shi —7B 66
St Mary's Av. Whit B —4F 37 (in two parts)
St Marys Chare. Cor —1D 70
St Mary's Chare. Hex —1D 68
St Marys Clo. Ches S —1K 139
St Mary's Clo. Con —5F 119
St Mary's Clo. Pet —1J 169 (in two parts)
St Mary's Clo. Shin —6D 164
St Mary's Ct. Gate —4H 81 (10K 5)
St Mary's Cres. Con —5E 118
St Marys Dri. Ash —2D 10
St Mary's Dri. Bly —4F 21
St Mary's Dri. Sher —3K 165
St Mary's Dri. W Rai —1A 154
St Mary's Fld. Mor —1F 13
St Mary's Lighthouse. —7G 27
St Mary's Pl. Newc T —7F 61 (3F 4)
St Mary's Pl. Thro —3J 57
St Mary's Pl. E. Newc T —3F 4
St Mary's Rd. Dur —7G 153
St Mary's St. Con —5F 119
St Mary's Ter. Coxh —7J 175
St Mary's Ter. E Bol —7A 86
St Mary's Ter. Gate —6D 82
St Mary's Ter. Ryton —1F 77
St Mary's Ter. S Shi —6H 65 (nr. Dean Rd.)
*St Mary's Ter. S Shi —6J 65 (off Wharfedale Dri.)*
*St Mary's Vw. Whit B —5H 37 (off Brook St.)*
St Mary's Way. Sund —1E 116
St Mary's Wynd. Hex —1D 68
St Matthews La. Pru —4F 75
St Matthews Rd. Hex —3B 68
St Matthew's Ter. Hou S —5D 128
St Matthew's Vw. Sund —2C 130
St Michael's. Hou S —2B 142
St Michael's Av. N Har —4H 25
St Michaels Av. S Shi —4K 65
St Michaels Av. N. S Shi —4K 65
St Michael's Mt. Newc T —1A 82
St Michael's Rd. Newc T —1K 81 (5N 5)
St Michael's Way. Gate —4H 79
St Michael's Way. Sund —1E 116
St Monica Gro. Dur —3J 163
St Nicholas Av. Gos —1E 60 (in two parts)
St Nicholas Av. Sund —5D 116
St Nicholas Bldgs. Newc T —2F 81 (7F 4)
St Nicholas Churchyard. Newc T —1F 81 (6F 4)
St Nicholas Clo. Ash —2D 10
St Nicholas Dri. Dur —7H 151
St Nicholas Nature Reserve. —7C 42
St Nicholas Precinct. Newc T —6F 4
St Nicholas Rd. Hex —2C 68
St Nicholas Rd. W Bol —7G 85
St Nicholas Sq. Newc T —1F 81 (6F 4)
St Nicholas St. Newc T —2F 81 (7F 4)
St Nicholas Ter. Pet —7B 158
St Nicholas Vw. W Bol —7G 85
St Omers Rd. Dun —4B 80
St Oswald's Av. Newc T —6C 62
St Oswald's Ct. Gate —6B 82
St Oswald's Dri. Dur —7J 163
St Oswald's Grn. Newc T —6C 62
St Oswald Sq. Dur —3J 151
St Oswald's Rd. Heb —6K 63
St Oswald's Rd. Hex —2C 68
St Oswald's Rd. W'snd —1H 63
St Oswald's Ter. Hou S —3B 128
St Oswin's Av. N Shi —1J 47
St Oswin's Pl. Con —5F 119
St Oswin's Pl. N Shi —4K 47
St Oswin's St. S Shi —6K 65
St Patricks Clo. Gate —6C 82
St Patricks Gth. Sund —1G 117
St Patrick's Ter. Sund —3H 131
St Patrick's Wlk. Gate —6B 82
St Pauls Clo. Ash —2D 10
St Paul's Ct. Gate —5E 80
St Pauls Dri. Hou S —1J 127
St Paul's Gdns. Whit B —7G 37
St Paul's Monastery. —6D 64
St Pauls Pl. Newc T —1C 80 (6A 4)
St Pauls Rd. Hex —2B 68
St Paul's Rd. Jar —6C 64
St Paul's Ter. Sund —3H 131
St Paul's Ter. W Pel —3C 124
**St Peter's. —2A 82**
St Peters Av. S Shi —7A 66
St Peters Basin Marina. Newc T —2A 82
St Peters' Church & Visitor Centre. —7G 103
St Peters Ct. W'snd —3J 63
St Peter's Rd. Newc T —2A 82
St Peter's Rd. W'snd —2H 63
St Peter's Stairs. N Shi —1H 65
St Peter's Vw. Sund —7F 103
St Peters Way. Sund —7G 103
St Peters Wharf. Newc T —2A 82
St Philips Clo. Newc T —1D 80 (5A 4)
St Philips Way. Newc T —1D 80 (5A 4)
St Rollox St. Heb —1H 83
St Ronan's Dri. Sea S —3B 26
St Ronan's Rd. Whit B —7F 37
St Ronans Vw. Gate —5J 97
St Simon St. S Shi —2G 85
St Stephen's Clo. Sea D —7F 25
St Stephens Way. N Shi —3D 64
St Stevens Clo. Hou S —1J 127
St Thomas Clo. Pet —1J 169
St Thomas Cres. Newc T —7F 61 (3E 4)
St Thomas M. Pru —4F 75
St Thomas Sq. Newc T —7F 61 (3E 4)
St Thomas St. Gate —2J 97
St Thomas' St. Newc T —7F 61 (3E 4)
St Thomas St. Sund —1F 117
St Thomas' Ter. Newc T —3E 4
St Vincent Ct. Gate —5J 81
St Vincent Ho. N Shi —5K 47
St Vincent's Clo. Newc T —5E 58
St Vincents Pl. Whit B —3F 37
St Vincent St. Gate —5J 81
St Vincent St. S Shi —4A 66
St Vincent St. Sund —3G 117
St Vincent's Way. Whit B —3F 37
St Wilfred's Rd. Cor —1E 70
*St Wilfrids Ct. Hex —2C 68 (off St Wilfreds Rd.)*
St Wilfrids Rd. Hex —2C 68
*Saker Pl. W'snd —4F 63 (off Elton St.)*
Salcombe Av. Jar —1D 84
Salcombe Clo. Dal D —4J 145
Salcombe Gdns. Gate —5H 97
Salem Av. Con —1K 133
Salem Hill. Sund —3G 117
Salem Rd. Sund —3G 117
Salem St. Jar —6C 64
Salem St. S Shi —2J 65
Salem St. Sund —3G 117
Salem St. S. Sund —3G 117
Salem Ter. Sund —3G 117
Salisbury Av. Ches S —7A 126
Salisbury Av. N Shi —5F 47
Salisbury Clo. Ash —5D 10
Salisbury Clo. Con —2G 119
Salisbury Clo. Cra —4G 23
Salisbury Clo. Gt Lum —4E 140
Salisbury Gdns. Newc T —5J 61
Salisbury Pl. S Shi —2A 66
Salisbury Rd. Dur —3C 152
Salisbury St. Bly —1H 21
Salisbury St. Con —6J 119
Salisbury St. Gate —5E 82
Salisbury St. Mor —7H 7
Salisbury St. S Hyl —1G 115
Salisbury St. S Shi —3K 65
Salisbury St. S'ley —4D 122
Salisbury St. Sund —2G 117
Salisbury Way. Jar —5B 84
Salkeld Gdns. Gate —6J 81
Salkeld Rd. Gate —1J 97
Sallyport Cres. Newc T —1G 81 (6H 5)
Salmon St. S Shi —1K 65
Saltburn Clo. Hou S —1C 142
Saltburn Gdns. W'snd —2B 64
Saltburn Rd. Sund —5A 116
Saltburn Sq. Sund —5A 116
Salterfen La. Sund —1J 131
Salterfen Rd. Sund —1J 131
Salter La. Sund —1H 129 (SR3)
Salter La. Sund —6J 115 (SR4)
Salters Clo. Newc T —6G 43
Salters Ct. Newc T —6G 43
Salter's La. Has & Shot C —1B 168
Salter's La. Hou S & Sea —1A 144 (in two parts)
Salters' La. Newc T —6H 43 (in two parts)
Salter's La. S Het —4A 156 (in two parts)
Salter's La. Trim —7K 177
Salter's La. Win —5G 179
Salters La. Ind. Est. Newc T —3J 43
Salters Rd. Newc T —1C 60
Saltford. Gate —5J 97
**Saltmeadows. —2J 81**
Saltmeadows. Gate —7M 5
Saltmeadows Rd. Gate —2J 81
Saltwell Park. —7G 81
Saltwell Pl. Gate —6F 81
Saltwell Rd. Gate —6F 81
Saltwell Rd. S. Gate —2G 97
Saltwell St. Gate —6F 81
Saltwell Vw. Gate —7G 81
Salvin St. Crox —7K 173 (in two parts)
Sams Ct. Dud —3H 33
Samson Clo. Newc T —2A 44
Sancroft Dri. Hou S —3E 142
Sandalwood. S Shi —3K 85
Sandalwood Sq. Sund —6G 115
Sandalwood Wlk. S'ley —2G 123
Sandbach. Gt Lum —2E 140
Sanderling Clo. Ryton —2J 77
Sanderlings, The. Sund —3J 131
Sanders Gdns. Bir —3A 112
Sanders Memorial Homes. Ches S —6A 126
Sanderson Rd. Newc T —3G 61
Sanderson Rd. Whit B —6F 37
Sanderson St. Els —3B 80
Sanderson Ter. Cra —7A 24
Sanderson Yd. Newc T —7A 62
Sandfield Rd. E Sle —4F 17
Sandfield Rd. N Shi —1H 47
Sandford Av. Cra —1K 23
Sandford M. Wide —6C 32
Sandford Rd. Con —5D 118
Sandgate. Newc T —1H 81 (6J 5)
Sandgate. New K —5B 122
Sandgate Ho. Newc T —1H 81 (6J 5)
Sandgrove. Sund —5C 86
Sandhill. Newc T —2G 81 (7G 4)
**Sandhoe. —4A 50**
Sandhoe Gdns. Newc T —1H 79
Sandhoe Ter. Newc T —2A 82
Sandholm Clo. W'snd —7K 45
Sandhurst Av. N Shi —2H 47
Sandiacres. Jar —5C 84
Sandison Ct. Bru V —5B 32
Sandmartin Clo. Ash —7C 10
Sandmere Pl. Newc T —7G 59
Sandmere Rd. Lee I —7F 117
Sandon Clo. Back —6G 35
Sandown. Whit B —6D 36
Sandown Clo. Sea D —1H 35
Sandown Ct. W'snd —1A 64
Sandown Gdns. Gate —6E 80
Sandown Gdns. Sund —1B 130
Sandown Gdns. W'snd —1K 63
Sandpiper Clo. Bly —5K 21
Sandpiper Clo. Ryton —2H 77
Sandpiper Clo. Wash —6D 112
Sandpiper Ct. N Shi —4K 47
Sandpiper Pl. Newc T —5J 43
Sandpiper Way. Ash —6B 10
Sand Point Rd. Sund —6G 103
Sandray Clo. Bir —7B 112
Sandridge. Newb S —2K 11
Sandrigg Sq. S Shi —1A 86
Sandringham Av. Newc T —6A 44
Sandringham Clo. Whit B —7B 36
Sandringham Ct. Fel —6A 82
Sandringham Ct. Newc T —6J 43
Sandringham Cres. Pet —6F 171
Sandringham Cres. Sund —3J 129
Sandringham Dri. Bly —6G 21
Sandringham Dri. S'ley —4K 121
Sandringham Dri. Whi —7G 79
Sandringham Dri. Whit B —7B 36
Sandringham Gdns. N Shi —5G 47
Sandringham M. W'snd —1K 63
Sandringham Rd. E Den —5E 58
Sandringham Rd. Gos —1G 61
Sandringham Rd. Sund —5F 103
Sandringham Ter. Sund —5G 103
Sandringham Way. Pon —7G 29
Sandsay Clo. Ryh —1F 131
Sands Flats, The. Dur —2B 164
Sands Ind. Est., The. Swa —5G 79
Sands Rd. Swa —5G 79
Sandstone Clo. S Shi —3F 85
Sand St. S'ley —2G 123
Sandwell Dri. Hou S —1K 127
Sandwich Rd. N Shi —3F 47
Sandwich St. Newc T —3D 82
Sandwick Ter. Whe H —4A 178
Sandy Bank. Rid M —6J 71
Sandy Bay Cvn. Pk. N Sea —7G 11
Sandy Chare. Sund —6G 87
Sandy Cres. Newc T —2C 82
Sandyfield Pk. Newc T —1K 5
Sandyford. Pelt —2F 125
Sandyford Av. Pru —3H 75
Sandyford Ho. Newc T —1H 5
Sandyford Pk. Newc T —5H 61
Sandyford Pl. Pelt —2G 125
Sandyford Rd. Newc T —7G 61 (3G 4)
Sandygate M. Mar H —6H 95
Sandy La. Ash —5F 11
Sandy La. Din —5J 31
Sandy La. Gate —6B 98
Sandy La. Newc T —7G 33
Sandy La. N Gos —7E 32
Sandy La. Rid M —6J 71
Sandypath La. Burn —1A 108 (in two parts)
Sandysykes. Pru —4D 74
Sans St. Sund —1G 117
Sans St. S. Sund —2G 117
Sarabel Av. Chop —1G 15
Sargent Av. S Shi —4K 85
Satley Gdns. Gate —5A 98
Satley Gdns. Sund —6D 116
Saturn Clo. Eas —7A 158
Saturn St. S'hm —3J 145
Saunders Grn. Bow —4H 175
Saunton Ct. Hou S —6C 128
*Saville Ct. S Shi —2K 65 (off Saville St.)*
Saville Pl. Newc T —4G 4
Saville Pl. Sund —2G 117
Saville Row. Newc T —7F 61 (4F 4)
Saville St. N Shi —7H 47
Saville St. S Shi —2K 65
Saville St. W. N Shi —7G 47
Savory Rd. W'snd —2K 63
Saw Mill Cotts. Dip —6J 107
Sawmills La. B'don —1C 172
Saxilby Dri. Newc T —4F 43
Saxon Clo. Cle —5A 86
Saxon Cres. Sund —5B 116
Saxondale Rd. Newc T —7A 42
Saxon Dri. N Shi —3J 47
Saxon Ter. Con —6G 119
Saxon Way. Jar —5C 64
Saxton Gro. Newc T —1J 61
Sayer Wlk. Pet —7C 170
Scafell. Bir —7B 112
Scafell Clo. Pet —6C 170
Scafell Ct. S'ley —6J 121
Scafell Ct. Sund —3B 130
Scafell Dri. Newc T —2K 59
Scafell Gdns. Gate —1C 96
Scalby Clo. Newc T —4F 43
Scales Cres. Pru —4H 75
Scarborough Ct. Cra —5K 23
Scarborough Ct. Newc T —7B 62
Scarborough Pde. Heb —4A 84
Scarborough Rd. Newc T —7B 62 (in two parts)
Scarborough Rd. Sund —1B 130
Scarborough Ter. Ches S —7B 126
Scardale Way. Dur —7J 153
Sceptre Ct. Newc T —2C 80
Sceptre Pl. Newc T —1C 80 (in two parts)
Sceptre St. Newc T —1C 80
Schalksmuhle Rd. Bed —7H 15
Schimel St. Sund —5D 102
School App. S Shi —7C 66
School Av. B Col —2H 181
School Av. Chop —1H 15
School Av. Gate —6B 80
School Av. Kel —7D 176
School Av. W Rai —2K 153
School Clo. Gate —1B 98
School Clo. Mor —6F 7
*School Ct. Sher —3K 165 (off Hallgarth St.)*
School Grn. Thor —7K 167
Schoolhouse La. Mar H —7E 94
School La. Dur —4B 164
School La. H Spen —4E 92
School La. S'ley —4D 122
School La. Whi —7J 79
School Rd. Bed —5B 16
School Rd. E Rai —6C 142
School Row. Hed —4B 90
School St. Bir —4A 112
School St. Gate —4F 81
School St. Heb —6J 63
School St. Pet —7C 158
School St. S'hm —5B 146
School St. Whi —7G 79
School Ter. Hou S —1J 141
School Ter. S'ley —4D 122
School Vw. Eas L —3K 155
School Vw. W Rai —2K 153
Scorer's La. Gt Lum —1F 141
Scorer St. N Shi —7F 47
Scotby Gdns. Gate —4K 97
Scotland Ct. Bla T —5A 78
**Scotland Gate. —3H 15**
Scotland Head. Bla T —7A 78
Scotland St. Sund —3J 131
**Scotswood. —1G 79**
Scotswood Rd. Newc T (in two parts) —7D 58 (10A 4)
Scotswood Sta. App. Newc T —2G 79
Scotswood Vw. Gate —3H 79
Scott Av. Nel V —2H 23
Scott Clo. Hex —4B 68
Scott Ct. Gt Lum —3E 140
Scott Ct. S Shi —3G 85
Scott's Av. Ryton —3C 76
Scotts Bank Sund —6C 102
Scotts Cotts. Dur —2H 163
Scotts Ct. Gate —1F 99
Scott's Ter. Hett H —6G 143
Scott St. H'fd —6K 19
Scott St. Hou S —2D 142
Scott St. S'ley —3E 122
Scott Ter. C'wl —6K 91
Scoular Dri. Ash —4E 10
Scripton Gill. B'don —1C 172
Scripton Gill Rd. B'don —2B 172
Scripton La. B'don —3C 172
Scrogg Rd. Newc T —6C 62
Scruton Av. Sund —6A 116
Sea Bank. Newb S —3J 11
Sea Banks. N Shi —4K 47
Sea Beach Rd. Sund —5J 117
**Seaburn. —3G 103**
Seaburn Av. N Har —4H 25
Seaburn Clo. Sund —3G 103
Seaburn Ct. Sund —3G 103
Seaburn Dri. Hou S —2C 142
Seaburn Gdns. Gate —4B 98
Seaburn Gdns. Sund —3G 103
Seaburn Gro. Sea S —4C 26
Seaburn Hill. Sund —3G 103
Seaburn Ter. Sund —3H 103
Seaburn Vw. N Har —4H 25
Seacombe Av. N Shi —1J 47
Seacrest Av. N Shi —1H 47
Sea Crest Rd. Newb S —1J 11
Seafield Rd. Bly —4J 21
Seafields. Sund —2G 103
Seafield Ter. S Shi —2K 65
Seafield Vw. N Shi —4K 47
Seaforth Rd. Sund —5C 116
Seaforth St. Bly —1J 21
**Seaham. —3B 146**
Seaham Clo. S Shi —7D 66
Seaham Gdns. Gate —5A 98
Seaham Grange Ind. Est. S'hm —7H 131
Seaham Rd. Hou S —2F 143
Seaham Rd. Sund —3J 131
Seaham St. S'hm —5C 146
Seaham St. Sund —2C 130
Sea La. Sund —3G 103 (nr. Chichester Rd.)
Sea La. Sund —7H 87 (nr. Whitburn Bents Rd.)
Sea Life Centre. —3K 47
Seal Ter. Hex —2C 68
**Seal, The. —1C 68**
Seal, The. —1C 68
Sea Rd. S Shi —1A 66
Sea Rd. Sund —3F 103
Seascale Pl. Gate —3K 97
Seaside La. Eas —7K 157
Seaside La. S. Pet —7C 158
Seatoller Ct. Sund —3B 130
**Seaton. —5K 25 (nr. Seaton Delaval)**
**Seaton. —2F 145 (nr. Westlea)**
Seaton Av. Ann —2K 33
Seaton Av. Bed —7K 15
Seaton Av. Bly —5G 21
Seaton Av. Hou S —2F 143
Seaton Av. Newb S —4H 11

Seaton Burn. —3D 32
Seaton Clo. Gate —1F 99
Seaton Cres. H'wll —1K 35
Seaton Cres. Monk —6E 36
Seaton Cres. S'hm —1G 145
Seaton Cft. Ann —3A 34
Seaton Delavel. —7G 25
Seaton Delaval Hall. —4A 26
Seaton Gdns. Gate —4A 98
Seaton Gro. S'hm —2F 145
Seaton Holme. —7J 157
Seaton La. Sea —1F 145
Seaton Pk. S'hm —2H 145
Seaton Pl. Newc T —3C 82
Seaton Pl. Wide —6C 32
Seaton Rd. Shir —7A 36
Seaton Rd. Sund —5K 115
Seaton Sluice. —4D 26
Seaton Terrace. —7H 25
Seatonville Cres. Whit B —1E 46
Seatonville Gro. Whit B —1E 46
Seatonville Rd. Whit B —7D 36
Sea Vw. Ash —7E 10
Sea Vw. B Col —3K 181
Sea Vw. Eas —1K 169
Sea Vw. Ryh —3J 131
Sea Vw. E. Sund —6H 117
Sea Vw. Gdns. H'dn —4E 170
Sea Vw. Gdns. Sund —4G 103
Sea Vw. Ind. Est. Pet —3E 170
Sea Vw. La. Newb S —2J 11
Sea Vw. Pk. Cra —4B 24
Sea Vw. Pk. Sund —6F 87
Sea Vw. Rd. Sund —6G 117
Sea Vw. Rd. W. Sund —6F 117
Sea Vw. St. Sund —6H 117
Sea Vw. Ter. Newb S —2J 11
Seaview Ter. S Shi —2A 66
Seaview Vs. Cra —4B 24
Sea Vw. Wlk. Mur —6G 145
Sea Way. S Shi —2A 66
Second Av. Ash —4B 10
Second Av. Bly —3H 21
Second Av. Ches S —1K 125 (nr. Drum Rd.)
Second Av. Ches S —7K 125 (nr. Waldridge Rd.)
Second Av. Mor —1H 13
Second Av. Newc T —5A 62 (1P 5)
Second Av. Team T —1D 96
Second Av. Tyn T —1B 64
Second St. B Col —2H 181
Second St. Con —4A 120 (in two parts)
Second St. C'hll —7K 119
Second St. Gate —5F 81
Second St. S'ley —7D 122
Secretan Way. S Shi —3J 65
Sedbergh Rd. N Shi —2G 47
Sedgefield Ct. Kil —1B 44
Sedgeletch. —7B 128
Sedgeletch Ind. Est. Fenc —7A 128
Sedgeletch Rd. Fenc —1A 142
Sedgemoor. Newc T —7B 34
Sedgemoor Av. Newc T —2G 79
Sedgewick Pl. Gate —5G 81
Sedley Rd. W'snd —4F 63
Sedling Rd. Wash —6F 113
Sefton Av. Newc T —4A 62
Sefton Ct. Cra —1A 24
Sefton Sq. Sund —5A 116
Segedunum Roman Fort. (site of) —5G 63
Segedunum Way. W'snd —4F 63
Seghill. —2E 34
Seghill Ind. Est. Seg —1D 34
Seine Ct. Jar —7C 64
Selborne Av. Gate —3G 97
Selborne Gdns. Con —3F 119
Selborne Gdns. Newc T —5J 61
Selbourne Clo. Cra —4G 23
Selbourne St. S Shi —3K 65
Selbourne St. Sund —6G 103 (in two parts)
Selbourne Ter. Camb —5H 17
Selby Clo. Cra —1K 23
Selby Ct. Jar —6B 64
Selby Ct. Newc T —2D 82
Selby Gdns. Con —1E 132
Selby Gdns. Newc T —5D 62
Selby Gdns. W'snd —2F 63
Selby Sq. Sund —5A 116
Selina Pl. Sund —6G 103
Selkirk Cres. Bir —2A 112
Selkirk Gro. Cra —1A 24
Selkirk Sq. Sund —5K 115
Selkirk St. Jar —3E 84
Selkirk Way. N Shi —4C 46
Selsdon Av. Sund —6G 115
Selsey Ct. Gate —1C 98
Selwood Ct. S Shi —1B 86
Selwyn Av. Whit B —1D 46
Selwyn Clo. Newc T —2K 59
Serlby Clo. Wash —6G 99
Seton Av. S Shi —2F 85
Seton Wlk. S Shi —2F 85
Setting Stones. Wash —1E 126
Settlingstone Clo. Newc T —2B 62
Sevenacres. Gt Lum —2F 141
Sevenoaks Dri. Sund —5G 115
Seventh Av. Ash —5C 10
Seventh Av. Bly —3H 21 (in two parts)
Seventh Av. Ches S —6K 125
Seventh Av. Mor —1H 13
Seventh Av. Newc T —6A 62 (1P 5)
Seventh Av. Team T —3F 97
Seventh Row. Ash —3K 9
Seventh St. B Col —1H 181
Seventh St. Pet —5E 170 (in two parts)
Severn Av. Heb —3J 83
Severn Clo. Pet —1A 180
Severn Ct. Sund —3B 130
Severn Cres. S'ley —4E 122
Severn Dri. Jar —4C 84
Severn Gdns. Gate —5K 81
Severn Houses. Wash —7A 100
Severn St. C'wl —6A 92
Severs Ter. Newc T —6B 40
Severus Rd. Newc T —6A 60
Seymour Ct. Ash —4F 11
Seymour Ct. Gate —5C 80
Seymour Sq. Sund —5A 116
Seymour St. Con —7H 119
Seymour St. Gate —5C 80
Seymour St. N Shi —1G 65
Seymour St. Pet —6F 171
Seymour Ter. Eas L —2H 155
Seymour Ter. Ryton —1E 76
Shadfen Cres. Peg —4A 8
Shadfen Pk. Rd. N Shi —1G 47
Shadforth. —5E 166
Shadforth Clo. Pet —1J 179
Shadon Way. Bir —4C 112
Shaftesbury Av. B Col —1H 181
Shaftesbury Av. Jar & S Shie —7D 64
Shaftesbury Av. Sund —2G 131
Shaftesbury Av. Whit B —4F 37
Shaftesbury Cres. B Col —1G 181
Shaftesbury Cres. N Shi —1G 47
Shaftesbury Cres. Sund —5B 116
Shaftesbury Gro. Newc T —6K 61 (1N 5)
Shaftesbury Rd. B Col —7G 171
Shaftesbury Wlk. Gate —4E 80
Shafto Clo. Con —2K 133
Shaftoe Clo. Ryton —3D 76
Shaftoe Ct. Gos —5C 42
Shaftoe Ct. Kil —1B 44
Shaftoe Ct. Newc T —1H 79
Shaftoe Cres. Hex —1C 68
Shaftoe Leazes. Hex —1B 68
Shaftoe Rd. Sund —6K 115
Shaftoe Sq. Sund —6K 115
Shaftoe Way. Din —4H 31
Shafto St. Newc T —1G 79
Shafto St. W'snd —2J 63
Shafto Ter. Crag —7K 123
Shafto Ter. S Row —1F 123
Shafto Ter. Wash —1H 113
Shaftsbury Dri. B'don —3C 172
Shakespeare Av. B Col —7G 171
Shakespeare Av. Heb —7J 63
Shakespeare Clo. S'ley —2H 123 (in two parts)
Shakespeare St. Gate —4J 81
Shakespeare St. Hou S —3E 142
Shakespeare St. Jar —5B 64
Shakespeare St. Newc T —1F 81 (5F 4)
Shakespeare St. S'hm —3B 146
Shakespeare St. S Shi —4K 65
Shakespeare St. Sund —5D 102
Shakespeare St. W'snd —2K 63
Shakespeare St. Whe H —3B 178
Shakespeare Ter. Pelt F —6G 125
Shakespeare Ter. Pet —7A 158
Shakespeare Ter. Sund —3E 116
Shalcombe Clo. Sund —3C 130
Shallcross. Sund —4D 116
Shallon Ct. Ash —5A 10
Shalstone. Wash —6K 99
Shamrock Clo. Newc T —5C 58
Shandon Way. Newc T —7A 42 (in two parts)
Shankhouse. —1A 24
Shanklin Pl. Cra —4G 23
Shannon Clo. Sund —6G 101
Shannon Ct. Newc T —5J 41
Shap Clo. Wash —5H 113
Shap Ct. Sund —3B 130
Shap La. Newc T —4G 59
Shap Rd. N Shi —2G 47
Sharnford Clo. Back —6H 35
Sharon Clo. Newc T —2K 43
Sharp Cres. Dur —1E 164 (in two parts)
Sharpendon St. Heb —6J 63
Sharpley Dri. S'hm —2G 145
Shaw Av. S Shi —2H 85
Shawdon Clo. Newc T —1H 59
Shaw Gdns. Gate —6F 83
Shaw La. Con —5G 105
Shaws La. Hex —2A 68
Shaws Pk. Hex —7A 48
Shaw St. S'hm —3B 146
Shaw Wood Clo. Dur —1J 163
Shearlegs Rd. Gate —3J 81 (9M 5)
Shearwater. Whit —3H 87
Shearwater Av. Newc T —5J 43
Shearwater Clo. Newc T —1H 59
Shearwater Way. Bly —5J 21
Sheelin Av. Ches S —1A 140
Sheen Clo. W Rai —1A 154
Sheen Ct. Newc T —7H 41
Sheepfolds N. Sund —7F 103
Sheepfolds Rd. Sund —7F 103
Sheepfolds S. Sund —1F 117
Sheephill. —2B 108
Sheep Hill. Burn —2B 108
Sheepwash. —7G 9
Sheepwash Av. Chop —1G 15
Sheepwash Bank. Chop —1G 15
Sheepwash Rd. Both —4G 9
Sheldon Ct. Newc T —3A 44
Sheldon Gro. Cra —1K 23
Sheldon Gro. Newc T —2C 60
Sheldon Rd. S Shi —4B 66
Sheldon St. Jar —6B 64
Shelford Gdns. Newc T —6E 58
Shelley Av. Bol C —6G 85
Shelley Av. Eas L —3K 155
Shelley Av. Gate —6D 98
Shelley Av. S Shi —1D 86
Shelley Clo. S'ley —3G 123
Shelley Ct. Pelt F —6H 125
Shelley Cres. Bly —4G 21
Shelley Dri. Gate —4J 81
Shelley Gdns. Pelt F —6G 125
Shelley Rd. Newc T —6K 57
Shelley Sq. Pet —1A 170
Shelley St. S'hm —3B 146
Shepherd Clo. Burr —5A 34
Shepherd St. Sund —1C 116
Shepherds Way. W Bol —7G 85
Shepherd Way. Wash —6J 113
Sheppard Ter. Sund —6H 101
Sheppey Ct. Sund —3C 130
Shepton Cotts. Sun —4J 95
Sheraton. Gate —2E 98
Sheraton St. Newc T —5D 60 (1B 4)
Sherborne. Gt Lum —2F 141
Sherborne Av. N Shi —4D 46
Sherburn. —2K 165
Sherburn Grange N. Jar —1A 84
Sherburn Grange S. Jar —1A 84
Sherburn Grn. Row G —4K 93
Sherburn Gro. Hou S —1C 142
Sherburn Hill. —3D 166
Sherburn House. —5J 165
Sherburn Pk. Dri. Row G —4K 93
Sherburn Rd. Dur —2D 164
Sherburn Rd. Est. Dur —3E 164
Sherburn Rd. Flats. Dur —2D 164 (off Sherburn Rd.)
Sherburn Ter. Con —7J 119
Sherburn Ter. Ebc —3H 105
Sherburn Ter. Gate —5A 98
Sherburn Vs. Con —6H 119 (off Maple St.)
Sherburn Way. Gate —1G 99
Sherfield Dri. Newc T —3B 62
Sheridan Grn. Wash —7E 112
Sheridan Rd. S Shi —3G 85
Sheridan St. Sund —1B 116
Sheriff Hill. —2J 97
Sheriff Mt. N. Gate —7J 81
Sheriff Mt. S. Gate —7J 81
Sheriffs Clo. Fel —6K 81
Sheriff's Highway. Gate —1J 97
Sheriff's Moor Av. Eas L —3J 155
Sheringham Av. N Shi —5D 46
Sheringham Clo. Sund —5C 130
Sheringham Dri. Cra —4G 23
Sheringham Gdns. Newc T —3F 57
Sherringham Av. Newc T —7A 42
Sherwood. Mur V —2B 46
Sherwood Clo. Con —2G 119
Sherwood Clo. Mur V —2B 46
Sherwood Clo. Wash —3H 113
Sherwood Ct. Sund —3C 130
Sherwood Pl. Newc T —2E 42
Sherwood Vw. W'snd —1E 62
Shetland Ct. Sund —3C 130
Shibdon Bank. Bla T —5C 78
Shibdon Ct. Bla T —3C 78 (off Shibdon Rd.)
Shibdon Cres. Bla T —4D 78
Shibdon Pk. Vw. Bla T —4D 78
Shibdon Pond Nature Reserve. —4F 79
Shibdon Rd. Bla T —3C 78
Shibdon Way. Bla T —4F 79
Shield Av. Swa —5H 79
Shieldclose. Wash —2E 112
Shield Ct. Fell —3D 68
Shield Ct. Newc T —6H 61 (2J 5)
Shieldfield. —7H 61
Shieldfield Grn. Newc T —7H 61 (4J 5)
Shieldfield Ho. Newc T —3J 5
Shieldfield Ind. Est. Newc T —4K 5
Shieldfield La. Newc T —4K 5
Shieldfield La. Shie —7H 61
Shield Gro. Newc T —6F 43
Shield Row. —1G 123
Shield Row. S'ley —2F 123
Shield Row Gdns. S'ley —1F 123
Shieldrow La. S'ley —6A 122
Shields Pl. Hou S —1E 142
Shields Rd. Ches S —4B 126
Shields Rd. Cle —3B 86
Shields Rd. H Bri —4D 18
Shields Rd. Mor —1G 13
Shields Rd. Newc T —7K 61 (4N 5)
Shields Rd. Pel —6D 82
Shields Rd. Sund —1D 102 (in two parts)
Shields Rd. Whit B —1F 47
Shields Rd. By-Pass. Newc T —7K 61 (4N 5)
Shields Rd. W. Newc T —7J 61 (4M 5)
Shield St. Newc T —7H 61 (4J 5)
Shiel Gdns. Cra —4G 23
Shillaw Pl. Burr —5K 33
Shillmoor Clo. Ches S —1H 139
Shilmore Rd. Newc T —7B 42
Shilton Clo. S Shi —1D 86
Shincliffe. —6E 164
Shincliffe Av. Sund —5J 101
Shincliffe Gdns. Gate —4A 98
Shincliffe La. Sher H —5F 165
Shiney Row. —4A 128
Shinwell Cres. Thor —1J 177
Shinwell Ter. Mur —7D 144
Shinwell Ter. Whe H —3A 178
Shipby. Sund —2B 130
Shipcote. —6G 81
Shipcote La. Gate —6H 81
Shipcote Ter. Gate —6H 81
Shipley Art Gallery. —6H 81
Shipley Av. Newc T —7A 60
Shipley Av. Sund —3G 103
Shipley Ct. Gate —5H 81
Shipley Pl. Newc T —7K 61 (4P 5)
Shipley Ri. Newc T —7A 62 (4P 5)
Shipley Rd. N Shi —5J 47
Shipley St. Lem —7C 58
Shipley Wlk. Newc T —7K 61 (4P 5)
Shipton Clo. Bol C —5E 84
Shire Chase. Dur —3B 152
Shiremoor. —1K 45
Shirley Gdns. Sund —5D 116
Shirwood Av. Whi —2G 95
Shop Row. Hou S —4C 128
Shop Spouts. Bla T —3C 78
Shoreham Ct. Newc T —6J 41
Shoreham Sq. Sund —5A 116
Shorestone Av. N Shi —1H 47
Shore St. Sund —6F 103
Short Gro. Mur —7C 144
Shortridge St. S Shi —2K 65
Shortridge Ter. Newc T —4H 61
Short Row. Cal —6B 40
Short Row. Hou S —5J 127
Shot Factory La. Newc T —3E 80 (9D 4)
Shotley Av. Sund —4D 102
Shotley Bridge. —2F 119
Shotley Ct. Ash —5J 9
Shotley Gdns. Gate —7J 81
Shotley Gro. Rd. Shot B —4D 118
Shotton. —1B 22
Shotton Av. Bly —3J 21
Shotton Bank. Pet —3H 179
Shotton Colliery. —6E 168
Shotton Colliery Ind. Est. Shot C —5F 169
Shotton Edge. —4A 22
Shotton La. Cra —1D 22
Shotton La. Shot C —5F 169 (in two parts)
Shotton La. Stan —1A 22
Shotton Rd. Pet —5D 170
Shotton Rd. Shot C —5G 169
Shotton St. H'fd —6K 19
Shotton Way. Gate —1J 99
Shrewsbury Clo. Newc T —1B 62
Shrewsbury Clo. Pet —7K 169
Shrewsbury Cres. Sund —5A 116
Shrewsbury Dri. Back —6G 35
Shrewsbury St. Gate —6B 80
Shrewsbury St. S'hm —5B 146
Shrewsbury Ter. S Shi —6J 65
Shrigley Gdns. Newc T —7B 42
Shropshire Dri. Dur —2G 165
Shunner Clo. Wash —2E 112
Sibthorpe St. N Shi —7H 47
Side. Newc T —2G 81 (in two parts)
Side Cliff Rd. Sund —4F 103
Sidegate. Dur —2A 164
Side La. Hep —3A 14
Sidlaw Av. Ches S —7J 125
Sidlaw Av. N Shi —3F 47
Sidlaw Ct. Ash —6C 10
Sidmouth Clo. Dal D —4H 145
Sidmouth Clo. Hou S —5C 128
Sidmouth Rd. Gate —4H 97
Sidney Clo. S'ley —3H 123
Sidney Cres. Newb S —4H 11
Sidney Gro. Gate —5F 81
Sidney Gro. Newc T —7C 60
Sidney St. Bly —2H 21
Sidney St. Bol C —6F 85
Sidney St. N Shi —7G 47
Sidney Ter. Tan L —1D 122
Siemans Way. W'snd —5K 45
Silent Bank. Cass —1E 176
Silkeys La. N Shi —7F 47
Silkstun Ct. Sund —2C 130
Silksworth Clo. Sund —1B 130
Silksworth Gdns. Gate —5A 98
Silksworth Hall Dri. Sund —3B 130
Silksworth La. New S —1B 130
Silksworth La. Sund —4D 116
Silksworth Rd. New S —2J 129
Silksworth Ter. Sund —2C 130
Silksworth Way. Sund —3A 130
Silkwood Clo. Cra —1K 23
Silkworth. —3A 130
Silkworth Row. Sund —1E 116
Silloth Av. Newc T —5G 59
Silloth Dri. Wash —5G 99
Silloth Pl. N Shi —2H 47
Silloth Rd. Sund —6K 115
Silvas Ct. Mor —6G 7
Silverbirch Ind. Est. Camp —7K 33
Silver Courts. B'don —1D 172
Silverdale. Sund —5C 130
Silverdale Av. Gate —6H 83
Silverdale Dri. Bla T —5K 77
Silverdale Rd. Cra —1K 23
Silverdale Ter. Gate —6H 81
Silverdale Way. S Shi —3F 85
Silverdale Way. Whi —2F 95
Silver Fox Way. Shir —4K 45
Silver Hill. —2F 49
Silverhill Dri. Newc T —6G 59
Silverlink Bus. Pk. Shir —4A 46 (nr. New York Way)
Silverlink Bus. Pk. W'snd —5K 45 (nr. Siemans Way)
Silverlink N., The. Shir —3J 45
Silverlink, The. W'snd —5A 46
Silver Lonnen. Newc T —6G 59
Silvermere Dri. Ryton —2H 77
Silverstone. Newc T —1C 44
Silverstone Way. Wash —7J 99
Silver St. Con —5F 119
Silver St. Dur —3A 164
Silver St. Newc T —1G 81 (6H 5)
Silver St. N Shi —5K 47
Silver St. Sund —7H 103
Silvertop Gdns. G'sde —5E 76
Silvertop Ter. G'sde —5D 76
Silverwood Gdns. Gate —2D 96
Simonburn. Wash —4D 112
Simonburn Av. Newc T —5A 60
Simonburn Av. N Shi —6C 46
Simonburn La. Ash —5D 10
Simon Pk. Hett H —6G 143
Simon Pl. Wide —6C 32
Simonside. —1G 85
Simonside. Pru —5D 74
Simonside. Sea S —6D 26
Simonside. S Shi —1G 85
Simonside Av. Chop —7J 9
Simonside Av. W'snd —1K 63

Simonside Clo. Mor —1D 12
Simonside Clo. Sea S —6D 26
Simonside E. Ind. Est. S Shi —1E 84
Simonside Hall. S Shi —1F 85
Simonside Ind. Est. Jar —1D 84
Simonside Lodge. Bly —1E 20
Simonside Pl. Gate —4A 98
Simonside Rd. Bla T —5C 78
Simonside Rd. Sund —5K 115
Simonside Ter. Newb S —3H 11
Simonside Ter. Newc T —5K 61
Simonside Vw. Jar —2C 84
Simonside Vw. Pon —4H 29
Simonside Vw. Whi —7G 79
Simonside Wlk. Lob H —2C 96
Simonside Way. Newc T —7D 34
Simon St. S Shi —5H 65
Simpson Clo. Bol C —6E 84
(in two parts)
Simpson Ct. Ash —4E 10
Simpsons Memorial Homes. Ryton —2E 76
Simpson St. Bly —1J 21
Simpson St. Chi —7E 46
Simpson St. Cul —7J 37
Simpson St. Ryton —2J 77
Simpson St. S'ley —2F 123
Simpson St. Sund —7D 102
Simpson Ter. Blu —4B 58
Simpson Ter. Newc T —4J 5
Simpson Ter. Shie —7H 61
Sinclair Dri. Ches S —1B 126
Sinclair Gdns. Sea D —7H 25
Sinderby Clo. Newc T —4F 43
Sir Godfrey Thomson Ct. Gate —6A 82
Sitwell Rd. S'ley —3G 123
Sixth Av. Ash —5B 10
Sixth Av. Bly —4H 21
Sixth Av. Ches S —6K 125
Sixth Av. Mor —1H 13
Sixth Av. Newc T —6A 62 (1P 5)
Sixth Av. Team T —3E 96
Sixth St. B Col —1H 181
Sixth St. Con —1K 133
Sixth St. Pet —5E 170
Skaylock Dri. Wash —5E 112
Skegness Pde. Heb —4A 84
Skelder Av. Newc T —6K 43
Skelton Ct. Newc T —4A 42
Skerne Clo. Pet —1A 180
Skerne Gro. Con —4B 120
Skiddaw Clo. Pet —6C 170
Skiddaw Ct. S'ley —6K 121
Skiddaw Dri. Sund —2E 102
Skiddaw Pl. Gate —3K 97
Skinnerburn Rd. Newc P & Newc T —4D 80 (10A 4)
Skippers Mdw. Ush M —3D 162
(in four parts)
Skipsea Vw. Sund —2F 131
(in two parts)
Skipsey Ct. N Shi —2D 64
Skipton Clo. Bed —7F 15
Skipton Clo. Cra —1A 24
Skipton Grn. Gate —5K 97
(in two parts)
Skirlaw Clo. Wash —4H 113
Ski Vw. Sund —1B 130
Skye Ct. Sund —3C 130
Skye Gro. Jar —4E 84
Slacks Plantation Nature Reserve. —4B 56
Slaidburn Rd. S'ley —2F 123
Slake Rd. Jar —5D 64
Slake Ter. S Shi —6H 65
Slaley. Wash —7J 113
Slaley Clo. Gate —7G 83
Slaley Ct. Bed —7K 15
Slaley Ct. Sund —3C 130
Slater Pl. Bow —5H 175
Slater's Row. Gt Lum —3E 140
(in two parts)
Slatyford La. Newc T —5G 59
Sled La. Wylam —2A 76
Sledmere Clo. Pet —4B 170
Sleekburn Av. Bed —5B 16
Sleetburn La. Lang M —6F 163
Slingley Clo. S'hm —1G 145
Slingsby Gdns. Newc T —2B 62
Sloane Ct. Newc T —6G 61 (2G 4)
Smailes La. Highf —5G 93
Smailes St. S'ley —4E 122
**Smallburn. —1H 29**
Smallholdings. Newb S —1G 11
Smallhope Dri. Lan —7K 135
Smeaton Ct. W'snd —4A 64
Smeaton St. W'snd —4A 64
Smillie Clo. Pet —5B 170
Smillie Rd. Pet —3C 170
Smithburn Rd. Gate —7B 82
Smith Clo. Sher —3K 165
Smithfield. Dur —3K 151
Smith Fld. Pet —7B 158
Smith Ga. Hou S —6D 128
Smith Gro. Sund —3G 131
Smith's Ter. Eas L —2H 155
Smith St. S Shi —5H 65
Smith St. Sund —3H 131
Smith St. S. Sund —3H 131
Smith Ter. Gate —5D 80
Smithyford. Gate —6J 97
Smithy La. Lam —6G 97
Smithy Sq. Cra —4K 23
Smithy St. S Shi —2J 65
Smyrna Pl. Sund —2G 117
Snaith Ter. Win —5F 179
Sniperley Gro. Dur —6H 151
Snipes Dene. Row G —4J 93
Snowdon Ct. S'ley —6K 121
Snowdon Gdns. Gate —1C 96
Snowdon Gro. W Bol —7H 85
Snowdon Pl. Pet —7J 169
Snowdon Ter. H Spen —2D 92
Snowdon Ter. Sund —2H 131
Snowdrop Av. Pet —5D 170
Snowdrop Clo. Bla T —4A 78
Snow's Grn. Rd. Con —3E 118
Soane Gdns. S Shi —3K 85
Softley Pl. Newc T —6F 59
Solingen Est. Bly —4K 21
Solway Av. N Shi —2G 47
Solway Rd. Heb —2K 83
Solway Sq. Sund —5A 116
Solway St. Newc T —2A 82
Somerford. Spri —5D 98
Somersby Dri. Newc T —7A 42
Somerset Clo. Ash —3J 9
Somerset Cotts. Sund —7C 116
Somerset Gdns. W'snd —2E 62
Somerset Gro. N Shi —4D 46
Somerset Pl. Newc T —2D 80 (6A 4)
Somerset Rd. Con —3C 132
Somerset Rd. Heb —3K 83
Somerset Rd. Sund —5K 115
Somerset Sq. Sund —5K 115
Somerset St. Sund —1C 130
Somerset Ter. E Bol —7K 85
Somerton Ct. Newc T —6J 41
Somervyl Ct. Newc T —5H 43
Sophia. S'hm —3B 146
Sophia St. S'hm —3B 146
Sophy St. Sund —5E 102
Sorley St. Sund —2C 116
Sorrel Clo. Ash —5A 10
Sorrel Gdns. S Shi —3A 86
Soulby Ct. Newc T —4K 41
Sourmilk Hill La. Gate —1J 97
Souter Point Lighthouse. —1H 87
Souter Rd. Newc T —7C 42
Souter Vw. Sund —4H 87
South App. Ches S —6K 125
South Av. Ryton —1G 77
South Av. Shad —4E 166
South Av. S Shi —1B 86
South Av. Wash —7G 99
South Av. Whi —2H 95
South Bailey. Dur —4A 164
South Bank. Gate —6E 98
(off Stoney La.)
South Bend. Newc T —3D 42
**South Bents. —1G 103**
S. Bents Av. Sund —1G 103
**South Benwell. —2K 79**
S. Benwell Rd. Newc T —2J 79
**South Boldon. —7H 85**
Southburn Clo. Hou S —2C 142
South Burns. Ches S —5A 126
S. Burn Ter. N Her —3C 128
Southcliff. Whit B —7J 37
South Cliffe. Sund —5H 103
South Clo. Eas L —3K 155
South Clo. Rid M —7J 71
South Clo. Ryton —2G 77
South Clo. S Shi —1B 86
South Clo. Sund —3H 131
S. Coronation St. Mur —1F 157
(off E. Coronation St.)
Southcote. Whi —2G 95
South Cres. Bol C —6F 85
South Cres. Dur —1K 163
South Cres. Hou S —1K 141
South Cres. Pet —3C 170
South Cres. S'hm —3C 146
South Cres. Wash —1F 127
South Cft. Newc T —5C 44
Southcroft. Wash —7H 113
S. Cross St. Con —5A 120
S. Cross St. Newc T —1E 60
South Dene. S Shi —1H 85
Southdowns. Ches S —7A 126
South Dri. Heb —2G 83
South Dri. Sea B —4A 22
South Dri. Sund —5B 86
South Dri. Wool —4G 41
S. Durham Ct. Sund —2G 117
S. East Vw. Pet —5F 171
South Eldon St. S Shi —6H 65
South End. H Pitt —7C 154
South End. Sund —6A 86
Southend Av. Bly —3G 21
Southend Pde. Heb —4A 84
Southend Rd. Gate —3J 97
Southend Rd. Sund —6A 116
Southend Ter. Gate —1K 97
Southern Clo. Ash —5F 11
Southern Rd. Newc T —2D 82
Southern Way. Ryton —2G 77
Southernwood. Gate —6J 97
Southey St. S Shi —5J 65
(in two parts)
Southfield. Mor —2F 13
Southfield. Pelt —2G 125
Southfield Gdns. Whi —7J 79
Southfield Grn. Whi —1J 95
Southfield La. Newc T —5C 106
Southfield Rd. Newc T —6A 44
Southfield Rd. S Shi —5B 66
Southfield Rd. Whi —1J 95
Southfields. Dud —4J 33
Southfields. S'ley —5E 122
Southfield Ter. Newc T —2E 82
Southfield Ter. Whi —1J 95
Southfield Way. Dur —7J 151
S. Foreshore. S Shi —3B 66
Southfork. Newc T —5C 58
S. Frederick St. S Shi —6H 65
South Front. Newc T —5G 61 (1G 4)
Southgate. Newc T —2A 44
Southgate Ct. Newc T —6H 43
Southgate Wood. Mor —3G 13
**South Gosforth. —1F 61**
Southgrange. S'hm —1H 145
S. Grange Pk. S'hm —7H 131
South Grn. Hett —7C 174
South Gro. Ryton —2H 77
**South Hetton. —4C 156**
S. Hetton Ind. Est. S Het —4C 156
S. Hetton Rd. Eas L —3K 155
S. Hill Cres. Sund —3D 116
S. Hill Rd. Gate —5E 80
**South Hylton. —2G 115**
Southhill Rd. S Shi —7C 66
Southlands. Coxh —6J 175
Southlands. Gate —5A 98
(in two parts)
Southlands. Jar —5D 84
Southlands. Newc T —3J 61
Southlands. N Shi —4H 47
Southlands. Sund —3H 131
South La. E Bol —7J 85
South Lea. Bla T —5C 78
South Lea. Wit G —2D 150
S. Leam Farm. Gate —3E 98
South Leigh. Tan L —7D 108
Southleigh. Whit B —6H 37
S. Lodge Wood. Hep —4B 14
S. Magdalene. Con —7K 105
S. Market St. Hett H —6H 143
Southmayne Rd. Sund —4K 115
Southmead Av. Newc T —4H 59
S. Meadows. Dip —1H 121
South M. Shad —6E 166
**South Moor. —5D 122**
Southmoor Rd. Newc T —6D 62
South Moor Rd. S'ley —5E 122
S. Nelson Ind. Est. Cra —2G 23
S. Nelson Rd. Cra —2G 23
**South Newsham. —6H 21**
South Newsham Nature Reserve. —6G 21
S. Newsham Rd. Bly —6G 21
South Pde. Chop —2G 15
South Pde. Gate —4F 83
South Pde. N Shi —3E 64
South Pde. Stoc —7G 73
South Pde. Thor —1K 177
South Pde. Whit B —6H 37
South Pk. Hex —3D 68
**South Pelaw. —4K 125**
Southport Pde. Heb —3A 84
S. Preston Gro. N Shi —7G 47
S. Preston Ter. N Shi —7G 47
(off Albion Rd. W.)
S. Promenade. S Shi —2B 66
S. Railway St. S'hm —3B 146
South Ridge. Ash —5F 11
South Ridge. Newc T —4D 42
South Riggs. Bed —1H 19
South Rd. C'wl —6K 91
(in two parts)
South Rd. Dur —1K 173
South Rd. Pru —4F 75
South Row. Gate —2J 81 (8N 5)
S. Sherburn. Row G —6H 93
**South Shields. —2J 65**
South Shields Museum & Art Gallery. —2K 65
S. Shore Rd. Gate —2H 81 (7J 5)
(in three parts)
South Side. N Sea —5F 11
(in two parts)
South Side. Pet —1K 169
South Side. Shad —6E 166
**South Stanley. —5E 122**
South St. Ches S —5K 125
South St. Con —7K 119
South St. Dur —3A 164
South St. E Rai —6C 142
South St. Fenc —2A 142
South St. Gate —5H 81
(in two parts)
South St. Gos —7C 42
South St. Heb —6K 63
South St. H Spen —3D 92
South St. Nbtle —6D 128
South St. Newc T —2F 81 (8E 4)
South St. Sher —3A 166
South St. Shir —7K 35
South St. Sund —1E 116
(in two parts)
South St. W Rai —1A 154
Southstreet Banks. Dur —4A 164
South Ter. C'wl —7K 91
South Ter. Corn C —2A 160
South Ter. Dur —6J 151
South Ter. Esh W —3E 160
South Ter. Hep —3B 14
South Ter. Mor —6F 7
South Ter. Mur —1F 157
(off E. Coronation St.)
South Ter. Pet —5D 170
South Ter. S'hm —3C 146
South Ter. Sund —6D 102
South Ter. W'snd —3J 63
South Thorn. S'ley —2F 123
South Vw. Ann P —6A 122
South Vw. Ann —2K 33
South Vw. Ash —3A 10
South Vw. Bear —1D 162
South Vw. Bir —4B 112
South Vw. Brid —5E 118
South Vw. B'hpe —5D 136
South Vw. Camb —2F 17
South Vw. Cas E —4K 179
South Vw. Ches S —7H 139
South Vw. C'wl —7J 91
South Vw. Clar V —6C 56
South Vw. Crag —6H 123
South Vw. Dur —2D 164
South Vw. Eas L —3K 155
South Vw. E Den —5E 58
South Vw. E Sle —5D 16
South Vw. Guid —1G 15
South Vw. Has —1A 168
South Vw. Haz —7C 32
South Vw. Hett —7C 174
South Vw. H Spen —4D 92
South Vw. Jar —7A 64
South Vw. Lang P —5J 149
South Vw. Mead —2E 172
South Vw. Mic —5A 74
South Vw. Mur —7F 145
South Vw. Newf —4E 124
South Vw. News —5G 21
South Vw. Peg —4B 8
South Vw. Pelt —2C 124
(nr. High Handenhold)
South Vw. Pelt —2G 125
(nr. Pelton)
South Vw. Pru —4D 74
South Vw. Ryton —2D 76
South Vw. Sac —6D 138
South Vw. S'hm —5H 145
South Vw. S Hill —3D 166
South Vw. Shin R —3B 128
South Vw. S Hyl —3G 115
South Vw. Sund —4F 103
South Vw. Tant —6B 108
South Vw. Ush M —2B 162
South Vw. Wash —7J 113
South Vw. Whe H —4A 178
(in two parts)
South Vw. Whit —3H 87
South Vw. Bungalows. H Spen —4D 92
S. View E. Row G —5G 93
Southview Gdns. Hex —2C 68
S. View Gdns. S'ley —6A 122
S. View Pl. Cra —4K 23
S. View Rd. Sund —3G 115
S. View Ter. Bear —1D 162
S. View Ter. Gate —6B 82
S. View Ter. Hou S —2B 142
S. View Ter. Swa —6H 79
S. View Ter. Whi —1H 95
S. View W. Newc T —7J 61 (3M 5)
S. View W. Row G —5F 93
Southward. Sea S —5D 26
Southward Clo. Sea S —5D 26
Southward Way. H'wll —2J 35
Southway. Gate —1K 97
Southway. Lan —6J 135
Southway. Newc T —6E 58
Southway. Pet —7A 170
**South Wellfield. —7B 36**
S. West Ind. Est. S West —6H 169
**Southwick. —5D 102**
Southwick Ind. Est. Sund —5A 102
Southwick Rd. Sund —5D 102
(in two parts)
Southwold Gdns. Sund —1B 130
(in two parts)
Southwold Pl. Cra —4G 23
S. Woodbine St. S Shi —3K 65
Southwood Cres. Row G —5K 93
Southwood Gdns. Newc T —1A 60
Sovereign Ct. Newc T —2C 80
Sovereign Ho. N Shi —5K 47
Sovereign Pl. Newc T —2C 80
Sowerby St. Sac —1D 150
Spa Dri. Con —1E 118
Spainish City Bldgs. Whit B —5G 37
Spalding Clo. Newc T —1A 62
Sparkwell Clo. Hou S —5D 128
Spartylea. Wash —7K 113
Spa Well Clo. Bla T —6B 78
Spa Well Dri. Sund —5J 101
Spa Well Rd. Winl M —1D 94
Speculation Pl. Wash —7H 99
Speedway Stadium. —7B 62
Speedwell. Gate —2A 98
Speedwell Ct. Ash —6K 9
Spelter Works Rd. Sund —6H 117
Spelvit La. Mor —1E 12
Spen Burn. H Spen —4E 92
Spencer Clo. S'ley —3H 123
Spencer Ct. Bly —7F 17
Spencer Dri. Peg —4A 8
Spencer Gro. Whi —6H 79
Spencer Rd. Bly —7F 17
Spencers Bank. Swa —5G 79
(off Market La.)
Spencers Entry. Newc T —6J 5
Spencer St. Con —6H 119
Spencer St. Heb —6K 63
Spencer St. Jar —5B 64
Spencer St. Newc T —5A 62
Spencer St. N Shi —7G 47
Spencer Ter. Newc T —4B 58
Spence Ter. N Shi —7F 47
Spenfield Rd. Newc T —2K 59
Spen La. G'sde —1D 92
Spen La. H Spen —3E 92
Spen Rd. H Spen —3D 92
Spenser Wlk. S Shi —3G 85
Spen St. S'ley —4E 122
Spetchells. Pru —3F 75
Spinneyside Gdns. Gate —7B 80
Spinney Ter. Newc T —7D 62
Spinney, The. Ann —3A 34
Spinney, The. Kil V —2C 44
Spinney, The. Mor —2G 13
Spinney, The. Newc T —3K 61
Spinney, The. Pet —7J 157
Spinney, The. Wash —6H 113
Spire Hollin. Pet —6A 170
Spire Rd. Wash —2K 113
Spires La. Newc T —7A 62
Spital Cres. Newb S —4G 11
Spital La. Hex —7A 48
Spital Rd. Newb S —4G 11
Spital Ter. Newc T —7E 42
**Spital Tongues. —6C 60**
Spital Vs. Hor —2B 54
Spittal Ter. Hex —1C 68
Split Crow Rd. Gate & Fel —6J 81
Spohr Ter. S Shi —4K 65
Spoors Cotts. Whi —1G 95
Spoor St. Gate —5B 80
Spout La. Wash —7H 99
(in three parts)
Spoutwell La. Cor —1E 70
Springbank Rd. Newc T —6J 61 (1L 5)
Springbank Rd. Sund —5K 115
Springbank Sq. Sund —5K 115
Spring Clo. Ann P —6A 122
Spring Clo. Con —6G 105
Springfeld. Gate —3D 98
Springfell. Bir —5B 112
(in two parts)
Springfield. N Shi —6G 47
Springfield. O'ton —2K 73

Springfield Av. Gate —6A 98
Springfield Clo. O'ton —2K 73
Springfield Cres. S'hm —4A 146
Springfield Gdns. Ches S —4A 126
Springfield Gdns. W'snd —1D 62
Springfield Gro. Whit B —1E 46
Springfield Pk. Dur —1J 163
Springfield Pk. For H —4B 44
Springfield Pl. Gate —1J 97
Springfield Rd. Bla T —4C 78
Springfield Rd. Hex —2E 68
Springfield Rd. Hou S —6D 128
Springfield Rd. Newc T —4J 59
Springfield Ter. Fel —7A 82
Springfield Ter. Pelt F —4G 125
Springfield Ter. Pet —1D 170
Springfield Ter. Spri —6D 98
Spring Garden Clo. Sund —1G 117
Spring Garden La. Newc T —7D 60 (4B 4)
Spring Gdns. Lan —4K 135
Spring Gdns. N Shi —7F 47
**Spring Hill. —7E 6**
Springhill Gdns. Newc T —7K 59
Springhill Wlk. Mor —1E 12
Springhouse La. Ebc —7G 105
Spring La. Con —2F 119
Spring Pk. Bed —1J 19
Springside. Sac —7E 138
Springs, The. Bir —5B 112
(in two parts)
Spring St. Newc T —7D 60 (4C 4)
Springsyde Clo. Whi —2E 94
Spring Ter. N Shi —6G 47
Spring Ville. E Sle —4D 16
**Springwell. —5K 115**
**(nr. Pennywell)**
**Springwell. —6D 98**
**(nr. Usworth)**
Springwell Av. Dur —1J 163
Springwell Av. Gate —4A 98
Springwell Av. Jar —7C 64
Springwell Av. Lang P —5J 149
Springwell Av. Newc T —2C 82
Springwell Bldgs. Pet —5E 170
Springwell Clo. Bla T —5D 78
Spring Well Clo. Lang P —5J 149
**Springwell Estate. —3C 98**
Springwell La. Gate —4C 98
Springwell Rd. Dur —1J 163
Springwell Rd. Gate —4A 98
Springwell Rd. Jar —1B 84
Springwell Rd. Spri —5D 98
Springwell Rd. Sund —4K 115
Springwell Ter. Gate —4C 98
Springwell Ter. Hett H —7G 143
Springwood. Heb —6G 63
Square Houses. Gate —7K 81
Square, The. Chop —1G 15
Square, The. Lan —7K 135
Square, The. Pres —6C 30
Square, The. Whi —7H 79
Squires Building. Newc T —2G 4
Squires Gdns. Gate —7B 82
Stack Gth. B'don —7E 162
Stadium Ind. Pk. Gate —3K 81 (10P 5)
Stadium of Light. —7E 102
Stadium Rd. Gate —3K 81 (10N 5)
Stadium Vs. W'snd —3G 63
Stadium Way. Sund —6E 102
Stadon Way. Hou S —5C 128
Stafford Gro. Ryh —3G 131
Stafford Gro. S'wck —5D 102
Stafford La. Whi —6H 87
Stafford Pl. Pet —5K 169
Staffordshire Dri. Dur —1H 165
Stafford St. Hett H —6F 143
Stafford St. Sund —7H 103
Stafford Vs. Gate —6D 98
Stagshaw. Kil —6A 34
Stagshaw Rd. Cor —6D 50
Staindrop. Gate —2E 98
Staindrop Rd. Dur —5B 152
Staindrop Ter. S'ley —5K 121
Staines Rd. Newc T —2B 82
Stainmore Dri. Gt Lum —3F 141
Stainton Dri. Gate —6B 82
Stainton Gdns. Gate —5A 98
Stainton Gro. Sund —2E 102
Stainton Way. Pet —6A 170
Staithe Ho. Wash —5A 114
Staithes Av. Newc T —6A 44
Staithes La. Mor —6G 7
Staithes Rd. Dun —4C 80
Staithes Rd. Pat I —5A 114
Staithes St. Newc T —7F 63
Staith La. Bla T —2A 78
**Stakeford. —1J 15**
Stakeford Cres. Chop —1K 15
Stakeford La. Chop —1H 15
Stakeford Rd. Bed —5A 16
Stakeford Ter. Chop —1J 15
Stalks Rd. Wide —5D 32
Stamford. Newc T —7B 34
Stamford Av. Sea D —1J 35
Stamford Av. Sund —5B 116
Stamfordham Av. N Shi —7D 46
Stamfordham Clo. W'snd —3E 62
Stamfordham M. Newc T —4K 59
Stamfordham Rd. Newc T —4D 38
Stampley Clo. Bla T —6A 78
Stamps La. Sund —1H 117
Stancley Rd. Pru —4G 75
Standerton Ter. S'ley —6H 123
Standish St. S'ley —4D 122
Stanelaw Way. Tan L —7F 109
Staneway. Gate —2C 98
Stanfield Ct. Newc T —2C 62
Stanfield Gdns. Gate —6G 83
Stang Wlk. Newc T —5A 44
Stanhope. Wash —3D 112
Stanhope Chase. Pet —2B 180
Stanhope Clo. Dur —4B 152
Stanhope Clo. Hou S —3D 142
Stanhope Clo. Mead —1E 172
Stanhope Gdns. S'ley —5K 121
Stanhope Pde. S Shi —5K 65
Stanhope Rd. Jar —1D 84
Stanhope Rd. S Shi —7H 65
Stanhope Rd. Sund —3G 103
Stanhope St. G'sde —5D 76
Stanhope St. Newc T —7C 60 (4A 4)
Stanhope St. S Shi —2J 65
Stanhope Way. Newc T —7D 60 (4A 4)
**Stanley. —2F 123**
Stanley By-Pass. S'ley —4D 122
Stanley Clo. Sher —3K 165
Stanley Ct. S'ley —3G 123
Stanley Cres. Pru —3G 75
*Stanley Cres. Whit B —7H 37*
*(off Alma Pl.)*
Stanley Gdns. Con —6J 119
Stanley Gdns. Gate —5A 98
Stanley Gdns. Seg —2D 34
Stanley Gro. Bed —7K 15
Stanley Gro. Newc T —2J 61
Stanley St. Bly —1K 21
Stanley St. Con —6H 119
Stanley St. Hou S —1E 142
Stanley St. Jar —6C 64
Stanley St. Newc T —2B 80
Stanley St. N Shi —7G 47
Stanley St. S'hm —2K 145
Stanley St. S Shi —1H 85
Stanley St. Sund —6H 101
Stanley St. W'snd —2K 63
Stanley St. W. N Shi —7G 47
Stanley Ter. Ches S —7B 126
Stanley Ter. Hou S —3B 128
Stanley Ter. Thor —1J 177
Stanmore Rd. Newc T —4A 62
Stannerford Rd. Ryton —7C 56
Stanners, The. Cor —1D 70
Stanners Vw. Clar V —6C 56
Stannington Av. Newc T —6K 61 (1P 5)
Stannington Gdns. Sund —6E 116
Stannington Gro. Newc T —6K 61 (1N 5)
Stannington Gro. Sund —5E 116
Stannington Pl. Newc T —6A 62 (1P 5)
Stannington Pl. Pon —3J 29
Stannington Rd. N Shi —7C 46
Stannington Sta. Rd. Stan —1A 18
Stannington St. Bly —2K 21
Stansfield St. Sund —6G 103
Stanstead Clo. Sund —7G 101
Stanton Av. Bly —4F 21
Stanton Av. S Shi —6A 66
Stanton Clo. Gate —7H 83
Stanton Dri. Peg —4A 8
Stanton Gro. N Shi —3G 47
Stanton Rd. N Shi —3F 47
Stanton Rd. Shir —1J 45
Stanton St. Newc T —7C 60
Stanway Dri. Newc T —2J 61
Stanwick St. N Shi —4K 47
Stapeley Ct. Newc T —7K 41
Stapeley Vw. Newc T —7K 41
Staple Rd. Jar —6C 64
Stapylton Dri. Sund —4D 116
Starbeck Av. Newc T —6H 61
(in two parts)
Starbeck M. Newc T —6H 61 (1J 5)
Stardale Av. Bly —3E 20
**Stargate. —2H 77**
Stargate Clo. Lang P —5G 149
Stargate Gdns. Gate —5A 98
Stargate Ind. Est. Ryton —3H 77
Stargate La. Ryton —1J 77
Starlight Cres. Sea D —7G 25
Startforth Clo. Gt Lum —3F 141
Station App. Bent —6B 44
Station App. Dur —2K 163
Station App. E Bol —6A 86
Station App. S Shi —2J 65
Station App. Stoc —7H 73
Station App. Team T —3F 97
Station Av. B'don —1E 172
Station Av. Esh W —4E 160
Station Av. Hett H —7G 143
Station Av. N. Fenc —1K 141
Station Av. S. Fenc —1K 141
Station Bank. Dur —2A 164
Station Bank. Mic —4A 74
Station Bank. Ryton —7G 57
Station Bri. Ash —3A 10
Station Clo. Rid M —6K 71
Station Cotts. Beam —1A 124
Station Cotts. Faw —6B 42
Station Cotts. L Grn —2G 107
Station Cotts. Newc T —6B 44
Station Cotts. Pet —6G 171
Station Cotts. Pon —5J 29
Station Cotts. Seg —2E 34
Station Cotts. S Shi —7H 65
Station Cres. S'hm —2K 145
Station Est. E. Mur —7C 144
Station Est. N. Mur —7C 144
(in two parts)
Station Est. S. Mur —7C 144
Station Fld. Rd. Tan L —7F 109
Station Houses. Pelt F —4G 125
Station La. Bir —4K 111
Station La. Dur —2C 164
Station La. Pelt —2F 125
Station La. Win —7G 179
Station La. Ind. Est. Bir —4K 111
Station Rd. Ann P —6K 121
Station Rd. Ash —3K 9
Station Rd. Back —7G 35
Station Rd. Beam —1A 124
Station Rd. Bed —6A 16
Station Rd. Bill Q —4F 83
Station Rd. B Col —3K 181
Station Rd. Bly —5G 21
Station Rd. Bol C —4E 84
Station Rd. Camp —6K 33
Station Rd. Ches S —6A 126
Station Rd. Con —7J 119
Station Rd. Cor —2D 70
Station Rd. Cra —3H 23
Station Rd. Cul —1J 47
Station Rd. Dud —3H 33
Station Rd. E Bol —7K 85
Station Rd. For H —4B 44
Station Rd. Gos —7G 43
Station Rd. Heb —7H 63
Station Rd. Hed W —3C 56
(in two parts)
Station Rd. Hes —4E 180
Station Rd. Hett H —7G 143
Station Rd. Hex —1D 68
Station Rd. Hou S —1D 142
(nr. Brinkburn Cres.)
Station Rd. Hou S —1K 127
(nr. Station Rd. E.)
Station Rd. Ken F —6H 41
Station Rd. Lan —7K 135
Station Rd. Low F —2G 97
Station Rd. L Pit —5A 154
Station Rd. Mead —2E 172
Station Rd. Mur —7C 144
Station Rd. Newb —6K 57
Station Rd. Newc T —2E 82
Station Rd. Pat I —3J 113
Station Rd. Pen —7J 113
Station Rd. Per M —1D 64
Station Rd. Pet —7D 158
Station Rd. Pru —3D 74
Station Rd. Row G —6J 93
Station Rd. Ryh —3J 131
Station Rd. S'hm —2H 145
Station Rd. Sea D —6E 24
Station Rd. Seg —2D 34
Station Rd. Shin R —3A 128
Station Rd. Shot C —5D 168
Station Rd. S Shi —4J 65
Station Rd. S'ley —2F 123
Station Rd. Sund —3E 102
Station Rd. Trim S —7B 178
Station Rd. Ush M —3B 162
Station Rd. W'snd —2E 62
Station Rd. W Rai —1J 153
Station Rd. Whit B —7H 37
Station Rd. Will Q —4A 64
Station Rd. Win —7G 179
Station Rd. Wylam —7K 55
Station Rd. Bungalows. B Col —3K 181
Station Rd. E. Hou S —1J 127
Station Rd. E. Trim S —7B 178
Station Rd. N. Hett H —7G 143
Station Rd. N. Mur —7C 144
Station Rd. N. Newc T —4B 44
Station Rd. N. W'snd —6D 44
Station Rd. S. Mur —7C 144
Station Rd. W. Trim S —7B 178
Station Sq. Whit B —7H 37
Station St. Bed —5B 16
Station St. Bly —1J 21
Station St. Has —1B 168
Station St. Jar —6B 64
Station St. Sund —1F 117
Station St. Wat —6C 160
Station Ter. Con —7J 119
Station Ter. E Bol —7A 86
Station Ter. Hou S —1K 141
Station Ter. N Shi —5K 47
Station Ter. Wash —7J 99
**Station Town. —7H 179**
Station Vw. Ches S —6A 126
Station Vw. Esh W —5E 160
Station Vw. Hett H —7G 143
Staveley Rd. Pet —6C 170
Staveley Rd. Sund —2E 102
Stavordale St. S'hm —4B 146
(in three parts)
Stavordale St. W. S'hm —5B 146
Stavordale Ter. Gate —7J 81
Staward Av. Sea D —1H 35
Staward Ter. Newc T —2D 82
Staynebrigg. Gate —1E 98
Steadings, The. G'sde —5D 76
Steadlands Sq. Bed —7A 16
Stead La. Bed —7K 15
Steadman's La. Que —7A 148
Steads, The. Mor —2G 13
Stead St. W'snd —2A 64
Steavenson St. Bow —5H 175
Stedham Clo. Wash —5J 99
Steel St. Con —6H 119
Steep Hill. Sund —2J 129
Steetley Ter. Quar H —6D 176
**Stella. —2A 78**
Stella Bank. Bla T —1K 77
Stella Cotts. Bla T —2A 78
Stella Gill Ind. Est. Pelt F —4H 125
Stella Hall Dri. Bla T —2A 78
Stella La. Bla T —2K 77
Stella Rd. Bla T —1A 78
Stephen Ct. Jar —7C 64
Stephenson Building. Newc T —1E 4
Stephenson Cen., The. Newc T —1B 44
Stephenson Clo. Hett H —6G 143
Stephenson Ct. N Shi —7H 47
Stephenson Ct. Wylam —7A 56
Stephenson Ho. Newc T —2A 44
Stephenson Ind. Est. Newc T —2A 44
Stephenson Ind. Est. Wash —5J 99
Stephenson Railway Museum. —5A 46
Stephenson Rd. H Hea —4K 61
Stephenson Rd. N East —3A 170
Stephenson Rd. Wash —5H 99
Stephenson's La. Newc T —8F 4
Stephenson Sq. Pet —1A 170
Stephensons's La. Newc T —2F 81
Stephenson St. Gate —6F 81
Stephenson St. Mur —7E 144
Stephenson St. N Shi —6H 47
Stephenson St. Tyn —5K 47
Stephenson St. W'snd —4A 64
Stephenson Ter. Blu —4B 58
Stephenson Ter. Gate —7B 82
Stephenson Ter. Thro —3G 57
Stephenson Ter. Wylam —7K 55
Stephenson Trail, The. Newc T —3D 44
Stephenson Way. Bed —4J 15
Stephenson Way. Bla T —6B 78
Stephens Rd. Mur —7D 144
Stephen's Ter. Whe H —2B 178
Stephen St. Bly —1J 21
Stephen St. Con —6H 119
Stephen St. H'fd —6K 19
Stephen St. Newc T —7J 61 (4M 5)
Stepney Bank. Newc T —7H 61 (4K 5)
Stepney La. Newc T —1H 81 (5J 5)
Stepney Rd. Newc T —7H 61 (3K 5)
Sterling St. Sund —2C 116
Stevens Grn. Sund —2C 130
Stevenson Rd. S'ley —3G 123
Stevenson St. Hou S —2D 142
Stevenson St. S Shi —4K 65
Steward Cres. S Shi —6D 66
Stewart Av. Sund —3G 131
Stewart Dri. W Bol —7H 85
Stewart Dri. Win —4G 179
Stewartsfield. Row G —5H 93
Stewart St. New S —2C 130
Stewart St. Pet —7B 158
Stewart St. S'hm —4C 146
Stewart St. Sund —3D 116
Stewart St. E. S'hm —4C 146
Stileford. Gate —7E 82
Stillington Clo. Ryh —4H 131
Stirling Av. Jar —2E 84
Stirling Av. Row G —6J 93
Stirling Clo. Wash —4A 114
Stirling Cotts. Gate —7A 82
Stirling Ct. Team T —5G 97
Stirling Dri. Bed —6A 16
Stirling Dri. N Shi —4C 46
Stirling La. Row G —6J 93
Stobart Gdns. Edm —3D 138
Stobart St. Sund —7E 102
Stobb Ho. Vw. B'don —7C 162
**Stobhill. —2H 13**
**Stobhillgate. —1H 13**
Stobhill Vs. Mor —1G 13
Stock Bri. Newc T —1G 81 (6H 5)
*Stockdale Gdns. Newc T —2E 82*
*(off Rochester St.)*
Stockerley La. Con —4C 134
Stockerley Rd. Con —1K 133
Stockfold. Wash —6J 113
Stockholm Clo. Tyn T —7B 46
Stockley Av. Sund —5J 101
Stockley Ct. Ush M —3E 162
Stockley Gro. Bran —6A 172
Stockley La. Bran —6A 172
Stockley Rd. Wash —2K 113
**Stocksfield. —7G 73**
Stocksfield Av. Newc T —6J 59
Stocksfield Gdns. Gate —5J 97
Stockton Av. Pet —4D 170
Stockton Rd. Cas E —4K 179
Stockton Rd. Dur & Shin —4B 164
Stockton Rd. Eas —2J 169
Stockton Rd. Haw —3K 157
Stockton Rd. N Shi —2F 65
Stockton Rd. Ryh —5H 131
Stockton Rd. Sund —3F 117
(in two parts)
Stockton St. S'hm —2K 145
Stockton Ter. Sund —6H 117
Stockwell Grn. Newc T —5D 62
Stoddart Ho. Newc T —3K 5
Stoddart St. Newc T —3K 5
Stoddart St. Shie —7H 61
Stoddart St. S Shi —7H 65
Stoker Av. S Shi —2F 85
Stoker Cres. Whe H —4A 178
Stoker Ter. H Spen —4E 92
Stokesley Gro. Newc T —2J 61
Stoke St. Sund —4H 117
Stokoe Dri. Ash —4E 10
Stokoe St. Con —5G 119
Stone Cellar Rd. Wash —5F 99
Stonechat Clo. Wash —5D 112
Stonechat Mt. Bla T —2A 78
Stonechat Pl. Newc T —5J 43
Stonecroft. Hor —4F 55
Stonecroft Gdns. Newc T —2B 62
Stonecrop. Gate —2A 98
Stonecross. Ash —5A 10
Stonefold Clo. Newc T —2H 59
Stonehaugh Way. Pon —2F 39
Stonehills Bldgs. Gate —5F 83
Stoneleigh. Hep —4A 14
Stoneleigh Av. Newc T —6H 43
Stoneleigh Clo. Hou S —1C 142
Stoneleigh Pl. Newc T —6J 43
Stone Row. Gran V —4C 124
Stonesdale. Hou S —1J 127
Stone St. Win N —1A 98
Stoneycroft E. Newc T —2C 44
Stoneycroft W. Newc T —2C 44
Stoneygate. Hou S —5G 129
Stoney Ga. Gdns. Gate —5C 82
(in two parts)
Stoneygate La. Gate —6C 82
Stoneyhurst Av. Newc T —1H 79
Stoneyhurst Rd. Newc T —1G 61
Stoneyhurst Rd. W. Newc T —1F 61
Stoney La. Gate —6D 98
Stoney La. Sund —6C 102

Stoneylea Clo. Ryton —3C 76
Stoneylea Rd. Newc T —5F 59
Stoneywaites. G'sde —6C 76
Stontheap La. Con —7F 121
Stonybank Way. Stoc —6K 73
Stonycroft. Wash —1G 113
Stonyflat Bank. Pru —4G 75
**Stony Gate. —5G 129**
**Stony Heap. —6F 121**
Stony La. Beam —2C 124
Store Bldgs. Bol C —6E 84
Store Cotts. Sac —4D 138
Store Farm Rd. Newb S —2G 11
Store St. Bla T —5B 78
Store St. Con —6H 119
Store St. Newc T —7C 58
Store Ter. Eas L —2H 155
Storey Ct. Bla T —2E 78
Storey Cres. Newb S —2G 11
Storey La. Bla T —2A 78
Storey St. Cra —5A 24
Stormont Grn. Newc T —2B 60
Stormont St. N Shi —7G 47
Stotfold Clo. S'hm —2G 145
Stothard St. Jar —6C 64
Stotts Rd. Newc T —5E 62
Stowe Gdns. Peg —3A 8
Stowell Sq. Newc T —1E 80 (6D 4)
Stowell St. Newc T —1E 80 (6D 4)
Stowell Ter. Gate —6C 82
Stow, The. Newc T —7J 43
Straker Dri. Hex —3A 68
Straker St. Jar —7D 64
Straker Ter. S Shi —1H 85
Strand, The. Sund —1A 130
Strangford Av. Ches S —1K 139
Strangford Rd. S'hm —3K 145
Strangways St. S'hm —4B 146
Stranton Ter. Sund —5F 103
Stratfield St. Sund —1A 116
Stratford Av. Sund —5G 117
Stratford Clo. Cra —3G 23
Stratford Clo. Kil —1C 44
Stratford Gdns. Con —5H 119
Stratford Gdns. Gate —1H 97
Stratford Gro. Newc T —6J 61 (2M 5)
Stratford Gro. Ter. Newc T —6J 61 (2L 5)
Stratford Gro. W. Newc T —6J 61 (2L 5)
Stratford Rd. Newc T (in two parts) —6J 61 (2M 5)
Stratford Vs. Newc T —6J 61 (2M 5)
Strathearn Way. Newc T —6B 42
Strathmore. Gt Lum —2E 140
Strathmore Av. Row G —6J 93
Strathmore Clo. S'ley —2H 123
Strathmore Cres. Burn —7D 94
Strathmore Cres. Newc T —1A 80
Strathmore Rd. Gate —7K 81
Strathmore Rd. Newc T —5E 42
Strathmore Rd. Row G —6H 93
Strathmore Rd. Sund —6A 116
Strathmore Sq. Sund —6A 116
Stratton Clo. Sund —1J 131
Stratus Ct. Sund —3C 130
Strawberry Gdns. W'snd —1E 62
Strawberry La. Dur —1E 174 (in two parts)
Strawberry La. Newc T —7E 60 (5D 4)
Strawberry Pl. Newc T —1E 80 (5D 4)
Strawberry Ter. Burr —6A 34
Strawberry Ter. Haz —7B 32
**Street Gate. —4J 95**
Streetgate Pk. Sun —4J 95
Street Houses. Pon —7B 30
Stretford Ct. Gate —6J 97
Stretton Clo. Hou S —3A 142
Stretton Way. Back —6G 35
Stridingedge. Wash —2E 112 (in three parts)
Stringer Ter. Lang P —5G 149
Stronsay Clo. Ryh —1G 131
Strothers Rd. H Spen —2D 92
Strothers Ter. H Spen —3C 92
Struan Ter. E Bol —7A 86
Strudders Farm Ct. Bla T —4F 79
Stuart Clo. B Col —2H 181
Stuart Ct. Newc T —6H 41
Stuart Gdns. Newc T —3G 57
Stuart Ter. Gate —5B 82
Stubbs Av. Whi —6G 79
Studdon Wlk. Newc T —7K 41
Studland Clo. N Shi —3F 47
Studley Gdns. Gate —2H 97
Studley Gdns. Whit B —7G 37
Studley Ter. Newc T —6C 60
Studley Vs. Newc T —5C 44
Sturdee Gdns. Newc T —2G 61
Styan Av. Whit B —6H 37
Styford Gdns. Newc T —6E 58
**Success. —5B 128**
Success Rd. Hou S —5B 128
Sudbury Way. Cra —3G 23
Suddick St. Sund —6D 102
Suez St. N Shi —6H 47
Suffolk Clo. Ash —3J 9
Suffolk Gdns. S Shi —6E 66
Suffolk Gdns. W'snd —1J 63
Suffolk Pl. Bir —7B 112
Suffolk Pl. Gate —2J 81 (7L 5)
Suffolk Rd. Heb —3K 83
Suffolk St. Hett H —6F 143
Suffolk St. Jar —7B 64
Suffolk St. Sund —3G 117
Suffolk Wlk. Pet —4A 170
Suffolk Way. Dur —3B 152
Sugley Ct. Newc T —5E 58
Sugley St. Newc T —7D 58 (in two parts)
Sugley Vs. Newc T —7D 58
**Sulgrave. —6J 99**
Sulgrave Rd. Wash —6K 99
Sullivan Wlk. Heb —1J 83
Summerdale. Con —2E 118
Summerfield. Low W —3J 105
Summerfield. W Pel —3C 124
Summerfield Rd. Gate —7H 81
Summerfields. Ches S —7H 125
Summerhill. Bla T —3A 78
Summerhill. E Her —2H 129
Summerhill. Jar —5D 84
Summerhill. Shot B —2G 119
Summerhill. Sund —2E 116
Summerhill Av. Newc T —3F 43
Summerhill Gro. Newc T —1D 80 (6B 4)
Summerhill Rd. S Shi —6C 66
Summerhill St. Newc T —1D 80 (7B 4)
Summerhill Ter. Newc T —2E 80 (7C 4)
Summerhouse. Ash —4F 11
Summerhouse Farm. E Rai —5D 142
Summerhouse La. Ash —2F 11 (in two parts)
Summerson St. Hett H —6H 143
Summerson Way. Bed —6B 16
Summers St. Bly —1J 21
Summer St. Gate —5B 82
Summerville. Dur —3K 163
Sunbury Av. Newc T —3G 61
**Sunderland. —1G 117**
Sunderland Av. Pet —4D 170
**Sunderland Bridge. —5K 173**
Sunderland By-Pass. E Bol —1D 100
Sunderland Enterprise Pk. Sund E (nr. Colima Av.) —7H 101
Sunderland Enterprise Pk. Sund E (nr. Alexandra Av.) —6B 102
Sunderland F.C. —7E 102
Sunderland (Greyhound) Stadium. —1B 102
Sunderland Highway. Gate & Wash —2C 112
Sunderland Museum & Art Gallery. —2F 117
Sunderland Retail Pk. Sund —6F 103
Sunderland Rd. Dur —2D 164
Sunderland Rd. E Bol —7K 85
Sunderland Rd. Gate & Wardl —4H 81
Sunderland Rd. Haw —4K 157
Sunderland Rd. Nbtle —6E 128
Sunderland Rd. Pet —3D 170
Sunderland Rd. S Shi —5A 66
Sunderland Rd. Sund —5C 102 (SR5)
Sunderland Rd. Sund —5D 86 (SR6)
Sunderland Rd. Vs. Gate —6D 82
Sunderland St. Con —5A 120
Sunderland St. Hou S —2E 142 (DH4)
Sunderland St. Hou S —1E 142 (DH5)
Sunderland St. Newc T —2E 80 (in two parts)
Sunderland St. Sund —1G 117
Sundew Rd. Gate —3A 98
Sundridge Dri. Gate —7G 83
Sun Hill. Hett H —7F 143
Sun Hill. Sun —5J 95
Sunholme Dri. W'snd —7E 44
Sunlea Av. N Shi —1J 47
Sunley Ho. Newc T —7E 42
Sunnidale. Whi —2E 94
Sunnilaws. S Shi —3C 86
Sunningdale. Con —3A 134
Sunningdale. S Shi —4A 66
Sunningdale. Whit B —6C 36
Sunningdale Av. Newc T —6E 62
Sunningdale Av. W'snd —3G 63
Sunningdale Clo. Gate —7B 82
Sunningdale Dri. Wash —5G 99
Sunningdale Rd. Sund —5K 115
Sunnirise. S Shi —2C 86
**Sunniside. —7C 128 (nr. Houghton-le-Spring)**
**Sunniside. —4H 95 (nr. Whickham)**
Sunniside. N Shi —7D 46
Sunniside. S Hyl —2G 115
Sunniside Ct. Sun —4H 95
Sunniside Dri. S Shi —2C 86
Sunniside Gdns. Gate —5A 98
Sunniside Gdns. Newc T —7H 59
Sunniside La. Cle & S Shie —5D 86
Sunniside Rd. Whi —2H 95
Sunniside Ter. Sund —4C 86
Sunnybank Av. Newc T —1K 79
Sunnybanks. Lan —6J 135
Sunny Blunts. Pet —1A 180
Sunny Brae. G'sde —6D 76
Sunnybrow. Sund —1B 130
Sunnycrest Av. Newc T —7D 62
Sunnygill Ter. Ryton —4D 76
Sunnyside. Cra —3J 23
Sunny Ter. Dip —2G 121
Sunny Ter. S'ley —2E 122
Sunnyway. Newc T —3J 59
Sunrise Enterprise Pk. Sund —7G 101
Sunrise La. Hou S —1D 142
Sun St. Sun —5H 95
Sun Vw. Ter. Sund —5A 86
Surrey Av. Sund —3C 130
Surrey Clo. Ash —3J 9
Surrey Cres. Con —3D 132
Surrey Pl. Hou S —3C 128
Surrey Pl. Newc T —1C 80 (6A 4)
Surrey Rd. Heb —3K 83
Surrey Rd. N Shi —6D 46
Surrey St. Hett H —6F 143
Surrey St. Jar —7A 64
Surrey St. N Her —3C 128
Surrey Ter. Bir —7A 112
Surtees Av. Bow —4H 175
Surtees Dri. Dur —2J 163
Surtees Pl. Con —4E 118
Surtees Rd. Pet —6B 170
Surtees Ter. S'ley —6K 123
Sussex Ct. Sund —1G 117
Sussex Gdns. W'snd —2J 63
Sussex Pl. Wash —6H 99
Sussex Rd. Con —3D 132
Sussex St. Bly —1K 21
Sussex St. Jar —7A 64
Sussex St. Sund —1C 130
Sutherland Av. Newb S —3H 11
Sutherland Av. Newc T —6A 60
Sutherland Building. Newc T —4G 4
Sutherland Ct. S Shi —4K 85
Sutherland Grange. N Her —3D 128
Sutherland Pl. Dur —3E 164
Sutherland St. Gate —5H 81
Sutherland St. S'hm —2K 145
Sutherland St. Sund —5F 103
Sutton Clo. Hou S —3B 128
Sutton Ct. W'snd —7D 44
Sutton Dwellings. Newc T —7D 60 (3B 4)
Sutton Est. B'wl —2A 80
Sutton St. Dur —3K 163
Sutton St. Newc T —5C 62
Sutton Way. S Shi —1D 86
Swainby Clo. Newc T —4F 43
Swale Cres. Gt Lum —3F 141
Swaledale. Sund —7H 87
Swaledale. W'snd —7D 44
Swaledale Av. Bly —2E 20
Swaledale Clo. Hett H —2F 155
Swaledale Ct. Bly —2E 20
Swaledale Cres. Hou S —1A 128
Swaledale Gdns. Newc T —2K 61
Swaledale Gdns. Sund —3B 116
Swallow Clo. Ash —7C 10
Swallow Clo. Esh W —3C 160
Swallow Ct. Kil —7K 33
Swallow Pond Nature Reserve. —5G 45
Swallows, The. W'snd —5J 45
Swallow St. S'hm —2K 145 (in two parts)
Swallow Tail Ct. S Shi —2H 85
Swallow Tail Dri. Gate —7D 80
**Swalwell. —5G 79**
Swalwell Clo. Pru —4E 74
Swan Av. W'snd —2H 63
Swan Ct. Gate —5C 80
Swan Dri. Gate —5C 80
Swan Ind. Est. Wash —5K 113
Swan Rd. S West —7H 169
Swan Rd. Walk —2F 83
Swan Rd. Wash —5K 113
Swansfield. Mor —1E 12
Swan St. Gate —3H 81 (9J 5)
Swan St. S'ley —5J 121
Swan St. Sund —6E 102
Swanton Clo. Newc T —1H 59
Swanway. Gate —7K 81
Swards Rd. Gate —7C 82
Swarland Av. Newc T —1K 43
Swarland Rd. Sea D —1H 35
Swarth Clo. Wash —2E 112
Sweetbriar Clo. Mor —5D 6
Sweethope Av. Ash —5C 10
Sweethope Av. Bly —1H 21
Sweethope Dene. Mor —2G 13
Swiftdale Clo. Bed —7H 15
Swiftden Dri. Sund —4G 115
Swinbourne Gdns. Whit B —5F 37
Swinbourne Ter. Jar —3B 84
Swinburne Pl. Bir —5A 112
Swinburne Pl. Gate —3G 81 (9H 5)
Swinburne Pl. Newc T —1E 80 (6C 4)
Swinburne St. Gate —3G 81 (9H 5)
Swinburne St. Jar —7E 64
Swinburne Ter. Dip —2F 121
Swinburn Rd. Sea D —1H 35
Swindale Cotts. Wylam —7K 55 (off Dene, The)
Swindon Rd. Sund —5K 115
Swindon Sq. Sund —5A 116
Swindon St. Heb —7H 63
Swindon Ter. Newc T —4K 61
Swinhoe Gdns. Wide —4D 32
Swinhope. Wash —1E 126
Swinley Gdns. Newc T —7F 59
Swinside Dri. Dur —7G 153
Swinton Clo. Mor —2H 13
Swirle, The. Newc T —1H 81 (6K 5)
Swirral Edge. Wash —1G 113
Swiss Cotts. Wash —7G 113
Swordfish, The. Newc T —3B 80
Swyntoft. Gate —7F 83
Sycamore. Ches S —4J 125
Sycamore Av. B Col —3J 181
Sycamore Av. Bly —7H 17
Sycamore Av. Din —4H 31
Sycamore Av. Guid —1G 15 (in two parts)
Sycamore Av. Pon —7H 29
Sycamore Av. S Shi —2B 86
Sycamore Av. Wash —7F 113
Sycamore Av. Whit B —7F 37
Sycamore Clo. Newc T —3H 61
Sycamore Dri. Hes —4D 180
Sycamore Dri. Sund —4D 102
Sycamore Gro. Fel —6C 82
Sycamore Gro. Pru —4C 74
Sycamore Gro. Spri —6D 98
Sycamore Pk. B'don —7D 162
Sycamore Pl. Lan —7J 135
Sycamore Pl. Newc T —7A 34
Sycamore Rd. Bla T —4C 78
Sycamore Rd. Kim —7H 139
Sycamore Rd. Sund —5H 87
Sycamore Sq. Pet —1A 170
Sycamores, The. Burn —3C 108
Sycamores, The. Guid —1G 15
Sycamores, The. Newc T —3C 80 (9A 4)
Sycamores, The. Sund —5G 117
Sycamore St. All C —5K 105
Sycamore St. Ash —3B 10
Sycamore St. Newc T —2H 57
Sycamore St. W'snd —4G 63
Sycamore Ter. S'ley —5B 122
Sydenham Ter. S Shi —2K 65
Sydenham Ter. Sund —3C 116
Sydney Ct. Gate —3G 81 (10H 5)
Sydney Gdns. Con —2K 133
Sydney Gdns. S Shi —3F 85
Sydney Gro. Newc T —7E 44
Sydney St. Hou S —7J 127
Sydney St. Pelt —2C 124
Syke Rd. Burn —2K 107
Sylvan Clo. Mor —1D 12
Sylverton Gdns. S Shi —4B 66
Sylvia Ter. S'ley —1F 123
Symington Gdns. Sund —1B 130
Symon Ter. C'wl —7K 91
Synclen Av. Cor —7E 50
Synclen Rd. Cor —7E 50
Synclen Ter. Cor —7E 50
Syon St. N Shi —4K 47
Syrett Cotts. Sund —6H 117
Syron. Whi —7F 79
Syston Clo. Hou S —3B 142

Taberna Clo. Hed W —3C 56
Tadcaster Rd. Sund —7J 115
Tadema Rd. S Shi —3B 66
Tail-upon-End. Bow —3G 175
Talbot Clo. Wash —4H 113
Talbot Cotts. Bir —4A 112
Talbot Grn. Newc T —5F 59
Talbot Pl. S'hm —3B 146
Talbot Rd. S Shi —7J 65
Talbot Rd. Sund —4G 103
Talbot Ter. Bir —4A 112
Talgarth. Wash —3A 114
Talisman Clo. Sher —3K 165
Talisman Vw. Gate —5J 97
Talley Ct. Wash —3G 113
Tamar Clo. N Shi —4C 46
Tamar Clo. Pet —7A 170
Tamar Ct. Sund —3B 130
Tamar St. Eas L —3J 155
Tamerton Dri. Bir —6B 112
Tamerton St. Sund —2B 116
Tamworth Rd. Newc T —7C 60
Tamworth Sq. Sund —7J 115
**Tanfield. —4D 108**
Tanfield Gdns. S Shi —7D 66
**Tanfield Lea. —1D 122**
Tanfield Lea Ind. Est. Tan L —6D 108
Tanfield Lea N. Ind. Est. Tan L —7D 108
Tanfield Lea S. Ind. Est. Tan L —7E 108
Tanfield Pl. Gate —5A 98
Tanfield Railway. —7H 95
Tanfield Rd. Gate —5A 98
Tanfield Rd. Newc T —7G 59
Tanfield Rd. Sund —6K 115
Tanfield St. Sund —1A 116
Tangmere Clo. Cra —3A 24
**Tan Hills. —7H 139**
Tankerville Pl. Newc T —4G 61
Tankerville Ter. Newc T —5G 61
Tanmeads. Nett —6H 139
Tanners Bank. N Shi —6J 47
Tanners Row. Hex —1C 68
Tanners Yd. Hex —1C 68
Tantallon. Bir —6B 112 (in two parts)
**Tantobie. —6B 108**
Tantobie Rd. Newc T —7G 59
Tarlton Cres. Gate —6A 82
Tarn Clo. Pet —6C 170
Tarn Dri. Sund —1H 131
Tarragon Way. S Shi —3A 86
Tarrington Clo. W'snd —7K 45
Tarset Dri. Pru —4F 75
Tarset Pl. Newc T —6C 42
Tarset Rd. S Well —6B 36
Tarset St. Newc T —1J 81 (5L 5)
Tasmania Rd. S Shi —3F 85
Tasman Rd. Sund —1J 129
Tate St. Bly —1K 21
Tatham St. Sund —2G 117
Tatham St. Bk. Sund —2G 117
Tattershall. Sund —4D 116
Taunton Av. Jar —1E 84
Taunton Av. N Shi —3D 46
Taunton Clo. W'snd —7K 45
Taunton Pl. Cra —2K 23
Taunton Rd. Sund —7K 115
Taunton Sq. Sund —6K 115
Tavistock Ct. Hou S —6D 128
Tavistock Pl. Jar —1E 84
Tavistock Pl. Sund —2F 117
Tavistock Rd. Newc T —3G 61
Tavistock Sq. Sund —1C 130
Tavistock Wlk. Cra —2K 23
Taylor Av. Ash —4F 11
Taylor Av. Bear —1D 162
Taylor Av. Row G —6K 93
Taylor Av. Wide —5E 32
Taylor Ct. Eas L —2J 155
Taylor Gdns. Gate —5E 82
Taylor Gdns. Sea S —4D 26
Taylor Gdns. Sund —4G 117 (nr. Montpelier Ter.)
Taylor Gdns. Sund —5G 117 (nr. Sea Vw. Rd.)
Taylor Gdns. Wit G —2D 150
Taylor Gro. Win —4F 179
Taylor Pas. S'hm —2K 145
Taylor's Bldgs. Bed —6B 16
Taylors Ter. Con —1E 132

Taylor St. Bly —1E 20
Taylor St. Con —7H 119
Taylor St. Shir —1J 45
Taylor St. S Shi —5H 65
Taylor St. S'ley —4J 121
Taylor Ter. S Shi —2F 85
Taylor Ter. W All —3H 45
Taynton Gro. Seg —1D 34
Tay Rd. Sund —6J 115
Tay St. C'wl —6A 92
Tay St. Eas L —3K 155
Teal Av. Bly —5K 21
Teal Clo. Newc T —7A 44
Teal Clo. Wash —5D 112
**Teams. —6E 80**
Team St. Gate —5C 80
Team Va. Vs. Gate —1D 96
**Team Valley. —3F 97**
Team Valley Shop. Village. Team T —2E 96
Team Valley Trad. Est. Gate (nr. Queensway N.) —1E 96
Team Valley Trad. Est. Gate (nr. Queensway S.) —4F 97
Teasdale Ho. Newc T —7G 41 (in two parts)
Teasdale St. Con —6J 119
Teasdale St. Sund —3H 117
Teasdale Ter. Dur —2F 165
Tebay Dri. Newc T —5F 59
Teddington Clo. Newc T —5H 41
Teddington Rd. Sund —6J 115
Teddington Sq. Sund —6J 115
Tedham Rd. Newc T —6C 58
Tees Clo. Pet —1A 180
Tees Ct. S Shi —7J 65
Tees Ct. Sund —3B 130
Tees Cres. S'ley —4F 123
Teesdale Av. Hou S —1A 128
Teesdale Gdns. Newc T —2K 61
Teesdale Gro. Newc T —4B 44
Teesdale Pl. Bly —1D 20
Teesdale Ter. S'ley —5A 122
Tees Gro. Con —4B 120
Tees Rd. Heb —3J 83
Tees St. C'wl —6A 92
Tees St. Eas L —3K 155
Tees St. Pet —5E 170
Tees St. S'hm —3B 146
Tees Ter. Wash —7H 99
Teign Clo. Pet —7A 170
Teindland Clo. Newc T —2A 80
Tel-el-Kebir Rd. Sund —4G 117
Telford Clo. Back —6G 35
Telford Clo. H Shin —1F 175
Telford Ct. Mor —2F 13
Telford Ct. W'snd —3C 64
Telford Rd. Sund —6K 115
Telford St. Gate —7F 81
Telford St. W'snd —3C 64
Temperance Ter. Ush M —2B 162
Temperley Pl. Hex —2C 68
Tempest Rd. S'hm —3A 146
Tempest St. Bla T —2A 78
Tempest St. Sund —2C 130
Templar St. Con —5F 119
Temple Av. Bly —1G 21
Temple Gdns. Con —1H 133
Temple Grn. Gate —6E 80
Temple Grn. S Shi —1A 86
Temple Pk. Rd. S Shi —7K 65
Temple St. Gate —5B 82
Temple St. Newc T —2E 80 (7D 4)
Temple St. S Shi —6H 65
Temple St. W. S Shi —6H 65
**Templetown. —1H 133**
Temple Town. S Shi —5H 65
Tenbury Cres. Newc T —5A 44
Tenbury Cres. N Shi —3E 46
Tenby Rd. Sund —1J 129
Tenby Sq. Cra —2A 24
Ten Fields. Hett H —7F 143
Tennant St. Heb —1H 83
Tennant St. S Shi —2G 85
Tennyson Av. B Col —7G 171
Tennyson Av. Bol C —6H 85
Tennyson Av. Heb —7K 63
Tennyson Ct. Gate —4J 81
Tennyson Ct. Pru —5D 74
Tennyson Cres. Swa —6G 79
Tennyson Gdns. Dip —2G 121
Tennyson Grn. Newc T —2A 60
Tennyson Rd. Pelt F —6G 125
Tennyson Rd. Pet —7B 158
Tennyson St. S Shi —3K 65
Tennyson St. Sund —5C 102
Tennyson Ter. N Shi —1G 65
Tenter Gth. Newc T —3G 57
Tenter Ter. Dur —2A 164
Tenter Ter. Mor —7G 7
Tenth Av. Bly —4H 21
Tenth Av. Ches S —6K 125
Tenth Av. Mor —2H 13
Tenth Av. Newc T —5A 62 (1P 5)
Tenth Av. Team T —5F 97
Tenth Av. W. Team T —5E 96
Tenth St. B Col —1G 181
Tenth St. Pet —5E 170
Tern Clo. Bly —5K 21
Terrace Pl. Newc T —7E 60 (4D 4)
Terraces, The. Wash —4J 113
Terrace, The. Bol C —5E 84
Terrace, The. Con —3E 118
Terrace, The. E Bol —7K 85
Terrace, The. Mead —1F 173
Terrace, The. O'ham —2D 74
Terrace, The. Shot C —5F 169
Terrace, The. Sund —2G 115
Terrier Clo. Bed —7A 16
Territorial La. Dur —3B 164
Tesla St. Hou S —5D 128
Tetford Pl. Newc T —5A 44
Teviot. Wash —7E 112
Teviotdale Gdns. Newc T —2K 61
Teviot St. Eas L —3J 155
Teviot St. Gate —6J 81
Teviot Way. Jar —1A 84
Tewkesbury. Newc T —7B 34
Tewkesbury Rd. Newc T —5C 58
Thackeray Rd. Sund —6K 115
Thackeray St. Hou S —2D 142
Thames Av. Jar —3C 84
Thames Cres. Hou S —2A 142
Thames Cres. S'ley —5F 123
Thames Gdns. W'snd —4F 63 (in two parts)
Thames Rd. Heb —2K 83
Thames Rd. Pet —7A 170
Thames Rd. Sund —1J 129
Thames St. C'wl —6A 92
Thames St. Eas L —3J 155
Thames St. Gate —6J 81
Thanet Rd. Sund —7K 115
Tharsis Rd. Heb —1H 83
Thatcher Clo. Whi —2G 95
Theatre Pl. N Shi —7G 47
Thelma St. Sund —2D 116
Theme Rd. Sund —1J 129
Theresa St. Bla T —3C 78 (in two parts)
Theresa St. S'hm —5C 146
Thetford. Wash —4H 113
Thieves Bank. Both —6G 9
Third Av. Ash —4B 10
Third Av. Bly —3H 21
Third Av. Ches S —6K 125 (nr. Bullion La.)
Third Av. Ches S —2K 125 (nr. Drum Rd.)
Third Av. Mor —1H 13
Third Av. Newc T —6A 62 (1P 5)
Third Av. Team T —1E 96
Third Av. Tyn T —7B 46
Third St. B Col —2H 181
Third St. Con —3A 120 (in two parts)
Third St. C'hll —7K 119
Third St. Pet —5E 170
Third St. S'ley —7D 122
Thirkeld Pl. Hou S —2A 128
Thirlaway Ter. Sun —5J 95
Thirlington Clo. Newc T —2H 59
Thirlmere. Bir —6C 112
Thirlmere. Gate —6E 82
Thirlmere. Sund —5C 86
Thirlmere Av. Ches S —1K 139
Thirlmere Av. Eas L —3J 155
Thirlmere Av. N Shi —2G 47
Thirlmere Clo. Kil —1D 44
Thirlmere Ct. Heb —1K 83
Thirlmere Cres. Bla T —6B 78
Thirlmere Cres. Shin R —3B 128
Thirlmere Rd. Pet —5C 170
Thirlmere Ter. Newb S —3H 11
Thirlmere Way. Bly —7E 16
Thirlmere Way. Newc T —4H 59
Thirlmoor. Wash —2E 112
Thirlmoor Pl. Chop —7J 9
Thirlwell Gro. Jar —3A 84
Thirlwell Rd. Gate —3J 81 (9L 5)
Thirlwell Rd. Sund —6D 102
Thirsk Rd. Sund —6K 115
Thirston Dri. Cra —4A 24
Thirston Pl. N Shi —5D 46
Thirston Way. Newc T —7K 41
Thirteenth St. Pet —5D 170
Thistle Av. Ryton —2E 76
Thistle Ct. Heb —1H 83
Thistlecroft. Hou S —3E 142
Thistledon Av. Whi —1F 95
Thistle Rd. B'don —1H 173
Thistle Rd. Sund —7J 115
Thistley Clo. Newc T —5C 62
Thistley Grn. Gate —5G 83
Thomas Bell Ho. S Shi —2G 85
Thomas Bewick Birthplace Museum. —4B 74
Thomas Hawksley Pk. Sund —5C 116
Thomas Holiday Homes. Bed (off Burnside) —5B 16
Thomas Horsley Ho. Newc T —1H 79
Thomas St. Ann P —5A 122
Thomas St. B'hll —5F 119
Thomas St. Ches S —7A 126
Thomas St. Crag —7K 123 (in two parts)
Thomas St. Eig B —6B 98
Thomas St. Hett H —5H 143 (in two parts)
Thomas St. Lang P —5J 149
Thomas St. Newc T —3F 59
Thomas St. Pet —6C 158
Thomas St. Sac —1D 150
Thomas St. S Shi —2J 65
Thomas St. Sund —3H 131
Thomas St. Wash —7K 99
Thomas St. Whi —7G 79
Thomas St. N. Sund —7F 103
Thomas St. S. Ryh —3H 131
Thomas St. S. Sund —6C 102
Thomas Taylor Cotts. Back —6G 35
Thompsom Pl. Gate —6B 82
Thompson Av. Camp —7A 34
Thompson Cres. Sund —6H 101
Thompson Gdns. W'snd —3F 63
Thompson Rd. Sund —5D 102
Thompson's Bldgs. Hou S —4C 128
Thompson St. Bed —5B 16
Thompson St. Bly —7H 17
Thompson St. Pet —5E 170
Thompson Ter. Sund —3J 131
Thorburn St. Sund —3F 103
Thoresby Ho. Newc T —3C 82 (off McCutcheon Ct.)
Thornbank Clo. Sund —5C 130
Thornbridge. Wash —3A 114
Thornbury Av. Seg —1E 34
Thornbury Clo. Bol C —5E 84
Thornbury Clo. Newc T —7H 41
Thornbury Dri. Whit B —5C 36
Thornbury St. Sund —1C 116
Thorncliffe Pl. N Shi —7E 46
Thorn Clo. Wide —6C 32
Thorndale Pl. Bly —1E 20
Thorndale Rd. Dur —7H 153
Thorndale Rd. Newc T —1F 79
Thorndale Rd. Sund —7J 115
Thorne Av. Gate —6F 83
Thornebrake. Gate —7E 82
Thorne Rd. Sund —7J 115
Thornes Clo. Pet —6D 170
Thorne Sq. Sund —7J 115
Thorne Ter. Newc T —6C 62
Thorneyburn Av. S Well —6B 36
Thorneyburn Clo. Hou S —7C 128
Thorneyburn Way. Bly —2F 21
**Thorney Close. —7J 115**
Thorney Clo. Rd. Sund —7K 115
Thorneyfield Dri. Newc T —2K 43
Thorneyford Pl. Pon —4J 29
Thorneyholme Ter. Bla T —3C 78
Thorneyholme Ter. S'ley —3F 123
Thornfield Gro. Sund —6G 117
Thornfield Pl. Row G —4J 93
Thornfield Rd. Con —2E 132
Thornfield Rd. Newc T —1D 60
Thorngill. Wash —2F 113
Thornhaugh Av. Whi —1F 95
Thornhill Clo. Sea D —1H 35
Thornhill Cres. Sund —2E 116
Thornhill Gdns. Burn —3K 107
Thornhill Gdns. Chop —7J 9
Thornhill Gdns. Sund —4E 116
Thornhill Pk. Pon —4J 29
Thornhill Pk. Sund —3E 116
Thornhill Rd. Newc T —6B 44
Thornhill Rd. Pon —4J 29
Thornhill Rd. Shot C —6E 168
Thornhill St. Hou S —2D 142
Thornhill Ter. Sund —3E 116
Thornholme Av. S Shi —7D 66
Thornholme Rd. Sund —4D 116
Thornhope Clo. Wash —2K 113
Thornlaw N. Thor —1H 177
Thornlea. Hep —4A 14
Thornlea Gdns. Gate —1H 97
Thornlea Gro. Lan —6J 135
Thornleigh Gdns. Sund —4C 86
Thornleigh Rd. Newc T —4G 61
**Thornley. —1J 177**
Thornley Av. Cra —4A 24
Thornley Av. Gate —1F 99
Thornley Clo. Ush M —3D 162
Thornley Clo. Whi —3G 95
Thornley La. Bla T & Row G —1A 94
Thornley Rd. Newc T —5F 59
Thornley Rd. Trim S —7B 178
Thornley Rd. Whe H —2A 178
Thornley Sta. Ind. Est. Shot C —1F 179
Thornley Ter. Chop —3A 16
Thornley Vw. Row G —5K 93
Thornley Wood Country Park. —1B 94
Thornton Av. S Shi —6H 65
Thornton Clo. Hou S —2B 128
Thornton Clo. Lud —5J 167
Thornton Clo. Mor —2H 13
Thornton Cotts. Ryton —7G 57 (off Whitewell La.)
Thornton Ct. Wash —3G 113
Thornton Cres. Bla T —3C 78
Thornton Lea. Pelt —2F 125
Thorntons Clo. Pelt —2F 125
Thornton St. Newc T —1E 80 (7D 4)
Thornton Ter. B Col —2J 181
Thornton Ter. Newc T —3E 44
Thorntree Av. Sea B —2D 32
Thorntree Clo. Whit B —7B 36
Thorntree Cotts. Sea B —2D 32
Thorntree Ct. Newc T —4D 44
Thorntree Dri. Bed —6H 15
Thorntree Dri. Newc T —7G 59
Thorntree Dri. Whit B —7B 36
Thorntree Gdns. Ash —5E 10
Thorntree Gill. Pet —7E 170
Thorntree M. Sund —2G 117 (off Up. Nile St.)
Thorntree M. Sund —6J 115 (SR3)
Thorntree Ter. S'ley —2H 123
Thorntree Wlk. Jar —4D 84
Thorntree Way. Bly —2D 20
Thornwood Gdns. Gate —1D 96
Thornyford Ho. Newc T —3A 4
Thornygarth. Gate —7C 82
Thoroton St. Bly —1J 21
Thorp Av. Mor —5G 7
Thorp Clo. Bly —4F 21
Thorp Cotts. Ryton —1E 76
Thorp Dri. Ryton —1H 77
Thorpe Clo. Newc T —7C 60 (4A 4)
Thorpe Cres. Pet —3D 170
Thorpeness Rd. Sund —7J 115
Thorpe Rd. Pet —1K 169
Thorpe St. Eas C —6C 158
Thorpe St. H'dn —5E 170
Thorpe St. Newc T —7C 60 (3A 4)
Threap Gdns. W'snd —1J 63
Three Mile Ct. Newc T —4E 42
Three Rivers Ct. E Bol —7G 85
Threlkeld Gro. Sund —2E 102
Thrift St. N Shi —1G 65
Thristley Gdns. Sund —5E 116
**Throckley. —3H 57**
Throckley Pond Nature Reserve. —5F 57
Throckley Way. Mid I —1H 85
Thropton Av. Bly —4G 21
Thropton Av. Newc T —7K 43
Thropton Clo. Ches S —1J 139
Thropton Clo. Gate —7G 83
Thropton Clo. H Shin —7F 165
Thropton Ct. Bly —2G 21
Thropton Cres. Newc T —6D 42
Thropton Pl. N Shi —5D 46
Thropton Ter. Newc T —3K 61
Thrunton Ct. Hou S —2F 143
Thrush Cross Pl. Dur —1F 165
Thrush Gro. Sund —6J 101
Thurleston. Hou S —5C 128
Thurlow Way. Hou S —3D 142
Thursby. Bir —6C 112 (in two parts)
Thursby Av. N Shi —2H 47
Thursby Gdns. Gate —4K 97 (in two parts)
Thurso Clo. Sund —7H 115
Tiberius Clo. W'snd —4F 63
Tilbeck Sq. Sund —4D 130
Tilbury Clo. Phil —4C 128
Tilbury Gdns. Sund —1J 129
Tilbury Gro. N Shi —1G 47
Tilbury Rd. Sund —1J 129
Tileshed La. E Bol —5J 85
Till Av. Bla T —4B 78
Tilley Rd. Cwthr —3D 112
Tillmouth Av. H'wll —1H 35
Tillmouth Gdns. Newc T —7J 59
Tillmouth Pk. Rd. Newc T —4H 57
Till St. Newc T —2A 82
Tilson Way. Newc T —6B 42
Timber Beach Nature Reserve. —6K 101
Timber Beach Rd. Sund E —7J 101
Timber Rd. H'dn —3E 170
Timlin Gdns. W'snd —2B 64
Tindal Clo. Newc T —1D 80 (5B 4)
Tindale Av. Cra —4A 24
Tindale Av. Dur —6J 151
Tindale Dri. Whi —1G 95
Tindale St. Con —5A 120
Tindal St. Newc T —6B 4
Tindle St. Con —5G 119
Tinkler's Bank. Cor —2D 70
Tinklers La. Dur —2B 164
Tinkler Ter. Cas D —1F 141
Tinmill Pl. Con —6F 119
Tinn St. Gate —5F 81
Tintagel. Gt Lum —2F 141
Tintagel Clo. Cra —2K 23
Tintagel Clo. Sund —7H 115
Tintagel Dri. S'hm —2A 146
Tintern. Wash —5G 113
Tintern Clo. Hou S —7C 128
Tintern Cres. Newc T —6K 61 (1P 5)
Tintern Cres. N Shi —4D 46
Tintern St. Sund —2D 116
Tiree Clo. B'don —7E 162
Tiree Ct. Sund —3C 130
Tirril Pl. Newc T —4G 59
Titan Ho. Newc T —7E 62
Titan Rd. Newc T —7E 62
Titchfield Rd. Wash —4G 113
Titchfield Ter. Ash —5B 10
Titchfield Ter. Peg —3B 8
Titian Av. S Shi —4J 85
Titlington Gro. Heb —3H 83
Tiverton Av. Newc T —1A 80
Tiverton Av. N Shi —3C 46
Tiverton Clo. Hou S —5D 128
Tiverton Clo. W'snd —7K 45
Tiverton Gdns. Gate —4H 97
Tiverton Pl. Cra —2K 23
Tiverton Sq. Sund —7J 115
Tivoli Bldgs. Hou S —3C 128
Tivoli Gdns. Hett H —7G 143
Toberty Gdns. Gate —6F 83
Tobin St. Trim S —7B 178
Todd's Nook. Newc T —1D 80 (5A 4)
Toft Cres. Mur —6E 144
Togstone Pl. Newc T —4J 59
Toll Bar Rd. Sund —7F 117
Toll Bri. Rd. Bla T —3F 79
Tollerton Dri. Sund —7F 101
Tollgate Bungalows. S'ley —4J 121
Tollgate Fields. Rain G —2K 153
Tollgate Rd. Ham M —3D 106
Tollgate Ter. S'ley —4J 121
Toll Ho. Rd. Dur —2H 163
Tolls Clo. Whit B —6C 36
Toll Sq. N Shi —6J 47
Tomlea Av. Bed —7A 16
Tomlinson Ct. Whit B —6D 36
Tonbridge Av. N Shi —7E 46
Toner Av. Heb —3H 83
Tonge Gro. Sac —7E 138
Tonge Va. Sund —5C 102
Topaz St. S'hm —3J 145
Topcliff. Sund —7G 103
Topcliffe Grn. Gate —5K 97
Toppings St. Bol C —5E 84
Torcross Way. Cra —2K 23
Tor Mere Clo. Wash —2E 112
Toronto Rd. Sund —6K 115
Toronto Sq. Sund —6K 115
Torquay Gdns. Gate —4H 97
Torquay Pde. Heb —3A 84
Torquay Rd. Sund —6K 115
Torrens Rd. Sund —6K 115
Torrington Clo. Hou S —5C 128
Torver Clo. Pet —6C 170
Torver Clo. Wide —6D 32
Torver Cres. Sund —2E 102
Torver Pl. Gate —3K 97
Torver Way. N Shi —2F 47
Tosson Clo. Bed —7K 15
Tosson Pl. Ash —4C 10
Tosson Pl. N Shi —7D 46
Tosson Ter. Newc T —4A 62
Totnes Clo. Sund —7H 115
Totnes Dri. Cra —2K 23
Toward Rd. Sund —2F 117
Toward St. Newc T —7K 61 (3N 5)
Tower Ct. Eas L —2J 155
Tower Ct. Gate —5C 80

Tower Gdns. Ryton —1G 77
Tower Pl. Sund —3G 117
Tower Rd. S'ley —7H 121
Tower Rd. Wash —1J 113
Tower Rd. Cvn. Site. G'cft —1K 135
Towers Av. Newc T —2G 61
Towers Clo. Bed —1J 19
Towers Pl. S Shi —1E 84
Towers, The. Sund —2H 115
Tower St. Newc T —1G 81 (5H 5)
Tower St. Pet —6D 158
Tower St. Sund —3H 117
Tower St. W. Sund —4G 117
Tower Vw. Newc T —7J 59
**Town Centre. —3G 113**
Town Cen. Cra —4J 23
Towne Ga., The. Hed W —3C 56
Towneley Ct. S'ley —4E 122
Towneley Fields. Row G —5K 93
Towneley St. S'ley —3E 122
Towneley Ter. H Spen —3C 92
Townend Ct. S Shi —1J 85
Townend Ct. Sta T —7H 179
**Town End Farm. —4F 101**
Townfield Gdns. Newc T —5K 57
**Town Kelloe. —7H 177**
Townley Cotts. Ryton —2E 76
Townley Rd. Row G —5H 93
**Town Moor. —5E 60**
Townsend Cres. Mor —1D 12
Townsend Rd. Sund —1J 129
Townsend Sq. Sund —1J 129
Town Sq. W'snd —3F 63
Townsville Av. Whit B —1D 46
Town Wall. Newc T —1E 80
(in two parts)
Towton. Newc T —7B 34
Toynbee. Wash —3A 114
Tracey Av. W Bol —6H 85
Trafalgar Ho. N Shi —5K 47
Trafalgar Rd. Wash —6J 99
Trafalgar Sq. Sund —1H 117
Trafalgar St. Con —7H 119
Trafalgar St. Newc T —1G 81 (5H 5)
Trafford. Gate —5J 97
Trafford Rd. Sund —6C 102
Trafford Wlk. Newc T —2E 58
Trajan Av. S Shi —1K 65
Trajan St. S Shi —1K 65
Trajan Wlk. Hed W —3B 56
Transbritannia Ct. Bla T —2E 78
Transbritannia Enterprise Pk. Bla T —2E 78
**Tranwell. —4D 12**
Tranwell Clo. Newc T —4B 42
Tranwell Clo. Peg —4A 8
Tranwell Dri. Sea D —1J 35
**Tranwell Woods. —6B 12**
Travers St. Hou S —3C 128
Treasury Museum. —3A 164
Treby St. Sund —1C 116
(in two parts)
Tredegar Clo. Newc T —1H 59
Treecone Clo. Sund —4C 130
Tree Ct. Sund —3B 130
Treen Cres. Mur —7F 145
Trefoil Rd. Tan L —1D 122
Tregoney Av. Mur —6F 145
Treherne Rd. Newc T —2F 61
Trent Av. Heb —3J 83
Trent Cres. Gt Lum —2F 141
Trent Dale. Con —4B 120
Trent Dri. Jar —4C 84
Trent Gdns. Gate —6K 81
Trentham Av. Newc T —7K 43
Trentham Gdns. Peg —3B 8
Trenton Av. Wash —2H 113
Trent Rd. Sund —7J 115
Trent St. C'wl —6A 92
Trent St. Eas L —3J 155
Trevarren Dri. Sund —2H 131
Trevelyan Av. Bed —7K 15
Trevelyan Av. Bly —3G 21
Trevelyan Clo. Sund —7H 115
Trevelyan Ct. Newc T —6J 43
Trevelyan Dri. Newc T —7G 41
Trevelyan Pl. Pet —7K 169
Trevethick St. Gate —6F 81
Trevone Pl. Seg —1E 34
Trevone Sq. Mur —7F 145
Trevor Gro. Sund —6C 86
Trevor Ter. N Shi —5G 47
Trewhitt Rd. Newc T —5A 62
Trewitt Rd. Whit B —7H 37
Tribune Pl. Gate —1K 97
Trident Rd. Sund —2C 130
Trigg Pk. Newc T —3P 5
Trigg Pas. N Shi —7G 47
Trigg Vw. Sund —7F 103
Trimdon Gro. Gate —4B 98
Trimdon St. Sund —1D 116
Trimdon St. W. Sund —7D 102
Trinity Building. Newc T —3G 4
Trinity Bldgs. N Shi —7J 47
Trinity Chare. Newc T —2G 81 (7H 5)
Trinity Clo. N Shi —1G 65
Trinity Ct. Cor —7D 50
Trinity Ct. Gate —3H 81 (10K 5)
Trinity Ct. N Shi —1G 65
(in two parts)
Trinity Courtyard. Newc T —2B 82
Trinity Gro. Seg —1E 34
Trinity Ho. Newc T —7H 5
Trinity Pl. S Shi —1G 65
Trinity Sq. Gate —3H 81
(in two parts)
Trinity Sq. Sund —1G 117
Trinity St. N Shi —1G 65
Trinity St. Sund —5B 102
Trinity Ter. Cor —7D 50
Trinity Ter. N Shi —1G 65
Trinity Wlk. S Shi —4H 65
Trojan Av. Newc T —6C 62
Tromso Clo. Tyn T —7C 46
Trool Ct. Sund —4C 130
Troon Clo. Con —4G 119
Troon Clo. Wash —5G 99
Trotter Gro. Bed —7A 16
Trotter Ter. Shot C —6E 168
Trotter Ter. Sund —3H 131
Troutbeck Av. Newc T —1D 82
Troutbeck Gdns. Gate —4J 97
Troutbeck Rd. Sund —2E 102
Troutbeck Way. Pet —5C 170
Troutbeck Way. S Shi —3G 85
Troutdale Pl. Newc T —6H 43
Trout's La. Dur —4F 151
Troves Clo. Newc T —2A 80
Trowbridge Way. Newc T —7B 42
Trowsdale St. S'ley —4J 121
Truro Av. Mur —6F 145
Truro Gro. N Shi —4D 46
Truro Rd. Sund —7K 115
Truro Way. Jar —6C 84
Tuart St. Ches S —6A 126
Tucknott Gth. Ryton —7G 57
Tudor Av. N Shi —6E 46
Tudor Ct. Pon —7G 29
Tudor Ct. Shot C —5F 169
Tudor Dri. Tan —5D 108
Tudor Grange. Eas V —1J 169
Tudor Gro. Sund —5B 116
Tudor Rd. Ches S —4B 126
Tudor Rd. S Shi —3H 65
Tudor Ter. Con —6G 119
Tudor Wlk. Newc T —7J 41
Tudor Way. Newc T —6H 41
Tudor Wynd. Newc T —3B 62
Tulip Clo. Bla T —4B 78
Tulip Ct. Pen —1B 128
Tulip St. Gate —5A 82
Tulip St. Pru —4D 74
Tummel Ct. Sund —3C 130
Tumulus Av. Newc T —5E 62
Tunbridge Rd. Sund —6K 115
Tundry Way. Bla T —2F 79
Tunis Rd. Sund —6K 115
**Tunstall. —2D 130**
Tunstall Av. Bow —4H 175
Tunstall Av. Newc T —7B 62
(in two parts)
Tunstall Av. S Shi —7D 66
Tunstall Bank. Sund —2E 130
Tunstall Gro. Con —4B 120
Tunstall Hill Clo. Sund —6E 116
**Tunstall Hills. —6D 116**
Tunstall Hope Rd. Sund —7E 116
Tunstall Pk. Sund —4E 116
Tunstall Rd. Sund —3E 116
Tunstall Ter. New S —2C 130
Tunstall Ter. Ryh —2F 131
Tunstall Ter. Sund —2E 116
Tunstall Ter. W. Sund —2E 116
Tunstall Va. Sund —4E 116
Tunstall Vw. Sund —1D 130
Tunstall Village Grn. Sund —2E 130
Tunstall Village Rd. Sund —2D 130
Tunstall Vs. Sund —2D 130
Turbinia Gdns. Newc T —3A 62
Turfside. Gate —7E 82
(in two parts)
Turfside. Jar —5D 84
Turnberry. Ous —6H 111
Turnberry. S Shi —4A 66
Turnberry. Whit B —6C 36
Turnberry Clo. Con —3G 119
Turnberry Clo. Wash —5G 99
Turnberry Ct. Gate —7F 83
Turnberry Way. Cra —4A 24
Turnberry Way. Newc T —7G 43
Turnbull Clo. Dur —2E 164
Turnbull Cres. Mur —7E 144
Turnbull St. Sund —7H 103
Turner Av. S Shi —3K 85
Turner Clo. Ryton —2G 77
Turner Cres. Newc T —7C 42
Turner St. Con —5F 119
Turner St. W All —3J 45
Turners Way. Mor —1D 12
Turnham Rd. Sund —7J 115
Turnstile M. Sund —5G 103
Turnstone Dri. Wash —5D 112
Turn, The. Loan —3F 13
Turret Rd. Newc T —5F 59
Tursdale Rd. Bow —6H 175
Tuscan Clo. New B —5A 162
Tuscan Rd. Sund —7J 115
Tuthill Stairs. Newc T —2F 81 (8F 4)
Tweddle Cres. B Col —3K 181
Tweddle Ter. Bow —4G 175
Tweed Av. Con —4B 120
Tweed Clo. Pelt —1H 125
Tweed Clo. Pet —7A 170
Tweed Clo. Sund —1H 131
Tweed Dri. Stan —7A 14
Tweed Gro. Newc T —6C 58
Tweedmouth Ct. Newc T —1G 61
Tweed St. Ash —2C 10
(in two parts)
Tweed St. C'wl —6A 92
Tweed St. Eas L —3J 155
Tweed St. Gate —5J 81
Tweed St. Heb —7H 63
Tweed St. Jar —1A 84
Tweed St. Newc T —1B 80
Tweed St. Wash —4K 113
Tweed Ter. S'ley —4F 123
Tweedy's Bldgs. Ryton —1F 77
Tweedy St. Bly —1E 20
Tweedy Ter. Newc T —1D 82
Twelfth Av. Bly —3H 21
Twelfth Av. Ches S —5K 125
Twelfth St. Pet —5D 170
Twentieth Av. Bly —4G 21
Twentyfifth Av. Bly —4H 21
Twentysecond Av. Bly —4G 21
Twentysixth Av. Bly —4G 21
Twentythird Av. Bly —4G 21
Twickenham Ct. Seg —1D 34
Twickenham Rd. Sund —6J 115
Twizell Av. Bla T —4B 78
Twizell La. W Pel —4B 124
Twizell Pl. Pon —4J 29
Twizell St. Bly —3K 21
Two Ball Lonnen. Newc T —6J 59
Twyford Clo. Cra —2K 23
Tyldesley Sq. Sund —7J 115
Tyndal Gdns. Gate —5B 80
Tyne App. Jar —5A 64
Tyne Av. Con —4B 120
Tynebank. Bla T —4B 78
Tyne Bri. Newc T —2G 81 (7G 4)
Tyne Ct. Hex —7C 48
Tynedale Av. W'snd —1F 63
Tynedale Av. Whit B —5F 37
Tynedale Clo. Wylam —7K 55
Tynedale Cres. Hou S —2B 128
Tynedale Dri. Bly —1D 20
Tynedale Gdns. Stoc —1K 89
Tynedale Rd. S Shi —5A 66
Tynedale Rd. Sund —7J 115
Tynedale St. Hett H —2E 154
Tynedale Ter. Acomb —4B 48
Tynedale Ter. Hex —2B 68
Tynedale Ter. Newc T —6B 44
Tynedale Ter. S'ley —6A 122
**Tyne Dock. —5H 65**
Tyne Gdns. O'ham —2D 74
Tyne Gdns. Ryton —2J 77
Tyne Gdns. Wash —6H 99
Tynegate Precinct. Gate —4H 81
Tyne Grn. Hex —7C 48
Tyne Green Country Park. —7D 48
Tyne Grn. Rd. Hex —7C 48
Tyne Ho. Sund —3B 130
Tynell Wlk. Newc T —7H 41
Tyne Main Rd. Gate —3A 82 (10P 5)
Tyne Mills Ind. Est. Hex —7E 48
**Tynemouth. —5K 47**
Tynemouth Clo. Newc T —7K 61 (3P 5)
Tynemouth Ct. N Shi —6F 47
Tynemouth Pl. N Shi —5K 47
Tynemouth Rd. Jar —4B 84
Tynemouth Rd. Newc T —6K 61
(in two parts)
Tynemouth Rd. N Shi —6H 47
Tynemouth Rd. W'snd —3K 63
Tynemouth Sq. Sund —7K 115
Tynemouth Ter. N Shi —5K 47
Tynemouth Way. Newc T —6A 62 (2P 5)
Tynepoint Ind. Est. Jar —1E 84
Tyne Riverside Country Park. —3D 74
Tyne Rd. S'ley —4E 122
Tyne Rd. E. Gate —4E 80 (10E 4)
Tyne Rd. E. S'ley —4F 123
Tyneside Rd. Newc T —3D 80 (9B 4)
Tyneside Works. Jar —5B 64
Tyne St. Ash —3C 10
Tyne St. Bla T —3C 78
Tyne St. C'wl —6K 91
(off Derwent St.)
Tyne St. Con —7J 119
Tyne St. Eas L —3J 155
Tyne St. Gate —4C 82
Tyne St. Heb —6H 63
Tyne St. Jar —5B 64
Tyne St. Newc T —1J 81 (6L 5)
Tyne St. N Shi —7H 47
(in two parts)
Tyne St. S'hm —3B 146
Tyne St. Winl —5B 78
Tyne Ter. Pet —7B 158
Tyne Ter. S Shi —1J 85
Tyne Tunnel Trad. Est. N Shi —1B 64
Tynevale Av. Bla T —5C 78
Tynevale Ter. Gate —5E 80
Tynevale Ter. Lem —7C 58
(in two parts)
Tyne Vw. Bla T —5C 78
Tyne Vw. Clar V —6D 56
Tyne Vw. Heb —7G 63
Tyne Vw. Newc T —7C 58
Tyne Vw. Whi —6J 79
Tyne Vw. Wylam —7K 55
Tyne Vw. Gdns. Gate —5D 82
Tyneview Pk. Newc T —7B 44
Tyne Vw. Pl. Gate —5E 80
Tyne Vw. Ter. Pru —3F 75
Tyne Vw. Ter. W'snd —4C 64
Tyne Wlk. Newc T —4H 57
Tynside Retail Pk. W'snd —6A 46
Tyzack Cres. Sund —5F 103
Tyzack St. Edm —3D 138

Ugly La. Ches S —6H 139
Uldale Ct. Newc T —5K 41
Ullerdale Clo. Dur —7J 153
Ullswater Av. Eas L —3J 155
Ullswater Av. Jar —3D 84
Ullswater Clo. Bly —1C 20
Ullswater Cres. Bla T —6B 78
Ullswater Dri. Kil —1D 44
Ullswater Gdns. S Shi —6K 65
Ullswater Gro. Sund —3E 102
Ullswater Rd. Ches S —1K 139
Ullswater Rd. Newb S —4G 11
Ullswater Ter. S Het —3A 156
Ullswater Way. Newc T —4H 59
Ulverstone Ter. Newc T —6C 62
Ulverston Gdns. Gate —3K 97
Umfraville Dene. Pru —3F 75
Underhill. Gate —1J 97
Underhill Dri. Chop —2G 15
Underhill Rd. Sund —6B 86
Underhill Ter. Gate —6E 98
Underwood. Gate —1E 98
Underwood Gro. Cra —2J 23
Unicorn Ho. N Shi —6H 47
Union Alley. S Shi —2J 65
Union Ct. Ches S —7A 126
Union Hall Rd. Newc T —7C 58
Union La. Ches S —3K 139
Union La. Sund —1G 117
Union Pl. Dur —4B 164
(off Stockton Rd.)
Union Quay. N Shi —7J 47
Union Rd. Newc T —7A 62
(in two parts)
Union Rd. N Shi —6J 47
Union Stairs. N Shi —7H 47
Union St. Bly —1J 21
Union St. Hett H —6G 143
Union St. Jar —5B 64
Union St. Newc T —7H 61
(in two parts)
Union St. N Shi —7H 47
Union St. S'hm —4B 146
Union St. S Hyl —2G 115
Union St. S Shi —7H 65
Union St. Sund —1F 117
Union St. W'snd —5F 63
Unity Ter. Camb —4H 17
Unity Ter. Dip —2J 121
Unity Ter. S'ley —5B 122
Unity Ter. Tant —6B 108
University Gallery. —7G 61 (3G 4)
University Precinct. Sund —2D 116
Unsworth Gdns. Con —7H 119
(off Unsworth St.)
Unsworth St. Con —7H 119
Uphill Dri. Sac —7F 139
Uplands. Whit B —6D 36
Uplands, The. Bir —3B 112
Uplands, The. Newc T —1B 60
Uplands Way. Gate —5D 98
Up. Camden St. N Shi —6G 47
Up. Chare. Pet —6B 170
Up. Crone St. Shir —7K 35
Up. Elsdon St. N Shi —1G 65
Up. Fenwick Gro. Mor —5F 7
Up. Nile St. Sund —2G 117
Up. Norfolk St. N Shi —6H 47
Up. Pearson St. N Shi —6H 47
Up. Penman St. N Shi —1G 65
Up. Queen St. N Shi —6H 47
Up. Sans St. Sund —1G 117
Up. Yoden Way. Pet —6B 170
Upton St. Gate —5D 80
Urban Gdns. Wash —1H 113
Urfa Ter. S Shi —1K 65
**Urpeth. —6G 111**
Urpeth Ter. Newc T —2A 82
(off St Peter's Rd.)
Urpeth Ter. Pelt —2C 124
Urpeth Vs. Beam —2B 124
Urswick Ct. Newc T —7H 41
Urwin St. Hett H —7H 143
**Ushaw Moor. —2C 162**
Ushaw Rd. Heb —7K 63
Ushaw Ter. Ush M —2B 162
Ushaw Vs. Ush M —2B 162
Usher Av. Sher —2K 165
Usher St. Lud —5J 167
Usher St. Sund —6D 102
Usk Av. Jar —3C 84
Uswater Sta. Wash —7J 99
**Usworth. —6G 99**
Usworth Rd. Wash —5F 99
Usworth Sta. Rd. Wash —7K 99
Uxbridge Ter. Gate —5B 82

Valebrook. Hex —2B 68
Valebrooke. Sund —3E 116
(off Tunstall Rd.)
Valebrooke Av. Sund —3E 116
Valebrooke Gdns. Sund —3E 116
Valehead. Whit B —6D 36
Vale Ho. Newc T —5J 61
Valentia Av. Newc T —6C 62
Valeria Clo. W'snd —6H 45
Valerian Av. Hed W —3D 56
Valerian Ct. Ash —6K 9
Valeshead Ho. W'snd —3F 63
Valeside. Dur —2K 163
Valeside. Newc T —3G 57
(in two parts)
Vale St. Eas L —3H 155
Vale St. Sund —3D 116
Vale St. E. Sund —3D 116
Vale Vw. B'hpe —5E 136
Vale Wlk. Newc T —6J 61 (1M 5)
Valley Ct. Sund —3G 117
Valley Cres. Bla T —4A 78
Valley Dene. C'wl —7K 91
Valley Dri. Dun —7B 80
Valley Dri. Esh W —2C 160
Valley Dri. Gate —7H 81
Valley Dri. Swa —6G 79
Valley Forge. Wash —2H 113
Valley Gdns. Con —5E 118
Valley Gdns. Gate —7J 81
Valley Gdns. W'snd —2H 63
(in two parts)
Valley Gdns. Whit B —6D 36
Valley Gth. Esh W —2C 160
Valley Grn. Craw —4D 76
Valley Gro. Lan —7K 135
Valley La. S Shi —7E 66
Valley Rd. H'wll —1K 35
Valley Rd. Pelt F —5G 125
Valley Vw. Bir —2K 111
Valley Vw. Brid —4D 118
Valley Vw. Burn —1K 107
Valley Vw. Con —4A 134
Valley Vw. Crox —7K 173
Valley Vw. Hett H —2D 154
Valley Vw. Hex —2E 68
Valley Vw. Jar —2B 84
Valley Vw. Jes —4H 61
Valley Vw. Lead —6A 120
Valley Vw. Lem —6B 58
Valley Vw. Pru —5G 75

Valley Vw. Row G —5G 93
Valley Vw. Sac —1D 150
Valley Vw. S'ley —5E 122 (nr. Charles St.)
Valley Vw. S'ley —4K 121 (nr. Kyo Rd.)
Valley Vw. Ush M —3D 162
Valley Vw. Wash —7J 113
Vallum Ct. Newc T —1D 80 (5A 4)
Vallum Pl. Gate —1K 97
Vallum Rd. Thro —3H 57
Vallum Rd. Walk —7C 62
Vallum Way. Newc T —1D 80 (5A 4)
Vanburgh Ct. Sea D —1H 35
Vanburgh Gdns. Mor —7D 6
Vance Bus. Pk. Gate —6D 80
Vance Ct. Bla T —2E 78
Vancouver Dri. Newc T —3B 62
Vane St. Pet —7C 158
Vane St. Sund —2C 130 (in two parts)
Vane Ter. S'hm —2B 146
Vane Ter. Sund —3H 117
Vane Vs. Dur —3F 165
Vanguard Ct. Sund —3B 130 (in two parts)
Vanmildert Clo. Pet —1K 179
Vardy Ter. Hou S —3E 128
Vauxhall Rd. Newc T —5E 62
Vedra St. Sund —6D 102
Veitch All. NE28 —4F 63
Velville Ct. Newc T —6H 41
Ventnor Av. Newc T —1B 80
Ventnor Cres. Gate —2G 97
Ventnor Gdns. Gate —1G 97
Ventnor Gdns. Whit B —5G 37
Vera St. G'sde —6D 76
Verdun Av. Heb —7J 63
Vermont. Wash —7H 99
Verne Rd. N Shi —7C 46
Vernon Clo. S Shi —5H 65
Vernon Dri. Whit B —7E 36
Vernon Pl. Newb S —2J 11
Vernon St. Wash —7H 99
Veryan Gdns. Sund —5D 116
Vespasian Av. S Shi —1K 65
Vespasian St. S Shi —1K 65
Viador. Ches S —5A 126
Vicarage Av. S Shi —7A 66
Vicarage Clo. Pelt —2G 125
Vicarage Clo. Sund —2B 130
Vicarage Ct. Bed —1J 19
Vicarage Ct. Gate —6D 82
Vicarage Est. Win —5G 179
Vicarage Flats. B'don —1D 172
Vicarage La. Sund —2G 115
Vicarage Rd. Sund —2C 130
Vicarage St. N Shi —7G 47
Vicarage Ter. Bed —1J 19
Vicarage Ter. Mur —1E 156
Vicarsholme Clo. Sund —4A 130
Vicars La. Newc T —7J 43
Vicars Way. Newc T —6H 43
Viceroy St. S'hm —3B 146
Victor Ct. Sund —6G 103
Victoria Av. B'don —1E 172
Victoria Av. Gate —6A 82
Victoria Av. Newc T —5B 44
Victoria Av. S Hyl —2H 115
Victoria Av. Sund —6G 117
Victoria Av. W'snd —3F 63
Victoria Av. Whit B —6H 37
Victoria Av. W. Sund —6G 117
Victoria Cotts. Dur —5J 151
Victoria Ct. Gate —5E 80
Victoria Ct. Heb —1H 83
Victoria Ct. Newc T —3A 44
Victoria Ct. N Shi —1J 47
Victoria Ct. Ush M —2C 162
Victoria Cres. Cul —1J 47
Victoria Cres. N Shi —7F 47
Victoria Ho. Gate —5E 80
Victoria Ho. Newc T —10A 4
Victoria Ind. Est. Heb —3G 83
Victoria M. Bly —2H 21
Victoria M. Newc T —5J 61
Victoria M. Whit B —6H 37
Victoria Parkway. Newc T —2C 62
Victoria Pl. Sund —2G 117 (SR1)
Victoria Pl. Sund —2D 116 (SR4)
Victoria Pl. Wash —7H 99
Victoria Pl. Whit B —7E 36
Victoria Rd. Con —7H 119 (in two parts)
Victoria Rd. Gate —6E 80
Victoria Rd. S Shi —4J 65
Victoria Rd. Wash —7H 99
Victoria Rd. E. Heb —1J 83
Victoria Rd. W. Heb —4G 83
Victoria Sq. Gate —6B 82
Victoria Sq. Newc T —6G 61 (2G 4)
Victoria St. Con —6G 119
Victoria St. Gate —5C 80
Victoria St. Heb —7G 63
Victoria St. Hett H —6G 143
Victoria St. Lan —6J 135
Victoria St. Newc T —2D 80 (7B 4)
Victoria St. N Shi —1G 65
Victoria St. Ryton —2D 76
Victoria St. Sac —7E 138
Victoria St. S'hm —3A 146
Victoria St. Shot C —6E 168
Victoria Ter. Bed —7K 15 (in two parts)
Victoria Ter. Dur —2K 163
Victoria Ter. E Bol —7J 85
Victoria Ter. Fel —6B 82
Victoria Ter. Gate —4A 98
Victoria Ter. Ham C —2K 105
Victoria Ter. Hou S —2C 128
Victoria Ter. Jar —7A 64
Victoria Ter. Lan —6J 135
Victoria Ter. Mur —1F 157
Victoria Ter. Newb S —3J 11
Victoria Ter. Newc T —3H 57
Victoria Ter. Pelt —2C 124 (nr. High Handenhold)
Victoria Ter. Pelt —3E 124 (nr. Pelton)
Victoria Ter. Pelt F —4G 125
Victoria Ter. Pru —4F 75
Victoria Ter. Row G —6G 93
Victoria Ter. Spri —6D 98
Victoria Ter. S'ley —5K 121
Victoria Ter. Whit B —6H 37
Victoria Ter. Bk. Newc T —3H 57
Victoria Ter. S. Sund —6F 103
Victoria Vs. Bed —7K 15
Victor St. Ches S —6A 126
Victor St. Sund —6G 103
Victor Ter. Bear —1D 162
Victory Cotts. Dud —2J 33
Victory Ho. N Shi —5K 47
Victory St. Sund —7A 102
Victory St. E. Hett H —6H 143
Victory St. W. Hett H —6H 143
Victory Way. Dox I —4J 129
Viewforth Dri. Sund —4E 102
Viewforth Grn. Newc T —4J 59
Viewforth Rd. Sund —4H 131
Viewforth Ter. Sund —4D 102 (in two parts)
Viewforth Vs. Dur —2H 163
Viewlands. Ash —3B 10
View La. S'ley —2F 123
View Tops. Beam —1B 124
Vigar Ri. N Shi —5K 47
**Vigo. —6C 112**
Vigodale. Bir —7C 112
Vigo La. Ches S —1A 126
Vigo La. Harr —1D 126
Viking Ind. Est. Jar —5K 63
Viking Precinct. Jar —6B 64
Villa Clo. Sund —2B 116
Village Ct. Whit B —6F 37
Village E. Ryton —7G 57
Village La. Wash —2G 113
Village Pl. Newc T —1A 82
Village Rd. Cra —4A 24
**Village, The. —4B 180**
Village, The. Bran —5A 172
Village, The. Ryh —3J 131
Village W. Ryton —7G 57
Villa Pl. Gate —5G 81
Villa Real Bungalows. Con —5K 119
Villa Real Ct. Con —5J 119
Villa Real Est. Con —5J 119
Villa Real Rd. Con —5J 119
Villas, The. B'hpe —5D 136
Villas, The. G'cft —6J 121
Villas, The. H'fd —3H 33
Villas, The. N Gos —6E 32
Villas, The. Ryh —4H 131
Villas, The. Sund —6J 101
Villas, The. Thor —1J 177
Villa Vw. Gate —1J 97
Villette Brooke St. Sund —4G 117
Villette Path. Sund —4G 117
Villette Rd. Sund —4G 117
Villettes, The. Hou S —6D 128
Villiers Pl. Ches S —5A 126
Villiers St. Sund —1G 117
Villiers St. S. Sund —2G 117
Vimy Av. Heb —7J 63
Vincent St. Pet —7C 158
Vincent St. S'hm —4B 146
Vincent Ter. S'ley —6A 122
Vindomora Rd. Con —5G 105
Vindomora Vs. Con —4G 105
Vine Clo. Gate —4E 80
Vine La. Newc T —7F 61 (3F 4)
Vine La. E. Newc T —7G 61 (3G 4)
Vine Pl. Hou S —2E 142
Vine Pl. Sund —2E 116
Vine St. S Shi —7H 65
Vine St. W'snd —4G 63
Vine Ter. Hex —2D 68
Viola Cres. Ous —6H 111
Viola Cres. Sac —1E 150
Viola St. Wash —7H 99
Viola Ter. Whi —7H 79
Violet Clo. Newc T —2K 79
Violet St. Hou S —2D 142
Violet St. S Hyl —2G 115
Violet St. Sund —1D 116
Violet Ter. Hou S —6H 127
Violet Wlk. Newc T —2K 79
Viscount Rd. Sund —2C 130
Vivian Cres. Ches S —7A 126
Vivian Sq. Sund —4F 103
Voltage Ter. Hou S —5D 128
Vulcan Pl. Bed —1J 19
Vulcan Pl. Sund —6F 103
Vulcan Ter. Newc T —3C 44

Waddington St. Dur —2K 163
Wadey Pl. Lang P —5J 149
Wadham Clo. Pet —7K 169
Wadham Ct. Ryh —2G 131
Wadham Ter. S Shi —1H 85
Wadsley Sq. Sund —5G 117
Waggonway, The. Pru —3E 74
Wagon Way. W'snd —3H 63
Wagonway Ind. Est. Heb —5J 63
Wagonway Rd. Heb —6H 63
Wagtail La. S'ley —1E 136
Wagtail Ter. S'ley —7J 123
Wakefield Av. S Shi —1D 86
Wakenshaw Rd. Dur —1D 164
**Walbottle. —4K 57**
Walbottle Hall Gdns. Newc T —4A 58
Walbottle Rd. Newc T —4K 57
Walden Clo. Ous —6F 111
Waldo St. N Shi —7H 47
**Waldridge. —1G 139**
Waldridge Clo. Wash —2E 112
Waldridge Fell Country Park. —2G 139
Waldridge Gdns. Spri —3B 98
Waldridge La. Ches S & Ches M —1G 139
Waldridge Rd. Ches S —1G 139
Waldron Sq. Sund —5G 117
**Walker. —1E 82**
Walkerburn. Cra —7K 23
Walkerdene Ho. Newc T —5F 63
**Walkergate. —5C 62**
Walkergate. Dur —2A 164
Walker Pk. Clo. Newc T —2E 82
Walker Pk. Gdns. Newc T —2E 82
Walker Pl. N Shi —6J 47
**Walker Riverside. —2F 83**
Walker Riverside Ind. Est. Newc T —1F 83
Walker Rd. Newc T —1K 81 (6N 5)
Walker St. Bow —5H 175
Walker Ter. Gate —4G 81 (10H 5)
Walker Vw. Gate —6B 82
**Walkerville. —4E 62**
Wallace Av. Whi —6J 79
Wallace Gdns. Gate —3C 98
Wallace St. Gate —5C 80
Wallace St. Hou S —2D 142
Wallace St. Newc T —6D 60 (1B 4)
Wallace St. Sund —6E 102
Wallace Ter. Ryton —1G 77
Wallace Ter. Sea D —7J 25 (off Astley Rd.)
Wall Clo. Newc T —7C 42
Waller Gro. Newc T —5J 41
Waller Ter. Hou S —3E 142
Waller Vs. Sun —5H 95
Wallflower Av. Pet —5D 170
Wallinfen. Gate —2D 98
Wallingford Av. Sund —6G 117
Wallington Av. Bru V —5C 32
Wallington Av. N Shi —3G 47
Wallington Clo. Bed —6A 16
Wallington Ct. Kil —1A 44
Wallington Ct. King P —5K 41
Wallington Ct. N Shi —3H 47
Wallington Ct. Sea D —7H 25
Wallington Dri. Newc T —5E 58
Wallington Gro. S Shi —2K 65
Wallington Rd. Ash —5D 10
Wallis St. Gate —7B 82
Wallis St. Pen —1B 128
Wallis St. S Shi —2J 65
**Wall Nook. —4K 149**
Wallnook La. Lang P —4K 149
Wallridge Dri. H'wll —1J 35
**Wallsend. —4G 63**
Wallsend Heritage Centre. —4G 63 (off Buddle St.)
Wallsend Rd. N Shi —2C 64 (in two parts)
Wall St. Newc T —7C 42
Wall Ter. Newc T —6C 62
Walmer Ter. Gate —6B 98
Walnut Gdns. Gate —6E 80
Walnut Pl. Newc T —2B 60
Walpole Clo. S'hm —4H 145
Walpole Ct. Sund —2C 116
Walpole St. Newc T —5C 62
Walpole St. S Shi —4H 65
Walsham Clo. Bly —4F 21
Walsh Av. Heb —6J 63
Walsingham. Wash —5G 113
Walter St. Bru V —5C 32
Walter St. Jar —6B 64
Walter Ter. Eas L —2H 155
Walter Ter. Newc T —7C 60 (3A 4)
Walter Thomas St. Sund —5B 102
Waltham. Wash —4H 113
Waltham Clo. W'snd —2D 62
Waltham Pl. Newc T —3H 59
Walton Av. Bly —1G 21
Walton Av. N Shi —5F 47
Walton Av. S'hm —4H 145
Walton Clo. S'ley —4G 123
Walton Dri. Chop —1H 15
Walton Gth. Sund —1G 117
Walton La. Sund —1G 117
Walton Pk. N Shi —4F 47
Walton Rd. Newc T —4G 59
Walton Rd. Wash —2A 114
Walton's Bldgs. Ush M —2B 162
Walton's Ter. New B —4B 162
Walton Ter. C'sde —4C 132
Walton Ter. V Real —5J 119
Walton Ter. Win —4F 179
Walwick Av. N Shi —6D 46
Walwick Rd. S Well —6B 36
Walworth Av. S Shi —7E 66
Walworth Gro. Jar —3B 84
Walworth Way. Sund —1E 116
Wandsworth Rd. Newc T —6K 61 (2N 5)
Wanless La. Hex —2D 68
Wanless Ter. Dur —2B 164
Wanley St. Bly —1J 21
Wanlock Clo. Cra —7A 24
Wanny Rd. Bed —7K 15
Wansbeck. Wash —7E 112
Wansbeck Av. Bly —3J 21
Wansbeck Av. Chop —7J 9
Wansbeck Av. N Shi —1J 47
Wansbeck Av. S'ley —4F 123
Wansbeck Bus. Pk. Ash —2K 9
Wansbeck Clo. Pelt —2H 125
Wansbeck Clo. Sun —4G 95
Wansbeck Ct. Mor —7G 7 (off Wansbeck St.)
Wansbeck Ct. Pet —1A 180
Wansbeck Ct. Sund —3B 130
Wansbeck Cres. Peg —4A 8
Wansbeck Gro. Con —4B 120
Wansbeck Gro. N Har —4H 25
Wansbeck M. Ash —3K 9
Wansbeck Pl. Mor —6E 6
Wansbeck Riverside Cvn. Pk. Ash —6H 9
Wansbeck Riverside Park. —6J 9
Wansbeck Rd. Ash —3J 9
Wansbeck Rd. Dud —3H 33
Wansbeck Rd. Jar —1A 84
Wansbeck Rd. N. Newc T —6C 42
Wansbeck Rd. S. Newc T —6C 42
Wansbeck Sq. Ash —3A 10
Wansbeck St. Ash —7E 10
Wansbeck St. C'wl —6A 92
Wansbeck St. Mor —7G 7
Wansbeck Ter. Dud —3H 33
Wansbeck Ter. W Sle —1B 16
Wansbeck Vw. Chop —7K 9
Wansdyke. Mor —6C 6
Wansfell Av. Newc T —2K 59
Wansford Av. Newc T —4H 59
Wansford Way. Whi —3F 95 (in four parts)
Wantage Av. N Shi —1D 64
Wantage Rd. Dur —6H 153
Wantage St. S Shi —6K 65
Wapping Rd. Bly —1K 21
Wapping St. S Shi —1H 65
Warbeck Clo. Newc T —6H 41
Warburton Cres. Gate —6J 81
Warcop Ct. Newc T —5A 42
Ward Ct. Sund —3G 117
Warden Gro. Hou S —3F 143
**Warden Law. —1K 143**
Wardenlaw. Gate —2D 98
Warden Law La. Sund —3A 130
Wardill Gdns. Gate —7K 81
Ward La. Mic —7B 74
Wardle Av. S Shi —4A 66
Wardle Dri. Ann —3K 33
Wardle Gdns. Gate —7C 82
Wardles Ter. Dur —3K 163 (off Allergate)
Wardle St. S'ley —6E 122
Wardle Ter. Ryton —2D 76
**Wardley. —6G 83**
Wardley Ct. Gate —6H 83
Wardley Dri. Gate —6H 83
Wardley Grn. Gate —4G 83
Wardley La. Gate —6H 83
Wardroper Ho. Newc T —2E 82
Ward St. Sund —3G 117
Warenford Clo. Cra —6A 24
Warenford Pl. Newc T —6J 59
Warenmill Clo. Newc T —6B 58
Warennes St. Sund —1A 116
Warenton Pl. N Shi —3B 46
Waring Av. Sea S —3B 26
Waring Ter. Dal D —4H 145
Wark Av. N Shi —6C 46
Wark Av. Shir —7K 35
Wark Ct. Newc T —1G 61
Wark Cres. Jar —4B 84
Warkdale Av. Bly —2E 20
Wark St. Ches S —1K 140
Warkworth Av. Bly —4J 21
Warkworth Av. Pet —4D 170 (in two parts)
Warkworth Av. S Shi —6D 66
Warkworth Av. W'snd —1G 63
Warkworth Av. Whit B —6G 37
Warkworth Clo. Wash —4F 113
Warkworth Cres. Ash —4A 10
Warkworth Cres. Gos —6D 42
Warkworth Cres. Newb —6K 57 (off Newburn Rd.)
Warkworth Cres. S'hm —3G 145
Warkworth Dri. Ches S —1J 139
Warkworth Dri. Peg —4B 8
Warkworth Dri. Wide —4E 32
Warkworth Gdns. Gate —6A 82
Warkworth Rd. Dur —4A 152
Warkworth St. Byker —7A 62
Warkworth St. Lem —7C 58
Warkworth St. Newc T —3P 5
Warkworth Ter. Jar —3B 84
Warkworth Ter. N Shi —4K 47 (in two parts)
Warnbrook Av. S'hm —1F 157 (off E. Coronation St.)
Warnbrook Cres. B Col —3K 181
Warnham Av. Sund —6G 117
Warnhead Rd. Bed —7K 15
Warren Av. Newc T —5E 62
Warren Clo. Hou S —5C 128
Warren Ct. Ash —5A 10
Warrenmor. Gate —7E 82
Warren Sq. Pet —6E 170
Warren Sq. Sund —7H 103
Warren St. Pet —5E 170
Warren St. Sund —7H 103
Warrens Wlk. Bla T —5A 78
Warrington Rd. Faw —6A 42
Warrington Rd. Newc T —2C 80
Warton Ter. Newc T —5A 62
Warwick Av. Con —3C 132
Warwick Av. Whi —2G 95
Warwick Clo. Bed —7F 15
Warwick Clo. Seg —2C 34
Warwick Clo. Whi —2G 95
Warwick Ct. Dur —5J 163
Warwick Ct. Gate —4H 81 (10J 5)
Warwick Ct. Newc T —5K 41
Warwick Dri. Hou S —4E 142
Warwick Dri. Sund —2J 129
Warwick Dri. Wash —5H 99
Warwick Dri. Whi —2H 95
Warwick Hall Wlk. Newc T —2B 62
Warwick Pl. Pet —5K 169
Warwick Rd. Heb —3K 83
Warwick Rd. Newc T —5E 58
Warwick Rd. S Shi —5K 65
Warwick Rd. W'snd —4F 63
Warwickshire Dri. Dur —2G 165
Warwick St. Bly —5G 21
Warwick St. Gate —4H 81
Warwick St. Newc T —7H 61 (3K 5)

Warwick St. *Sund* —6F **103**
Warwick Ter. *Sund* —1C **130**
*Warwick Ter. N. Sund —1C **130***
*(off Warwick Ter.)*
Warwick Ter. W. *Sund* —1C **130**
Wasdale Clo. *Cra* —7A **24**
Wasdale Clo. *Pet* —6C **170**
Wasdale Ct. *Sund* —2E **102**
Wasdale Cres. *Bla T* —6B **78**
Wasdale Rd. *Newc T* —5H **59**
**Washington. —3J 113**
Washington 'F' Pit Museum. —1G **113**
Washington Gdns. *Gate* —4A **98**
Washington Highway. *Wash* —7E **98**
Washington Old Hall. —2J **113**
Washington Rd. *Sund* —3E **100**
Washington Rd. *Wash* —7A **100**
Washington Sq. *Pet* —1K **169**
**Washington Staithes. —5A 114**
Washington St. *Sund* —2B **116**
Washington Ter. *N Shi* —5J **47**
**Washington Village. —2H 113**
Washington Wildfowl & Wetlands Centre. —3C **114**
Washingwell La. *Whi* —7K **79**
Waskerley Clo. *Sun* —4G **95**
(in two parts)
Waskerley Gdns. *Gate* —4B **98**
Waskerley Rd. *Wash* —3K **113**
Watch Ho. Clo. *N Shi* —2G **65**
Watcombe Clo. *Wash* —4K **99**
Waterbeach Pl. *Newc T* —3H **59**
Waterbeck Clo. *Cra* —7A **24**
Waterbury Clo. *Sund* —4B **102**
Waterbury Rd. *Newc T* —3D **42**
Waterfield Rd. *E Sle* —4F **17**
Waterford Clo. *E Rai* —6D **142**
Waterford Clo. *Sea S* —4D **26**
Waterford Cres. *Whit B* —7H **37**
Waterford Grn. *Ash* —7B **10**
Waterford Pk. *Bru V* —5B **32**
Watergate. *Newc T* —2G **81** (7G **4**)
**Watergate Estate. —1J 95**
Watergate Rd. *Con* —4B **132**
Water Ho. Rd. *Esh W* —7E **160**
**Waterhouses. —6B 160**
Waterloo Ct. *Wash* —7J **99**
Waterloo Pl. *N Shi* —6G **47**
Waterloo Pl. *Sund* —2F **117**
Waterloo Rd. *Bly* —2H **21**
Waterloo Rd. *Wash* —6J **99**
(in three parts)
Waterloo Rd. *Well* —6A **36**
Waterloo Sq. *S Shi* —2J **65**
Waterloo St. *Bla T* —5A **78**
Waterloo St. *Newc T* —2E **80** (7D **4**)
Waterloo Va. *S Shi* —2J **65**
*Waterloo Wlk. Wash —7J **99***
*(off Waterloo Ct.)*
Waterlow Clo. *Sund* —3B **102**
Watermill. *Ryton* —1G **77**
Watermill La. *Gate* —6C **82**
Water Row. *Newc T* —6J **57**
Waterside. *Mor* —7F **7**
Waterside Dri. *Gate* —4A **80**
Waterson Cres. *Wit G* —2D **150**
Water St. *Newc T* —3D **80** (10A **4**)
Water St. *Sac* —7E **138**
Waterville Pl. *N Shi* —7G **47**
Waterville Rd. *N Shi* —1D **64**
Waterville Ter. *N Shi* —7G **47**
Waterworks Rd. *Ryh* —4G **131**
Waterworks Rd. *Sund* —2D **116**
Waterworks, The. *Sund* —4G **131**
Watford Clo. *Sund* —3B **102**
Watkin Cres. *Mur* —7E **144**
Watling Av. *S'hm* —4G **145**
Watling Pl. *Gate* —1K **97**
Watling St. *Con* —5B **120**
Watling St. *Cor* —7D **50**
Watling St. Bungalows. *Con* —4A **120**
Watling Way. *Lan* —7J **135**
Watson Av. *Dud* —3J **33**
Watson Av. *S Shi* —1D **86**
Watson Clo. *Dal D* —4H **145**
Watson Clo. *Whe H* —2C **178**
Watson Cres. *Trim S* —7C **178**
Watson Gdns. *W'snd* —2A **64**
Watson Pl. *S Shi* —1D **86**
Watson's Bldgs. *Edm* —3D **138**
Watson St. *Burn* —2B **108**
Watson St. *Con* —5G **119**
Watson St. *Gate* —5E **80**
Watson St. *H Spen* —2E **92**
Watson St. *Jar* —5C **64**
Watson St. *S'ley* —1F **123**
Watson Ter. *Bol C* —7F **85**
Watson Ter. *Mor* —7G **7**
Watt's La. *Newb S* —2J **11**
Watt's Slope. *Whit B* —5G **37**
Watts St. *Mur* —7E **144**
Watt St. *Gate* —7F **81**
Wavendon Cres. *Sund* —4K **115**
Waveney Gdns. *S'ley* —5E **122**
Waveney Rd. *Pet* —1K **179**
Waverdale Av. *Newc T* —6E **62**
Waverdale Way. *S Shi* —7H **65**
Waverley Av. *Bed* —6A **16**
(in two parts)
Waverley Av. *Whit B* —7F **37**
Waverley Clo. *Bla T* —6K **77**
Waverley Ct. *Bed* —6A **16**
Waverley Cres. *Newc T* —6D **58**
Waverley Dri. *Bed* —6A **16**
(in two parts)
Waverley Pl. *Newb S* —2J **11**
Waverley Rd. *Gate* —5J **97**
Waverley Rd. *Newc T* —2D **80** (8A **4**)
Waverley Ter. *Dip* —7J **107**
Waverley Ter. *Sund* —1A **116**
Waverton Clo. *Cra* —7K **23**
Wawn St. *S Shi* —5K **65**
Wayfarer Rd. *Sund* —6C **102**
Wayland Sq. *Sund* —7G **117**
Wayman St. *Sund* —6E **102**
Wayside. *Crox* —7K **173**
Wayside. *Newc T* —1H **79**
Wayside. *S Shi* —7D **66**
Wayside. *Sund* —4D **116**
Wayside. *Whe H* —4A **178**
Wayside Ct. *Bear* —1D **162**
Wealcroft. *Gate* —3D **98**
Wealcroft Ct. *Gate* —2D **98**
Wealleans Clo. *Ash* —4F **11**
**Wear. —6F 113**
Wear Av. *Con* —4B **120**
Wear Ct. *S Shi* —1J **85**
Wear Cres. *Gt Lum* —3F **141**
Weardale Av. *Bly* —1D **20**
Weardale Av. *For H* —4A **44**
Weardale Av. *Sund* —1G **103**
Weardale Av. *Walk* —6E **62**
Weardale Av. *W'snd* —1F **63**
Weardale Av. *Wash* —7G **99**
Weardale Cres. *Hou S* —2B **128**
Weardale Ho. *Wash* —4F **113**
Weardale Pk. *Whe H* —2C **178**
Weardale St. *Hett H* —2E **154**
Weardale Ter. *Ches S* —7B **126**
Weardale Ter. *S'ley* —5A **122**
Weardale Way. *Gt Lum* —4E **140**
Wear Fld. *Sund E* —6A **102**
Wear Ind. Est. *Wash* —6F **113**
Wear Lodge. *Ches S* —2A **126**
Wearmouth Av. *Sund* —5F **103**
Wearmouth Bri. *Sund* —1F **117**
Wearmouth Dri. *Sund* —5E **102**
Wearmouth St. *Sund* —6F **103**
Wear Rd. *Heb* —2J **83**
Wear Rd. *S'ley* —3F **123**
Wearside Dri. *Dur* —2B **164**
Wear St. *Ches S* —7B **126**
Wear St. *Chil M* —3A **142**
Wear St. *C'wl* —6K **91**
Wear St. *Con* —7J **119**
Wear St. *Hett H* —7G **143**
Wear St. *Jar* —6B **64**
Wear St. *S'hm* —3B **146**
Wear St. *S Hyl* —1G **115**
Wear St. *Sund* —2H **117**
(SR1)
Wear St. *Sund* —6C **102**
(SR5)
Wear Ter. *Pet* —7B **158**
Wear Ter. *Wash* —4K **113**
Wear Vw. *Dur* —2B **164**
Wear Vw. *Sund* —1H **115**
Weathercock La. *Gate* —2H **97**
Weatherside. *Bla T* —5B **78**
Webb Av. *Mur* —6E **144**
Webb Av. *S'hm* —3G **145**
Webb Gdns. *Gate* —6E **82**
Webb Sq. *Pet* —3C **170**
Wedderburn Sq. *Ash* —4A **10**
Wedder Law. *Cra* —7K **23**
Wedgewood Cotts. *Newc T* —7D **58**
Wedgewood Rd. *S'hm* —4H **145**
Wedmore Rd. *Newc T* —3D **58**
Weetman St. *S Shi* —4H **65**
Weetslade Cres. *Dud* —4J **33**
Weetslade Rd. *Dud* —3H **33**
Weetslade Ter. *Burr* —6K **33**
Weetwood Rd. *Cra* —6A **24**
Weidner Rd. *Newc T* —7K **59**
Welbeck Grn. *Newc T* —1C **82**
Welbeck Rd. *Chop* —1G **15**
Welbeck Rd. *Newc T* —1A **82**
Welbeck Ter. *Ash* —5B **10**
Welbeck Ter. *Peg* —3B **8**
Welburn Clo. *O'ham* —1D **74**
Welbury Way. *Cra* —7K **23**
Weldon Av. *Sund* —6G **117**
Weldon Cres. *Newc T* —3K **61**
Weldon Pl. *N Shi* —4D **46**
Weldon Rd. *Cra* —5B **24**
Weldon Rd. *Newc T* —6K **43**
Weldon Ter. *Ches S* —7B **126**
Weldon Way. *Newc T* —6D **42**
Welfare Clo. *Pet* —7C **158**
Welfare Cres. *Ash* —3D **10**
Welfare Cres. *B Col* —2G **181**
Welfare Cres. *Newb S* —3G **11**
Welfare Cres. *S Het* —5D **156**
Welfare Rd. *Hett H* —6F **143**
(in two parts)
Welford Av. *Newc T* —7C **42**
Welford Rd. *Con* —2E **132**
Welland Clo. *Pet* —1A **180**
Wellands Clo. *Sund* —5G **87**
Wellands Ct. *Sund* —5G **87**
Wellands Dri. *Sund* —5G **87**
Wellands La. *Sund* —5G **87**
Well Bank. *Cor* —7D **50**
Well Bank Rd. *Wash* —6F **99**
Wellburn Pk. *Newc T* —4J **61**
Wellburn Rd. *Wash* —6F **99**
Well Clo. Wlk. *Whi* —1G **95**
Well Dean. *Pru* —3F **75**
Wellesley Ct. *S Shi* —1J **65**
Wellesley St. *Jar* —1B **84**
Wellesley Ter. *Newc T* —1C **80**
**Wellfield. —6B 36**
**(nr. Whitley Bay)**
**Wellfield. —4G 179**
**(nr. Wingate)**
Wellfield Clo. *Newc T* —4G **57**
Wellfield Ct. *Ryton* —3C **76**
Wellfield La. *Newc T* —3G **59**
Wellfield M. *Ryh* —4G **131**
Wellfield Rd. *Mur* —7D **144**
Wellfield Rd. *Newc T* —1K **79**
Wellfield Rd. *Row G* —6G **93**
Wellfield Rd. *Win* —4G **179**
Wellfield Rd. N. *Win* —4G **179**
Wellfield Rd. S. *Win* —4G **179**
Wellfield Ter. *Bill Q* —7A **82**
*Wellfield Ter. Cas E —4H **179***
*(off Wellfield Rd.)*
Wellfield Ter. *Ryh* —4G **131**
Wellgarth Rd. *Wash* —6F **99**
Wellhead Dean Rd. *Both & Ash* —5H **9**
Wellhead Ter. *Ash* —3J **9**
Wellhope. *Wash* —1D **126**
Wellington Av. *Well* —6A **36**
Wellington Ct. *Gate* —6A **82**
Wellington Ct. *Wash* —7J **99**
Wellington Dri. *S Shi* —1J **65**
Wellington La. *Sund* —7D **102**
Wellington Rd. *Chop* —1J **15**
Wellington Rd. *Dun* —5K **79**
(in two parts)
Wellington Row. *Hou S* —4C **128**
Wellington St. *Bly* —2K **21**
(in two parts)
Wellington St. *Cen* —2G **81** (9H **5**)
Wellington St. *Fel* —6A **82**
Wellington St. *Heb* —1H **83**
Wellington St. *H Pitt* —6B **154**
Wellington St. *Lem* —7D **58**
Wellington St. *Newc T* —7E **60** (4C **4**)
Wellington St. E. *Bly* —1K **21**
Wellington St. W. *N Shi* —7G **47**
*Wellington Wlk. Wash —7J **99***
*(off Wellington Ct.)*
Well La. *Mur V* —2B **46**
(in two parts)
Wellmere Rd. *Lee I* —7H **117**
Well Ridge Clo. *Whit B* —5C **36**
Well Ridge Pk. *Whit B* —5C **36**
Well Rd. *Stoc* —2H **89**
Wells Clo. *Newc T* —1B **62**
Wells Cres. *S'hm* —3H **145**
Wells Gdns. *Gate* —5H **97**
Wells Gro. *S Shi* —6C **66**
Wellshede. *Gate* —7F **83**
Wells St. *Bol C* —5E **84**
Well St. *Sund* —1B **116**
Wellway. *Jar* —4B **84**
Well Way. *Mor* —6F **7**
Wellway Ct. *Mor* —6F **7**
Wellwood Gdns. *Mor* —7G **7**
Welsh Ter. *S'ley* —6A **122**
**Welton. —1H 53**
Welton Clo. *Stoc* —1K **89**
Welwyn Av. *Bed* —5B **16**
Welwyn Clo. *C'twn* —7G **101**
Welwyn Clo. *W'snd* —1D **62**
Wembley Av. *Whit B* —7E **36**
Wembley Clo. *Sund* —4B **102**
Wembley Gdns. *Camb* —2F **17**
Wembley Rd. *Sund* —4B **102**
Wembley Ter. *Camb* —2F **17**
Wendover Clo. *Sund* —3A **102**
Wendover Way. *Sund* —3A **102**
Wenham Sq. *Sund* —4D **116**
Wenlock. *Wash* —4G **113**
Wenlock Dri. *N Shi* —4E **46**
Wenlock Lodge. *S Shi* —2G **85**
Wenlock Pl. *S Shi* —2G **85**
Wenlock Rd. *S Shi* —1F **85**
Wensley Clo. *Newc T* —1J **59**
Wensley Clo. *Ous* —7G **111**
Wensleydale. *W'snd* —7D **44**
Wensleydale Av. *Hou S* —2A **128**
Wensleydale Av. *Wash* —7G **99**
Wensleydale Dri. *Newc T* —4B **44**
Wensleydale Ter. *Bly* —3K **21**
Wensleydale Wlk. *Newc T* —7A **42**
Wensley Ho. *Sund* —4B **130**
Wentworth. *S Shi* —4A **66**
Wentworth Clo. *Gate* —7B **82**
Wentworth Ct. *Newc T* —2D **80** (7A **4**)
Wentworth Ct. *Pon* —7G **29**
Wentworth Dri. *Wash* —5G **99**
Wentworth Gdns. *Whit B* —7C **36**
Wentworth Grange. *Gos* —1F **61**
Wentworth Pl. *Hex* —1D **68**
Wentworth Pl. *Newc T* —2D **80** (7A **4**)
Wentworth Ter. *Sund* —1D **116**
Werdohl Way. *Con* —4J **119**
Werhale Grn. *Gate* —7B **82**
Wesley Ct. *Ann P* —5K **121**
Wesley Ct. *Bla T* —3D **78**
Wesley Ct. *Gate* —6A **82**
Wesley Ct. *S'ley* —2G **123**
Wesley Dri. *Newc T* —3F **45**
Wesley Gdns. *Con* —4C **132**
Wesley Gro. *Ryton* —3C **76**
Wesley Mt. *Craw* —3C **76**
Wesley St. *B'hll* —5F **119**
Wesley St. *Con* —7H **119**
Wesley St. *Gate* —2H **97**
Wesley St. *Pru* —4F **75**
Wesley St. *S Shi* —2J **65**
Wesley Ter. *Ches S* —6A **126**
Wesley Ter. *Con* —4D **132**
Wesley Ter. *Dip* —7H **107**
Wesley Ter. *Pelt F* —4G **125**
Wesley Ter. *Pru* —4F **75**
Wesley Ter. *S Hill* —3C **166**
Wesley Ter. *S'ley* —5K **121**
Wesley Way. *Newc T* —3F **45**
Wesley Way. *S'hm* —3H **145**
Wesley Way. *Thro* —3H **57**
Wessex Clo. *Sund* —3B **102**
Wessington Ind. Est. *Sund* —6J **101**
Wessington Ter. *Wash* —1H **113**
Wessington Way. *Sund* —1F **115**
West Acre. *Con* —4E **118**
Westacre Gdns. *Newc T* —6J **59**
West Acres. *Bla T* —4D **78**
West Acres. *Din* —4H **31**
West Acres Av. *Whi* —2H **95**
Westacres Cres. *Newc T* —7J **59**
**West Allotment. —3J 45**
West Av. *Bent* —6B **44**
West Av. *B Col* —1H **181**
West Av. *Ches M* —3J **139**
West Av. *Chop* —1F **15**
West Av. *For H* —3D **44**
West Av. *Gos* —1E **60**
*West Av. Mur —7E **144***
*(off Williams Rd.)*
West Av. *N Shi* —7D **46**
West Av. *Pet* —6C **158**
West Av. *S Shi* —7A **66**
West Av. *Sund* —5G **87**
West Av. *Wash* —7F **113**
West Av. *W'hpe* —3F **59**
West Av. *Whit B* —6E **36**
West Bailey. *Newc T* —1K **43**
*West Bank. Ryton —3C **76***
*(off Old Main St.)*
West Block. *Wit G* —3C **150**
**West Boldon. —7F 85**
Westbourne Av. *Chop* —6J **9**
Westbourne Av. *Gate* —6G **81**
Westbourne Av. *Gos* —5E **42**
Westbourne Av. *Walkg* —5D **62**
Westbourne Cotts. *Hou S* —3A **128**
Westbourne Dri. *Hou S* —3A **128**
Westbourne Gdns. *Newc T* —7E **62**
Westbourne Gro. *Hex* —1B **68**
Westbourne Rd. *Sund* —2D **116**
Westbourne Ter. *Hou S* —4A **128**
Westbourne Ter. *Sea D* —7J **25**
W. Bridge St. *Camb* —5H **17**
W. Bridge St. *Hou S* —1J **127**
Westburn. *Ryton* —3C **76**
(in three parts)
Westburn Cotts. *Ryton* —3C **76**
Westburn Gdns. *W'snd* —1D **62**
Westburn M. *Ryton* —3C **76**
Westburn Ter. *Sund* —5G **103**
Westbury Av. *Newc T* —5E **62**
Westbury Rd. *N Shi* —4F **47**
Westbury St. *Sund* —1D **116**
**West Chirton. —7C 46**
W. Chirton Ind. Est. *N Shi* —6C **46**
W. Chirton N. Ind. Est. *N Shi* —5A **46**
W. Chirton Trad. Est. *N Shi* —6B **46**
**West Chopwell. —5K 91**
Westcliff Clo. *Pet* —1J **169**
Westcliffe Rd. *Sund* —3H **103**
Westcliffe Way. *S Shi* —3F **85**
W. Clifton. *Kil* —7A **34**
West Copperas. *Newc T* —6E **58**
(in two parts)
W. Coronation St. *Mur* —7F **145**
Westcott Av. *S Shi* —4A **66**
Westcott Dri. *Dur* —6J **151**
Westcott Rd. *Pet* —5B **170**
Westcott Rd. *S Shi* —1J **85**
Westcott Ter. *Hou S* —1C **128**
West Ct. *Bly* —3G **21**
West Ct. *Newc T* —7C **42**
W. Courtyard. *N Shi* —7H **47**
West Cres. *C'wl* —1K **105**
West Cres. *Gate* —6G **83**
West Cres. *Pet* —7A **158**
Westcroft Rd. *Newc T* —5C **44**
W. Dene Dri. *N Shi* —4G **47**
**West Denton. —3D 58**
W. Denton Clo. *Newc T* —5D **58**
W. Denton Rd. *Newc T* —5D **58**
W. Denton Way. *Newc T* —3D **58**
West Dri. *Bly* —5G **21**
West Dri. *Ches S* —7H **125**
West Dri. *Lan* —7J **135**
West Dri. *Sund* —5A **86**
W. Ellen St. *Mur* —1F **157**
West End. *Sea S* —6D **26**
Wester Ct. *Sund* —4B **130**
Westerdale. *Hou S* —1J **127**
Westerdale. *W'snd* —1D **62**
Westerdale Pl. *Newc T* —7F **63**
Westerham Clo. *Sund* —3B **102**
**Westerhope. —3F 59**
Westerhope Gdns. *Newc T* —4K **59**
Westerhope Rd. *Wash* —3K **113**
Westerkirk. *Cra* —7A **24**
Western App. *S Shi* —6H **65**
*Western App. Ind. Est. S Shi*
*(off Western App.) —4J **65***
Western Av. *Esh W* —3D **160**
Western Av. *Grai P* —1A **80**
Western Av. *Pru* —4D **74**
Western Av. *Sea D* —7F **25**
Western Av. *Team T* —3E **96**
Western Av. *W Den* —4D **58**
*Western Ct. Whit B —3F **37***
*(off Western Way.)*
Western Dri. *Newc T* —1B **80**
Western Highway. *Bir* —6C **112**
**Western Hill. —1K 163**
Western Hill. *Con* —4E **118**
Western Hill. *Dur* —2K **163**
Western Hill. *Ryh* —2G **131**
Western Hill. *Sund* —2D **116**
Westernmoor. *Wash* —2D **112**
Western Rd. *Jar* —6A **64**
Western Rd. *W'snd* —3K **63**
Western Ter. *Ches S* —7A **126**
Western Ter. *Dud* —3H **33**
Western Ter. *E Bol* —7G **85**
Western Ter. *Wash* —1H **113**
Western Ter. N. *Mur* —7F **145**
*Western Ter. S. Mur —7F **145***
*(off Wood's Ter.)*
Western Vw. *Gate* —6A **98**
Western Way. *Bla T* —4E **78**
Western Way. *Pon* —7E **28**
Western Way. *Ryton* —2G **77**
Western Way. *Whit B* —3F **37**
W. Farm Av. *Newc T* —6H **43**
W. Farm Ct. *B'pk* —4E **162**
W. Farm Ct. *Cra* —3K **23**
W. Farm Ct. *Newc T* —2C **44**

W. Farm Rd. Newc T —6C 62
W. Farm Rd. Sund —6D 86
W. Farm Rd. W'snd —2J 63
W. Farm Wynd. Newc T —6H 43
Westfield. Gate —1C 98
Westfield. Jar —5C 84
Westfield. Mor —1E 12
Westfield. Newc T —3D 60
Westfield Av. Bru V —5C 32
Westfield Av. Newc T —2E 60
Westfield Av. Ryton —3D 76
Westfield Av. Whit B —7D 36
Westfield Clo. Hex —1B 68
Westfield Ct. Sund —4A 116
Westfield Ct. W'snd —5F 63
Westfield Cres. Gate —6D 98
Westfield Cres. Newb S —4H 11
Westfield Cres. Ryton —3D 76
Westfield Dri. Newc T —2E 60
Westfield Gro. Newc T —2D 60
Westfield Gro. Sund —4A 116
Westfield La. Ryton —7G 57
Westfield Pk. Newc T —2E 60
Westfield Pk. W'snd —3E 62
Westfield Rd. Gate —6G 81
Westfield Rd. Newc T —1J 79
Westfields. S'ley —4D 122
Westfield Ter. Gate —6G 81
Westfield Ter. Hex —1B 68
*Westfield Ter. Spri —6D 98 (off Windsor Rd.)*
Westfield Vw. Dud —3H 33
W. Ford Rd. Chop —7K 9
Westgarth. Newc T —1E 58 (in two parts)
Westgarth Gro. Shot C —5D 168
Westgarth Ter. Wash —7J 99
Westgate. Mor —1D 12
Westgate Av. Sund —1C 130
Westgate Clo. Whit B —5C 36
Westgate Ct. Newc T —5A 4
Westgate Gro. Sund —1C 130
Westgate Hill Ter. Newc T —1E 80 (6C 4)
Westgate Rd. Newc T —7B 60 (5A 4)
W. George Potts St. S Shi —4J 65
West Grange. Sund —4E 102
West Grn. Sco G —3G 15
West Greens. Mor —7G 7
West Gro. S'hm —3H 145
West Gro. Sund —3H 115
**West Harton. —1J 85**
W. Haven. Con —6G 119
Westheath Av. Sund —7F 117
W. Hendon Ho. Sund —4F 117
**West Herrington. —2F 129**
W. Hextol. Hex —2B 68
W. Hextol Clo. Hex —2B 68
W. High Horse Clo. Row G —3A 94
West Hill. Mor —1E 12
West Hill. Sund —4A 116
Westhills. Tant —6A 108
Westhills Clo. Sac —5D 138
W. Holburn. S Shi —4H 65
Westholme Gdns. Newc T —7K 59
*Westholme Ter. Sund —6H 117 (off Ryhope Rd.)*
**West Holywell. —5H 35**
Westhope Clo. S Shi —6C 66
Westhope Rd. S Shi —6C 66
**West Jesmond. —3F 61**
W. Jesmond Av. Newc T —3G 61
**West Kyo. —4K 121**
Westlands. Coxh —7J 175
Westlands. H Hea —3J 61
Westlands. Jar —5D 84
Westlands. N Shi —3H 47
Westlands. Sea S —4B 26
Westlands. W Den —4C 58
Westlands, The. Sund —3B 116
West La. Bla T —6A 78
West La. Burn —6C 94
West La. Ches S —7A 126
West La. H Wes —4K 105
West La. Newc T —3B 44
West La. S Het —4D 156
West Lawn. Sund —4F 117
W. Lawrence St. Sund —2G 117
W. Law Rd. Con —2F 119
**Westlea. —3H 145**
Westlea. Bed —1F 19
West Lea. Bla T —6C 78
West Lea. N Her —3D 128
West Lea. Wit G —3D 150
Westlea Rd. Hou S —6C 128
Westlea Rd. S'hm —3H 145
West Leigh. Tan L —1D 122
Westley Av. Whit B —2E 36
Westley Clo. Whit B —2F 37
Westline Ind. Est. Bir —6K 111
Westlings. Hett H —7G 143
Westloch Rd. Cra —7K 23
Westmacott St. Newc T —5J 57
W. Meadows. Newc T —1D 58
W. Meadows Dri. Sund —7C 86
W. Meadows Rd. Sund —6D 86
**West Mickley. —6A 74**
Westminster Av. N Shi —4B 46 (in two parts)
Westminster Clo. Whit B —7J 37
Westminster Cres. Heb —4J 83
Westminster Dri. Gate —1B 96
Westminster St. Gate —6F 81
Westminster St. Sund —6H 117
Westminster Way. Newc T —1B 62
W. Moffett St. S Shi —4K 65
**West Monkseaton. —7D 36**
**West Moor. —3K 43**
W. Moor Ct. Newc T —3K 43
Westmoor Dri. Newc T —3K 43
W. Moor Dri. Sund —7C 86
Westmoor Rd. Sund —1K 115
Westmoreland La. Newc T —2E 80
W. Moreland Retail Pk. Cra —4H 23
Westmorland Av. Bed —7G 15
Westmorland Av. Newb S —4H 11
Westmorland Av. W'snd —3B 64
Westmorland Av. Wash —6H 99
Westmorland Ct. Heb —1H 83
Westmorland Gdns. Gate —2H 97
Westmorland La. Newc T —7D 4
Westmorland Ri. Pet —4K 169
Westmorland Rd. Newc T —2B 80 (8A 4)
Westmorland Rd. N Shi —5B 46
Westmorland Rd. S Shi —6E 66
Westmorland St. W'snd —3G 63
Westmorland Wlk. Newc T —3B 80
Westmorland Way. Cra —4H 23
West Mt. Kil —1A 44
West Mt. Sund —3A 116
**Westoe. —4A 66**
Westoe Av. S Shi —4A 66
Westoe Dri. S Shi —4A 66
Westoe Rd. S Shi —3K 65
Westoe Village. S Shi —5A 66
Weston Av. Whi —2F 95
Weston Vw. Pet —5A 170
W. Ousterley Rd. S'ley —5F 123
Westover Gdns. Gate —7H 81
West Pde. Con —7J 119
West Pde. Heb —1H 83
West Pde. Lead —5A 120
West Pde. Newc T —2D 80 (7A 4)
West Pk. Mor —1E 12
West Pk. Sund —3H 129
West Pk. Gdns. Bla T —5C 78
West Pk. Rd. Gate —7G 81
West Pk. Rd. S Shi —5J 65
West Pk. Rd. Sund —5C 86
West Pk. Vw. Dud —3H 33
West Pastures. Ash —5K 9
West Pastures. E Bol —3C 100
**West Pelton. —3B 124**
W. Percy Rd. N Shi —1E 64
W. Percy St. N Shi —7G 47
Westport Clo. Sund —3B 102
W. Quay Rd. Sund E —6B 102
**West Rainton. —1K 153**
Westray. Ches S —1J 139
Westray Clo. Ryh —1F 131
West Riggs. Bed —1H 19
West Rig, The. Newc T —1A 60
West Rd. Bed —6B 16
West Rd. Con —5E 118
West Rd. Hex —7A 48
West Rd. O'ham —2C 74
West Rd. Pon —5H 29
West Rd. Pru —5C 74
West Rd. S'ley —6K 121
West Rd. Tant —7A 108
West Row. Bir —5C 112
W. Salisbury St. Bly —1H 21
W. Shield Row Vs. S'ley —1E 122
**West Sleekburn. —1B 16**
W. Sleekburn Ind. Est. Bed —2B 16
W. Sleekburn Rd. Bed —2C 16
W. Spencer Ter. Newc T —4B 58
W. Stainton St. S Shi —4J 65 (in two parts)
W. Stevenson St. S Shi —4K 65
West St. Bir —4A 112
West St. B Col —1G 181
West St. Con —5A 120
West St. Gate —3G 81 (9H 5)
West St. Gran V —4C 124
West St. Heb —6K 63
West St. Hett —7C 174
West St. H Spen —3D 92
West St. S'hm —3B 146
West St. Shot C —6E 168
West St. Sund —1E 116 (SR1)
West St. Sund —1C 130 (SR3)
West St. Tan L —1D 122
West St. W'snd —2E 62
West St. W All —3H 45
West St. Whi —7G 79
West St. Bungalows. W'snd —3E 62
West St. Cotts. B Col —2G 181
W. Sunniside. Sund —1F 117
Westsyde. Newc T —1E 38
West Ter. B'hpe —5D 136
West Ter. Chop —1A 16
West Ter. Coxh —7K 175
West Ter. Dur —2K 163
West Ter. Sea S —4D 26
W. Thorns Wlk. Whi —1G 95
West Thorp. Newc T —7F 41
West Va. Newc T —3F 57
West Vallum. Newc T —6F 59
W. Victoria St. Con —6H 119
West Vw. Ash —3A 10
West Vw. Bed —5A 16
West Vw. B'hll —4F 119
West Vw. Bla T —3C 78
West Vw. Bol C —5D 84
West Vw. B'mr —6J 127
West Vw. Burn —2A 108
West Vw. Camb —2G 17
West Vw. C'twn —6H 101
West Vw. Ches S —5A 126
West Vw. C'wl —5A 92
West Vw. Clar V —7C 56
West Vw. Con —1J 119
West Vw. Cra —5A 24
West Vw. Dud —3J 33
West Vw. Dur —2C 164
West Vw. Ear —6A 36
West Vw. Eas —1K 169
West Vw. Els —2B 80
West Vw. Esh W —4E 160
West Vw. For H —4B 44
West Vw. Gate —3A 98
West Vw. Has —3A 168
West Vw. H'dn —4E 170
West Vw. Hou S —7D 128
West Vw. Kib —2F 111
West Vw. Lem —7C 58
West Vw. Mead —2E 172
West Vw. Mor —2C 6
West Vw. Mur —1E 156
West Vw. Newb S —2J 11
West Vw. Peg —4A 8
West Vw. Pen —1B 128
*West Vw. Ryh —3G 131 (off Blackhills Rd.)*
West Vw. Sac —7D 138
West Vw. S'hm —5H 145
West Vw. Seg —2D 34
West Vw. S Hill —3C 166
West Vw. Shin R —5B 128
West Vw. Spri —6D 98
West Vw. S'ley —6E 122
West Vw. Sund —4F 103
West Vw. Wash —7H 99
West Vw. Wide —4D 32
West Vw. Wylam —7K 55
W. View Bldgs. N Shi —1J 47
W. View Gdns. S'ley —2E 122
W. View Ter. Fell —3E 68
W. View Ter. Gate —4A 80
Westview Ter. S'ley —6J 121
West Vs. W Pel —3B 124
West Wlk. Ches S —3E 126
W. Walpole St. S Shi —4H 65
Westward Ct. Newc T —2E 58
Westward Grn. Whit B —7C 36
Westward Pl. Wash —7F 113
Westward Vw. Sac —1D 150
Westway. Bla T —4B 78
West Way. Gate —6C 80
Westway. Newc T —2H 57
Westway. Pet —7A 170
West Way. S Shi —6H 65
Westway Ind. Pk. Thro —2H 57
W. Wear St. Sund —1F 117
Westwell Ct. Newc T —1H 61
Westwood Av. Newc T —4K 61
Westwood Clo. Burn —1B 108
Westwood Gdns. Chop —6H 9
Westwood Gdns. Gate —4B 98
Westwood Gdns. Newc T —1A 60
Westwood Gdns. Wash —3J 113
Westwood La. Low W —3J 105
Westwood St. Sund —2B 116
Westwood Vw. Ches S —1A 140
Westwood Vw. Ryton —3C 76
Westwood Wlk. Gate —4E 80
**West Wylam. —3G 75**
W. Wylam Dri. Pru —4G 75
West Wynd. Kil —1A 44
Wetheral Gdns. Gate —4J 97
Wetheral Ter. Newc T —2D 82
Wetherburn Av. Mur —7D 144
Wetherby Clo. Con —2F 119
Wetherby Gro. Gate —7F 81
Wetherby Rd. Sund —7H 117
Wettondale Av. Bly —2E 20
Weybourne Sq. Sund —6G 117
Weyhill Av. N Shi —1D 64
Weymouth Dri. S'hm —4H 145
Weymouth Gdns. Gate —5H 97
Weymouth Ho. Newc T —4C 80
Weymouth Rd. N Shi —7C 46
Weymouth Rd. Sund —4A 130
Whaggs La. Whi —1H 95
Whalebone La. Mor —7F 7
Whalton Av. Newc T —6C 42
Whalton Clo. Gate —7G 83
Whalton Clo. Sher —3A 166
Whalton Ct. Newc T —6C 42
Whalton Ct. S Shi —7A 66
Wharfdale Pl. Newc T —7F 63
Wharfedale. Hou S —1A 128
Wharfedale. W'snd —7D 44
Wharfedale Av. Wash —7F 99
Wharfedale Dri. S Shi —6J 65
Wharfedale Gdns. Bly —1E 20
Wharfedale Grn. Gate —6K 97
Wharmlands Gro. Newc T —6F 59
Wharmlands Rd. Newc T —6F 59
Wharncliffe St. Sund —2D 116
Wharnley Way. Con —4B 132
Wharrier Sq. Whe H —4A 178
Wharrier St. Newc T —2D 82
Wharton Clo. E Rai —6D 142
Wharton St. Bly —4F 21
Wharton St. S Shi —3K 65
Wheatall Dri. Sund —3H 87
Wheatall Way. Whit —4H 87
Wheat Clo. Con —2G 119
Wheatear Clo. Wash —5D 112
Wheatfield Clo. O'ham —1D 74
Wheatfield Gro. Newc T —5K 43
Wheatfield Rd. Newc T —2F 59
Wheatlands Way. Pity Me —3A 152
Wheatley Gdns. W Bol —7G 85
Wheatley Grn. La. Edm —2K 137
**Wheatley Hill. —2B 178**
Wheatley Ter. Dud —4H 33
Wheatley Ter. Whe H —3A 178
Wheatleywell La. Ches S —6J 139
Wheatridge. Sea D —6F 25
Wheatridge Row. Sea D —6F 25
Wheatsheaf Ct. Sund —6H 103
Wheldon Ter. Pelt —2G 125
Wheler St. Hou S —1D 142
Whernside Clo. Wash —2E 112
Whernside Ct. Sund —3B 130
Whernside Pl. Cra —7K 23
Whernside Wlk. Ryton —2H 77
Whetstone Bri. Rd. Hex —2B 68
Whetstone Grn. Hex —2B 68
**Whickham. —7H 79**
Whickham Av. Gate —6B 80
Whickham Bank. Swa & Whi —5G 79
Whickham Clo. Hou S —2C 142
Whickham Gdns. Newc T —1A 82
Whickham Highway. Whi & Gate —7K 79
Whickham Ind. Est. Swa —6F 79
Whickham Lodge. Whi —7J 79
Whickham Lodge Ri. Whi —7J 79
Whickham Pk. Whi —7J 79
Whickham Rd. Heb —1H 83
Whickham St. Pet —7B 158
Whickham St. Sund —6G 103
Whickham St. E. Sund —6G 103
Whickham Vw. Gate —2J 97
Whickham Vw. Newc T —6G 59
Whickhope. Wash —6J 113
Whinbank. Pon —2H 39
Whinbrooke. Gate —1E 98
Whinbush Pl. Newc T —1G 79
Whinfell. Wash —1F 113
Whinfell Clo. Cra —7A 24
Whinfell Ct. Sund —3B 130
Whinfell Rd. Pon —1H 39
Whinfield Av. Shot C —6E 168
Whinfield Ind. Est. Row G —6G 93
Whinfield Ter. Row G —5H 93
Whinfield Way. Row G —6G 93
Whinham Way. Mor —3H 13
Whinlatter Gdns. Gate —3J 97
Whinlaw. Gate —3A 98
Whinmoor Pl. Newc T —4A 60
Whinney Clo. Bla T —6A 78
Whinneyfield Rd. Newc T —6D 62
Whinney Hill. Dur —4B 164
Whinney Leas. C'wl —7J 91
Whinny La. Ebc —7G 105
Whinny Pl. Con —4C 132
Whinshaw. Gate —7D 82
Whinside. S'ley —2D 122
Whinway. Wash —1F 113
Whistler Gdns. S Shi —3K 85
Whitbay Cres. Newc T —6A 44
Whitbeck Ct. Newc T —4G 59
Whitbeck Rd. Newc T —5F 59
Whitbourne Clo. Wash —5K 99
*Whitbrey Ho. Newc T —3C 82 (off Oval, The)*
**Whitburn. —6H 87**
Whitburn Bents Rd. Sund —1H 103
Whitburn Clo. Lang P —5H 149
**Whitburn Colliery. —3H 87**
Whitburn Gdns. Gate —4B 98
Whitburn Pl. Cra —7K 23
Whitburn Rd. Cle & Sund —2H 103
Whitburn Rd. E. Sund —5D 86
Whitburn St. Sund —7G 103 (nr. Charles St.)
Whitburn St. Sund —7F 103 (nr. Thomas St.)
Whitburn Ter. E Bol —7K 85
Whitburn Ter. Sund —3F 103
Whitby Av. Hex —1B 68
Whitby Av. Sund —1H 103
Whitby Clo. Gate —5H 81
Whitby Dri. Wash —5H 113
Whitby Gdns. W'snd —1J 63
Whitby St. N Shi —6H 47
Whitchester Ho. Newc T —3A 4
Whitchurch Clo. Bol C —5E 84
Whitchurch Clo. Sund —3B 102
Whitchurch Rd. Sund —3B 102
Whitdale Av. Bly —3E 20
Whiteacres. Mor —1G 13
Whitebark. Sund —4A 130
Whitebeam Pl. Newc T —3D 80 (9A 4)
Whitebridge Clo. Newc T —4F 43
Whitebridge Ct. Newc T —5E 42
Whitebridge Pk. Newc T —4F 43
Whitebridge Parkway. Newc T —4F 43
Whitebridge Wlk. Newc T —4F 43
Whiteburn. Pru —5D 74
White Cedars. B'don —2C 172
Whitecliff Clo. N Shi —4F 47
White Clo. Lan —6K 135
White Cotts. Mon V —2A 84
White Ct. Con —5F 119
White Cres. Hes —4E 180
Whitecroft Rd. Newc T —2K 43
White Cross. Hex —2E 68
Whitecross Way. Newc T —1F 81 (5E 4)
Whitefield Cres. Hou S —2A 128
Whitefield Cres. Peg —4A 8
Whitefield Gdns. G'sde —6D 76
Whitefield Gro. Gate —6B 82
Whitefield Ter. Newc T —4B 62
White Ford Pl. Seg —1E 34
*Whitefriars Pl. Newc T —8F 4 (off Hanover St.)*
Whitefriars Way. Newc T —7J 43
Whitegate Clo. Gate —4B 80
White Gates Dri. Eas L —1H 155
Whitegates Rd. Sher —2K 165
White Hall Cotts. Newc T —2B 62
Whitehall Rd. Gate —6F 81
Whitehall Rd. Newc T —4K 57
Whitehall St. S Shi —7J 65
Whitehall Ter. Sund —2B 116
White Hart Yd. Newc T —1F 81 (6F 4)
Whitehead St. S Shi —6H 65 (in three parts)
**Whitehill. —6G 125**
Whitehill. Gate —2D 98
Whitehill Cres. Pelt F —5G 125 (in two parts)
Whitehill Dri. Gate —1A 98
Whitehill Hall Gdns. Ches S —5J 125
Whitehill Rd. Cra —1J 23
White Hill Rd. Eas L —3J 155
**Whitehills. —2C 98**
White Horse Vw. S Shi —7E 66

Whitehouse Av. B'hpe —6D 136
Whitehouse Ct. Eas —1K 169
Whitehouse Ct. Pet —4K 169
Whitehouse Ct. Ush M —1C 162 (in two parts)
Whitehouse Cres. Gate —3C 98
Whitehouse Cres. S West —6H 169
Whitehouse Enterprise Cen. Newc T —2J 79
Whitehouse La. Gate —3A 98 (in two parts)
Whitehouse La. N Shi —4D 46 (in three parts)
Whitehouse La. Ush M —2B 162
Whitehouse M. W'snd —3G 63
White Ho. Pl. Sund —2H 117
Whitehouse Rd. Newc T —2H 79
White Ho. Rd. Sund —2G 117 (in two parts)
Whitehouse Ter. B'hpe —5D 136
White Ho. Way. Gate —2C 98
Whitehouse Way. S West —6H 169
White Ladies Clo. Wash —2H 113
Whitelaw Pl. Cra —6A 24
Whitelea Clo. Pet —7D 170
**Whiteleas. —4K 85**
Whiteleas Way. S Shi —2J 85
**White-le-Head. —7A 108**
White-le-Head Gdns. Tant —6A 108
Whiteley Clo. G'sde —5E 76
Whiteley Rd. Bla T —2E 78
Whitemere Clo. Sund —7G 117
White Mere Gdns. Gate —6G 83
Whiteoak Av. Dur —1F 165
White Oaks. Gate —2C 98
White Rocks Gro. Sund —3H 87
Whites Gdns. Heb —7G 63
Whiteside. Rid M —7K 71
**Whitesmocks. —1H 163**
Whitesmocks. Dur —7J 151
Whitesmocks Av. Dur —1H 163
White St. Newc T —1F 83
White Swan Yd. Newc T —1F 81 (6F 4)
Whitethorn Cres. Newc T —3K 59
Whitethroat Clo. Wash —5D 112
Whitewell Clo. Ryton —1G 77
Whitewell La. Ryton —1G 77
Whitewell Rd. Bla T —4C 78
Whitewell Ter. Ryton —7G 57
Whitfield Dri. Newc T —3K 44
Whitfield Rd. Newc T —4B 44
Whitfield Rd. S'wd —1F 79
Whitfield Rd. Sea D —7H 25
Whitfield St. Con —6J 119
Whitfield Vs. S Shi —7H 65
Whitgrave Rd. Newc T —2K 59
Whithorn Ct. Bly —2G 21
Whitlees Ct. Newc T —5A 42
**Whitley Bay. —7H 37**
Whitley Ct. Gate —4B 98
Whitley Pl. H'wll —1J 35
Whitley Rd. Newc T —6B 44
Whitley Rd. Well —6A 36
Whitley Rd. Whit B —6H 37
**Whitley Sands. —5G 37**
Whitley Ter. Bed —5B 16
Whitley Ter. H'wll —1J 35
Whitmore Rd. Bla T —3C 78
Whitsun Av. Bed —7J 15
Whitsun Gdns. Bed —7J 15
Whitsun Gro. Bed —7J 15
Whitticks, The. E Bol —7H 85
Whittingham Clo. Ash —5J 9
Whittingham Clo. N Shi —2J 47
*Whittingham Ct. Gate —5F 81 (off Derwentwater Rd.)*
Whittingham Rd. Newc T —1F 59
Whittingham Rd. N Shi —3J 47
Whittington Gro. Newc T —6J 59
Whittleburn. Gate —2D 98
Whitton Av. Bly —4F 21
Whitton Gdns. N Shi —5D 46
**Whitton Gilbert. —2D 150**
Whitton Pl. Newc T —1K 61
Whitton Pl. Sea D —7H 25
**Whittonstall. —1A 104**
Whittonstall. Wash —7K 113
Whittonstall Rd. C'wl —6J 91
Whittonstall Ter. C'wl —6J 91
Whitton Way. Newc T —6D 42
Whitwell Acres. H Shin —7F 165
Whitworth Clo. Gate —7F 81
Whitworth Clo. Walk —1E 82
Whitworth La. Bran —6A 172
Whitworth Pl. Walk —1E 82
Whitworth Rd. Arm —1D 112
Whitworth Rd. S West —6H 169
Whoral Bank. Mor —6H 7
Whorlton Grange. Newc T —1E 58
Whorlton Grange Cotts. Newc T —1E 58
Whorlton Pl. Newc T —2E 58
Whorlton Ter. Newc T —1B 58
Whyndyke. Gate —2D 98
Whytrigg Clo. Sea D —6F 25
Widdrington Av. S Shi —5D 66
Widdrington Gdns. Wide —5E 32
Widdrington Rd. Bla T —4C 78
Widdrington Ter. Bla T —2A 78
Widdrington Ter. N Shi —7G 47 (in two parts)
**Wide Open. —5E 32**
Widnes Pl. Newc T —5A 44
Wigeon Clo. Wash —6E 112
Wigham's Ter. Hou S —2B 128
Wigham Ter. Hob —4A 108
Wigmore Av. Newc T —2C 82
Wilber Ct. Sund —1B 116
Wilberforce St. Jar —6C 64
Wilberforce St. W'snd —5F 63
Wilberforce Wlk. Gate —4E 80
Wilber St. Sund —2B 116
Wilbury Pl. Newc T —3J 59
Wildbriar. Wash —6H 113
Wilden Ct. Sund —6C 116
Wilden Rd. Pat I —4K 113
Wildshaw Clo. Cra —7A 24
Wilfred St. Bir —5A 112
Wilfred St. Bol C —7F 85
Wilfred St. Ches S —7A 126
Wilfred St. Newc T —7J 61 (4M 5)
Wilfred St. Sund —1A 116
Wilkes Clo. Newc T —3F 59
Wilkinson Av. Heb —3H 83
Wilkinson Ct. Jar —6B 64
Wilkinson Rd. Pet —3C 170
Wilkinson St. S Shi —1H 85
Wilkinson Ter. Sund —3G 131
Wilkwood Clo. Cra —6A 24
Willans Bldgs. Dur —2D 164
Willerby Clo. Pet —5K 169
Willerby Ct. Gate —6K 97
Willerby Dri. Newc T —4F 43
William Allan Homes. Bed —1F 19
William Armstrong Dri. Newc B —3A 80
William Clo. Newc T —4E 44
William Doxford Cen. Sund —3B 130
William Johnson St. Mur —1F 157
William Leech Building. Newc T —2D 4
William Morris Av. Row G —5F 93
William Morris Ter. Shot C —7E 168
William Pl. Dur —2D 164
William Roberts Ct. Newc T —3B 44
Williams Clo. S'ley —3G 123
Williamson Sq. Win —5F 179
Williamson Ter. Sund —7F 103
Williams Rd. Mur —7E 144
William's Ter. Sund —3G 131
William St. Ann P —6A 122
William St. Bly —2J 21
William St. Bow —4H 175
William St. Ches S —5A 126
William St. C'wl —6K 91
William St. Crag —7J 123
William St. Dur —2D 164
William St. Gate —5B 82
William St. Heb —6H 63
William St. Newc T —7G 43
William St. N Shi —7G 47
William St. Peg —4B 8
William St. Pelt F —4E 124
William St. S Hyl —2G 115
William St. S Moor —5D 122
William St. S Shi —2J 65
William St. Sund —1F 117
William St. Whi —7G 79
William St. W. Heb —7H 63
William St. W. N Shi —7G 47
William Ter. Heb —7H 63
William Ter. Nbtle —6D 128
*William Whiteley Homes. Gate (off Meadow La.) —5B 80*
*William Whiteley Homes. G'sde (off Whiteley Clo.) —5E 76*
**Willington. —1K 63**
**Willington Quay. —4B 64**
**Willington Square. —7K 45**
Willington Ter. W'snd —2J 63
Willis St. Hett H —5G 143
Willmore St. Sund —2C 116
Willoughby Dri. Whit B —4E 36
Willoughby Rd. N Shi —6D 46
Willoughby Way. Whit B —4E 36
Willow Av. Bly —7H 17
Willow Av. Gate —6B 80
Willow Av. Newc T —5K 59
Willowbank Gdns. Newc T —2G 61
Willow Bank Rd. Sund —5E 116
Willow Clo. B'don —1D 172
Willow Clo. Mor —7H 7
Willow Clo. Whi —1H 95
Willow Ct. Chop —1K 15
Willow Ct. N Shi —5F 47
Willow Ct. Ryton —7H 57
Willow Cres. Bly —5G 21
Willow Cres. Con —6B 120
Willowdene. Dud —4H 33
Willowdene. For H —3B 44
Willow Dyke. Cor —7E 50
Willowfield Av. Newc T —6B 42
Willow Gdns. Newc T —7A 34
Willow Grange. Jar —6A 64
Willow Gro. Gate —6B 82
Willow Gro. N Shi —2E 64
Willow Gro. S Shi —1B 86
Willow Gro. W'snd —4H 63
Willow Lodge. N Shi —5G 47
Willow Pk. Lang P —5G 149
Willow Pl. Pon —7J 29
Willow Rd. Bla T —4D 78
Willow Rd. Esh W —3D 160
Willow Rd. Hou S —2C 142
Willow's Clo. Wash —4K 113
Willows Clo. Wide —6C 32
Willows, The. Heb —2J 83
Willows, The. Jar —5C 84
Willows, The. Mor —7G 7
Willows, The. Newc T —3C 80
Willows, The. Thro —4H 57
Willows, The. Wash —4K 113
Willowtree Av. Dur —7E 152
Willow Tree Av. Shin —6E 164
Willowvale. Ches S —4J 125
Willow Vw. Burn —2A 108
Willow Way. Pon —2H 39
Wills Building, The. Newc T —3C 62
Wilmington Clo. Newc T —6H 41
Wilson Av. Bir —3A 112
Wilson Av. E Sle —4F 17
Wilson Cres. Dur —1E 164
Wilson Dri. W Bol —6H 85
Wilson Gdns. Newc T —2D 60
Wilson Pl. Pet —4B 170
Wilson Rd. Jar —6B 64
Wilson's Ct. Newc T —1F 81 (6F 4)
Wilson's La. Gate —2H 97
Wilson St. Gate —6B 80
Wilson St. N Shi —2G 65
Wilson St. S Shi —4J 65
Wilson St. Sund —2B 116
Wilson St. W'snd —3F 63
Wilson St. N. Sund —7E 102
Wilson Ter. Newc T —4B 44
Wilson Ter. Sund —1C 130
Wilsway. Newc T —3G 57
Wilton Av. Newc T —1C 82
Wilton Clo. Cra —7A 24
Wilton Clo. Whit B —6C 36
Wilton Dri. Whit B —7B 36
Wilton Gdns. N. Bol C —5E 84
Wilton Gdns. S. Bol C —5E 84
*Wilton Manse. Whit B —7B 36 (off Thorntree Dri.)*
Wilton Sq. Sund —7G 117
Wiltshire Clo. Dur —1G 165
Wiltshire Clo. Sund —3A 102
Wiltshire Dri. W'snd —1D 62
Wiltshire Gdns. W'snd —2D 62
Wiltshire Pl. Wash —5H 99
Wiltshire Rd. Sund —4A 102
Wimbledon Clo. Sund —4B 102
Wimborne Clo. Bol C —6E 84
Wimbourne Av. Sund —4A 116
Wimbourne Grn. Newc T —2F 59
Wimbourne Quay. Bly —7J 17
Wimpole Clo. Wash —5J 99
Wimslow Clo. W'snd —2D 62
Winalot Av. Sund —6G 117
Wincanton Pl. N Shi —1E 64
Winchcombe Pl. Newc T —2J 61
Winchester Av. Bly —2J 21
Winchester Clo. Ash —5D 10
Winchester Clo. Gt Lum —3E 140
Winchester Ct. Jar —5B 84
Winchester Dri. B'don —3C 172
Winchester Dri. S West —7H 169
Winchester Rd. Dur —4C 152
Winchester St. S Shi —2K 65
Winchester Ter. Newc T —1D 80 (6B 4)
Winchester Wlk. Wide —6D 32
Winchester Way. Bed —6H 15
Wincomblee. Newc T —1E 82
Wincomblee Rd. Newc T —3E 82
*Wincomblee Workshops. Newc T (off White St.) —1F 83*
Windburgh Dri. Cra —7K 23
Windermere. Bir —6B 112
Windermere. Sund —5C 86
Windermere Av. Ches S —1A 140
Windermere Av. Eas L —3J 155
Windermere Av. Gate —6D 82
Windermere Clo. Cra —7K 23
Windermere Cres. Bla T —6B 78
Windermere Cres. Heb —1K 83
Windermere Cres. Hou S —3B 128
Windermere Cres. Jar —3D 84
Windermere Cres. S Shi —7A 66
Windermere Dri. Kil —1A 44
Windermere Gdns. Whi —7J 79
Windermere Rd. Newb S —4G 11
Windermere Rd. Newc T —5H 59
Windermere Rd. S'hm —3G 145
Windermere Rd. S Het —3D 156
Windermere St. Gate —5G 81
Windermere St. Sund —6H 117
Windermere St. W. Gate —5G 81
Windermere Ter. N Shi —6F 47
Windermere Ter. S'ley —5D 122
Windhill Rd. Newc T —3D 82
Winding, The. Din —4H 31
Windlass Ct. S Shi —1J 85
Windlass La. Wash —1G 113
Windmill Ct. Newc T —5E 60 (1C 4)
Windmill Gro. Bly —1E 20
Windmill Hill. Dur —5K 163
Windmill Hill. Hex —1C 68
Windmill Hill. S Shi —4H 65
Windmill Ind. Est. Cra —7E 18
Windmill Sq. Sund —3E 102
Windmill Way. Heb —6K 63
Windmill Way. Mor —7H 7
Winds La. Mur —1C 156 (in two parts)
Winds Lonnen Est. Mur —7C 144
Windsor Av. Gate —6G 81
Windsor Av. Newc T —1G 61
Windsor Av. Whit B —7J 37
Windsor Clo. W'snd —1A 64
Windsor Clo. Whi —3G 95
Windsor Corner. Pet —6F 171
Windsor Cotts. W'snd —1A 64
Windsor Ct. Bed —1H 19
Windsor Ct. Cor —1E 70
Windsor Ct. Cra —1J 23
Windsor Ct. Crox —6K 173
Windsor Ct. Fel —7A 82
Windsor Ct. S Gos —5A 42
Windsor Cres. Heb —7K 63
Windsor Cres. Hou S —2F 143
Windsor Cres. Newc T —2G 59
Windsor Cres. O'ham —1D 74
Windsor Cres. Whit B —7J 37
Windsor Dri. Cle —5B 86
Windsor Dri. Hou S —4E 142
Windsor Dri. New S —2C 130
Windsor Dri. S Het —3B 156
Windsor Dri. S'ley —4K 121
Windsor Dri. W'snd —2K 63
Windsor Gdns. Bed —1H 19
Windsor Gdns. Con —7J 119
Windsor Gdns. Gate —6K 81
Windsor Gdns. Newb S —4H 11
Windsor Gdns. N Shi —5G 47
Windsor Gdns. S Shi —6A 66
Windsor Gdns. Whit B —5F 37
Windsor Gdns. W. Whit B —5F 37
Windsor Pk. W'snd —2D 62
Windsor Pl. Hol —3G 45
Windsor Pl. Newc T —6G 61 (1G 4)
Windsor Pl. Pon —7F 29
Windsor Pl. Shot C —6F 169
Windsor Rd. Bir —2K 111
Windsor Rd. Gate —6C 98
Windsor Rd. Newb S —3H 11
Windsor Rd. S'hm —3H 145
Windsor Rd. Whit B —6E 36
Windsor St. Newc T —7K 61 (4N 5)
Windsor St. W'snd —3F 63
Windsor Ter. Con —5B 120
Windsor Ter. Cor —7E 50
Windsor Ter. Crox —6K 173
Windsor Ter. Dip —2F 121
Windsor Ter. E Her —3J 129
Windsor Ter. Gt Lum —3F 141
Windsor Ter. Has —1A 168
Windsor Ter. Hex —1B 68
Windsor Ter. Jes —6F 61 (1F 4)
Windsor Ter. Mur —7F 145
Windsor Ter. Newb S —3H 11
Windsor Ter. New K —5B 122
Windsor Ter. Pet —6F 171
Windsor Ter. Ryton —2E 76
Windsor Ter. Sco G —4H 15
Windsor Ter. S Gos —1G 61
Windsor Ter. Spri —6D 98
Windsor Ter. Sund —6H 117
Windsor Ter. Whit B —7J 37
Windsor Vs. Chop —1J 15
Windsor Wlk. Ash —5E 10
Windsor Wlk. Newc T —5K 41
Windsor Way. Newc T —5J 41
Windt St. Haz —7C 32
Windy Gyle. Ash —3C 10
Windyhill Carr. Whi —2F 95
**Windy Nook. —1B 98**
Windy Nook Nature Park. —1A 98
Windy Nook Rd. Gate —1K 97
Windy Ridge. Gate —7A 82
Windy Ridge Vs. Gate —7A 82
**Wingate. —5F 179**
Wingate Clo. Hou S —2D 142
Wingate Clo. W Den —7E 58
Wingate Gdns. Gate —4B 98
Wingate Grange Ind. Est. Win —6F 179
Wingate La. Whe H —3J 177
Wingate Quarry Nature Reserve. —5A 178
Wingate Rd. Trim S —6A 178
Wingrove. Row G —6H 93
Wingrove Av. Newc T —7B 60
Wingrove Av. Sund —4G 103
Wingrove Clo. Win —4G 179
Wingrove Gdns. Newc T —7B 60
Wingrove Ho. Newc T —4A 60
Wingrove Ho. S Shi —7J 65
Wingrove Rd. Newc T —7B 60
Wingrove Rd. N. Newc T —4A 60 (in two parts)
Wingrove Ter. Bill Q —5F 83
Wingrove Ter. Con —5B 120
Wingrove Ter. Spri —6D 98
Winifred Gdns. W'snd —4G 63
Winifred St. Sund —3G 103
Winifred Ter. Sund —2G 117
**Winlaton. —5B 78**
Winlaton Care Village. Bla T —1K 93
**Winlaton Mill. —1C 94**
Winsford Av. N Shi —3F 47
Winshields. Cra —6A 24
Winshields Wlk. Newc T —4G 57
Winship Clo. S Shi —3J 85
*Winship Gdns. Newc T —7B 62 (off Grace St.)*
Winship St. Bly —5G 21
Winship Ter. Newc T —7A 62
Winskell Rd. S Shi —2F 85
Winslade Clo. Sund —1D 130
Winslow Clo. Bol C —4F 85
Winslow Clo. Newc T —7E 62
Winslow Clo. Sund —3B 102
Winslow Cres. S'hm —3G 145
Winslow Gdns. Gate —2G 97
Winslow Pl. Newc T —7E 62
Winson Grn. Hou S —1K 127
Winster. Wash —7E 112
Winster Pl. Cra —7K 23
Winston Ct. Gate —6D 98
Winston Cres. Sund —4A 116
Winston Way. New R —4H 89
Winters Bank. Hou S —2B 142
Winton Clo. Seg —1E 34
Winton Way. Newc T —7B 42
Wirralshir. Gate —1E 98
Wiseton Ct. Newc T —7H 43
Wishart Ho. Newc T —2A 80
Wishart Ter. H Spen —3D 92
Wishaw Clo. Cra —6A 24
Wishaw Ri. Newc T —6E 58
Witham Grn. Jar —4C 84
Witham Rd. Heb —3K 83
Witherington Clo. Newc T —2C 62
Withernsea Gro. Sund —2F 131
**Witherwack. —3A 102**
Witney Clo. Sund —3A 102
Witney Way. E Bol —7E 84
Witton Av. Sac —7E 138
Witton Av. S Shi —7C 66
Witton Ct. Newc T —6A 42
Witton Ct. Sund —6D 116
Witton Ct. Wash —4F 113
Witton Gdns. Gate —5B 98
Witton Gdns. Jar —3B 84
Witton Gth. Pet —2A 180
Witton Gro. Dur —6H 151
Witton Gro. Hou S —3C 142
Witton Rd. Heb —5K 63

Witton Rd. *Sac* —1D **150**
Witton Rd. *Shir* —1K **45**
Wittonstone Ho. *Newc T* —3A **4**
Witton St. *Con* —2K **133**
Witty Av. *Heb* —1K **83**
Woburn. *Wash* —4H **113**
Woburn Clo. *Cra* —1J **23**
Woburn Clo. *W'snd* —2D **62**
Woburn Dri. *Bed* —6A **16**
Woburn Dri. *Sund* —3C **130**
Woburn Way. *Newc T* —3G **59**
Wolmer Rd. *Bly* —4K **21**
Wolseley Clo. *Bow* —4H **175**
Wolseley Clo. *Gate* —5E **80**
Wolseley Gdns. *Newc T* —5J **61**
Wolseley Ter. *Sund* —3C **116**
Wolsey Ct. *S Shi* —7J **65**
Wolsey Rd. *S'hm* —4G **145**
Wolsingham Ct. *Cra* —3H **23**
Wolsingham Dri. *Dur* —5B **152**
Wolsingham Gdns. *Gate* —4B **98**
Wolsingham Rd. *Bran* —4A **172**
Wolsingham Rd. *Newc T* —1D **60**
Wolsingham Rd. *Wat* —6B **160**
Wolsingham Ter. *S'ley* —5K **121**
Wolsington St. *Newc T* —3C **80**
Wolsington Wlk. *Newc T* —3B **80**
Wolsley Rd. *Bly* —2J **21**
Wolveleigh Ter. *Newc T* —7F **43**
Wolviston Gdns. *Gate* —4B **98**
Woodbine Av. *Newc T* —1E **60**
Woodbine Av. *Pet* —4D **170**
Woodbine Av. *W'snd* —3F **63**
Woodbine Clo. *Newc T* —2B **80**
Woodbine Cotts. *Ches S* —5J **125**
Woodbine Cotts. *Spri* —6K **81**
Woodbine Pl. *Gate* —5G **81**
Woodbine Rd. *Dur* —4J **151**
Woodbine Rd. *Newc T* —1E **60**
Woodbine St. *Gate* —5G **81**
Woodbine St. *S Shi* —2K **65**
Woodbine St. *Sund* —2H **117**
Woodbine Ter. *Ash* —3H **9**
Woodbine Ter. *Ben* —5G **81**
Woodbine Ter. *Bir* —4B **112**
Woodbine Ter. *Bly* —2K **21**
Woodbine Ter. *Cor* —7E **50**
Woodbine Ter. *Gate* —6K **81**
Woodbine Ter. *Hex* —1B **68**
Woodbine Ter. *New B* —4A **162**
Woodbine Ter. *Pel* —5E **82**
Woodbine Ter. *S'ley* —5B **122**
Woodbine Ter. *Sund* —7B **102**
**Woodbridge. —2E 10**
Woodbrook Av. *Newc T* —5G **59**
Woodburn. *Gate* —2C **98**
Woodburn. *Tan L* —1C **122**
Woodburn Av. *Newc T* —4A **60**
Woodburn Clo. *Bla T* —6A **78**
Woodburn Clo. *Hou S* —7J **127**
Woodburn Dri. *Hou S* —1C **142**
Woodburn Dri. *Whit B* —4E **36**
Woodburn Gdns. *Gate* —7C **80**
Woodburn Sq. *Whit B* —4D **36**
Woodburn St. *Newc T* —6C **58**
Woodburn Ter. *Pru* —4D **74**
Woodburn Way. *Whit B* —4E **36**
Woodchurch Clo. *Newc T* —1B **62**
Woodcock Rd. *Sund* —4C **130**
Woodcroft Clo. *Ann* —2K **33**
Woodcroft Rd. *Wylam* —7J **55**
Woodend. *Pon* —2H **39**
Woodend Way. *Bru B & Newc T* —5J **41**
Wood Fld. *Pet* —6A **170**
Woodfields. *Pon* —5K **29**
Woodford. *Gate* —5H **97**
Woodford Clo. *Sund* —3B **102**
Woodgate Gdns. *Gate* —5F **83**
Woodgate La. *Gate* —4F **83**
Wood Grn. *Gate* —5G **83**
Wood Gro. *Newc T* —6F **59**
Woodhall Clo. *Ous* —6G **111**
Woodhall Ct. *Sea D* —7G **25**
Woodhall Spa. *Shin R* —5A **128**
Woodhams Pl. *S Shi* —6D **66**
Woodhead Rd. *Newc T* —5C **62**
Woodhead Rd. *Pru* —3H **75**
Woodhill Dri. *Mor* —7E **6**
Woodhill Rd. *Cra* —6A **24**
**Woodhorn. —1F 11**
Woodhorn Church Museum. —1G **11**
Woodhorn Colliery Houses. *Ash* —2D **10**
Woodhorn Colliery Museum. —2D **10**
*Woodhorn Cres. Newb S —2H 11*
*(off Woodhorn Rd.)*
**Woodhorn Demesne. —2H 11**
Woodhorn Dri. *Chop* —7H **9**
Woodhorn Gdns. *Wide* —5D **32**
Woodhorn La. *Ash* —2D **10**
Woodhorn La. *Newb S* —2J **11**
Woodhorn Rd. *Ash* —3B **10**
Woodhorn Rd. *Newb S* —2H **11**
Woodhorn Rd. Bk. *Ash* —3B **10**
Woodhorn Vs. *Ash* —2D **10**
(in two parts)
Woodhouse Ct. *S Shi* —6E **66**
Woodhouses La. *Whi* —2E **94**
Woodhurst Gro. *Sund* —6G **115**
Woodkirk Clo. *Seg* —1E **34**
Woodland Av. *Pet* —6E **170**
Woodland Clo. *Bear* —1C **162**
Woodland Clo. *Ear* —6A **36**
Woodland Ct. *Con* —3F **119**
Woodland Cres. *Kel* —7D **176**
Woodland Cres. *Newc T* —2J **79**
Woodland Dri. *Sund* —4A **116**
Woodland Grange. *Hou S* —1K **141**
Woodland M. *Newc T* —3H **61**
Woodland Ri. *Sund* —3A **130**
Woodland Rd. *Bear* —1C **162**
Woodland Rd. *Esh W* —3D **160**
Woodland Rd. Flats. *Esh W* —3D **160**
Woodlands. *Ches S* —5A **126**
Woodlands. *Gos* —2E **60**
Woodlands. *Hex* —2F **69**
Woodlands. *H Ric* —1C **126**
Woodlands. *Lan* —7K **135**
Woodlands. *N Shi* —5G **47**
Woodlands. *Pon* —1H **39**
Woodlands. *S'hm* —1J **145**
Woodlands. *Thro* —3G **57**
Woodlands Av. *Newc T* —2E **60**
Woodlands Av. *Whe H* —2B **178**
Woodlands Clo. *H Spen* —4E **92**
Woodlands Ct. *Gate* —2F **111**
Woodlands Ct. *Newc T* —3G **57**
Woodlands Cres. *Con* —3F **119**
Woodlands Dri. *Cle* —6C **86**
Woodlands Grange. *For H* —3C **44**
Woodlands Pk. *N Gos* —6E **32**
Woodlands Pk. Dri. *Bla T* —4D **78**
Woodlands Pk. Vs. *N Gos* —7E **32**
Woodlands Pl. *Esh W* —5E **160**
Woodlands Rd. *Ash* —5E **10**
Woodlands Rd. *Con* —3F **119**
Woodlands Rd. *Newc T* —6D **58**
Woodlands Rd. *Row G* —5H **93**
Woodlands Rd. *Sund* —6B **86**
Woodlands Ter. *Dip* —2G **121**
Woodlands Ter. *Esh W* —5E **160**
Woodlands Ter. *Gate* —6A **82**
Woodlands Ter. *Newc T* —3C **44**
Woodlands Ter. *S Shi* —1K **65**
Woodlands, The. *Gate* —2F **111**
Woodlands Vw. *Cle* —6C **86**
Woodlands Vw. *Con* —3A **134**
Woodland Ter. *Bear* —1C **162**
Woodland Ter. *Hou S* —1A **128**
Woodland Ter. *Nett* —6G **139**
Woodland Ter. *Wash* —7J **99**
Woodland Vw. *W Rai* —2K **153**
Woodland Vw. *Win* —5F **179**
Wood La. *Bed* —7K **15**
Woodlea. *For H* —3B **44**
Wood Lea. *Hou S* —3G **143**
Woodlea. *Lan* —7J **135**
Woodlea. *Newb S* —2J **11**
Woodlea Clo. *Hett H* —6G **143**
Woodlea Ct. *Newb S* —2J **11**
Woodlea Ct. *N Shi* —2E **64**
Woodlea Cres. *Hex* —2E **68**
Woodlea Gdns. *Newc T* —6G **43**
Woodlea Rd. *Row G* —5F **93**
Woodlea Sq. *N Shi* —2E **64**
Woodleigh Rd. *Whit B* —6D **36**
Woodleigh Vw. *Newc T* —2A **60**
Woodman Clo. *Mor* —1E **12**
Woodmansey Clo. *Pet* —5K **169**
Woodman St. *W'snd* —2B **64**
Woodmans Way. *Whi* —3E **94**
Woodpack Av. *Whi* —1F **95**
**Wood Side. —2J 153**
Woodside. *Beam* —1B **124**
Woodside. *Bed* —7A **16**
Woodside. *Bly* —3K **21**
Woodside. *E Her* —3J **129**
Woodside. *Hex* —2F **69**
Woodside. *Mor* —1D **12**
Woodside. *Pon* —1G **39**
Woodside. *Pru* —4G **75**
Woodside. *Sac* —1D **150**
Woodside. *Shad* —4E **166**
*Woodside. S'ley —2F 123*
*(off Quarry Rd.)*
Woodside. *Sund* —3E **116**
Woodside Av. *Bear* —1C **162**
Woodside Av. *Cor* —7F **51**
Woodside Av. *Sea D* —1H **35**
Woodside Av. *Thro* —4J **57**
Woodside Av. *Walk* —6F **63**
Woodside Bank. *Con* —2D **134**
Woodside Clo. *Ryton* —1F **77**
Woodside Cres. *Newc T* —4C **44**
Woodside Dri. *Con* —2K **133**
Woodside Gdns. *Gate* —7B **80**
Woodside Gdns. *S'ley* —5J **123**
Woodside Gro. *Sund* —3J **129**
Woodside Gro. *Tant* —6C **108**
Woodside La. *Ryton* —5E **76**
(in two parts)
Woodside La. *W Rai* —2J **153**
Woodside Rd. *Ryton* —1F **77**
Woodside Ter. *C'wl* —7K **91**
Woodside Ter. *S'ley* —7D **122**
Woodside Ter. *Sund* —3J **129**
Woodside Vw. *Sac* —4D **138**
Woodside Vs. *Hex* —2F **69**
Woodside Wlk. *Row G* —6G **93**
Woodside Way. *Ryton* —1G **77**
Woodside Way. *S Shi* —6H **65**
Woods Ter. *Gate* —5H **81**
Wood's Ter. *Mur* —7F **145**
*Woods Ter. E. Mur —7F 145*
*(off Wood's Ter.)*
*Woods Ter. N. Mur —7F 145*
*(off Wood's Ter.)*
Woodstock Av. *Sund* —6G **117**
Woodstock Rd. *Gate* —5J **97**
Woodstock Rd. *Newc T* —1F **79**
Woodstone Ter. *Hou S* —1H **141**
**Woodstone Village. —1H 141**
Wood St. *Burn* —2A **108**
Wood St. *Gate* —6B **80**
Wood St. *Pelt* —2G **125**
Wood St. *Shot B* —3E **118**
Wood St. *Sund* —1C **116**
Wood Ter. *Gate* —4F **83**
Wood Ter. *Jar* —2A **84**
Wood Ter. *Row G* —5E **92**
Wood Ter. *S Shi* —5K **65**
Wood Ter. *Wash* —7H **99**
Woodthorne Rd. *Newc T* —2G **61**
Woodvale. *Pon* —2G **39**
Woodvale Dri. *Heb* —2G **83**
Woodvale Gdns. *Gate* —1A **98**
Woodvale Gdns. *Newc T* —6E **58**
Woodvale Gdns. *Wylam* —7J **55**
Woodvale Rd. *Bla T* —4D **78**
Wood Vw. *Crox* —7K **173**
Wood Vw. *Esh W* —3E **160**
Wood Vw. *Lang P* —4J **149**
Wood Vw. *Shin* —6D **164**
Wood Vw. *Trim S* —7D **178**
Woodville Ct. *Sund* —4A **116**
Woodville Cres. *Sund* —4A **116**
Woodville Rd. *Newc T* —5D **58**
Woodwynd. *Gate* —1D **98**
(in two parts)
Woody Clo. *Con* —1A **134**
Wooler Av. *N Shi* —1D **64**
Wooler Cres. *Gate* —6D **80**
Wooler Grn. *Newc T* —6B **58**
Wooler Sq. *Sund* —5G **117**
Wooler Sq. *Wide* —5E **32**
Woolerton Dri. *Gate* —1A **98**
Woolerton Dri. *Newc T* —6E **58**
Wooler Wlk. *Mon V* —2A **84**
Wooley Dri. *Ush M* —3E **162**
Wooley St. *W'snd* —4F **63**
(in two parts)
Woolmer Ct. *Newc T* —2C **62**
Woolsington By-Pass. *Pres, Wool & Newc T* —1C **40**
Woolsington Ct. *Bed* —7H **15**
Woolsington Gdns. *Wool* —4F **41**
Woolsington Pk. S. *Wool* —4F **41**
Woolsington Rd. *N Shi* —5C **46**
Woolwich Clo. *Sund* —3B **102**
Woolwich Rd. *Sund* —3B **102**
Wooperton Gdns. *Newc T* —6J **59**
Worcester Clo. *Gt Lum* —4E **140**
Worcester Grn. *Gate* —4G **81**
Worcester Rd. *Dur* —4B **152**
Worcester St. *Sund* —3E **116**
Worcester Ter. *Sund* —3E **116**
Worcester Way. *Wide* —6D **32**
Wordsworth Av. *B Col* —7G **171**
Wordsworth Av. *Bly* —4G **21**
Wordsworth Av. *Eas L* —3K **155**
Wordsworth Av. *Heb* —7J **63**
Wordsworth Av. *Pelt F* —6G **125**
Wordsworth Av. *S'hm* —3G **145**
Wordsworth Av. *Whe H* —3B **178**
Wordsworth Av. *Whi* —6H **79**
Wordsworth Av. E. *Hou S* —3E **142**
Wordsworth Av. W. *Hou S* —3E **142**
Wordsworth Cres. *Gate* —6C **98**
Wordsworth Gdns. *Dip* —1H **121**
Wordsworth Rd. *Pet* —7A **158**
Wordsworth St. *Gate* —4J **81**
Worley Av. *Gate* —3H **97**
Worley Clo. *Newc T* —1C **80** (5A **4**)
Worley M. *Gate* —3H **97**
Worley St. *Newc T* —1D **80** (5A **4**)
Worley Ter. *Gate* —2H **97**
Worley Ter. *Tant* —7A **108**
Worm Hill Ter. *Wash* —7J **113**
Worsdell St. *Camb* —7J **17**
Worsley Clo. *W'snd* —2D **62**
Worswick St. *Newc T* —1G **81** (5G **4**)
Worthing Clo. *W'snd* —2D **62**
Worthington Ct. *Newc T* —6H **61** (1K **5**)
Wouldhave Ct. *S Shi* —2K **65**
Wraith Ter. *Pet* —4D **170**
Wraith Ter. *Sund* —3G **131**
Wranghams Entry. *Newc T* —6J **5**
Wraysbury Ct. *Newc T* —5K **41**
Wreay Wlk. *Cra* —7A **24**
Wreigh St. *Heb* —7H **63**
Wreken Gdns. *Gate* —6G **83**
**Wrekenton. —5A 98**
Wrekenton Row. *Gate* —5A **98**
Wren Clo. *Wash* —5E **112**
Wren Gro. *Sund* —6J **101**
Wren's Cotts. *Ryton* —2D **76**
Wretham Pl. *Newc T* —7H **61** (3J **5**)
Wright Dri. *Dud* —4J **33**
Wrightson St. *H'fd* —6K **19**
Wright St. *Bly* —1H **21**
Wrights Way. *B'hpe* —6C **136**
Wright Ter. *Hou S* —4A **128**
Wroxham Ct. *Newc T* —1H **59**
Wroxham Ct. *Sund* —6G **117**
Wroxton. *Wash* —5G **113**
Wuppertal Ct. *Jar* —7B **64**
Wychcroft Way. *Newc T* —3J **59**
Wych Elm Cres. *Newc T* —2A **62**
Wycliffe Av. *Newc T* —2B **60**
Wycliffe Rd. *S'hm* —3G **145**
Wycliffe Rd. *Sund* —4B **116**
Wydon Pk. *Hex* —3B **68**
Wye Av. *Jar* —3C **84**
Wye Rd. *Heb* —3J **83**
**Wylam. —7K 55**
Wylam Av. *H'wll* —1K **35**
Wylam Clo. *S Shi* —1A **86**
Wylam Clo. *Wash* —6J **99**
Wylam Gdns. *W'snd* —1K **63**
Wylam Gro. *Sund* —2G **117**
Wylam Railway Museum. —7K **55**
Wylam Rd. *N Shi* —2F **65**
Wylam Rd. *S'ley* —2F **123**
Wylam St. *Bow* —5H **175**
Wylam St. *Jar* —6B **64**
Wylam St. *S'ley* —7J **123**
Wylam Ter. *Coxh* —7J **175**
Wylam Ter. *S'ley* —1F **123**
Wylam Vw. *Bla T* —4B **78**
Wylam Wood Rd. *Wylam* —1K **75**
Wynbury Rd. *Gate* —2J **97**
Wyncote Ct. *Newc T* —3K **61**
Wynde, The. *Pon* —7H **29**
Wynde, The. *S Shi* —1J **85**
Wyndfall Way. *Newc T* —2C **60**
Wyndham Av. *Newc T* —2B **60**
Wyndham Way. *N Shi* —4B **46**
Wynding, The. *Bed* —7G **15**
Wynding, The. *Dud* —3J **33**
Wyndley Clo. *Whi* —2F **95**
Wyndley Pl. *Newc T* —2B **60**
Wyndrow Pl. *Newc T* —2C **60**
(in two parts)
Wyndsail Pl. *Newc T* —2C **60**
Wynds, The. *Esh W* —4D **160**
Wynd, The. *Ken* —1C **60**
Wynd, The. *N Shi* —4G **47**
Wynd, The. *Pelt* —2G **125**
Wynd, The. *Thro* —4H **57**
Wyndtop Pl. *Newc T* —2C **60**
Wyndward Pl. *Newc T* —2C **60**
Wyndways Dri. *Dip* —7J **107**
Wynn Gdns. *Gate* —5D **82**
Wynyard. *Ches S* —6J **125**
Wynyard Dri. *Bed* —5A **16**
Wynyard Gdns. *Gate* —5A **98**
Wynyard Gro. *Dur* —2D **164**
Wynyard Sq. *Sund* —6G **117**
Wynyard St. *Gate* —6B **80**
Wynyard St. *Hou S* —2A **142**
Wynyard St. *S'hm* —5B **146**
Wynyard St. *Sund* —2C **130**
Wythburn Pl. *Gate* —3K **97**
Wyvern Sq. *Sund* —6G **117**

Yardley Clo. *Sund* —4C **130**
Yardley Gro. *Cra* —2J **23**
Yarmouth Clo. *S'hm* —4J **145**
Yarmouth Dri. *Cra* —2J **23**
Yarridge Rd. *Hex* —5A **68**
Yatesbury Av. *Newc T* —3H **59**
Yeadon Ct. *Newc T* —5J **41**
Yeavering Clo. *Newc T* —1D **60**
Yeckhouse La. *Lan* —7F **135**
Yelverton Ct. *Cra* —2J **23**
Yelverton Cres. *Newc T* —3D **82**
Yeoman St. *N Shi* —7H **47**
Yeovil Clo. *Cra* —2J **23**
Yetholm Av. *Ches S* —7K **125**
Yetholm Pl. *Newc T* —1G **59**
Yetholm Rd. *Gate* —5D **80**
Yetlington Dri. *Newc T* —1C **60**
Yewbank Av. *Dur* —1F **165**
Yewburn Way. *Newc T* —6A **44**
Yewcroft Av. *Newc T* —7F **59**
Yewdale Gdns. *Gate* —3J **97**
Yewtree Av. *Sund* —5B **102**
Yewtree Dri. *Bed* —6H **15**
Yewtree Gdns. *Newc T* —4E **62**
Yewtrees. *Gate* —2C **98**
Yewvale Rd. *Newc T* —4K **59**
Yoden Av. *Pet* —4D **170**
Yoden Cres. *Pet* —4D **170**
Yoden Rd. *Pet* —5B **170**
Yoden Way. *Pet* —6B **170**
(in two parts)
York Av. *Con* —3C **132**
York Av. *Jar* —2B **84**
York Av. *Pet* —5D **170**
York Clo. *Cra* —2J **23**
York Cres. *Dur* —3B **152**
York Cres. *Hett H* —6F **143**
Yorkdale Pl. *Newc T* —7E **62**
York Dri. *W'snd* —4F **63**
York Pl. *Con* —3C **132**
York Rd. *Bir* —7A **112**
York Rd. *Con* —4E **118**
York Rd. *Pet* —4A **170**
York Rd. *Whit B* —6H **37**
Yorkshire Dri. *Dur* —1H **165**
York St. *Bly* —1J **21**
York St. *Hett H* —2E **154**
York St. *Jar* —7A **64**
York St. *Newc T* —1D **80** (6A **4**)
York St. *New S* —1C **130**
York St. *Pel* —5E **82**
York St. *S'ley* —4K **121**
York St. *Sund* —1F **117**
York Ter. *Ches S* —7B **126**
York Ter. *Gate* —6B **82**
York Ter. *N Shi* —7G **47**
York Way. *S Shi* —1C **86**
Yorkwood. *Heb* —6G **63**
Youll's Pas. *Sund* —7H **103**
Young Rd. *Newc T* —3D **44**
Young St. *Dur* —2D **164**

Zetland Clo. *Whit B* —2F **47**
Zetland Dri. *Whit B* —2F **47**
Zetland Sq. *Sund* —6G **103**
Zetland St. *Sund* —6G **103**
Zion St. *Sund* —1G **117**
Zion Ter. *Bla T* —5B **78**
Zion Ter. *Sund* —4E **102**

# HOSPITALS, HEALTH CENTRES and HOSPICES
## covered by this atlas
### with their map square reference

N.B. Where Hospitals, Health Centres and Hospices are not named on the map,
the reference given is for the road in which they are situated.

Armstrong Road Health Centre —1H **79**
460 Armstrong Rd.,
Newcastle upon Tyne. NE15 6BY
Tel: (0191) 219 5804

ASHINGTON HOSPITAL —4A **10**
West View, Ashington,
Northumberland. NE63 0SA
Tel: (01670) 521212

Avenue House Health Centre —2A **164**
North Rd., Durham. DH1 4HD
Tel: (0191) 333 3466

Bede Health Centre, The —4K **81**
Old Fold Rd., Gateshead,
Tyne & Wear. NE10 0DJ
Tel: (0191) 477 7135

Bedlington Health Centre —7H **15**
Glebe Rd., Bedlington,
Northumberland. NE22 6JX
Tel: (01670) 822695

BENSHAM HOSPITAL —7F **81**
Fontwell Dri., Gateshead,
Tyne & Wear. NE8 4YL
Tel: (0191) 4820000

Blakelaw Health Centre —3K **59**
Springfield Rd.,
Newcastle upon Tyne. NE5 3DS
Tel: (0191) 271 4535

BLYTH COMMUNITY HOSPITAL —1H **21**
Thoroton St., Blyth,
Northumberland. NE24 1DX
Tel: (01670) 364040

Blyth Health Centre —1J **21**
Thoroton St., Blyth,
Northumberland. NE24 1DX
Tel: (01670) 353226

CHERRY KNOWLE HOSPITAL —5G **131**
Stockton Rd., Ryhope,
Sunderland. SR2 0NB
Tel: (0191) 565 6256

Chester-le-Street Health Centre —5B **126**
Newcastle Rd., Chester-le-Street,
County Durham. DH3 3UR
Tel: (0191) 333 3850

CHESTER-LE-STREET HOSPITAL —7A **126**
Front St., Chester-le-Street,
County Durham. DH3 3AT
Tel: (0191) 333 6262

Corbridge Health Centre —7D **50**
Manor Cotts., Corbridge,
Northumberland. NE45 5JW
Tel: (01434) 632011

COUNTY HOSPITAL (DURHAM) —2K **163**
North Rd., Durham. DH1 4ST
Tel: (0191) 333 6262

Cramlington Health Centre —4J **23**
Forum Way, Cramlington. NE23 6QN
Tel: (01670) 713021

Cruddas Park Neighbourhood Health Centre —2C **80**
Westmorland Rd.,
Newcastle upon Tyne. NE4 7RW
Tel: (0191) 219 5502

DEANS HOSPITAL —6J **65**
Dean Rd., South Shields,
Tyne & Wear. NE33 5LG
Tel: (0191) 451 6455

Denton Park Health Centre —3E **58**
West Denton Way,
Newcastle upon Tyne. NE5 2QW
Tel: (0191) 267 1813

DRYBURN HOSPITAL —7J **151**
Dryburn Rd., Durham. DH1 5TW
Tel: (0191) 333 2333

DRYDEN ROAD DAY HOSPITAL —7H **81**
134 Dryden Rd., Gateshead,
Tyne & Wear. NE9 5BY
Tel: (0191) 402 6600

Dunston Health Centre —6A **80**
Dunston Bank, Gateshead,
Tyne & Wear. NE11 9PY
Tel: (0191) 460 5249

DUNSTON HILL HOSPITAL —7K **79**
Whickham Highway, Gateshead,
Tyne & Wear. NE11 9QT
Tel: (0191) 4820000

EARLS HOUSE HOSPITAL —4G **151**
Lanchester Rd.,
Durham. DH1 5RD
Tel: (0191) 333 6262

Elswick Health Centre —2C **80**
Meldon St.,
Newcastle upon Tyne. NE4 6SH
Tel: (0191) 273 4102

Felling Health Centre —6B **82**
Stephenson Ter., Gateshead,
Tyne & Wear. NE10 9QG
Tel: (0191) 438 1971

Flagg Court Health Centre —2K **65**
Flagg Ct., South Shields,
Tyne & Wear. NE33 2PG
Tel: (0191) 451 6435

FLEMING NUFFIELD UNIT, THE —5G **61**
Burdon Ter., Jesmond,
Newcastle upon Tyne. NE2 3AE
Tel: (0191) 219 6400

FREEMAN HOSPITAL —1J **61**
Freeman Rd., High Heaton,
Newcastle-upon-Tyne. NE7 7DN
Tel: (0191) 284 3111

Gables Health Centre —6B **16**
26 St John's Rd., Bedlington,
Northumberland. NE22 7DU
Tel: (01670) 829889

Galleries Health Centre —3G **113**
The Galleries,
Washington Centre,
Washington, Tyne & Wear. NE38 7NQ
Tel: (0191) 416 6880

Gateshead Health Centre —4G **81**
Prince Consort Rd., Gateshead,
Tyne & Wear. NE8 1NB
Tel: (0191) 443 6820

Gosforth Memorial Health Centre —7E **42**
Church Rd., Gosforth,
Newcastle upon Tyne. NE3 1LB
Tel: (0191) 284 5266

Grassbanks Health Centre —1E **98**
Grassbanks, Gateshead,
Tyne & Wear. NE10 8DX
Tel: (0191) 469 2842

Grindon Hall —4J **115**
Nookside,
Sunderland. SR4 8PG
Tel: (0191) 534 4885

Guide Post Health Centre —2G **15**
North Pde., Choppington,
Northumberland. NE62 5RA
Tel: (01670) 822071

Hebburn Health Centre —1K **83**
Campbell Pk. Rd., Hebburn,
Tyne & Wear. NE31 2SP
Tel: (0191) 451 6200

Hendon Health Centre —2G **117**
Meaburn Ter.,
Sunderland. SR1 2LR
Tel: (0191) 567 8911

Hetton Health Centre —7G **143**
Barnard Park, Hetton le Hole,
Houghton le Spring,
Tyne & Wear. DH5 9NX
Tel: (0191) 526 3657

HEXHAM GENERAL HOSPITAL —2E **68**
Corbridge Rd., Hexham,
Northumberland. NE46 1QJ
Tel: (01434) 606161

HEXHAM WAR MEMORIAL HOSPITAL —2D **68**
Eastgate, Hexham, Northumberland. NE46 1BN
Tel: (01434) 603654

HIGHFIELD DAY HOSPITAL —4A **126**
Newcastle Rd., Chester-le-Street,
County Durham. DH3 3UD
Tel: (0191) 333 6262

Houghton Health Centre —2E **142**
Church St., Houghton le Spring,
Tyne & Wear. DH4 4DN
Tel: (0191) 584 4566

HUNTERS MOOR REHABILITATION CENTRE —5D **60**
Hunter's Rd., Newcastle upon Tyne. NE2 4NR
Tel: (0191) 2195661

Hylton Castle Health Centre —5H **101**
Coleridge Rd., Sunderland. SR5 3PP
Tel: (0191) 549 5016

Jesmond Project Health Centre —3F **61**
2A Osborne Rd.,
Newcastle upon Tyne. NE2 2AA
Tel: (0191) 219 6490

Killingworth Health Centre —1B **44**
Citadel East,
Newcastle upon Tyne. NE12 0UR
Tel: (0191) 268 3511

MAIDEN LAW HOSPITAL —4K **135**
Howden Bank, Lanchester,
Durham. DH7 0QN
Tel: (01207) 583583

Marie Curie Hospice Centre —2B **80**
Marie Curie Dri.,
Newcastle upon Tyne. NE4 6SS
Tel: (0191) 273 7931

Marsden Road Health Centre —6C **66**
Marsden Rd., South Shields,
Tyne & Wear. NE34 6RE
Tel: (0191) 451 6560

Monkton Hall —2K **83**
Monkton La., Jarrow,
Tyne & Wear. NE32 5NN
Tel: (0191) 451 6275

Monkwearmouth Health Centre —7F **103**
Dundas St., Sunderland. SR6 0AB
Tel: (0191) 514 0431

MONKWEARMOUTH HOSPITAL —5E **102**
Newcastle Rd., Sunderland. SR5 1NB
Tel: (0191) 565 6256

MORPETH COTTAGE HOSPITAL —2F **13**
Loansdean, Morpeth,
Northumberland. NE61 2BT
Tel: (01670) 514523

Morpeth Health Centre —7G **7**
Gas House La., Morpeth,
Northumberland. NE61 1SR
Tel: (01670) 513657

Nelson Health Centre —7G **47**
Cecil St., North Shields,
Tyne & Wear. NE29 0DZ
Tel: (0191) 219 6635

Newbiggin Health Centre —3H **11**
Buteland Ter., Newbiggin by the Sea,
Northumberland. NE64 6NS
Tel: (01670) 816996

# Hospitals, Health Centres & Hospices

NEWCASTLE GENERAL HOSPITAL —7B **60**
Westgate Rd., Newcastle upon Tyne. NE4 6BE
Tel: (0191) 273 8811

NEWCASTLE NUFFIELD HOSPITAL, THE —5G **61**
Clayton Rd., Newcastle-upon-Tyne. NE2 1JP
Tel: (0191) 281 6131

NEWCASTLE UPON TYNE DENTAL HOSPITAL
—6E **60** (1C **4**)
Richardson Rd.,
Newcastle upon Tyne. NE2 4AZ
Tel: (0191) 232 5131

NORTHGATE HOSPITAL —3D **6**
Morpeth, Northumberland. NE61 3BP
Tel: (01670) 394000

NORTH TYNESIDE GENERAL HOSPITAL —3E **46**
Rake La., North Shields,
Tyne & Wear. NE29 8NH
Tel: (0191) 259 6660

Pallion Health Centre —2B **116**
Hylton Rd., Sunderland. SR4 7XF
Tel: (0191) 510 2345

PALMER COMMUNITY HOSPITAL —6B **64**
Wear St., Jarrow,
Tyne & Wear. NE32 3UX
Tel: (0191) 451 6000

PETERLEE COMMUNITY HOSPITAL —7B **170**
O'Neil Dri., Peterlee,
County Durham. SR8 5TZ
Tel: (0191) 586 3474

Peterlee Health Centre —6B **170**
Bede Way, Peterlee,
County Durham. SR8 1AD
Tel: (0191) 586 2273

Ponteland Health Centre —4J **29**
Thornhill Rd., Ponteland,
Newcastle upon Tyne. NE20 9PZ
Tel: (01661) 825513

PRIMROSE HILL HOSPITAL —2C **84**
Primrose Ter., Jarrow,
Tyne & Wear. NE32 5HA
Tel: (0191) 451 6375

Prudhoe Health Centre —3G **75**
Adderlane Rd., Prudhoe,
Northumberland. NE42 5JE
Tel: (01661) 832287

PRUDHOE HOSPITAL —5G **75**
Prudhoe, Northumberland. NE42 5NT
Tel: (01670) 394000

QUEEN ELIZABETH HOSPITAL —2K **97**
Queen Elizabeth Av., Gateshead,
Tyne & Wear. NE9 6SX
Tel: (0191) 4820000

ROYAL VICTORIA INFIRMARY —6E **60** (2D **4**)
Queen Victoria Rd.,
Newcastle upon Tyne. NE1 4LP
Tel: (0191) 232 5131

RYHOPE GENERAL HOSPITAL —4H **131**
Stockton Rd., Ryhope,
Sunderland. SR2 0LY
Tel: (0191) 565 6256

Ryhope Health Centre —2H **131**
Black Rd., Ryhope,
Sunderland. SR2 0RX
Tel: (0191) 521 0668

St Anthony's Health Centre —2D **82**
St Anthony's Rd.,
Newcastle upon Tyne. NE6 2NN
Tel: (0191) 2655689

St Benedict's Hospice —5E **102**
Monkwearmouth Hospital,
Newcastle Rd., Sunderland. SR5 1NB
Tel: (0191) 5699192

St Clare's Hospice —2C **84**
Primrose Ter., Jarrow,
Tyne & Wear. NE32 5HA
Tel: (0191) 451 6378

St Cuthbert's Hospice —5J **163**
Park House Rd.,
Durham. DH1 3QF
Tel: (0191) 386 1170

ST GEORGE'S HOSPITAL —4F **7**
Morpeth, Northumberland. NE61 2NU
Tel: (01670) 512121

ST NICHOLAS PARK (HOSPITAL) —1C **60**
Jubilee Rd., Gosforth,
Newcastle upon Tyne. NE3 3XT
Tel: (0191) 213 0151

St Oswald's Hospice —7E **42**
Regent Av., Newcastle upon Tyne. NE3 1EE
Tel: (0191) 285 0063

Seaton Hirst Health Centre —6C **10**
Norham Rd., Ashington,
Northumberland. NE63 0NG
Tel: (01670) 813167

Shieldfield Health Centre —7H **61** (3J **5**)
4 Clarence Wlk.,
Newcastle upon Tyne. NE2 1AL
Tel: (0191) 232 0548

Shiremoor Health Centre —1K **45**
Brenkley Av., Shiremoor,
Newcastle upon Tyne. NE27 0PR
Tel: (0191) 251 8050

SHOTLEY BRIDGE HOSPITAL —3G **119**
Woodlands Rd., Consett,
County Durham. DH8 0NB
Tel: (01207) 583583

Silksworth Health Centre —2C **130**
Silksworth Rd.,
Sunderland. SR3 2AN
Tel: (0191) 521 2873

SIR G.B. HUNTER MEMORIAL HOSPITAL —3G **63**
The Green, Wallsend, Tyne & Wear. NE28 7PB
Tel: (0191) 262 4403

SOUTH MOOR HOSPITAL —5G **123**
Middles Rd., Stanley,
County Durham. DH9 6AD
Tel: (0191) 333 6262

SOUTH TYNESIDE DISTRICT HOSPITAL —1K **85**
Harton La., South Shields,
Tyne & Wear. NE34 0PL
Tel: (0191) 454 8888

Southwick Health Centre —6C **102**
The Green, Southwick,
Sunderland. SR5 2LT
Tel: (0191) 549 0960

Springwell Health Centre —5A **116**
Springwell Rd., Sunderland. SR3 4HG
Tel: (0191) 528 2828

Stanhope Parade Health Centre —5J **65**
Gordon St., South Shields,
Tyne & Wear. NE33 4JP
Tel: (0191) 456 8821

Stanley Health Centre —3F **123**
Clifford Rd., Stanley,
County Durham. DH9 0XE
Tel: (01207) 214887

SUNDERLAND EYE INFIRMARY —5F **117**
Queen Alexandra Rd.,
Sunderland. SR2 9HP
Tel: (0191) 528 3616

SUNDERLAND ROYAL HOSPITAL —2B **116**
Kayll Rd.,
Sunderland. SR4 7TP
Tel: (0191) 565 6256

Throckley Health Centre —4J **57**
Mayfield Av.,
Newcastle upon Tyne. NE15 9BB
Tel: (0191) 267 7551

TYNEMOUTH VICTORIA JUBILEE INFIRMARY —6F **47**
Hawkey's La., North Shields,
Tyne & Wear. NE29 0SF
Tel: (0191) 259 6660

Victoria Road Health Centre —7H **99**
Victoria Rd., Washington,
Tyne & Wear. NE37 2PU
Tel: (0191) 416 2120

Village Surgery, The —4K **23**
Dudley La., Cramlington,
Northumberland. NE23 6US
Tel: (01670) 712821

Walkergate Health Centre —6D **62**
45 Scrogg Rd.,
Newcastle upon Tyne. NE6 4EY
Tel: (0191) 224 0770

WALKERGATE HOSPITAL —5C **62**
Benfield Rd.,
Newcastle upon Tyne. NE6 4QD
Tel: (0191) 219 4300

Walker Health Centre —1E **82**
Church Wlk.,
Newcastle upon Tyne. NE6 3BS
Tel: (0191) 262 7111

Wallsend Health Centre —3G **63**
The Green, Wallsend,
Tyne & Wear. NE28 7PD
Tel: (0191) 262 3311

WANSBECK GENERAL HOSPITAL —3E **10**
Woodhorn La., Ashington,
Northumberland. NE63 9JJ
Tel: (01670) 521212

WASHINGTON HOSPITAL, THE —1C **126**
Picktree La., Washington,
Tyne & Wear. NE38 9JZ
Tel: (0191) 415 1272

Wesley House Mental Health Centre —1K **79**
Adelaide Ter., Bond St.,
Newcastle upon Tyne. NE4 8BA
Tel: (0191) 219 5260

Whickham Health Centre —7H **79**
Rectory La., Whickham,
Newcastle upon Tyne. NE16 4PD
Tel: (0191) 488 6777

Whitley Bay Health Centre —6H **37**
Whitley Rd., Whitley Bay,
Tyne & Wear. NE26 2ND
Tel: (0191) 253 1113

Woodlands Park Health Centre —6D **32**
Canterbury Way, Wide Open,
Newcastle upon Tyne. NE13 6JL
Tel: (0191) 236 2366

Wrekenton Health Centre —4B **98**
Springwell Rd.,
Wrekenton, Gateshead,
Tyne & Wear. NE9 7AD
Tel: (0191) 487 8375